# Cours de chimie organique

## *DU MÊME AUTEUR*

- **Cours de chimie physique**
Dunod éditeur (4$^{e}$ édition, 1997)

- **Exercices résolus de chimie organique**
Dunod éditeur (3$^{e}$ édition 5$^{e}$ tirage, 1995)

- **Exercices résolus de chimie physique**
Dunod éditeur (4$^{e}$ tirage, 1995)

Paul Arnaud

Professeur à l'Université Joseph Fourier
(Grenoble I)

# Cours de chimie organique

Préfaces de Guy Ourisson

16e édition

DUNOD

7e tirage, 1996



ISBN 2 10 002906-1

*A Anne-Françoise*

*Paule-Catherine*
*Anne-Cécile*
*Véronique*
*Sophie*
*Geneviève*

*A la mémoire*
*de mes Parents*

Je remercie tous ceux qui ont bien voulu, au fil des éditions successives de ce livre, me faire part de leurs remarques ou suggestions : enseignants, étudiants grenoblois ou correspondants parfois lointains.

L'intérêt que mon collègue Dominique Plouin a porté à la préparation de cette nouvelle édition m'a été particulièrement utile. Rose-Marie Genivet m'a apporté un concours précieux pour la relecture du texte imprimé.

Au sein de la maison DUNOD, Gisèle Maïus et Yves Delpuech ont apporté à l'édition de ce livre un soin, une compétence et un enthousiasme dont je les remercie très sincèrement.

# TABLE DES MATIÈRES

**Préface** ........ XIII

**Pour commencer, quelques conseils...** ........ XVII

**Pour un premier contact avec la chimie organique** ........ 1

## Première partie - Chimie organique générale

**1. La structure des molécules organiques** ........ 9

1. Les éléments constitutifs des composés organiques ........ 10
2. Les formules développées planes ........ 10
   Chaînes carbonées **11** - Groupements fonctionnels **16**.
3. L'isomérie plane ........ 19
   Isomérie de constitution **19** - Isomérie de position **20** - Tautomérie **20**.
4. Groupes et radicaux ........ 21

**2. La géométrie des molécules organiques** ........ 25

**Les bases de la stéréochimie** ........ 25

Stéréochimie, expérience et théorie **26** - La définition de la géométrie moléculaire **26** - Les moyens de représentation de la géométrie moléculaire **27**.

1. L'orientation des liaisons autour d'un atome ........ 29
2. Les chaînes carbonées ........ 31
   Chaînes saturées acycliques **32** - Chaînes saturées cycliques **34** - Enchaînements non saturés **37**.
3. Les distances interatomiques et les rayons atomiques ........ 39
   Rayon de covalence. Longueur des liaisons **39** - Rayon de Van der Waals. Forme des molécules **40**.

*Les techniques modernes au service de la stéréochimie* ........ 43

**3. La stéréoisomérie** ........ 45

**A. Relation d'énantiomérie** ........ 46

1. La chiralité ........ 46
   Origine et reconnaissance de la chiralité ........ 47
2. Les conséquences de la chiralité ........ 49
   L'énantiométrie **49** - L'activité optique **50**.
3. La configuration absolue ........ 52
   Nomenclature des configurations du carbone asymétrique **53** - Attribution des configurations absolues **55**.

**B. Relation de diastéréoisomérie** .......... 56
1. Composés comportant plus d'un carbone asymétrique .......... 57
2. Composés comportant une double liaison .......... 61
*La chiralité et le vivant* .......... 66

**4. La structure électronique des molécules** .......... 68
1. La liaison covalente .......... 71
Le modèle de Lewis **71** - Le modèle ondulatoire **73**.
2. La polarisation des liaisons .......... 77
3. Les structures à électrons délocalisés .......... 82
La mésomérie **82** - Les systèmes conjugués dans le modèle ondulatoire **91**.

**5. Les réactions et leur mécanisme** .......... 96
1. La notion de mécanisme réactionnel .......... 97
2. Aspects énergétique et cinétique .......... 99
L'énergie de réaction **99** - L'énergie d'activation **100** - Réactions élémentaires et réactions complexes **102** - La catalyse **104**.
3. Aspect électronique .......... 105
Réactions homolytiques ou radicalaires **105** - Réactions hétérolytiques **106** - Réactions électrocycliques **110**.
4. Aspect stéréochimique .......... 111
5. Acidité et basicité .......... 112
L'acidité selon Brönsted et Lowry **113** - L'acidobasicité selon Lewis **115**.
6. Les solvants et leur rôle .......... 115
7. Oxydoréduction en chimie organique .......... 117
*Quelques repères à propos des « mécanismes électroniques »* .......... 121

**6. La détermination des structures** .......... 123
La nature du problème .......... 124
1. Purification de l'échantillon .......... 125
2. Masse molaire, composition centésimale et formule brute .......... 127
3. Constantes physiques .......... 129
4. Caractérisation chimique .......... 130
5. Méthodes spectroscopiques .......... 131
Spectrophotométrie d'absorption **132** - Résonance magnétique nucléaire **138** - Spectrométrie de masse **145**.

**7. La nomenclature** .......... 149
Principe général .......... 150
1. Hydrocarbures .......... 150
Hydrocarbures acycliques saturés **150** - Hydrocarbures acycliques non saturés **152** - Hydrocarbures monocycliques **153** - Hydrocarbures benzéniques **154**.
2. Composés à fonctions simples et multiples .......... 155
Dérivés halogénés **156** - Composés organométalliques **156** - Alcools **157** - Phénols **158** - Éthers-oxydes **158** - Amines **159** - Aldéhydes **160** - Cétones **161** - Acides carboxyliques **162** - Anhydrides **163** - Halogénures d'acides **163** - Esters **163** - Sels **164** - Amides **164** - Nitriles **165**.
3. Composés à fonctions mixtes .......... 165
Nomenclature « grecque » .......... 166

## Seconde partie - Chimie organique descriptive


### 8. Les alcanes

les chaînes saturées acycliques ... 171

1. Caractères physiques ... 171
2. Réactivité ... 172
   Réaction avec les halogènes **173** - Combustion, oxydation **175** - Action de la chaleur (pyrolyse) **176**.
3. État naturel ... 177
4. Préparations ... 178
5. Termes importants. Utilisations ... 180

   *Les carburants* ... 182

### 9. Les alcènes

la double liaison carbone-carbone ... 184

1. Caractères physiques ... 184
2. Réactivité ... 185
   Réactions d'addition : hydrogénation **186** - Additions électrophiles **188** - (hydracides **189**, eau **192**, halogènes **194**, acides HOX **196**) - Réactions d'oxydation **196** - Polymérisation **199**.
3. État naturel ... 201
4. Préparations ... 201
5. Termes importants. Utilisations ... 203

### 10. Les alcynes

la triple liaison carbone-carbone ... 206

1. Caractères physiques ... 206
2. Réactivité ... 207
   Réactions d'addition **208** - Oxydation **211** - Métallation des alcynes vrais **211**.
3. Préparations ... 214
4. Termes importants ... 216

### 11. Les hydrocarbures cycliques (non benzéniques) ... 219

1. Caractères physiques ... 220
2. Réactivité ... 220
3. État naturel ... 224
4. Préparations ... 224

### 12. Les arènes

le cycle benzénique ... 227

1. Caractères physiques ... 228
2. Réactivité ... 229
   Réactions d'addition **230** - Réactions de substitution **231** - Oxydation **239**.
3. État naturel ... 240
4. Préparation ... 240
5. Termes importants. Utilisations ... 241

*Le caractère aromatique* ... 244

**13. Les dérivés halogénés** ........ 247

1. Caractères physiques ........ 247
2. Réactivité ........ 248
   Réactions de substitution **249** - Réactions d'élimination **255** - La compétition substitution-élimination **258**.
3. Préparations ........ 260
4. Dérivés fluorés ........ 261
5. Termes importants. Utilisations ........ 262

*Pesticides et environnement* ........ 265

**14. Les composés organométalliques**

**organomagnésiens** ........ 267

**Organomagnésiens mixtes** ........ 268

1. Préparation ........ 268
2. Réactivité ........ 269
   Réactions avec les composés à hydrogène labile **270** - Réactions de substitution **272** - Réactions d'addition **272**.

**Organocadmiens** ........ 276

*Une synthèse organomagnésienne au laboratoire* ........ 279

**15. Les alcools**

**les éthers-oxydes - les thiols** ........ 283

1. Caractères physiques ........ 284
2. Réactivité ........ 285
   Réactions avec les bases **286** - Réaction avec les acides minéraux **288** - Estérification **291** - Oxydation, deshydrogénation **294**.
3. État naturel ........ 295
4. Préparations ........ 295
5. Termes importants. Utilisations ........ 298

*Éthers-couronnes et molécules creuses* ........ 305

**16. Les phénols** ........ 307

1. Caractères physiques ........ 307
2. Réactivité ........ 308
   Formation des phénolates **309** - Estérification **310** - Deshydratation **311** - Réactions du cycle benzénique **311**.
3. État naturel ........ 313
4. Préparations ........ 313
5. Termes importants. Utilisations ........ 314

**17. Les amines** ........ 317

1. Caractères physiques ........ 317
2. Réactivité ........ 318
   Propriétés acidobasiques **319** - Acylation **324** - Réaction avec les aldéhydes et les cétones **324** - Diazotation **325**.

3. État naturel ... 327
4. Préparations ... 328
5. Termes importants. Utilisations ... 330
*Les colorants* ... 333

**18. Les aldéhydes et les cétones** ... 335
1. Caractères physiques ... 335
2. Réactivité ... 336
Additions sur le groupe carbonyle **337** - Réactions associées à la labilité de l'hydrogène en α du carbonyle **345** - Oxydation **350** - Polymérisation **352**.
3. État naturel ... 352
4. Préparations ... 353
5. Termes importants. Utilisations ... 354

**19. Les acides carboxyliques et leurs dérivés** ... 357
1. Caractères physiques ... 357
2. Réactivité ... 358
Propriétés acidobasiques **358** - Réduction **360** - Décarboxylation **360**.
3. État naturel ... 361
4. Préparations ... 361
5. Termes importants. Utilisations ... 362
**Les dérivés des acides** ... 363
Chlorures d'acides **363** - Anhydrides d'acides **365** - Esters **366** - Amides **367** - Nitriles **368** - Dérivés de l'acide carbonique **369**.
*Les agents tensioactifs et la détergence* ... 374

**20. Les composés à fonctions multiples et mixtes** ... 376
**Composés à fonctions multiples** ... 377
Diènes et polyènes ... 377
Diènes conjugués **377** - Polyènes **380**.
Diols et polyols ... 380
Diols **381** - Triols **383** - Polyols **384**..
Composés dicarbonylés ... 384
Composés α- dicarbonylés **385** - Composés β-dicarbonylés **385** - Quinones **386**.
Diacides ... 387
**Composés à fonctions mixtes** ... 390
Composés carbonylés éthyléniques **390** - Dérivés halogénés éthyléniques **391** - Aldéhydes-alcools et cétones-alcools **392** - Acides-alcools **392** - Acides et esters cétoniques **394** - Acides aminés **397**.

**21. Les composés hétérocycliques** ... 399
1. Hétérocycles a cinq atomes ... 399
Furane, Pyrrole, thiophène **400**.
2. Hétérocycles à six atomes ... 404
Pyridine **404**.
3. Alcaloïdes. Porphyrines. Composés biologiquement actifs ... 406

**22. Les glucides** .......... 409
Définition, classification **409** - La représentation de Fischer **411**.

1. Les oses .......... 413
Aldohexoses; le glucose **413** - Désoxyaldoses **420** - Cétoses; le fructose **421**.

2. Les osides .......... 422
Oligoholosides .......... 422

3. Les polyholosides .......... 425

4. Les hétérosides .......... 427

*Le papier et le carton* .......... 431

**23. Les acides aminés. Les protéines** .......... 433

1. Les acides α-aminés .......... 433

2. Protéines et peptides .......... 439

**24. Les lipides. Les terpènes. Les stéroïdes** .......... 445

1. Les lipides .......... 445

2. Les terpènes .......... 448

3. Les stéroïdes .......... 452

**25. La chimie organique industrielle** .......... 457

**L'industrie chimique organique** .......... 457

1. Les grandes sources de matières premières .......... 458
La houille et la carbochimie **459** - Le pétrole et le gaz naturel; la pétrochimie **460**.

2. Les principales filières de transformation .......... 463
Éthylène et autres alcènes **464** - Hydrocarbures benzéniques **466**.

3. Les hauts polymères .......... 468
Polymérisation **468** - Polycondensation **471**.

4. Les savons et détergents .......... 475

**26. Les grandes classes de réactions** .......... 477

1. Les intermédiaires de réactions .......... 478

2. Les méthodes d'étude des mécanismes réactionnels .......... 481

3. Les grandes classes de réactions .......... 482
Substitutions **482** - Additions **486** - Eliminations **487** - Réarrangements **488** - Réactions radicalaires **489**.

Exercices de récapitulation .......... 490

Réponses aux questions .......... 492

Résolution des exercices .......... 501

Annexes .......... 515

1. Symboles et abréviations .......... 515

2. Électronégativités .......... 515

3. Classification périodique des éléments .......... 516

Lexique .......... 517

Index alphabétique .......... 523

# préface de la 1ère édition
(1964)

La Chimie Organique est peut-être, pour nos étudiants, la plus déconcertante des matières d'étude. Simple par certains aspects – elle peut ne paraître exiger qu'un effort de mémoire. De fait, elle *exige* une certaine érudition. Mais par son langage, par les relations qu'elle découvre entre corps apparemment différents, elle exige aussi une puissance d'abstraction considérable.

Deux obstacles peuvent se présenter pour qui veut l'enseigner, surtout au niveau des Propédeutiques :

– Être trop classique – c'est-à-dire se limiter à l'exposé des faits.
– Être trop révolutionnaire – et ne plus présenter que les généralisations et les théories.

Le cours que M. Arnaud m'a demandé de présenter évite, je crois, ces deux obstacles. Il présente les faits, mais les relie les uns aux autres, les coordonne. Il présente les théories, mais brièvement, et dans la mesure où elles aident à la compréhension des faits. Enfin, il a introduit des exercices nombreux, qui devront être résolus au fur et à mesure de l'avancement du travail.

Personnellement, je voudrais conseiller à ceux qui auront à utiliser ce livre de le faire en deux temps : au début de l'année, pendant qu'ils croient encore que l'examen est loin, qu'ils se réservent deux jours pour lire entièrement ce cours, le crayon à la main, en recopiant les équations, en n'essayant de retenir que quelques faits dans chaque chapitre : la formule des diverses fonctions – une préparation – une réaction. Ensuite, qu'ils prennent l'habitude de lire chaque chapitre avant – ou immédiatement après – le cours magistral correspondant, et de faire tous les exercices, en les faisant corriger par un camarade – à charge de revanche. La révision pour l'examen – ou pour les examens partiels – paraîtra facile.

Il me reste à insister sur la constance dans l'effort et sur le dévouement que représente, de la part de l'auteur la préparation d'un tel livre. Au milieu des obligations passionnantes, mais parfois désespérantes, qui assaillent les Professeurs des Facultés, sans l'année « sabbatique » qui donne, tous les sept ans, un peu de temps à nos collègues américains, c'est un exploit louable. Surtout quand cet exploit est une réussite, comme c'est le cas.

Je souhaite de tout cœur que nombreux soient les étudiants convertis par « l'Arnaud » à la Chimie Organique – et que très nombreux soient ceux qu'il convaincra au moins que la Chimie Organique n'est *pas*, ou pas *que* de la cuisine...

G. OURISSON,
*Professeur à la Faculté des Sciences de Strasbourg*

# préface de la 15$^{e}$ édition

La brève préface que j'avais rédigée (il y a 26 ans déjà!) pour présenter la première édition du « Arnaud » est sans doute, de mes écrits, celui qui a eu le plus grand nombre de lecteurs puisqu'elle a été reproduite dans les éditions successives de ce best-seller. Ce sont des milliers d'étudiants qui, pas encore blasés, l'ont lue et ont cherché, avec plus ou moins de succès, à mettre en application les quelques conseils que je leur donnais; nombreux sont ceux qui me l'ont dit.

Ces conseils restent valables, et les commentaires élogieux que je faisais alors aussi. Je demande donc qu'ils soient reproduits ci-dessus.

Mais, en 1990, si le « Arnaud » s'est encore amélioré, d'autres choses ont aussi bien changé, pas nécessairement en mieux, et un bref commentaire s'impose.

Puisque vous avez ouvert ce livre, c'est que vous avez décidé d'entreprendre des études de chimie, soit pour en faire votre carrière, soit parce que c'est nécessaire pour la carrière que vous espérez faire. Et c'est vrai : « sans la Chimie, rien ne va ! », et sans la Chimie Organique encore moins. Il est fascinant d'imaginer ce que serait notre vie quotidienne sans les colorants, les additifs alimentaires, les combustibles et leurs améliorants, les lubrifiants, les antibiotiques, les anesthésiques et les contraceptifs, les fibres et autres polymères : ce serait la vie dangereuse de nos arrière-grands-parents (pardon, je me rajeunis : de vos arrière-arrière-grands-parents), peut-être pas plus malheureuse que la nôtre certes, mais plus brève, moins riche, et de toute façon, passée, et reniée par ceux que leur niveau de développement contraint à ne pas avoir accès à nos richesses. L'impact de la Chimie moderne sur notre mode de vie est énorme, et nous avons tendance à ne plus le voir tant c'est évident.

Mais il y a davantage. Pour les privilégiés qui auront acquis les bases de la chimie organique, telles que les présente ce livre, c'est toute une vision du monde qui sera changée. Pour qui « voit » les molécules, leurs mouvements, leurs modifications, leurs interactions, pour qui « sent » que le monde répond à quelques règles simples (même si elles ne sont pas toutes connues), pour qui pense en terme de matière discontinue, d'influences quantiques entre matière et énergie, en termes de structure, c'est un nouveau monde qui se présente. Les discussions sur les origines de la vie ou la nature de la pensée deviennent plus compréhensibles (même si les réponses sont encore bien floues). La pensée chimique remplace la pensée sauvage et ouvre le chemin à une part importante de la culture moderne. En 1990 il est bon de le répéter, tant est lancinante la pression médiatique anti-chimique qui croit avoir trouvé dans notre science la raison des malheurs de l'humanité. Contre l'écologisme totalitaire, une chimie raisonnable et responsable, et pour cela une chimie raisonnée — celle que vous commencerez à comprendre grâce à « l'Arnaud ».

Bon travail !

Guy OURISSON
*Membre de l'Académie des Sciences*

# pour commencer, quelques conseils...

Souvent on juge inutile de lire les avertissements ou autres textes préliminaires qui se trouvent au début des livres. Je souhaite cependant que vous ayez le courage et la patience de lire celui-ci, car il contient, me semble-t-il, des conseils pour étudier qui pourront vous être utiles. Mais, je voudrais d'abord préciser le contenu et les objectifs de ce livre.

## Qu'y-a-t-il dans ce livre?

Ce « Cours » n'est pas lié de façon stricte à un programme officiel déterminé. Il propose à tous ceux qui désirent, ou doivent, acquérir une formation de base en chimie organique une initiation relativement large et générale, telle qu'elle est prévue, par exemple, dans les premiers cycles universitaires (sciences, médecine, pharmacie), dans certains départements des I.U.T. ou dans certaines classes préparatoires aux grandes écoles.

• La *première partie* (chapitres 1 à 7) contient les « généralités » nécessaires, dans la suite, à une bonne compréhension de la réactivité, c'est-à-dire de la façon dont les composés organiques réagissent dans des conditions données, ou des raisons pour lesquelles ils ne réagissent pas. Cela suppose, au départ, une connaissance suffisante de la *structure des molécules*, qui fait l'objet des chapitres 1 à 4. Les *réactions* organiques, bien que très diverses, présentent des traits communs, et la notion de mécanisme, introduite au chapitre 5, est à la base d'une organisation rationnelle des données expérimentales. Cette première partie s'achève par quelques indications répondant à la question « Comment peut-on connaître la structure des molécules que l'on ne voit pas? » (chapitre 6), et par un résumé des règles permettant de donner un nom à une molécule (chapitre 7).

• La *seconde partie* décrit le *comportement chimique* des composés organiques. Les chapitres 8 à 20 contiennent ce que l'on pourrait appeler la chimie organique de base; ils illustrent l'existence de relations précises et constantes entre la structure et la réactivité, à partir de la notion fondamentale de *groupe fonctionnel*. Les chapitres 21 à 24 traitent de composés plus complexes, souvent présents dans les organismes vivants, végétaux ou animaux.

Le chapitre 25 donne un aperçu d'un domaine très vaste et important, celui des *applications pratiques* des composés organiques et des *procédés industriels* par lesquels ils sont produits.

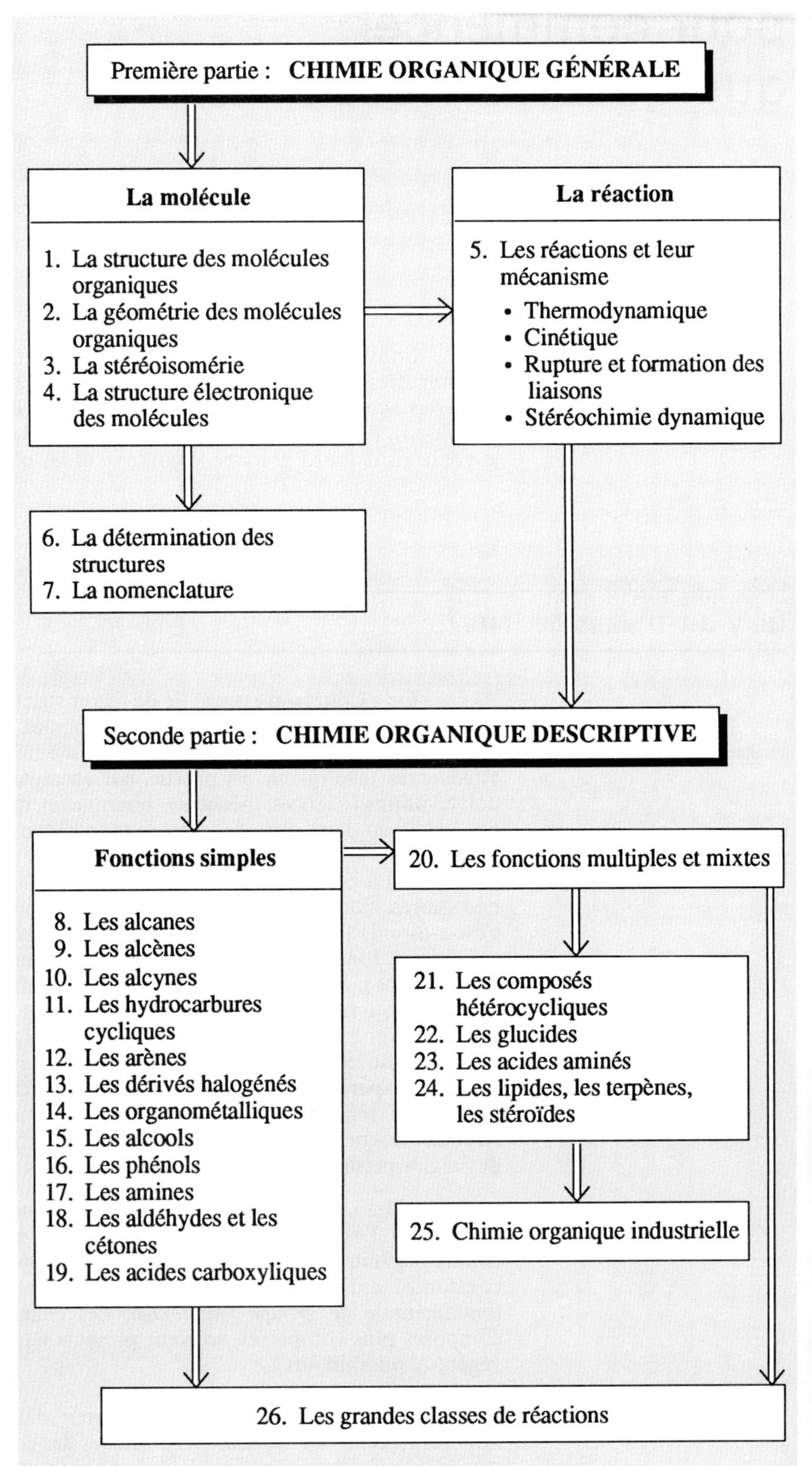


*Organisation du contenu de ce cours.*

Les chapitres 6, 7 et 21 à 25 ne constituent pas des passages obligés pour la compréhension des autres (mais la nomenclature sera toutefois utilisée dans les exercices de la seconde partie). Le programme minimal, correspondant à la chimie organique « de base », est constitué par les chapitres 1 à 5 et 8 à 19.

Enfin, le chapitre 26 propose, dans un retour sur l'ensemble de cette seconde partie, une autre façon de classer rationnellement les réactions des composés organiques, sur la base de leur « mécanisme », et non plus sur celle du groupe fonctionnel des corps qui y participent.

Ce « Cours » n'exige aucune connaissance préalable de la chimie organique. Par contre, il vous sera utile, voire nécessaire, de posséder déjà certaines notions de chimie physique (structure de l'atome et liaison chimique surtout, mais aussi quelques bases de cinétique et de thermodynamique). Le strict nécessaire sur ces sujets est contenu dans la première partie, principalement dans les chapitres 4 et 5, mais de manière nécessairement très succincte. Vous serez donc peut-être amené(e) à compléter ou à « rafraîchir » vos connaissances dans ces domaines en recourant à un ouvrage de chimie physique.

## Comment travailler efficacement?

Peut-être pensez-vous, car on le dit parfois, qu'en chimie il faut « tout apprendre par cœur ». Ne le faites pas! Cela ne vous mènerait à rien de bon.

Empiler des matériaux n'est pas construire une maison et, de même, accumuler des savoirs, des informations, n'est pas (se) construire des connaissances *durables* et *utilisables*. Apprendre, c'est organiser et structurer les informations reçues. Cela signifie qu'il faut, en permanence, rechercher les *relations* qui peuvent exister entre ces informations, et les liens qu'elles peuvent avoir avec ce que l'on sait déjà. La mémoire ne retient durablement, et ne restitue facilement au moment où on en a besoin, que ce qui a ainsi pris du sens; une information qui reste isolée va à la dérive et se perd.

Mais cette *construction* des connaissances ne peut résulter que d'une activité personnelle, irremplaçable, de celui qui apprend, dans laquelle il utilise ses propres modes de pensée. Elle n'existe donc pas « toute faite » dans un livre (ou un cours oral), même bien structuré, à partir duquel ce travail individuel reste à faire.

**Pratiquement :**

• Efforcez-vous (c'est un préalable important) de développer en vous le *projet* réel d'apprendre la chimie organique, même si, en fait, c'est une nécessité qui vous est plus ou moins imposée...

• Lorsque vous étudiez un point, cherchez toujours à le situer dans un *contexte* et dans une *progression*; savoir où l'on va contribue à donner du sens à ce que l'on fait. Pour commencer, prenez effectivement un contact avec l'organisation de ce livre, telle qu'elle est décrite ci-dessus : repérez les parties, les chapitres et les annexes qu'il comporte. Un regard sur la table des matières pourra aussi être utile.

• Pratiquez une *lecture active* (c'est-à-dire l'analogue de « l'écoute active » d'un cours). Faites réellement exister en vous, représentez-vous en pensée les informations que vous recevez. Confrontez-les avec ce que vous savez déjà (analogies, oppositions, liens de conséquence logique, simple association d'idées...). Pour vous y aider, le texte contient de fréquents renvois à d'autres paragraphes; ne manquez pas de vous y reporter, même si cela ralentit votre lecture.

• Les *questions insérées* dans le texte vous donnent des occasions d'utiliser votre acquis pour expliquer par vous-même un fait, établir une relation avec une situation analogue, ou encore anticiper sur la suite. Elles peuvent donc vous entraîner à vous poser des questions et vous aider à réaliser cette structuration indispensable de vos connaissances. Elles constituent une incitation à une attitude active.

Lisez-les, et efforcez-vous d'y répondre, au moment où vous les rencontrez (n'attendez pas la fin du chapitre, ce ne sont pas des « exercices »). « Jouez le jeu », et ne vous reportez pas immédiatement aux réponses; faites réellement le travail de réflexion ou de recherche d'information qui est nécessaire (au besoin, faites des recherches dans d'autres parties du livre, dans un autre livre, dans un cours...). Si vous ne parvenez pas à y répondre, ne passez pas outre, et regardez la réponse donnée; vous pourrez en avoir besoin ultérieurement. Et si vous avez trouvé une réponse, vérifiez-là; en cas d'erreur, efforcez-vous de bien comprendre pourquoi vous vous êtes trompé(e); l'erreur (comprise et rectifiée) peut être très « formatrice ».

• Ne laissez pas passer une lacune constatée dans les connaissances que vous auriez dû acquérir antérieurement. Une information nouvelle ne peut pas s'intégrer à vos connaissances s'il y manque la pièce du « puzzle » par laquelle elle devrait s'y relier. Si un mot, une définition, un concept auquel il est fait allusion n'a pas pour vous un sens certain et parfaitement clair, arrêtez-vous et cherchez les informations qui vous manquent (l'index alphabétique pourra vous y aider).

En bref, n'absorbez pas ce cours passivement. Efforcez-vous de demeurer concentré(e) et actif(ve), ayez une pensée critique toujours en alerte, triez, classez, ordonnez... Ce travail se traduira utilement sous la forme de *notes* personnelles, de *résumés* ou de *fiches*, efficaces dans la mesure où ce seront *les vôtres*, à l'image de votre forme de pensée (c'est pour vous laisser le bénéfice de ce travail irremplaçable que ce livre ne contient pas de résumés).

Si vous travaillez avec ardeur, et surtout *avec méthode*, vous parviendrez certainement à de bons résultats. Si cependant vous rencontriez des difficultés que vous ne puissiez surmonter seul(e), et si vous ne trouviez pas autour de vous une « personne-ressource » qui pourrait vous aider, n'hésitez pas à m'en faire part, en m'écrivant à l'adresse ci-dessous. Je serai heureux de recevoir un écho au message que j'ai confié aux pages de ce livre, et je m'efforcerai de vous aider personnellement.

Bon courage!

P.A.

Paul ARNAUD
13, chemin des Résistants
F-38700 CORENC

## QUELQUES INDICATIONS PRATIQUES

• Pour **trouver rapidement une information ou une explication** sur un point précis, deux outils sont à votre disposition à la fin de ce volume (voir la Table des matières) :

– un *Lexique*, petit dictionnaire qui vous donnera, ou vous rappellera, la signification des principaux termes utilisés en chimie organique. Il peut aussi, même si vous n'y cherchez rien de particulier, vous être utile pour une révision, ou un contrôle de vos connaissances (connaissez-vous exactement le sens de tous ces termes ?).

– un *Index alphabétique,* beaucoup plus complet et détaillé, qui vous renverra dans le texte du livre à propos de tous les sujets qui y sont étudiés.

Avant d'utiliser l'un ou l'autre de ces outils, lisez le « mode d'emploi » qui les précède.

• **Renvois dans le texte.** Ils doivent être compris de la manière suivante :

| | |
|---|---|
| [8] | Voir chapitre 8 (en entier) |
| [15.3] | Voir chapitre 15, paragraphe 3 |
| [5.17-19] | Voir chapitre 5, paragraphes 17 à 19 |
| [3.13, 24] | Voir chapitre 3, paragraphes 13 et 24. |

• **Préalables.** Ce sont les principales connaissances qu'il est nécessaire de posséder déjà pour aborder un chapitre. Dans la première partie, ils sont indiqués au début de chaque chapitre; pour la seconde partie, ils sont indiqués une seule fois, dans l'introduction.

• **Objectifs.** Les objectifs que vous devrez réellement atteindre sont ceux qui correspondent à l'examen que vous aurez à passer, ou à l'utilisation que vous ferez de vos connaissances; vous devez les connaître. Ceux qui sont indiqués à la fin des premiers chapitres, et dans l'introduction à la seconde partie, sont assez généraux et définissent les capacités minimales normalement associées à une étude de la chimie organique au niveau proposé par ce Cours.

• **Exercices.** Ils sont cumulatifs, et ne portent pas toujours uniquement sur le contenu du chapitre où ils se trouvent mais aussi parfois sur celui des chapitre précédents.

• **Réponses aux questions et aux exercices.** Elles se trouvent regroupées à la fin du livre (voir table des matières).

• **Parties imprimées en petits caractères.** Elles ne sont pas indispensables à la compréhension de la suite et, si votre programme personnel d'étude le permet, vous pouvez donc ne pas les travailler. Mais je vous conseille cependant d'au moins les lire, même sans chercher à mémoriser, car vous y trouverez peut-être des informations qui contribueront à renforcer votre intérêt pour la chimie organique, et à vous en montrer la cohérence.

• **Compléments de chimie physique.** Le « Cours de chimie physique » auquel renvoient certaines notes en bas de page est l'ouvrage suivant :

Paul Arnaud, «*Cours de Chimie physique*», Dunod éditeur, 4^e^ édition, 1997.

Mais ce n'est qu'une indication et vous pourrez certainement trouver aussi une aide dans tout autre manuel équivalent que vous posséderiez déjà.

# pour un premier contact avec la chimie organique

## La chimie organique au sein de la chimie

0.1 La chimie a pour objet de décrire, expliquer et prévoir les **transformations de la matière**, qui peuvent s'observer lorsque des substances différentes sont en présence, et qu'il se produit entre elles une **réaction.** Elle est traditionnellement divisée en trois grandes parties : **chimie physique** (ou **générale**), **chimie organique** et **chimie minérale** (ou **inorganique**).

La *chimie physique* étudie, dans leurs aspects généraux, la structure et les états de la matière, ainsi que les manifestations et les lois des réactions chimiques, du point de vue thermodynamique et du point de vue cinétique.

La *chimie organique* et la *chimie minérale* constituent les deux volets de la chimie *descriptive* qui, comme son nom l'indique, décrit dans toutes leurs particularités les propriétés des corps connus. La première traite des composés du carbone et la seconde traite des composés que forment entre eux tous les autres éléments, ainsi que des corps simples. Quelques composés simples du carbone (les deux oxydes $CO$ et $CO_2$, les carbonates, les cyanures, les carbures) sont toutefois considérés comme minéraux.

***La chimie organique est la chimie des composés du carbone***

0.2 Contrairement à ce que l'on pourrait penser à priori, le domaine de la chimie organique est beaucoup plus vaste que celui de la chimie minérale. En effet, le carbone peut se lier à lui-même de façon presque indéfinie, pour former des enchaînements extrêmement variés (voir chap. 1). Il suffit alors de quelques autres éléments (le plus souvent H, O et N seulement) pour former avec lui des millions de molécules différentes, dont la masse moléculaire peut atteindre 100 000 ou même 1 000 000; on parle alors de « macromolécules ».

Tous les autres éléments (soit une centaine environ), malgré leur diversité, ne forment qu'un nombre beaucoup plus restreint de composés, dont les masses moléculaires sont limitées à des valeurs assez faibles (moins de 300 pour la plupart).

### *Les raisons de la discrimination « organique-minéral »*

0.3 Cette division de la chimie en « organique » et « minérale » (souvent désignée comme « inorganique ») peut paraître bien arbitraire dans la mesure où les composés du carbone, ainsi mis à part, obéissent en fait de façon tout à fait normale aux lois générales de la chimie, tout comme les composés qui ne contiennent pas cet élément. Pourquoi alors cette discrimination ?

Son origine est d'abord historique. Si on se réfère à l'étymologie des deux termes, la chimie *organique* aurait pour objet l'étude des substances qui constituent les *organismes vivants* (végétaux et animaux) et la chimie *minérale* celle des substances que l'on trouve dans le *règne minéral* (sol et sous-sol, atmosphère).

Cette distinction, et même cette opposition, entre le vivant et l'inanimé, qui régna pendant des siècles sur la chimie, était à l'origine surtout imprégnée d'idées philosophiques plutôt que scientifiques. L'élaboration par les organismes vivants de leur propre substance, par des processus que l'on ne savait pas reconstituer artificiellement (et qui ne peuvent d'ailleurs encore pas l'être intégralement) semblait exiger l'intervention d'une mystérieuse « force vitale », dont les chimistes ne disposaient pas.

Cette idée prévalut jusqu'au début du XIXe siècle, époque où furent réalisées les premières synthèses artificielles de composés connus jusqu'alors exclusivement comme produits naturels (préparation de l'urée par Wöhler, en 1828, à partir de cyanate d'ammonium, composé typiquement minéral). On s'aperçut alors que les composés organiques, même d'origine naturelle, ne recélaient aucun mystère particulier, obéissaient à toutes les lois classiques de la chimie et qu'il n'y avait aucune différence fondamentale entre eux et les composés minéraux.

La synthèse des composés organiques fit ensuite des progrès très rapides. Non seulement on reconstitua en laboratoire un grand nombre de composés d'abord identifiés à l'état naturel, mais on fabriqua de toutes pièces des composés « organiques » (c'est-à-dire des composés du carbone) qui n'ont jamais existé dans la nature. On estime que le nombre de composés organiques connus et « répertoriés » était de 12 000 en 1880, 150 000 en 1910, 500 000 en 1940, et qu'il dépasse 7 millions de nos jours. Dès lors, pourquoi continue-t-on à appeler « organiques » des composés purement synthétiques, et pourquoi la chimie ne s'est-elle pas unifiée?

En fait, des raisons objectives, fondées sur des réalités observables, justifient la persistance de nos jours de la distinction entre minéral et organique. A divers égards, en effet, les composés organiques et leurs réactions peuvent être « opposés » à leurs homologues minéraux. Les principaux points sur lesquels ils s'opposent sont résumés dans le tableau 0.1.

## La chimie organique au quotidien

**0.4** La chimie organique est une réalité concrète et quotidienne, pour ceux qui la pratiquent ou la font, dans un laboratoire ou dans une usine (*chimistes « organiciens »*, qu'ils soient chercheurs, ingénieurs, techniciens...) mais aussi pour *chacun de nous*, sans que nous ayons toujours conscience de son importance.

| LES COMPOSÉS ORGANIQUES | LES COMPOSÉS MINÉRAUX |
|---|---|
| ■ Sont formés de liaisons covalentes, ou à caractère covalent dominant. | ■ Sont souvent formés de liaisons ioniques, ou à caractère ionique dominant. |
| ■ Sont rarement solubles dans l'eau, et encore plus rarement des électrolytes. | ■ Sont souvent des électrolytes, solubles dans l'eau. |
| ■ Ont souvent des points de fusion et d'ébullition relativement bas, beaucoup sont des liquides à la température ordinaire. | ■ Ont souvent des points de fusion et d'ébullition élevés; beaucoup sont des solides cristallisés à la température ordinaire. |
| ■ Ont le plus souvent une masse volumique voisine de l'unité. | ■ Ont des masses volumiques variables et souvent grandes (métaux). |
| ■ Sont facilement décomposés par la chaleur; peu résistent à une température supérieure à 500 °C. | ■ Ont généralement une grande stabilité thermique (matériaux réfractaires). |
| ■ Sont presque tous combustibles. | ■ Sont rarement combustibles. |

| LES RÉACTIONS ORGANIQUES | LES RÉACTIONS MINÉRALES |
|---|---|
| ■ Sont souvent lentes, réversibles et incomplètes. | ■ Sont souvent rapides et totales. |
| ■ Ont le plus souvent des effets thermiques faibles (faible différence d'énergie entre état initial et état final). | ■ Ont souvent des effets thermiques forts (exothermiques ou endothermiques). |

*Tableau 0.1*

Les composés organiques (composés du carbone) et les composés minéraux (composés des autres éléments), ainsi que les réactions auxquelles les uns et les autres donnent lieu, présentent des particularismes très marqués. Ceux-ci sont tous, plus ou moins directement, liés à la nature des liaisons mises en cause dans les deux cas. La position médiane du carbone dans la classification périodique des éléments, et dans l'échelle des électronégativités, a pour conséquence que la chimie organique est essentiellement une chimie de composés covalents (liaisons non, ou peu, polarisées).

## *La recherche*

**0.5** Dans le domaine de la **recherche fondamentale**, qui a pour objectif de faire progresser les connaissances, les principaux axes de développement de la chimie organique sont :

– l'approfondissement et l'affinement de nos connaissances sur les relations qui existent entre *la structure moléculaire et la réactivité*, et sur le *« mécanisme » des réactions*, à l'échelle moléculaire. Sur ces points, les progrès consistent à pouvoir *expliquer* et rationaliser de mieux en mieux les données de l'expérience, à connaître comment et pourquoi les réactions se produisent (ou ne se produisent pas), et par là à devenir capable également de *prévoir* les réactions possibles et leur résultat;

– le développement des méthodes de *synthèse* : extension du champ d'application de réactions connues, découverte de nouvelles réactions, construction de molécules jusqu'alors inconnues, et de plus en plus compliquées, soit en raison de propriétés intéressantes qu'on leur suppose, soit même par pur plaisir intellectuel et esthétique;

– l'isolement de *composés naturels*, végétaux en particulier, et l'établissement de leur structure, en vue d'en compléter l'inventaire, mais aussi d'élucider les mécanismes par lesquels s'effectue leur « biosynthèse » dans les organismes vivants et ainsi mieux connaître les fondements chimiques de la vie.

Les avancées très importantes réalisées dans ces diverses directions au cours des dernières décennies ont été rendues possibles par le perfectionnement des moyens analytiques permettant l'isolement, la purification et l'identification des composés organiques, sur des quantités de plus en plus réduites (de l'ordre du milligramme) (cf. chap. 6). Ces opérations s'effectuent à l'aide d'un appareillage très perfectionné (et très coûteux), faisant de plus en plus appel à l'informatique.

En définitive, le chimiste organicien de laboratoire partage l'essentiel de son temps entre trois activités : la synthèse, l'isolement et l'identification des produits qu'il a préparés et la documentation bibliographique (tenue à jour de ses connaissances, lecture des revues spécialisées dans lesquelles sont publiés continuellement les résultats des recherches poursuivies dans le monde entier).

Dans le domaine de la **recherche appliquée,** on s'efforce essentiellement soit de trouver des *produits* ou des *matériaux nouveaux*, susceptibles d'applications particulières, soit d'améliorer les *procédés de fabrication* et d'en abaisser le coût (passage de l'échelle du laboratoire à celle de la production industrielle, amélioration des rendements, recherche d'une synthèse artificielle permettant de produire à moindre prix un produit naturel, etc.).

## *Les applications*

**0.6** Filles d'une recherche qui poursuit continuellement ses efforts, les applications pratiques de la chimie organique sont déjà innombrables et l'industrie correspondante, qui va de la production des grandes matières premières par millions de tonnes/an à la chimie « fine » des médicaments ou des parfums, tient une place économique considérable (cf. chap. 25). Il est sans doute superflu d'insister sur l'importance, dans notre monde moderne et notre vie quotidienne, des produits énumérés ci-dessous, dans une liste qui ne saurait être exhaustive :

- Carburants et autres combustibles liquides (fiouls, mazouts), sources d'énergie calorifique comme d'énergie mécanique.
- Matières plastiques et élastomères (caoutchoucs synthétiques).
- Peintures et vernis.
- Textiles synthétiques (rayonne, nylon, orlon, tergal, rilsan, etc.).
- Colorants.
- Savons et détergents.
- Insecticides et produits phytosanitaires (fongicides, pesticides), destinés à protéger les cultures des parasites, rongeurs, insectes et maladies.
- Médicaments de synthèse (antibiotiques, antihistaminiques, antitumoraux, contraceptifs, etc.).
- Édulcorants (remplaçant le sucre).
- Cosmétiques et parfums.
- Explosifs.

La chimie organique est donc constamment présente dans notre vie quotidienne (santé, vêtements, habitation, énergie et transports, alimentation, etc.), sans oublier qu'en outre elle est fondamentalement impliquée dans la vie elle-même, puisqu'elle règle tout le fonctionnement cellulaire des organismes vivants : activité musculaire et nerveuse, digestion, respiration, reproduction, odorat, goût, et même activité cérébrale.

On ne saurait, pour autant, passer sous silence que, si nous devons à la chimie organique bien des progrès et des améliorations de nos conditions de vie, il existe aussi des conséquences moins heureuses de l'état de développement où elle a été portée. Il s'agit évidemment des multiples problèmes de pollution par des composés organiques (insecticides présents dans la graisse des pingouins du pôle nord, action du fréon sur la couche d'ozone, pollution des lacs et rivières par les détergents ou les rejets industriels, etc.). Mais est-ce la faute de la chimie organique ou celle des hommes, et de l'usage qu'ils en font?

Après ce regard circulaire rapide sur les divers aspects de la chimie organique, sa définition originelle peut paraître bien lointaine. On peut cependant observer que les matières premières de ces fabrications si diverses conservent presque toutes, plus ou moins directement, deux origines principales : la houille et le pétrole, qui proviennent de la transformation de végétaux préhistoriques. Il est donc possible de dire que tous ces composés conservent en définitive une origine « organique », au sens étymologique et originel du terme.

1ère partie

# Chimie organique générale

Si l'on veut pouvoir comprendre la chimie organique, et interpréter les données de l'expérience concernant la réactivité, on ne peut aborder directement l'étude des réactions des composés organiques.

Ces réactions, leur existence et leur résultat, sont déterminés par la **structure des molécules**, qu'il faut donc connaître, et que l'on peut envisager de deux points de vue complémentaires : *géométrique* et *électronique*.

On a d'autre part besoin d'un **langage**, et il faut donc également connaître les conventions (internationales) utilisées pour représenter cette structure, et pour donner un nom à un composé.

Enfin, les **lois générales des réactions chimiques**, exprimées par la *cinétique* et la *thermodynamique*, s'appliquent entièrement aux réactions organiques, et apportent des éléments essentiels à leur interprétation, notamment en termes de *mécanisme réactionnel.* Leur connaissance préalable est donc aussi une nécessité.

Cette première partie a pour objet d'installer ces préalables, et de préparer une étude « intelligente » de la chimie organique descriptive. Elle comporte, en complément, quelques indications sur les méthodes et les techniques qui permettent d'identifier un composé organique et d'établir la structure de sa molécule.

# La structure des molécules organiques

1

1.1 *Les composés organiques ont parfois des formules compliquées, qui peuvent « faire peur ». Certaines de celles qui apparaissent dans les chapitres 21 et 22 en sont des exemples, mais... il y a pire!*

*Le but de ce chapitre est de vous montrer que, simples ou compliquées, les formules des composés organiques sont construites selon les mêmes principes généraux, et qu'il n'y a rien là de vraiment difficile. Il introduit, entre autres, un certain vocabulaire et des conventions d'écriture qui seront fréquemment utilisés dans la suite, et avec lesquels vous devez impérativement vous familiariser.*

*A ce stade, aucune hypothèse ou aucun modèle particulier concernant la nature de la liaison chimique n'est nécessaire.*

## Préalables

- Existence des atomes, et des molécules formées par un assemblage organisé d'atomes, unis par des « liaisons chimiques ».
- Notion de valence.
- Notions d'élément chimique, et de familles d'éléments.
- Existence des réactions chimiques, vues comme une modification de l'état de liaison des atomes, et leur réarrangement dans une nouvelle distribution.
- Notion d'équilibre chimique.

# 1 – Les éléments constitutifs des composés organiques

1.2 Les formules les plus compliquées, formées de plusieurs centaines et même parfois plusieurs milliers d'atomes, ne comportent le plus souvent qu'un très petit nombre d'éléments différents. Beaucoup de composés organiques ne renferment que du carbone et de l'hydrogène, et il est rare qu'une molécule organique comporte plus de quatre ou cinq éléments différents.

Les *éléments constitutifs* des molécules organiques sont, par ordre de fréquence décroissant,

– les quatre éléments **C**, **H**, **O**, **N** (par définition C est toujours présent)
– des non-métaux tels que Cl, Br, I, S, P, As...
– des métaux tels que Na, Li, Mg, Zn, Cd, Pb, Sn, ...

*1-A*

*Quels caractères différencient les métaux et les non-métaux?*
*Comment se placent les uns et les autres dans le tableau de la classification périodique?*
*A quelles familles appartiennent* Cl, Br *et* I? Na *et* Li?

La *formule brute* d'un composé organique (par exemple $C_6H_{11}Cl$) n'a que peu d'intérêt. On a toujours besoin de connaître la façon dont les atomes constitutifs de la molécule sont liés les uns aux autres; il y a en effet le plus souvent plusieurs arrangements possibles non équivalents pour les mêmes atomes, donc pour la même formule brute. De là résulte la nécessité de *formules développées*, qui explicitent cette disposition interne des atomes.

*Exemple :* pour l'urée,

```
CH4N2O          H—N—C—N—H
                  |  ||  |
                  H  O   H

Formule brute   Formule développée
```

# 2 – Les formules développées planes

1.3 Une formule est évidemment toujours « plane », puisqu'elle se matérialise sur la surface plane d'une feuille de papier. On appelle en fait *formule plane* une formule correspondant à une sorte de projection plane de la molécule, qui, elle, se développe dans l'espace. Une telle formule a donc pour seul objet de montrer l'ordre dans lequel les atomes se suivent et sont liés les uns aux autres. Mais elle n'a *aucune prétention de représenter la géométrie réelle* de la molécule (question qui sera envisagée dans le chapitre 2).

Ainsi la formule

$$\begin{array}{ccccccc} & & \text{H} & & \text{H} & & \\ & & | & & | & & \\ \text{H} & - & \text{C} & - & \text{C} & - & \text{H} \\ & & | & & | & & \\ & & \text{Cl} & & \text{Cl} & & \end{array}$$

apporte l'information que cette molécule est formée de deux carbones directement liés l'un à l'autre, et portant chacun un chlore et deux hydrogènes. On pourrait tout aussi valablement l'écrire :

$$\begin{array}{ccccccc} & & \text{H} & & \text{H} & & \\ & & | & & | & & \\ \text{Cl} & - & \text{C} & - & \text{C} & - & \text{Cl} \\ & & | & & | & & \\ & & \text{H} & & \text{H} & & \end{array}$$

puisque le mode d'enchaînement des atomes reste le même. Par contre, la formule

$$\begin{array}{ccccccc} & & \text{Cl} & & \text{H} & & \\ & & | & & | & & \\ \text{H} & - & \text{C} & - & \text{C} & - & \text{H} \\ & & | & & | & & \\ & & \text{Cl} & & \text{H} & & \end{array}$$

serait celle d'une autre molécule, car l'enchaînement n'est pas le même (un carbone portant trois hydrogènes lié à un autre carbone portant deux chlores et un hydrogène).

La seule règle à suivre pour écrire (construire) des formules planes exactes est de « donner » à chaque atome un nombre de liaisons égal à sa valence. Le carbone est normalement tétravalent, sauf de rares exceptions qui ne seront pas envisagées ici; il devra donc toujours apparaître dans les formules de molécules (le cas des ions est différent) avec quatre liaisons. L'hydrogène est monovalent, l'oxygène divalent et l'azote trivalent :

$$\begin{array}{ccc} & | & \\ - & \text{C} & - \\ & | & \end{array} \qquad -\text{H} \qquad -\text{O}- \qquad \begin{array}{ccc} - & \text{N} & - \\ & | & \end{array}$$

## Chaînes carbonées

Afin d'apprendre à construire des formules correspondant à des molécules de plus en plus compliquées, le problème sera tout d'abord limité à celles qui ne contiennent que les deux seuls éléments C et H, c'est-à-dire aux molécules d'*hydrocarbures*.

### *Liaisons simples*

**1.4** Avec *un seul* C, il n'y a qu'une seule structure concevable :

$$\begin{array}{ccccc} & & \text{H} & & \\ & & | & & \\ \text{H} & - & \text{C} & - & \text{H} \\ & & | & & \\ & & \text{H} & & \end{array} \qquad \text{Méthane}$$

C'est la formule du méthane, le plus simple des composés organiques.

*1-B*

---

*Avant de lire la suite, essayez de voir par vous-même de quelle(s( manière(s) pourraient être assemblés deux atomes de carbone et six atomes d'hydrogène (réponse dans la suite du texte).*

---

Avec *deux* C, qui ne peuvent être réunis par un H puisque H est monovalent, et doivent donc nécessairement être directement liés l'un à l'autre, il n'y a encore qu'une possibilité :

```
    H   H
    |   |
H — C — C — H        Éthane
    |   |
    H   H
```

Avec *trois* C, il en est encore de même :

```
    H   H   H
    |   |   |
H — C — C — C — H        Propane
    |   |   |
    H   H   H
```

Si l'on compare ces trois formules, il apparaît que l'on passe de l'une à la suivante (on dit d'un *terme* de la *série* au suivant) en remplaçant un H par un groupe

```
  H
  |
— C — H        Groupe méthyle
  |
  H
```

En partant du méthane, il n'y a qu'une seule possibilité de remplacement, bien qu'il y ait quatre H remplaçables, par raison de symétrie (le résultat est identique, quel que soit celui des quatre H qui est remplacé). En partant de l'éthane on pourrait par contre penser qu'il y a deux possibilités, selon que l'on remplace l'un des deux H «terminaux» (comme on l'a fait ci-dessus) ou l'un des quatre H «latéraux». Mais la nouvelle formule obtenue,

```
    H       H
    |       |
H — C ————— C — H
    |       |
    H   H — C — H
            |
            H
```

décrit le même enchaînement d'atomes que la première (un C portant deux H entre deux C en portant chacun trois), et les deux formules sont donc équivalentes [cf. 1.3]. Il n'y a donc qu'une seule formule développée pour la formule brute $C_3H_8$.

1.5 Ces formules développées deviennent vite encombrantes et peu lisibles lorsque les molécules se compliquent. On utilise donc le plus souvent des formules *semi-développées* :

| | |
|---|---|
| Méthane ................ | $CH_4$ |
| Éthane .................. | $H_3C{-}CH_3$ |
| Propane ................. | $H_3C{-}CH_2{-}CH_3$ |

Pour continuer la série, et passer au terme contenant quatre C, on peut appliquer la « règle » dégagée plus haut, et remplacer par un groupe $-CH_3$ l'un des H du propane. Mais il est manifeste qu'il y a ici deux possibilités réellement distinctes, selon que la substitution concerne un H de l'un des deux groupes $CH_3$ ou du groupe $CH_2$ central :

$H_3C{-}CH_2{-}CH_2{-}CH_3$ Butane

$H_3C{-}CH(CH_3){-}CH_3$ Isobutane

Ces deux formules diffèrent par le mode d'enchaînement des atomes, et pas seulement par la façon dont elles sont écrites. Cependant elles correspondent toutes les deux à la même formule brute : $C_4H_{10}$. On dit que ces deux composés différents sont **isomères** l'un de l'autre, ou encore qu'il y a **isomérie** entre eux. Une telle situation est très fréquente et l'isomérie, sous ses différentes formes, fera l'objet de développements ultérieurs [1.12-14; chap. 3].

Passant maintenant au terme à cinq atomes de carbone, par le remplacement, de toutes les façons possibles, d'un H par un $-CH_3$ dans le butane et dans l'isobutane, on trouve trois formules réellement différentes et trois seulement :

$H_3C{-}CH_2{-}CH_2{-}CH_2{-}CH_3$ Pentane

$H_3C{-}CH(CH_3){-}CH_2{-}CH_3$ Isopentane (ou Méthylbutane)

$H_3C{-}C(CH_3)_2{-}CH_3$ Néopentane (ou Diméthylpropane)

Il y a donc trois isomères de formule $C_5H_{12}$.

*1-C*

---

*Essayez réellement, par écrit, de remplacer un H par un groupe $CH_3$, de toutes les manières possibles, dans le butane puis dans l'isobutane. Vérifiez par vous-même qu'après avoir éliminé les formules faisant « double emploi » il ne reste que trois isomères en $C_5H_{12}$.*

---

Les molécules qui peuvent être écrites entièrement sur une seule ligne et ne comportent pas de groupes substituants sur le côté (comme celles du butane et du pentane) sont dites à **chaîne linéaire.** Celles qui comportent des « substituants » sur le côté (comme celles de l'isobutane, de l'isopentane ou du néopentane) sont dites à **chaîne ramifiée.** Les composés à chaîne linéaire ou ramifiée appartiennent à la série des composés **acycliques.**

**1.6** Il existe également des chaînes **cycliques,** refermées sur elles-mêmes comme des anneaux. Les composés correspondants constituent la *série cyclique*. Il faut évidemment un minimum de trois atomes de carbone pour former une chaîne cyclique, mais il n'y a pas de limite supérieure; on connaît des cycles de plusieurs dizaines d'atomes de carbone, et il pourrait, a priori, en exister de plus grands.

*Exemples :*

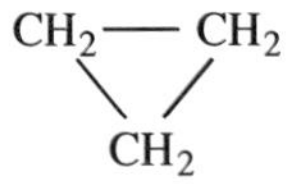

```
CH2 — CH2
  \   /
   CH2
Cyclopropane

       CH2
     /     \
  H2C       CH2
   |         |          Cyclohexane
  H2C       CH2
     \     /
       CH2
```

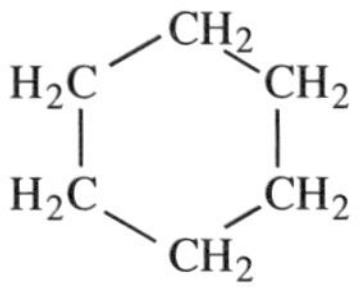

Les chaînes cycliques peuvent être constituées exclusivement d'atomes de carbone, comme dans les exemples ci-dessus; ce sont alors des chaînes *homocycliques*. Elles peuvent aussi comporter un ou plusieurs atomes d'autres éléments; elles sont alors *hétérocycliques*.

*Exemples :*

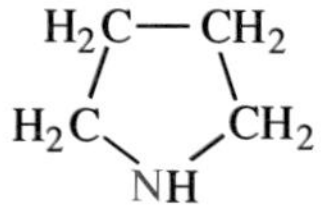

```
  H2C — CH2
  /       \
H2C       CH2
   \     /
     NH
Pyrrolidine

       O
     /   \
  H2C     CH2
   |       |          Dioxane
  H2C     CH2
     \   /
       O
```

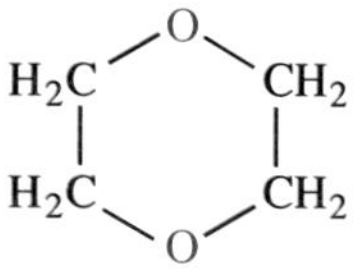

*1-D*

*Le propane et le cyclopropane sont-ils isomères?*

---

**1.7** Un atome de carbone est dit :

*Primaire*, s'il est lié à un seul autre atome de carbone,
*Secondaire*, s'il est lié à deux autres atomes de carbone,
*Tertiaire*, s'il est lié à trois autres atomes de carbone,
*Quaternaire*, s'il est lié à quatre autres atomes de carbone.

*Exemples :*

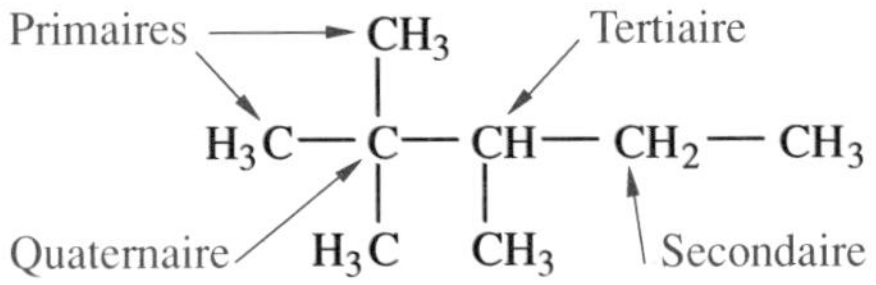

```
Primaires ——————→ CH3          Tertiaire
        \          |          /
         ↘         |        ↙
          H3C — C — CH — CH2 — CH3
               ↗ |     |     ↑
Quaternaire /   H3C   CH3     \ Secondaire
```

## *Liaisons multiples*

**1.8** Deux atomes de carbone peuvent aussi s'unir l'un à l'autre non pas par une simple liaison, comme dans les exemples précédents, mais par une **double liaison,** ou même par une **triple liaison.**

*Exemples :*

$H_2C{=}CH_2$ Éthylène $HC{\equiv}CH$ Acétylène

Les liaisons simples sont dites *saturées*, et les liaisons multiples, doubles ou triples, *insaturées*.

On peut trouver associés dans une même molécule tous les éléments structuraux définis jusqu'ici : chaînes linéaires, ramifiées et cycliques, liaisons simples, doubles et triples (*).

*Exemples :*

$H_3C{-}CH{=}CH{-}CH_3$ $H_2C{=}C(CH_3){-}CH{=}CH_2$

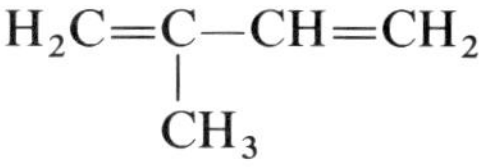

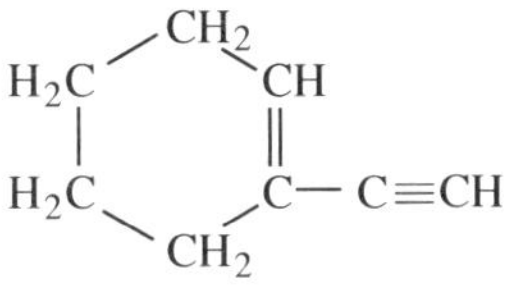

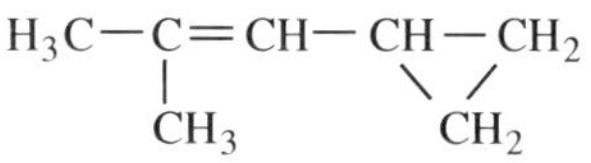

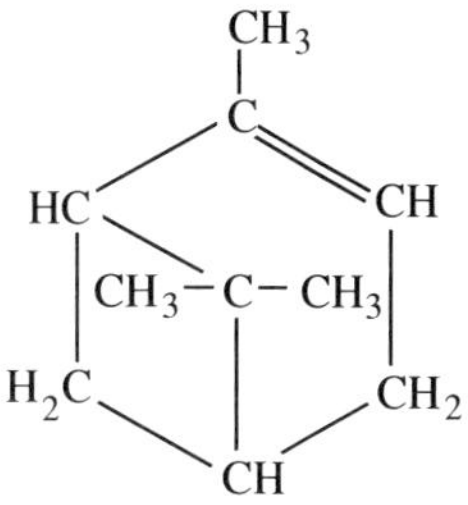

La forme de la chaîne a assez peu d'influence sur la réactivité, mais la présence de doubles ou triples liaisons dans une molécule modifie profondément ses possibilités de réaction.

*1-E*

*Si l'on considère les diverses molécules d'hydrocarbures que peuvent former n atomes de carbone, le nombre d'atomes d'hydrogène présents dans ces molécules dépend-il de la forme de la chaîne (linéaire, ramifiée ou cyclique)? Quel est le nombre maximal d'atomes d'hydrogène qui peuvent être associés à n carbones? Quelles autres valeurs sont possibles? A quels types d'enchaînement sont-elles associées?*

## Représentations simplifiées

**1.9** Habituellement, pour alléger l'écriture des formules développées, on ne représente pas les carbones des chaînes cycliques, ni les hydrogènes qu'ils peuvent porter. Ainsi, les molécules cycliques figurant parmi les exemples précédents s'écrivent usuellement :

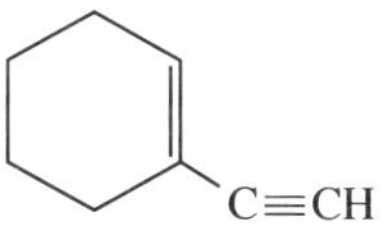

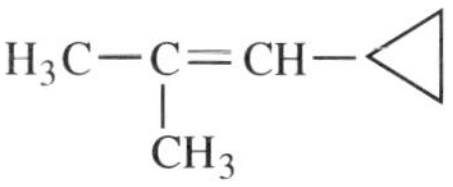

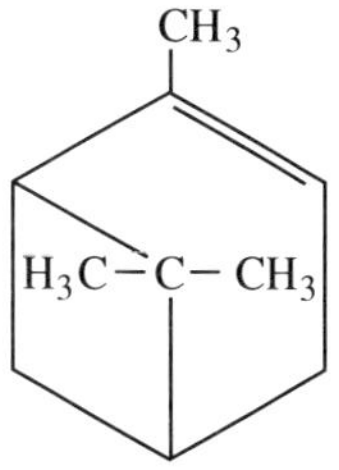

(*) Il existe cependant certaines incompatibilités. Par exemple, pour des raisons géométriques, un cycle ne peut comporter une triple liaison s'il n'est pas formé d'un minimum de huit atomes de carbone.

On peut aller plus loin dans la schématisation, en ne représentant plus aucun atome de carbone. Les cinq exemples précédents deviennent alors :

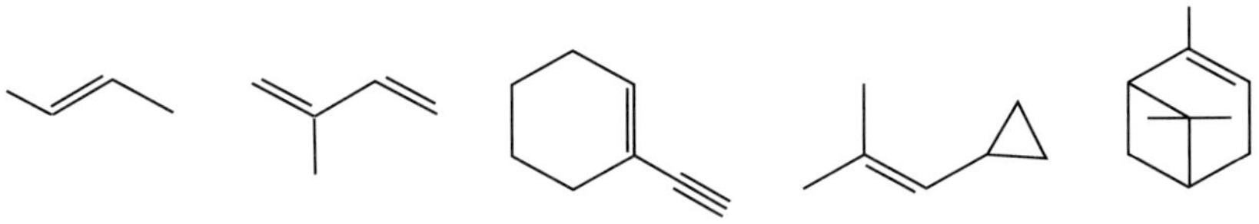

Par convention, il faut « voir » un C aux extrémités libres des segments et à leurs intersections. On est donc conduit, pour indiquer chaque carbone, à écrire systématiquement les chaînes sous formes de lignes brisées. Voici encore quelques exemples, plus simples :

$CH_3-CH_2-OH$

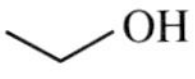

$CH_3-CH_2-CH_2-CH_3$

$CH_3-C(=O)-CH_3$

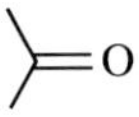

$CH_3-CH(CH_3)-CH=CH-C(=O)-Cl$

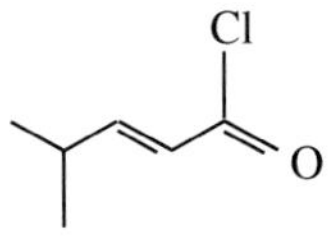

$CH_3-C(CH_3)_2-CH_2Cl$

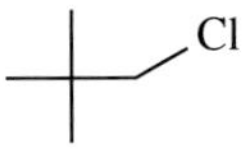

(Le méthane se réduirait à un point, et ne peut pas être représenté de cette façon.)

## Groupements fonctionnels

**1.10** Si, en plus du carbone et de l'hydrogène, on se donne aussi de l'oxygène, élément bivalent, on augmente encore le nombre des possibilités. Trois enchaînements sont envisageables :

| | | | |
|---|---|---|---|
| $-\overset{\vert}{\underset{\vert}{C}}-O-H$ | *Exemple :* | $H_3C-CH_2-O-H$ | Éthanol |
| $-\overset{\vert}{\underset{\vert}{C}}-O-\overset{\vert}{\underset{\vert}{C}}-$ | *Exemple :* | $H_3C-O-CH_3$ | Oxyde de diméthyle |
| $-\overset{\vert}{C}=O$ | *Exemple :* | $H_3C-CH=O$ | Acétaldéhyde |

Ces trois groupements confèrent aux molécules dans lesquelles ils se trouvent un ensemble de propriétés, différent pour les trois mais caractéristique de chacun d'eux. Toutes les molécules qui contiennent l'un de ces groupements ont des propriétés analogues, et constituent une famille homogène.

Cet ensemble de propriétés, liées à la présence d'un groupement particulier d'atomes dans une molécule, définit une *fonction* et ce groupement porte le nom de *groupe fonctionnel.*

Ainsi,

$$-\overset{|}{\underset{|}{C}}-O-H$$

est le groupement fonctionnel *« alcool »*. Toutes les molécules qui le contiennent sont des alcools et ont des propriétés analogues; ces propriétés communes se résument sous la dénomination de *« fonction alcool »*.

**Hydrocarbures**

– *Séries acyclique et cyclique non benzénique*

| | | |
|---|---|---|
| Hydrocarbures saturés | ALCANES, CYCLOALCANES (*) .... | $-\overset{\vert}{\underset{\vert}{C}}-\overset{\vert}{\underset{\vert}{C}}-$ |
| Hydrocarbures insaturés | ALCÈNES, CYCLOALCÈNES ......... | $-\underset{\vert}{C}=\underset{\vert}{C}-$ |
| | ALCYNES, CYCLOALCYNES......... | $-C \equiv C-$ |

– *Série benzénique* ARÈNES .................................... (noyau benzénique)

**Fonctions monovalentes**

| | |
|---|---|
| HALOGÉNURE.......... | $-\overset{\vert}{\underset{\vert}{C}}-X$ (**) |
| ORGANOMÉTALLIQUE | $-\overset{\vert}{\underset{\vert}{C}}-M$ |
| ALCOOL ................. | $-\overset{\vert}{\underset{\vert}{C}}-OH$ |
| THIOL...................... | $-\overset{\vert}{\underset{\vert}{C}}-SH$ |
| PHÉNOL.................. | (noyau benzénique)–OH |
| ÉTHER-OXYDE ......... | $-\overset{\vert}{\underset{\vert}{C}}-O-\overset{\vert}{\underset{\vert}{C}}-$ |
| AMINE.................... | $-\overset{\vert}{\underset{\vert}{C}}-\underset{\vert}{N}-$ |

**Fonctions bivalentes**

| | |
|---|---|
| ALDÉHYDE................. | $-\underset{\underset{O}{\Vert}}{C}-H$ |
| CÉTONE ...................... | $-\underset{\underset{O}{\Vert}}{C}-$ |

**Fonctions trivalentes**

| | |
|---|---|
| ACIDE CARBOXYLIQUE. | $-\underset{\underset{O}{\Vert}}{C}-OH$ |
| CHLORURE D'ACIDE ..... | $-\underset{\underset{O}{\Vert}}{C}-Cl$ |
| ANHYDRIDE D'ACIDE . | $-\underset{\underset{O}{\Vert}}{C}-O-\underset{\underset{O}{\Vert}}{C}-$ |
| AMIDE ........................ | $-\underset{\underset{O}{\Vert}}{C}-\underset{\vert}{N}-$ |
| NITRILE...................... | $-C \equiv N$ |

*Tableau 1.1 — Les principaux groupements fonctionnels.*

(*) Les hydrocarbures saturés ne comportent pas, à proprement parler, de groupement fonctionnel; la liaison simple C—C n'en est pas un, puisqu'elle est le maillon de base des chaînes carbonées qui portent les groupements fonctionnels.

(**) Le symbole X est fréquemment utilisé pour représenter l'un quelconque des « halogènes » : F, Cl, Br et I.

Il y a généralement un grand contraste entre la réactivité du groupement fonctionnel et la relative inertie chimique de la chaîne carbonée qui le porte, formée exclusivement de liaisions C—C et C—H. La fonction est la partie active de la molécule et, en première approximation, ses caractères chimiques sont indépendants de la structure de la chaîne carbonée sur laquelle elle est fixée.

Une même chaîne peut porter plusieurs groupes fonctionnels, soit identiques, soit différents.

*Exemples :*

$$HO-CH_2-\underset{\displaystyle OH}{\underset{|}{CH}}-CH_2-OH \qquad \text{(trois fonctions alcool)}$$

$$H_3C-\underset{\displaystyle OH}{\underset{|}{CH}}-CH_2-CH{=}O \qquad \text{(fonctions alcool et aldéhyde)}$$

Cette notion de fonction est pour la chimie organique un facteur d'ordre et de clarification. Les sept millions de composés connus à l'heure actuelle se répartissent entre un nombre en fait très restreint de fonctions. Il n'y a guère qu'une vingtaine de fonctions importantes, dont le tableau 1.1 regroupe les principales, et la chimie organique ne s'aborde pas par l'étude descriptive individuelle des composés, mais par celle des fonctions.

**1.11** Une fonction peut toujours être considérée comme dérivant (quant à sa formule tout au moins) d'un hydrocarbure saturé, par la substitution de divers atomes ou groupements d'atomes à un ou plusieurs atomes d'hydrogène.

Partant de cette remarque, on a l'habitude de classer les fonctions suivant leur « valence » (expression peu adéquate en l'occurrence, et qu'il ne faut pas prendre ici dans le même sens que lorsqu'il s'agit de la valence d'un élément [1.3]). La valence d'une fonction est égale au nombre d'atomes d'hydrogène que remplace le groupe fonctionnel, par référence à l'hydrocarbure saturé « correspondant », c'est-à-dire ayant la même chaîne.

*Exemples :* Dans le tableau 1.1, la fonction alcool figure parmi les fonctions monovalentes parce qu'elle résulte du remplacement, dans un hydrocarbure, d'un H par un groupe OH. La fonction aldéhyde est bivalente parce que l'oxygène doublement lié y remplace deux H. La fonction acide est trivalente parce que le groupe OH et l'oxygène doublement lié y remplacent trois H.

On considère que le passage d'une fonction à une autre de valence plus grande est une *oxydation* (le « nombre d'oxydation » du carbone augmente), et que le passage inverse est une *réduction* (le nombre d'oxydation du carbone diminue). Ainsi, la transformation d'un alcool en un aldéhyde est une oxydation, bien que l'aldéhyde ne contienne pas plus d'oxygène que l'alcool, et celle d'un dérivé halogéné en hydrocarbure (auquel on peut attribuer la valence zéro) est une réduction.

# 3 – L'isomérie plane

**1.12** Des *isomères* [1.5] sont des composés possédant la même formule brute (leurs molécules sont donc formées des mêmes atomes, en nombre égal), mais non la même formule développée; on dit qu'il y a entre eux une relation d'*isomérie*. Des isomères manifestent des différences plus ou moins marquées, dans leurs propriétés physiques et/ou dans leurs propriétés chimiques.

Cette notion d'isomérie s'est imposée dès le début de ce chapitre et elle est constamment présente dans toute la chimie organique. Il existe en effet le plus souvent de multiples structures pour des molécules qui sont formées d'un grand nombre d'atomes représentant peu d'éléments différents.

La disposition des atomes dans des molécules isomères peut différer de diverses façons et il faut avoir recours, pour rendre compte de ces différences, à des formules plus ou moins détaillées, selon les cas. Il ne sera question ici que de l'isomérie *« plane »*, ce qui signifie que les formules planes [1.3] suffisent pour décrire les isomères en question; ils diffèrent en effet par l'ordre dans lequel les atomes sont liés les uns aux autres. Le chapitre 3 sera consacré à l'isomérie *« stérique »* (ou *stéréoisomérie*), qui ne peut être décrite qu'en ayant recours à des représentations spatiales des molécules.

*1-F*

---

*Écrivez toutes les formules possibles pour un alcool de formule brute* $C_5H_{12}O$. *Ces molécules sont ______ les unes des autres. Peut-on imaginer une ou plusieurs molécules possédant aussi cette formule brute mais n'appartenant pas à la même fonction?*

---

## Isomérie de constitution

**1.13** Le seul point commun entre des isomères « de constitution » est qu'ils ont la même formule brute. Ils n'appartiennent pas à la même fonction [1.10] et leur isomérie est en fait une simple coïncidence. Ils diffèrent à la fois par leurs propriétés physiques et par leurs propriétés chimiques.

*Exemples :*

$CH_3{-}CH_2{-}CH_2{-}COOH$ (*acide*)
$HOH_2C{-}CH{=}CH{-}CH_2OH$ (*dialcool*, ou *« diol »*)
$CH_3{-}CHOH{-}CH_2{-}CHO$ (*aldéhyde-alcool*)

qui ont tous trois pour formule brute $C_4H_8O_2$.

*1-G*

---

*En vous aidant du tableau des fonctions (tableau 1.1), trouvez trois isomères de constitution répondant à la formule* $C_4H_7NO$.

---

## Isomérie de position

**1.14** La parenté des isomères « de position » est beaucoup plus grande : outre qu'ils ont la même formule brute, ils appartiennent à la même fonction et ne diffèrent que par la position le long de la chaîne d'un atome ou d'un groupe d'atomes (entre autres, le groupe fonctionnel). Leurs propriétés chimiques sont donc d'ordinaire voisines, mais leurs propriétés physiques (températures de fusion et d'ébullition, densité, spectres d'absorption, ...) sont différentes.

*Exemples :*

$CH_3{-}CH_2{-}CH_2{-}CH_3$ et $CH_3{-}CH(CH_3){-}CH_3$ (position d'un $-CH_3$)

$CH_3{-}CH_2{-}CH{=}CH_2$ et $CH_3{-}CH{=}CH{-}CH_3$ (position de la double liaison)

Le nombre de tels isomères pour une formule brute donnée peut être étonnament grand. Ainsi, il pourrait exister 75 hydrocarbures de formule $C_{10}H_{22}$, 366 319 de formule $C_{20}H_{42}$ et plus de quatre milliards de formule $C_{30}H_{62}$ (*).

*1-H*

*Quels isomères de position peuvent correspondre à la formule $C_3H_8O$? et à la formule $C_3H_6Cl_2$?*

## Tautomérie

**1.15** Parfois deux isomères de constitution peuvent se transformer réversiblement l'un en l'autre. On dit alors que ce sont des *formes tautomères*, ou encore qu'il y a entre eux une relation de *tautomérie.*

*Exemple :*

$$CH_3{-}\underset{\underset{O}{\|}}{C}{-}CH_2{-}COO{-}C_2H_5 \rightleftarrows CH_3{-}\underset{\underset{OH}{|}}{C}{=}CH{-}COO{-}C_2H_5$$

Cétone Énol

Il s'agit d'un véritable équilibre chimique. Si l'on fait réagir sur le mélange de deux formes tautomères A et B un composé réagissant seulement avec la forme A, l'équilibre se déplacera dans le sens B → A

(*) Ces nombres résultent d'une prévision théorique. Ils montrent bien le nombre pratiquement illimité des composés organiques *possibles* [0.2]. Seuls quelques-uns de ces hydrocarbures ont été réellement préparés, mais rien ne s'opposerait à ce qu'on les prépare tous, si ce n'est le temps qui serait nécessaire, pour un travail sans intérêt.

à mesure que la forme A sera consommée (application de la « loi d'action de masse »). Tout se passera donc comme si la forme B n'était pas présente : la totalité du mélange réagira sous la forme A. Inversement, en présence d'un réactif spécifique de la forme B, le mélange se comportera comme s'il était formé uniquement de celle-ci, la forme A n'y étant pas présente.

Les cas de tautomérie les plus importants consistent, comme dans l'exemple précédent, en une migration d'hydrogène d'un atome sur un autre (« prototropie »). En voici deux autres exemples :

$$CH_3-\underset{\underset{\displaystyle O}{\|}}{C}-NH-CH_3 \rightleftarrows CH_3-\underset{\underset{\displaystyle OH}{|}}{C}=N-CH_3$$

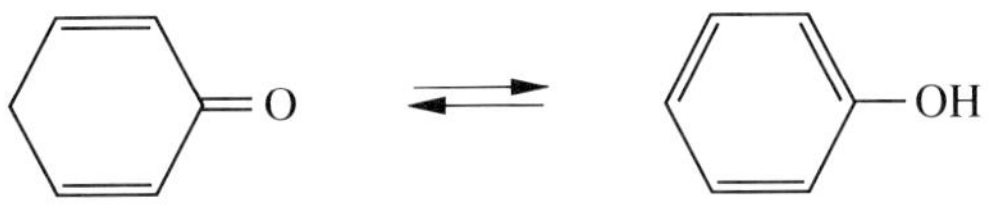

# 4 — Groupes et radicaux

**1.16** Une réaction consiste en une redistribution des atomes présents, qui se trouvent liés les uns aux autres d'une façon différente dans les composés de départ (« réactifs ») et dans les nouvelles molécules formées (« produits »).

Cependant cette redistribution n'affecte habituellement pas la totalité des atomes, et ne concerne qu'une partie de l'architecture moléculaire. Il a, du reste, déjà été mentionné [1.10] que la réactivité (ou aptitude à réagir) se localise au niveau des groupements fonctionnels, par opposition à la chaîne carbonée qui leur sert de support et qui, le plus souvent, n'est pas modifiée par la réaction.

*Exemple :*

$$H_3C-CH_2-CH_2-OH + HBr \rightarrow H_3C-CH_2-CH_2-Br + H_2O$$

La réaction se limite à la substitution de $-OH$ (dans le groupe fonctionnel alcool $C-OH$) par $Br$; la partie $H_3C-CH_2-CH_2-$ n'est pas modifiée. Cette réaction est la même pour de très nombreux alcools, qui diffèrent cependant par la forme ou la longueur de la chaîne carbonée, et il est possible de l'écrire sous la forme plus générale :

$$R-OH + HBr \rightarrow R-Br + H_2O$$

qui traduit un caractère chimique « des alcools en général », ou encore « de la fonction alcool ».

Dans cette formulation, $R$ représente le **radical** de l'alcool. Ce symbole désigne donc globalement un « morceau de formule » que l'on ne juge pas utile d'expliciter.

**Radicaux ALKYLES** (*Symbole général* **R**)

| | | Symbole |
|---|---|---|
| $-CH_3$ | Méthyle | Me |
| $-CH_2-CH_3$ | Éthyle | Et |
| $-CH_2-CH_2-CH_3$ | Propyle | Pr |
| $CH_3-CH(-)-CH_3$ | Isopropyle | isoPr ou iPr |
| $-CH_2-CH_2-CH_2-CH_3$ | Butyle primaire | Bu |
| $CH_3-CH(-)-CH_2-CH_3$ | Butyle secondaire | secBu ou sBu |
| $-CH_2-CH(CH_3)-CH_3$ | Isobutyle | isoBu ou iBu |
| $CH_3-C(-)(CH_3)-CH_3$ | Tertiobutyle (butyle tertiaire) | terBu ou tBu |

**Radicaux CYCLOALKYLES**

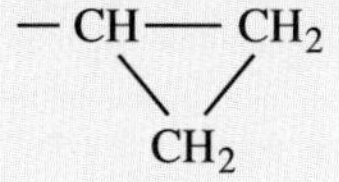

$-CH(CH_2)_2$ (cycle à trois chaînons) ou [triangle] Cyclopropyle

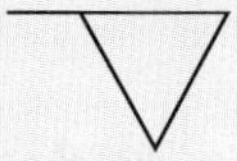

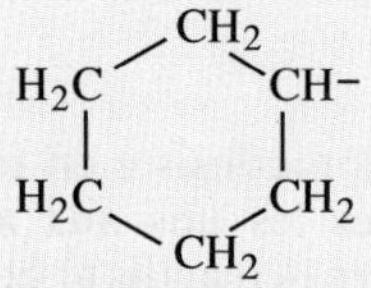

$-CH(CH_2)_5$ (cycle à six chaînons : $H_2C$, $CH_2$, $CH-$) ou [hexagone] Cyclohexyle

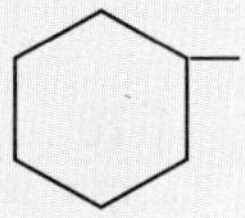

**Radicaux ARYLES** (*Symbole général* **Ar**)

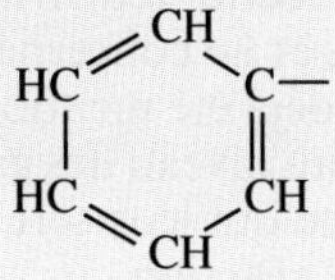

$-C_6H_5$ (HC=CH, C—, CH) ou [cycle benzénique] Phényle Ph

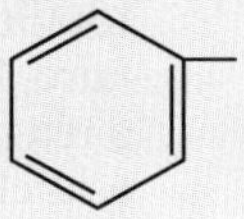

*Tableau 1.2 — Les principaux radicaux (ou groupes).*

**Un radical est dit « primaire », « secondaire » ou « tertiaire », selon que le carbone qui porte la valence libre est lui-même primaire, secondaire ou tertiaire [1.7].**

Les plus simples de ces radicaux (on dit aussi *« groupes »* ou *« groupements »*) ont reçu des noms particuliers, qu'il est utile de connaître et qui sont rassemblés dans le tableau 1.2.

Le terme « radical » possède également une autre signification, qui ne concerne plus les formules et leur écriture, mais la réalité physique du déroulement des réactions. Au cours de certaines d'entre elles (ce n'est pas le cas de celle des alcools avec HBr), à la suite de la rupture de certaines liaisons, il se forme de façon transitoire des entités très instables, de courte durée de vie, neutres et comportant un électron impair, que l'on appelle aussi des radicaux. Mais il est plus correct, pour éviter toute ambiguité, de les appeler *radicaux libres* [4.5].

*1-I*

---

*Au cours de la chloration de l'éthane, il se forme transitoirement, par rupture d'une liaison* C—H, *des entités* $CH_3—CH_2$, *dont la durée de vie est de l'ordre de* $10^{-4}$ *seconde; ces entités sont des* ______.

*Dans la réaction* $CH_3—CH_2OH + HCl \rightarrow CH_3—CH_2Cl + H_2O$, *il ne se forme pas de radicaux libres mais, dans la formule de l'alcool,* $CH_3—CH_2—$ *est le* ______ *ou* ______ *éthyle.*

---

## *Séries homologues*

**1.17** Lorsque, dans la formule d'une molécule, on remplace par différents radicaux un atome d'hydrogène pris hors du groupement fonctionnel, tout en conservant à la chaîne sa forme générale, on obtient des composés qui constituent une *série homologue.*

Ainsi, en remplaçant dans le méthane $CH_4$ l'un des H par les radicaux méthyle, éthyle, propyle, etc. (cf. tableau 1.2), on obtient la série éthane, propane, butane, etc. C'est la série des *hydrocarbures saturés linéaires* [1.5].

L'isobutane est par ailleurs le premier terme de la *série « en iso »*, c'est-à-dire la série des hydrocarbures représentés par la formule générale :

$$\begin{array}{l} CH_3—CH—R \\ \qquad\;\;\; | \\ \qquad\; CH_3 \end{array}$$

Si R correspond aux groupes méthyle, éthyle, propyle, etc., on obtient les termes successifs de la série : isobutane, isopentane, isohexane, etc.

La notion d'homologie est donc plus restrictive que celle de fonction puisqu'entre les termes d'une série homologue il y a non seulement identité de fonction, mais aussi analogie dans la forme générale de la chaîne.

Par exemple,

$$CH_3—CH_2—CH_2—OH \qquad \text{Propan-1-ol}$$

alcool en $C_3$ à chaîne droite, a pour « homologue supérieur » l'alcool en $C_4$ également à chaîne droite :

$$CH_3—CH_2—CH_2—CH_2—OH \qquad \text{Butan-1-ol}$$

Mais les autres alcools en $C_4$ isomères de ce dernier, comme (entre autres) :

$$\begin{array}{l} CH_3—CH—CH_2—OH \qquad \text{Isobutanol (ou Méthylpropan-1-ol)} \\ \qquad\;\;\; | \\ \qquad\; CH_3 \end{array}$$

ne sont pas les homologues du premier.

## MOTS-CLÉS

- Formule brute
- Formule développée plane
- Chaîne linéaire, ramifiée, cyclique, saturée, non saturée
- Acyclique (série –, composé –)
- Primaire, secondaire, tertiaire, quaternaire (carbone –, radical –)
- Liaison simple, multiple
- Fonction; groupe fonctionnel
- Isomérie (plane)
- Tautomérie
- Radical; radical libre
- Série homologue

## OBJECTIFS

DEVENIR CAPABLE DE

- Écrire des formules développées exactes (possibles), à partir d'une formule brute donnée.
- Reconnaître si des formules développées planes présentées différemment représentent ou non des molécules différentes.
- Reconnaître et nommer les principaux groupements fonctionnels.
- Reconnaître et nommer les principaux radicaux.
- Utiliser et comprendre les représentations schématiques simplifiées des formules.

## EXERCICES

***1-a*** Trouver au moins une (éventuellement plusieurs) formule(s) développée(s) plane(s) correspondant aux formules brutes suivantes :

| | | | |
|---|---|---|---|
| a) $C_4H_2$ | d) $C_{15}H_{32}$ | g) $C_3NH$ | j) $CH_5N$ |
| b) $C_6H_6$ | e) $C_3H_4Cl_2$ | h) $C_2H_3OCl$ | k) $C_2HO_2Cl_3$ |
| c) $C_4H_6$ | f) $C_3H_6O$ | i) $C_4H_6S$ | l) $C_4H_7ON$ |

***1-b*** Trouver les formules développées planes de tous les hydrocarbures saturés acycliques en $C_6$ (formule brute : $C_6H_{14}$).

***1-c*** Trouver les formules développées planes de tous les hydrocarbures saturés cycliques (cycloalcanes) de formule brute $C_6H_{12}$ (il y en a 12). Les représenter en écriture schématique simplifiée [cf. 1.9].

***1-d*** Si un hydrocarbure saturé de formule brute $C_7H_{14}$ ne comporte qu'un seul carbone primaire, quelles sont ses formules développées possibles?

***1-e*** L'analyse d'un composé organique a montré que sa molécule contient une fonction aldéhyde et une double liaison carbone-carbone. Sa masse molaire est par ailleurs 70. Quelles sont les formules possibles pour ce composé?

***1-f*** Les formules brutes suivantes correspondent-elles, a priori, à des molécules pouvant exister (sont-elles possibles)?

| | | | |
|---|---|---|---|
| $C_{25}H_{53}$ | $C_2H_2Cl_6$ | $C_{10}H_{20}O_2Cl_2$ | $C_5H_4Br_3$ |
| $C_{30}H_{60}$ | $C_{15}H_{28}Cl_2$ | $C_{32}H_{32}Br$ | $C_{12}H_{24}O_2$ |

# La géométrie des molécules organiques

# 2

## les bases de la stéréochimie

2.1 *Le schéma d'un circuit électrique représente la façon dont sont connectés entre eux les éléments qui le constituent. Mais il ne représente pas leur forme, ni leur disposition réelle dans l'espace.*

*De même, la formule développée plane d'une molécule* [1.2-10] *la représente « schématiquement ». Elle montre seulement la nature et le nombre des liaisons qui la constituent, c'est-à-dire la nature des « connexions » entre les atomes, ou encore leur mode d'enchaînement.*

*Mais une molécule est un objet matériel, qui a une forme et des dimensions. Elle possède une organisation, une architecture, et les atomes qui la constituent ne sont pas agglutinés en vrac les uns aux autres.*

*Ce chapitre contient les données essentielles permettant d'imaginer, et de représenter selon les conventions admises, de façon compréhensible pour tous, la géométrie des molécules. Outre leur intérêt pour une meilleure* ***connaissance de l'organisation de la matière,*** *ces données sont importantes pour la* ***compréhension de la réactivité.*** *La stéréochimie constitue une composante importante de la chimie organique moderne, car des considérations stéréochimiques sont impliquées dans l'étude et la description des « mécanismes réactionnels »* [5.15; 16]. *D'autre part, les efforts qui ont été faits pour réaliser la synthèse de molécules répondant à une géométrie donnée ont conduit à des résultats parmi les plus beaux de ces dernières années* [15.26].

*Ce chapitre pourrait, a priori, vous paraître un peu marginal par rapport à ceux qui traitent des réactions. Mais il n'en est rien; ne le négligez pas, car vous devriez y revenir plus tard. Il ne contient toutefois que les bases de la stéréochimie, et le sujet sera ultérieurement enrichi et complété par les exemples que nous rencontrerons au fil des autres chapitres.*

## Préalables

- Formules développées planes; chaînes carbonées; liaisons simples et multiples [1.2-6].
- Notions élémentaires de géométrie (angles plans, angles dièdres, triangle équilatéral, pyramide, tétraèdre).

## Stéréochimie, expérience et théorie

2.2 La **stéréochimie moléculaire,** dont il est question ici, décrit la position relative des atomes dans les édifices covalents, molécules et ions complexes. Il existe aussi une stéréochimie de l'état solide, appelée également **cristallographie,** qui décrit la disposition des atomes, des ions ou des molécules dans les solides cristallisés. Bien que ces solides puissent être des composés organiques (le sucre, par exemple, en est un), cet aspect de la stéréochimie ne sera pas envisagé ici (*).

Les données sur la géométrie des molécules sont d'*origine expérimentale.* Elles ont été d'abord obtenues par l'observation de certaines possibilités de stéréoisomérie [3.1] (Pasteur et la dissymétrie moléculaire en 1848; Le Bel et Van't Hoff et le « carbone tétraédrique » en 1874). Diverses techniques instrumentales (principalement spectroscopiques) ont ensuite apporté, et continuent d'apporter, des informations beaucoup plus précises.

*Les modèles théoriques* récents de l'atome et de la liaison prennent en compte les aspects géométriques. Ainsi le modèle ondulatoire, avec le concept d'orbitales directionnelles et la notion d'hybridation [4.9-11] (**) s'ajuste bien aux cas connus par l'expérience, et peut être prévisionnel pour d'autres cas. Les « règles de Gillespie » (modèle V.S.E.P.R.) (***) permettent aussi, plus simplement mais plus approximativement, de déterminer a priori l'orientation des liaisons formées par un atome.

## La définition de la géométrie moléculaire

2.3 La géométrie des molécules peut se définir de deux façons :

– Le « **squelette** », c'est-à-dire la position relative dans l'espace des centres des atomes, décrite par un réseau de points et les segments qui les relient, conformément à l'enchaînement des liaisons. Ce squelette se définit donc par des *distances* (de centre à centre) et des *angles.*
– La **forme extérieure,** c'est-à-dire la forme de l'espace occupé réellement par la molécule, et dans lequel ne peut pénétrer une autre molécule. Cette forme se décrit par le *rayon* des sphères auxquelles peuvent être assimilés chacun des atomes.

---

(*) Voir « *Cours de Chimie physique* », chapitre 23.
(**) Voir aussi « *Cours de Chimie physique* », chapitres 13, 14 et 15.
(***) Voir « *Cours de Chimie physique* », chapitre 16.

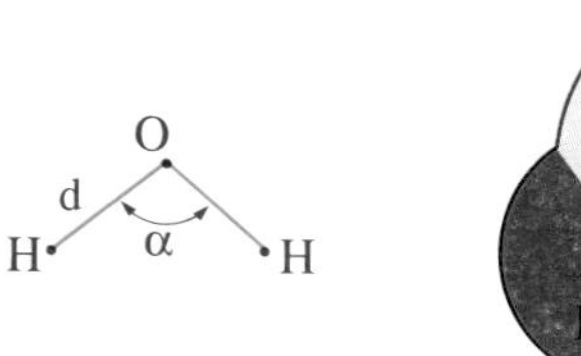


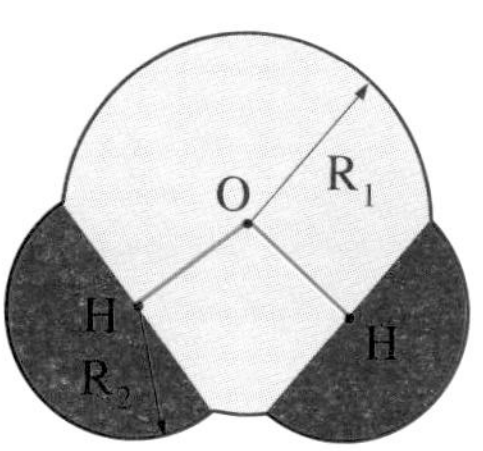


*Figure 2.1 — La géométrie de la molécule d'eau $H_2O$.*
**a) Forme du squelette, définie par la distance d entre les centres des atomes O et H (longueur de liaison), et par l'angle α.**
**b) Forme extérieure de la molécule, définie en outre par les rayons $R_1$ et $R_2$ des sphères « d'encombrement » des atomes.**

## Les moyens de représentation de la géométrie moléculaire

**2.4** En général on ne s'intéresse qu'à la géométrie du « squelette » [2.3], et on utilise divers procédés conventionnels pour représenter schématiquement l'orientation des liaisons dans l'espace.

### Procédé du « coin-volant » (*)

——— représente une liaison située dans le plan du papier (supposé vertical)
--------- représente une liaison orientée en arrière de ce plan
◄ représente une liaison orientée en avant de ce plan.

*Exemple :* la molécule de méthane peut se représenter par

[H, C, H, H, H] ou [H, C, H, H, H] ou [H, H, H — C, H]

(on pourra comparer ces représentations, notamment la première, avec les modèles moléculaires de la figure 2.3).

Pour éviter que la liaison située en avant ne cache celle qui est située en arrière on suppose que l'on ne place pas l'œil exactement sur la perpendiculaire au papier partant du carbone. Dans les deux premières représentations ci-dessus il est placé un peu au-dessus de cette perpendiculaire; dans la troisième il est placé un peu à gauche de celle-ci.

*2-A*

*Ci-dessus, la molécule de méthane est représentée dans diverses positions par rapport à l'observateur. Peut-on aussi la représenter de l'une des façons suivantes?*

(a) [H, H, C, H, H] (b) [H, H, C, H, H]

### Projection de Newman

Cette représentation est utilisée pour montrer la disposition relative des liaisons formées par deux atomes adjacents. Elle montre la façon dont on verrait

(*) Traduction littérale de l'expression anglaise "flying wedge".

ces liaisons si l'on regardait la molécule dans l'axe de la liaison qui unit ces deux atomes; c'est une sorte de projection de la molécule sur un plan perpendiculaire à cet axe.

*Exemple :* La molécule d'éthane $H_3C{-}CH_3$ :

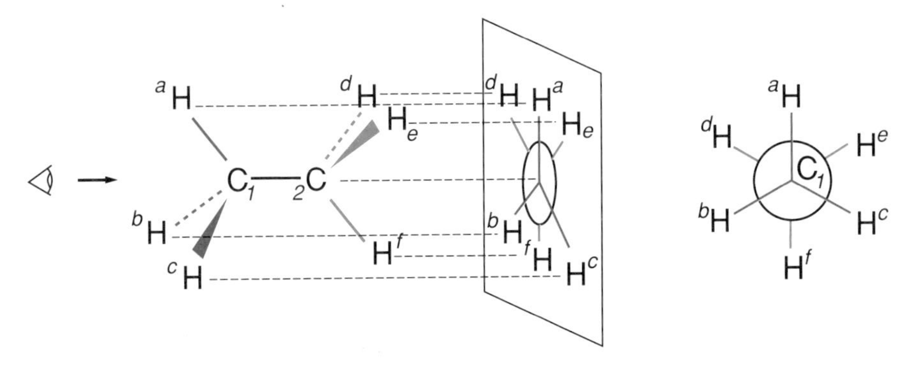


*Figure 2.2 — Représentation de la molécule d'éthane en projection de Newman.* La molécule est représentée comme on la verrait en plaçant l'œil dans l'axe de la liaison $C_1{-}C_2$. On peut considérer aussi qu'il s'agit d'une sorte de projection de la molécule sur un plan perpendiculaire à cet axe. Le cercle est censé représenter le carbone $C_1$. Il cache le carbone $C_2$, dont on voit seulement dépasser les liaisons représentées plus courtes pour suggérer leur plus grand éloignement.

D'autres modes de représentation sont également utilisés, mais dans des domaines particuliers (par exemple, la projection de Fischer pour les glucides [22.2]). Ils seront présentés le moment venu.

*2-B*

*Parmi les schématisations (a), (b), (c) et (d) de la molécule* $CHCl_2{-}CH_2Cl$, *certaines la représentent-elles exactement dans la même géométrie?*

(a) (b) (c) (d)

## Modèles moléculaires

Les chimistes disposent d'une sorte de «jeu de construction», qui leur permet de construire des maquettes des molécules à notre échelle. Les atomes y sont matérialisés par des sphères, dont le rayon est proportionnel à leur encombre-

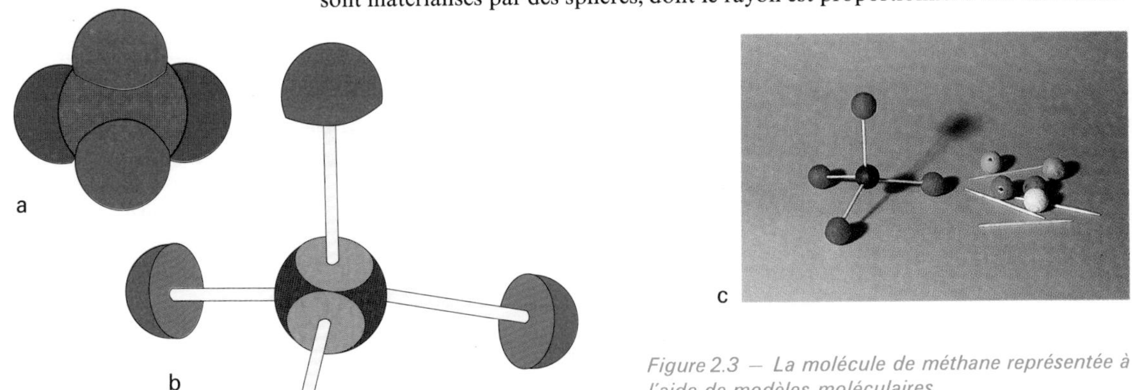


*Figure 2.3 — La molécule de méthane représentée à l'aide de modèles moléculaires.*

a) Le montage «compact» donne une image de la forme réelle de la molécule.
b) Le montage «éclaté» n'est pas conforme au réel, mais il montre plus clairement les angles des liaisons.
c) Un exemple de modèles bricolés, avec des cure-dents et des boules de cotillon.

ment réel. Ces sphères peuvent être soit directement accolées (montage compact), soit réunies par des bâtonnets (montage éclaté). Seul le montage compact donne une idée de la forme réelle des molécules, mais le montage éclaté montre mieux la forme du squelette et les angles des liaisons.

L'utilisation de modèles moléculaires est très efficace pour aider à comprendre la stéréochimie. A défaut de disposer de « vrais » modèles, on peut très efficacement en fabriquer avec des moyens artisanaux (bouchons de liège ou boules de cotillon pour les atomes, fil de fer ou cure-dents pour les liaisons...); il faut respecter, au moins approximativement les angles de liaisons indiqués dans la suite [2.5], mais dans la plupart des cas les différences de rayon entre les atomes peuvent être ignorées.

### Simulation informatique

Il faut enfin signaler que l'informatique permet de visualiser sur l'écran d'un ordinateur des représentations spatiales très exactes de molécules très complexes (cf. 2.15) et même de les faire tourner sur elles-mêmes afin de les voir sous des angles différents.

## 1 — L'orientation des liaisons autour d'un atome

**2.5** L'orientation spatiale des liaisons que forme un atome avec ses plus proches voisins constitue sa **configuration.** Les données les plus importantes pour la chimie organique, telles qu'elles peuvent être prévues par les règles de Gillespie [2.2] ou par la théorie de l'hybridation [4.9-11], sont résumées dans les tableaux suivants.

### Carbone

| | |
|---|---|
| Carbone saturé (4 liaisons simples)<br>Exemple : $CH_4$ | Orientation tétraédrique<br>$\alpha = 109°28'$ |
| Carbone éthylénique (1 liaison double et 2 liaisons simples)<br>Exemple : $O=CH_2$ | Orientation coplanaire<br>$\alpha = 120°$ |
| Carbone acétylénique (1 liaison triple et 1 liaison simple)<br>Exemple : $H-C\equiv N$ | Orientation colinéaire<br>$\alpha = 180°$ |
| Carbone allénique (2 liaisons doubles)<br>Exemple : $O=C=O$ | Orientation colinéaire<br>$\alpha = 180°$ |

Pour pouvoir imaginer plus facilement la géométrie des molécules, il est utile de remarquer que, dans la configuration tétraédrique, les quatre directions se situent, deux par deux, dans des plans orthogonaux (fig. 2.4).

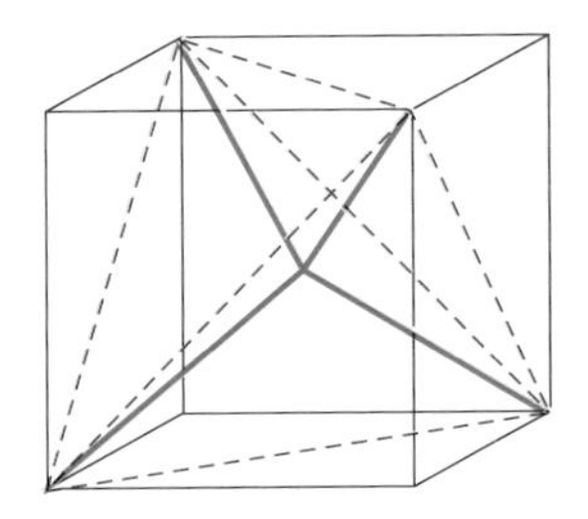

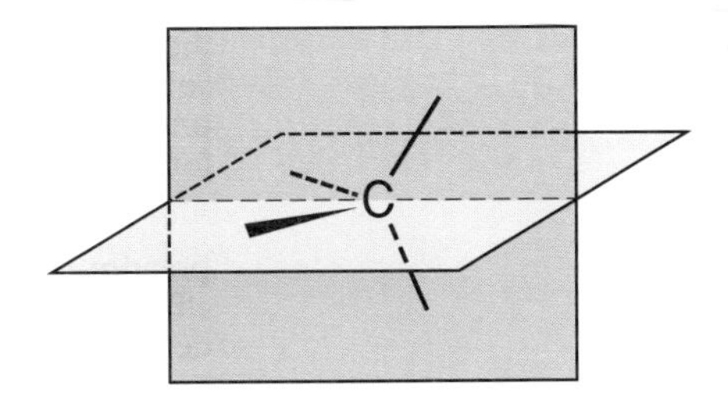


*Figure 2.4 — Le carbone tétraédrique.*
**a) Un tétraèdre est inscriptible dans un cube ; toutes ses arêtes sont égales.**
**b) Les quatre directions de liaison qu'il définit se situent, deux par deux, dans deux plans orthogonaux, qui coupent des faces opposées du cube selon des diagonales elles-mêmes orthogonales.**

## Azote *(ou phosphore)*

| Azote saturé (3 liaisons simples) Exemple : $NH_3$ | Orientation pyramidale (inscrite dans un tétraèdre dont la 4ᵉ direction est occupée par le doublet libre) $\alpha = 109°28'$ |
|---|---|
| Azote insaturé (1 liaison double et 1 liaison simple) Exemple : R–CH=N–R' | Orientation « en V » $\alpha = 120°$ (le doublet libre occupe la 3ᵉ direction à 120°) |

## Oxygène *(ou soufre)*

| Oxygène saturé (2 liaisons simples) Exemple : $H_2O$ | Orientation « en V » (inscrite dans un tétraèdre, les doublets libres occupant les 2 autres directions) $\alpha = 109°28'$ |
|---|---|

En fait, les valeurs réelles des angles des liaisons sont souvent différentes des valeurs prévues. Des écarts, relativement faibles (quelques degrés), peuvent être provoqués par divers facteurs, de nature géométrique ou électronique (*). Ainsi, autour d'un carbone « tétraédrique » les angles des liaisons ne sont tous égaux (109°28′) que si les quatre atomes ou groupes d'atomes liés au carbone sont identiques. Dans le dichlorométhane $CH_2Cl_2$, la grosseur des atomes de chlore provoque une ouverture de l'angle formé par les deux liaisons C–Cl, qui vaut 112°.

Des écarts beaucoup plus importants peuvent résulter de contraintes particulières. Par exemple, dans le cyclopropane

$$\begin{array}{ccc} H_2C & — & CH_2 \\ & \diagdown \; \diagup & \\ & CH_2 & \end{array}$$

les liaisons C–C constituant le cycle forment nécessairement des angles de 60° (les atomes de carbone sont aux sommets d'un triangle équilatéral).

(*) Voir *« Cours de Chimie physique »*, chapitre 16.

*2-C*

*Dans les molécules suivantes, peut-il exister plusieurs arrangements géométriquement différents des quatre atomes qui entourent le carbone? En serait-il de même si ces quatre atomes occupaient les sommets d'un carré au centre duquel le carbone se trouverait?*

a) $CH_3Cl$  b) $CH_2Cl_2$  c) $CH_2ClBr$

# 2 — Les chaînes carbonées

**2.6** Les données précédentes permettent de connaître la géométrie de toute molécule formée d'un atome central, auquel sont directement liés tous les autres (exemples : $CHCl_3$, $O{=}CH_2$, $H{-}C{\equiv}N$, où C est l'atome central). Pour des molécules plus complexes, on doit considérer successivement comme atome central tous ceux qui forment plus d'une liaison.

Ainsi, pour le méthanol $H_3C{-}O{-}H$, on peut facilement établir que les quatre liaisons du carbone ont une orientation tétraédrique et que les deux liaisons de l'oxygène ont une orientation «en V» (tous les angles, aussi bien autour du carbone qu'autour de l'oxygène valant 109°28′). La représentation (a) traduit bien ces conclusions, mais la représentation (b), pourtant différente, les traduit aussi :

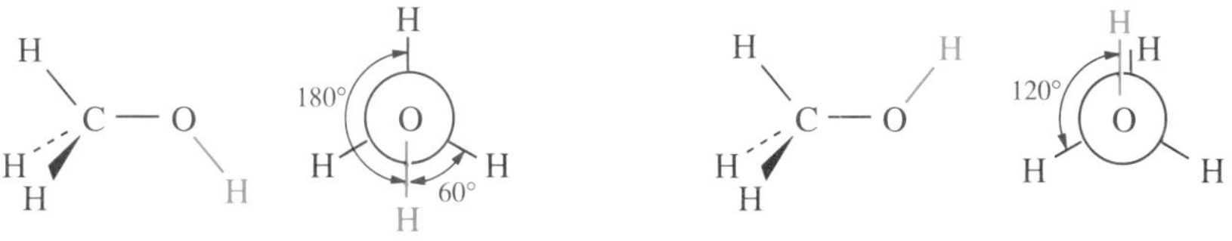

(a) (a') (b) (b')

Ces deux représentations diffèrent par la position relative de la liaison O—H par rapport aux trois liaisons C—H, ou encore par une *rotation* du groupe OH par rapport au groupe $CH_3$. Les deux projections de Newman (a′) et (b′), qui correspondent respectivement aux représentations (a) et (b) avec l'oxygène au premier plan par rapport à l'observateur, le montrent nettement.

Pour fixer la géométrie d'une molécule, il ne suffit donc pas de connaître les angles des liaisons autour de chaque atome. Il est nécessaire également de savoir comment se positionnent les liaisons d'un atome par rapport à celles de son (ou de ses) voisin(s). Des dispositions qui ne diffèrent *que par une rotation* d'une partie de la molécule par rapport à une autre constituent des **conformations** différentes de cette molécule. On dit aussi que ce sont des **conformères** de la même molécule.

Une conformation particulière est caractérisée par la valeur des *angles dièdres* que forment les liaisons de deux atomes voisins. Ces angles se «lisent» directement sur une projection de Newman (exemple : pour le méthanol les angles dièdres entre la liaison O—H et les liaisons C—H sont 60° et 180° dans la conformation a′, ou 0° et 120° dans la conformation b′).

## Chaînes saturées acycliques

**2.7** L'éthane $H_3C{-}CH_3$ constitue l'exemple le plus simple de chaîne saturée acyclique [1.4], formée par un enchaînement de carbones « tétraédriques ». Parmi toutes les conformations imaginables pour cette molécule,on peut en considérer deux plus particulièrement :

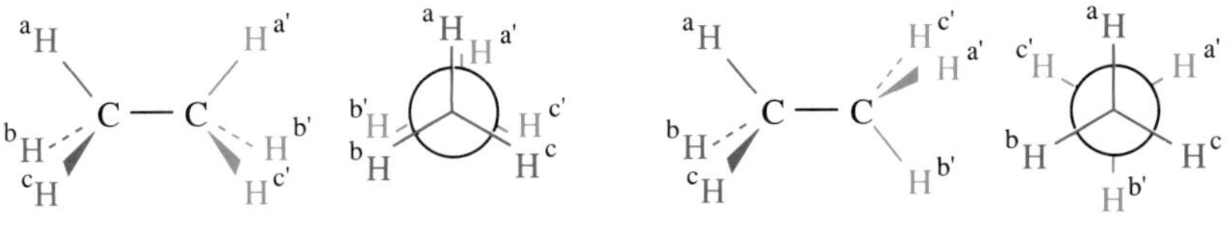

Conformation éclipsée

Conformation décalée

Dans la conformation *éclipsée*, les liaisons C–H des deux groupes $CH_3$ se font face deux par deux. Dans la conformation *décalée*, les liaisons C–H de l'un des deux groupes $CH_3$ se trouvent en face de la bissectrice des angles formés par celles de l'autre. On passe de l'une de ces conformations à l'autre par une rotation de 60° de l'un des deux groupes $CH_3$.

En fait, dans l'éthane, les deux groupes $CH_3$ peuvent tourner librement l'un par rapport à l'autre et les chocs entre molécules entretiennent effectivement (sauf à très basse température) une rotation continuelle. Les deux conformations éclipsée et décalée ne constituent que deux dispositions relatives particulières de ces deux groupes (comme deux photographies instantanées de la molécule), parmi l'infinité de celles qui peuvent exister et par lesquelles la molécule passe au cours d'une rotation (*).

Dans la conformation décalée les H et les électrons des liaisons C–H d'un $CH_3$ sont aussi loin que possible de ceux de l'autre; dans la conformation éclipsée ils en sont au contraire aussi près que possible. Il en résulte que le passage d'une conformation décalée à une conformation éclipsée nécessite un certain travail, pour vaincre la répulsion entre les nuages électroniques qui se rapprochent, et que l'énergie potentielle de la configuration éclipsée est supérieure à celle de la conformation décalée (de même que l'on augmente l'énergie potentielle d'un ressort en dépensant du travail pour le comprimer).

Au cours de la rotation, l'énergie potentielle de la molécule passe donc alternativement par des maximums, correspondant aux conformations éclipsées, et des minimums correspondant aux conformations décalées. On dit que deux conformations décalées successives sont séparées par une **barrière d'énergie** (ou barrière de potentiel), qui doit être franchie trois fois au cours d'une rotation complète de 360° (cf. fig. 2.5).

(*) Dans toutes les conformations de l'éthane, les six hydrogènes sont indiscernables et l'on comprend mieux maintenant qu'il n'y ait qu'un seul propane, résultant du remplacement de n'importe lequel de ces hydrogènes par un groupe $CH_3$ [1.3].

Dans le cas de l'éthane, cette barrière vaut 12,5 kJ . $mol^{-1}$. Cette valeur est suffisamment faible pour que, dès la température ordinaire, les molécules puissent trouver cette énergie à l'occasion de chocs entre elles. La rotation a donc lieu en permanence mais, statistiquement, à un instant donné, il y a dans l'éthane plus de molécules décalées (plus stables) que de molécules éclipsées. La proportion de chaque conformation est constante à une température donnée, mais cela ne signifie pas que la conformation d'une molécule particulière est fixée une fois pour toutes. A tout moment elle se modifie, et cela exclut d'ailleurs que l'on puisse isoler les molécules possédant une conformation déterminée (les différences de conformation ne constituent pas, habituellement, un cas d'isomérie géométrique [3.2]).

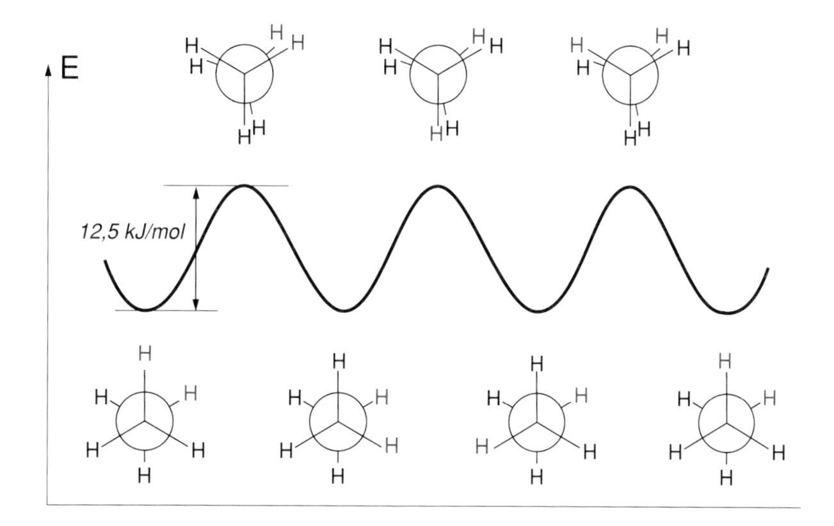


*Figure 2.5 — L'énergie potentielle de la molécule d'éthane, en fonction de sa conformation.*

Au cours d'une rotation complète de l'un des groupes $CH_3$ par rapport à l'autre, à partir d'une conformation décalée, la molécule passe trois fois par une conformation éclipsée. Chacun de ces passages implique le rapprochement des électrons des liaisons C—H qui s'éclipsent, et nécessite un travail accompli contre les forces de répulsion. Ce travail, fourni aux dépens de l'énergie cinétique des molécules, se « retrouve » dans une augmentation de l'énergie potentielle de la molécule, qui passe alors par un maximum.

Entre deux conformations décalées, la molécule doit franchir une « barrière » d'énergie et la rotation interne d'un $CH_3$ ressemble, à cet égard, à une course de haies.

## 2-D

*Dans le cas du propane $CH_3{-}CH_2{-}CH_3$, la courbe de variation de l'énergie potentielle au cours d'une rotation complète (360°) d'un $CH_3$ par rapport au reste de la molécule a la même allure que pour l'éthane (fig. 2.5), mais la barrière d'énergie est plus élevée (14,2 kJ . $mol^{-1}$). Quelle explication pourrait-on proposer?*

Les mêmes principes sont valables dans le cas de chaînes plus longues. Elles tendent donc à adopter préférentiellement une forme « en zigzag » dans laquelle les liaisons C—C sont dans un même plan et les liaisons C—H portées par deux carbones voisins sont systématiquement décalées (cf. fig. 2.6). La possibilité d'une rotation au niveau de chaque liaison C—C subsiste cependant, de sorte que *les chaînes carbonées ne sont pas rigides* et peuvent prendre également toutes sortes d'autres conformations.

*Figure 2.6 — La conformation préférentielle des chaînes carbonées acycliques saturées.*

**Au niveau de chaque liaison C—C d'une chaîne carbonée de la forme $CH_3—(CH_2)_n—CH_3$, il existe une possibilité de libre rotation. De telles chaînes sont donc très « flexibles », et peuvent prendre toutes sortes de formes, depuis une forme « allongée » en zig-zag (ci-contre), jusqu'à une forme « pelotonnée » très compacte. La forme en zig-zag, où toutes les liaisons C—C sont dans un même plan, est cependant préférée, car il y correspond une énergie potentielle minimale pour la molécule, du fait que les liaisons C—H de deux carbones voisins sont toujours décalées.**

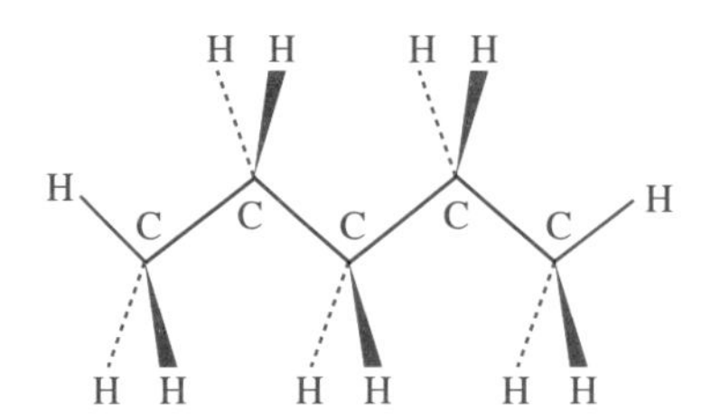


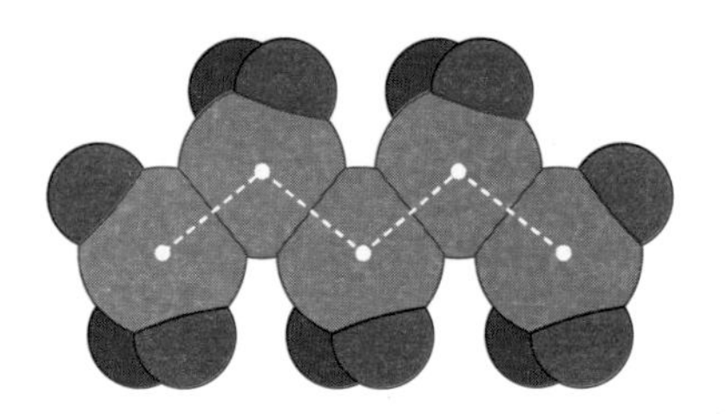

## Chaînes saturées cycliques

**2.8** Dans une chaîne carbonée cyclique saturée, les liaisons C—C ne peuvent pas former l'angle normal de 109°28′. Dans la mesure où les cycles ont la forme de polygones réguliers plans, elles forment dans les premiers termes les angles suivants :

Cyclopropane $\alpha = 60°$

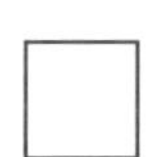

Cyclobutane $\alpha = 90°$

Cyclopentane $\alpha = 108°$

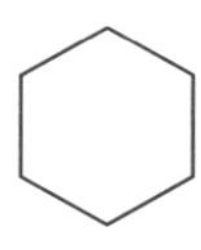

Cyclohexane $\alpha = 120°$

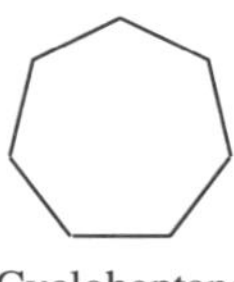

Cycloheptane $\alpha = 128°$

### 2-E

***Représentez le cyclopropane en « coin-volant », en mettant les trois liaisons C—C du cycle dans le plan du papier. Dans quelle disposition relative (quelle conformation) les liaisons C—H se trouvent-elles?***

La déformation angulaire imposée par la structure cyclique crée dans ces molécules une *« tension »*, ou *« contrainte »*. D'autre part, dans cette géométrie plane des cycles, les liaisons C—H de deux carbones voisins sont nécessairement éclipsées. Ces deux facteurs sont *a priori* défavorables à la stabilité de ces molécules.

Si les cycles ont effectivement cette géométrie, la contrainte angulaire diminue du cyclopropane au cyclopentane, pour lequel elle est très faible; puis elle augmente de nouveau, en sens inverse (angles supérieurs à 109°28′), à partir du cyclohexane. On pourrait donc penser que l'instabilité de ces molécules varie de la même manière avec le nombre d'atomes de carbone du cycle.

De fait, le cyclopropane manifeste une tendance très marquée à s'ouvrir, comme dans la réaction

$$\bigtriangledown + H_2 \rightarrow H_3C-CH_2-CH_3$$

qui est facile à réaliser (dans le propane qui se forme, l'angle des liaisons $C-C$ retrouve sa valeur normale). Cette tendance est plus faible pour le cyclobutane, et le cyclopentane n'a aucune propension particulière à s'ouvrir [11.7]. Mais, à partir du cyclohexane, et en contradiction avec la prévision précédente, les hydrocarbures cycliques saturés sont tous très stables, même s'ils comportent plusieurs dizaines d'atomes de carbone. Il ne semble donc pas que leurs molécules soient « contraintes ».

Cette observation expérimentale s'interprète de façon satisfaisante en attribuant aux cycles comportant au moins six atomes de carbone des géométries non planes. Les liaisons $C-C$ constituant ces cycles ne sont pas toutes contenues dans un même plan et, de ce fait, les angles qu'elles forment peuvent avoir la valeur normale de 109°28′ (ou, tout au moins, une valeur très voisine).

En réalité, seul le cycle en $C_3$ est réellement (et nécessairement) plan. Les cycles en $C_4$ et $C_5$, s'ils peuvent en première approximation être considérés comme plans, sont en fait légèrement « pliés ». Cette déformation augmente un peu les contraintes angulaires, mais cet effet est plus que compensé par le gain en stabilité qui résulte du fait que les liaisons $C-H$ ne sont plus exactement éclipsées.

## Le cycle du cyclohexane

**2.9** Le cycle du cyclohexane présente un intérêt particulier du fait qu'il est présent dans la structure de nombreux composés naturels (stéroïdes [24.13] et terpènes [24.6] entre autres).

Le cyclohexane peut prendre *deux conformations principales*, dénommées « forme chaise » et « forme bateau » :

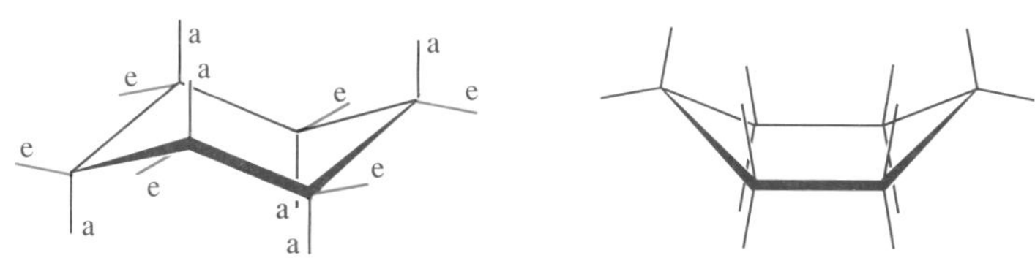


Forme chaise Forme bateau

Ces deux formes se transforment avec facilité réciproquement l'une en l'autre; elles sont en *équilibre mutuel*. Toutefois, la forme bateau est moins stable car elle comporte huit liaisons $C-H$ éclipsées deux par deux (sur les côtés du « bateau »), alors que dans la forme chaise les liaisons $C-H$ de deux carbones voisins sont toujours décalées. En conséquence, l'équilibre est très déplacé, à la température ordinaire du moins, en faveur de la forme chaise et, à un instant donné, très peu de molécules se trouvent dans la forme bateau (moins de 1 %). On ne la trouve pratiquement que dans des molécules où une contrainte particulière maintient obligatoirement le cycle dans cette conformation; c'est le cas lorsqu'un « pont » existe entre deux carbones diagonalement opposés, comme dans le composé suivant (bicyclo[2.2.1]heptane) :

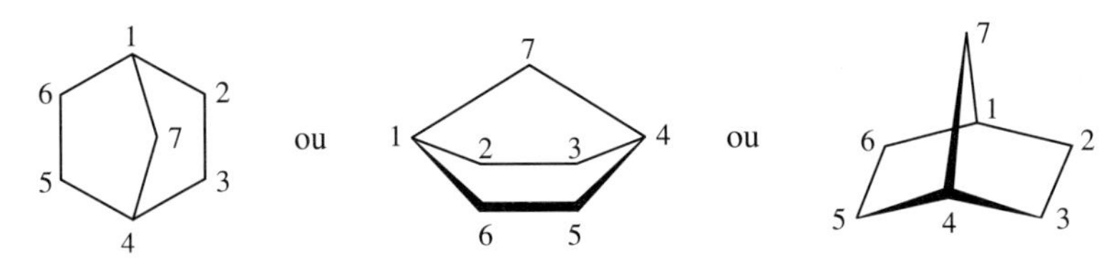


Dans la forme chaise, les douze liaisons C—H se divisent en deux groupes :

– six liaisons *axiales*, perpendiculaires à ce que l'on pourrait appeler le « plan moyen » du cycle, et disposées alternativement de part et d'autre de ce plan (repérées par la lettre « a » sur le schéma ci-dessus);
– six liaisons *équatoriales*, faisant un angle faible (15° environ) avec ce plan moyen, également alternées par rapport à lui (repérées par la lettre « e » sur le schéma ci-dessus).

Un substituant porté par un carbone du cyclohexane, un groupe méthyle $CH_3$ par exemple, peut donc occuper soit une position axiale, soit une position équatoriale. En fait le cycle possède une déformabilité conformationnelle telle que, outre l'équilibre avec la forme bateau, il y a également équilibre entre deux formes chaise. Dans cette transformation réciproque, les liaisons axiales d'une forme deviennent les liaisons équatoriales de l'autre, et inversement. Pour le cyclohexane lui-même, cette inversion se produit environ 500 000 fois par seconde, à la température ordinaire.

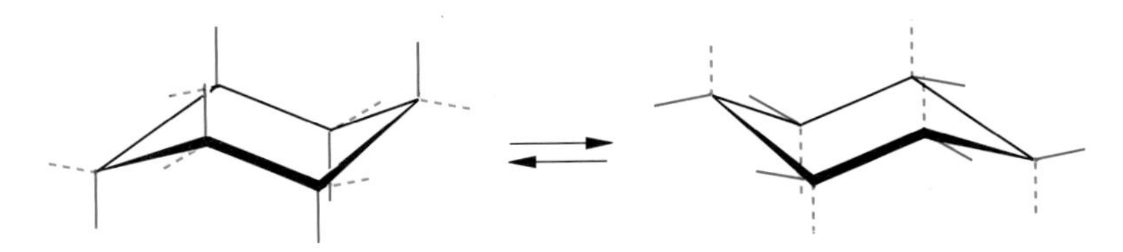

Un substituant n'occupe donc pas une position fixée définitivement, et la liaison qui l'unit au cycle peut se trouver, à tout instant, soit axiale soit équatoriale. Cependant cet équilibre est toujours en faveur de la forme dans laquelle le substituant est équatorial car, lorsque le substituant est en position axiale sur le carbone 1 (fig. 2.7), il existe des interactions (une « gêne ») entre lui et les atomes portés par les liaisons axiales des carbones 3 et 5. Les atomes, ou groupes d'atomes, portés par les liaisons axiales en position 1, 3 et 5 sont en effet beaucoup plus proches que ne le suggère la représentation schématique habituelle. En position équatoriale, un substituant est beaucoup mieux « dégagé » du reste de la molécule (cf. fig. 2.7).

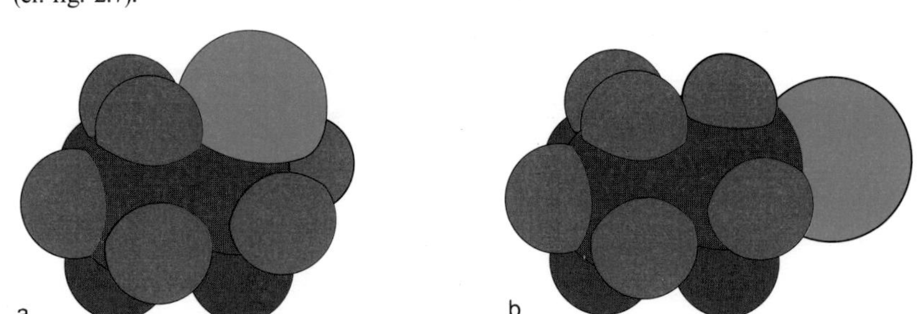


*Figure 2.7 — Les deux conformations du chlorocyclohexane.*
**Pour juger de l'importance des interactions au sein d'une molécule, entre atomes non directement liés, les modèles moléculaires en montage « compact » sont très précieux. Ils montrent clairement, ici, qu'un chlore axial est pratiquement au contact des deux hydrogènes axiaux situés sur la même face du cycle que lui.**

Cette prédominance de la forme où le substituant est équatorial est d'autant plus marquée que ce substituant est plus volumineux. S'il s'agit d'un groupe méthyle $CH_3$, il y a statistiquement à l'équilibre, à la température ordinaire, 1 molécule à substituant axial pour 20 molécules à substituant équatorial; mais avec un groupe tertiobutyle $C(CH_3)_3$ cette proportion tombe à 1 molécule à substituant axial pour 5 000 molécules à substituant équatorial. On peut donc considérer que la présence d'un substituant très volumineux « bloque » pratiquement la conformation de la molécule et supprime l'interconversion entre les deux formes chaise.

Les cycles en $C_6$, dans leur forme chaise, peuvent s'assembler sans limites, de façon « géométriquement naturelle » et sans créer des contraintes nouvelles, pour constituer des structures tridimensionnelles très stables. Le réseau cristallin du diamant peut être considéré comme un empilement et une juxtaposition de formes chaise.

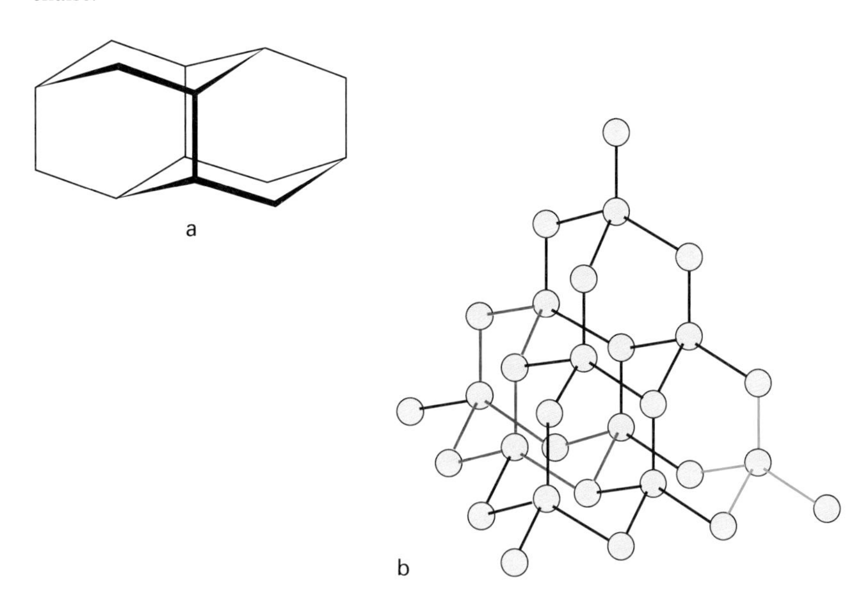


*Figure 2.8* — Le motif du cycle cyclohexanique (forme chaise) se retrouve dans des structures diverses, organiques comme le diadamantane (a) ou minérales comme le diamant (b). Les atomes de carbone qui constituent ce dernier sont aux sommets de cycles accolés les uns aux autres, jusqu'aux limites du cristal. Ce réseau ne comporte aucune contrainte, chaque carbone formant avec ses premiers voisins quatre liaisons orientées selon le schéma tétraédrique.

## Enchaînements non saturés

### *Doubles liaisons*

**2.10** Les trois directions de liaison d'un carbone « éthylénique » forment, dans un même plan, trois angles de 120° [2.5]. Lorsque deux carbones s'unissent par une double liaison, toutes les liaisons du groupement >C=C< sont en permanence dans *un même plan*, et ces deux carbones ne peuvent pas tourner l'un par rapport à l'autre comme le font des carbones unis par une simple liaison. Cet enchaînement constitue donc un *maillon rigide et plan* dans les chaînes carbonées.

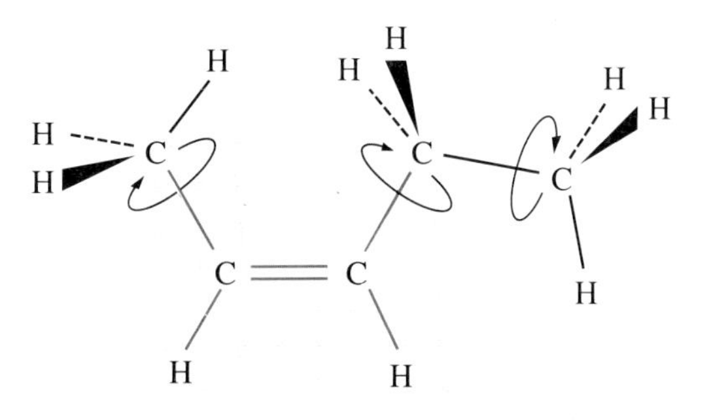


*Figure 2.9 — La géométrie de l'enchaînement éthylénique.*
Dans une molécule telle que $CH_3{-}CH{=}CH{-}CH_2{-}CH_3$, la double liaison et les quatre liaisons simples qui l'entourent sont en permanence coplanaires. La partie tramée constitue, à la température ordinaire, une zone plane et rigide de la molécule. Par contre, la rotation est toujours possible autour des liaisons simples, même celles qui sont adjacentes à la double liaison ; la chaîne carbonée n'est donc pas nécessairement plane dans son ensemble.

La description de la double liaison dans le modèle des orbitales moléculaires [4.10] rend compte de ce blocage de rotation. Elle montre que deux carbones doublement liés ne peuvent tourner l'un par rapport à l'autre que si l'une des deux liaisons (en l'occurence la « liaison π ») est rompue, et cette rupture exige une énergie importante, de l'ordre de 270 kJ . $mol^{-1}$. On peut donc considérer qu'entre les deux formes planes qui différeraient par une rotation de 180° de l'un des carbones par rapport à l'autre il existe une *barrière d'énergie* [2.7] de 270 kJ . $mol^{-1}$. A la température ordinaire, son franchissement est impossible; mais à température élevée (400-500 °C), ou sous l'action du rayonnement, il peut devenir possible. Ce point sera repris à propos de la stéréoisomérie [3.2].

## Triples liaisons

**2.11** Les deux directions de liaison d'un carbone « acétylénique » sont colinéaires (angle de 180°), et l'enchaînement $-C{\equiv}C-$ est donc, lui aussi, *linéaire*. Il n'y a pas lieu, dans ces conditions, d'envisager l'éventualité d'une rotation, qui ne produirait aucune modification de la géométrie de la molécule.

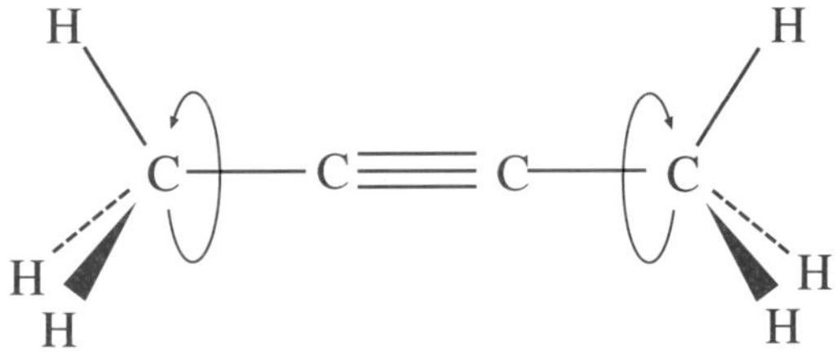

*Figure 2.10 — La géométrie de l'enchaînement acétylénique.*

Les deux liaisons encadrant le groupe $C{\equiv}C$ sont colinéaires avec l'axe de la triple liaison; les quatre carbones de l'enchaînement $C-C{\equiv}C-C$ sont donc alignés. Les deux liaisons simples permettent, normalement, la rotation des carbones et la situation est très semblable à celle de l'éthane $H_3C-CH_3$, à ceci près que les deux groupes $CH_3$ sont plus loin l'un de l'autre, leur distance étant « rallongée » de la longueur du maillon $C{\equiv}C$. La triple liaison n'introduit donc pas un élément nouveau de rigidité.

## Chaînes cycliques insaturées

**2.12** Seul sera mentionné ici le cas du *cycle benzénique*. A la différence du cyclohexane [2.9], ce cycle de six atomes de carbone est plan, chaque atome étant à l'un des sommets d'un hexagone régulier. Sa structure ne peut être correctement décrite que dans le cadre du modèle des orbitales moléculaires [4.21]. Mais on peut observer que sa représentation par la « formule de Kékulé » classique (fig. 2.11), où chaque atome de carbone est uni par une liaison simple à l'un de ses voisins et par une liaison double avec l'autre, conduit aussi à ce schéma hexagonal plan. Les angles de 120° que forment d'une part les liaisons du cycle entre elles et d'autre part les liaisons $C-H$ avec celles du cycle, sont en effet les angles normaux pour le carbone formant une liaison double et deux liaisons simples.

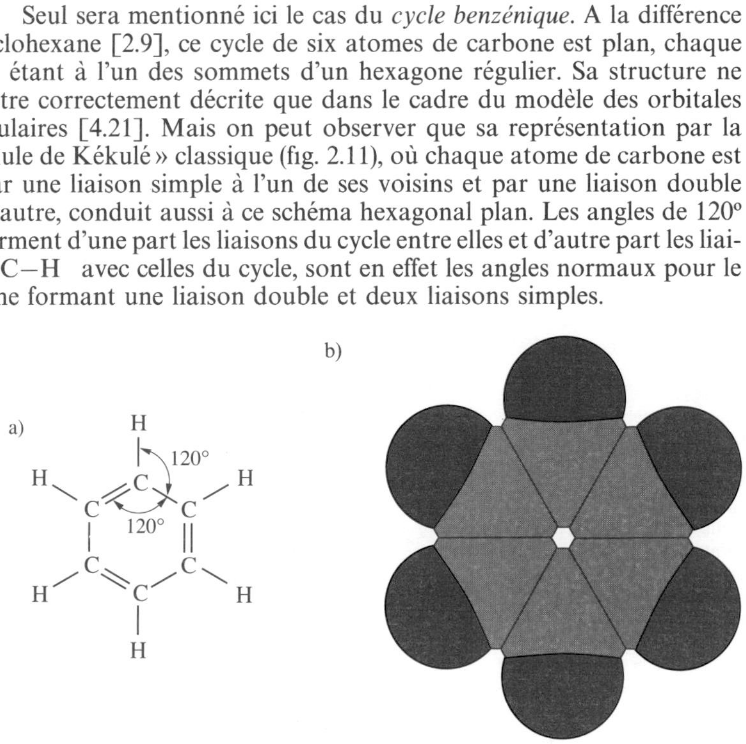

a) 120° 120°

b)

*Figure 2.11 — La molécule de benzène.*

La « formule de Kékulé » (a) laisse prévoir une molécule non contrainte, dont toutes les liaisons sont coplanaires, ce que confirme l'expérience. Mais elle conduit également à prévoir que les côtés de l'hexagone ne seraient pas égaux (liaisons doubles plus courtes que les liaisons simples [2.13]). Or ils sont égaux, comme le montre le modèle (b), et ce désaccord est une des raisons d'attribuer au benzène une structure électronique différente de celle que suggère la formule de Kékulé.

# 3 — Les distances interatomiques et les rayons atomiques

Outre les angles formés par les liaisons, la géométrie des molécules est déterminée également par les distances interatomiques. Deux cas sont à considérer, selon qu'il s'agit d'atomes liés ou non liés directement l'un à l'autre.

## Rayon de covalence. Longueur de liaison

**2.13** La distance entre les centres de deux atomes liés l'un à l'autre, encore appelée *« longueur de liaison »* est un élément de la géométrie du *squelette* de la molécule [2.3]. Elle correspond, pour ces deux atomes, à une position d'équilibre pour laquelle l'énergie potentielle de l'ensemble qu'ils forment est minimale (*).

Le tableau 2.1 donne les longeurs des liaisons les plus usuelles en chimie organique.

*Tableau 2.1 — Longueurs de liaisons.*

**La longueur des liaisons est, en première approximation, indépendante de l'environnement moléculaire dans lequel elles se trouvent. Les valeurs données ci-contre résultent de déterminations expérimentales, par diverses méthodes physiques, notamment spectroscopiques. Elles sont exprimées en nanomètres**

**($1\ nm = 10^{-9}\ m$).**

| | | | | | |
|---|---|---|---|---|---|
| C–H | 0,107 | N–H | 0,101 | C=C | 0,135 |
| C–C | 0,154 | C–F | 0,135 | C≡C | 0,120 |
| C–O | 0,143 | C–Cl | 0,177 | C=O | 0,122 |
| C–N | 0,147 | C–Br | 0,194 | C=N | 0,130 |
| O–H | 0,096 | C–I | 0,214 | C≡N | 0,116 |

On appelle *« rayon de covalence »* (ou « rayon covalent ») d'un élément la moitié de la longueur de la liaison dans la molécule biatomique du corps simple correspondant (fig. 2.12).

*Exemple :* Dans la molécule $H_2$, la distance entre les deux noyaux est 0,074 nm; le rayon de covalence de l'hydrogène est 0,074 : 2 = 0,037 nm.

L'intérêt des rayons de covalence provient de leur propriété d'additivité : la longueur d'une liaison quelconque entre deux éléments A et B peut se calculer, avec une assez bonne approximation par rapport aux valeurs expérimentales, en additionnant simplement les deux rayons de covalence $r_A$ et $r_B$ de ces deux éléments.

(*) Voir *« Cours de Chimie physique »*, chapitre 12.

*Exemple :* La longueur de la liaison H—Cl ($d_{H-Cl}$) peut se calculer par addition du rayon de covalence $r_H$ de l'hydrogène (défini comme la moitié de la distance H—H dans la molécule $H_2$) et du rayon de covalence $r_{Cl}$ du chlore (défini comme la moitié de la distance Cl—Cl dans la molécule $Cl_2$) :

$$d_{H-Cl} = r_H + r_{Cl} = 0{,}037 + 0{,}099 = 0{,}136 \text{ nm}$$

(valeur expérimentale 0,128 nm).

Le tableau 2.2 donne les valeurs des rayons de covalence *r* de quelques éléments courants.

*Tableau 2.2 — Rayon de covalence (r) et rayon de Van der Waals (R) pour quelques éléments courants (en nanomètres).*

| | H | C | N | O | F | Cl | Br | I |
|---|---|---|---|---|---|---|---|---|
| **r** | 0,037 | 0,077 | 0,070 | 0,066 | 0,064 | 0,099 | 0,114 | 0,133 |
| **R** | 0,120 | 0,150 | 0,150 | 0,140 | 0,135 | 0,180 | 0,195 | 0,215 |

## Rayon de Van der Waals. Forme des molécules

**2.14** Les atomes, et par conséquent les molécules, sont essentiellement « faits de vide »; les particules qui les constituent (noyaux, électrons) ont en effet des diamètres très petits par rapport à leurs distances (*).

Cependant ils occupent un espace, considéré comme sphérique, dans lequel un autre atome ne peut pas pénétrer (sauf cas de la formation d'une liaison, qui suppose une interpénétration des nuages électroniques). Tout se passe *comme si* les atomes étaient des sphères compactes impénétrables les unes aux autres, mais cela résulte uniquement de l'existence de forces de répulsion qui se manifestent aux très courtes distances.

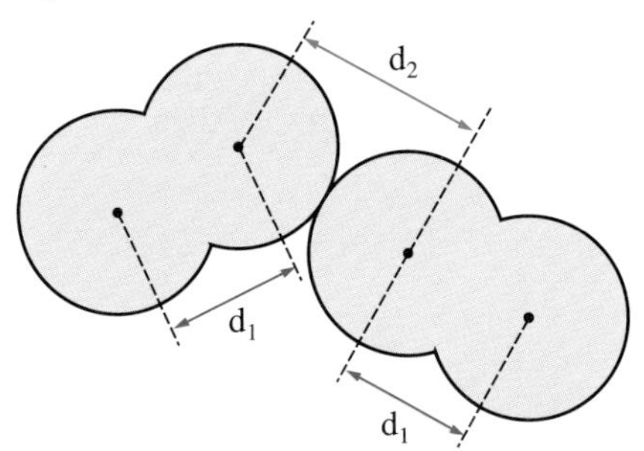


*Figure 2.12 — Définitions du rayon de covalence et du rayon de Van der Waals.* **La figure représente deux molécules d'un même corps simple diatomique ($H_2$, $Cl_2$, etc.) « au contact » l'une de l'autre. Par définition, le rayon de covalence de l'élément (H, Cl, etc.) est $r = d_1/2$ et son rayon de Van der Waals est $R = d_2/2$.**

On appelle *rayon de Van der Waals* d'un élément la moitié de la distance minimale à laquelle peuvent s'approcher deux atomes de cet élément non directement liés (cf. fig. 2.12). Deux atomes différents ne peuvent pas s'approcher à une distance inférieure à la somme de leurs rayons de Van der Waals. Le tableau 2.2 donne les valeurs des rayons de Van der Waals de quelques éléments; ils sont toujours supérieurs aux rayons de covalence.

La connaissance des rayons de Van der Waals permet de déterminer la forme réelle de l'espace occupé par une molécule, c'est-à-dire pratiquement sa « forme extérieure ». Il suffit pour cela « d'habiller » son squelette en traçant autour du centre de chaque atome une sphère de rayon égal à son rayon de Van der Waals (fig. 2.1, 2.6, 2.12).

---

(*) Voir « *Cours de Chimie physique* », chapitre 3.

Cette notion d'encombrement s'applique aussi à des atomes non liés directement mais appartenant à la même molécule et qui, dans certaines conformations, peuvent se trouver proches dans l'espace. Si, dans une conformation particulière, leurs centres se trouvent à une distance inférieure à la somme de leurs rayons de Van der Waals, cette conformation est « déstabilisée »; elle peut même être impossible, si la zone de recouvrement des sphères d'encombrement est importante.

## MOTS-CLÉS

- Angles de liaisons
- Barrière d'énergie
- Configuration
- Conformation
- Liaisons décalées
- Liaisons éclipsées
- Carbone tétraédrique
- Longueur de liaison
- Rayon de covalence
- Rayon de Van der Waals
- Squelette

## OBJECTIFS

DEVENIR CAPABLE DE

- Dessiner correctement, selon l'un des procédés habituels (« coin volant », projection de Newman) la géométrie de molécules simples contenant des carbones dans les différents états de liaison possibles.
- Reconnaître les possibilités de rotation interne dans les molécules.
- Reconnaître les conformations *a priori* privilégiées.
- Reconnaître si une molécule est plane, ou peut être plane (toutes les liaisons dans un même plan).
- Calculer la distance de deux atomes non directement liés, dans une conformation particulière de la molécule.

## EXERCICES

***2-a*** Combien faut-il définir d'angles de liaison $\alpha$, d'angles dièdres $\delta$ et de distances interatomiques *d*, pour définir entièrement la géométrie des molécules suivantes?

a) $H_2N{-}NH_2$ b) $H_2C{=}CH{-}C{\equiv}N$ c) $H_3C{-}O{-}CH_3$.

***2-b*** Calculez, dans la molécule d'éthylène $H_2C{=}CH_2$, la distance des centres de deux atomes d'hydrogène,

a) portés par le même carbone b) portés chacun par l'un des deux carbones.

***2-c*** Calculez, ou déterminez graphiquement, la distance entre les centres de deux carbones « en 1,3 » (c'est-à-dire séparés par un autre carbone) dans la forme chaise du cyclohexane.
Les liaisons axiales étant parallèles, cette distance est aussi celle qui sépare les centres de deux atomes portés par les liaisons axiales de ces deux carbones, par exemple deux H ou deux Cl. Dans chacun de ces deux cas, comparez cette distance à la somme des rayons de Van der Waals des deux atomes. Que peut-on en conclure?

***2-d*** Dans les molécules suivantes, quelles sont les possibilités de rotations susceptibles d'engendrer des conformations distinctes?

a) $CH_3-CH_2-OH$
b) $CH_2=CH-Cl$
c) $CH_2=CH-CH_3$
d) $CH_3-C\equiv C-C\equiv N$
e) 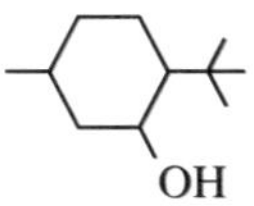 OH
f) 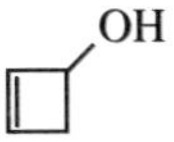 OH

***2-e*** Parmi les molécules suivantes, quelles sont celles qui possèdent une conformation dans laquelle toutes leurs liaisons sont dans un même plan?

a) $H_2C=CH-CH=CH_2$
b) $H_2C=CH-CH_2-CH=CH_2$
c) $H_2C=CH-C\equiv C-CH=CH_2$
d) 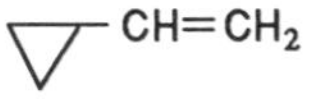 $-CH=CH_2$
e) 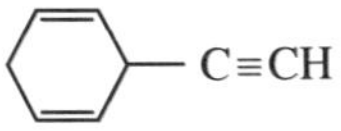 $C\equiv CH$
f) 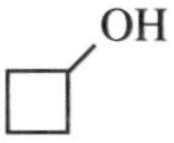 OH
g) 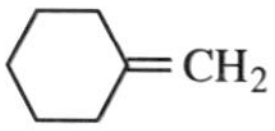 $=CH_2$

***2-f*** Au cours d'une rotation complète autour de la liaison centrale du butane, trois barrières d'énergie doivent être franchies. L'une d'elles vaut 25 kJ . $mol^{-1}$ alors que les deux autres valent seulement 12 kJ . $mol^{-1}$. Expliquez cette différence, en utilisant la projection de Newman.

***2-g*** La molécule ci-après ne peut pas être obtenue par synthèse; une raison géométrique la rend «impossible». Quelle est cette raison?

***2-h*** Imaginez et représentez la géométrie des molécules suivantes (s'il peut en exister plusieurs conformations, représentez celle qui possède le plus grand nombre de liaisons coplanaires) :

a) $CH_3-CO-CO-OH$
b) $O=CH-CH=O$
c) 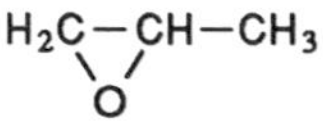 $H_2C-CH-CH_3$ (pont O)
d) 
e) 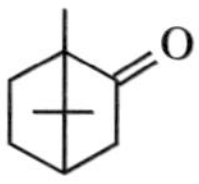 O

# LES TECHNIQUES MODERNES AU SERVICE DE LA STÉRÉOCHIMIE

**2.15** La diversité et la complexité de la géométrie des molécules organiques en fait un domaine d'étude fascinant, dans lequel l'intérêt scientifique rejoint la satisfaction esthétique.

Les spécialistes disposent d'outils extraordinairement efficaces, grâce auxquels peuvent être élucidées et représentées les structures les plus complexes, comme celles que l'on rencontre en particulier dans le vivant (protéines, acides nucléiques, ...). Dans le chapitre 6, quelques-unes des techniques « de routine » qu'utilisent les chimistes seront décrites, mais les résultats les plus spectaculaires sont obtenus par des moyens beaucoup plus sophistiqués, qui ne peuvent être décrits dans ce livre. Deux exemples de tels résultats seront seulement donnés ici.

*Déterminations expérimentales :* Les techniques de diffraction (des rayons X, des électrons ou des neutrons), et la microscopie électronique à haute résolution, permettent de déterminer la position relative des atomes dans l'espace, et d'en donner une représentation. Mais elles exigent des équipements très lourds (un réacteur nucléaire, dans le cas de la diffraction des neutrons).

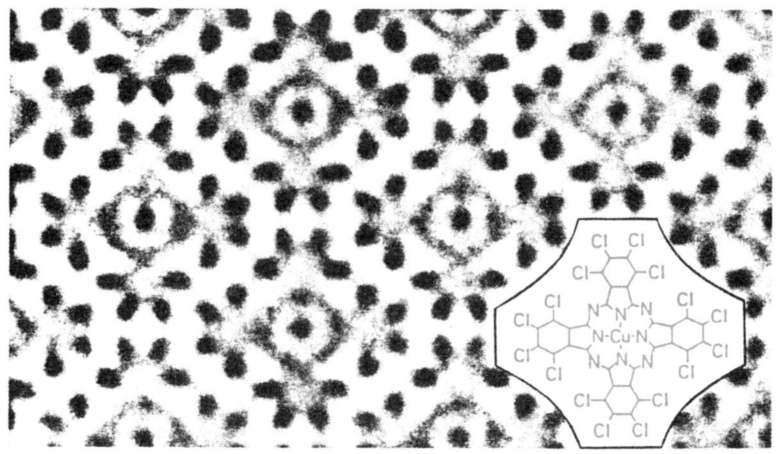


N. Uyeda et al., Chemica Scripta, vol. 14 (1978-79), 47-61.

Cette image (qui n'est pas une « photographie » directe, au sens usuel du terme) a été obtenue au microscope électronique à haute résolution, avec de l'hexadécachlorophtalocyanate de cuivre, à l'état solide. Elle révèle la disposition régulière et ordonnée des atomes, qui caractérise d'une manière générale l'état solide cristallin, mais qui ici, avec une molécule très complexe, apparaît particulièrement remarquable.

*Modélisation informatique des molécules :* Il existe des logiciels graphiques qui permettent d'obtenir sur l'écran de visualisation d'un ordinateur une représentation en trois dimensions et en perspective de molécules très complexes. Les données initiales sont constituées par les valeurs des angles et des longueurs des liaisons, ainsi que les rayons atomiques, et la molécule est « construite » automatiquement, à partir de sa formule structurale (formule plane). Elle apparaît dans sa géométrie optimale, minimisant au mieux les diverses contraintes dont elle peut être le siège, ce qui n'est pas possible avec des modèles moléculaires, qui ne permettent pas de construire des molécules contraintes comme, par exemple, des petits cycles.

L'ordinateur peut également fournir de nombreuses données calculées, comme les dimensions linéaires de la molécule, sa surface et son volume (en distinguant éventuellement les parties polaires et les chaînes carbonées non polaires), ou son moment dipolaire. Des techniques d'animation permettent en outre de faire pivoter la molécule à l'écran, autour d'un axe de rotation choisi, de manière à la voir sous tous les angles.

Ces techniques sont particulièrement utiles lorsqu'on étudie les possibilités géométriques d'interactions entre deux molécules, ou entre une molécule et un substrat biologique (mise au point de molécules biologiquement actives, comme médicaments par exemple).

Cette image, obtenue par « infographie » (simulation informatique de la forme des molécules) est celle d'une cyclodextrine, qui est un dérivé de l'amidon (voir 22.18). Elle représente à la fois le squelette de la molécule et son « volume », et on y distingue clairement des cycles hexagonaux dans la forme chaise, dont un des sommets est rouge pour marquer qu'il est occupé par un oxygène et non par un carbone.

*Document Rhône Poulenc*

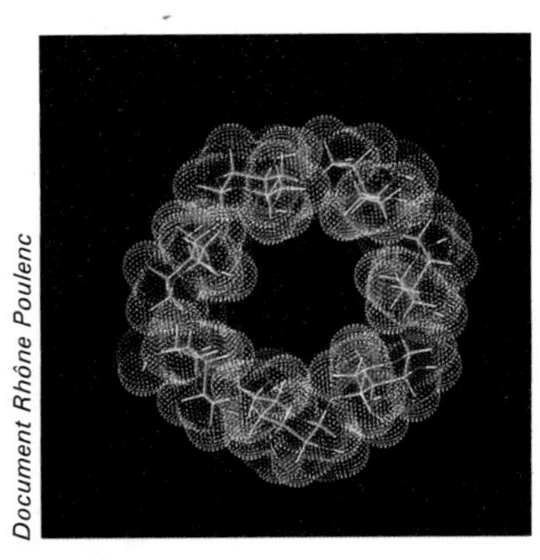

# La stéréoisomérie

3

3.1 *De même qu'avec des pièces données d'un jeu de construction on peut bâtir des édifices différents, les atomes constituant une molécule donnée peuvent, presque toujours, s'assembler de différentes façons. Les « édifices chimiques » correspondant à ces assemblages différents sont des molécules* ***isomères*** *: elles possèdent la même formule brute mais non la même formule développée.*

*Dès le chapitre 1, l'existence possible d'isomères a déjà dû être prise en compte, mais en se limitant alors au cas de molécules différant par leurs formules planes (isoméries de constitution* [1.13] *et de position* [1.14]*).*

*La connaissance de la géométrie des molécules nous permet maintenant d'aborder le cas des isomères possédant la même formule plane, dans lesquels les atomes sont donc liés les uns aux autres selon le même enchaînement, mais dont les atomes sont dans une* ***disposition géométrique différente.*** *Il s'agit alors de* ***stéréoisomérie*** *(prononcez stéréo-isomérie) ou isomérie* ***stérique.***

*Ce sujet présente un double intérêt :*

*– L'observation du résultat d'une même réaction effectuée sur des stéréoisomères, ou de celui d'une réaction susceptible de conduire ou non à des stéréoisomères du produit formé, est une des principales sources d'informations sur les* ***« mécanismes réactionnels »*** [5.16]. *A ce titre, vous aurez diverses occasions dans la suite d'appliquer les connaissances acquises dans ce chapitre.*

*– La nature des interactions entre les molécules et le milieu vivant sont très fortement dépendantes de leur géométrie, et fréquemment l'activité biologique de deux stéréoisomères est très différente* [3.26]. *La stéréochimie, et particulièrement la stéréoisomérie, sont donc impliquées dans toute démarche en ce domaine (compréhension des mécanismes biochimiques, recherche de molécules actives, médicaments ou insecticides par exemple, etc.).*

## Préalables

- Stéréochimie moléculaire [Chapitre 2].
- Éléments et opérations simples de symétrie (plan, axe et centre de symétrie; symétrie de réflexion dans un plan) (cf. un cours de mathématiques).
- Notion de numéro atomique d'un élément (cf. un cours de chimie physique).
- Nature de la lumière; lumière polarisée plane (cf. un cours de physique).

### *Stéréoisomérie et barrière d'énergie*

3.2 Seules sont considérées comme des *isomères* des formes ayant une *existence réelle*, c'est-à-dire une certaine durée de vie et pouvant, par suite, être séparées et isolées.

Ainsi l'existence des deux formes «axiale» et «équatoriale» du chlorocyclohexane [2.9] ne constitue pas un cas d'isomérie, puisqu'elles ne peuvent pas être isolées et qu'il s'agit d'un équilibre entre deux conformations en transformation réciproque permanente. Les représentations que l'on en donne sont comme des photographies instantanées, prises à deux moments différents, qui «immobilisent» un mouvement.

Par contre, le composé ClCH=CHCl *existe sous deux formes* isomères, qui peuvent être isolées à l'état pur, et ne se transforment pas l'une en l'autre [3.23].

La différence essentielle entre les deux cas est la valeur de la *barrière d'énergie* qui sépare les deux formes, beaucoup plus grande dans le second que dans le premier. Il se trouve que, compte tenu de ces valeurs, la rotation est possible *à la température ordinaire* pour le cyclohexane et ne l'est pas pour la double liaison. Mais, à température suffisamment élevée, elle peut le devenir aussi pour cette dernière [2.10], qui ne représente alors plus une cause de stéréoisomérie. La température joue donc un rôle essentiel dans la définition des cas de stéréoisomérie.

## A. LA RELATION D'ÉNANTIOMÉRIE

# 1 — La chiralité

3.3 Certains objets sont identiques à leur image dans un miroir, à laquelle ils peuvent être exactement superposés par la pensée. Tel est le cas d'une tasse, d'un arrosoir ou de la tour Eiffel.

D'autres, au contraire, ne sont pas identiques (superposables) à leur image dans un miroir. C'est le cas pour un escargot (le sens d'enroulement de sa coquille est opposé), d'une main (l'image d'une main gauche est une main droite) ou de la statue de la Liberté (elle ne tient pas son flambeau dans la même main).

Lorsqu'un objet n'est pas superposable à son image dans un plan, on dit qu'il est **chiral** (prononcez kiral, du grec χειρ : main), ou encore qu'il possède la propriété de **chiralité.** Dans le cas contraire, il est **achiral.**

*3-A*

*Dans la liste suivante, quels sont les objets chiraux et achiraux?*
*Une chaussure, une auto, une cuillère, une montre, un tire-bouchon, un fauteuil, une mouche, une cloche.*

Il en est de même pour les objets particuliers que sont les molécules; certaines sont chirales, d'autres achirales.

**Molécules achirales :**

**Molécules chirales :**

*Tableau 3.1 — Exemples de structures chirales et achirales*

Comme tout objet, une molécule peut être identique à son image dans un miroir (achirale), ou non-identique à cette image (chirale). La chiralité ou l'achiralité ne sont pas des caractères propres aux seules molécules organiques; des composés minéraux peuvent les posséder aussi (dernier exemple de chaque série).

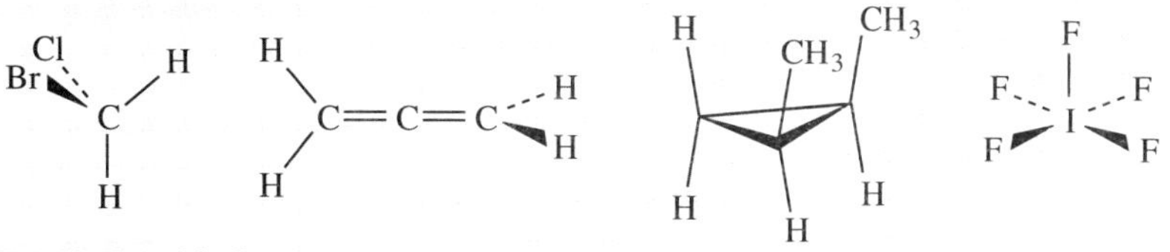

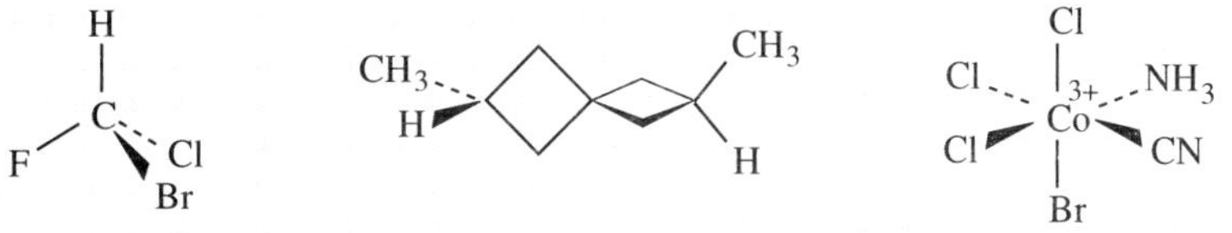

*3-B*

*Pour chacune des molécules précédentes, dessinez une représentation de son image réfléchie dans un plan. Puis vérifiez personnellement si ces images sont superposables ou non à la molécule originale, en essayant par la pensée de les amener en superposition avec elle.*

## Origine et reconnaissance de la chiralité

On peut se borner à constater qu'une molécule est achirale ou chirale, en observant qu'elle est, ou n'est pas, superposable à son image dans un miroir. Mais il est possible aussi de relier la chiralité à certaines caractéristiques géométriques internes des molécules, et de dégager des critères permettant de reconnaître a priori si une molécule est chirale.

### *A quoi tient-il qu'une molécule soit chirale ou achirale?*

**3.4** La chiralité d'un objet est liée à l'absence de certains éléments de symétrie dans la forme de cet objet. Dans la très grande majorité des cas, les molécules chirales sont des molécules qui ne possèdent *ni plan, ni centre de symétrie.*

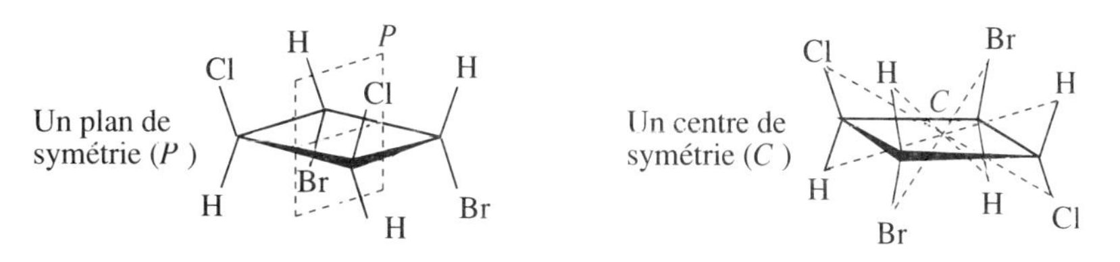


La condition d'absence de plan et de centre de symétrie est une condition nécessaire à la présence de la chiralité, mais ce n'est pas une condition suffisante. En termes plus précis, une molécule est chirale si elle ne possède *aucun axe de symétrie alternant (ou axe de rotation-réflexion).* Une molécule possède un axe alternant d'ordre n si une rotation de $2\pi/n$ autour de cet axe, suivie d'une réflexion dans un plan perpendiculaire à lui, engendre une image superposable à l'objet initial. Mais la possession d'un axe d'*ordre 1* équivaut à celle d'un *plan de symétrie*, et celle d'un axe alternant d'*ordre 2* à celle d'un *centre de symétrie*. La possession d'un axe alternant d'ordre plus élevé est très rare, et c'est la raison pour laquelle on dit le plus souvent que la chiralité résulte de la non-possession d'un plan ou d'un centre de symétrie.

## Comment reconnaître qu'une molécule est chirale?

**3.5** Il résulte de ce qui précède que, en pratique, pour reconnaître si une molécule est chirale, il faut rechercher si elle possède ou non soit un plan, soit un centre de symétrie. Dans la grande majorité des cas, cette recherche se limite même à un éventuel plan de symétrie. Cette recherche ne peut se faire qu'à partir d'une représentation stéréochimique de la molécule, soit effectivement écrite, soit imaginée mentalement.

*Exemples :*

a) $CH_3$ — C (H, HO, COOH)

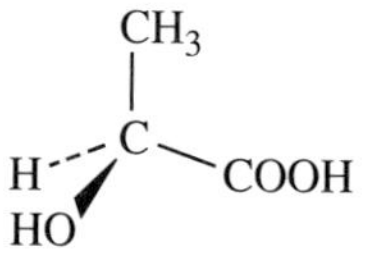

Aucun plan ne peut être trouvé qui partage cette molécule en deux moitiés symétriques l'une de l'autre. Elle n'a donc pas de plan de symétrie, et elle ne possède pas non plus de centre de symétrie; elle est par suite chirale.

b) $CH_3$ — C (H, HO, $CH_3$)

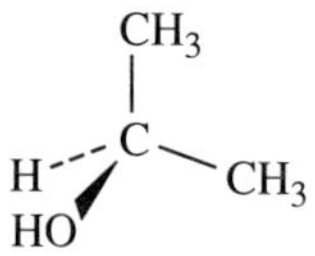

Le plan oblique qui contient les liaisons C—H et C—OH ainsi que la bissectrice de l'angle formé par les deux liaisons C—$CH_3$ est un plan de symétrie pour la molécule (il la partage en deux moitiés symétriques par rapport à lui). Elle est donc achirale.

## Chiralité et conformation

**3.6** Il arrive fréquemment qu'une molécule soit chirale dans certaines conformations et achirale dans d'autres. Ainsi, la molécule d'éthane présente plusieurs plans de symétrie dans la conformation éclipsée et dans la conformation décalée [2.7], mais n'en présente pas dans une conformation quelconque, intermédiaire entre ces deux extrêmes.

Un composé n'est chiral que s'il l'est dans toutes ses conformations, c'est-à-dire s'il ne possède aucune conformation achirale. Il ne s'agit pas d'une définition a priori, mais du constat expérimental qu'un composé achiral dans l'une de ses conformations ne présente pas les propriétés qui sont la conséquence de la chiralité [3.8-9].

### 3-C

*Les molécules suivantes sont-elles chirales ou achirales?*

(a) H, H, H — C — N̈ — H, H

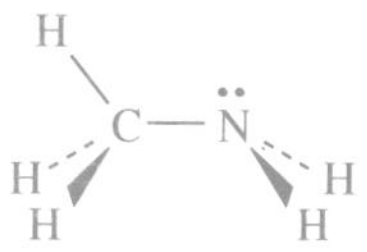

(b) H — C (Cl, Cl, $CH_3$)

(c) HO — cyclopentane — $CH_3$

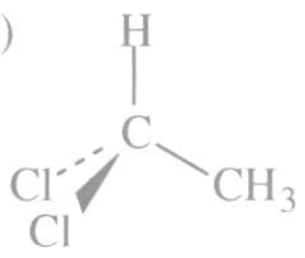

### *Le carbone asymétrique*

3.7 Si un atome de carbone porte *quatre atomes ou groupes d'atomes tous différents*, la molécule qui le contient ne peut posséder aucun élément de symétrie; elle est donc chirale. Un tel carbone est dit «*asymétrique*»; il constitue un *centre de chiralité.*

Le repérage d'un carbone asymétrique, possible sur la formule plane, constitue donc une condition suffisante (mais non nécessaire) de chiralité. Il s'agit d'une situation très courante, à l'origine de la plupart des cas de chiralité et l'on a même parfois tendance à assimiler (abusivement) chiralité et présence d'un carbone asymétrique.

Il faut toutefois noter que, si la présence d'*un* carbone asymétrique entraîne nécessairement la chiralité de la molécule qui le contient, par contre celle de *deux ou plusieurs* carbones asymétriques n'a pas obligatoirement la même conséquence [3.20].

Un carbone doublement ou triplement lié ne peut en aucun cas être asymétrique et se trouver à l'origine de la chiralité.

*3-D*

*Les molécules suivantes possèdent-elles un (ou plusieurs) carbone(s) asymétrique(s)?*

(a) HO, O (b) $CH_3$, $CH_3$ (c) O, OH, $NH_2$

# 2 — Les conséquences de la chiralité

La chiralité a deux ordres de conséquences : sur l'existence d'un type particulier d'isomérie, et sur certaines propriétés particulières, physiques ou chimiques, des molécules.

## L'énantiomérie

*3-E*

*Disposez de toutes les façons que vous pourrez imaginer les quatre éléments* H, F, Cl et Br *sur les quatre liaisons d'un carbone tétraédrique. Comparez les molécules que vous aurez ainsi «fabriquées», en imaginant des essais de translation et de superposition entre elles. Combien trouvez-vous d'arrangements réellement différents (non superposables)? (réponse dans la suite).*

**3.8** La conséquence la plus directe et la plus évidente de la chiralité est qu'une molécule chirale peut exister sous deux formes géométriquement différentes, l'une étant identique à l'image de l'autre dans un miroir. La relation qui existe entre ces deux formes (relation objet-image) est appelée **énantiomérie,** et chacune est l'**énantiomère** de l'autre (on dit aussi *énantiomorphe*, ou encore *antipode optique*). Ces deux molécules diffèrent par leur *configuration;* leur interconversion est habituellement impossible à la température ordinaire et il s'agit donc d'un cas de *stéréoisomérie.*

*Exemples :* L'acide lactique $CH_3—CHOH—COOH$, reconnu précédemment comme chiral [3.5(a)], peut exister sous deux formes énantiomères (c) et (d), et deux seulement :

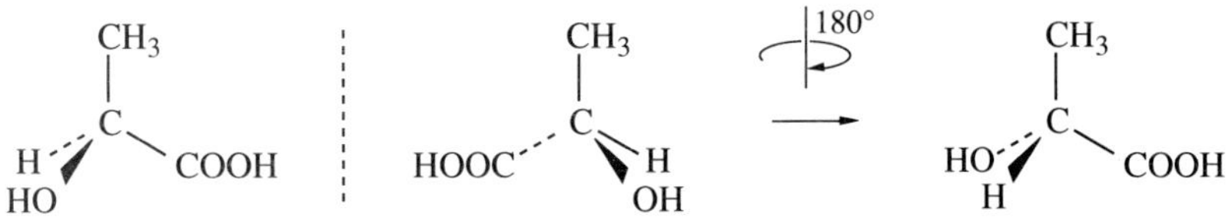

$CH_3$ / C / H, HO, COOH — (c) | $CH_3$ / C / HOOC, H, OH — (d) — 180° → $CH_3$ / C / HO, H, COOH — (d')

En faisant tourner la représentation (d) de 180° autour d'un axe vertical (celui de la liaison $C—CH_3$), on obtient la représentation (d′), qui décrit évidemment la même molécule. Ceci permet de constater que la transformation formelle d'une molécule en son énantiomère correspond indifféremment à une réflexion dans un plan (passage de (c) à (d) et inversement) ou à la permutation de deux des substituants d'un carbone asymétrique (passage de (c) à (d′) et inversement).

*Le cas de l'azote*

**3.9** Une molécule dans laquelle un atome d'azote porte trois atomes ou groupes d'atomes différents, de géométrie pyramidale [2.5], est chirale (pas de plan ni de centre de symétrie). On peut donc en concevoir deux formes énantiomères (e) et (f) :

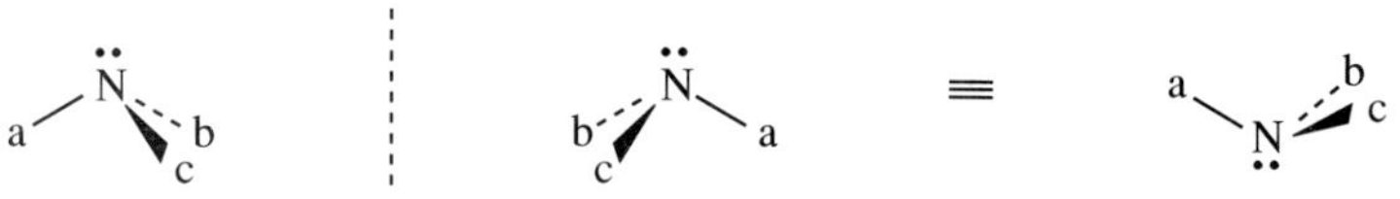

N (a, b, c) — (e) | N (b, c, a) — (f) ≡ N (a, b, c) — (f′)

Mais il ne correspond pas à cette situation un cas de stéréoisomérie, car une telle molécule subit continuellement et très rapidement une inversion de configuration qui transforme (e) en (f′), identique à (f) (la molécule est « retournée » comme peut l'être un parapluie dans un fort vent). Les deux formes énantiomères sont donc en continuelle interconversion réciproque, elles n'ont pas d'existence individuelle et ne peuvent pas être isolées.

Par contre, un ion ammonium tétrasubstitué, de la forme $(Nabcd)^+$, de géométrie tétraédrique, présente exactement la même situation qu'un composé contenant un carbone asymétrique et il en existe deux énantiomères stables.

## L'activité optique

**3.10** Dans la plupart des circonstances, deux énantiomères manifestent des propriétés identiques, et sont indiscernables. Ils ont les mêmes constantes physiques (points de fusion et d'ébullition, masse volumique, indice de réfraction, ...) et les mêmes spectres d'absorption [6.9]. Ils ont également les mêmes caractères chimiques, sauf parfois à l'égard d'une autre molécule chirale. Il existe un seul point sur lequel deux énantiomères se différencient toujours, et même s'opposent : le « pouvoir rotatoire ».

Une substance chirale possède toujours une propriété particulière, que ne possèdent jamais les substances achirales, appelée **activité optique** ou encore **pouvoir rotatoire** : si elle est traversée par un faisceau de lumière polarisée plane (voir un cours de physique), elle provoque une rotation du plan de polarisation de cette lumière (fig. 3.1).

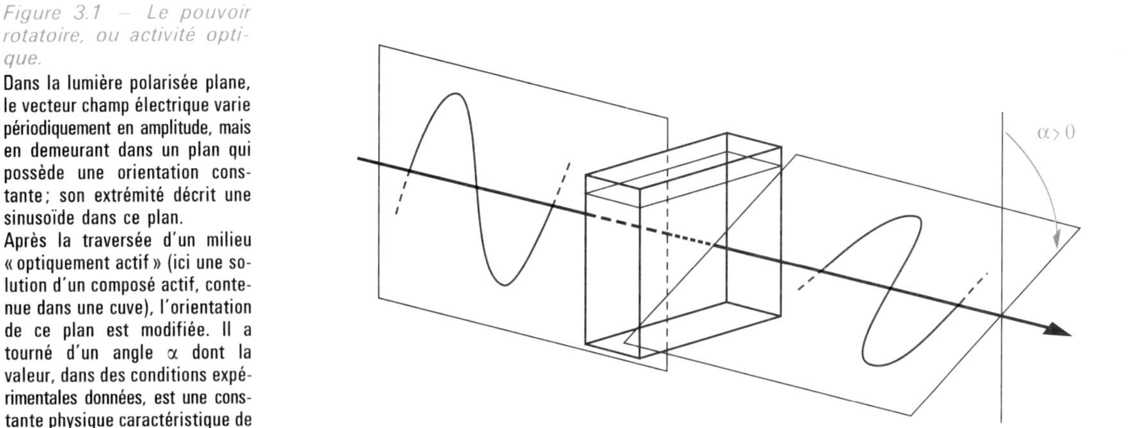


*Figure 3.1 — Le pouvoir rotatoire, ou activité optique.*

Dans la lumière polarisée plane, le vecteur champ électrique varie périodiquement en amplitude, mais en demeurant dans un plan qui possède une orientation constante ; son extrémité décrit une sinusoïde dans ce plan.

Après la traversée d'un milieu « optiquement actif » (ici une solution d'un composé actif, contenue dans une cuve), l'orientation de ce plan est modifiée. Il a tourné d'un angle α dont la valeur, dans des conditions expérimentales données, est une constante physique caractéristique de chaque composé optiquement actif.

Le pouvoir rotatoire se mesure habituellement sur une solution du composé optiquement actif; il est alors défini par la relation :

$$[\alpha] = \frac{\alpha}{l \cdot c} \quad \textit{(Loi de Biot)}$$

$[\alpha]$ = Pouvoir rotatoire spécifique (une constante pour un composé donné, si la température, la nature du solvant et la longueur d'onde de la lumière utilisée sont fixés).
$\alpha$ = Angle de rotation observé (cf. fig. 3.1).
$l$ = Longueur du trajet de la lumière dans la solution (exprimée en décimètres).
$c$ = Concentration en substance active (exprimée en grammes par $cm^3$).

Cette relation permet de réaliser le dosage des substances optiquement actives par la mesure de l'angle α (cette technique est la *polarimétrie*).

*Deux énantiomères ont des pouvoirs rotatoires identiques en valeur absolue, mais opposés.* Celui qui fait tourner le plan de polarisation dans le sens des aiguilles d'une montre pour l'observateur qui reçoit le rayon lumineux (α positif, cas de la figure 3.1) est dit *« dextrogyre »*. L'autre, qui le fait tourner du même angle mais vers la gauche (α négatif) est dit *« lévogyre »*.

Pour spécifier chaque énantiomère, on fait précéder le nom du composé des signes (+) ou (−). Exemple : la forme dextrogyre du butan-2-ol $CH_3—CHOH—CH_2—CH_3$ est désignée comme le (+)-butan-2-ol; sa forme lévogyre est le (−)-butan-2-ol.

### *Le racémique*

3.11 Dans la pratique, les composés chiraux se rencontrent le plus souvent sous la forme du mélange en proportions égales de leurs deux énantiomères; la plupart des réactions qui comportent la formation d'un composé chiral fournissent en effet exactement autant de molécules dextrogyres que de molécules lévogyres. Ce mélange est appelé *« mélange racémique »* ou, plus simplement *« racémique »*. Il n'est pas optiquement actif, car les pouvoirs rotatoires des deux énantiomères se compensent exactement. On désigne le racémique par le symbole (±); exemple : (±)-butan-2-ol.

L'obtention de l'un des énantiomères à l'état pur nécessite donc, en règle générale, la séparation des deux constituants du racémique, opération que l'on appelle *« résolution »*, ou encore *« dédoublement »*, de ce racémique.

Cette séparation est rendue difficile par le fait que, mis à part le signe du pouvoir rotatoire, deux énantiomères sont entièrement identiques, physiquement et chimiquement. En effet, les méthodes de séparation usuelles sont toutes fondées sur une différence dans l'une de leurs propriétés des constituants du mélange à séparer (distillation : différence de température d'ébullition; cristallisation : différence de solubilité ou de température de fusion; etc.).

On peut, entre autres, utiliser une méthode chimique consistant à faire agir sur le mélange racémique des deux énantiomères un réactif optiquement actif. Soit, par exemple, à « résoudre » le racémique d'un acide optiquement actif (±)-A. Si on fait réagir sur lui une base optiquement active prise sous la forme de son énantiomère dextrogyre pur (+)-B, on obtient deux sels stéréoisomères :

$$(\pm)\text{-A} + 2(+)\text{-B} \rightarrow (+)\text{-A}/(+)\text{-B} + (-)\text{-A}/(+)\text{-B}$$

Or ces deux sels ne sont pas énantiomères, puisqu'ils ne sont pas images l'un de l'autre dans un miroir (l'énantiomère de (+)-A/(+)-B serait (−)-A/(−)-B, et celui de (−)-A/(+)-B serait (+)-A/(−)-B). Ils sont seulement *diastéréoisomères* [3.17] et leurs propriétés physiques ne sont pas identiques. Leur séparation est donc bien plus aisée que celle de deux énantiomères, et il est facile ensuite de régénérer séparément (+)-A et (−)-A par l'action d'un acide fort sur chacun des deux sels.

# 3 — La configuration absolue

3.12 La relation d'énantiomérie définit la configuration *relative* de deux énantiomères : leurs molécules sont symétriques l'une de l'autre par rapport à un plan. D'autre part, l'un des énantiomères est dextrogyre et l'autre est lévogyre. Mais il est impossible de dire *a priori*, à l'examen des deux représentations stéréochimiques, laquelle représente la forme dextrogyre et laquelle représente la forme lévogyre. En d'autres termes, on ne peut attribuer *a priori* à chaque isomère, caractérisé et défini *expérimentalement* par le signe de son pouvoir rotatoire, sa configuration effective, ou *absolue*.

*Exemples :* (c) et (d) [3.8] représentent les deux configurations énantiomères de l'acide lactique. On peut dire que *si* l'isomère dextrogyre est (c) *alors* l'isomère lévogyre est (d), et inversement; mais on ne peut pas déterminer *a priori* si (c) est dextrogyre ou lévogyre.

Avant de voir comment on peut procéder pour attribuer à chaque énantiomère sa configuration, il faut préalablement fixer des règles de nomenclature permettant de désigner chacune des deux configurations par un nom.

## Nomenclature des configurations du carbone asymétrique

**3.13** Selon la *règle de Cahn-Ingold-Prelog*, pour caractériser et définir de manière univoque chacune des deux configurations d'un carbone asymétrique on procède en deux temps :

### a) Établissement d'un classement des quatre substituants

On établit tout d'abord un classement séquentiel, c'est-à-dire une suite ordonnée selon un certain critère, des quatre substituants, en attribuant à chacun d'eux un « rang » dans ce classement.

Le critère utilisé est le *numéro atomique* Z de l'atome qui, dans le substituant, est directement lié au carbone asymétrique; l'ordre du classement correspond aux valeurs décroissantes de Z.

Si deux substituants sont liés au carbone asymétrique par un atome du même élément, on les « départage » en considérant les atomes qui se présentent pour chacun d'eux en deuxième position puis, si nécessaire, en troisième, quatrième, ... position (on procède ici comme pour classer des mots par ordre alphabétique : s'ils commencent par la même lettre, on les classe en fonction de la deuxième et, si nécessaire, de la troisième, de la quatrième, etc.).

Ainsi les groupes méthyle $-CH_3$ et éthyle $-CH_2-CH_3$ sont tous deux liés par un carbone; mais $-CH_2-CH_3$ a priorité sur $-CH_3$ car, en deuxième position, il comporte deux H (Z=1) et un C (Z=6), alors que $CH_3$ comporte trois H :

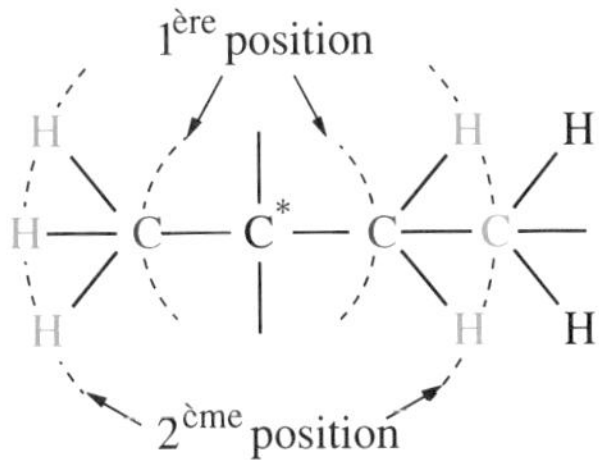

1ère position

H₃C—C*—CH₂—CH₃

2ème position

Une double (ou triple) liaison est considérée comme l'équivalent de deux (ou trois) liaisons simples avec deux (ou trois) atomes du même élément (dans $>C=C<$, chaque carbone est considéré comme lié à *deux* autres carbones; dans $>C=O$, C est considéré comme lié à *deux* oxygènes, et O est considéré comme lié à *deux* carbones).

L'hydrogène a priorité sur un doublet libre (non liant).

*Exemples :* Les chiffres entre parenthèses indiquent le rang de classement des substituants du carbone asymétrique, lui-même désigné par un astérisque.

a)

```
           OH(2)
 (4)        |       (3)
CH3 — C* — CH2 — CH3
            |
           OCH3(1)
```

O ($Z = 8$) a priorité sur C ($Z = 6$); OH et $OCH_3$ d'une part, $CH_3$ et $CH_2—CH_3$ d'autre part, sont départagés par la nature des atomes situés en deuxième position (dans les deux cas, priorité de C sur H).

b)

```
                H(4)
   (2)          |       (1)
HOCH2 — C* — CH=O
                |
               CH3(3)
```

CH=O, où C est lié à un H et («fictivement») à deux O, a priorité sur $HOCH_2$, où C est lié à deux H et à un O; dans $CH_3$, C est lié à trois H.

c)

```
                    H(4)
          (2)       |       (3)
H2C=CH — C* — CH — CH3
                    |       |
            (1)H2N     CH3
```

N ($Z = 7$) a priorité sur C ($Z = 6$). Dans $H_2C=CH$ et dans $CH(CH_3)_2$ la situation est identique au niveau du premier carbone, qui dans les deux cas est lié à un H et à deux C («fictivement» dans $H_2C=CH$). Mais il apparaît une différence au niveau des carbones en deuxième position : dans $H_2C=CH$, le C du groupe $CH_2$ est lié à deux H et («fictivement») à *deux* C; dans $CH(CH_3)_2$ les C des deux groupes $CH_3$ sont liés à trois H et à *un* C.

N.B. Il ne faut pas faire la somme des numéros atomiques des atomes se trouvant dans une position donnée; seul «compte» le $Z$ le plus grand. Ainsi $—CH_2OH$, avec un seul O ($Z = 8$) en deuxième position, serait prioritaire sur $—C(CH_3)_3$, qui a trois C ($Z = 6$) dans la même position.

### b) Examen visuel de la molécule selon un angle déterminé

3.14 Ce classement étant établi, on suppose que l'on regarde la molécule dans l'axe de la liaison qui unit le carbone asymétrique au substituant classé dernier (4e rang), par le côté opposé à ce dernier. Puis on examine si, dans ces conditions, les trois autres substituants, pris dans l'ordre décroissant des priorités, se présentent au regard dans le sens des aiguilles d'une montre ou dans le sens inverse.

Dans le premier cas, la configuration est dite ***«R»*** (de *rectus* : droit); dans le second elle est dite ***«S»*** (de *sinister* : gauche).

*Exemple :* Les quatre substituants du carbone asymétrique de l'acide lactique [3.8] se classent, selon la règle précédemment définie, de la façon suivante :

1) OH 2) —COOH 3) $—CH_3$ 4) —H

L'application de la procédure indiquée conduit donc au résultat suivant

Regard → $HO^{(1)}$, $HOOC^{(2)}$, $H_3C_{(3)}$ — C — $H^{(4)}$ est vu ainsi : (1) OH, (2) HOOC, (3) $CH_3$ *Configuration S*

Regard → $HO^{(1)}$, $H_3C^{(3)}$, $HOOC_{(2)}$ — C — $H^{(4)}$ est vu ainsi : (1) OH, (3) $H_3C$, (2) COOH *Configuration R*

*3-F*

*Dans la molécule représentée ci-contre, le carbone asymétrique (*) est-il dans la configuration R ou S?*

$CH_2OH$ | $\overset{*}{C}$ | $CH_2=CH$ | $CH_2NH_2$ | OH

---

## Attribution des configurations absolues

**3.15** Le fait de pouvoir donner un nom à chacune des configurations d'un composé contenant un carbone asymétrique n'apporte évidemment pas la solution du problème consistant à déterminer la configuration absolue de chaque énantiomère, le dextrogyre et le lévogyre. Il n'y a, en effet, pas de relation systématique entre le signe du pouvoir rotatoire et la configuration absolue (sauf, bien entendu, que l'inversion de la configuration entraîne le changement de signe du pouvoir rotatoire). Il ne faudrait donc *surtout pas penser* que la forme *« R »* est dextrogyre et la forme *« S »* lévogyre; cette façon de nommer les deux configurations *ne préjuge en rien* du signe du pouvoir rotatoire.

Ainsi, le fait d'estérifier la fonction acide de l'acide lactique, selon la réaction

$$\underset{\text{acide (+)-lactique (dextrogyre)}}{CH_3-\overset{*}{C}HOH-COOH} + CH_3OH \rightarrow \underset{\text{(−)-lactate de méthyle (lévogyre)}}{CH_3-\overset{*}{C}HOH-COOCH_3} + H_2O$$

ne modifie en rien la configuration du carbone asymétrique (*). Pourtant cela provoque un changement de signe du pouvoir rotatoire (en plus d'une modification de sa valeur absolue).

On peut déterminer dans l'absolu, par une méthode utilisant la diffraction des rayons X, la géométrie complète d'une molécule et en particulier la configuration du (ou des) carbone(s) asymétrique(s) qu'elle peut éventuellement contenir. Mais cette technique nécessite dans chaque cas un travail très important, et peu de configurations absolues ont été déterminées ainsi. On procède le plus souvent par *corrélation de configurations*, en établissant la configuration inconnue d'un composé par référence à celle, déjà connue, d'un autre. Le composé de référence dans ces corrélations est souvent le glycéraldéhyde $HOCH_2-\overset{*}{C}HOH-CH=O$ dont la configuration absolue a été établie par les rayons X en 1951 (*).

*Exemple :* Détermination de la configuration absolue de l'acide lactique, par corrélation avec le glycéraldéhyde.

---

(*) Les premières corrélations avec le glycéraldéhyde ont été faites à une époque où sa configuration absolue n'était pas encore connue et, dans l'attente de sa détermination, on avait attribué arbitrairement (avec une chance sur deux de « tomber juste »...) une configuration au (+)-glycéraldéhyde. Il a été démontré en 1951 que cette attribution était exacte.

Il est possible de passer du glycéraldéhyde à l'acide lactique par une série de réactions qui ne comportent aucune participation des liaisons du carbone asymétrique et qui, par conséquent, laissent sa configuration inchangée :

$HOCH_2-C(OH)(H)-CHO \xrightarrow[H_2O]{Br_2} HOCH_2-C(OH)(H)-COOH \xrightarrow{PBr_3} BrCH_2-C(OH)(H)-COOH \xrightarrow[H^+]{Zn} CH_3-C(OH)(H)-COOH$

(+) – glycéraldéhyde ... acide (–) – lactique

On constate alors qu'en partant du (+)-glycéraldéhyde (c'est-à-dire de l'isomère dextrogyre de cet aldéhyde, de configuration *connue*) on obtient l'acide (−)-lactique (lévogyre), dont la configuration se trouve ainsi élucidée; on peut voir que c'est une forme « *R* ».

Il apparaît donc que l'isomère lévogyre de l'acide lactique possède la configuration « *R* » de sorte que l'isomère dextrogyre possède la configuration « *S* ». Ces deux isomères peuvent dès lors recevoir une appellation qui indique à la fois leur configuration absolue et le signe de leur pouvoir rotatoire : ce sont l'acide (−)-(*R*)-lactique et l'acide (+)-(*S*)-lactique.

Ce résultat étant acquis, l'acide lactique peut devenir, à son tour, une référence pour établir par corrélation la configuration absolue d'autres composés.

### *La nomenclature D, L*

**3.16** Au lieu d'indiquer la configuration absolue, *R* ou *S*, d'un composé comportant un carbone asymétrique, on indique parfois avec quelle forme, dextrogyre ou lévogyre, du glycéraldéhyde il peut être mis en corrélation. On fait alors précéder son nom de la lettre D si c'est avec la forme dextrogyre, ou de la lettre L si c'est avec la forme lévogyre. Mais, de même que les symboles *R* et *S*, les symboles D et L n'ont pas de rapport avec le signe du pouvoir rotatoire de ce composé, qui doit donc être précisé indépendamment de la manière habituelle.

*Exemples :* l'acide (—)-(*R*)-lactique, dont la configuration est directement reliée à celle du (+)-glycéraldéhyde (cf. plus haut), est souvent désigné comme acide (—)-(D)-lactique ; sa forme dextrogyre sera alors l'acide (+)-(L)-lactique. Dans ces deux noms (—) et (+) indiquent le signe du pouvoir rotatoire de l'acide lactique, alors que (D) et (L) indiquent sa configuration absolue : l'acide lactique lévogyre (—) a la même configuration absolue que celle du glycéraldéhyde dextrogyre (D), et l'acide lactique dextrogyre (+) a la même configuration absolue que le glycéraldéhyde lévogyre (L).

L'alanine $CH_3-\overset{*}{C}H(NH_2)-COOH$ correspond à un acide lactique dans lequel le groupe OH aurait été remplacé par le groupe $NH_2$, et sa forme dextrogyre a la même configuration absolue que l'acide lactique dextrogyre. On peut donc dire que, comme celui-ci, elle se relie au (−)-glycéraldéhyde, et la désigner soit par (+)-(*S*)-alanine soit par (+)-(L)-alanine.

Cette nomenclature, qui n'est utilisée que pour certaines familles de composés (glucides, acides aminés) se justifie surtout si, par ailleurs, on utilise pour représenter la configuration de ces composés la *convention de Fischer*, qui sera exposée ultérieurement [22.2].

## B. LA RELATION DE DIASTÉRÉOISOMÉRIE

**3.17** Lorsque deux molécules *sont stéréoisomères*, c'est-à-dire ne diffèrent que par des caractères géométriques, mais *ne sont pas énantiomères* (pas images l'une de l'autre par rapport à un plan), elles sont **diastéréo-isomères** (prononcez diastéréo-isomères).

Deux cas de diastéréoisomérie seront envisagés ici : celui des composés comportant deux ou plusieurs carbones asymétriques, et celui de l'enchaînement éthylénique (double liaison carbone-carbone).

# 1 — Composés comportant plus d'un carbone asymétrique

**3.18** Si une molécule contient deux carbones asymétriques, comme c'est le cas par exemple pour $CH_3-\overset{*}{C}HCl-\overset{*}{C}HBr-CH_3$, chacun d'eux peut se trouver, indépendamment de l'autre, dans la configuration *R* ou dans la configuration *S*. Il existe donc quatre stéréoisomères, correspondant aux quatre combinaisons possibles pour la configuration d'ensemble de la molécule : *R,R*, *R,S*, *S,R* et *S,S*.

Les molécules *R,R* et *S,S* sont images l'une de l'autre, puisque de l'une à l'autre les configurations des *deux* carbones sont inversées; elles constituent un couple d'*énantiomères*. Il en est de même pour les molécules *R,S* et *S,R*.

Par contre, les formes *R,R* et *R,S*, par exemple, ne sont pas images l'une de l'autre puisque dans l'une et l'autre l'un des carbones possède la même configuration, et seul l'autre y a des configurations inverses. Elles sont *diastéréoisomères*. La figure 3.2 résume l'ensemble des relations entre les quatre stéréoisomères possibles.

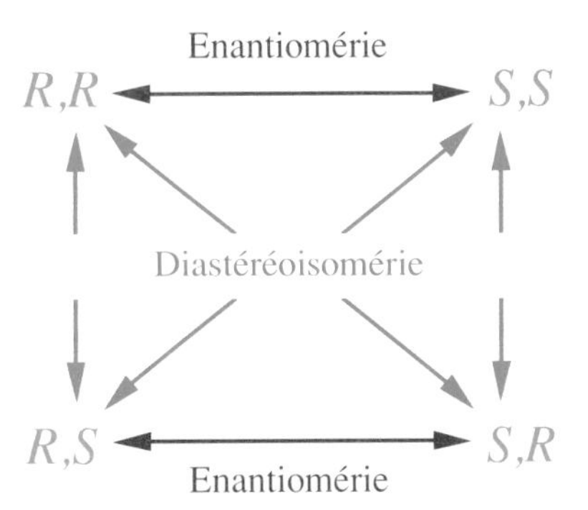


*Figure 3.2 — Les stéréoisomères associés à la présence de deux carbones asymétriques, et leurs relations.*

A chacune des quatre combinaisons possibles pour les configurations des deux carbones asymétriques correspond un stéréoisomère. L'inversion *des deux* carbones donne une nouvelle molécule entièrement réfléchie dans un plan, énantiomère de la molécule initiale. L'inversion d'*un seul* des deux carbones donne une molécule dont une partie seulement a été réfléchie dans un plan, l'autre partie étant restée identique; cette nouvelle molécule est diastéréoisomère de la molécule initiale.

*Exemple :* Le 2,3,4-trihydroxybutanal

$$HOCH_2-\overset{*}{C}HOH-\overset{*}{C}HOH-CH{=}O$$

($CH_3-CH_2-CH_2-CH{=}O$ est le butanal et le groupe OH s'appelle « hydroxy ») présente deux carbones asymétriques. Il en existe donc quatre stéréoisomères, représentés ci-dessous (les chiffres 1, 2, 3 et 4 constituent une simple numérotation des quatre carbones de la chaîne) :

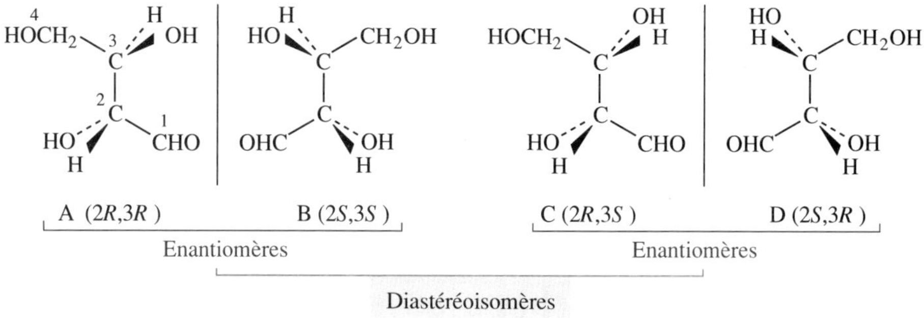

A (2*R*,3*R*) B (2*S*,3*S*) C (2*R*,3*S*) D (2*S*,3*R*)

Enantiomères Enantiomères

Diastéréoisomères

Le passage de A à B, de même que celui de C à D, comporte l'inversion de la configuration *des deux* carbones asymétriques. A et B d'une part, C et D d'autre part, constituent des couples d'énantiomères (ils sont représentés ici dans la position relative d'un objet et de son image dans un plan P, de façon à mettre en évidence leur relation d'énantiomérie).

Le passage de A (ou de B) à C (ou à D) ne comporte que l'inversion d'*un seul* carbone asymétrique (par exemple, le carbone 3 pour le passage de A à C). A et B sont des *diastéréoisomères* de C et de D.

Les pouvoirs rotatoires de A et de B, de même que ceux de C et de D, sont égaux en valeur absolue et opposés. Mais il n'y a *pas de relation a priori* entre celui du couple A,B et celui du couple C,D.

A propos de l'exemple précédent, deux remarques sont à faire :

a) Les quatre stéréoisomères ont été représentés dans une *conformation* [2.6] arbitrairement fixée. Une rotation éventuelle des deux parties de la molécule, autour de la liaison qui unit les deux carbones asymétriques C2 et C3, ne modifie pas la *configuration* de ceux-ci. Le stéréoisomère A par exemple reste « 2*R*,3*R* », quelle que soit sa conformation. Toute autre représentation différente par sa conformation de celle qui en a été donnée serait donc également valable.

b) Dans cet exemple, les deux carbones asymétriques sont directement liés l'un à l'autre. La situation serait la même, quant au nombre des stéréoisomères et à leurs relations, dans une molécule où deux carbones asymétriques seraient dans une position relative différente (par exemple dans le composé $CH_3{-}\overset{*}{C}HCl{-}CH_2{-}CH_2{-}\overset{*}{C}HBr{-}CH_3$).

## *Nomenclature*

### 3.19 *a) Désignation des couples d'énantiomères*

Le plus souvent, dans la pratique, on a affaire à des mélanges racémiques [3.11], mélanges en proportions égales des deux énantiomères d'un composé chiral. On a donc trouvé utile de disposer, pour un composé à deux carbones asymétriques, d'un mode de désignation de chaque couple d'énantiomères, sans distinguer chacun des énantiomères individuellement.

Le couple formé par les deux énantiomères *R*,*R* et *S*,*S*, dans lesquels les deux carbones asymétriques ont *la même* configuration, est le couple *« like »* (prononcez : laèke). Il est identifié en faisant précéder le nom du composé de (*R**,*R**), qui se lit « R étoile, R étoile », ou de (rel-*R*, *R*) (rel = relatif).

*Exemples :* Le couple des deux énantiomères **A** et **B** dans l'exemple précédent [3.18] est désigné comme (2*R**,3*R**)-2,3,4-trihydroxybutanal, ou comme (rel-2*R*,3*R*)-2,3,4-trihydroxybutanal.

Le couple formé par deux énantiomères *R*,*S* et *S*,*R*, dans lesquels les deux carbones asymétriques ont des configurations *différentes*, est le couple *« unlike »* (prononcez : ounlaèke). Il est identifié en faisant précéder le nom du composé de (R*,S*), ou de (rel-*R*,*S*).

*Exemples :* Le couple des deux énantiomères **C** et **D** dans l'exemple précédent est désigné comme (2*R**,3*S**)-2,3,4-trihydroxybutanal, ou comme (rel-2*R*,3*S*)-2,3,4-trihydroxybutanal.

*Attention :* dans le couple (*R**,*R**) la configuration des deux carbones asymétriques est la même, mais elle peut être *soit* *R*,*R*, *soit* *S*,*S*. De même, l'appellation (*R**,*S**) signifie que les deux carbones asymétriques n'ont pas la même configuration, mais elle n'indique pas *lequel* est *R* et *lequel* est *S*.

*b) Désignation d'un stéréoisomère particulier*

Dans chaque couple d'énantiomère, l'un est dextrogyre et l'autre est lévogyre [3.10]. On peut donc les individualiser en référence à cette propriété particulière, même si l'on ne connaît pas la configuration absolue de chacun. Ainsi, dans le couple *like* (couple **A,B**) de l'exemple précédent, l'isomère dextrogyre est le (+)-(*R**,*R**)-2,3,4-trihydroxybutanal, et l'isomère lévogyre est le (−)-(*R**,*R**)-2,3,4-trihydroxybutanal.

Si l'on connaît la configuration absolue (et non seulement la configuration relative) des deux carbones asymétriques dans chaque isomère, on peut alors supprimer les * et attribuer à chacun un nom qui le décrit entièrement et qui ne peut appartenir qu'à lui seul. C'est le cas dans le présent exemple, où l'on sait que dans le couple *like* la forme dextrogyre est (2*S*,3*S*) et la forme lévogyre est (2*R*,3*R*); dans le couple *unlike* la forme dextrogyre est (2*R*,3*S*) et la forme lévogyre est (2*S*,3*R*). Les quatre stéréoisomères peuvent être totalement identifiés par les noms suivants :

**A** : (−)-(2*R*,3*R*)-2,3,4-trihydroxybutanal **C** : (+)-(2*R*,3*S*)-2,3,4-trihydroxybutanal
**B** : (+)-(2*S*,3*S*)-2,3,4-trihydroxybutanal **D** : (−)-(2*S*,3*R*)-2,3,4-trihydroxybutanal

## *La forme méso*

3.20 Dans un composé à deux carbones asymétriques, ceux-ci peuvent porter des substituants identiques, comme dans

$$CH_3—\overset{*}{C}HCl—\overset{*}{C}HCl—CH_3$$

où tous deux portent un H, un Cl et un groupe $CH_3$. En ce cas, il existe toujours deux énantiomères *like* (*R*,*R* et *S*,*S*), mais les deux stéréoisomères *unlike* (*R*,*S* et *S*,*R*) sont identiques, puisqu'il est alors indifférent que le carbone 2 soit *R* et le carbone 3 soit *S*, ou le contraire.

Il n'existe donc plus que trois stéréoisomères : un couple d'énantiomères *like* et une seule forme *unlike*, appelée *forme méso*. Celle-ci ne possède pas d'activité optique, bien qu'elle contienne deux carbones asymétriques, et on peut le justifier par deux raisons, du reste équivalentes :

– On peut considérer que la molécule est formée de deux parties « actives » sur la lumière polarisée, identiques mais de configurations opposées. Elle constitue donc une sorte de *racémique interne*, dans lequel le pouvoir rotatoire associé à l'un des centres de chiralité est compensé exactement par celui qui est associé à l'autre, de même valeur absolue mais de signe opposé.

– On peut observer que, dans l'une de ses conformations, la molécule possède un plan de symétrie; elle n'est donc pas chirale [3.6].

E (2*R*,3*R*) F (2*S*,3*S*) — Enantiomères

G (2*R*,3*S*) H (2*S*,3*R*) — Forme méso (unique)

Diastéréoisomères

Les deux représentations **G** et **H** sont superposables, moyennant le retournement vertical de l'une d'elles. Elles décrivent la même molécule, superposable à son image (achirale) et inactive sur la lumière polarisée en raison de la présence d'un plan de symértrie interne *P* (dans la conformation représentée ci-dessus).

## *Les molécules cycliques*

**3.21** Le 1-bromo-2-chlorocyclobutane,

comporte deux carbones asymétriques; il en existe donc quatre stéréoisomères, constituant deux couples d'énantiomères :

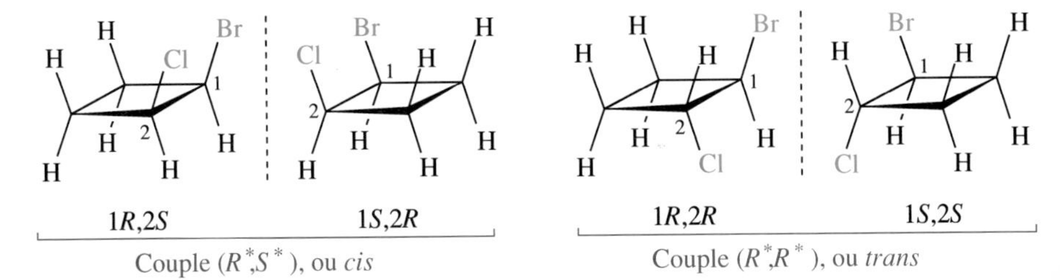


Le fait que la molécule soit cyclique ne change rien au nombre des configurations possibles, donc à celui des stéréoisomères, mais il en résulte un blocage de la rotation entre les deux carbones asymétriques. De ce fait, dans le couple (*R**,*S**) le chlore et le brome sont nécessairement du même côté par rapport au plan du cycle; pour cette raison, on dit qu'il s'agit de deux formes « *cis* ». Inversement, dans le couple (*R**,*R**) les deux atomes Br et Cl sont nécessairement de part et d'autre du plan du cycle; on dit qu'il s'agit de deux formes « *trans* ».

### *3-G*

*La situation (nombre et nature des stéréoisomères) serait-elle modifiée, et comment, si dans le 1-bromo-2-chlorocyclobutane l'atome de brome était remplacé par un autre atome de chlore?*

### *Généralisation aux composés à plusieurs carbones asymétriques*

*3-H*

---

*Au début du § 3.18, on a déterminé a priori le nombre de stéréoisomères pour un composé comportant 2 carbones asymétriques. Faites de même pour un composé qui en comporterait 3, en désignant chaque stéréoisomère par une « formule » symbolique du type RRR, RRS, etc., et établissez les relations qui existent entre eux.*

*Si le nombre de carbones asymétriques augmente encore, par quel facteur est multiplié le nombre de stéréoisomères pour chaque carbone asymétrique supplémentaire? Combien y a-t-il de stéréoisomères d'une molécule comportant n carbones asymétriques? et combien de mélanges racémiques?*

---

3.22 La présence de n carbones asymétriques, pouvant prendre chacun pour son compte l'une ou l'autre des configurations *R* ou *S*, entraîne dans le cas général l'existence de $2^n$ stéréoisomères au maximum, constituant $2^{n-1}$ couples d'énantiomères. Cependant, certains de ces stéréoisomères peuvent être achiraux (formes méso), et en ce cas le nombre réel de stéréoisomères est inférieur à $2^n$. D'autres particularités structurales peuvent, au contraire, conduire à un nombre de stéréoisomères plus grand que $2^n$.

## 2 — Composés comportant une double liaison

3.23 L'enchaînement >C=C< est plan et rigide [2.10]; la présence de la double liaison empêche, au moins à la température ordinaire, la rotation des deux carbones l'un par rapport à l'autre. En conséquence, *si chacun d'eux porte deux atomes ou groupes d'atomes différents*, il peut exister deux stéréoisomères. Ils ne sont pas images l'un de l'autre et sont donc l'un pour l'autre des *diastéréoisomères*.

*Exemple :* le 1,2-dichloréthylène ClCH=CHCl existe sous les deux formes diastéréoisomères :

```
Cl        Cl              Cl        H
  \      /                  \      /
   C = C          et         C = C
  /      \                  /      \
H         H               H         Cl
```

### *Nomenclature*

3.24 Pour désigner deux stéréoisomères de ce type, on établit d'abord un classement, *sur chacun des carbones doublement liés*, entre les deux atomes ou groupes d'atomes qu'il porte, en utilisant la règle séquentielle de Cahn-Ingold-Prelog [3.13]. Puis on examine dans quelle disposition relative se trouvent les deux atomes ou groupes prioritaires de chaque carbone :

— s'ils sont du même côté de l'axe de la liaison C=C (on dit « en position *cis* »), il s'agit de l'isomère *Z* (de l'allemand *zusammen :* ensemble),

– s'ils sont de part et d'autre de cet axe (on dit « en position *trans* »), il s'agit de l'isomère *E* (de l'allemand *entgegen* : opposé).

Les deux groupes prioritaires en position "*cis*" :

ISOMERE Z

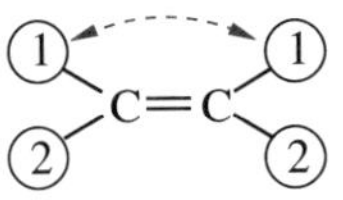

Les deux groupes prioritaires en position "*trans*" :

ISOMERE *E*

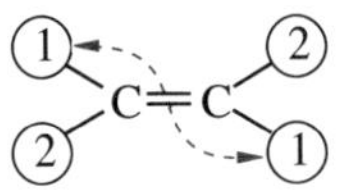

*Exemple :* Dans l'acide 2-méthylbut-2-énoïque, dont la formule plane est :

$$\overset{4}{C}H_3-\overset{3}{C}(H)=\overset{2}{C}(CH_3)-\overset{1}{C}OOH$$

sur le carbone 2 COOH est prioritaire sur $CH_3$ et sur le carbone 3 $CH_3$ est prioritaire sur H. Ses deux diastéréoisomères sont donc nommés de la façon suivante :

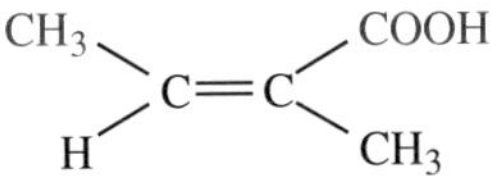

Les deux groupes prioritaires sont en position *cis* : il s'agit de l'acide (*Z*)-2-méthylbut-2-énoïque.

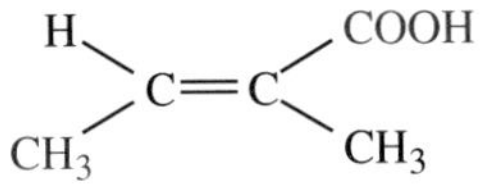

Les deux groupes prioritaires sont en position *trans*; il s'agit de l'acide (*E*)-2-méthylbut-2-énoïque (*).

La double liaison carbone-azote $>C=\ddot{N}-$ donne lieu à une isomérie de même nature, et les règles de nomenclature « *Z*, *E* » sont applicables aux diastéréoisomères correspondants.

*3-I*

*Récapitulons : Si deux molécules ne diffèrent que par la géométrie de leurs liaisons, elles sont ______. Si elles sont images l'une de l'autre par rapport à un plan, elles sont ______ (exemple : les deux configurations d'une molécule contenant un carbone ______). Dans tous les cas où des stéréoisomères ne répondent pas à cette condition, ils sont ______ (exemples : molécules contenant ______ carbones asymétriques ou deux carbones unis par une ______ ______).*

## *Remarque*

**3.25** Comme on l'a vu dans ce chapitre, la stéréoisomérie a le plus souvent pour origine la présence dans une molécule de certains éléments structuraux, notamment un carbone asymétrique ou une double liaison dans un environnement dissymétrique.

Une molécule peut comporter un nombre quelconque de ces éléments. Le cas des molécules à deux ou plusieurs carbones asymétriques a été explicitement envisagé, mais il peut s'agir de deux ou plusieurs doubles liaisons, ou de carbones asymétriques et de doubles liaisons. Le nombre total de stéréoisomères possibles résulte de la combinaison des possibilités associées à chacun des éléments.

(*) Contrairement à une règle antérieurement en usage, les termes *cis* et *trans* n'apparaissent pas dans les noms attribués aux stéréoisomères de ce type.

Une molécule comportant deux doubles liaisons susceptibles d'engendrer une isomérie du type « *Z*, *E* » peut exister sous quatre formes, correspondant aux quatre combinaisons (*Z*,*Z*), (*Z*,*E*), (*E*,*Z*), (*E*,*E*). Une molécule qui comporterait deux carbones asymétriques et une double liaison présenterait huit stéréoisomères, puisque chacun des quatre stéréoisomères associés à la présence des deux carbones asymétriques pourrait par ailleurs avoir une double liaison *Z* ou *E*; ces huit formes correspondraient aux huit combinaisons (*R*,*R*,*Z*), (*R*,*R*,*E*), (*R*,*S*,*Z*), (*R*,*S*,*E*), (*S*,*R*,*Z*), (*S*,*R*,*E*), (*S*,*S*,*Z*), (*S*,*S*,*E*) (ce décompte suppose qu'il n'existe pas de forme méso; dans le cas contraire, il y aurait seulement six stéréoisomères).

## *MOTS-CLÉS*

- Carbone asymétrique
- Chiral, chiralité
- Configuration absolue
- Dextrogyre
- Diastéréoisomère, diastéréoisomérie
- Énantiomère, énantiomérie
- Lévogyre
- Méso (forme –)
- Polarimétrie
- Pouvoir rotatoire (ou activité optique)
- Racémique
- *R* et *S* (configurations –)
- *Z* et *E* (configurations –)
- *Cis* et *Trans* (positions –)

## *OBJECTIFS*

DEVENIR CAPABLE DE :

- A partir de sa représentation stéréochimique ou de sa formule plane, reconnaître si une molécule est chirale ou achirale.
- Dénombrer tous les stéréoisomères d'une molécule, associés à la chiralité et/ou à la présence des doubles liaisons.
- Définir les relations (énantiomérie, diastéréoisomérie) existant entre ces stéréoisomères.
- Attribuer les appellations *R* et *S*, ou *Z* et *E*.

## EXERCICES

**3-a** Ces molécules sont-elles chirales ou achirales? Si elles contiennent un ou plusieurs carbones asymétriques, marquez-les d'un astérisque.

a) 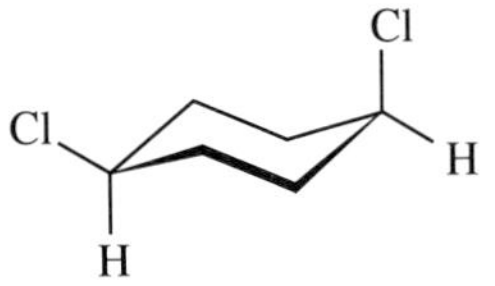 Cl, Cl, H, H

b) 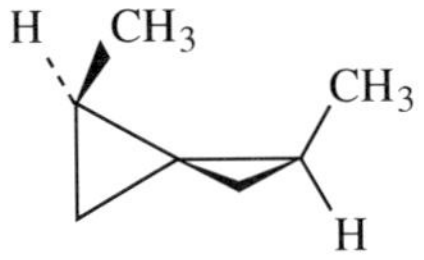 H, $CH_3$, $CH_3$, H

c) 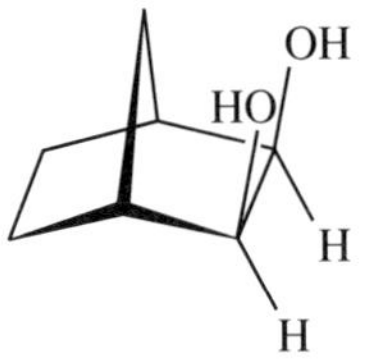 OH, HO, H, H

d) $CH_3-CH_2-CHBr-CH_2-CH_2Br$

e) $CH_3-\underset{\underset{O}{\|}}{C}-CH_2-CH_2OH$

f) 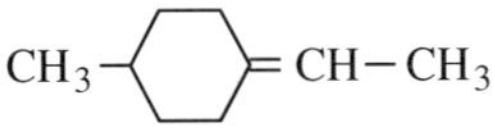 $CH_3$–(cyclohexane)$=CH-CH_3$

g) 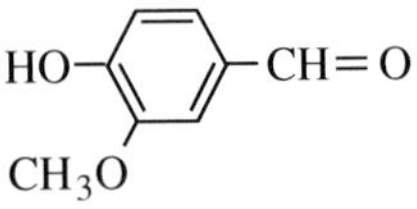 HO–(benzène)–CH=O, $CH_3O$

h) $CH_3-CHOH-CHOH-CH_3$

i) 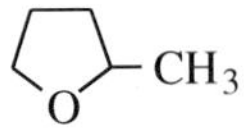 (tétrahydrofurane, O)–$CH_3$

**3-b** Combien y a-t-il d'alcools optiquement actifs de formule brute $C_5H_{12}O$? Quelles sont leurs formules développées planes? Représentez en «coin volant» les deux énantiomères de chacun de ces alcools et, dans chaque cas, attribuez au carbone asymétrique la configuration *R* ou *S*.
(Utilisez un symbole tel que Me, Et, Pr... [1.15] pour représenter globalement les groupes alkyles).

**3-c** Il existe 12 hydrocarbures saturés cycliques de formule brute $C_6H_{12}$, si l'on ne prend en considération que l'isomérie plane (cf. exercice 1-c). Combien y en a-t-il si l'on fait intervenir en outre l'isomérie stérique (formes *cis* ou *trans*)?

**3-d** Dans quelles configurations (*R, S, Z, E, cis, trans*) les molécules suivantes se trouvent-elles? (les * désignent les carbones asymétriques).

a)  O, *, Cl

b) 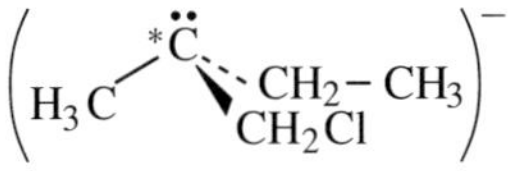 $(H_3C-\ddot{C}^*(CH_2-CH_3)(CH_2Cl))^-$

c) COOH, Br–C*, H, Cl

d) $CH_3$, Br, *, *, H, H

e) $CH_3-CH(CH_3)-C^*(H)(CH_2-CH_2Cl)(CH_2-CH_2OH)$

f) $CH_2=C(CH_3)-C^*(C\equiv CH)(CH=O)(H)$

g) $CH_3$, $CH_3$, C=C, (phényle), CO–$CH_3$

h) $CH_3$, H, $CH_3$, *, *, H, H, H, C=C, C≡N, CO–OH

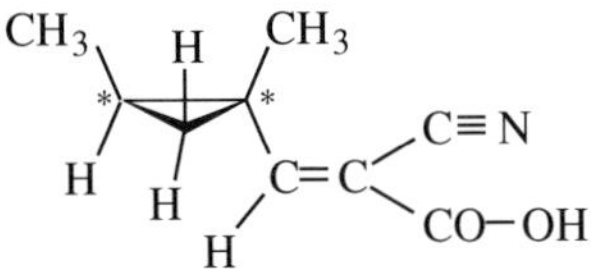

i) 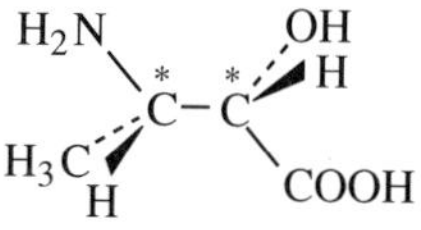 $H_2N$, OH, *, *, C–C, H, $H_3C$, H, COOH

**3-e** Les molécules suivantes diffèrent-elles par leur conformation ou par leur configuration? Dans ce dernier cas, sont-elles énantiomères ou diastéréoisomères?

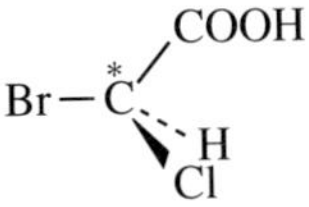

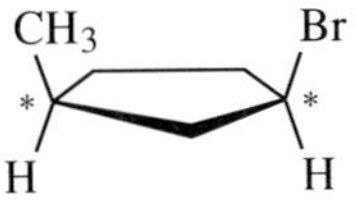

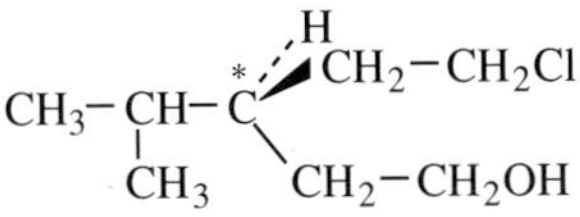

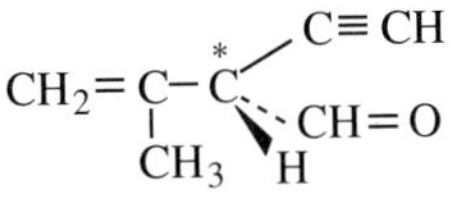

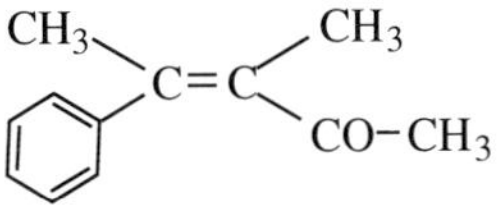

a) 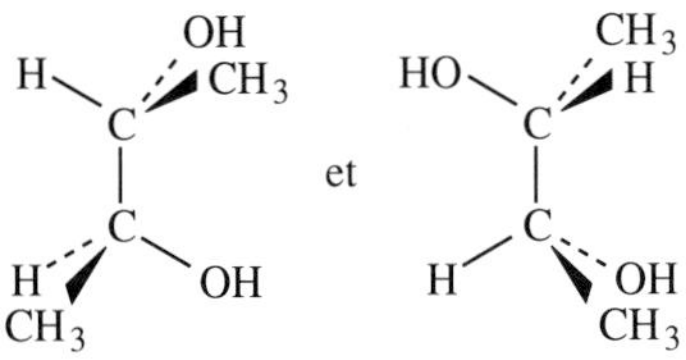 H, OH, $CH_3$, C, C, H, OH, $CH_3$ et HO, $CH_3$, H, C, C, H, OH, $CH_3$

b) 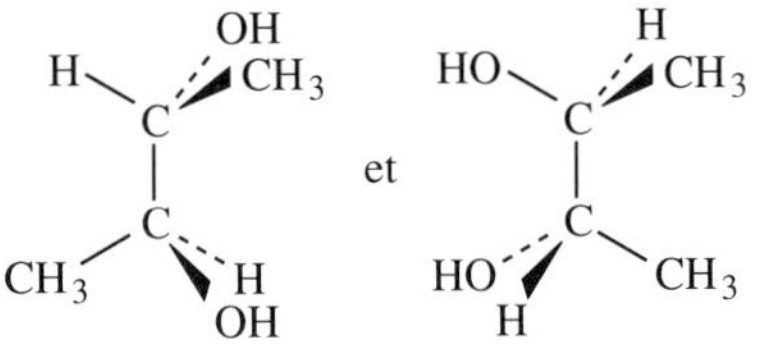 H, OH, $CH_3$, C, C, $CH_3$, H, OH et HO, H, $CH_3$, C, C, HO, H, $CH_3$

***3-f*** Dénombrez (s'il en existe) tous les stéréoisomères des composés suivants. Attribuez-leur une configuration (*R, S, Z, E*) et, le cas échéant, l'une des appellations *cis, trans, méso, like, unlike.* Établissez les relations (énantiomérie, diastéréoisomérie) qui existent entre eux.

a)  $C_6H_{11}-CHCl-CH_3$

b) $C_6H_9-CHCl-CH_3$

c) $CH_3-C_5H_8-OH$

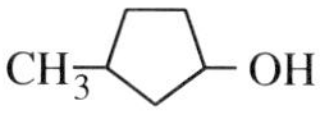

d) 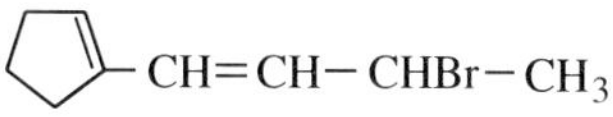 $C_5H_7-CH=CH-CHBr-CH_3$

e) $HC\equiv C-CHCl-CH=O$

f) $CH_3-CHOH-CH=CH-CHOH-CH_3$

g) $CH_3-CH=CH-CH=CH-CH_3$

h) $CH_3-CH=CH-CHCl-CH_3$

i) $CH_3-C(CH_3)=CH-C(=O)-CH_3$

j) 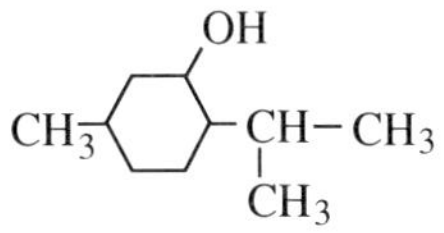 $CH_3-C_6H_9(OH)-CH(CH_3)-CH_3$

***3-g*** Peut-on prévoir *a priori* une différence de stabilité entre les isomères *cis* et *trans* du 1,2-diméthylcyclohexane (a) et entre ceux du 1,3-diméthylcyclohexane (b)?

a) 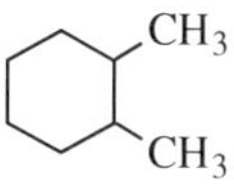 $CH_3$, $CH_3$ b) 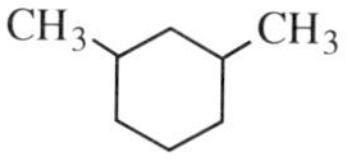 $CH_3$, $CH_3$

***3-h*** Le cholestérol comporte huit carbones asymétriques :

HO

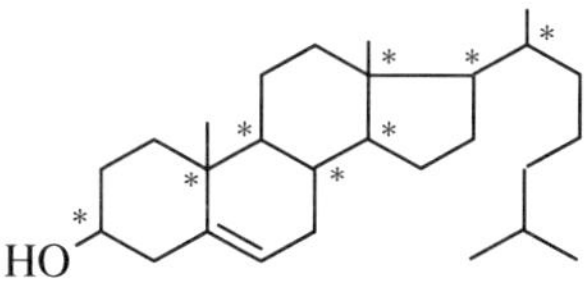

Combien peut-il exister de stéréoisomères du cholestérol? Peut-on penser *a priori,* au vu de la formule du cholestérol, qu'il puisse exister une ou plusieurs formes méso et que le nombre réel de stéréoisomères soit inférieur à cette prévision?

***3-i*** On constate expérimentalement que le composé

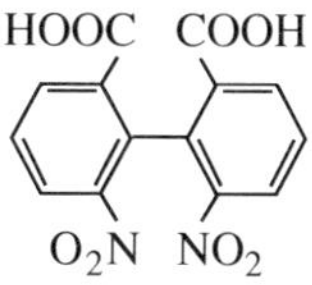

HOOC COOH

$O_2N$ $NO_2$

est optiquement actif, et qu'il en existe deux énantiomères. Il ne contient cependant pas de carbone asymétrique, et chacune des deux moitiés identiques de la molécule est plane. Comment pourrait-on expliquer cette constatation?

***3-j*** L'oxydation du composé $HOCH_2-CHOH-CHOH-CHO$ a donné de l'acide tartrique $HOOC-CHOH-CHOH-COOH$ sous une forme inactive sur la lumière polarisée, mais dédoublable en deux énantiomères. Quelles étaient les configurations des deux carbones asymétriques du composé initial? Donnez-en une représentation en projection de Newman.

***3-k*** On a mesuré le pouvoir rotatoire d'une solution de saccharose, en vue de déterminer sa concentration, et on a trouvé $+ 19{,}95°$ en utilisant une cuve de 15 cm. Une solution de saccharose à 100 g . $l^{-1}$, dans une cuve de 10 cm, manifeste un pouvoir rotatoire de $+ 6{,}65°$. Quelle est la concentration de la première solution? Quel est la valeur du pouvoir rotatoire spécifique du saccharose (à la température où a été faite la mesure, et pour la longueur d'onde de la lumière utilisée)?

## LA CHIRALITÉ ET LE VIVANT

**3.26** Dans les réactions effectuées par les chimistes, les deux énantiomères d'un composé chiral ont le plus souvent des comportements identiques (les deux énantiomères du butan-2-ol $CH_3{-}CHOH{-}CH_2{-}CH_3$ s'oxydent, s'estérifient ou se déshydratent de la même façon). D'autre part, si une réaction aboutit à la formation d'un composé chiral, ses deux énantiomères se forment presque toujours en quantités égales et l'on obtient son mélange racémique (l'hydrogénation de la butanone $CH_3{-}CO{-}CH_2{-}CH_3$ donne le mélange racémique du butan-2-ol). En d'autres termes, dans la très grande majorité des réactions « artificielles », la chiralité passe inaperçue.

Il en va autrement pour les composés naturels, présents dans les organismes vivants, et pour les réactions mettant en jeu le milieu vivant. Lorsqu'un composé naturel est chiral, il est très fréquent qu'un seul de ses deux énantiomères existe dans la nature; c'est le cas du camphre, du menthol, du glucose, du cholestérol, des acides aminés constitutifs des protéines, etc.

D'autre part, les réactions naturelles conduisant à un composé chiral n'en fournissent en général qu'un seul énantiomère. Ainsi, l'hydratation au laboratoire de l'acide fumarique donne le mélange racémique de l'acide malique :

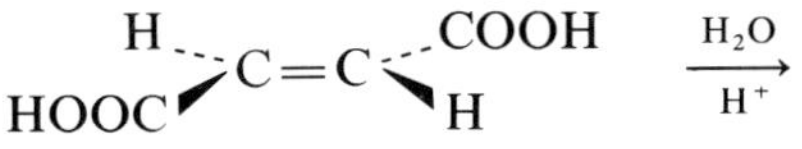

H, HOOC–C=C–COOH, H $\xrightarrow[H^+]{H_2O}$

Acide fumarique

H, H, HOOC–C–C*(OH)(COOH)(H) *S* + H, H, HOOC–C–C*(COOH)(H)(OH) *R*

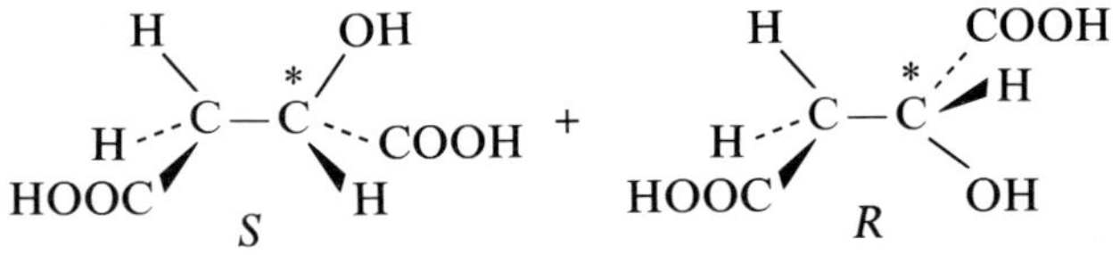

Acide malique racémique

Mais la même réaction effectuée biologiquement au cours du « cycle de Krebs » produit spécifiquement l'acide *S*-malique.

Enfin, le comportement chimique de deux énantiomères vis-à-vis d'un « substrat » (ou « récepteur ») biologique peut être très différent :

– La forme dextrogyre de l'asparagine

$$H_2N{-}CO{-}CH_2{-}\overset{*}{C}H(NH_2){-}COOH$$

a un goût sucré, alors que sa forme lévogyre a un goût amer. L'odeur de deux énantiomères peut être également différente.

– La forme lévogyre de l'adrénaline (agent hypertenseur produit par les capsules surrénales)

$$\text{(HO)}_2\text{C}_6\text{H}_3-\overset{*}{\text{C}}\text{HOH}-\text{CH}_2-\text{NH}-\text{CH}_3$$

est douze fois plus active que sa forme dextrogyre.

– L'hexachlorocyclohexane est un insecticide, mais en fait seul l'un de ses stéréoisomères est actif; c'est celui dans lequel les six chlores occupent trois positions axiales contiguës et trois positions équatoriales contiguës sur le cycle dans sa forme chaise [13.19].

Dans ces exemples, comme dans bien d'autres, l'interaction chimique entre une molécule et un substrat biologique (par exemple la surface d'une protéine) est conditionnée par une reconnaissance de forme mutuelle, comme il en existe une entre une serrure et sa clé.

Dans le cas d'une molécule contenant un carbone asymétrique, on peut, en simplifiant beaucoup, imaginer la situation comme le suggère le schéma suivant :

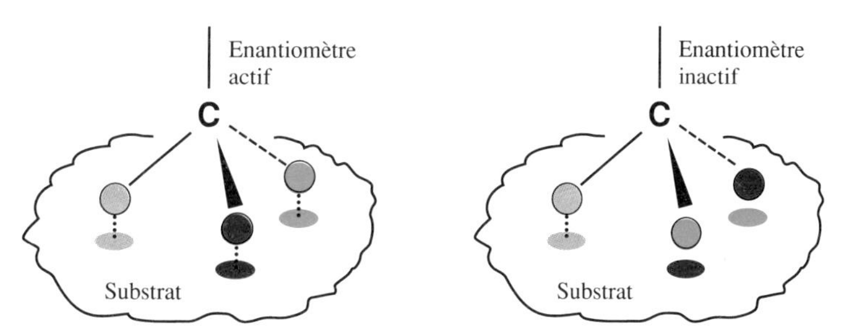


L'interaction entre une molécule et un substrat biologique n'est possible que si les groupes actifs de la molécule peuvent entrer en contact avec les sites récepteurs qui leur correspondent chimiquement. Si ces groupes actifs sont portés par un carbone asymétrique, cette condition ne peut être satisfaite que pour l'un des deux énantiomères.

Mais la correspondance géométrique nécessaire entre une molécule et un substrat peut concerner la forme générale de la molécule, qui doit pouvoir « se loger » dans les « creux » du substrat.

La transmission de l'influx nerveux entre les neurones, au niveau des synapses, est assurée par des transmetteurs chimiques (acétylcholine, noradrénaline, ...) qui agissent sur des récepteurs protéiniques comportant des sites dont la forme est complémentaire de celle de ces molécules. Les « tranquillisants » sont des molécules susceptibles, grâce à une géométrie analogue à celle des transmetteurs, de bloquer ces récepteurs.

Les recherches dans ces domaines tirent un grand profit des techniques de modélisation visuelle des molécules [2.15].

# La structure électronique des molécules

# 4

4.1 *Jusqu'ici les molécules ont été décrites selon un « modèle » simple, celui d'un assemblage d'atomes, eux-mêmes imaginés comme des sphères compactes. Ces atomes sont « liés » les uns aux autres dans un ordonnancement représenté par la formule plane (chapitre 1), et ils occupent les uns par rapport aux autres, dans l'espace, des positions déterminées (chapitre 2).*

*La compréhension du comportement chimique des molécules, au cours des réactions, nécessite de dépasser ce niveau de description, et d'envisager maintenant la structure électronique des molécules. Au cours d'une réaction, certains atomes antérieurement liés se séparent et, inversement, d'autres deviennent liés alors qu'ils ne l'étaient pas. Une réaction se ramène ainsi toujours à une succession, plus ou moins complexe, d'actes élémentaires consistant en la formation ou la rupture de certaines liaisons.*

*Il est donc nécessaire à une « chimie intelligente » de connaître la* ***nature de la liaison chimique.*** *Or les liaisons sont assurées par des électrons et une étude de la structure électronique des molécules a essentiellement pour objectif de parvenir à cette connaissance. Il s'agit en somme de décrire avec une meilleure précision ce que signifient les tirets qui représentent symboliquement les liaisons dans les formules.*

*C'est l'objet de ce chapitre, et les points qui y sont abordés seront constamment évoqués dans la suite; ils sont, au sens propre, réellement fondamentaux.*

## Préalables

- Ce chapitre suppose acquises quelques connaissances de base concernant l'atome, la classification périodique des éléments et la liaison chimique. Il ne comporte pas un exposé complet sur ces points, mais seulement un rappel de l'essentiel, et il ne peut pas remplacer, si nécessaire, la (re)lecture d'un ouvrage de Chimie physique (*).

Les connaissances plus spécialement nécessaires sont les suivantes :

- *L'atome :* nombres quantiques, couches, sous-couches, cases quantiques; orbitales atomiques s et p; configuration électronique (couche externe en particulier); électronégativité.
- *La liaison :* liaison par doublet partagé (covalence, coordinence); polarisation; orbitales moléculaires σ et π; hybridation; systèmes conjugués; énergie de liaison.

## La notion de structure électronique

**4.2** Les molécules sont constituées d'atomes, eux-mêmes formés de noyaux positifs entourés d'électrons négatifs. Une molécule est donc en définitive un ensemble *globalement* neutre de particules chargées, en nombre défini et constant (hors le cas d'ionisation). Les noyaux, lourds, occupent des positions relatives pratiquement fixes les unes par rapport aux autres, auxquelles correspond le « squelette » de la molécule [2.3]. Les électrons, légers et très mobiles, constituent le « nuage électronique », qui entoure ce squelette.

Mais il n'est pas exclu que la distribution interne des électrons au sein de la molécule comporte des zones de « raréfaction » et des zones de « densification » du nuage électronique. En d'autres termes, il peut exister des sites où *localement* la neutralité électrique n'est pas assurée.

D'une façon analogue, l'atmosphère terrestre comporte une quantité constante d'air mais présente des zones de dépression et des zones de haute pression. De même que l'on peut établir des cartes montrant la localisation géographique de ces zones, cernées par des lignes isobares (le long desquelles la pression atmosphérique a une valeur constante), il est possible de décrire les localisations préférentielles des électrons dans une molécule et de tracer des lignes d'isodensité électronique (fig. 4.1).

(*) Voir, par exemple, *Cours de Chimie physique* (en particulier les chapitres 8, 11, 12, 13, 14, 15 et 17).

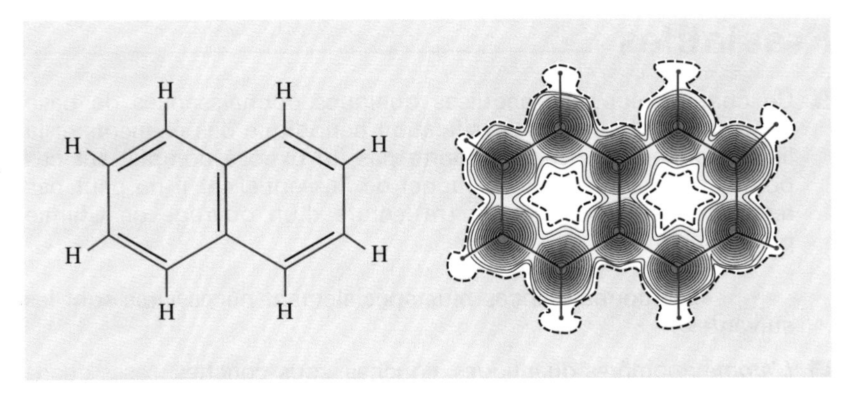


*Figure 4.1 — La carte électronique du naphtalène.*
La diffraction des rayons X permet d'établir des sortes de « cartes de densité électronique », où la localisation des atomes apparaît nettement. Ces techniques permettent donc aussi d'élucider ou de confirmer la géométrie des molécules (ici, un point important est l'égale longueur de toutes les liaisons carbone-carbone [4.15]).

La répartition effective des charges électroniques détermine en très grande partie le comportement des molécules dans les réactions et sa connaissance est donc d'un grand intérêt pour comprendre, et prévoir, ce comportement. Toutefois on peut limiter cette description aux *électrons externes* (électrons s et p de la dernière couche) qui le plus souvent, en chimie organique, participent seuls à la formation des liaisons.

# 1 — La liaison covalente

**4.3** La description d'un « édifice chimique » (molécule, ion ou cristal), sous l'angle de la situation et du rôle des électrons, peut être envisagée, comme celle de l'atome isolé, de deux façons correspondant à deux « modèles » : le modèle de Lewis et le modèle ondulatoire.

Le *modèle de Lewis* de la covalence a l'intérêt d'être relativement simple. Complété par la notion de polarisation des liaisons [4.12], il permet cependant une interprétation assez générale de la réactivité. Associé aux règles de Gillespie [2.2] il permet aussi de déterminer avec une assez bonne précision l'orientation des liaisons formées par un atome. Mais il laisse inexpliqués un certain nombre de faits, tant en matière de stéréochimie (par exemple la rigidité des doubles liaisons et l'isomérie qui en résulte [3.23]), qu'en matière de réactivité (par exemple le comportement des systèmes conjugués). Le *modèle ondulatoire* est plus « performant », notamment sur les points qui viennent d'être évoqués, mais il est d'une approche plus difficile et le modèle de Lewis est largement utilisé, malgré ses « faiblesses », lorsqu'il est suffisant.

## Le modèle de Lewis

**4.4** Cette description de la liaison covalente se réfère au modèle quantique de l'atome. Les électrons y sont considérés comme des particules dont l'énergie est quantifiée (c'est-à-dire ne peut prendre que certaines valeurs), caractérisées individuellement par les valeurs de quatre paramètres, les nombres quantiques *n*, *l*, *m* et *s*. Ils occupent des « cases quantiques », regroupées en sous-couches (*s*, *p*, *d* et *f*), elles-mêmes regroupées en couches (K, L, M, N, ...).

La liaison entre deux atomes est assurée par un doublet (ou une paire) d'électrons qui leur est commun(e), et cette situation peut être créée de deux façons :

– **Covalence proprement dite :** Chacun des deux atomes fournit un des électrons de sa couche externe occupant seul une case quantique (électron *impair* ou *célibataire*). Ces deux électrons *s'apparient* pour constituer le doublet commun aux deux atomes :

$$A^{\bullet} \rightleftarrows {}^{\bullet}B \rightarrow A : B \quad \text{ou} \quad A - B$$

*Exemple :* Constitution de la molécule d'ammoniac $NH_3$

H• ⇄ •N̈• ⇄ •H ; ↑↓ ; •H   ou   N 2s [↑↓] 2p [↑|↑|↑] ; H [↑] H [↑] H [↑]   →   $H-\bar{N}-H$ ; | ; H

– **Coordinence** (*) **:** L'un des deux atomes (le *donneur*) fournit un doublet déjà constitué de sa couche externe; l'autre (*l'accepteur*) reçoit ce doublet dans une case vide de sa couche externe :

$$A : \square B \rightarrow A - B$$

*Exemple :* Formation de l'ion ammonium $NH_4^+$ à partir de l'ammoniac $NH_3$ en milieu acide

$$NH_3 + H^+ \rightarrow NH_4^+$$

H—N̈—H ; | ; H   □H⁺   ou   N 2s [↑↓] 2p [↑|↑|↑] ; $H^+$ [ ] H [↑] H [↑] H [↑]

Seule « l'histoire » de la quatrième liaison dans $NH_4^+$ la distingue des trois autres liaisons, mais le résultat est identique et les quatre liaisons N—H sont en fait indiscernables, la charge + appartenant à l'ensemble :

$$\left[\begin{array}{c} H \\ | \\ H-N-H \\ | \\ H \end{array}\right]^+$$

*Liaisons multiples*

Il est possible que deux atomes mettent en commun non pas un doublet d'électrons, mais deux ou même trois; ils s'unissent alors par une liaison *double* ou *triple*. L'une des liaisons est une liaison σ (sigma); l'autre, ou éventuellement les deux autres, sont des liaisons π (pi) [4.10].

*Exemples :* $H_2C{=}O$  $H_2C{=}CH_2$  $HC{\equiv}CH$  $HC{\equiv}N$

(*) On dit aussi « coordination », ou « liaison dative ».

## *La « structure de Lewis »*

**4.5** Dans la très grande majorité des cas en chimie organique, seule la couche électronique externe des atomes joue un rôle dans les réactions, soit pour « donner » les électrons qu'elle comporte, soit pour en « accepter » d'autres. Une représentation des édifices covalents (molécules ou ions) montrant le rôle de tous les électrons externes des atomes, mais « ignorant » les autres, décrit la « structure de Lewis » de ces édifices.

Outre les *doublets partagés* assurant les liaisons, les atomes peuvent posséder dans leur couche externe des *doublets non partagés*, encore appelés *doublets libres* ou *non liants*, ou *doublets n*.

Il peut d'autre part se produire qu'après avoir formé autant de liaisons covalentes qu'il possédait d'électrons impairs, un atome n'ait pas pour autant rempli sa couche externe. Il possède alors une ou plusieurs *cases vides* (on dit aussi orbitales vides).

Mais, en règle générale, lorsque toutes les liaisons possibles sont formées, la molécule (ou l'ion) possède un *nombre pair d'électrons*. S'il existe dans un édifice covalent un ou plusieurs *électrons impairs* (célibataires), il s'agit alors d'un *radical libre* [1.16]. Les radicaux libres sont des entités habituellement très instables, de très courte durée de vie, qui très rapidement réagissent avec les autres espèces présentes; ils peuvent intervenir comme espèces intermédiaires dans les réactions [5.10].

Les « structures de Lewis » sont décrites par les « formules de Lewis », dans lesquelles sont explicitement représentés tous les électrons externes (ou du moins tous ceux des atomes qui participent à la réaction envisagée). Les doublets y sont figurés soit par deux points, soit par un tiret; ces symboles sont placés entre les deux atomes liés lorsqu'il s'agit d'un doublet partagé, ou parallèlement au symbole de l'atome auquel il appartient lorsqu'il s'agit d'un doublet non liant. Les électrons impairs sont figurés par un point. Les cases vides ne sont pas toujours représentées de façon explicite, mais elles peuvent l'être sous la forme d'un petit rectangle.

*Exemples :* Le méthanol $CH_3OH$ (deux doublets libres sur l'oxygène) peut être représenté par

```
  H ..
H:C:O:H
  H ..
```

mais sa représentation usuelle est plutôt

```
    H                  H
    |    ..            |   __
H — C — O — H   ou  H — C — O — H.
    |    ..            |   ‾‾
    H                  H
```

Le chlorure d'aluminium (une case vide sur Al, trois doublets libres sur chaque Cl) se représente par

```
 ..   ▭   ..            __   ▭   __
:Cl — Al — Cl:   ou par  |Cl — Al — Cl|.
 ..   |   ..            ‾‾   |   ‾‾
     :Cl:                   |Cl|
      ..                     ‾‾
```

Le formaldéhyde $H_2C{=}O$ (deux doublets libres sur l'oxygène) se représente par

```
H — C = O:   ou par   H — C = O>
    |                     |
    H                     H
```

*4-A*

*Identifiez et dénombrez les électrons σ, π ou n, ainsi que les cases vides, dans les espèces suivantes :*

a) $HC{\equiv}C{-}CH_2OH$ b) $CH_3{-}\overset{+}{C}H{-}CH{=}CH_2$

c) $CH_3{-}\overset{+}{N}H_3$ d) $(CH_3)^-$.

## *Les états de valence*

**4.6** La construction (sur le papier) d'une structure de Lewis prend pour point de départ la configuration électronique externe des éléments (cf., par exemple, la construction de la molécule $NH_3$ à partir de la configuration de l'azote [4.4]).

Il peut arriver que la configuration électronique des atomes dans leur état fondamental ne permette pas de justifier des structures dont l'expérience montre cependant l'existence. On doit alors attribuer à certains atomes une autre configuration électronique externe, correspondant à un *« état de valence »* différent de leur état fondamental. Mais il ne s'agit que d'un procédé et ces états de valence n'ont pas de réalité physique. Il serait erroné de penser que les atomes prennent d'abord réellement ces configurations particulières, et forment ensuite des liaisons.

*Exemples :* On peut avoir « besoin » d'un plus grand nombre d'électrons impairs que n'en comporte l'état fondamental; on sépare alors les électrons d'un doublet, en faisant passer l'un d'eux dans une case vide (à la condition qu'il en existe dans la même couche).

C'est le cas pour le carbone dans la quasi-totalité de ses composés. Dans l'état fondamental sa configuration externe est $2s^2,2p^2$, ou encore 2s[↑↓]2p[↑|↑| ]; elle ne comporte que deux électrons impairs de sorte que la formule du méthane devrait être $CH_2$ et non $CH_4$. On justifie la formule expérimentale du méthane en considérant le carbone dans un autre état de valence, $2s^1,2p^3$ ou 2s[↑]2p[↑|↑|↑], comportant quatre électrons impairs.

On peut aussi, au contraire, avoir « besoin » d'un plus grand nombre de cases vides que n'en comporte l'état fondamental; on effectue alors la « manipulation » inverse. Le cas se présente notamment lorsqu'on doit décrire la fixation d'un oxygène sur un atome qui offre seulement un doublet libre. La configuration fondamentale de l'oxygène est 2s[↑↓]2p[↑↓|↑|↑], mais on peut libérer une case vide pour une liaison de coordinence en distribuant les électrons selon la configuration 2s[↑↓]2p[↑↓|↑↓| ].

# Le modèle ondulatoire

**4.7** Ce modèle de la liaison se réfère au modèle de l'atome que fournit la mécanique ondulatoire, et qui est fondé sur deux idées essentielles :

– L'électron a une « double nature » et, selon les cas, son comportement se décrit soit comme celui d'une particule, soit comme celui d'une onde.

– Il n'est pas possible d'attribuer à l'électron une orbite géométriquement définie, ni une localisation précise dans l'espace à un instant donné. On peut seulement connaître la probabilité de sa présence en chaque point de l'espace autour du noyau.

## La fonction d'onde, ou orbitale

En mécanique ondulatoire, l'état d'un électron dans un atome est défini par une fonction mathématique $\psi$ (psi), appelée *fonction d'onde* ou encore *orbitale*. La notion d'orbitale correspond à celle de « case quantique » dans le modèle de Bohr de l'atome; on définit donc des orbitales s, p, d, ou f et, de même que les cases quantiques, une orbitale ne peut être « occupée » que par deux électrons au maximum, de spins opposés.

La fonction d'onde $\psi$ est une fonction des coordonnées d'espace, définies par rapport au noyau pris pour origine. Elle n'a pas par elle-même une signification physique, mais la valeur en un point de son carré $\psi^2$ détermine la probabilité dP de trouver l'électron dans un élément de volume dv autour de ce point : $dP = \psi^2 . dv$. Le rapport $dP/dv = \psi^2$ est appelé densité de probabilité de présence de l'électron au point considéré (on dit aussi, par simplification, *densité électronique*). La façon dont $\psi^2$ varie dans l'espace entourant le noyau diffère selon qu'il s'agit d'une orbitale s, p, d, ou f.

### *Géométrie des orbitales s et p*

Seuls les électrons des orbitales s et p (orbitales de la couche externe) interviennent couramment dans les liaisons en chimie organique.

– Les *orbitales s* (une seule par couche électronique, comme il n'y a qu'une seule case quantique s) ont une symétrie sphérique. La probabilité de trouver l'électron varie de la même façon en fonction de la distance au noyau, quelle que soit la direction dans laquelle on s'en éloigne. L'ensemble des points où la « densité électronique » $\psi^2$ a une même valeur constitue une sphère centrée sur le noyau (cette sphère est une surface d'isodensité électronique).

– Les *orbitales p* (trois par couche, comme il y a trois cases quantiques *p*) sont par contre « directionnelles » : la densité électronique correspondante est maximale dans une direction privilégiée, et les trois directions privilégiées des trois orbitales p sont les trois axes orthogonaux d'un trièdre cartésien. Chaque orbitale p comporte deux régions (lobes) de forte densité électronique, situées de part et d'autre du noyau, pour lesquelles l'un des axes *x*, *y* ou *z* est un axe commun de symétrie de révolution (symétrie cylindrique). La figure 4.2 donne la forme et l'orientation spatiale des deux lobes, pour chacune des trois orbitales p de la couche L.

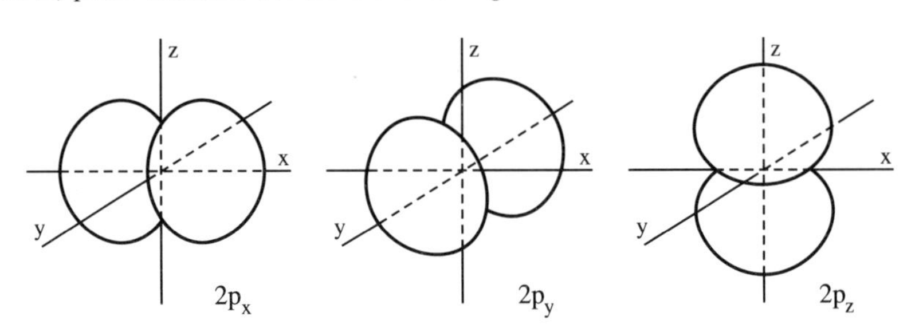


*Figure 4.2 – Les trois orbitales p de la couche L (orbitales 2p).*
**La forme donnée ici aux deux lobes est celle des surfaces sur lesquelles la « densité électronique » ($\psi^2$) a une valeur uniforme (surfaces d'isodensité électronique). Souvent les orbitales p sont représentées par deux sphères, ou deux ellipsoïdes (ballons de rugby); chacune de ces représentations a en fait une signification particulière, qui ne peut être explicitée ici (voir *Cours de Chimie physique*, chap. 13). Mais, dans tous les cas, il s'agit de *surfaces mathématiques*, sur lesquelles une fonction a en tous points la même valeur, et non pas d'enveloppes qui renfermeraient l'électron.**

## *La formation des liaisons covalentes*

**4.8** L'idée fondamentale de la mise en commun d'un doublet, déjà présente dans le modèle de Lewis, est conservée. Mais il s'y ajoute l'idée complémentaire de *recouvrement des orbitales* : les deux orbitales atomiques dans lesquelles se trouvent originellement les deux électrons impairs se recouvrent (« fusionnent » partiellement), pour donner une *orbitale moléculaire*, englobant les deux noyaux, et dans laquelle le doublet partagé a la plus grande probabilité de se trouver. Ce schéma est également applicable au cas de la coordinence : l'une des deux orbitales atomiques est initialement vide, et l'autre est occupée par un doublet déjà constitué qui occupera l'orbitale moléculaire formée.

Si le recouvrement s'effectue de telle sorte que les deux orbitales atomiques mettent en commun leur axe de symétrie (ou un de leurs axes de symétrie) qui devient aussi celui de l'orbitale moléculaire, il s'agit d'une *liaison* $\sigma$.

*Exemples :* La formation de la molécule $H_2$ résulte, outre la mise en commun des électrons impairs des deux atomes H, du recouvrement des orbitales 1s qu'ils occupent dans les atomes. Il se constitue ainsi une orbitale moléculaire, dont les surfaces d'isodensité englobent les deux noyaux et possèdent une symétrie de révolution autour de l'axe de la liaison :

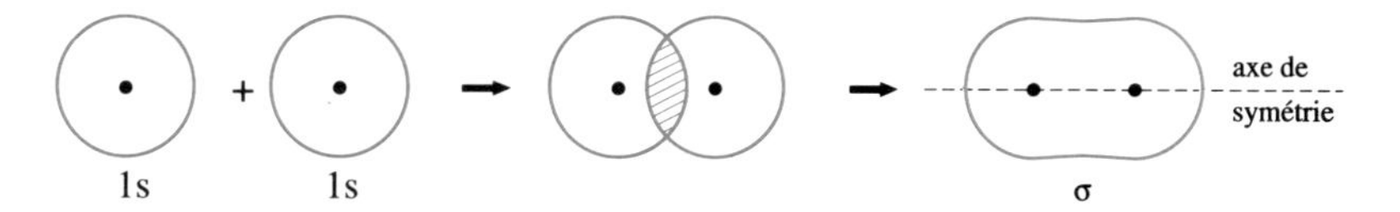


La liaison est d'autant plus forte que la zone de recouvrement est plus grande. Dans le cas des orbitales p, l'axe de symétrie constitue donc une direction privilégiée pour la formation des liaisons :

Il y a là une raison pour que les liaisons ne se forment pas dans des directions quelconques, mais selon des orientations déterminées (sauf si elles mettent en jeu une orbitale s, de symétrie sphérique). Il n'y a cependant pas concordance spontanée entre ce modèle de la liaison et la géométrie des molécules telle que l'expérience la révèle. Un « retouche » au modèle est donc nécessaire; c'est la théorie de l'hybridation des orbitales.

## *L'hybridation des orbitales*

La théorie de l'hybridation s'applique dans des situations très nombreuses et diverses, en chimie minérale comme en chimie organique. Cependant, seul le cas du carbone, dans ses divers états de liaison, sera envisagé ici.

■ *Le carbone saturé*

**4.9** Les données expérimentales démontrent que les quatre liaisons C—H du méthane sont identiques et indiscernables. Chacune forme avec les trois autres le même angle de 109°28′ et les quatre hydrogènes sont à la fois équidistants entre eux et équidistants du carbone (schéma tétraédrique [2.5]).

Mais la prise en compte de la structure électronique du carbone conduit à une prévision différente. En effet, dans l'état de valence qui a déjà été envisagé et justifié [4.6], les quatre électrons impairs du carbone ne sont pas dans le même état : l'un est un électron s (2s) et les trois autres sont des électrons p (2p). En conséquence, le carbone devrait former trois liaisons orientées selon les trois axes orthogonaux $x$, $y$, $z$ (avec ses trois orbitales p) et une quatrième liaison sans orientation déterminée, moins forte que les autres (avec son orbitale s, de symétrie sphérique et ne se prêtant pas à un recouvrement très important).

On justifie l'existence de quatre liaisons identiques, dirigées selon le schéma tétraédrique, en admettant que les orbitales s et p ne restent pas distinctes. Elles se « réorganisent » et il en résulte quatre orbitales identiques, appelées *orbitales hybrides* $sp^3$. Dans cet état, le carbone est dit *« tétragonal »*. La recherche *a priori*, par le calcul, de quatre orbitales hybrides d'énergie aussi basse que possible (minimisation de l'énergie de la molécule, pour une stabilité maximale) conduit à leur attribuer précisément l'orientation tétraédrique.

## ■ *Le carbone doublement et triplement lié*

**4.10** Le *carbone doublement lié* (carbone *trigonal*) est dans l'état d'*hybridation* $sp^2$. La réorganisation des orbitales se limite à l'orbitale s et à deux des trois orbitales p; il en résulte trois orbitales hybrides $sp^2$ identiques, dont les axes de symétrie sont coplanaires et forment trois angles de 120°. La troisième orbitale p reste « naturelle »; son axe de symétrie est perpendiculaire au plan qui contient ceux des trois orbitales hybrides (fig. 4.3a).

Une double liaison C=C associe deux carbones trigonaux. Elle comporte une *liaison* $\sigma$, formée par le recouvrement *coaxial* de deux orbitales hybrides $sp^2$, et une *liaison* $\pi$, formée par le recouvrement *latéral* des deux orbitales p non hybridées (fig. 4.3b et c). L'orbitale moléculaire $\pi$ possède le même plan de symétrie que les orbitales p qui l'ont formée.

*Figure 4.3 — La double liaison « éthylénique »,* >C=C<.

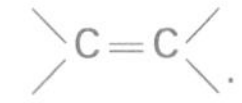

**Le carbone trigonal (a) possède trois orbitales hybrides $sp^2$, représentées ici seulement par leurs axes, coplanaires et formant trois angles de 120° dans le plan xOy, et une orbitale p naturelle ($p_z$). Une double liaison se forme entre deux carbones trigonaux; elle comporte une liaison $\sigma$ résultant du recouvrement coaxial de deux orbitales hybrides $sp^2$ (b), et une liaison $\pi$ résultant du recouvrement latéral des deux orbitales p (c).**

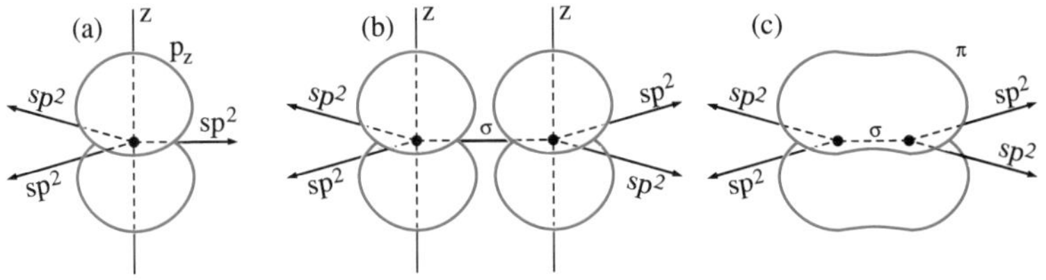

Ce modèle descriptif de la double liaison apporte une justification de ses caractéristiques géométriques (ce dont le modèle de Lewis n'est pas capable). La nécessité du parallélisme des axes des deux orbitales p non hybridées a en effet pour conséquence obligée la *coplanéité* des quatre liaisons que peuvent encore former les deux carbones (par exemple, les quatre liaisons C—H de l'éthylène $H_2C=CH_2$). L'*impossibilité de rotation* l'un par rapport à l'autre de deux carbones doublement liés [2.10], d'où résulte l'existence de deux stéréoisomères $Z$ et $E$ [3.23], se trouve aussi expliquée : cette rotation ne serait possible que si la liaison $\pi$ se trouvait rompue, le recouvrement des deux orbitales p étant supprimé. Cette éventualité ne survient pas à la température ordinaire, car elle exige une énergie trop importante.

**4.11** Le *carbone triplement lié* est dans l'état d'hybridation *digonal*, ou *sp*. La réorganisation des orbitales ne concerne que l'orbitale s et l'une des trois orbitales p; il en résulte deux orbitales hybrides sp dont les axes forment un angle de 180° et sont confondus avec l'axe de symétrie de l'orbitale p « utilisée ». Les deux autres orbitales p restent « naturelles » (fig. 4.4a).

Une triple liaison $C{\equiv}C$ associe deux carbones digonaux. Le recouvrement *coaxial* de deux orbitales hybrides sp forme *une liaison* $\sigma$, et le recouvrement *latéral*, deux par deux, des orbitales p dont les axes sont parallèles forme *deux liaisons* $\pi$ (fig. 4.4b et c).

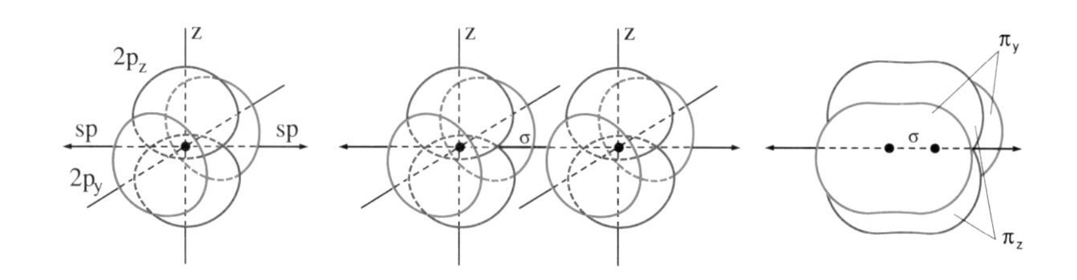


*Figure 4.4 — La triple liaison « acétylénique »,*

$-C{\equiv}C-$.

Dans le carbone digonal (a), l'orbitale $2p_x$ a été hybridée avec l'orbitale 2s et il subsiste deux orbitales p naturelles, $2p_y$ et $2p_z$. Le recouvrement coaxial de deux orbitales hybrides sp (représentées ici par leurs axes) donne la liaison $\sigma$ (b). Le recouvrement latéral des deux orbitales $2p_y$ d'une part, et $2p_z$ d'autre part, donne les deux liaisons $\pi$.

On notera que la théorie de l'hybridation des orbitales conduit, par une voie totalement différente, aux mêmes résultats sur le plan géométrique que le modèle des répulsions (modèle V.S.E.P.R., règles de Gillespie [2.2]). L'hybridation est un élément d'une théorie générale de la liaison chimique, alors que le modèle V.S.E.P.R. n'y prétend pas, mais la facilité de sa mise en œuvre et la validité des conclusions auxquelles il conduit lui donnent son intérêt.

*4-B*

*La théorie de l'hybridation peut s'appliquer à d'autres éléments que le carbone. Connaissant la géométrie de la molécule d'ammoniac* $NH_3$ *(cf. 2.5) peut-on penser que l'azote y est hybridé? Si oui, de quelle façon?*

# 2 — La polarisation des liaisons

**4.12** Lorsqu'une covalence unit deux atomes identiques (H—H, Cl—Cl), le doublet commun est également partagé entre eux. Il se trouve en moyenne à égale distance des deux noyaux et l'ensemble du nuage électronique est symétrique par rapport au plan perpendiculaire à l'axe de la liaison, équidistant des deux noyaux. Le barycentre des charges positives (noyaux) coïncide avec celui des charges négatives (électrons).

Mais si les deux atomes ne sont pas identiques (HCl, CO), celui qui est le plus électronégatif attire plus fortement le doublet. Le nuage électronique n'est plus globalement symétrique; il est déplacé vers l'élément le plus électronégatif, autour duquel la densité électronique est plus forte. Le barycentre des charges positives ne coïncide plus avec celui des charges négatives et on dit, en ce cas, que la liaison est *polarisée.*

Ayant plus ou moins accaparé le doublet, l'élément le plus électronégatif présente un excès de charge négative. Par voie de conséquence, l'autre présente au contraire un déficit de charge négative, ou encore un excès de charge positive. On note ces charges δ+ et δ− (delta + et delta −) :

$$\overset{\delta+}{\mathrm{H}}-\overset{\delta-}{\mathrm{Cl}}$$

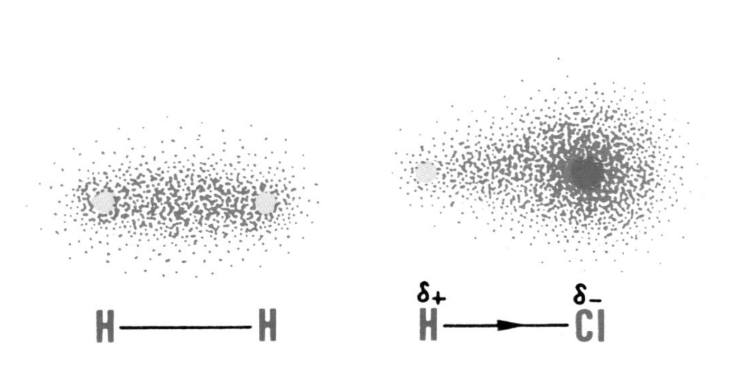


*Figure 4.5 — La polarisation d'une liaison.*
**Le nuage électronique de $H_2$ est symétrique; celui de HCl est déformé par la forte électronégativité du chlore, qui attire plus fortement les électrons de liaison. (Les points ne représentent pas chacun un électron; ils représentent les positions dans lesquelles on trouverait les électrons si on pouvait les photographier un très grand nombre de fois et superposer ensuite les photographies. La densité de points suggère la plus ou moins grande densité électronique dans une région).**

La molécule présente un *pôle positif* et un *pôle négatif.* La valeur absolue des charges δ+ et δ− dépend de la différence d'électronégativité entre les deux éléments. Elle varie entre 0 et 1, si l'on prend pour unité la valeur absolue de la charge de l'électron. La valeur 0 correspond à une liaison covalente non polarisée, et la valeur 1 à la charge que porteraient les deux atomes si le doublet était *totalement* accaparé par l'un d'eux, et n'était plus un doublet partagé. Dans ce cas, en effet, l'élément le plus électronégatif, bien qu'ayant capté deux électrons, n'en aurait *gagné* qu'un, puisque l'un des deux avait été fourni par lui. Réciproquement, l'autre atome aurait perdu un électron (et non deux).

Le bilan global de ce cas-limite est donc le *transfert* d'un électron de l'élément le moins électronégatif au plus électronégatif. Le résultat est la formation de deux ions :

$$\mathrm{A}\cdot \curvearrowright \cdot\mathrm{B} \rightarrow \mathrm{A}\square^{+} \quad \mathrm{B}\!:^{-} \quad \text{(B plus électronégatif que A)}$$

On parle alors de *liaison ionique* ou d'*interaction ionique.* Il s'agit cependant d'une situation-limite, dont on s'approche d'autant plus que la différence d'électronégativité entre les deux éléments est plus grande, mais qui n'est jamais réalisée à 100 %. Même entre Na et F, situés aux extrêmes de l'échelle d'électronégativité, les charges δ n'atteignent que ± 0,90.

Cette situation est donc très rare dans les composés organiques, qui ne contiennent généralement pas des éléments d'électronégativités très différentes (le carbone se situe « au milieu » de l'échelle d'électronégativité et aucun autre élément ne peut donc avoir avec lui une très grande différence d'électronégativité). On peut cependant citer, comme « quasi-ionique », la liaison oxygène-métal dans les sels d'acides organiques, dont l'acétate de sodium $CH_3—COO^-Na^+$ est un exemple.

*4-C*

---

*Dans les formules suivantes, placez les δ+ et les δ− exprimant la polarisation des liaisons entre le carbone et l'hétéroatome (atome autre que H) auquel il est lié :*

a) $H_3C—OH$ b) $HC{\equiv}C—Na$ c) $H_3C—NH_2$ d) $H_3C—Mg—CH_3$ e) $H_3C—Cl$

*Peut-on classer ces molécules en fonction de la charge portée par le carbone (du plus grand δ+ au plus grand δ−, en valeur absolue)?*

*N.B. Une table d'électronégativités se trouve en annexe.*

---

## *Le moment dipolaire*

**4.13** L'état de polarisation d'une liaison est caractérisé par la valeur des charges δ+ et δ—, mais il peut l'être aussi par la valeur, et le sens, de son *moment électrique* ou *moment dipolaire* μ (mu), défini par la relation $\mu = q.d$ (q = valeur absolue de la charge portée par chacun des atomes; d = longueur de la liaison [2.13]). En pratique, pour exprimer le moment dipolaire dans son unité usuelle qui est le Debye D (prononcez « Debaille »), on le définit par la relation $\mu = 48.q.d$ (q = charge exprimée en « unité électronique »; d = longueur de liaison en nanomètres).

*Exemple :* La polarisation de la liaison H—Cl crée sur les deux atomes une charge dont la valeur absolue est $|\delta| = 0{,}16$ (en unité électronique). D'autre part la distance entre les deux noyaux (longueur de liaison) est $d = 0{,}127$ nm. Le moment dipolaire de la molécule HCl vaut donc $48 \times 16 \times 0{,}127 = 0{,}97$D. Il faut toutefois noter que, dans la pratique, c'est le moment dipolaire qui peut être déterminé expérimentalement, et on en déduit la valeur de δ, si l'on connaît la longueur de liaison.

Le moment dipolaire est une grandeur vectorielle; il possède une direction, un sens et un module. On le représente par une flèche parallèle à la liaison, orientée conventionnellement du pôle + vers le pôle − (convention des chimistes, différente de celle des physiciens). Une croix à l'opposé de la pointe de la flèche, rappelle cette convention.

*Exemple :* $\overset{+\!\longrightarrow}{\text{H—Cl}}$.

### *Les molécules polyatomiques*

Jusqu'ici, seul a été considéré le cas de molécules biatomiques, comme HCl, ne comportant qu'une seule liaison. Dans une molécule polyatomique, formée de plusieurs liaisons, on peut encore attribuer à chacune d'elles un moment dipolaire, mais il est difficile de déterminer la charge effective d'un atome qui participe à deux ou plusieurs liaisons.

Les moments dipolaires des diverses liaisons d'une molécule polyatomique s'additionnent comme des vecteurs, et leur résultante est le moment dipolaire de la molécule considérée globalement. La direction de ce moment résultant ne coïncide pas nécessairement avec l'une des liaisons, et les deux pôles positif et négatif ne coïncident pas nécessairement avec l'un des atomes de la molécule. Le cas de l'eau (fig. 4.6) en est un exemple.

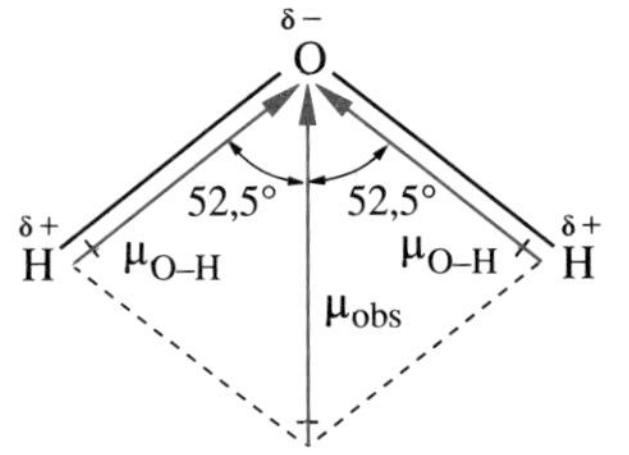

*Figure 4.6 — Moments de liaison et moment moléculaire dans la molécule d'eau.*
**Le moment dipolaire global, observé expérimentalement, est porté par la bissectrice de l'angle formé par les deux liaisons O—H. Le pôle négatif se trouve sur l'oxygène, mais le pôle positif se trouve en un point virtuel.**
**Le moment moléculaire mesuré (1,85 D) est égal à la somme vectorielle des deux moments de liaison :**

$$\mu_{H_2O} = 2(\mu_{O-H} \cdot \cos 52,5°) = 1,85\ D,$$

d'où $\mu_{O-H} = 1,51\ D$

δ− O, δ+ H, δ+ H, 52,5°, 52,5°, $\mu_{O-H}$, $\mu_{O-H}$, $\mu_{obs}$

La géométrie de la molécule peut être telle que la somme vectorielle des moments de liaison soit nulle. La molécule est alors « non polaire », bien que ses liaisons soient polarisées. Ainsi le dioxyde de carbone $CO_2$ (O=C=O) n'est pas polaire, car la molécule est linéaire et les moments (non nuls) des deux liaisons C=O sont égaux et opposés. Le tétrachlorométhane $CCl_4$ n'est pas non plus polaire, car sa molécule est tétraédrique et la résultante de quatre vecteurs égaux orientés vers les sommets d'un tétraèdre est nulle.

*4-D*

*Le moment dipolaire des molécules ou ions suivants est-il nul ou non nul? Dans le deuxième cas, comment est-il orienté?*

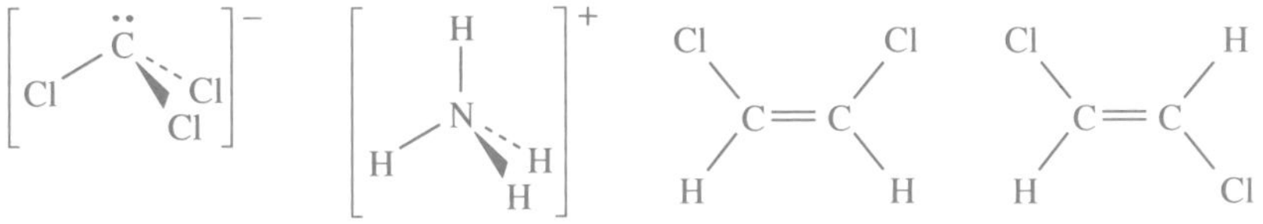

(a) $[:CCl_3]^-$ (b) $[NH_4]^+$ (c) ClHC=CHCl (Cl du même côté) (d) ClHC=CHCl (Cl de part et d'autre)

## *L'effet inductif*

**4.14** La polarisation d'une liaison est due à une attraction préférentielle exercée sur le doublet commun par le noyau de l'un des deux atomes. Cette attraction s'exerce aussi à plus grande distance, et en particulier sur les doublets partagés des liaisons avoisinantes. Ainsi la présence d'un atome de chlore (fortement électronégatif) sur le premier carbone d'une chaîne polarise non seulement la liaison $Cl—C^1$ mais aussi les liaisons $C^1—C^2$, $C^2—C^3$, ... :

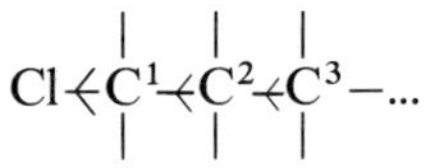

$$Cl \leftarrow C^1 \leftarrow C^2 \leftarrow C^3 — ...$$

Cependant, comme toutes les forces électrostatiques, cette attraction décroît rapidement avec la distance, comme le suggère la dimension décroissante des flèches qui symbolisent la polarisation des liaisons dans le schéma ci-dessus. Elle est pratiquement nulle au-delà de trois ou quatre liaisons.

Cette influence exercée le long d'une chaîne de liaisons covalentes est l'*effet inductif.* Dans le précédent exemple, il était exercé par un atome plus électronégatif que le carbone, qui attire à lui les électrons; on parle alors d'effet *inductif-attractif* (effet « −I »). La situation inverse peut exister, en présence d'un élément moins électronégatif que le carbone comme un métal, par exemple le sodium :

$$Na \succ C^1 \rightarrow C^2 \rightarrow C^3 - ...$$

Il s'agit alors d'un effet *inductif-répulsif* (effet « +I »).

L'électronégativité de l'hydrogène est très voisine de celle du carbone, de sorte que la liaison C—H est très peu polarisée. On considère, par convention, qu'il exerce un effet inductif nul, et tous les substituants, atomes ou groupes d'atomes, que peut porter un carbone sont classés « attractifs » ou « répulsifs » *par rapport à l'hydrogène.*

*Exemples :*

| *Substituants « attractifs »* | H | *Substituants « répulsifs »* |
|---|---|---|
| F, Cl, Br, I (halogènes), OH, $NH_2$, | | Groupes alkyles (Me, Et, iPr, tBu [1.16].) Métaux. |

La polarisation, et son prolongement par l'effet inductif, jouent un rôle important dans la réactivité. Ils sont responsables de l'existence dans les molécules de sites « riches » (δ−) et de sites « déficitaires » (δ+) en densité électronique, propices à une interaction avec des réactifs respectivement déficitaires ou riches, qui présentent un caractère opposé et complémentaire.

Ainsi l'action de la soude (ions $OH^-$) sur un dérivé halogéné peut conduire à un alcool par une attaque sur le carbone porteur du chlore, qui est le plus déficitaire; le bilan est une substitution de $Cl^-$ par $OH^-$. Elle peut conduire également à la création d'une double liaison, à la suite d'une attaque sur un hydrogène porté par le carbone voisin :

Attaque 2 → $H^{\delta''+}$ ; Attaque 1 → $C^{\delta'+}$ ; $Cl^{\delta-}$

$$-\overset{|}{\underset{|}{C}}-\overset{|}{C}(Cl)- + OH^- \xrightarrow{(1)} -\overset{H}{\overset{|}{C}}-\overset{|}{\underset{OH}{C}}- + Cl^- \quad \text{(substitution)}$$

$$\xrightarrow{(2)} \;>C=C< + H_2O + Cl^- \quad \text{(élimination)}$$

Habituellement une base comme $OH^-$ ne peut arracher les H fixés sur un carbone. Mais ici l'hydrogène est rendu « labile » (c'est-à-dire relativement facile à enlever sous la forme $H^+$) par l'effet inductif du chlore, qui polarise un peu la liaison C—H.

Dans d'autres cas, l'effet inductif peut, au contraire, diminuer la réactivité. Par exemple le chlorobenzène est moins réactif que le benzène dans les réactions de substitution électrophile [12.11]. Dans ces réactions, le cycle benzénique est « fournisseur » d'électrons et la présence du chlore, fortement inductif-attractif, appauvrit en densité électronique l'ensemble du cycle (et pas seulement le carbone sur lequel il est lié).

L'effet inductif peut encore être invoqué dans bien d'autres situations. Par exemple, il contribue à modifier la basicité des amines [17.6] ou la stabilité des carbocations [5.12].

# 3 — Les structures à électrons délocalisés

**4.15** On peut parfois envisager deux ou plusieurs formules de Lewis pour une molécule ou un ion, sans avoir de raisons de choisir préférentiellement l'une d'elles et d'écarter les autres. Par exemple, l'*ortho*-xylène peut être représenté par l'une ou l'autre des deux formules

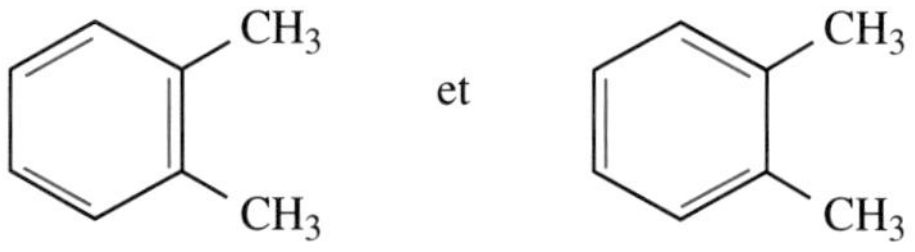

qui diffèrent par la localisation des électrons π (doubles liaisons).

Aucune de ces deux formules ne décrit la structure réelle de la molécule. Ainsi, l'expérience montre que les six liaisons carbone-carbone du cycle sont identiques, et ne sont ni simples, ni doubles. Une preuve, entre autres, en est donnée par le fait qu'elles ont toutes la même longueur (0,146 nm), intermédiaire entre celle des liaisons simples (0,154 nm) et celle des liaisons doubles (0,135 nm) [2.13].

Cela peut s'expliquer en considérant que les trois doublets π ne sont pas localisés sur trois liaisons particulières du cycle, mais *délocalisés* sur l'ensemble de ses six liaisons. Comme ces *trois* doublets ne peuvent, statistiquement, se trouver que la moitié du temps sur chacune de ces *six* liaisons, on dit que celles-ci sont « partiellement doubles », ou encore qu'elles sont « intermédiaires entre une liaison simple et une liaison double ».

## La mésomérie

**4.16** Les formules de Lewis habituelles [4.5] ne permettent pas de représenter ce type de situation. La représentation d'un doublet (par un tiret, ou par deux points) suppose en effet qu'on le localise, soit sur un atome déterminé, soit sur une liaison déterminée. Dans ces conditions, une liaison ne peut être représentée que simple, double ou triple, et le cas d'une liaison d'un type intermédiaire n'est pas « prévu ».

La *mésomérie* est un procédé (*) qui permet de décrire la délocalisation des électrons en utilisant des formules de Lewis « ordinaires ». Une molécule comportant des électrons délocalisés est décrite par *l'ensemble de deux ou plusieurs formules de Lewis*, dans lesquelles les électrons sont tous localisés, soit sur un atome, soit sur une liaison. Ces formules diffèrent *uniquement* par la localisation de certains électrons, et elles décrivent le *même enchaînement d'atomes.* On les appelle **formes limites** ou **formes mésomères;** il y a entre elles **mésomérie** ou **résonance.** On les sépare, dans l'écriture, par le signe ↔.

*Exemple :* l'*ortho*-xylène est représenté par l'*ensemble* des deux formules déjà évoquées [4.15].

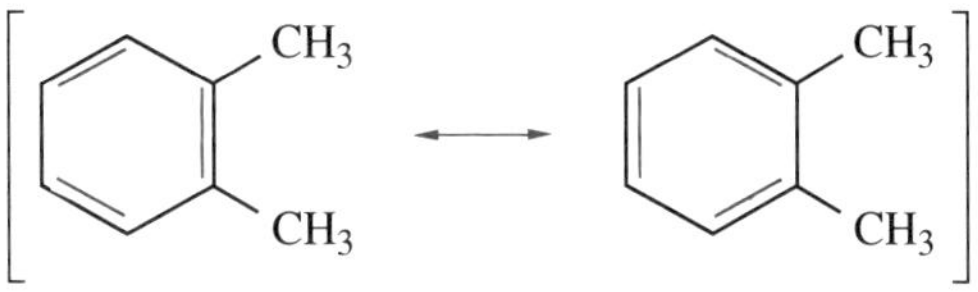

$CH_3$ $CH_3$ ⟷ $CH_3$ $CH_3$

Les formes limites utilisées pour décrire une molécule sont purement formelles et fictives, et aucune ne représente une espèce physiquement existante. La molécule réelle est un **hybride de résonance** (on dit aussi, plus simplement, *« hybride »*) de l'ensemble des formes limites par lesquelles on la représente. Sa structure correspond à une sorte de « moyenne » entre les structures des formes limites, et cette moyenne est pondérée, c'est-à-dire que chaque structure limite y intervient avec un certain « poids » [4.18]; plus ce poids est grand, plus le degré de ressemblance de la molécule réelle avec une structure limite est grand. Souvent l'une des formes limites a un poids nettement plus grand que celui des autres, ce qui justifie, dans la pratique, l'utilisation d'une seule forme limite lorsque rien ne nécessite une description plus complète d'une molécule. Ainsi, la formule « usuelle » du chlorure de vinyle est $CH_2{=}CH{-}Cl$, bien que cette molécule soit en fait un hybride de deux structures limites :

$$CH_2{=}CH{-}\ddot{\underset{\cdot\cdot}{Cl}}: \leftrightarrow \overset{-}{\ddot{C}}H_2{-}CH{=}\overset{+}{\underset{\cdot\cdot}{Cl}}:$$

On peut facilement commettre deux erreurs au sujet de la mésomérie : croire soit que le composé ainsi décrit est un *mélange* de molécules ayant des structures différentes, soit que ses molécules prennent alternativement, *dans le temps*, ces diverses structures. Il *n'existe pas*, même fugitivement, de molécules ayant la structure de telle ou telle forme limite. Le composé est formé de molécules toutes identiques, dont la structure, *unique et permanente* dans le temps, est un hybride de structures qui ne sont que des « vues de l'esprit » (**).

---

(*) Il convient de bien noter que l'existence de structures dans lesquelles certains électrons ne peuvent pas être localisés est un fait réel, mais que la mésomérie n'est qu'un procédé artificiel permettant de décrire cette situation avec une assez bonne approximation.

(**) Le symbole de la mésomérie (↔) ne doit donc pas être confondu avec celui de l'équilibre chimique (⇄) qui, au contraire, exprime une transformation réciproque entre des espèces physiquement existantes (molécules ou ions).

La molécule réelle et les formes limites peuvent être comparées respectivement à un vecteur (unique) et à ses composantes (multiples). Ces composantes n'ont pas de signification intrinsèque, puisqu'elles dépendent du système de référence choisi. Chacune contribue à décrire le vecteur, mais aucune ne suffit à elle seule à le décrire; il faut pour cela les prendre toutes en compte.

On peut tenter d'évoquer, approximativement, la « physionomie » de l'hybride, en construisant une sorte de « portrait-robot » de la molécule, à partir des formes limites qui la décrivent et avec chacune desquelles elle a une certaine ressemblance. Ainsi, l'acroléine a pour formule usuelle $CH_2{=}CH{-}CH{=}O$. Mais c'est une molécule à électrons délocalisés, et cette formule est seulement celle de la forme limite ayant le plus de poids dans l'hybride qui la décrit. Elle peut être représentée par

$$CH_2{=}CH{-}CH{=}O \leftrightarrow \overset{+}{C}H_2{-}CH{=}CH{-}\overset{-}{O}$$

ou, d'une façon plus approximative mais plus « suggestive », par

$$\overset{\delta+}{C}H_2{\overset{\text{--}}{-}}CH{\overset{\text{--}}{-}}CH{\overset{\text{--}}{-}}\overset{\delta-}{O}$$

Chacune des trois liaisons représentées est soit simple, soit double selon la forme limite considérée; elles sont donc « intermédiaires », ce que suggère l'emploi de tirets pour figurer les liaisons $\pi$. Le carbone du groupe $CH_2$ est neutre dans une des formes et porteur d'une charge + (+ 1) dans l'autre; si l'on fait une « moyenne », on doit lui attribuer une charge positive comprise entre 0 et + 1, représentée par $\delta+$. Pour des raisons analogues, l'oxygène reçoit une charge fractionnaire $\delta-$.

D'autres exemples se rencontreront dans la suite : Phénol [16.3]; Aniline [17.6]; Pyrrole [21.4]; Pyridine [21.10]; etc.

### *4-E*

*Parmi les quatre formules suivantes :*

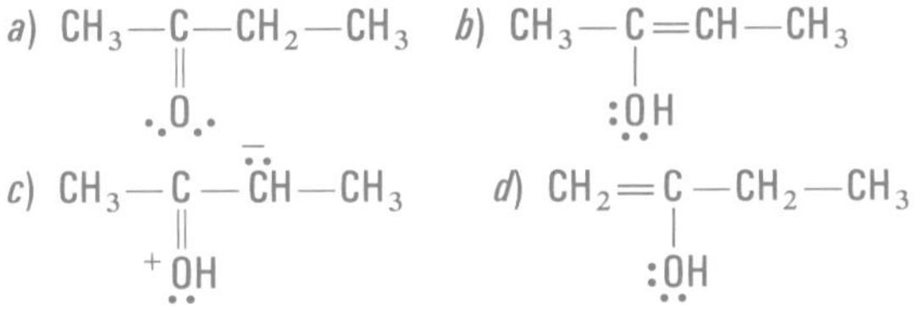

*a*) $CH_3{-}C({=}\ddot{O}{:}){-}CH_2{-}CH_3$ *b*) $CH_3{-}C(\ddot{O}H){=}CH{-}CH_3$

*c*) $CH_3{-}C({=}\overset{+}{\ddot{O}}H){-}\overset{-}{\ddot{C}}H{-}CH_3$ *d*) $CH_2{=}C(\ddot{O}H){-}CH_2{-}CH_3$

*quelles sont celles qui représentent des formes limites décrivant une même molécule? celles qui représentent des isomères?*

---

### *4-F*

*Comment peut-on représenter l'hybride de chacune des paires de formes limites suivantes?*

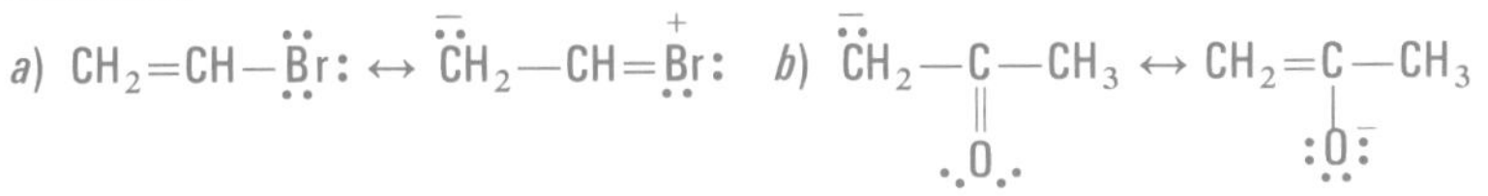

*a*) $CH_2{=}CH{-}\ddot{B}r{:} \leftrightarrow \overset{-}{\ddot{C}}H_2{-}CH{=}\overset{+}{\ddot{B}r}{:}$ *b*) $\overset{-}{\ddot{C}}H_2{-}C({=}\ddot{O}{:}){-}CH_3 \leftrightarrow CH_2{=}C({:}\ddot{O}{:}^{-}){-}CH_3$

---

## *Les systèmes conjugués*

**4.17** Comment reconnaître si une molécule, pour laquelle on ne dispose que d'une formule de Lewis, est le siège d'une délocalisation d'électrons et relève d'une description par la mésomérie?

La délocalisation d'électrons est le fait des *« systèmes conjugués »*, dont il existe plusieurs types. Ils comportent en général deux (parfois plusieurs) éléments structuraux particuliers : électrons π ou n, cases vides, électrons impairs, séparés par une liaison simple (et une seule). Les divers cas possibles sont indiqués ci-dessous; dans les exemples le système conjugué proprement dit est distingué du reste de la molécule par la couleur. Pour chacun de ces exemples, deux formes limites seulement sont données, mais il peut, parfois, en exister davantage.

■ *Électrons π — Électrons π*

$$-\overset{|}{C}=\overset{|}{C}-\overset{|}{C}=\overset{|}{C}- \leftrightarrow -\overset{+}{C}-C=C-\overset{\cdot\cdot}{\bar{C}}-$$

*Exemples :* $CH_2=CH-CH=CH_2 \leftrightarrow \overset{+}{C}H_2-CH=CH-\overset{\cdot\cdot}{\bar{C}}H_2$ (a)

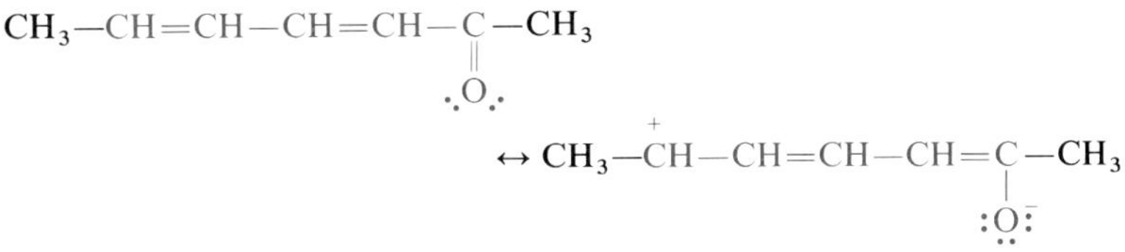

$$CH_3-CH=CH-CH=CH-\underset{\underset{\cdot\cdot O \cdot\cdot}{\|}}{C}-CH_3 \leftrightarrow CH_3-\overset{+}{C}H-CH=CH-CH=\underset{\underset{:\ddot{O}:^-}{|}}{C}-CH_3 \quad \text{(b)}$$

■ *Électrons π — Électrons n*

$$-\overset{|}{C}=\overset{|}{C}-\ddot{A} \leftrightarrow -\overset{\cdot\cdot}{\bar{C}}-C=\overset{+}{A}$$

*Exemples :* $CH_2=CH-\ddot{\underset{\cdot\cdot}{Cl}}: \leftrightarrow \overset{\cdot\cdot}{\bar{C}}H_2-CH=\overset{+}{\underset{\cdot\cdot}{Cl}}:$ (c)

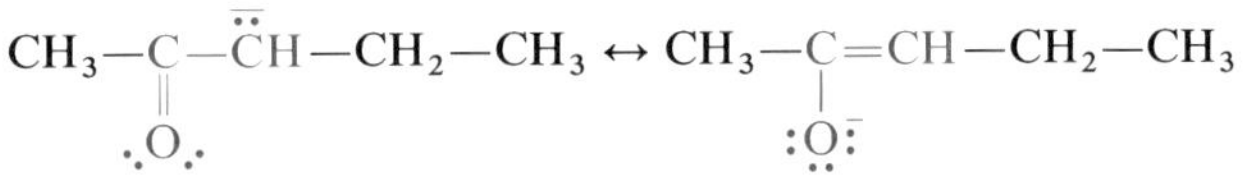

$$CH_3-\underset{\underset{\cdot\cdot O \cdot\cdot}{\|}}{C}-\overset{\cdot\cdot}{\bar{C}}H-CH_2-CH_3 \leftrightarrow CH_3-\underset{\underset{:\ddot{O}:^-}{|}}{C}=CH-CH_2-CH_3 \quad \text{(d)}$$

■ *Électrons π — Case vide*

$$-\overset{|}{C}=\overset{|}{C}-\overset{\square}{A} \leftrightarrow -\overset{\square}{C}-C=A$$

*Exemple :*

$$CH_3-CH=CH-\overset{+}{C}H-CH_2-CH_3 \leftrightarrow CH_3-\overset{+}{C}H-CH=CH-CH_2-CH_3 \quad \text{(e)}$$

■ *Électrons n — Case vide*

$$\ddot{A}-\overset{+}{C}- \leftrightarrow \overset{+}{A}=C-$$

*Exemple :* $CH_3-\underset{\underset{CH_3}{|}}{\overset{+}{C}}-\ddot{\underset{\cdot\cdot}{O}}-H \leftrightarrow CH_3-\underset{\underset{CH_3}{|}}{C}=\overset{+}{\underset{\cdot\cdot}{O}}-H$ (f)

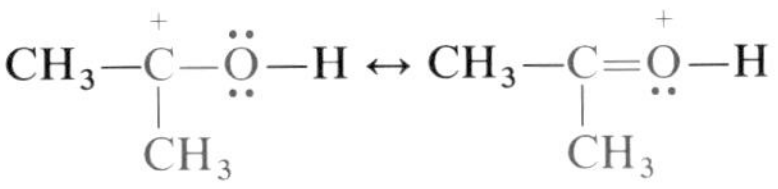

■ *Électron impair — Électrons π*

$$-\overset{|}{C}=\overset{|}{C}-\dot{C}- \leftrightarrow -\dot{C}-C=C-$$

*Exemple :* $CH_3-\dot{C}H-C_6H_9 \leftrightarrow CH_3-CH=C_6H_{10}^{\bullet}$ (g)

Les formes limites d'une molécule ne « s'inventent » pas *a priori*. Elles se « déduisent » les unes des autres, en imaginant des *déplacements fictifs d'électrons*, que l'on symbolise par des flèches courbes.

La reprise de quelques-uns des exemples qui précèdent montrera « d'où viennent » les formes limites qui ont été indiquées. Les flèches qui figurent sur la forme limite de gauche correspondent aux déplacements d'électrons qui la transforment en celle de droite, et inversement.

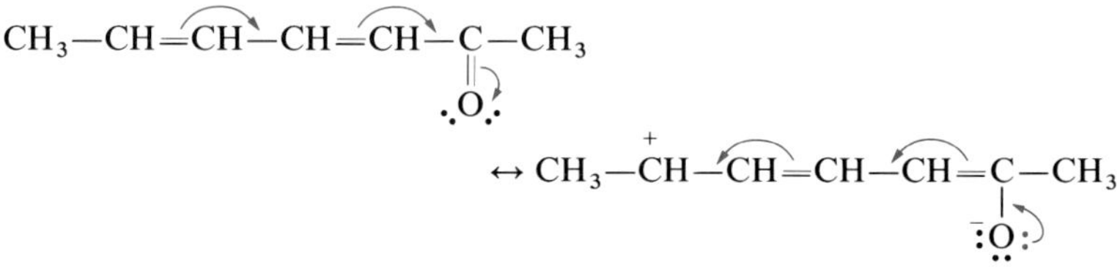

$CH_3-CH=CH-CH=CH-C(=O)-CH_3 \leftrightarrow CH_3-\overset{+}{C}H-CH=CH-CH=C(-O^-)-CH_3$ (b)

$CH_2=CH-\ddot{Cl}: \leftrightarrow \bar{C}H_2-CH=\overset{+}{Cl}:$ (c)

$CH_3-\overset{+}{C}(CH_3)-\ddot{O}-H \leftrightarrow CH_3-C(CH_3)=\overset{+}{O}-H$ (f)

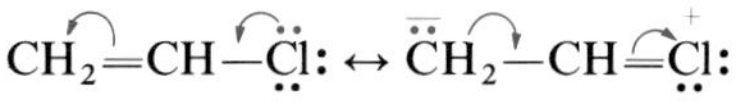

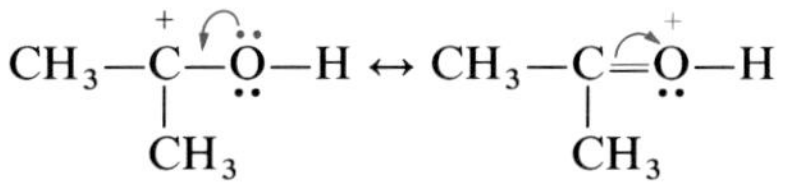

Il peut arriver que la deuxième forme limite obtenue puisse conduire, par l'un des schémas envisagés, à une troisième, que celle-ci puisse conduire à son tour à une quatrième, etc.

*Exemple :*

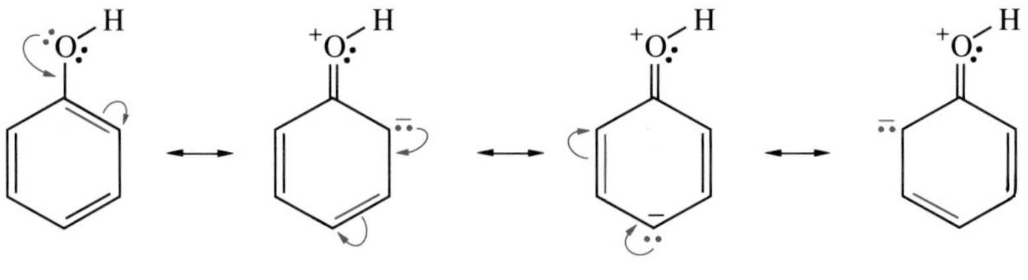

Phénol : $C_6H_5-\ddot{O}H \leftrightarrow$ (ortho) $\overset{+}{O}H=C_6H_5^-$ $\leftrightarrow$ (para) $\leftrightarrow$ (ortho')

Ces déplacements d'électrons peuvent concerner un grand nombre de liaisons consécutives. Ils se succèdent et s'enchaînent tant qu'il y a alternance d'électrons π ou n, ou de cases vides, et de liaisons simples. Mais deux liaisons simples consécutives constituent un « obstacle » infranchissable qui « isole », du point de vue de la conjugaison, les deux parties de la molécule entre lesquelles il se trouve.

*Exemples :*

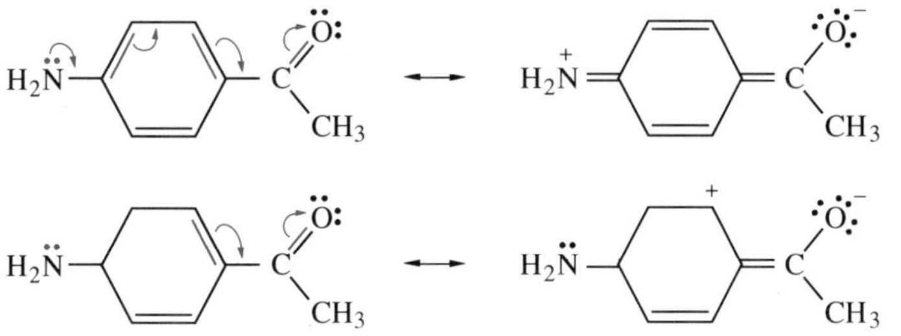

$H_2\ddot{N}-C_6H_4-C(=O)-CH_3 \leftrightarrow H_2\overset{+}{N}=C_6H_4=C(-O^-)-CH_3$

$H_2\ddot{N}-C_6H_8-C(=O)-CH_3 \leftrightarrow H_2\ddot{N}-\overset{+}{C_6H_8}=C(-O^-)-CH_3$

Dans le second cas, le doublet libre de l'azote ne participe pas à la délocalisation car il est séparé de la plus proche double liaison par deux liaisons simples consécutives.

Savoir imaginer et opérer correctement ces manipulations d'électrons demande un peu d'entraînement. En fait, les schémas possibles sont peu nombreux; ils sont résumés dans le tableau 4.1. Mais il importe de bien noter que :

– D'une forme limite à une autre, seuls des électrons π, n ou impairs, et des cases vides, peuvent être déplacés. Les électrons σ ne l'étant pas, l'ordre d'enchaînement des atomes n'est pas modifié (cf. question 4.E). Des formes limites *ne sont pas des isomères.*
– La charge électrique globale (nulle pour une molécule, positive ou négative pour un ion) doit être la même dans toutes les formes limites, le nombre total d'électrons ne variant pas.
– A l'occasion de ces manipulations d'électrons, un élément de la deuxième période (notamment C, N et O, fréquents dans les composés organiques) ne doit pas avoir plus de huit électrons dans sa couche externe.

*Tableau 4.1 — Les structures résonnantes.*
**Les systèmes conjugués comportent toujours, au moins dans l'une de leurs formes limites (celle à laquelle ils ressemblent le plus), deux éléments tels que électrons π, électrons n, case vide, électron impair, séparés par une liaison simple.**

## 4-G

*Écrivez dans chaque cas une seconde forme limite :*

(a) $C_6H_5$–CH=Ö: ⟷ ...

(b) $C_6H_5$–$\ddot{N}H_2$ ⟷ ...

(c) $CH_3$–C(=Ö:)–$\ddot{N}H_2$ ⟷ ...

## *Le poids relatif des formes limites*

**4.18** Les formes limites, parfois nombreuses, d'un composé n'ont pas toutes le même « poids » : elles contribuent plus ou moins, certaines beaucoup et d'autres très peu, à l'hybride de résonance [4.16]. Quelques critères simples permettent d'estimer leur poids relatif, et notamment d'identifier celles qui sont éventuellement négligeables par rapport aux autres ou, au contraire, celle qui a le plus grand poids et peut être retenue comme formule courante d'un composé.

Le poids d'une forme limite est d'autant plus grand qu'elle représente une structure plus stable (d'énergie plus basse) et, à cet égard, les charges électriques jouent un rôle important. Les *facteurs favorables* sont, entre autres :

• Un « accord » entre le signe de la charge placée sur un atome et l'électronégativité de l'élément correspondant : un élément très électronégatif « s'accommode » mieux d'une charge négative que d'une charge positive, et inversement.

*Exemple :* La stabilité de la forme $\overset{-}{C}H_2—CH=\overset{+}{Cl}$ (exemple (c) ci-dessus) est diminuée par la présence d'une charge positive (déficit électronique) sur un atome de chlore, élément très électronégatif.

• L'absence d'une séparation de charges, c'est-à-dire de la création de charges de signes contraires sur des sites distincts dans une structure neutre.

*Exemple :* Dans les exemples (a) et (b) ci-dessus, la seconde forme limite a moins de poids que la première (qui est la formule usuelle de chacun des composés), car elle comporte la création et la séparation de deux pôles, positif et négatif.

• La division d'une charge (dans une structure ionique) et sa répartition sur plusieurs sites, sous la forme de charges plus faibles et plus nombreuses.

*Exemple :* Dans le cas des composés (d), (e) ou (f) ci-dessus, le passage d'une forme limite à l'autre déplace la charge. Dans l'hybride elle se trouve donc partagée entre deux sites, sous la forme de deux charges fractionnaires de même signe, δ+ ou δ− (par exemple, $CH_3—\overset{\delta+}{C}H{\cdots}CH{\cdots}\overset{\delta'+}{C}H—CH_2—CH_3$).

## *Les conséquences de la délocalisation des électrons*

La conjugaison, ou résonance, a deux types de conséquences, qui toutes deux jouent un rôle important dans le comportement chimique.

### ■ *L'effet mésomère*

**4.19** La délocalisation des électrons peut être responsable de l'existence de charges électriques fractionnaires (δ+ ou δ−) dans l'hybride qui décrit la molécule. On dit alors qu'il s'exerce, du fait de cette délocalisation, un *effet mésomère*. Celui-ci peut être *donneur* (+ M), de la part d'un atome ou d'un groupe d'atomes qui cède des électrons au reste de la molécule, ou *accepteur* (− M) de la part d'un atome ou d'un groupe d'atomes qui reçoit des électrons du reste de la molécule.

Le buta-1,3-diène, exemple (a) du § 4.17, a précédemment été décrit comme un hybride de deux formes limites. Mais on doit en considérer aussi une troisième, obtenue en opérant un déplacement d'électrons opposé à celui qui conduit à la seconde :

$$\underset{A}{CH_2=CH—CH=CH_2} \leftrightarrow \underset{B}{\overset{+}{C}H_2—CH=CH—\overset{-}{C}H_2} \leftrightarrow \underset{C}{\overset{-}{C}H_2—CH=CH—\overset{+}{C}H_2}$$

Les formes B et C, de même structure, ont *a priori* le même poids, par ailleurs faible. Les charges δ+ et δ− qu'elles apportent dans l'hybride se compensent donc exactement et, dans la molécule réelle il n'y a pas de pôles positif et négatif (cette conclusion rejoint du reste celle qui résulterait de simples considérations de symétrie).

Le « portrait-robot » de l'hybride est donc simplement

$$CH_2{=\!\!=}CH{=\!\!=}CH{=\!\!=}CH_2,$$

mais le faible poids des formes B et C par rapport à la forme A permet de dire que le caractère « partiellement double » de la liaison centrale est plus faible que celui des deux liaisons extrêmes. Il n'y a pas, en ce cas, d'effet mésomère.

A la fin du § 4.16, l'acroléine a été décrite comme l'hybride de deux formes limites. En ce cas également, on pourrait en envisager une troisième :

$$CH_2{=}CH{-}CH{=}O \leftrightarrow \overset{+}{C}H_2{-}CH{=}CH{-}\overset{-}{O} \leftrightarrow \overset{-}{C}H_2{-}CH{=}CH{-}\overset{+}{O}$$

Mais le poids de cette troisième forme est plus faible que celui des deux autres, car l'oxygène, élément fortement électronégatif, y est le siège d'une charge + [4.18]. Elle peut être, en première approximation, négligée par rapport aux deux premières, et l'hybride est donc effectivement décrit par

$$\overset{\delta+}{C}H_2{\overset{--}{=}}CH{\overset{--}{=}}CH{\overset{--}{=}}\overset{\delta-}{O}$$

Les charges $\delta+$ et $\delta-$, dont la valeur absolue dépend du poids relatif donné à chacune des deux formes limites retenues, résultent d'un *effet mésomère, donneur* de la part du groupe C=C et *accepteur* de la part du groupe C=O.

Les charges créées par l'effet mésomère sont distinctes de celles qui peuvent, par ailleurs, résulter de l'effet inductif [4.14], et se superposent éventuellement à elles. Ainsi, dans l'acroléine $CH_2{=}CH{-}CH{=}O$, l'effet inductif exercé par l'oxygène crée un déficit sur la chaîne carbonée, principalement localisé sur le carbone du groupe CH=O (il s'affaiblit ensuite rapidement). L'effet mésomère, quant à lui, crée un déficit localisé sur le carbone du groupe $CH_2$ :

$$\begin{array}{ll} \qquad\quad \delta+\ldots\ldots\delta- & \leftarrow \textit{Effet inductif} \\ CH_2{\overset{--}{=}}CH{\overset{--}{=}}CH{\overset{--}{=}}O & \\ \delta+\ldots\ldots\ldots\ldots\ldots\ldots\delta- & \leftarrow \textit{Effet mésomère} \end{array}$$

Le comportement chimique de cette molécule est très directement déterminé par la répartition de la densité électronique qui résulte de ces divers facteurs [20.20].

L'effet inductif et l'effet mésomère peuvent être « en conflit », créant sur les mêmes sites des charges de signes contraires. La charge effective est alors la somme algébrique de celles qui résultent de chaque effet, mais, en général, l'effet mésomère « l'emporte » car les charges qu'il crée sont supérieures en valeur absolue.

Le monoxyde de carbone CO, dont la molécule est un hybride de deux formes limites :

$$:\!\underset{\square}{C}{=}\ddot{O}\!: \leftrightarrow :\!\overset{-}{C}{\equiv}\overset{+}{O}\!:$$

offre un exemple simple d'une telle situation. L'expérience montre en effet que, contrairement à ce que laisserait attendre le sens de la différence d'électronégativité entre C et O, le moment dipolaire de cette molécule est orienté de O vers C :

$$\overset{\delta-\longleftarrow\!\!+\;\delta+}{C{=}O}$$

Ce renversement de la polarité est dû aux caractères mésomère-donneur de l'oxygène et mésomère-accepteur du carbone.

*4-H*

*Existe-t-il un effet mésomère dans les structures suivantes? Si oui, comment se traduit-il?*

(a) $CH_3$ (b) O (c) O

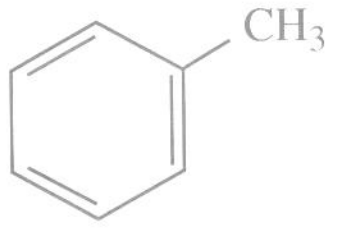

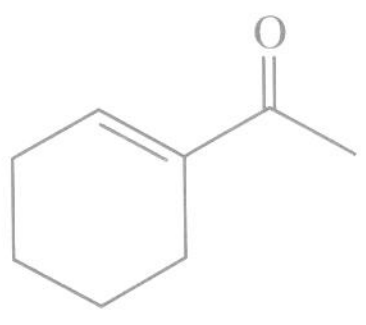

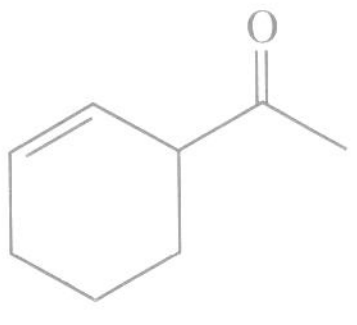

### ■ *La stabilisation*

**4.20** La délocalisation des électrons entraîne une *stabilisation.* De deux molécules isomères, dont l'une est le siège d'une délocalisation et l'autre non, la première est toujours plus stable que la seconde.

La molécule réelle d'un composé à électrons délocalisés est donc plus stable que ne le serait chacune des formes limites (si elles existaient réellement), puisque dans celles-ci les électrons sont, par définition, tous localisés.

On peut déterminer expérimentalement l'énergie de formation d'une molécule, c'est-à-dire l'énergie mise en jeu dans la réaction, le plus souvent hypothétique, par laquelle elle se formerait à partir de corps simples (par exemple, la formation du benzène $C_6H_6$ par la réaction $6\,C + 3\,H_2 \rightarrow C_6H_6$). On peut d'autre part calculer, par addition des énergies de liaison, l'énergie de formation « théorique » d'une forme limite (*). La différence entre ces deux énergies est toujours en faveur de la stabilité de la molécule réelle, dont le niveau énergétique est inférieur à celui de n'importe quelle forme limite (fig. 4.7). Cette différence est appelée **énergie de résonance;** elle mesure le gain de stabilité associé à la délocalisation des électrons.

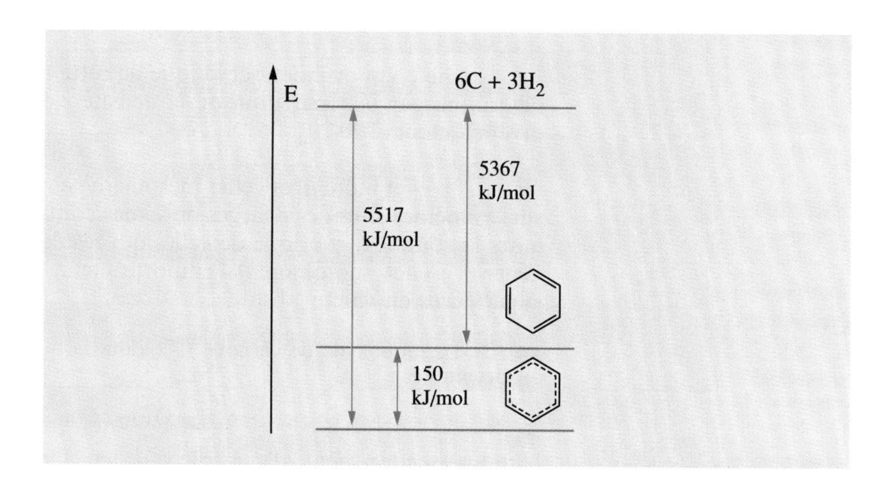


*Figure 4.7 — L'énergie de résonance du benzène $C_6H_6$.* **La formation de la molécule réelle de benzène s'accompagne d'un dégagement d'énergie (chaleur) de 5 517 kJ . mol$^{-1}$. Le calcul *a priori* de l'énergie de formation d'une molécule de benzène hypothétique, comportant trois doubles liaisons et trois simples liaisons, donne la valeur 5 367 kJ . mol$^{-1}$.**
**La différence, soit 150 kJ.mol$^{-1}$, est l'énergie de résonance du benzène. Sa valeur élevée explique que le cycle benzénique manifeste une très grande stabilité.**

Cette stabilisation par résonance dans les systèmes conjugués est un facteur important de la réactivité. Un processus de réaction qui apporte ou étend une possibilité de délocalisation électronique est favorisé par rapport à un processus qui supprime ou restreint cette possibilité. Cette influence peut s'exercer soit au niveau des molécules de réactifs ou de produits, soit à celui des intermédiaires de réaction; divers exemples en seront rencontrés dans la suite [12.11, 12.18, 16.3, ...].

---

(*) A propos de ces déterminations, expérimentales ou par le calcul, des énergies de formation, voir un cours de thermodynamique (par exemple : *Cours de Chimie physique*, chapitre 32).

*4-I*

*L'alcool $CH_2{=}CH{-}CH_2{-}CHOH{-}CH_3$ peut en principe, par déshydratation donner soit $CH_2{=}CH{-}CH{=}CH{-}CH_3$, soit $CH_2{=}CH{-}CH_2{-}CH{=}CH_2$. Si la réaction doit fournir le plus stable de ces deux hydrocarbures, lequel obtiendra-t-on préférentiellement?*

## Les systèmes conjugués dans le modèle ondulatoire

**4.21** La description des systèmes conjugués que donne le modèle ondulatoire de la liaison chimique [4.7-11] est un prolongement naturel de l'image qu'il fournit de la liaison covalente en général. Elle ne nécessite pas l'intervention d'idées nouvelles.

Dans le buta-1,3-diène, exemple (a) du § 4.17, les quatre carbones sont dans l'état d'hybridation $sp^2$ (trigonal) et possèdent donc chacun une orbitale p naturelle, non hybridée (fig. 4.8a). La formule usuelle

$$CH_2{=}CH{-}CH{=}CH_2$$

correspond à la formation de deux liaisons $\pi$ par le recouvrement de ces orbitales p deux par deux (fig. 4.8b). Mais on peut aussi bien envisager un recouvrement entre les orbitales des carbones 2 et 3, et en définitive le « nuage $\pi$ » recouvre l'ensemble des trois liaisons (fig. 4.8c).

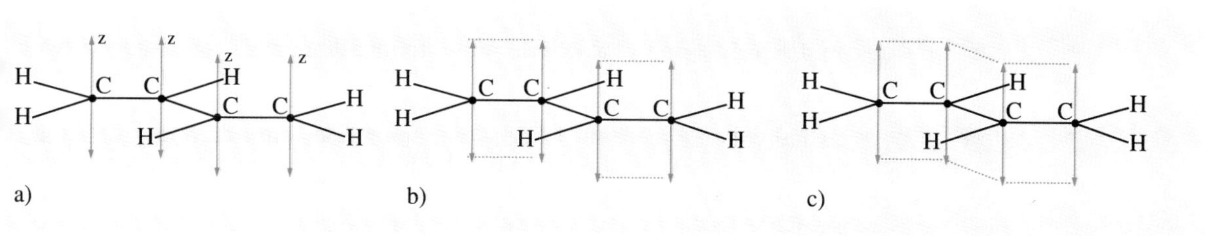


*Figure 4.8 — La structure électronique du buta-1,3-diène.*
Pour simplifier la représentation, les orbitales p sont seulement représentées par leur axe (z), et leur recouvrement est symbolisé par une ligne de points.
Les quatre orbitales 2p des quatre carbones trigonaux (a) peuvent se recouvrir deux par deux, pour donner deux doubles liaisons « classiques » (b). Mais il est plus normal de penser que celles des deux carbones centraux se recouvrent aussi. Cela ne change pas le nombre d'électrons concernés (4 électrons 2p), mais les deux doublets $\pi$ qu'ils constituent évoluent alors sur les trois liaisons carbone-carbone (c), dans un nuage électronique continu.

On comprend bien, à partir de ce modèle, que deux doubles liaisons ne peuvent être « conjuguées » que si elles sont séparées par *une seule* liaison simple. Deux orbitales p qui se trouveraient séparées par deux liaisons seraient trop éloignées pour se recouvrir.

Dans le benzène, les six carbones du cycle sont dans l'état d'hybridation $sp^2$, et la formule classique (formule « de Kékulé ») traduit l'hypothèse d'un recouvrement de leurs orbitales p deux par deux, pour former trois liaisons $\pi$ (fig. 4.9a). Mais il est normal de considérer que chacune peut se recouvrir aussi bien avec l'une ou l'autre de ses deux voisines, et l'on aboutit ainsi à l'idée d'un « nuage π » recouvrant l'ensemble du cycle, dans lequel « évoluent » les trois doublets π, totalement délocalisés (fig. 4.9 b).

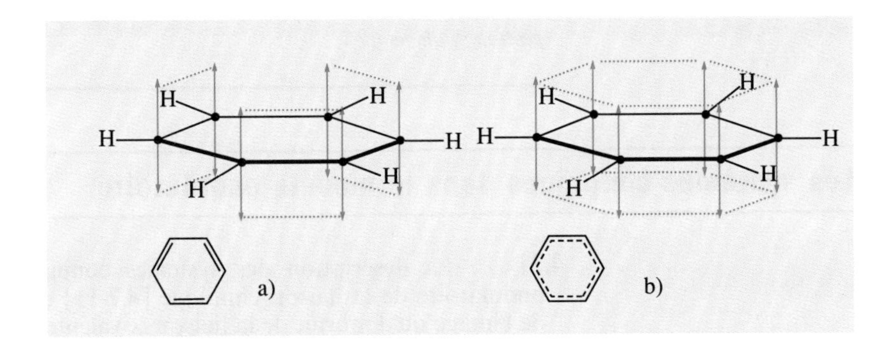


*Figure 4.9 — La structure électronique du benzène.* **Les six orbitales p non hybridées des six carbones trigonaux, au lieu de se recouvrir deux par deux pour former trois doubles liaisons (a), fusionnent pour constituer un nuage électronique couvrant les six liaisons, de part et d'autre du plan du cycle (b).**

La nécessité de parallélisme entre les axes des orbitales p qui se recouvrent latéralement explique que la délocalisation des électrons (ou résonance, ou conjugaison) ait des *implications géométriques.* Ainsi, dans le butadiène, ce parallélisme exige que la molécule soit entièrement plane. Dans certains cas, au contraire, l'impossibilité de réaliser ce parallélisme constitue un empêchement à la délocalisation, et on en observe les conséquences au niveau des propriétés. Par exemple, dans la pyridine

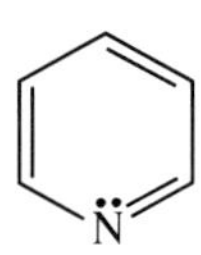


on pourrait supposer, *a priori*, que le doublet libre de l'azote est également délocalisé. En fait, la force du caractère basique de cette molécule [21.10] conduit à penser qu'il est localisé sur l'azote et le modèle orbitalaire justifie cette conclusion. L'azote est, comme les cinq carbones du cycle, dans l'état d'hybridation $sp^2$, et le doublet libre occupe l'une des orbitales hybrides dont l'axe est dans le plan du cycle. Cette orbitale ne peut donc pas participer au nuage délocalisé.

## 4-J

*Trois questions à propos du buta-1,3-diène* $CH_2{=}CH{-}CH{=}CH_2$ *:*

*a) Ne pourrait-on pas imaginer une forme différente de celle qui est représentée par la figure 4.8, mais également plane?*

*b) Puisque les électrons π peuvent se trouver sur chacune des trois liaisons carbone-carbone, pourquoi ne peut-on pas, tout simplement, dire qu'elles sont toutes les trois doubles?*

*c) On observe que, dans un système conjugué de ce type, la rotation autour de la liaison centrale, sans être libre, est cependant moins difficile qu'autour des liaisons extrêmes; quelle information contenue dans le § 4.19 permet de l'expliquer?*

## MOTS-CLÉS

- Conjugaison
- Covalence
- Coordinence
- Délocalisation
- Densité électronique
- Effet inductif
- Effet mésomère
- Électrons σ, π, n
- Énergie de résonance
- Forme limite
- Hybridation (des orbitales)
- Hybride (de résonance)
- Mésomérie
- Moment dipolaire
- Orbitale (s, p)
- Polarisation
- Résonance
- Structure de Lewis

## OBJECTIFS

DEVENIR CAPABLE DE :

- Reconnaître, à partir d'une formule développée plane, la présence de doublets libres ou de cases vides (orbitales vacantes) sur certains atomes.
- Localiser les charges qui résultent de la polarisation des liaisons et de l'effet inductif.
- Connaissant la géométrie d'une molécule, déterminer si elle est polaire ou non; dans l'affirmative, établir la direction et le sens de son moment dipolaire.
- Reconnaître, dans une formule développée plane, la présence d'un système conjugué.
- Disposant de l'une des formes limites qui décrivent une molécule conjuguée, écrire les autres, et estimer le poids relatif de chacune.
- Reconnaître l'existence d'un effet mésomère, et localiser les charges qui en résultent.
- Déterminer si deux structures sont isomères ou mésomères.

## EXERCICES

***4-a*** Complétez les formules suivantes, en y indiquant les doublets libres et les cases vides (un tableau de la classification périodique des éléments se trouve en annexe)

$CH_3-\overset{+}{S}H_2$ $\quad CH_3-Zn-CH_3$ $\quad BF_3$ $\quad \overset{-}{C}F_3$ $\quad H_2\overset{+}{N}=CH-CH=C(OH)-O^-$

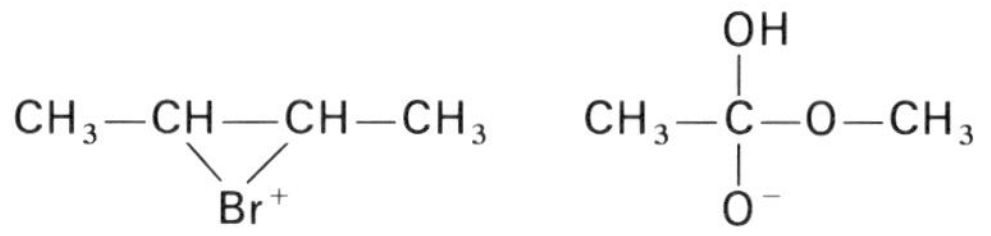

$CH_3-CH-CH-CH_3$ (les deux CH pontés par $Br^+$) $\quad CH_3-C(OH)(O^-)-O-CH_3$

**4-b** Il existe trois dichlorobenzènes isomères :

a) (ortho-dichlorobenzène) b) (méta-dichlorobenzène) c) (para-dichlorobenzène)

Leurs trois moments dipolaires sont, dans le désordre : 0, 1,26 D et 2,33 D. Par un raisonnement qualitatif, sans aucun calcul, pouvez-vous attribuer à chaque isomère son moment dipolaire.

**4-c** La force du caractère acide des acides organiques $R-C(=O)-O-H$ est due à la plus ou moins grande facilité avec laquelle l'hydrogène du groupe fonctionnel peut se séparer de la molécule, sous la forme de l'ion $H^+$, à la suite de l'ionisation de la liaison O—H. Comment expliquer que l'acide monochloracétique $ClCH_2-CO_2H$ est plus fort que l'acide acétique $CH_3-CO_2H$? peut-on, sur la même base de raisonnement, prévoir si l'acide propionique $CH_3-CH_2-CO_2H$ est plus fort ou moins fort que l'acide acétique?

**4-d** Quelles sont les deux sortes de données expérimentales qui témoignent d'une particularité, non prévisible sur la base des formules classiques, pour les systèmes conjugués (par exemple dans le cas du cycle benzénique)?

**4-e** Comment pourrait-on schématiser la structure hybride du phénol $C_6H_5-OH$, à partir des quatre formes limites représentées au § 4.17?

**4-f** Existe-t-il un effet mésomère dans les molécules suivantes? Si oui, indiquez le signe et la position des charges qui en résultent :

a) $CH_3-CO-CH=CH-Cl$ b) $CH_3-CH=CH-CH=CH-CH_3$ c) $CH_3-C(=O)-C(=O)-CH_3$

d) $C_6H_5-C(=O)-CH_3$ e) $C_6H_5-CH_2-OH$

**4-g** Le moment dipolaire de l'acroléine $CH_2=CH-CH=O$ est supérieur à celui que l'on peut calculer *a priori,* à partir de cette formule. Quelle pourrait être l'origine de cette différence? Que peut-on penser du moment dipolaire réel du chlorure de vinyle comparativement à celui que laisse attendre la formule $CH_2=CH-Cl$.

**4-h** La fixation d'hydrogène (« hydrogénation ») sur une double liaison est une réaction exothermique; elle dégage de l'énergie (chaleur), et le niveau d'énergie du produit formé est inférieur à celui de la molécule de départ. L'hydrogénation du penta-1,3-diène (A) et celle du penta-1,4-diène (B) conduisent au même produit, le pentane (C) :

$$CH_2=CH-CH=CH-CH_3 \text{ (A)} + H_2 \searrow$$
$$CH_2=CH-CH_2-CH=CH_2 \text{ (B)} + H_2 \nearrow \quad CH_3-CH_2-CH_2-CH_2-CH_3 \text{ (C)}$$

mais la réaction (A) → (C) dégage 226 kJ/mol, alors que la réaction (B) → (C) dégage 254 kJ/mol. Quelle est l'origine de cette différence? Quelle est sa signification physique?

**4-i** Explicitez les formes limites obtenues en effectuant les déplacements électroniques indiqués :

a) $:\ddot{O}=C(\ddot{N}H_2)_2$ b) $CH_3-C(\ddot{O}H)=CH-C(=\ddot{O}:)-CH_3$ c) $C_6H_5-\overset{+}{N}(=O)-O^-$ d) $C_6H_5-\overset{+}{N}\equiv\ddot{N}$

***4-j*** Trouvez une autre forme limite possible pour chacun des composés suivants :

a) $CH_3-C(=\ddot{O}:)-\ddot{Cl}:$ b) $\overset{+}{C}H_2-C(CH_3)=CH_2$ c) $H_2\ddot{N}-C\equiv N:$ d) $H_2C=\overset{+}{N}=\overset{-}{\ddot{N}}:$ e) $CH_3-\ddot{O}-CH=CH_2$

f) pyrrole ($\ddot{N}-H$) g) cyclohexène$=CH-C(CH_3)=O$ h) $CH_3-\ddot{O}-C_6H_4-\overset{+}{C}H_2$

# Les réactions et leur mécanisme

# 5

5.1 *Dans les chapitres précédents, les molécules ont été considérées comme des objets isolés, au repos, dont l'étude structurale a porté successivement sur les aspects géométrique et électronique. De statique, notre étude devient maintenant dynamique, pour déboucher sur le véritable objet de la chimie : les transformations des molécules au cours des réactions.*

*La façon dont se produisent les réactions, au niveau « microscopique » qui est celui des atomes, n'est pas directement observable. Mais des informations peuvent être obtenues à ce sujet par des méthodes expérimentales indirectes, notamment cinétiques ou stéréochimiques. La notion de* ***mécanisme réactionnel,*** *qui englobe tout ce qui peut être ainsi connu, ou supposé, concernant cette réalité invisible est absolument centrale dans la chimie organique moderne, à laquelle elle donne sa rationalité. Elle permet, en effet, de classer, d'interpréter et, dans une certaine mesure, de prévoir les comportements moléculaires.*

*Les notions, et le vocabulaire, qui sont introduits dans ce chapitre seront très fréquemment utilisés dans la suite.*

## Préalables

- Notion d'équation-bilan d'une réaction.
- Énergie potentielle, énergie cinétique, et leurs transformations réciproques; choc élastique [voir un cours de mécanique élémentaire].
- Liaison covalente; coordinence; polarisation; résonance [chapitre 4].
- Orientation des liaisons autour d'un carbone dans ses divers états de liaison [2.5].

# 1 — La notion de mécanisme réactionnel

**5.2** Une réaction se produit lorsque la mise en présence de certaines substances, ou simplement la réalisation de certaines conditions (température, catalyse, ...), donne la possibilité de se former à un système plus stable que celui des corps initiaux. Une réaction consiste donc en la rupture de certaines liaisons et la formation de nouvelles liaisons, en vue d'aboutir à l'arrangement le plus stable des atomes en présence, compte tenu des conditions actuelles.

Une première démarche en vue d'apporter un élément d'organisation dans l'étude des réactions de la chimie organique, très nombreuses et très diverses, consiste à tenter de les classer sur la base du bilan global de cette redistribution des atomes.

## *Classification des réactions organiques selon leur bilan*

**5.3** Si l'on rapproche le résultat final d'une réaction de la situation initiale, on peut instituer une classification des réactions organiques en quatre grandes catégories :

— **Substitutions :** un atome (ou un groupe d'atomes) en remplace un autre dans la molécule initiale.

*Exemple :*

$$CH_4 + Cl_2 \rightarrow CH_3Cl + HCl$$

(un chlore a remplacé un hydrogène dans la molécule de méthane).

— **Additions :** une molécule se scinde en deux fragments, qui se fixent sur une autre molécule.

*Exemple :*

$$H_2C{=}CH_2 + H_2 \rightarrow H_3C{-}CH_3$$

— **Éliminations :** une molécule perd certains de ses atomes et il en résulte la création d'une liaison supplémentaire en son sein (liaison multiple, cyclisation).

*Exemple :*

$$H_3C{-}CH_2OH \rightarrow H_2C{=}CH_2 + H_2O$$

(l'un des carbones perd H et l'autre perd OH).

— **Réarrangements** (ou *transpositions*) : certains atomes, ou groupes d'atomes, changent de place dans la molécule.

*Exemple :*

$$H_2C{=}CHOH \rightarrow H_3C{-}CH{=}O$$

D'autres types de réactions sont parfois cités : *condensations*, *oxydations*, *cyclisations*, etc. Mais ces réactions comportent en général plusieurs étapes successives qui, elles, entrent dans la classification précédente (par exemple, une oxydation peut résulter d'une substitution suivie d'une élimination, une cyclisation peut se ramener à un schéma de substitution interne, etc.).

*5-A*

*A quel(s) type(s) appartiennent les réactions suivantes*

$$BrCH_2{-}CH_2Br + Zn \rightarrow CH_2{=}CH_2 + ZnBr_2$$

$$CH_3{-}CH_2Br + CH_3MgBr \rightarrow CH_3{-}CH_2{-}CH_3 + MgBr_2$$

$$CH_3{-}CH{=}CH_2 + HCl \rightarrow CH_3{-}CHCl{-}CH_3$$

$$CH_3{-}C(CH_3)(OH){-}C(CH_3)(OH){-}CH_3 \rightarrow CH_3{-}C(CH_3)_2{-}CO{-}CH_3 + H_2O$$

## *Le mécanisme d'une réaction*

**5.4** Mais l'équation-bilan d'une réaction ne prend en compte que l'état initial et l'état final du système qui évolue; elle ne donne aucune indication sur « ce qui se passe » pendant la réaction, sur la façon dont les réactifs entrent en contact et engendrent de nouvelles espèces chimiques. Si l'on considère, par exemple, la réaction d'hydratation du but-1-ène en butan-2-ol :

$$\underset{\text{But-1-ène}}{CH_2{=}CH{-}CH_2{-}CH_3} + H_2O \xrightarrow{\text{milieu acide}} \underset{\text{Butan-2-ol}}{CH_3{-}CHOH{-}CH_2{-}CH_3}$$

l'examen de son bilan permet de dire qu'elle comporte la rupture de la liaison $\pi$ du but-1-ène et de l'une des deux liaisons H—O de l'eau, ainsi que la formation d'une liaison C—O et d'une liaison C—H. Mais il laisse sans réponses de nombreuses questions, telles que :

– La réaction s'effectue-t-elle en une ou plusieurs étapes? Ces ruptures et formations de liaisons sont-elles simultanées ou non? Si non, dans quel ordre se succèdent-elles?
– Que deviennent les électrons de la liaison $\pi$ et de la liaison H—O rompues? D'où sont « venus » les électrons des deux liaisons nouvellement formées?
– Pourquoi cette réaction nécessite-t-elle la présence d'un acide, qui pourtant n'est pas consommé?
– Le butan-2-ol, qui possède un carbone asymétrique, est obtenu sous la forme du mélange racémique [3.11]; pourquoi les deux énantiomères se forment-ils en quantités égales?

Il existe cependant des réponses à ces questions, et leur ensemble contribue à décrire le *mécanisme* de la réaction. La notion de mécanisme réactionnel correspond à cette réalité physique qui nous échappe, et dont la description constitue en quelque sorte le « film » de la réaction, comme si on pouvait la voir se réaliser, au ralenti et en très gros plan.

La description complète d'un mécanisme réactionnel recouvre les trois aspects essentiels d'une réaction, souvent plus ou moins intriqués :

– *aspect énergétique et cinétique :* évolution de l'énergie du système au cours de la transformation, vitesse avec laquelle elle se réalise et facteurs dont elle dépend;

— *aspect électronique :* rôle et sort des électrons et des charges électriques lors de la rupture et de la formation des liaisons;

— *aspect stéréochimique (géométrique) :* modifications de la géométrie moléculaire au cours de la réaction, rôle des facteurs géométriques (contraintes, encombrement).

La connaissance de la façon dont les réactions s'effectuent, au niveau de la réalité moléculaire microscopique, répond certes à une curiosité naturelle du chimiste, mais ce n'est pas seulement un objet de curiosité intellectuelle. Cette connaissance est en effet un élément essentiel d'une vraie compréhension de la chimie organique. Elle introduit une rationalité là où il pourrait n'y avoir qu'une collection de faits d'observation. Elle permet d'*expliquer* (par exemple, pourquoi la chloration du toluène $C_6H_5—CH_3$ s'effectue soit sur le cycle benzénique $C_6H_5$, soit sur le groupe méthyle $CH_3$, selon les conditions opératoires [12.7]) et de *prévoir* (par exemple, l'impossibilité de réactions qu'il est donc inutile de tenter, comme $CH_3OH + NaCl \rightarrow CH_3Cl + NaOH$).

# 2 — Aspects énergétique et cinétique

Cette partie concerne les échanges d'énergie avec l'extérieur (étudiés en *thermodynamique*) et la vitesse des réactions (étudiée en *cinétique chimique*) (*).

## L'énergie de réaction

**5.5** Les réactions s'accompagnent presque toujours d'échanges d'énergie entre le système en réaction et « l'extérieur », c'est-à-dire le plus souvent l'atmosphère. En effet, les produits d'une réaction ne contiennent habituellement pas la même quantité d'énergie que les réactifs et la différence est cédée ou empruntée à l'environnement.

Si de l'énergie a été cédée (fournie au milieu extérieur) par le système, la réaction est *exoénergétique* (on affecte alors le signe − à cette quantité d'énergie). Si, au contraire, de l'énergie a été absorbée (prise au milieu extérieur) par le système, la réaction est *endoénergétique* (on affecte alors le signe + à cette quantité d'énergie). La forme d'énergie le plus couramment échangée au cours des réactions chimiques est la chaleur, et les réactions sont alors dites *exothermiques* ou *endothermiques*.

La libération d'énergie par un système dans lequel se produit une réaction chimique signifie qu'il est plus stable dans son état final (produits de la réaction) que dans son état initial (réactifs). En ce cas, la réaction peut donc avoir lieu spontanément, sans apport externe d'énergie.

(*) Ces sujets ne sont abordés ici que d'une façon très succincte et simplifiée. La lecture de ce chapitre ne peut pas remplacer celle d'un ouvrage de chimie physique (voir, par exemple, *Cours de Chimie physique*, chapitres 27, 28, 29, 32, 35, 36 notamment).

L'énergie du système dont la variation au cours de la réaction est à prendre en considération comme critère de spontanéité est l'*enthalpie libre* $G = H - TS$ ($H$ : enthalpie, $T$ : température absolue, $S$ : entropie). Sa variation au cours d'une transformation du système effectuée à température et pression constantes est $\Delta G = \Delta H - T.\Delta S$; le terme $\Delta H$ est égal à la chaleur de réaction à pression constante, et le terme $T.\Delta S$, qui ne se mesure pas directement, est en relation avec la variation du « désordre » du système. La condition de spontanéité est donc $\Delta G < O$.

Toutefois, en chimie organique surtout, on ne prend souvent en compte comme « énergie de réaction » que le terme $\Delta H$ (*chaleur* de réaction). Outre qu'il est mesurable expérimentalement, ou facilement calculable indirectement, il est généralement beaucoup plus grand en valeur absolue que le terme $T.\Delta S$, qui peut en première approximation être négligé. L'énergie du système en réaction sera donc représentée dans la suite par $E$, et ses variations par $\Delta E$, symboles généraux auxquels on pourra donner, selon les cas, la signification appropriée.

Par ailleurs $\Delta G$ est en relation avec la constante d'équilibre $K$ d'une réaction ($\Delta G° = - RT . \ln K$).

## L'énergie d'activation

5.6 Pour qu'une réaction ait effectivement lieu de façon spontanée, il ne suffit pas qu'elle s'accompagne d'une diminution de l'énergie du système ($\Delta G < 0$). Il faut encore que sa *vitesse* ne soit pas nulle, ou si faible qu'aucune transformation ne puisse être réellement observée. Ainsi, les combustions sont exoénergétiques et spontanément possibles (point de vue thermodynamique) mais, à la température ordinaire, leur vitesse est nulle et elles n'ont pas lieu (point de vue cinétique). Par contre, une fois amorcées par une élévation de température même très locale (flamme, étincelle), elles se poursuivent effectivement de façon autonome, à température élevée.

### *Réaction et collisions*

Dans la matière, surtout dans les gaz et les liquides, les molécules sont en perpétuelle agitation, et les réactions ont lieu à l'occasion de collisions entre elles. Mais les collisions « efficaces », c'est-à-dire effectivement suivies de réaction, sont en fait très rares : dans les conditions ordinaires de température et de pression, une molécule d'un gaz subit environ $10^9$ collisions par seconde avec une autre molécule, mais la proportion de collisions efficaces est seulement de 1 pour $10^9$ à $10^{12}$. Les autres collisions s'assimilent à des chocs élastiques; comme deux boules de billard qui se heurtent, les molécules sont seulement déviées dans leur trajectoire.

Pour qu'une collision soit efficace, deux conditions doivent être remplies :

a) Au moment de la collision, les deux molécules doivent être favorablement orientées l'une par rapport à l'autre, de façon que les atomes appelés à se lier entrent effectivement en contact.

b) L'énergie cinétique (donc la vitesse) des molécules doit être suffisante pour que, malgré les forces de répulsion qui se manifestent aux très courtes distances, elles « s'encastrent » l'une dans l'autre (recouvrement des nuages électroniques [4.8]).

Plus précisément, une collision est efficace si le système formé par les molécules initiales peut passer par un **état de transition** (on dit aussi former un **complexe activé**), dans lequel son énergie potentielle est supérieure à celle que possédaient initialement ensemble les molécules séparées. Ce gain d'énergie potentielle est appelé **énergie d'activation** ($E_a$ ou $E^{\neq}$); il se réalise par transformation d'une partie de l'énergie cinétique possédée par les molécules au moment de la collision, laquelle doit donc être suffisante.

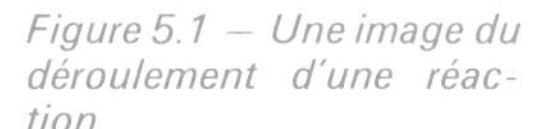

*Figure 5.1 — Une image du déroulement d'une réaction.*

**De même que le système en réaction, le sauteur doit augmenter temporairement son énergie potentielle, qui passera par un maximum au moment du franchissement de la barre, et il trouve l'essentiel de cette énergie dans une transformation de l'énergie cinétique qu'il a acquise en courant. Le passage par l'état de transition n'a pas plus de durée que celui du sauteur par le point culminant de sa trajectoire.**

Ph. © Pix/VCL.

A une température donnée, les molécules n'ont pas toutes la même énergie cinétique d'agitation; seule leur énergie cinétique *moyenne* est définie. Donc certaines sont « aptes » à réagir et d'autres ne le sont pas, et c'est l'une des raisons qui rendent beaucoup de collisions inefficaces. Mais une élévation de la température accroît la proportion de molécules « aptes », et ainsi s'explique que la vitesse des réactions augmente avec la température.

L'état de transition n'est pas un état stable. Il n'a pas de durée de vie finie et les représentations que l'on peut en donner, par des formules, sont comme des photographies instantanées qui « arrêtent » un mouvement. Le complexe que forment alors les molécules se scinde ensuite pour donner les produits de la réaction.

*Exemple :* La réaction $CH_3Br + OH^- \rightarrow CH_3OH + Br^-$ a lieu dans une collision entre une molécule de bromométhane $CH_3Br$ et un ion hydroxyle $OH^-$. Elle comporte la rupture d'une liaison C—Br et la formation d'une liaison C—O, et l'état de transition peut, approximativement, se représenter par $[Br\text{---}CH_3\text{---}OH]^-$ : les deux réactifs ne « font plus qu'un » dans un complexe où la liaison C—Br est « en train de se rompre » en même temps que la liaison C—O est « en train de se former ». Ce complexe finira par se scinder en $CH_3OH$ et $Br^-$.

## *5-B*

*Par quel mécanisme une flamme « allume »-t-elle une combustion? Comment se fait-il que l'on puisse enflammer une matière combustible sans l'aide d'une flamme (par exemple, en concentrant les rayons du soleil avec une loupe)? Pourquoi ne peut-on pas faire brûler du bois humide?*
*Essayez de donner à chacune de ces questions une réponse « scientifique ».*

## Réactions élémentaires et réactions complexes

**5.7** La figure 5.2(a) décrit, du point de vue énergétique, une réaction s'accomplissant en un seul « acte », à la suite d'une collision qui déclenche à la fois la rupture et la formation des liaisons en cause. On appelle un tel processus **« réaction élémentaire »**. C'est le cas, par exemple, de la réaction entre le bromométhane $CH_3Br$ et l'ion $OH^-$ évoquée plus haut.

Mais beaucoup de réactions s'effectuent en deux ou plusieurs étapes, par une succession de réactions élémentaires; ce sont alors des **« réactions complexes »**. C'est pratiquement toujours le cas lorsque le premier membre de l'équation-bilan comporte plus de deux « particules » (molécules ou ions), car les collisions entre trois particules (ou plus) sont extrêmement improbables.

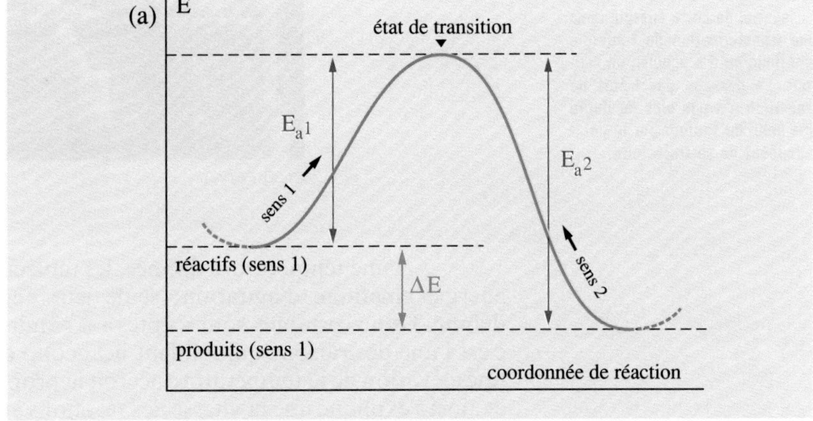
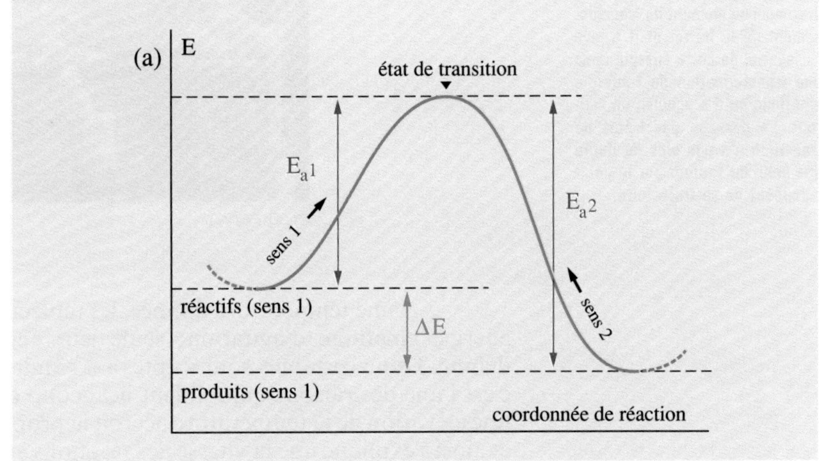


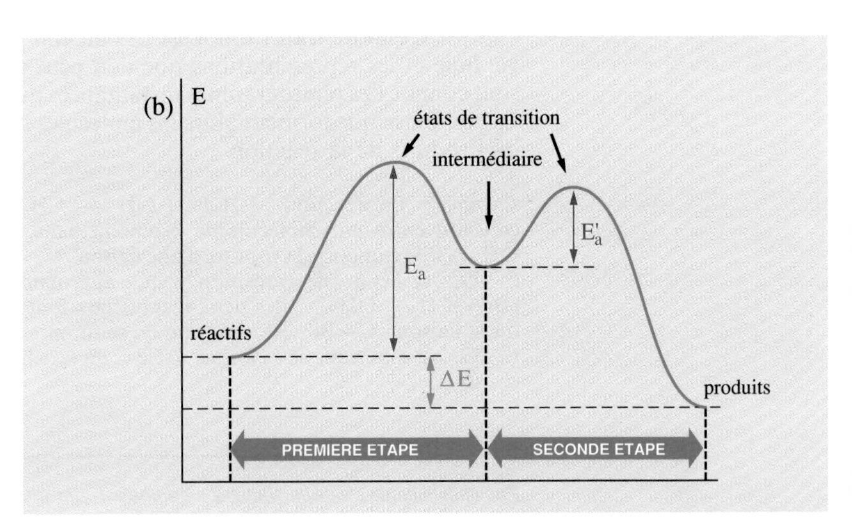


*Figure 5.2 – Profils énergétiques d'une réaction élémentaire (a) et d'une réaction complexe (b).*

**Le « profil énergétique » d'une réaction est une représentation schématique de la variation de l'énergie potentielle du système au cours de son évolution de l'état initial (réactifs) à l'état final (produits). Seuls les écarts verticaux entre niveaux d'énergie (initial, intermédiaire, final) sont déterminés. L'abscisse correspond simplement à l'idée de progression de la transformation, ou d'écoulement du temps, et la forme de la courbe est arbitraire. Dans les deux cas représentés l'état final est « plus bas » (en énergie) que l'état initial, il s'agit donc de réactions globalement exoénergétiques.**

La figure 5.2(b) illustre le cas d'une réaction en deux étapes. Le « creux » du profil énergétique, entre les deux états de transition, correspond à l'*intermédiaire* de la réaction. Ce peut être une molécule, un ion ou un radical libre [5.10].

*Exemple :* Addition de $HCl$ sur l'éthylène :

1^re^ étape : $H_2C{=}CH_2 + HCl \rightarrow H_3C{-}CH_2^+ + Cl^-$

2^e^ étape : $H_3C{-}CH_2^+ + Cl^- \rightarrow H_3C{-}CH_2Cl$

(l'intermédiaire organique est le cation $H_3C{-}CH_2^+$).

Plus un intermédiaire est stable, plus le creux entre les deux états de transition est profond et plus l'énergie d'activation de la première étape est faible. En conséquence, s'il peut exister deux intermédiaires différents formés à partir de la même molécule initiale, le plus stable se forme plus rapidement que l'autre, et ceci détermine l'orientation préférentielle de la réaction. C'est un principe très général qu'*une réaction passe de préférence par le plus stable des intermédiaires possibles.* Plusieurs exemples d'application de cette « règle » se rencontreront par la suite [9.6 et fig. 9.1; 12.11].

## *La loi de vitesse*

**5.8** La vitesse d'une réaction se définit par référence à la diminution au cours du temps de la concentration des réactifs, ou à l'augmentation de la concentration des produits, qui peuvent être plus ou moins rapides. Dans la très grande majorité des cas, la vitesse d'une réaction entre deux corps A et B, de la forme $\nu_A A + \nu_B B \rightarrow$ Produits, est liée à chaque instant à leurs concentrations [A] et [B] (exprimées usuellement en $mol \,.\, l^{-1}$) par une relation de la forme :

$$v = k[A]^m[B]^n$$

où $k$, *constante de vitesse*, est une fonction de la température :

$$k = B \,.\, e^{-E_a/RT} \quad \text{(Loi d'Arrhénius)}$$

(B est une constante, différente pour chaque réaction, $E_a$ l'énergie d'activation [5.6], $R$ la constante du gaz parfait et $T$ la température absolue).

Les exposants m et n sont les *ordres partiels* de la réaction par rapport, respectivement, aux réactifs A et B; leur somme (m + n) est son *ordre global.* Les ordres partiels peuvent être entiers ou fractionnaires; ils peuvent aussi être nuls, ce qui signifie que la concentration du réactif correspondant n'intervient pas dans la vitesse de la réaction. Ils ne sont pas prévisibles, et leur valeur ne peut être déterminée *que par l'expérience*, mais ils sont égaux aux coefficients stœchiométriques du réactif correspondant *si la réaction est une réaction élémentaire* (au sens défini plus haut); en ce cas l'ordre global est donc égal à la *molécularité* de la réaction, c'est-à-dire la somme des coefficients stœchiométriques du premier membre de l'équation-bilan.

Si la réaction est une réaction complexe, l'une de ses étapes est en général intrinsèquement moins rapide que les autres. Elle joue le rôle d'*étape cinétiquement déterminante*, et les ordres partiels et global observés correspondent alors souvent aux coefficients stœchiométriques et à la molécularité de cette étape.

L'étude expérimentale de l'ordre cinétique d'une réaction est donc un moyen d'obtenir des informations sur son mécanisme (voir, par exemple : 13.6 et 13.8).

### 5-C

*Ayant effectué la réaction* $RBr + OH^- \rightarrow ROH + Br^-$ *avec deux dérivés bromés différents* RBr *et* R'Br, *on a trouvé deux lois de vitesse différentes :* $v = k[RBr][OH^-]$ *et* $v = k'[R'Br]$. *Laquelle de ces deux réactions peut ne comporter qu'une étape, et laquelle en comporte-t-elle nécessairement plus d'une ?*

## La catalyse

**5.9** Un catalyseur est un corps qui, par sa présence dans un système capable d'évoluer chimiquement, accélère la transformation sans participer à son bilan et, en général, sans être lui-même modifié. Il peut donc « resservir » et il n'y a pas de rapport stœchiométrique entre sa masse et celle des produits formés.

Contrairement à une élévation de température, un catalyseur n'apporte pas d'énergie. Mais sa présence abaisse l'énergie d'activation de la transformation et, toutes choses égales par ailleurs (température, concentrations des réactifs) la transformation est donc rendue plus rapide, puisque la proportion de molécules aptes à réagir est plus grande.

Ce résultat est obtenu par une modification du « chemin réactionnel », pouvant aller jusqu'à remplacer une réaction en une étape par une autre qui s'effectue en plusieurs étapes (fig. 5.3).

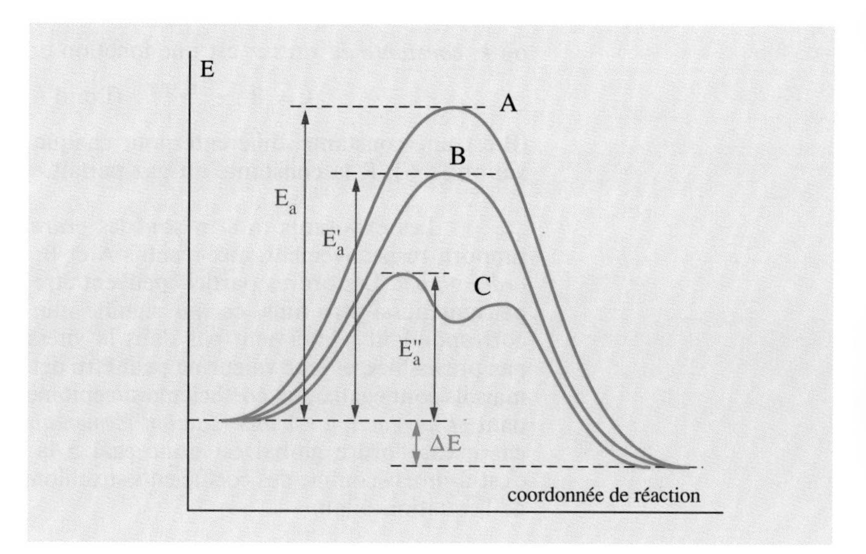


*Figure 5.3 — Modification du profil énergétique d'une transformation par la catalyse.*
**Le profil de la réaction non catalysée (A) est modifié en présence d'un catalyseur, soit par stabilisation de l'état de transition (B), soit par la formation d'un intermédiaire au cours d'un processus complexe (C).**
**Dans les deux cas, l'accélération de la transformation est due à l'abaissement de l'énergie d'activation $E_a$, qui rend le franchissement du « col » accessible à une plus forte proportion des molécules.**

*Exemple :* La réaction

$$RCl + OH^- \rightarrow ROH + Cl^-$$

est relativement lente, mais elle s'effectue beaucoup plus rapidement en présence d'ions iodure $I^-$, apportés par une addition d'iodure de sodium NaI dans le milieu réactionnel. Dans ces conditions, elle s'effectue en deux étapes :

1) $RCl + I^- \rightarrow RI + Cl^-$
2) $RI + OH^- \rightarrow ROH + I^-$

et il se trouve que chacune de ces deux réactions a une énergie d'activation inférieure à celle de la réaction directe non catalysée. En présence de $I^-$, le profil de la réaction, au lieu d'être du type « A » (fig. 5.3) est du type « C »; le dérivé iodé RI est l'intermédiaire de la réaction catalysée et il correspond au « creux » du profil.

Très souvent la catalyse des réactions organiques est assurée par des acides (au sens de Brönsted ou au sens de Lewis) [9.8; 12.6; 15.6; 18.10] ou par des bases [18.14].

# 3 — Aspect électronique

Cet aspect concerne les processus de rupture et de formation des liaisons : sort des électrons qui constituaient une liaison rompue, origine des électrons formant les nouvelles liaisons. Trois schémas principaux sont possibles :

## Réactions homolytiques, ou radicalaires

5.10 La *rupture* homolytique d'une liaison comporte le partage symétrique du doublet commun de la covalence, dont les deux atomes conservent chacun un électron :

$$X:Y \rightarrow X^{\cdot} + Y^{\cdot}$$

Elle conduit à la formation de deux **radicaux libres,** atomes ou groupes d'atomes possédant un électron impair, sans charge électrique.

La *formation* des liaisons peut résulter de deux processus :

a) réunion de deux radicaux, avec mise en commun de leurs deux électrons impairs pour former un doublet partagé, selon le mécanisme de la covalence :

$$Y\cdot + Z\cdot \rightarrow Y:Z$$

*Exemple :* $\cdot CH_3 + \cdot CH_3 \rightarrow H_3C:CH_3$

b) réaction entre un radical et une molécule, pour donner un nouveau radical et une nouvelle molécule, par attaque soit sur une liaison σ, soit sur une liaison π :

$$Y\cdot + A:B \rightarrow Y:A + B\cdot$$

*Exemple :* $CH_4 + Cl\cdot \rightarrow \cdot CH_3 + H:Cl$

$$Y\cdot + A{=}B \rightarrow Y:A{-}B\cdot$$

*Exemple :* $Br\cdot + CH_2{=}CH_2 \rightarrow BrCH_2{-}\dot{C}H_2$

Les réactions de ce type concernent particulièrement des composés comportant des liaisons non, ou peu, polarisées (exemple : les hydrocarbures saturés, cf. chapitre 8). La rupture homolytique peut être provoquée par la *chaleur* (thermolyse, réactions thermiques) ou par le *rayonnement*, ultraviolet notamment (photolyse, réactions photochimiques), qui apportent l'énergie nécessaire. Ces réactions se produisent surtout en phase gazeuse.

Le point de rupture de la molécule est déterminé par la plus ou moins grande stabilité des radicaux qui se formeront, la réaction passant préférentiellement par l'intermédiaire le plus stable [5.7]. Les radicaux tertiaires sont plus stables que les secondaires, qui le sont eux-mêmes plus que les primaires :

$$\mathrm{R'{-}\overset{\displaystyle R}{\underset{\displaystyle R''}{C}}\bullet} \quad \textit{plus stable que} \quad \mathrm{{}^{R}_{R'}{>}CH\bullet} \quad \textit{plus stable que} \quad \mathrm{R{-}CH_2\bullet}$$

Cette notion de stabilité des radicaux est cependant toute relative : sauf cas particuliers (stabilisation par résonance [4.20]), ce sont des espèces très instables et très réactives, dont la durée de vie est de l'ordre de $10^{-6}$ seconde.

Les réactions radicalaires sont souvent des **réactions en chaîne.** La chloration des alcanes [8.5] en sera un exemple typique.

## Réactions hétérolytiques

**5.11** La *rupture* hétérolytique est un processus dissymétrique : le doublet de covalence reste constitué, et il est conservé par le plus électronégatif des deux atomes; l'autre se trouve alors possesseur d'une case vide (▯) :

$$\mathrm{X{:}Y \rightarrow X▯ + Y{:}} \quad \text{(Y plus électronégatif que X)}$$

La *formation* d'une liaison, selon le processus inverse, correspond au schéma classique de la coordinence [4.4] : mise en commun d'un doublet déjà constitué, apporté par l'un des deux atomes, l'autre disposant d'une case vide :

$$\mathrm{Y{:} + ▯Z \rightarrow Y{:}Z}$$

Cependant les étapes élémentaires de rupture et de formation des liaisons ne sont pas toujours entièrement distinctes et successives. Elles peuvent être plus ou moins simultanées et on dit alors que la réaction est *« concertée »* :

$$\mathrm{Y{:} + Z{:}X \rightarrow Y{:}Z + X{:}}$$

Les deux fragments X et Y peuvent être des ions de signes opposés, si la rupture s'est produite dans une molécule neutre :

*Exemple :* $CH_3{-}I \rightarrow CH_3^+ + I^-$

Mais l'un d'eux peut être une molécule et l'autre un ion, si l'espèce initiale était un ion :

*Exemple :* $CH_3{-}\overset{+}{O}H_2 \rightarrow CH_3^+ + H_2O$

La seule règle générale est la *conservation de la charge globale* : la somme algébrique des charges présentes dans le second membre de l'équation-bilan doit être égale à celle des charges présentes dans son premier membre. Cette règle est également valable lors de la formation d'une liaison, qui peut elle aussi mettre en jeu soit deux ions, soit une molécule et un ion, soit encore deux molécules.

Les réactions hétérolytiques concernent les composés qui comportent des liaisons plus ou moins fortement polarisées. Elles peuvent avoir lieu à la température ordinaire, en phase liquide dans un solvant, surtout si ce dernier est « polaire », grâce aux phénomènes de solvatation [5.20].

5-D

*Quelle raison pourrait justifier que les réactions hétérolytiques sont beaucoup plus fréquentes que les réactions homolytiques (pensez simplement aux caractéristiques des liaisons impliquées par ces deux types de mécanisme).*

Les divers modes de rupture et de formation des liaisons au cours des réactions hétérolytiques, ainsi que la manière de les représenter par des conventions graphiques, sont regroupés schématiquement en fin de chapitre [5.21].

## *Carbanions et carbocations*

5.12 Parmi les intermédiaires des réactions hétérolytiques, les carbanions et les carbocations jouent un rôle particulièrement important.

– Un **carbanion** est un anion dont la charge négative est portée par un atome de carbone : $CH_3^-$ ou $CH_3—C{\equiv}C^-$ sont des carbanions, mais $CH_3—CH_2—O^-$ n'en est pas un car la charge y est portée par un hétéroatome (l'oxygène).

Parmi les divers modes de formation d'un carbanion [26.3], le plus simple est la rupture hétérolytique d'une liaison entre un carbone et un atome moins électronégatif que lui, par exemple un métal :

*Exemple :* $CH_3—C{\equiv}\overset{\delta-}{C}—\overset{\delta+}{Na} \rightarrow CH_3—C{\equiv}C\overline{:} + Na^+$

Le carbone chargé d'un carbanion conserve donc le doublet de la liaison rompue et, par suite, porte un *doublet libre.*

Un carbanion saturé a une géométrie *pyramidale*, inscrite dans un tétraèdre dont la quatrième direction est occupée par le doublet libre (même géométrie que celle de l'ammoniac par exemple [2.5]).

– Un **carbocation** est un cation dont la charge positive est portée par un atome de carbone : $CH_3—\overset{+}{C}H_2$ ou $C_6H_5—\overset{+}{C}H—CH_3$ sont des carbocations, mais $CH_3—\overset{+}{N}H_3$ n'en est pas un, car la charge y est portée par un hétéroatome (l'azote).

Parmi les divers modes de formation des carbocations [26.2], le plus simple est la rupture hétérolytique d'une liaison entre un carbone et un atome plus électronégatif que lui, par exemple un halogène.

*Exemple :* $CH_3-\overset{\delta+}{C}H_2-\overset{\delta-}{Cl} \rightarrow CH_3-\overset{+}{C}H_2 + Cl\overline{:}$

Le doublet de la liaison rompue demeure sur l'atome le plus électronégatif de sorte que le carbone chargé possède une *case vide.*

Le carbone d'un carbocation n'étant entouré que de trois doublets, les trois liaisons qu'il forme sont *coplanaires* [2.5].

Carbanions et carbocations sont habituellement des intermédiaires instables, dont la durée de vie est très courte. Cependant ils manifestent des différences importantes de *stabilité*, selon la nature des atomes ou des groupes a, b, c qui entourent le carbone chargé. En particulier, leur stabilité est d'autant plus grande que l'entourage du carbone chargé peut assurer une dispersion ou une délocalisation de la charge, par effet inductif [4.14] ou mésomère [4.19].

Ainsi, un carbocation est d'autant plus stable que le carbone positif est entouré d'un plus grand nombre de groupes alkyles (tableau 5.1). En effet, leur caractère inductif-répulsif tend à « combler » partiellement le déficit existant au niveau de ce carbone.

Bien entendu, la charge globale d'un carbocation reste égale à + 1 quelle que soit sa structure. Mais dans un carbocation tertiaire les trois doublets qui entourent le carbone central se rapprochent de lui et sa charge se trouve diminuée, cependant que les trois carbones qui lui sont liés deviennent légèrement déficitaires. La charge totale se trouve donc partiellement dispersée sur quatre atomes, au lieu d'être portée entièrement par un seul. Cet effet est moins important s'il n'y a que deux groupes alkyles liés au carbone central, et encore moins s'il n'y en a qu'un.

Inversement, l'effet inductif répulsif des groupes alkyles défavorise un carbanion tertiaire par rapport à un carbanion primaire, car il tend au contraire à accroître la charge négative du carbone porteur du doublet libre. Par contre, un substituant attracteur (comme F dans $CF_3-CH_2^-$ par exemple) exerce un effet favorable à la stabilité, en dispersant la charge négative.

La *résonance*, dans un carbocation ou dans un carbanion, peut être également un important facteur de stabilisation, comme dans les exemples suivants :

$$CH_3-CH{=}CH-\overset{+}{C}H_2 \leftrightarrow CH_3-\overset{+}{C}H-CH{=}CH_2 \quad \text{ou} \quad CH_3-\overset{\delta+}{C}H{\,\overset{\cdot}{=}\,}CH{\,\overset{\cdot}{=}\,}\overset{\delta'+}{C}H_2$$

$$CH_3-\overset{-}{C}H-\underset{\underset{O}{\|}}{C}-CH_3 \leftrightarrow CH_3-CH{=}\underset{\underset{O^-}{|}}{C}-CH_3 \quad \text{ou} \quad CH_3-\overset{\delta-}{C}H{\,\overset{\cdot}{=}\,}\underset{\underset{O^{\delta'-}}{\vdots}}{C}-CH_3$$

Enfin, des *facteurs géométriques* peuvent également intervenir dans la stabilité des carbanions et des carbocations. En particulier, la plus grande stabilité des carbocations tertiaires provient en partie de la « décompression » qui accompagne le passage d'une structure tétraédrique à une structure coplanaire, au moment de la rupture hétérolytique ($RX \rightarrow R^+ + X^-$).

*Tableau 5.1 — Évolution de la stabilité des carbanions et des carbocations, en fonction de leur degré de substitution.*

Les mêmes facteurs, électroniques et stériques, ont des effets inverses sur la stabilité des carbanions et des carbocations, en raison du signe différent de leur charge et de leur géométrie différente [5.12].
Ces différences de stabilité ont une influence importante sur l'orientation des réactions [5.7].

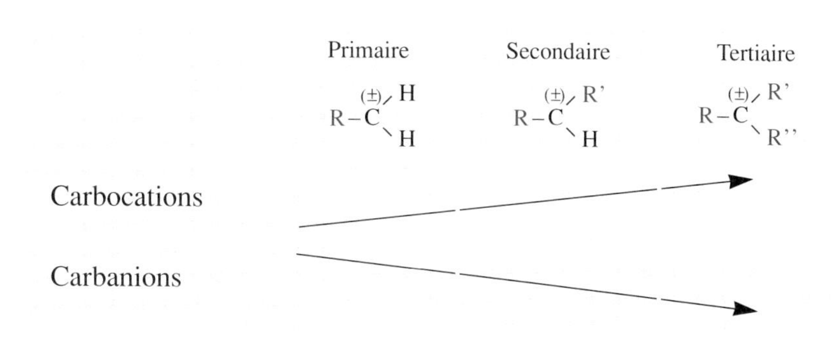


## *5-E*

*Complétez les équations suivantes, en ajoutant les doublets libres, les cases vides ou les charges qui manquent dans le second membre :*

$H—CO—OH \rightarrow H—CO—O + H$ $\qquad$ $CH_3—NH_2 + H^+ \rightarrow CH_3—NH_3$

$CH_3—CH{=}O + H^+ \rightarrow CH_3—CH—OH$ $\qquad$ $HC{\equiv}CH + NH_2^- \rightarrow HC{\equiv}C + NH_3$

## *5-F*

*Si une réaction peut prendre deux chemins, comportant respectivement comme intermédiaire soit un carbocation primaire, soit un carbocation tertiaire, lequel choisira-t-elle préférentiellement?*

Des informations complémentaires sur les modes de formation des carbanions et des carbocations, ainsi que sur leurs divers comportements chimiques, seront apportées dans des chapitres ultérieurs. Elles seront regroupées au chapitre 26 [26.2-3].

## *Électrophiles et nucléophiles*

**5.13** Certains réactifs (*) ont besoin, pour se lier, d'un doublet d'électrons fourni par leur « partenaire ». Ils réagissent donc préférentiellement sur les sites de forte densité électronique; on les appelle réactifs *électrophiles*. Ils disposent d'une case vide, ou susceptible de se libérer au cours d'un mécanisme concerté. Les cations, entre autres, entrent évidemment dans cette catégorie.

D'autres, au contraire, possèdent les électrons nécessaires à la formation d'une liaison, sous la forme soit d'un doublet libre, soit d'un doublet facilement mobilisable au cours d'un mécanisme concerté. Ils réagissent donc préférentiellement avec les sites de faible densité électronique; on les appelle réactifs *nucléophiles*. Les anions, entre autres, appartiennent à cette catégorie.

(*) Il faut entendre ici par « réactif » toute espèce réagissante, molécule ou ion, présente au début d'une réaction.

La répartition des électrons dans une molécule, la localisation des sites excédentaires ($\delta-$) ou déficitaires ($\delta+$), jouent donc un rôle fondamental dans le déroulement des différentes phases d'une réaction hétérolytique, et les effets inductif et mésomère, précédemment décrits, y prennent une grande importance.

On arrive ainsi à l'idée qu'une réaction n'est pas conditionnée uniquement par la nature du groupement fonctionnel [1.10], mais également par son environnement, qui peut contribuer à satisfaire, ou à contrarier, les exigences électroniques de la réaction : polarisation et polarisabilité des liaisons, disponibilité des électrons, etc.

Toute la chimie des réactions hétérolytiques (qui sont les plus nombreuses) est commandée par cette dualité *nucléophile-électrophile*, ou encore *donneur-accepteur* d'électrons. Dans toute réaction de ce type, il y a nécessairement un électrophile *et* un nucléophile (comme dans toute réaction d'oxydo-réduction il y a nécessairement un oxydant *et* un réducteur). Si A a un comportement électrophile (accepteur) vis-à-vis de B, on peut tout aussi bien dire que B a un comportement nucléophile (donneur) vis-à-vis de A.

On parle également de *réactions* électrophiles ou nucléophiles, mais ces expressions ne peuvent reposer que sur une convention fixant le réactif par rapport auquel on considère la réaction. Dans certains cas, ce choix est assez évident; ainsi dans la réaction :

$$Na^+OH^- + \overset{\delta+}{C}H_3\!-\!\overset{\delta-}{Br} \rightarrow CH_3\!-\!OH + Na^+Br^-$$

$OH^-$ a un comportement nucléophile et le carbone de $CH_3Br$ un comportement électrophile. Mais $CH_3Br$ est la molécule principale (ou *« substrat »*), que l'on « attaque » par le *réactif* $OH^-$ pour la transformer en méthanol $CH_3OH$ par une substitution. On qualifie alors la réaction de « substitution nucléophile » (car accomplie par un réactif nucléophile).

Dans d'autres cas, cependant, la définition d'un « substrat » et d'un « réactif » peut être purement arbitraire. Ainsi, dans la réaction :

$$\overset{\delta-}{C}H_3\!-\!\overset{\delta+}{Mg}Br + \overset{\delta+}{C}H_3\!-\!\overset{\delta-}{Br} \rightarrow CH_3\!-\!CH_3 + MgBr_2$$

la première molécule subit une « attaque » électrophile de la part de la seconde, et la seconde une « attaque » nucléophile de la part de la première. Il n'y a pas, par ailleurs, de raison déterminante de considérer plutôt l'une que l'autre comme le « substrat » et la réaction peut donc indifféremment être qualifiée d'électrophile ou de nucléophile, selon la molécule à laquelle on porte intérêt et sur laquelle on étudie les conséquences de la réaction.

On peut instituer une *classification des réactions* prenant en compte à la fois leur bilan [5.3] et leur mécanisme du point de vue électronique. Ainsi, pour les réactions de substitution, on peut distinguer les substitutions nucléophiles, électrophiles ou radicalaires. Le chapitre 26 présente une récapitulation, établie sur ces bases, des diverses réactions rencontrées auparavant.

## Réactions électrocycliques

**5.14** Dans le déroulement de certaines réactions, il est impossible de discerner des étapes de rupture et de formation de liaisons. Elles s'effectuent de manière totalement concertée, sans comporter aucun intermédiaire défini, et par une sorte de « redistribution » de la densité électronique, qui peut être schématisée sous la forme d'un *transfert cyclique d'électrons.* Ces réactions sont, pour cette raison, appelées réactions *électrocycliques.*

*Exemple :* réaction entre le buta-1,3-diène $CH_2{=}CH{-}CH{=}CH_2$ et l'éthylène $CH_2{=}CH_2$ pour donner le cyclohexène :

On notera qu'un transfert circulaire en sens inverse de celui qui est suggéré ci-dessus (sens des aiguilles d'une montre) conduirait au même résultat. La représentation qui est utilisée (flèches courbes) n'a qu'une valeur purement schématique et le terme même de « transfert circulaire » ne doit pas être pris à la lettre.

# 4 — Aspect stéréochimique

L'étude du déroulement des réactions sous l'aspect stéréochimique (*stéréochimie dynamique*) peut répondre à des préoccupations diverses.

## *Une meilleure compréhension de la réactivité*

**5.15** La mise en cause de facteurs stériques (géométriques) permet souvent d'expliquer des particularités de comportement, notamment des différences de réactivité entre des composés appartenant à une même fonction, à partir des deux idées suivantes :

— Pour qu'une réaction puisse avoir lieu, les sites réactionnels doivent pouvoir entrer effectivement en contact; l'espace autour d'eux ne doit donc pas être trop encombré par les autres parties de la molécule.
— Si le déroulement d'une réaction crée, ou aggrave, une contrainte (déformation d'angles, passage à une conformation éclipsée, rapprochement de groupes volumineux), cette réaction est défavorisée. En raison d'une valeur élevée de son énergie d'activation [5.6], elle est plus lente, voire même totalement empêchée. Ce facteur peut intervenir soit au niveau d'un intermédiaire, soit à celui du produit final.

*Exemples :*

• La cétone $(CH_3)_3C{-}CO{-}C(CH_3)_3$ ne manifeste pas les propriétés habituelles de sa fonction, par suite de l'encombrement que créent les deux groupes tertiobutyles $-C(CH_3)_3$ autour du carbone fonctionnel.

• La nitration d'un hydrocarbure benzénique de la forme $C_6H_5{-}R$ s'effectue principalement sur les positions « ortho » et « para » du cycle :

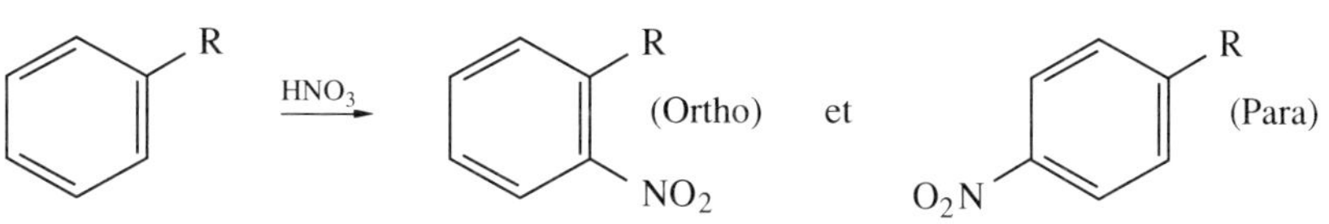

R $\xrightarrow{HNO_3}$ R, $NO_2$ (Ortho) et R, $O_2N$ (Para)

et la proportion dans laquelle s'obtiennent les deux isomères dépend fortement de la grosseur de R, qui gêne plus ou moins l'approche de la position ortho (avec $R{=}CH_3$ : ortho 61 %, para 39 %; avec $R{=}C(CH_3)_3$ : ortho 18 %, para 82 %).

• Les acides maléique (A) et fumarique (B) sont stéréoisomères, mais seul le premier peut être transformé en anhydride (C). Dans le second, en effet, les deux fonctions acides COOH sont trop éloignées l'une de l'autre.

(A) H / COOH ; C=C ; H / COOH

(B) H / COOH ; C=C ; HOOC / H

(C) H / CO ; C=C ; O ; H / CO

• La fermeture d'un cycle est plus difficile pour un petit cycle (trois ou quatre carbones) que pour un cycle moyen, en raison de la déformation imposée aux angles de liaison (de 109,5° à 60° pour le cyclopropane), et également de l'obligation faite aux liaisons C—H de se trouver en position éclipsée [2.8].

### *Un moyen d'élucider les mécanismes de réaction*

**5.16** L'étude des relations qui peuvent exister entre les configurations des réactifs initiaux et celles des produits formés constitue l'un des principaux moyens d'obtenir des informations sur le mécanisme des réactions (un autre étant la méthode cinétique [5.8]).

Il s'agit alors d'une expérimentation réalisée spécialement dans ce but, en choisissant une molécule de départ pouvant présenter, de même que le produit formé, plusieurs configurations (*R*, *S*, *Z* ou *E* [3.13, 24]). Par exemple, on peut étudier le mécanisme d'une substitution en la réalisant sur un carbone asymétrique [3.7] : partant d'une molécule *R* ou *S*, on examine si le produit est *R*, *S* ou racémique [3.11]. Ou encore on peut étudier le mécanisme d'une addition sur une double liaison en l'effectuant sur une molécule *Z* ou *E*, choisie de telle sorte qu'en outre, dans le produit formé, apparaissent deux carbones asymétriques. On examine alors si un stéréoisomère déterminé de la molécule initiale conduit à un seul ou à plusieurs des stéréoisomères du produit.

Si chaque configuration de la molécule initiale conduit à une seule configuration du produit, la réaction est *stéréospécifique*. C'est par exemple le cas si un réactif *R* conduit uniquement à un produit *R* (*rétention* de la configuration) ou uniquement à un produit *S* (*inversion* de la configuration). Mais un réactif *R* (ou *S*) peut aussi conduire, si la réaction n'est pas stéréospécifique, à un mélange des deux configurations *R* et *S* du produit (*racémisation*, si ces deux formes sont obtenues en quantités égales) (*).

Divers exemples de telles situations seront rencontrés dans la suite. On verra alors comment des observations de cette nature peuvent être interprétées en termes de mécanismes réactionnels [9.10; 13.7; 13.10].

## 5 — Acidité et basicité

De nombreuses réactions organiques sont de type « acidobasique », en référence soit à la définition des acides et des bases selon Brönsted et Lowry, soit à celle de Lewis.

(*) Si une réaction susceptible de donner deux stéréoisomères fournit l'un d'eux *préférentiellement*, mais non exclusivement, elle est dite *stéréosélective*.

## L'acidobasicité selon Brönsted et Lowry

**5.17** Un **acide** est une espèce (molécule ou ion) susceptible de céder un proton (c'est-à-dire un ion $H^+$) :

*Exemple :* l'acide acétique, $CH_3{-}COOH \rightleftarrows CH_3{-}COO^- + H^+$

Une **base** est une espèce (molécule ou ion) susceptible de fixer un proton :

*Exemple :* la méthylamine, $CH_3{-}NH_2 + H^+ \rightleftarrows CH_3{-}\overset{+}{N}H_3$

Certaines espèces peuvent jouer les deux rôles; elles sont **amphotères :**

*Exemple :* l'éthanol,

$CH_3{-}CH_2{-}OH \rightleftarrows CH_3{-}CH_2{-}O^- + H^+$ (*rôle d'acide*)

$CH_3{-}CH_2{-}OH + H^+ \rightleftarrows CH_3{-}CH_2{-}\overset{+}{O}H_2$ (*rôle de base*).

Les processus de gain ou de perte d'un proton sont toujours réversibles. Ainsi, l'ion $CH_3{-}CO_2^-$, formé à partir de l'acide acétique par perte de $H^+$, peut inversement fixer un proton pour former une molécule $CH_3{-}COOH$; c'est donc une base. L'ion $CH_3{-}NH_3^+$ peut perdre un proton pour donner une molécule $CH_3{-}NH_2$; c'est donc un acide.

De ce fait, à chaque acide correspond une base (sa base *conjuguée*), de même qu'à chaque base correspond un acide (son acide *conjugué*), selon la relation générale :

$$\textbf{Acide} \rightleftarrows \textbf{Base} + \mathbf{H^+}$$

Un acide et sa base conjuguée forment un **couple acidobasique.** La plupart de ces couples correspondent à l'une des deux formes :

$$BH \rightleftarrows B^- + H^+$$

ou

$$BH^+ \rightleftarrows B + H^+$$

Un acide peut être *fort* ou *faible*, selon qu'il cède facilement ou difficilement un proton. De même, une base peut être *forte* ou *faible*, selon qu'elle a une tendance forte ou faible à se combiner avec un proton. En conséquence, dans un couple, *si l'acide est fort sa base conjuguée est faible*, et inversement. Par exemple, $HCl$ est un acide fort parce que sa base conjuguée $Cl^-$ est faible, présentant peu d'affinité pour $H^+$ et s'en séparant donc facilement.

Une **réaction acidobasique** est un échange de proton entre deux couples, ou encore une compétition entre deux bases pour fixer un proton.

*Exemple :* la réaction entre l'acétylène $HC{\equiv}CH$ et l'ion amidure $NH_2^-$

$$HC{\equiv}CH + NH_2^- \underset{2}{\overset{1}{\rightleftarrows}} HC{\equiv}C^- + NH_3$$

peut être considérée comme la somme de deux « demi-réactions » (fictives) :

$$HC{\equiv}CH \rightleftarrows HC{\equiv}C^- + H^+$$

et

$$NH_2^- + H^+ \rightleftarrows NH_3$$

Des deux bases $HC{\equiv}C^-$ et $NH_2^-$, la seconde est la plus forte, de sorte que la réaction évolue préférentiellement dans le sens 1.

Le schéma général d'une réaction acidobasique entre deux couples (1) et (2) est donc :

$$\textbf{Acide (1) + Base (2)} \rightleftarrows \textbf{Base (1) + Acide (2)}$$

et un tel équilibre évolue préférentiellement vers la formation de l'acide et de la base les plus faibles (qui sont nécessairement dans le même membre de l'équation-bilan).

La dissociation d'un acide dans l'eau est un cas particulier de réaction acidobasique, dans lequel l'eau joue le rôle d'une base, au sein du couple $H_3O^+/H_2O$ ($H_3O^+$ étant l'ion hydronium, ou proton hydraté) :

$$BH + H_2O \rightleftarrows B^- + H_3O^+$$

*Exemple :* $HCOOH + H_2O \rightleftarrows HCOO^- + H_3O^+$

Cette réaction sert de référence usuelle pour définir la force acide d'un couple. Sa constante d'équilibre porte le nom de *constante d'acidité* $K_a$ du couple

$$K_a = \frac{[B^-][H_3O^+]}{[BH]}$$

On utilise aussi, pour caractériser l'acidité d'un couple, la valeur de son $pK_a$ :

$$pK_a = -\log K_a$$

Il ne faut pas perdre de vue que $K_a$ et $pK_a$ sont définis pour des solutions aqueuses, et ne peuvent pas être utilisés pour d'autres milieux.

## *Relations acidobasicité-structure*

**5.18** Fondamentalement, l'acidité (on dit aussi la *« labilité de l'hydrogène »*) est associée à une certaine facilité de rupture hétérolytique pour une liaison A—H selon le schéma $\overset{\curvearrowleft}{A{:}H}$. La basicité, quant à elle, est associée à la présence d'un doublet libre permettant la fixation d'un ion $H^+$ par coordinence *(protonation)*, selon le schéma $A{:} + \square H^+$.

Mais tous les composés hydrogénés ne sont pas des acides ($CH_4$ n'en est pas un) et, dans une molécule à caractère acide, tous les H ne sont pas labiles (dans $CH_3$—COOH seul l'H lié à l'oxygène l'est vraiment). De même, la présence de doublet(s) libre(s) n'apporte pas toujours le caractère basique ($Cl^-$, avec quatre doublets libres, n'est pratiquement pas basique).

L'existence, et la force, des caractères acide et basique sont sous la dépendance de divers facteurs structuraux, électroniques ou géométriques. Certains interviennent dans la molécule initiale (polarisation de la liaison C—H, création d'une forte densité électronique sur l'atome porteur d'un doublet libre). D'autres interviennent au niveau de l'espèce conjuguée : un acide est d'autant plus fort que sa base conjuguée est plus stabilisée comparativement à lui, et une base d'autant plus forte que son acide conjugué est plus stabilisé comparativement à elle.

Des exemples variés de ces effets structuraux seront rencontrés dans la suite. Les principaux facteurs dont ils montreront l'influence sont :

– l'électronégativité, la polarisation des liaisons et l'effet inductif [13.2; 15.3];
– la polarisabilité et le rayon des atomes [15.24];
– la résonance et ses conditions géométriques [12.18; 16.3; 18.3; 19.4; 21.6];
– l'hybridation [10.3].

## L'acidobasicité selon Lewis

**5.19** Selon les définitions proposées par Lewis :

– un **acide** est une espèce contenant un atome susceptible de se fixer sur un doublet électronique libre,
– une **base** est une espèce possédant un doublet libre.

Il n'est donc plus question d'un rôle particulier dévolu au proton.

En ce qui concerne les bases, cette conception n'est pas très éloignée de celle de Brönsted, car les espèces qui peuvent fixer un proton (bases de Brönsted) possèdent précisément un doublet libre. Par contre la définition des acides par Lewis est beaucoup plus générale que celle de Brönsted, puisqu'elle englobe toute espèce comportant une case (ou orbitale) libre. Dans ces conditions, $H^+$ est lui-même un acide, de même que des composés comme $BF_3$, $AlCl_3$, $Zn^{2+}$ ou $CH_3MgBr$ :

F—B—F (B avec case vide, F en dessous)    Cl—Al—Cl (Al avec case vide, Cl en dessous)    ▯$Zn^{2+}$    $H_3C$—Mg—Br (Mg avec deux cases vides)

Selon cette façon de voir, toute formation d'une liaison par coordinence constitue une réaction du type acide-base. On peut observer, d'autre part, qu'un acide de Lewis est un électrophile, et qu'une base de Lewis est un nucléophile, mais ces analogies ne sont que qualitatives.

# 6 — Les solvants et leur rôle

**5.20** La grande majorité des réactions organiques s'effectuent en phase liquide, dans un solvant qui joue plusieurs rôles. Un double *rôle physique* d'abord :

– créer un milieu homogène dans lequel les réactifs sont en contact intime. Ceci est particulièrement important si les réactifs ne sont pas mutuellement solubles, et surtout s'il s'agit de solide(s).
– permettre de contrôler la vitesse de la réaction, en ajustant les concentrations des réactifs à une valeur convenable.

Un *rôle chimique* également : un solvant est rarement un milieu inerte par rapport à la réaction. Souvent il y joue un rôle actif et peut, par exemple, influer considérablement sur sa vitesse, et/ou modifier son mécanisme. Ces « effets de solvant » sont faibles ou inexistants dans les réactions radicalaires [5.10], mais ils peuvent être extrêmement importants dans les réactions hétérolytiques [5.11], surtout lorsque des charges électriques apparaissent ou disparaissent.

L'apparition d'espèces ioniques intermédiaires à partir d'une molécule initiale comporte deux étapes :

– l'*ionisation* : la liaison covalente se polarise à l'extrême [4.12], et il se forme deux ions de signes contraires, qui restent associés dans une *« paire d'ions »* :

$$\overset{\delta+}{A}—\overset{\delta-}{B} \rightarrow [A^+B^-]$$

– la *dissociation* : les deux ions se séparent et se « solvatent » plus ou moins, c'est-à-dire s'entourent d'une « coquille » de molécules de solvant :

$$[A^+B^-] + \text{solvant} \rightarrow A^+_{solv} + B^-_{solv}$$

La présence d'un solvant peut favoriser l'apparition d'ions intermédiaires, sous une forme plus ou moins réactive, au niveau de chacune de ces deux étapes, en exerçant un *pouvoir ionisant* et/ou un *pouvoir dissociant*. Pour interpréter ces divers effets, il faut distinguer chimiquement trois types principaux de solvants :

• **Solvants non polaires** (c'est-à-dire dénués de moment électrique moléculaire [4.13]), qui ne peuvent jouer aucun rôle chimique particulier. *Exemple :* les hydrocarbures saturés.

• **Solvants protoniques** (ou **protiques**), dont la molécule est plus ou moins polaire et qui contiennent un H lié à un atome fortement électronégatif (généralement l'oxygène). Par cet H, déficitaire et porteur d'une charge positive $\delta+$, ils peuvent former des associations par *« liaison hydrogène »* [15.2] avec un partenaire possédant un doublet libre. *Exemples :* l'eau $\overset{\delta+}{H}—\overset{\delta-}{O}—\overset{\delta+}{H}$, les alcools $R—\overset{\delta-}{O}—\overset{\delta+}{H}$.

• **Solvants polaires aprotiques :** ils n'ont pas d'hydrogènes associables, mais possèdent des sites fortement donneurs (négatifs) ou accepteurs (positifs).

*Exemples :* l'acétonitrile $CH_3—\overset{\delta+}{C}\equiv\overset{\delta-}{N}$, le diméthylsulfoxyde (DMSO) $(CH_3)_2\overset{\delta+}{S}=\overset{\delta-}{O}$ .

Par ailleurs, et indépendamment de ces caractères chimiques, les solvants possèdent (comme tout milieu matériel) une *constante diélectrique* $\varepsilon$ plus ou moins grande (hydrocarbures : environ 2; éthanol : 25; diméthylsulfoxyde : 45; eau : 80). Cette constante intervient dans la facilité avec laquelle les ions se séparent, dans la phase de dissociation. Elle figure en effet au dénominateur de l'expression de la force électrostatique d'attraction entre deux charges de signes contraires (loi de Coulomb), qui est d'autant plus faible que la constante $\varepsilon$ du milieu est grande. L'eau est donc un solvant fortement dissociant.

Mais les effets de solvant les plus importants résultent des interactions que celui-ci peut établir, soit avec les molécules initiales (pouvoir ionisant), soit avec les ions formés (pouvoir de *solvatation*).

– Les *solvants protiques*, généralement du type A—OH, forment des associations avec les sites négatifs, et solvatent particulièrement les anions. Ils favorisent par exemple l'ionisation des dérivés halogénés RX, et la formation d'un cation libre, donc très réactif :

$$\overset{\delta+}{R}—\overset{\delta-}{X} + \overset{\delta+}{H}—O—A \rightarrow \overset{\delta+}{R}\text{--}\overset{\delta-}{X}\text{--}\overset{\delta+}{H}—O—A \rightarrow R^+ + X^-\text{--}\overset{\delta+}{H}—O—A$$

Les réactions qui s'effectuent par l'intermédiaire du carbocation $R^+$ sont donc facilitées (accélérées) par un solvant protique. C'est le cas, par exemple, des réactions de type « $S_N1$ » [13.5]

– Les *solvants polaires aprotiques* ont principalement un caractère donneur d'électrons, par le (ou les) site(s) négatif(s) qu'ils possèdent (ils possèdent généralement aussi un ou des sites positifs, mais ils sont souvent moins accessibles que les sites négatifs, et ne jouent pas le rôle principal).

Ils solvatent tout particulièrement les cations, et favorisent donc la formation d'anions libres, très réactifs. Ils « activent » entre autres les bases et les nucléophiles anioniques.

*Exemples :*

– La base $CH_3O^-$, provenant de la dissociation du méthylate de sodium $CH_3ONa$ en $CH_3O^-$ et $Na^+$, enlève un $H^+$ sur un carbone $10^9$ fois plus vite dans le diméthylsulfoxyde que dans le méthanol $CH_3OH$ (le DMSO solvate $Na^+$ et libère $CH_3O^-$, alors que le méthanol solvate $CH_3O^-$ par liaison hydrogène).

– La substitution de $I^-$ par $F^-$ dans $CH_3I$ est $10^7$ fois plus rapide dans le DMSO que dans l'éthanol.

Par contre, si le réactif nucléophile est une molécule ($H_2O$, $NH_3$) et non un anion, l'effet est beaucoup plus faible.

On obtient des résultats spectaculaires dans ce domaine par l'utilisation de composés, appelés *cryptants*, dont la molécule possède une cavité aux dimensions du cation à retirer du milieu. Celui-ci se trouve « mis en cage » et ne peut plus interagir avec l'anion qui doit produire la réaction [15.26].

# 7 – Oxydoréduction en chimie organique

**5.21** Beaucoup de réactions de la chimie organique peuvent entrer dans la catégorie des réactions d'oxydoréduction, ou réactions « redox ». Pour aborder ce sujet, il n'est peut-être pas inutile de rappeler les principales définitions et règles applicables dans ce domaine (*) :

– On peut attribuer à tout élément présent dans une molécule ou un ion un *nombre d'oxydation* (N.O.), caractéristique de son état d'oxydation.

– Si le N.O. de certains éléments varie au cours d'une réaction, il s'agit d'une réaction d'oxydoréduction.

– Une augmentation en valeur algébrique du N.O. est une *oxydation* pour l'élément concerné, et une diminution en valeur algébrique est une *réduction*.

– Au cours d'une réaction d'oxydoréduction, la somme algébrique des N.O. de tous les éléments concernés reste constante (la variation totale des N.O. des éléments oxydés est égale en valeur absolue à la variation totale des N.O. des éléments réduits).

---

(*) Ce sujet, et en particulier les méthodes d'attribution du nombre d'oxydation, ainsi que l'équilibrage des bilans de réaction, est traité de façon plus développée dans le *Cours de chimie physique* (Chapitre 39).

## Détermination du nombre d'oxydation d'un élément

S'agissant de composés covalents, la détermination du N.O. d'un élément ne peut se faire que par attribution (fictive) du doublet de chacune de ses liaisons au plus électronégatif des deux éléments (l'Annexe 2 donne les électronégativités des éléments le plus souvent rencontrés en chimie organique). Mais les réactions organiques ne mettent généralement en cause qu'un atome, ou un groupe d'atomes (groupement fonctionnel [1.10]) dans la molécule. On ne cherche donc généralement pas à déterminer le N.O. de tous les atomes constitutifs des molécules, et on ne s'intéresse qu'à celui de l'atome, ou des atomes, dont l'état de liaison change dans la réaction considérée.

*Exemples :*

– Nombre d'oxydation du carbone dans le méthane $CH_4$ : C étant plus électronégatif que H, on lui attribue (fictivement) les doublets des quatre liaisons C—H; avec une couche externe de huit électrons, au lieu de quatre dans l'atome neutre, il porterait alors une charge – 4, et son N.O. est donc – IV.

– Nombre d'oxydation des deux carbones dans l'éthylène $H_2C{=}CH_2$ : les doublets des deux liaisons C—C sont partagés entre les deux C (un électron à chaque carbone) puisqu'ils ont par définition la même électronégativité, et ceux des liaisons C—H sont attribués à C. Chaque C disposerait alors de six électrons externes, soit deux de plus que dans l'atome neutre, sa charge serait – 2 et son N.O. est donc – II (la somme des N.O. dans la molécule est bien nulle, puisque celui de chaque H est + I).

– Nombre d'oxydation du carbone fonctionnel dans un aldéhyde R—CH=O : les quatre électrons de la double liaison C=O sont attribués à O, ceux de la liaison C—H à C et le doublet de la liaison R—C (en fait liaison C—C) est partagé. Avec trois électrons externes, soit un de moins que dans l'atome neutre, le carbone porterait une charge + 1, et son N.O. est + I.

## Réactions d'oxydoréduction

Les réactions d'oxydoréduction mettent en jeu un réducteur (qui sera oxydé) *et* un oxydant (qui sera réduit). Elles comportent donc toujours à la fois une oxydation *et* une réduction simultanées. Cependant on désigne souvent certaines de ces réactions comme des « oxydations » (exemple : les réactions d'oxydation des aldéhydes [18.18]) ou comme des « réductions » (exemple : les réactions de réduction des dérivés nitrés [17.17]). Ce faisant, on porte attention uniquement à ce qu'il advient du *substrat*, c'est-à-dire de la molécule principale que la réaction a pour but de transformer. Mais une oxydation du substrat a toujours pour contrepartie la réduction du *réactif* (par exemple $KMnO_4$), de même que la réduction du substrat a toujours pour contrepartie l'oxydation du réactif (par exemple $H_2$, Zn, etc.).

Bien des réactions organiques, que l'on ne songerait pas a priori à classer « redox », comportent en fait des variations de nombres d'oxydation.

*Exemples :*

– La chloration du méthane ($CH_4 + Cl_2 \rightarrow CH_3Cl + HCl$) est une oxydation pour le carbone dont le N.O. passe de – IV à – II, et une réduction pour les deux atomes de chlore dont le N.O. passe de 0 à – I.

– L'hydrogénation d'une double liaison C=C, par exemple celle de l'éthylène ($H_2C{=}CH_2 + H_2 \rightarrow H_3C{-}CH_3$) est une réduction pour les deux C, dont le N.O. diminue de 1, et une oxydation pour les deux H dont le N.O. passe de 0 à + I. Mais l'hydrogénation d'un aldéhyde R—CH=O en alcool primaire R—$CH_2$OH est une réduction uniquement pour le carbone fonctionnel, dont le N.O. passe de + I à – I, et l'oxygène, qui pourtant « reçoit » aussi un H, ne voit pas son N.O. varier, car il est toujours l'élément le plus électronégatif dans la nouvelle liaison O—H et « conserve » tous ses électrons.

La prise en compte des variations de nombre d'oxydation au cours des réactions organiques n'apporte pas toujours des éléments décisifs de compréhension, et on n'y porte donc pas intérêt dans tous les cas. Elle permet cependant d'établir une « hiérarchie » des fonctions, fondée sur le degré d'oxydation du carbone fonctionnel, et peut concourir à l'établissement d'une classification des réactions qui permettent de passer d'une fonction à une autre.

En chimie minérale, la prise en compte des variations des nombres d'oxydation est un moyen souvent utilisé pour équilibrer les bilans réactionnels, surtout lorsqu'ils comportent de nombreuses espèces, et des coefficients stœchiométriques élevés. En chimie organique, les bilans redox sont en général plus faciles à équilibrer (cf. les exemples précédents), mais dans certains cas ce procédé peut cependant rendre service.

*Exemple :* l'hydroxylation d'un alcène par le permanganate de potassium en milieu initialement neutre (il devient ensuite basique) [9.13] correspond au bilan (non équilibré) suivant :

$$R{-}CH{=}CH{-}R' + MnO_4^- \rightarrow R{-}CHOH{-}CHOH{-}R' + MnO_2$$

Au cours de la réaction, le N.O. de chacun des deux carbones doublement liés passe de – I à 0, soit une variation globale de + 2. Par ailleurs le manganèse passe du N.O. + VII dans le permanganate au N.O. + IV dans le dioxyde, soit une variation de – 3. L'équilibrage se réalisera donc sur la base de six électrons formellement échangés (6 étant le plus petit commun multiple de 2 et de 3), d'où les coefficients suivants :

$$3R{-}CH{=}CH{-}R' + 2MnO_4^- \rightarrow 3R{-}CHOH{-}CHOH{-}R' + 2MnO_2$$

Cette équation indique l'équivalence entre l'alcène et le permanganate (3 moles pour 2 moles), ce qui est le principal. Mais on peut terminer l'équilibrage de la manière habituelle, en faisant intervenir l'eau et la production d'ions $OH^-$ :

$$3R{-}CH{=}CH{-}R' + 2MnO_4^- + 4H_2O \rightarrow 3R{-}CHOH{-}CHOH{-}R' + 2MnO_2 + 2OH^-$$

## MOTS-CLÉS

- Acide
- Amphotère
- Base
- Carbanion
- Carbocation
- Catalyse
- Dissociation
- Électrophile
- Énergie d'activation
- Énergie de réaction
- Étape cinétiquement déterminante
- État de transition
- Hétérolytique (réaction-)
- Homolytique (réaction-)
- Intermédiaire
- Ionisation
- Mécanisme réactionnel
- Nucléophile
- Ordre partiel, global
- Radical libre
- Réaction élémentaire
- Réaction complexe
- Solvatation

## OBJECTIFS

DEVENIR CAPABLE DE :

- Reconnaître si une réaction est une substitution, une addition, une élimination, un réarrangement.
- Situer sur le profil énergétique d'une réaction les états initial et final, l'état de transition, le ou les intermédiaire(s), l'énergie de réaction, l'énergie d'activation.
- Connaissant l'équation-bilan d'une réaction et sa loi de vitesse, reconnaître s'il est possible ou non qu'elle ne comporte qu'une étape.
- Déterminer si une espèce est nucléophile ou électrophile.
- Dans une réaction acidobasique, identifier l'acide et la base, selon Brönsted ou selon Lewis.

- Prévoir sur quel site d'une espèce donnée se portera préférentiellement une attaque nucléophile ou électrophile.
- Entre deux carbocations ou deux carbanions, identifier le plus stable.

## EXERCICES

**5-a** Quelles sont, dans la liste suivante, les espèces électrophiles, les espèces nucléophiles, et celles qui ne sont ni électrophiles, ni nucléophiles?

a) $NH_3$ d) $HC{\equiv}C^-$ g) $H_3C{-}CH_3$ j) $SH^-$
b) $NH_4^+$ e) $H^+$ h) $H_3C{-}O{-}CH_3$ k) $NH_2^-$
c) $CH_3CH_2O^-$ f) $H_2C{=}CH_2$ i) $H_2O$ l) $AlCl_4^-$

**5-b** Déterminer le (ou les) site(s) sur lequel (lesquels) se portera préférentiellement l'attaque du réactif dans chacun des cas suivants (le «réactif» est indiqué en second)

a) $H_3C{-}CH(CH_3){-}CH_3 + Cl^{\bullet}$ c) $CH_2{=}CH{-}\overset{+}{C}H{-}CH_3 + Cl^-$ e) $H_3C{-}CH{=}CH_2 + H^+$
b) $H_3C{-}CH_2{-}NH_2 + H^+$ d) $H_3C{-}C({=}O){-}OCH_3 + OH^-$ f) $H_3C{-}CH_2Br + NH_3$

**5-c** Établir à quel type de mécanisme (ex. : addition électrophile, substitution nucléophile, ...) appartiennent les réactions suivantes (le «substrat» est indiqué en premier)

a) $CH_3{-}CH_2Br + CN^- \rightarrow CH_3{-}CH_2{-}CN + Br^-$
b) $C_6H_6$ (benzène) $+ CH_3{-}Cl \rightarrow C_6H_5{-}CH_3 + HCl$
c) $CH_3{-}CH_3 + Cl_2 \rightarrow CH_3{-}CH_2Cl + HCl$
d) $H_2C{=}CH_2 + HBr \rightarrow H_2\overset{+}{C}{-}CH_3 + Br^-$
e) $CH_3{-}CH{=}O + N{\equiv}C^- \rightarrow CH_3{-}CH(O^-){-}C{\equiv}N$

**5-d** Identifier, dans le premier membre des équations-bilans suivantes, les acides et les bases, en précisant s'il s'agit de la définition de Brönsted ou de celle de Lewis :

a) $CH_3{-}CH_2^+ + H_2O \rightarrow CH_3{-}CH_2{-}\overset{+}{O}H_2$
b) $CH_3O^- + H_2O \rightarrow CH_3OH + OH^-$
c) $C_6H_5{-}OH + H_2O \rightarrow C_6H_5{-}O^- + H_3O^+$
d) $HC{\equiv}C^- + CH_3I \rightarrow HC{\equiv}C{-}CH_3 + I^-$

**5-e** Dans le premier ou le second membre des équations-bilans suivantes, ajouter les signes + ou −, ou les électrons impairs (•) qui manquent :

a) $H + CH_3{-}C({=}O){-}CH_3 \rightarrow CH_3{-}C(OH){-}CH_3$
b) $CH_3{-}CH(O^-){-}CH_3 + H_2O \rightarrow CH_3{-}CH(OH){-}CH_3 + OH$
c) $CH_3{-}MgBr + H_2C{-}CH_2$ (époxyde, pont O) $\rightarrow CH_3{-}CH_2{-}CH_2{-}O + MgBr$
d) $CH_3Cl + AlCl_3 \rightarrow CH_3 + AlCl_4$
e) $R^{\bullet} + C_6H_5{-}CH{=}CH_2 \rightarrow R{-}CH(C_6H_5){-}CH_2$
f) $R{-}OH + Zn^{2+} \rightarrow R{-}O(Zn^+){-}H$
g) $CH_3{-}CH{-}OH + CH_3OH \rightarrow CH_3{-}CH(OH){-}\overset{+}{O}(H){-}CH_3$

**5-f** La réaction de bromation de l'acétone :

$$CH_3{-}CO{-}CH_3 + Br_2 \rightarrow CH_3{-}CO{-}CH_2Br + HBr$$

effectuée en milieu basique (présence d'ions $OH^-$) a pour loi de vitesse expérimentale

$$v = k[CH_3COCH_3][OH^-].$$

Quelle conclusion peut-on tirer de cette observation, quant au caractère «élémentaire» ou «complexe» de cette réaction?

# QUELQUES REPÈRES A PROPOS DES « MÉCANISMES ÉLECTRONIQUES » (réactions hétérolytiques)

**5.21** Les « mécanismes électroniques » peuvent paraître, au premier abord, d'une grande diversité. En fait, les réactions les plus complexes peuvent toujours s'analyser comme une succession, ou une combinaison, d'actes élémentaires qui sont très peu nombreux et très simples, et que l'on retrouve fréquemment.

Les avoir bien identifiés, et pouvoir les reconnaître dans le mécanisme d'une réaction complexe, est une étape importante dans la compréhension de la chimie organique, et dans la familiarisation avec son formalisme, qu'il s'agisse du langage ou des codes graphiques utilisés pour décrire les mécanismes réactionnels.

Les **schémas de base** qui suffisent pour décrire la plupart des réactions hétérolytiques, lesquelles constituent la très grande majorité des réactions organiques, sont en fait peu nombreux. Ils sont regroupés dans le tableau de la page suivante.

Fréquemment, au cours des réactions hétérolytiques, apparaissent ou disparaissent des **charges électriques.** Leur apparition ou leur disparition sont liées à une modification du rôle de certains doublets : doublets liants ($\sigma$ ou $\pi$) devenant non-liants (doublets libres, ou n), ou l'inverse.

Le *passage d'un doublet liant sur un seul des deux atomes liés* (rupture hétérolytique d'une liaison $\sigma$ ou $\pi$) entraîne la création d'un déficit électronique (charge + 1) sur celui que le doublet quitte, et d'un excédent électronique (charge − 1) sur celui qui le reçoit (*) :

$$A{-}B \rightarrow A^{(+)} \quad B^{(-)}$$

Mais il n'apparaît pas nécessairement, pour autant, des charges effectives + 1 et − 1, car les charges formelles ainsi créées s'ajoutent algébriquement à celles qui peuvent exister déjà sur l'un des deux atomes :

$$C_6H_5{-}\overset{+}{N}{\equiv}N \rightarrow C_6H_5^+ + N{\equiv}N$$

Inversement, la *mise en commun d'un doublet libre* (formation d'une liaison par coordinence) entraîne la création d'un déficit électronique (charge + 1) sur le « donneur » et d'un excédent électronique (charge − 1) sur « l'accepteur ». Mais, là encore, ces charges s'ajoutent algébriquement à celles qui se trouvent éventuellement déjà présentes :

$$H_3C{-}\overset{+}{C}H_2 + Cl^- \rightarrow H_3C{-}CH_2{-}Cl$$
$$CH_3^- + H_2C{=}O \rightarrow CH_3{-}CH_2{-}O^-$$

Il est utile d'observer d'autre part qu'il n'y a pas de relation entre la présence d'une charge + et l'existence ou l'absence d'une case

(*) L'atome qui garde le doublet ne gagne que l'équivalent d'un électron, et non de deux, puisque ce doublet lui « appartenait déjà à moitié »; il acquiert donc une charge − 1, et non − 2. Pour la même raison, l'atome qui perd le doublet acquiert une charge + 1, et non + 2.

| *Mécanismes non concertés* | *Mécanismes concertés* |
|---|---|

**Rupture d'une liaison**

Le doublet de la liaison rompue

| | |
|---|---|
| ■ passe sur l'un des deux atomes qu'il liait : | ■ se réemploie dans une nouvelle liaison : |
| A : B → A□ : B | A : B □C → A□ B : C |
| ● σ → n<br>$CH_3-Cl \rightarrow CH_3^+ + Cl^-$ | ● σ → σ<br>$CH_3-Cl + AlCl_3 \rightarrow CH_3^+ + AlCl_4^-$ |
| | ● σ → π<br>$H-CH_2-CH_2^+ \rightarrow H^+ + CH_2=CH_2$ |
| | ● π → σ<br>$CH_3-CH=O + H^+ \rightarrow CH_3-\overset{+}{C}H-OH$ |

**Formation d'une liaison**

Le doublet du nucléophile

| | |
|---|---|
| ■ vient occuper une case vide | ■ en «chasse» un autre |
| A : □B → A : B | A : B : C → A : B :C |
| ● n → σ<br>$OH^- + (CH_3)_3C^+ \rightarrow (CH_3)_3C-OH$ | ● n → σ ⇒ σ → n<br>$NH_2^- + H-C\equiv C-H \rightarrow NH_3 + {}^-C\equiv CH$ |
| | ● n → σ ⇒ π → n<br>$OH^- + C_6H_5-CH=O \rightarrow C_6H_5-CH(OH)-O^-$ |
| | ● n → π ⇒ σ → n<br>$CH_3-C(OH)(OEt)-O^- \rightarrow CH_3-C(OH)=O + EtO^-$ |

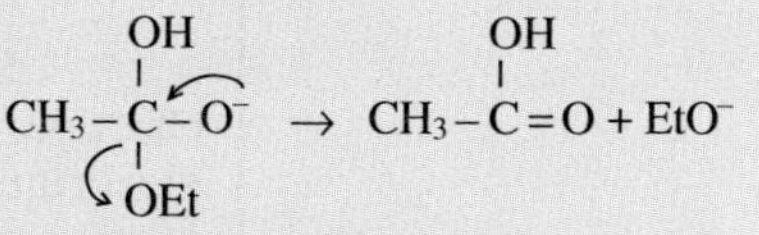

Par convention, les flèches indiquent le «sort» des doublets électroniques; elles vont donc toujours du nucléophile (donneur) à l'électrophile (accepteur).

vide (lacune électronique) : dans $NH_4^+$ ou $R-\overset{+}{O}H_2$, N ou O sont déficitaires sans avoir de case vide; dans $BF_3$ ou $AlCl_3$, B ou Al ont une case vide et ne sont pas déficitaires (sauf par polarisation des liaisons, ce qui est un autre point de vue).

De même, il n'y a pas de relation entre la présence d'une charge – et la présence ou l'absence d'un doublet libre : dans $AlCl_4^-$ l'aluminium a quatre doublets partagés; dans $NH_3$, N porte un doublet libre.

Enfin, bien des erreurs peuvent être évitées si l'on garde à l'esprit la règle de *conservation des charges* : en toute hypothèse et quoi qu'il arrive, la somme algébrique des charges doit être la même dans les deux membres de l'équation-bilan d'une réaction, qu'il s'agisse de la réaction globale ou d'une de ses étapes.

# La détermination des structures

6

6.1 *Les chapitres précédents, et les nombreuses informations qu'ils contiennent sur la structure des molécules, témoignent que nous possédons à ce sujet beaucoup de renseignements, très précis. Pourtant, personne n'a jamais vu une molécule, et nos connaissances dans ce domaine ne peuvent être acquises que par des méthodes indirectes.*

*Le chimiste organicien peut passer plus de temps à identifier et caractériser les composés qu'il prépare, et à déterminer leur structure, qu'à en faire la synthèse. Il dispose pour cela d'un « arsenal » de techniques physiques, extrêmement performantes, applicables à des échantillons minimes (quelques milligrammes, ou même moins), faisant appel à un matériel très sophistiqué, largement automatisé et informatisé (et très coûteux).*

*Ce chapitre évoque les étapes de la démarche conduisant à élucider la structure d'un composé, et donne en particulier les bases de quelques-unes de ces méthodes physiques.*

## Préalables

- Masse molaire, atomique et moléculaire (*).
- Formules développées planes; notion de fonction et principales fonctions (chap. 1).
- Angles et longueurs de liaison (chap. 2).
- Niveaux d'énergie quantifiés dans les atomes et les molécules (*).
- Rayonnement électromagnétique; fréquence et longueur d'onde (**).
- Notion de champ magnétique (**).
- Notion de température de changement d'état (fusion, ébullition) (*).

(*) Voir un ouvrage de Chimie physique (par exemple, le *Cours de Chimie physique;* utiliser l'index alphabétique).

(**) Voir un cours ou un ouvrage de Physique.

## La nature du problème

6.2 Lorsqu'un chimiste organicien a effectué la synthèse d'un composé, ou lorsqu'il a isolé une substance naturelle (par exemple par extraction des feuilles d'une plante), le problème se pose à lui d'identifier ce produit, c'est-à-dire de déterminer complètement sa formule développée, y compris éventuellement sa géométrie dans l'espace.

Il n'est pas impossible d'y parvenir sans aucune information initiale sur la nature du composé. Mais il est rare, en fait, que dans ce genre de travail on doive partir «de zéro», et avancer entièrement à l'aveuglette. Souvent, en effet, on peut faire des hypothèses raisonnables, en fonction de travaux antérieurs dans le même domaine; c'est le cas, par exemple, lorsqu'on a appliqué une réaction d'un type connu à des composés qui n'y avaient jamais encore été soumis. Fréquemment on cherche donc à confirmer une structure supposée, plutôt qu'à élucider une structure totalement inconnue.

La première démarche consiste donc en général à rechercher dans la littérature chimique si le composé auquel on pense avoir affaire a déjà été préparé quelque part dans le monde. Il existe pour cela des dictionnaires de composés chimiques (fig. 6.1), ainsi que des banques de données informatisées continuellement mises à jour. Deux situations peuvent alors se présenter :

a) *le composé est déjà connu :* la littérature fournit en ce cas à son sujet une sorte de « fiche d'identité » (valeur des constantes physiques telles que température de fusion et d'ébullition, densité, indice de réfraction; spectres, etc.). La tâche consiste alors à vérifier si le composé à identifier a effectivement les mêmes caractéristiques.
b) *le composé n'a jamais été préparé :* la tâche est alors évidemment plus difficile. Il faut recourir aux diverses techniques d'élucidation des structures, dont les plus courantes sont décrites dans ce chapitre. Le « flair » du chimiste, guidé par le contexte dans lequel a été préparé ou isolé le composé, a aussi son rôle à jouer...

Le chimiste qui aura mené à bien ce travail sera ensuite amené à le publier dans la littérature spécialisée, c'est-à-dire à le porter à la connaissance de la communauté scientifique. Les données qu'il aura établies pourront alors servir à un autre chercheur, qui se trouvera, cette fois, dans la première des deux situations évoquées ici.

**3-Phenyl-2-hexanone**

$$CH_3{\cdot}CH_2{\cdot}CH_2{\cdot}\underset{}{\overset{C_6H_5}{\overset{|}{C}}}H{\cdot}CO{\cdot}CH_3$$

$C_{12}H_{16}O$ MW 176
B.p. 235–6°, 114–15°/13 mm. $D_4^{0}$ 0·970. $n_D^{20}$ 1·5020.
*Oxime*: m.p. 42–3°.
*Semicarbazone*: m.p. 137–137·5°.

Lévy, Jullien, *Bull. soc. chim.*, 1929, **45**, 941.
Suter, Weston, *J. Am. Chem. Soc.*, 1942, **64**, 533.
Deux, *Compt. rend.*, 1941, **213**, 211.

*Figure 6.1 — La « fiche d'identité » d'un composé organique.*
On y trouve :

— les constantes physiques du composé lui-même : point d'ébullition (boiling point, B.p.) sous 1 atm et sous 13 mmHg, densité, indice de réfraction, ainsi que sa masse molaire (molecular weight, MW).
— les points de fusion (melting point, m.p.) de deux de ses dérivés caractéristiques [18.11].
— les références des articles publiés par les chimistes qui ont préparé le composé, ou donné des informations à son sujet.

(*Dictionary of organic compounds*, par J. R. A. Pollock et R. Stevens, Eyre-Spottiswoode éd., 1965)

# 1 — Purification de l'échantillon

6.3 L'identification d'un composé nécessite qu'il se présente sous la forme d'un **corps pur**, et non d'un mélange. Il convient donc, avant tout, de lui appliquer les procédés de *séparation* et de *purification* qui conviennent à sa nature ou à son état physique, jusqu'à ce qu'il présente les caractères d'un corps pur : résistance à tous les essais de fractionnement, constance de la température au cours des changements d'état, etc.

En chimie organique, les techniques de séparation et de purification les plus courantes sont :

– La **distillation fractionnée,** fondée sur la différence de points d'ébullition (ou de « volatilité ») de deux liquides.

La distillation est l'une des opérations les plus courantes dans un laboratoire de chimie organique, en raison notamment du fait que les composés organiques sont souvent des liquides, de point d'ébullition relativement bas. Elle est pratiquée de façon quasi-systématique, avec un matériel très simple (fig. 6.2) sur le mélange brut des produits d'une réaction, pour une première séparation sans purification très poussée. Chaque « fraction » obtenue est ensuite purifiée, soit par une nouvelle distillation, soit par une autre technique (chromatographie, par exemple).

Elle peut être appliquée à des quantités de matière très différentes, de quelques grammes au laboratoire à plusieurs tonnes dans l'industrie. Ainsi, des tours (ou colonnes) de distillation font partie du « paysage » de toutes les raffineries; elles y servent à fractionner le pétrole brut en ses composants [25.3] et traitent en continu des tonnages très importants.

*Figure 6.2 – Une distillation simple au laboratoire.*

Pour séparer par distillation les constituants d'un mélange de liquides, on le fait bouillir dans un ballon, que l'on voit ici en bas à droite, dans un chauffe-ballon électrique, surmonté d'une « colonne ». Les vapeurs qui arrivent au sommet de cette colonne traversent ensuite un « réfrigérant », constitué par un tube entouré d'une enveloppe dans laquelle circule de l'eau froide. Elles s'y condensent et le liquide ainsi obtenu, ou « distillat », est recueilli dans une « recette » (le petit ballon que l'on voit à gauche). Un thermomètre placé au sommet de la colonne indique la température des vapeurs qui y parviennent.
En simplifiant, on peut dire que les consttituants du mélange se vaporisent successivement, dans l'ordre croissant de leurs points d'ébullition, et parviennent ainsi les uns après les autres au sommet de la colonne et dans le réfrigérant. Le thermomètre indique une température constante aussi longtemps qu'un même constituant arrive en tête de la colonne, puis monte brusquement lorsque le constituant suivant arrive. On change de recette chaque fois que le thermomètre indique ainsi un changement de constituant.

– La **chromatographie,** fondée sur une différence d'affinité des constituants d'un mélange pour un « adsorbant ».

La *chromatographie en phase gazeuse* (ou en phase « vapeur », d'où le sigle usuel CPV) permet de séparer les constituants de mélanges de gaz ou de liquides volatils. L'appareillage consiste essentiellement en un long tube (plusieurs mètres) de faible diamètre (quelques millimètres), rempli d'un solide en grains fins ou en poudre, imprégné d'un liquide non volatil, qui constitue la « phase stationnaire ». Un échantillon du mélange est introduit, à l'état gazeux, à une extrémité du tube, dans lequel il est entraîné par un courant de gaz inerte, jouant le rôle de « gaz vecteur » (généralement de l'hélium). Les constituants du mélange progressent dans le tube à des vitesses différentes, en fonction de l'affinité plus ou moins grande qu'ils peuvent avoir avec la phase stationnaire. Ils en sortent donc successivement, et non simultanément, et un « détecteur », placé à la sortie du tube, permet de repérer leur passage, signalé par un « pic » sur un enregistrement.

Si l'opération est faite dans un but purement analytique (vérifier la pureté d'un produit, dénombrer et doser les constituants d'un mélange), les gaz sortant du tube ne sont pas récupérés. Mais on peut aussi « piéger » et récupérer chaque constituant du mélange à la sortie, et la CPV devient alors « préparative ». Mais elle ne peut fournir que des quantités faibles de produits purs.

La *chromatographie en phase liquide* est une technique analogue, à ceci près que la phase stationnaire est un solide en poudre (silice, alumine...) et la phase mobile une solution d'un mélange de solutés, le gaz vecteur étant remplacé par un solvant pur.

Une autre forme de chromatographie liquide-solide est la *chromatographie sur papier* (fig. 6.3), ou sur une *couche mince* d'un solide en poudre étalée sur une plaque de verre.

a)

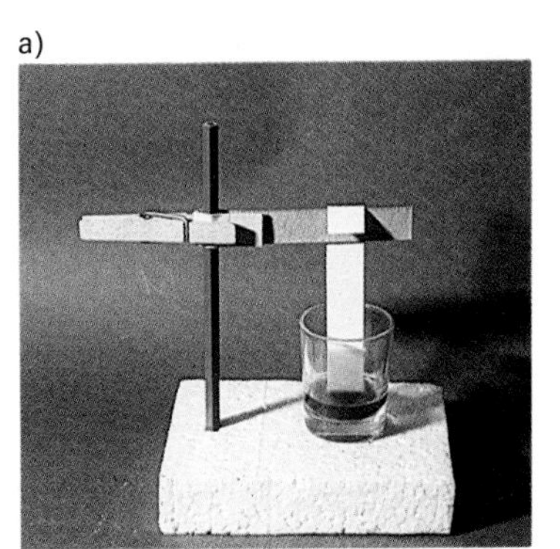

b)

c)

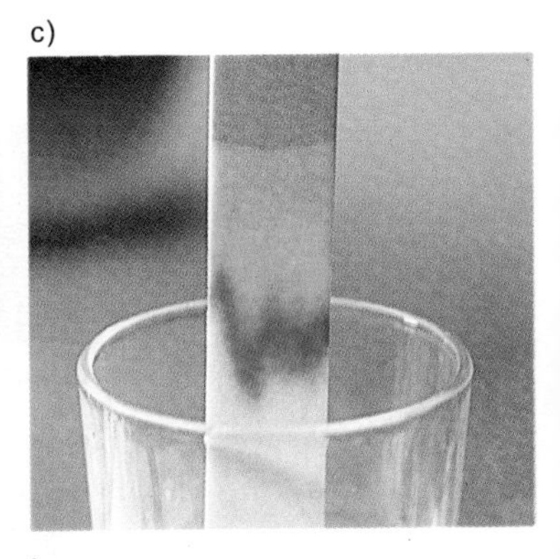

*Figure 6.3 – Séparation de deux pigments végétaux par chromatographie sur papier.*
1) *Extraction des pigments :* découpez une feuille d'épinard en tout petits morceaux et broyez-les longuement, avec 2 à 3 ml d'alcool « à 90° », dans le fond d'une tasse ou d'un petit verre avec la pointe d'une cuillère, jusqu'à obtenir une solution vert sombre.
2) *Imprégnation de la « phase stationnaire » :* découpez dans une feuille de buvard blanc (à défaut, dans un filtre à café) une bande de 1 cm de large, et faites tremper son extrémité dans la solution (fig. a), jusqu'à ce que celle-ci soit montée de 2 cm environ dans le papier.
3) *Élution :* remplacez la solution verte par de l'alcool pur et plongez-y à nouveau l'extrémité de la bande de papier (fig. b). En s'élevant dans le papier, l'alcool fait migrer la zone verte, qui se concentre en même temps qu'apparaît au-dessus d'elle une zone jaune qui migre plus vite qu'elle (fig. c). Cette petite manipulation montre le principe de la chromatographie mais, vu la simplicité des moyens mis en œuvre, la séparation obtenue n'est pas parfaite. Dans des conditions optimales (nature du papier, choix des solvants d'extraction et d'élution) on peut obtenir deux zones, verte et jaune, bien séparées. On peut alors les découper et extraire séparément de chacune d'elles les deux pigments, avec un solvant.

– L'**extraction par solvant,** fondée sur une différence de solubilité dans un solvant, ou sur le partage des constituants d'un mélange entre deux solvants non miscibles.

– La **cristallisation fractionnée,** fondée sur la différence de solubilité de deux solides dans un liquide (solvant), ou sur leur différence de point de fusion.

## 2 — Masse molaire, composition centésimale et formule brute

6.4 La **masse molaire** est la première et la plus fondamentale des données à recueillir. Elle peut être déterminée de plusieurs façons :

• *Cryométrie :* il s'agit de la mesure de l'écart de point de congélation qui existe entre un solvant pur et une solution dans ce solvant du composé étudié (la solution se congelant à une température plus basse que le solvant pur). Selon la loi de Raoult, l'abaissement de point de congélation $\Delta T$ (en degrés) est lié à la concentration massique c de la solution (masse du corps en solution dissoute dans 1 kg de solvant) et à la masse molaire $M$ du corps dissous par la relation :

$$\Delta T = \mathrm{K}\,\frac{\mathrm{c}}{M} \quad \text{ou} \quad M = \mathrm{K}\,\frac{\mathrm{c}}{\Delta T}$$

où K est une constante caractéristique de chaque solvant (constante cryoscopique), qui vaut par exemple 1,86 pour l'eau et 5,12 pour le benzène.

La cryométrie présente l'intérêt d'être facile à mettre en œuvre, mais la loi de Raoult n'est pas applicable si le « soluté » (c'est-à-dire le corps dissous) subit une dissociation ionique. Elle donne également un résultat erroné si le soluté donne lieu à une association intermoléculaire, notamment par « liaison hydrogène » [15.2].

• *Spectrométrie de masse :* cette technique, décrite plus loin [6.17], fournit la valeur des masses molaires avec une grande précision. Mais c'est une technique « lourde », nécessitant des équipements très importants, dont tous les laboratoires ne disposent pas.

6.5 La **composition centésimale** d'une substance est la proportion, exprimée en pourcentage, de chacun des éléments qui la constituent. Ainsi, une mole d'éthane $C_2H_6$ (masse molaire $M = 30$) contient 24 g de carbone et 6 g d'hydrogène, proportions correspondant respectivement à 80 % et 20 %; la « composition centésimale » de l'éthane est : C % 80; H % 20.

Cette composition se déduit des résultats de l'*analyse élémentaire*, c'est-à-dire l'identification et le dosage de chacun des éléments présents dans le composé étudié.

Les éléments constitutifs d'un composé organique sont identifiés par « minéralisation » :

– C et H, par une oxydation totale, sont transformés respectivement en $CO_2$ et $H_2O$, faciles à mettre en évidence.
– N, Cl, Br, I, S..., par une réaction en présence de sodium fondu, sont transformés en divers sels minéraux (cyanure NaCN, halogénures NaCl, NaBr, NaI, sulfure $Na_2S$), caractérisés ensuite par les méthodes habituelles de l'analyse minérale.

Si l'on effectue ces diverses réactions sur un échantillon de masse connue du composé étudié, et dans des conditions permettant de déterminer avec précision la masse de chacun des produits formés, on peut *doser* chaque élément constitutif de ce composé et ainsi établir sa composition centésimale.

La détermination quantitative de l'azote s'effectue d'une façon particulière : tout l'élément azote contenu dans le composé organique est transformé en diazote $N_2$ gazeux, dont on mesure le volume.

Il n'y a pas de méthode simple pour doser directement l'oxygène, dont la proportion présente dans un composé organique se détermine par différence : O % = 100 – (somme des % de tous les autres éléments présents).

Les techniques d'analyse élémentaire quantitative ont été portées à un haut degré de perfectionnement et d'automaticité. Le dosage des éléments est possible sur des échantillons minimes, de l'ordre de quelques milligrammes (« microanalyse ») dans des laboratoires spécialisés auxquels ordinairement les chimistes adressent leurs produits.

## 6-A

*Pour réaliser l'analyse élémentaire d'un composé dans lequel on n'a pu identifier directement que les éléments C, H et N, on procède à l'oxydation complète d'un échantillon de 0,120 g. On obtient 88 mg de $CO_2$, 72 mg d'eau et 44,8 ml de diazote (volume mesuré à 0 °C et sous 1 atm). Quelle est la composition centésimale de ce composé?*

---

La détermination de la composition centésimale d'un composé inconnu peut répondre à deux finalités :

a) Si l'on a pu attribuer une formule supposée au composé étudié, de sorte que l'on cherche à *confirmer* une structure, la concordance de la composition centésimale obtenue expérimentalement avec celle que l'on peut calculer *a priori* à partir de la formule est un argument (non une preuve) en faveur de celle-ci.
b) Si l'on ne peut faire aucune hypothèse sur la structure du composé étudié, la connaissance de sa composition centésimale et de sa masse molaire permet tout au moins de lui attribuer une formule brute.

Il suffit pour cela d'écrire qu'il y a le même rapport entre 100 g et la masse molaire qu'entre les masses de chaque élément contenues respectivement dans 100 g (c'est-à-dire la composition centésimale en cet élément) et dans une mole.

*Exemple :* Un composé formé des éléments C, H et O, dont la formule brute est donc de la forme $C_xH_yO_z$, a la composition suivante : C % 68,2; H % 13,6; O % 18,2. Sa masse molaire a été trouvée égale à 88. Quelle est sa formule brute?

Pour le carbone, on peut poser l'égalité :

$$\frac{100}{88} = \frac{68,2}{12 \,.\, x} \quad \text{d'où} \quad x = 4,98 \approx 5$$

On trouverait de même que y = 11,97 ≈ 12 et que z = 1. La formule brute du composé est donc $C_5H_{12}O$.

## 6-B

*Une analyse élémentaire a conduit aux résultats suivants : C % 78,62, H % 8,36, N % 12,99. Apporte-t-elle une présomption favorable à l'identification d'un composé auquel on pense pouvoir attribuer une structure correspondant à la formule brute $C_7H_9N$ (les erreurs d'expérience sont de l'ordre de ± 0,5 %).*

---

*6-C*

*L'analyse élémentaire d'un composé organique a conduit à lui attribuer la composition centésimale suivante : C% 49,0; H% 2,7; Cl% 48,3. Par ailleurs, une solution de 0,97 g de ce composé dans 50 g de benzène se congèle 0,67 degré plus bas que le benzène pur (constante cryoscopique du benzène : 5,12). Quelle formule brute peut-on attribuer à ce composé ?*

# 3 — Constantes physiques

6.6 Les constantes physiques usuelles, qui ont surtout une valeur de comparaison avec les données de la littérature, pour établir l'identité d'un composé avec un composé déjà connu, sont :

• Le **point de fusion** (F, ou $T_f$), facile à déterminer avec une bonne précision (fig. 6.4), dans la mesure où il se situe dans un domaine de température facilement accessible (approximativement entre 0 °C et 300 °C), ce qui est fréquemment le cas des solides organiques [0.2].

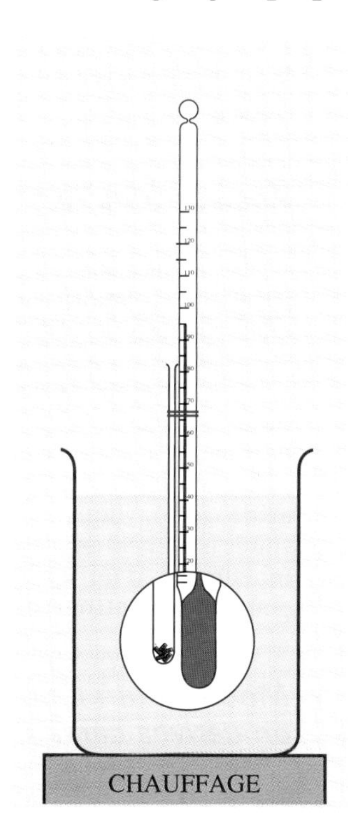


*Figure 6.4 — Une technique simple pour la détermination des points de fusion.*
On introduit quelques petits cristaux du composé dans un tube fin, que l'on fixe contre un thermomètre de précision, et on immerge le tout dans un liquide dont le point d'ébullition est supérieur au point de fusion présumé. On chauffe ce liquide, très lentement de sorte que la température dans le tube soit aussi voisine que possible de celle du bain, tout en observant attentivement les cristaux avec une loupe. Au moment où on les voit fondre, on lit la température du bain sur le thermomètre.

• Le **point d'ébullition** (Eb, ou $T_{éb}$), plus difficile à déterminer avec exactitude, et surtout variable avec la pression sous laquelle il est mesuré. Cette pression doit donc toujours être précisée lorsqu'on indique un point d'ébullition (elle s'exprime alors souvent en « mm de mercure », mmHg, bien que ce ne soit pas une unité officielle; 1 atm correspond à 760 mmHg). *Exemple :* $Eb_{15}$, point d'ébullition mesuré sous 15 mm de mercure.

• L'**indice de réfraction** (n), qui se mesure très facilement avec un « réfractomètre ». Il est fonction à la fois de la température et de la longueur d'onde (ou de la fréquence) de la lumière employée, qui doivent donc être précisées. *Exemple :* $n_D^{20}$, indice mesuré à 20 °C, et avec la lumière de la raie D du spectre du sodium.

• La **densité** (d) qui, pour un liquide, se définit comme le rapport de la masse d'un volume *V* de ce liquide à celle du même volume d'eau, prise à 4 °C. Sa mesure se ramène donc à la détermination de la masse d'un volume exactement connu du composé, dont la température peut être différente de 4 °C et doit être précisée. *Exemple :* $d_4^{20}$, densité du liquide à 20 °C, par rapport à l'eau à 4 °C.

*6-D*

*Un chimiste publie ainsi les constantes physiques qu'il a déterminées pour un composé qu'il a été le premier à préparer :* F = *12* °C; Eb = *138,5* °C; n = *1,3591. Ces renseignements sont-ils exploitables par un autre chimiste?*

# 4 — Caractérisation chimique

6.7 L'identification d'un composé inconnu, ou la vérification d'une formule supposée, peuvent se poursuivre par la mise en œuvre de procédés chimiques.

## *Analyse fonctionnelle qualitative et quantitative*

Une série de tests chimiques, en présence de divers « réactifs », permet de connaître la fonction à laquelle appartient le composé (alcool, aldéhyde, cétone, amine, etc.).

On peut également déterminer le nombre de groupements fonctionnels présents dans la molécule (par exemple, le nombre de doubles liaisons). Un tel dosage peut aussi constituer une mesure indirecte de la masse molaire. Ainsi, dans le cas d'un composé reconnu pour être un acide carboxylique, et dont 1 g serait exactement neutralisé par 0,5 g de soude (soit 1/80 de mole), il ne pourrait s'agir que d'un monoacide de masse molaire 80, d'un diacide de masse molaire 160, etc., et d'autres critères peuvent permettre d'opter entre ces différentes hypothèses.

## *Modification chimique et transformation en dérivés caractéristiques*

Des indications utiles peuvent être obtenues en transformant chimiquement le composé étudié, par des réactions ne prêtant à aucune équivoque. Par exemple, un composé non déjà connu, dans lequel on a identifié une fonction cétone et une double liaison carbone-carbone peut être « hydrogéné » de façon à faire disparaître la double liaison selon le schéma :

$$>C=C< + H_2 \rightarrow -\underset{|}{C}H-\underset{|}{C}H-$$

sans modifier en rien le reste de la molécule. On obtient de cette façon une cétone simple, qui a plus de chances d'être déjà connue et de pouvoir être identifiée par ses constantes physiques. La forme de la chaîne carbonée se trouve alors élucidée, de même que la position de la fonction sur cette chaîne. Il ne reste plus, ensuite, qu'à préciser la position de la double liaison, ce qui peut être fait, par exemple, par coupure de la molécule sous l'action de l'ozone [9.15].

Une autre pratique courante, si l'on pense avoir affaire à un composé déjà décrit dans la littérature, est d'en transformer un échantillon en un « dérivé caractéristique », afin d'ajouter ses propres constantes physiques à celles du composé à identifier. On diminue ainsi les risques de coïncidence fortuite entre les constantes de deux composés différents. On s'intéresse surtout, dans ce rôle, aux dérivés cristallisés, dont les points de fusion peuvent être facilement mesurés avec une bonne précision (exemple : dérivés des aldéhydes et des cétones [18.11]).

### *Synthèse indépendante*

Afin de confirmer une structure supposée, on peut également envisager d'effectuer la synthèse indépendante du composé possédant cette structure, à la condition qu'elle soit possible par des réactions « classiques » et éprouvées, différentes de celles par lesquelles on a obtenu le composé que l'on veut identifier, et dont le résultat ne peut pas faire de doute. Il ne reste plus, ensuite, qu'à comparer (par exemple au moyen des constantes physiques ou des spectres) l'échantillon « authentique » ainsi obtenu et le composé étudié, de façon à vérifier s'ils sont effectivement identiques.

## 5 — Méthodes spectroscopiques

**6.8** Il existe de nombreuses formes d'*interaction entre la matière et le rayonnement électromagnétique*, qu'il s'agisse de rayonnement hertzien, infrarouge, visible ou ultraviolet, de rayons X ou de rayonnement associé à un faisceau de particules, électrons ou neutrons.

Les modalités et les effets observables de ces interactions dépendent très étroitement de la structure de la matière : structure électronique (niveaux d'énergie dans les atomes ou les molécules, nature des liaisons) ou structure géométrique (positions des atomes dans l'espace). L'observation et l'analyse de ces phénomènes peut donc apporter des informations sur cette structure, et il y correspond toute une « panoplie » de techniques, à la disposition entre autres des chimistes pour lesquels elles sont devenues des auxiliaires irremplaçables dans le travail d'élucidation des structures. Ils y trouvent de nombreux renseignements extrêmement « fins », qu'ils ne pourraient pas obtenir autrement.

La suite de ce chapitre concerne trois de ces techniques, parmi les plus fréquemment utilisées. D'autres existent, et peuvent même être très importantes dans la résolution de certains problèmes (par exemple, techniques de diffraction des rayons X, des électrons ou des neutrons), mais ce sont des moyens « lourds », auxquels on ne recourt pas facilement « en routine », et dont la théorie ne peut être abordée au niveau de ce livre.

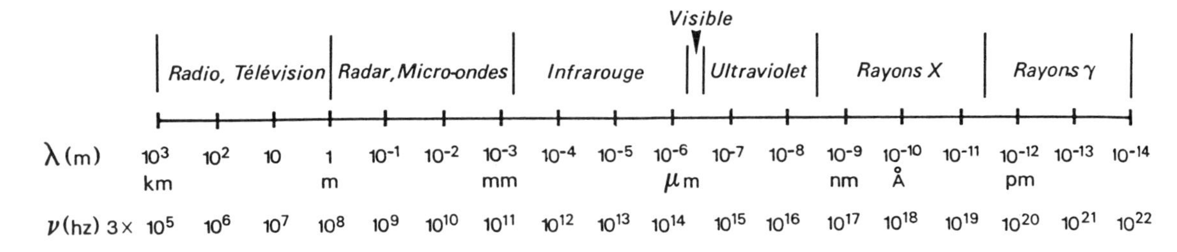


*Figure 6.5 — Domaines spectraux.*

## Spectrophotométrie d'absorption

**6.9** L'absorption du rayonnement par la matière est un phénomène que l'on rencontre souvent dans la vie courante : l'échauffement d'un objet exposé au rayonnement solaire, le « filtrage » de ce même rayonnement par des lunettes de soleil ou par une crème solaire, l'existence des couleurs,... en sont des exemples. Il s'agit du *transfert à la matière de l'énergie du rayonnement absorbé.*

### *Loi de Lambert-Beer. Spectres*

Lorsqu'un rayonnement monochromatique (*) traverse un milieu matériel transparent, qui, dans la pratique, est le plus souvent une solution, une partie de son énergie peut être absorbée par ce milieu. La *loi de Lambert-Beer* s'exprime par la relation :

$$I = I_0 \,.\, e^{-klc}$$

$I_0$ et I représentent l'intensité du rayonnement, respectivement avant et après le passage dans le milieu absorbant,
k est le *coefficient d'extinction moléculaire,*
l est la longueur du trajet optique dans le milieu absorbant (en cm),
c est la concentration du milieu en substance absorbante (en mol . $l^{-1}$).

A partir de cette relation, on définit :

- la *transmittance :* $T = \dfrac{I}{I_0} = e^{-klc}$
- *l'absorbance* (ou densité optique) : $A = \log \dfrac{I_0}{I} = \varepsilon lc$

(avec $\varepsilon = k/2{,}3$ en raison du changement de base du logarithme).

La proportionnalité qui existe entre l'absorbance et la concentration est à la base d'une méthode de *dosage :* détermination de

(*) C'est-à-dire correspondant à une fréquence ν (ou une longueur d'onde λ) unique.

c par mesure de A. Lorsque cette méthode est pratiquée dans le domaine du visible, où les rayonnements de longueurs d'onde différentes correspondent à des couleurs de lumière différentes, elle prend le nom de « colorimétrie ».

Les applications à la *détermination des structures* sont fondées sur le fait que le coefficient d'extinction ε (ou k), indépendant de la concentration et constituant une caractéristique de chaque composé, est fonction de la longueur d'onde du rayonnement. La représentation graphique de l'absorption d'un composé en fonction de la longueur d'onde à laquelle est faite la mesure est un tracé plus ou moins accidenté, présentant des maximum et des minimum, qui constitue le *spectre d'absorption* de ce composé (les figures 6.6 et 6.7 en offrent des exemples). Ces spectres sont obtenus de façon entièrement automatique, soit sur un écran de visualisation, soit sur papier, à l'aide d'un « spectrophotomètre ».

Lorsque l'absorbance passe par un maximum (ou la transmittance par un minimum), on dit que le spectre présente une *bande d'absorption*, que l'on caractérise par les valeurs de la longueur d'onde (abscisse) et du coefficient d'extinction (ordonnée) correspondant à ce maximum : $\lambda_{max}$ et $\varepsilon_{max}$.

Les domaines de longueur d'onde dans lesquels on étudie le plus couramment les spectres d'absorption sont :

- l'ultraviolet ......... longueur d'onde comprise entre 200 et 400 nm (*)
- le visible ........... longueur d'onde comprise entre 400 et 700 nm
- l'infrarouge moyen ... longueur d'onde comprise entre 2 et 15 µm (*)

## *Origine des spectres d'absorption*

**6.10** La question est maintenant de savoir pourquoi l'intensité de l'absorption du rayonnement par la matière n'est pas la même à toutes les longueurs d'onde, et pourquoi elle passe par des maximum et des minimum qui ne sont pas les mêmes pour tous les composés (**).

Les atomes d'une molécule ne sont pas au repos. En permanence ils sont animés de mouvements de vibration autour de positions moyennes, et de mouvements de rotation autour des liaisons. A ces mouvements correspondent des *énergies de vibration et de rotation*. D'autre part, les électrons possèdent aussi une *énergie électronique*, qui dépend de la case quantique, ou orbitale (moléculaire ou atomique), qu'ils occupent.

Ces diverses formes d'énergie présentes dans la matière sont *quantifiées*. Cela signifie qu'elles ne peuvent prendre que certaines valeurs, et ne peuvent varier que par un « saut » brusque de l'une de ces valeurs à une autre. A chacun de ces sauts, ou *transitions*, est donc associée une variation finie d'énergie ΔE.

---

(*) 1 nm (nanomètre) = $10^{-9}$ m; 1 µm (micromètre, ou « micron ») = $10^{-6}$ m.

(**) Le phénomène de l'absorption du rayonnement par la matière ne sera envisagé ici qu'en ce qui concerne les molécules, mais les atomes isolés ou les ions ont aussi des spectres d'absorption.

Par ailleurs, un rayonnement «transporte» une énergie qui est également quantifiée. Il ne peut la céder à la matière que de façon discontinue, par multiples entiers d'une quantité finie, appelée *quantum* ou *photon*. La valeur d'un quantum n'est pas la même pour tous les rayonnements; elle est fonction de leur fréquence $\nu$ (nombre de vibrations par seconde) :

$$1 \text{ quantum (photon)} = h.\nu \text{ Joules (J)}$$

h étant la «constante de Planck» ($h = 6{,}626 \cdot 10^{-34}$ J.s).

Il ne peut se produire un transfert d'énergie du rayonnement à la matière, donc une absorption du rayonnement par la matière, que s'il y a égalité entre la quantité d'énergie $\Delta E$ correspondant à une transition possible dans la molécule et la valeur du quantum pour le rayonnement utilisé. N'importe quel rayonnement ne peut pas provoquer n'importe quelle transition, et la condition d'une interaction effective entre la matière et le rayonnement est exprimée par la relation :

$$\Delta E = h\nu$$

Or les niveaux d'énergie dans une molécule, et par suite la valeur $\Delta E$ des transitions de l'un à l'autre, ont des valeurs déterminées qui dépendent de la structure de l'édifice moléculaire. Donc, si l'on fait traverser un échantillon d'une substance par un rayonnement dont la fréquence varie dans le temps de façon continue, la valeur de l'absorption varie en fonction de cette fréquence : elle passe par un maximum toutes les fois que la condition $\Delta E = h\nu$ se trouve vérifiée pour *l'une* des transitions possibles. Telle est l'origine des spectres d'absorption.

Strictement, en fonction de cette interprétation, l'absorption devrait être constamment nulle entre les valeurs de la fréquence $\nu$ correspondant à des transitions possibles. L'allure des spectres reproduits (fig. 6.6 et 6.7) montre qu'il n'en est pas ainsi, mais l'explication de cet état de fait ne peut trouver place ici.

Sauf pour des molécules très simples, formées de quelques atomes seulement, les niveaux d'énergie d'une molécule (énergies de vibration, de rotation et électronique) ne sont pas calculables *a priori*. On ne peut donc pas prévoir les spectres. Le principe de la méthode spectrophotométrique de détermination des structures est de nature empirique : si l'observation des spectres d'un grand nombre de composés ayant une caractéristique commune (par exemple, la présence d'un groupe $>C{=}O$) a permis de mettre en évidence la présence constante d'une bande d'absorption à une fréquence déterminée, on est fondé, inversement, à penser qu'un composé inconnu possède aussi cette caractéristique si l'on observe la même bande dans son spectre.

## 6-E

*Quelle est la fréquence du rayonnement qui peut produire une transition entre deux niveaux d'énergie distants de 400 kJ/mol? Dans quel domaine spectral pourra-t-on observer l'absorption correspondant à cette transition?*

## *Ultraviolet et visible. Spectres électroniques*

6.11 Les niveaux d'énergie électronique sont très distants les uns des autres, de sorte que les transitions correspondantes mettent en jeu des énergies $\Delta E$ importantes (de l'ordre de 400 kJ . $mol^{-1}$) et que seul un rayonnement de grande fréquence, ou de faible longueur d'onde, peut les provoquer. Pratiquement, les « spectres électroniques », correspondant à des sauts d'électrons d'une orbitale à une autre, s'observent dans le visible et l'ultraviolet (UV). Les molécules saturées, ne comportant que des électrons $\sigma$ [4.8] (alcanes par exemple) n'absorbent que dans l'ultraviolet lointain, en-dessous de 150 nm, région dans laquelle les mesures sont difficiles. Dans l'ultraviolet proche et moyen (200-400 nm) on observe principalement une absorption associée à la présence de groupements non saturés (électrons $\pi$) et de doublets libres sur des hétéroatomes comme O ou N (électrons n).

*Exemple :*

$>C=C<$ .... maximum d'absorption vers 180 nm ($\varepsilon$ = 10 000)

$>C=O$ ...... maximum d'absorption vers 280 nm ($\varepsilon$ = 15)

Le reste de la molécule (chaînes saturées) a peu d'influence sur le spectre ultraviolet, et tous les composés possédant un groupe non saturé déterminé ont des spectres très voisins.

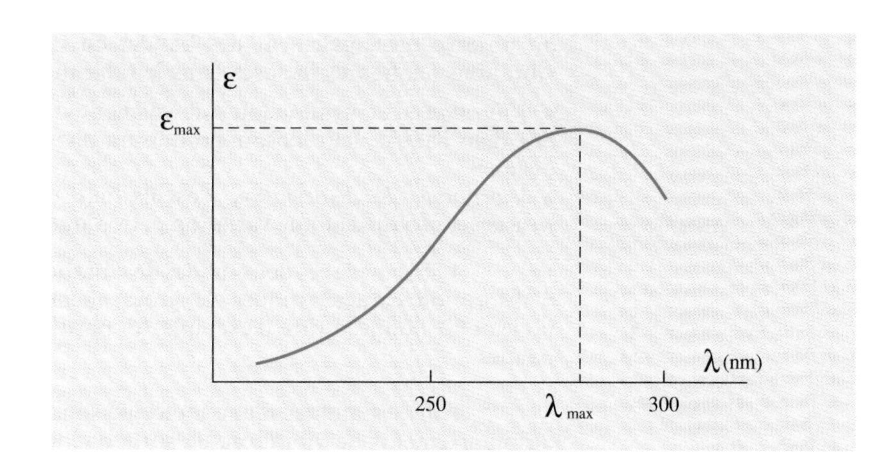


*Figure 6.6 — Spectre d'absorption d'une cétone dans l'ultraviolet, entre 250 et 300 nm.*

**A quelques nanomètres près pour la position du maximum d'absorption, toutes les cétones saturées, de la forme R-CO-R′, ont pratiquement le même spectre. Les valeurs observées dans cette région pour $\lambda_{max}$ et $\varepsilon_{max}$ peuvent permettre de diagnostiquer la présence d'une fonction cétone, mais non d'identifier la cétone particulière dont il s'agit.**

Par contre, les spectres électroniques sont fortement modifiés par des particularités de structure, comme la conjugaison des liaisons multiples [4.17]. Elle a un double effet : déplacement du maximum d'absorption vers les grandes longueurs d'onde et augmentation de son intensité.

*Exemple :*

| | $\lambda_{max}$ | $\varepsilon_{max}$ |
|---|---|---|
| Éthylène $H_2C=CH_2$ .................... | 185 nm | 8 000 |
| Butadiène $H_2C=CH-CH=CH_2$......... | 217 nm | 21 000 |

Pour le carotène [24.11], qui contient neuf doubles liaisons conjuguées, $\lambda_{max}$ = 496 nm et $\varepsilon_{max}$ = 162 000.

L'examen du spectre ultraviolet d'un composé contenant deux ou plusieurs doubles liaisons permet donc de mettre clairement en évidence leur conjugaison éventuelle.

Si l'absorption reste limitée au domaine de l'ultraviolet, la substance est incolore. Mais si elle a lieu dans le domaine du visible, la substance apparaît colorée (en jaune si l'absorption a lieu dans le violet, en orangé si elle a lieu dans le bleu, en rouge si elle a lieu dans le vert). C'est le cas des molécules contenant un grand nombre de doubles liaisons conjuguées, comme le carotène qui est rouge-orangé.

## *Infrarouge. Spectres de vibration-rotation*

6.12 Le rayonnement infrarouge (IR), de plus grande longueur d'onde (et de plus faible fréquence) que l'ultraviolet, ne peut « fournir » que des quantums de plus faible énergie et ne peut pas provoquer des modifications dans l'état énergétique des électrons. Il peut, par contre, exciter des mouvements de vibration ou de rotation; il y correspond en effet des niveaux quantifiés beaucoup plus rapprochés et, en conséquence, des énergies de transition $\Delta E$ plus faibles (de l'ordre de 4 à 40 kJ . $mol^{-1}$). A chaque groupe d'atomes susceptibles d'entrer en vibration ou en rotation, suivant une fréquence qui lui est propre, correspond une bande d'absorption à une longueur d'onde déterminée.

Dans la région usuelle de l'infrarouge (entre 2 et 15 micromètres), on observe principalement des bandes en rapport avec deux sortes de vibrations (cf. figures incluses dans le tableau 6.1) :

- *Vibrations d'élongation* (ou « de valence ») : oscillations de deux atomes liés, dans l'axe de leur liaison, produisant une variation périodique de leur distance.
- *Vibrations de déformation :* oscillations de deux atomes liés à un troisième, produisant une variation périodique de l'angle des deux liaisons.

A chacun de ces deux modes de vibrations sont associées des bandes d'absorption caractéristiques de groupements d'atomes particuliers. Le tableau 6.1 donne, à titre d'exemple, les positions de quelques-unes de ces bandes.

Tous les atomes d'une molécule sont susceptibles de participer à des mouvements de vibration, de sorte que les spectres dans l'infrarouge sont compliqués et présentent de nombreuses bandes d'absorption (fig. 6.7);

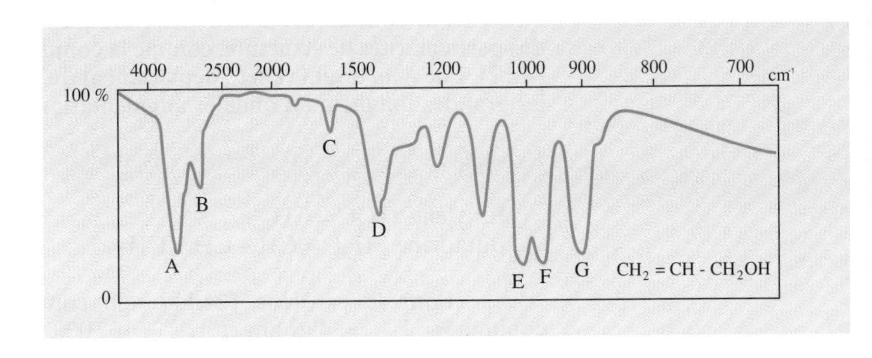


*Figure 6.7 — Un exemple de spectre d'absorption dans l'infrarouge.*

On a l'habitude, pour les spectres dans l'infrarouge, de porter en ordonnée la transmittance [6.9], qui passe par un minimum quand l'absorbance passe par un maximum. Chaque passage du tracé par un *minimum* correspond donc à une bande d'absorption.

En raison de leur grand nombre et de leur proximité, les bandes d'un spectre infrarouge se « chevauchent » fréquemment, et il est généralement difficile de déterminer pour chacune la valeur du coefficient d'extinction.

A : Vibration de valence O—H
B : Vibration de valence C—H
C : Vibration de valence C=C
D : Vibration de déformation des CH
E : Vibration de valence C—O
F : Vibration de déformation de l'hydrogène dans =CH—
G : Vibration de déformation de l'hydrogène dans $=CH_2$

il est rare que l'on puisse assigner chacune des bandes observées à un mode de vibration précis.

Mais cette complexité, qui est un reflet de tous les détails de la structure moléculaire, constitue précisément l'intérêt des spectres dans l'infrarouge. Convenablement interprétés, ils peuvent fournir sur les molécules étudiées de nombreux renseignements, très précis. D'autre part, ils sont « individuels », en ce sens que seules deux molécules parfaitement identiques peuvent avoir exactement le même spectre. En conséquence, l'identité complète (superposabilité) du spectre d'un composé inconnu avec celui d'un composé connu, tracé dans les mêmes conditions, constitue un moyen valable d'identifier le premier de même que l'on peut identifier un individu par ses empreintes digitales.

L'existence de ces divers types de vibrations dans les molécules semble rendre impossible l'attribution de valeurs définies aux longueurs et aux angles de liaisons, alors que de telles valeurs ont été indiquées au chapitre 2. Il s'agit de valeurs *moyennes*, correspondant aux positions d'équilibre des atomes, dans la molécule supposée au repos.

VIBRATIONS D'ÉLONGATION

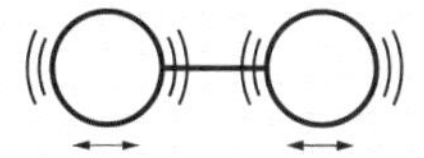

| *Groupement* | *Position de la bande* |
|---|---|
| $\geq$C–H | 2 840 – 3 000 $cm^{-1}$ (*) |
| =C–H (avec trait vertical) | 3 050 – 3 150 $cm^{-1}$ |
| ≡C–H | 3 260 – 3 330 $cm^{-1}$ |
| –O–H (alcools) | 3 500 – 3 650 $cm^{-1}$ |
| –O–H (acides) | 2 500 – 3 000 $cm^{-1}$ |
| >N–H | 3 300 – 3 500 $cm^{-1}$ |
| >C=C< | 1 620 – 1 680 $cm^{-1}$ |
| –C≡C– | 2 100 – 2 260 $cm^{-1}$ |
| >C=N– | 1 500 – 1 650 $cm^{-1}$ |
| –C≡N | 2 220 – 2 260 $cm^{-1}$ |
| $\geq$C–O– | 1 000 – 1 260 $cm^{-1}$ |
| >C=O (aldéhydes) | 1 720 – 1 740 $cm^{-1}$ |
| >C=O (cétones) | 1 705 – 1 725 $cm^{-1}$ |
| >C=O (acides) | 1 710 – 1 760 $cm^{-1}$ |
| >C=O (esters) | 1 735 – 1 750 $cm^{-1}$ |

VIBRATIONS DE DÉFORMATION

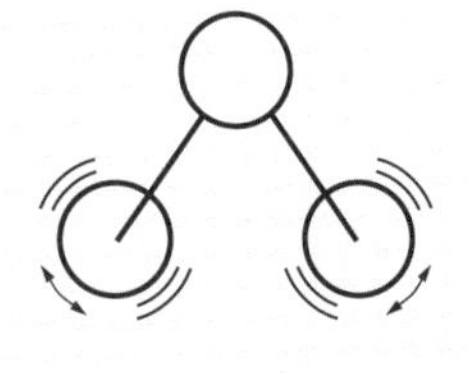

| *Groupement* | *Position de la bande* |
|---|---|
| >C=$CH_2$ | vers 890 $cm^{-1}$ |
| –CH=$CH_2$ | vers 910 et 990 $cm^{-1}$ |
| –CH=CH– (Z) | vers 965 $cm^{-1}$ |
| –CH=CH– (E) | vers 690 $cm^{-1}$ |
| >C=CH– | vers 840 $cm^{-1}$ |

(*) Dans le domaine infrarouge, au lieu de la longueur d'onde λ ou de la fréquence ν, on emploie généralement pour caractériser un rayonnement le « nombre d'ondes ». C'est l'inverse de la longueur d'onde, exprimée en cm; son unité est le « $cm^{-1}$ ».
*Exemple :* Une longueur d'onde de 5 μm, soit $5 \cdot 10^{-4}$ cm, correspond à $1/5 \cdot 10^{-4} = 2000\ cm^{-1}$.

*Tableau 6.1 — Quelques bandes caractéristiques dans l'infrarouge*
La fréquence de vibration d'un groupement n'est pas strictement déterminée par sa nature, et dépend dans une certaine mesure de l'environnement moléculaire. La position de la bande d'absorption correspondante ne peut donc pas être indiquée avec précision; elle peut se situer dans un intervalle de « nombre d'ondes » plus ou moins large selon les cas.

### 6-F

*Après examen des spectres* UV *et* IR *d'un composé, on a pu conclure qu'il s'agit d'un alcool, dont la molécule comporte en outre deux doubles liaisons* C=C *non conjuguées, l'une en bout de chaîne et l'autre dans le corps de la chaîne avec la configuration Z. Parmi ces informations, lesquelles ont été données par le spectre* UV *et lesquelles ont été données par le spectre* IR ?

## Résonance magnétique nucléaire

**6.13** La résonance magnétique nucléaire (RMN) est également une technique fondée sur l'absorption du rayonnement électromagnétique par la matière, mais la transition provoquée concerne *le noyau* de certains atomes présents dans la molécule (d'où le qualificatif « nucléaire »), et le phénomène observé se produit dans le domaine spectral des *ondes hertziennes* (fréquences de l'ordre de $10^7$ à $10^8$ hertz; longueurs d'onde de l'ordre de quelques mètres).

Certains noyaux atomiques possèdent un *spin*. De même que pour les électrons, c'est une grandeur vectorielle associée à la rotation des noyaux sur eux-mêmes :

Représentation symbolique du spin d'un noyau.

Un noyau possédant un spin non nul se comporte magnétiquement comme un petit aimant. Placé dans un champ magnétique, il peut y prendre deux orientations : dans l'une son spin est parallèle au champ et de même sens, dans l'autre il lui est parallèle mais de sens opposé (orientation antiparallèle). A ces deux orientations sont associés deux niveaux d'énergie quantifiés, le plus bas correspondant à l'orientation parallèle, qui est la plus stable.

L'absorption d'un photon peut provoquer une *transition*, du niveau inférieur au niveau supérieur. Celle-ci est possible si l'intensité H du champ magnétique et la fréquence ν du rayonnement électromagnétique satisfont à la relation :

$$\nu = \gamma H / 2\pi$$

où γ est une constante caractéristique du noyau concerné (constante gyromagnétique). Lorsque cette relation se trouve satisfaite, on dit que les noyaux entrent « en résonance ». Pour le proton (noyau d'hydrogène), dans un champ magnétique de 14 000 gauss, la résonance est provoquée par un rayonnement dont la fréquence est d'environ 60 mégahertz (1 mégahertz, MHz, vaut $10^6$ Hz ou encore $10^6$ vibrations par seconde). Ce rayonnement appartient au domaine des ondes hertziennes (longueur d'onde d'environ 5 m).

Pour obtenir un *« spectre de résonance nucléaire »* on place un échantillon du composé à étudier dans un champ magnétique H, produit par un aimant ou un électroaimant puissant, et on le soumet simultanément à un rayonnement hertzien, produit par un circuit oscillant, dont la fréquence varie dans un intervalle convenablement choisi (en fonction de la valeur du champ H)(*). Chaque fois que, pour un noyau déterminé présent dans la molécule, la relation ci-dessus est satisfaite, une partie de l'énergie du rayonnement est absorbée et cette absorption, détectée par un dispositif approprié, se traduit par un « pic » sur un diagramme (cf. par exemple les figures 6.8 et 6.10).

Parmi les noyaux à spin non nul, susceptibles de « résonner », on trouve en particulier $^{1}H$, $^{13}C$, $^{17}O$, $^{15}N$, $^{19}F$ et $^{31}P$; mais $^{12}C$ et $^{16}O$, les isotopes courants de ces deux éléments, ont un spin nucléaire nul et ne donnent donc lieu à aucune résonance. Hors le cas d'études particulières, c'est la résonance du noyau de $^{1}H$, constitué par un unique proton, que l'on observe et étudie le plus couramment; on parle alors de *« résonance protonique »*, étant entendu qu'il s'agit non de n'importe quel proton (il y a des protons dans tous les noyaux atomiques) mais spécifiquement de celui qui constitue le noyau de $^{1}H$. Bien que l'hydrogène soit *a priori* un élément peu caractéristique des molécules organiques, les spectres de résonance protonique fournissent un grand nombre d'informations sur la structure de ces molécules. *La suite ne concerne que la résonance du proton de* $^{1}H$.

## Le déplacement chimique

**6.14** Le champ magnétique *local* réel, dans lequel se trouvent effectivement les noyaux d'hydrogène d'une molécule, n'est pas exactement le champ *externe* $H_0$ dans lequel l'échantillon a été placé. Ce champ externe est en effet modifié localement, au sein de la matière, par l'existence de champs magnétiques divers dûs aux mouvements des électrons des atomes et des liaisons. En général, le champ réel local H est inférieur au champ externe $H_0$; on dit que les influences locales créent un *blindage.*

Ces influences locales dépendent de l'environnement de chaque site dans la molécule, de sorte que tous les noyaux d'hydrogène d'une molécule ne se trouvent pas dans le même champ local H. En conséquence, ils n'entrent pas tous en résonance pour la même fréquence du rayonnement hertzien. Lorsque cette fréquence varie régulièrement, on n'obtient donc pas un seul pic, mais une série de pics correspondant chacun aux atomes d'hydrogène occupant un site donné de la molécule (fig. 6.8).

Les spectres de RMN sont enregistrés sur des diagrammes dont l'abscisse correspond à la fréquence $\nu$ du rayonnement, croissante de gauche à droite. Dans la pratique, on mélange à l'échantillon étudié une petite quantité d'un composé de référence, produisant un pic unique à une fréquence $\nu_0$ servant d'origine pour définir la position relative des autres pics du spectre (**). Cette position pourrait s'exprimer par la distance en hertz ($\Delta\nu = \nu - \nu_0$) au pic de référence, mais elle dépendrait alors du champ

---

(*) On peut également maintenir fixe la fréquence du rayonnement et faire varier l'intensité du champ magnétique.

(**) Le composé de référence est habituellement le tétraméthylsilane (TMS) $(CH_3)_4Si$, inerte chimiquement vis-à-vis des composés organiques et dont tous les protons résonnent à la même fréquence. En outre, cette fréquence est supérieure à toutes les fréquences de résonance usuellement observées en chimie organique, de sorte que les pics propres aux composés étudiés sont toujours « à gauche » du pic de référence sur le tracé des spectres.

externe $H_0$, qui peut varier d'un appareil à un autre. Pour disposer d'une valeur indépendante de $H_0$, on définit le *déplacement chimique* δ d'un pic par l'expression :

$$\delta = \frac{\Delta\nu}{\nu_0} \cdot 10^6$$

δ s'exprime en « ppm » (parties par million) et ses valeurs usuelles sont comprises entre 0 et 10 ppm.

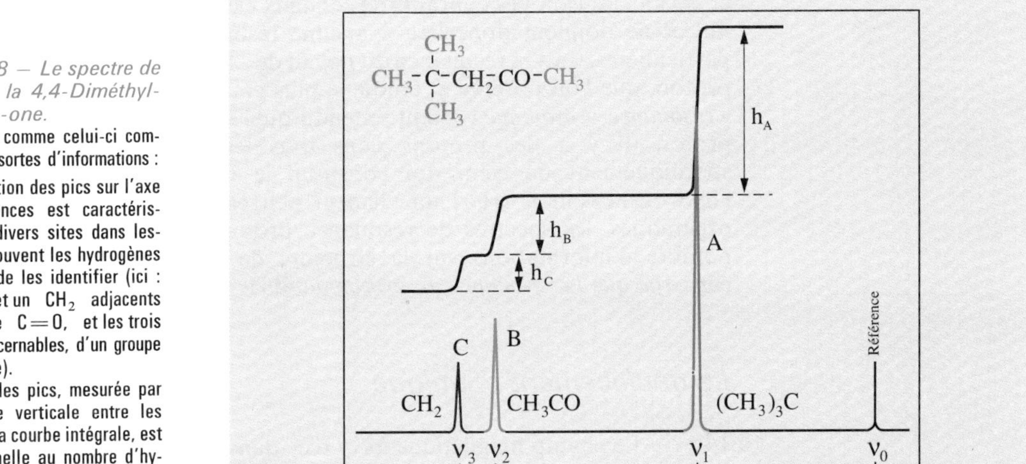


*Figure 6.8 — Le spectre de RMN de la 4,4-Diméthyl-pentan-2-one.*
Un spectre comme celui-ci comporte deux sortes d'informations :
— la position des pics sur l'axe des fréquences est caractéristique des divers sites dans lesquels se trouvent les hydrogènes et permet de les identifier (ici : un $CH_3$ et un $CH_2$ adjacents à un groupe C=O, et les trois $CH_3$, indiscernables, d'un groupe tertiobutyle).
— l'aire des pics, mesurée par la distance verticale entre les paliers de la courbe intégrale, est proportionnelle au nombre d'hydrogènes occupant chaque type de site.

Les déplacements chimiques sont caractéristiques des diverses situations que peuvent occuper les atomes d'hydrogène dans une molécule et leur connaissance apporte donc des informations sur la nature des groupements, groupements fonctionnels notamment, présents dans le composé étudié. On dispose de tables donnant les valeurs du déplacement chimique pour les divers groupements susceptibles d'être rencontrés (table 6.2).

Des hydrogènes (ou, dans le langage de la RMN, des protons) sont dits **équivalents** si leur substitution par un autre atome donne, pour chacun d'eux, des molécules identiques, ou énantiomères. Ainsi, les deux H de $CH_2Cl_2$, ou les quatre H de $ClCH_2—CH_2Cl$ sont équivalents; dans $CH_3—CH_2Cl$ les H du $CH_3$ sont équivalents, comme le sont ceux du

*Tableau 6.2 — Déplacements chimiques caractéristiques de quelques types d'hydrogènes (en ppm; référence : tétraméthylsilane,* TMS).
La valeur de δ pour un type particulier d'hydrogène n'est pas strictement déterminée et peut varier dans un intervalle plus ou moins large en fonction de l'environnement moléculaire.
On notera l'effet de « déblindage » (glissement vers des valeurs plus faibles de la fréquence) provoqué par les halogènes, d'autant plus fort que leur électronégativité est plus grande.

| *Type d'hydrogène* | δ (ppm) | *Type d'hydrogène* | δ (ppm) |
|---|---|---|---|
| R-**CH₃** | 0,8-1,0 | R₂C=C(R')-**CH₃** | 1,6-1,9 |
| R-**CH₂**-R' | 1,2-1,4 | R₂C=**CH₂** | 4,6-5,0 |
| R-**CH**(R'')-R' | 1,4-1,7 | R₂C=**CH**-R' | 5,2-5,7 |
| R-**CH₂**F | 4,3-4,4 | R-CO-**CH₃** | 2,1-2,6 |
| R-**CH₂**Cl | 3,6-3,8 | R-**CH**=O | 9,5-9,6 |
| R-**CH₂**Br | 3,4-3,6 | R-**CH₂**-OH | 3,3-4,0 |
| R-**CH₂**I | 3,1-3,3 | R-O**H** | 0,5-5,0 |

$CH_2$, mais ceux du $CH_3$ et ceux du $CH_2$ ne sont pas équivalents. *Des hydrogènes (protons) équivalents ont le même déplacement chimique δ.*

*6-G*

*Dans les molécules suivantes, y a-t-il des protons équivalents? Si oui, lesquels?*

a) $ClCH_2—CH_2Br$ b) $ClCH_2—CHCl—CH_3$ c) $CH_3—O—CH_2—CH_2—O—CH_3$

## *La courbe intégrale*

**6.15** Dans un spectre de RMN, l'aire comprise sous les pics est proportionnelle au nombre de protons concernés dans la molécule; on peut donc non seulement caractériser les divers « types » d'atomes d'hydrogène, mais encore dénombrer ceux de chaque type.

La courbe « en escalier » de la figure 6.8, dont le tracé (de gauche à droite) est obtenu automatiquement, correspond à l'intégration continue des aires incluses sous les pics. La distance verticale $h_C$ entre les deux premiers paliers horizontaux est proportionnelle à la surface du pic C, donc au nombre de protons qui entrent en résonance à la fréquence $\nu_3$. De même $h_B$ est proportionnel au nombre de protons résonnant à la fréquence $\nu_2$ et $h_A$ à celui des protons résonnant à la fréquence $\nu_1$. Si l'aire du pic C, la plus petite, est prise pour unité, les aires des pics B et A valent respectivement 1,5 et 4,5. Le nombre d'hydrogènes dans un site étant nécessairement entier, les pics C, B et A correspondent donc respectivement à 2, 3 et 9 hydrogènes, ou aux produits de ces nombres par un même entier.

Il arrive que la résonance des hydrogènes d'un même site se traduise non par un pic unique mais par un groupe de deux ou plusieurs pics (cf., par exemple, la figure 6.10). En ce cas, c'est *la somme des aires* de ces pics qui est proportionnelle au nombre d'hydrogènes concernés.

*6-H*

*Combien les composés suivants possèdent-ils de pics de résonance? Quel est le rapport des intensités (aires) de ces pics?*

a) $C(CH_3)_4$ b) $ClCH_2—O—CH_3$ c) $(CH_3)_3C—NH_2$ d) $(CH_3O)_2CH—CO_2—CH_3$

## *Le couplage de spins*

**6.16** Très souvent, la résonance de protons pourtant équivalents se manifeste non par un pic unique mais par un groupe de pics, à des fréquences proches : *doublet* (deux pics), *triplet* (trois pics), *quadruplet* (quatre pics)... *multiplet* (nombreux pics). Un exemple en est donné par le spectre du composé $Cl_2CH—CO_2—CH_2—CH_3$ (fig. 6.10), où apparaît un triplet pour la résonance du groupe $CH_3$ et un quadruplet pour celle du groupe $CH_2$; par contre, la résonance du proton du groupe $Cl_2CH$ ne donne qu'un pic (c'est-à-dire un *« singulet »*). Pour comprendre l'origine et la signification de cette multiplication des pics de résonance, il faut approfondir un peu l'analyse des « effets d'environnement » qui modifient localement, au niveau d'un proton ou d'un groupe de protons particulier, le champ magnétique appliqué [6.14].

Si les protons observés voisinent avec *un seul* proton qui ne leur est pas équivalent, au moment où se produit la résonance le spin de cet autre proton peut être soit parallèle, soit antiparallèle au champ magnétique. Ces protons peuvent donc se trouver dans *deux* environnements différents et, de ce fait, résonner à des fréquences légèrement différentes. Statistiquement, dans la collection de molécules que constitue un échantillon de matière, il y a sensiblement le même nombre de molécules correspondant à ces deux situations et on observe donc, pour les protons étudiés, deux pics proches, d'égale intensité, situés de part et d'autre de la fréquence normale de résonance de ces protons.

Si les protons observés voisinent avec *deux* autres protons qui ne leur sont pas équivalents, chacun de ceux-ci peut avoir son spin parallèle ou antiparallèle au champ magnétique. Il existe donc quatre combinaisons, ou quatre situations, possibles :

$H_0\uparrow$ $\qquad \uparrow\uparrow \quad \begin{matrix}\uparrow\downarrow \\ \downarrow\uparrow\end{matrix} \quad \downarrow\downarrow$

En fait, les deux situations du centre sont équivalentes, et correspondent à une non-modification du champ, car les influences des deux spins se compensent. Ces quatre configurations ont à peu près la même probabilité d'exister, de sorte que statistiquement, dans une collection de molécules, la moitié est dans la situation centrale et un quart se trouve dans chacune des situations extrêmes. La résonance des protons observés se traduit donc par *trois* pics proches, celui du centre ayant une intensité (aire) double de celle des deux autres; en outre, ce pic central se trouve à la fréquence normale de résonance de ces protons.

*6-I*

*Par un raisonnement analogue, déterminez le nombre de pics observés, et leurs intensités relatives, lorsque les protons observés voisinent avec* trois *protons qui ne leur sont pas équivalents (dénombrez toutes les combinaisons possibles pour l'orientation des spins de ces trois protons, et regroupez celles qui sont équivalentes).*

Dans le cas où les protons observés voisinent avec *trois* autres protons qui ne leur sont pas équivalents, un raisonnement analogue (voir réponse à la question 6.I et fig. 6.9) montre que leur spectre de résonance comporte *quatre* pics proches équidistants, dont les intensités relatives sont entre elles comme les nombres 1, 3, 3 et 1.

D'une façon générale, si un groupe de protons équivalents voisine avec n protons qui ne leur sont pas équivalents mais qui sont équivalents entre eux, leur spectre de résonance comporte (n + 1) pics. Les intensités relatives de ces pics sont entre elles comme les coefficients du polynôme $(a + b)^n$ (1:2:1 pour n = 2; 1:3:3:1 pour n = 3; 1:4:6:4:1 pour n = 4, etc.) (*).

(*) *Attention :* la multiplicité des pics ne dépend donc pas du nombre des protons qui résonnent, mais de celui de leurs voisins. Dans le spectre de la figure 6.10, si le groupe $Cl_2CH$ ne donne qu'un pic unique c'est parce qu'il n'a pas d'H voisin proche; si le groupe $CH_3$ donne un triplet, ce n'est pas parce qu'il comporte trois H mais parce qu'il a pour voisin un groupe $CH_2$ (application de la « règle (n + 1) », avec n = 2).

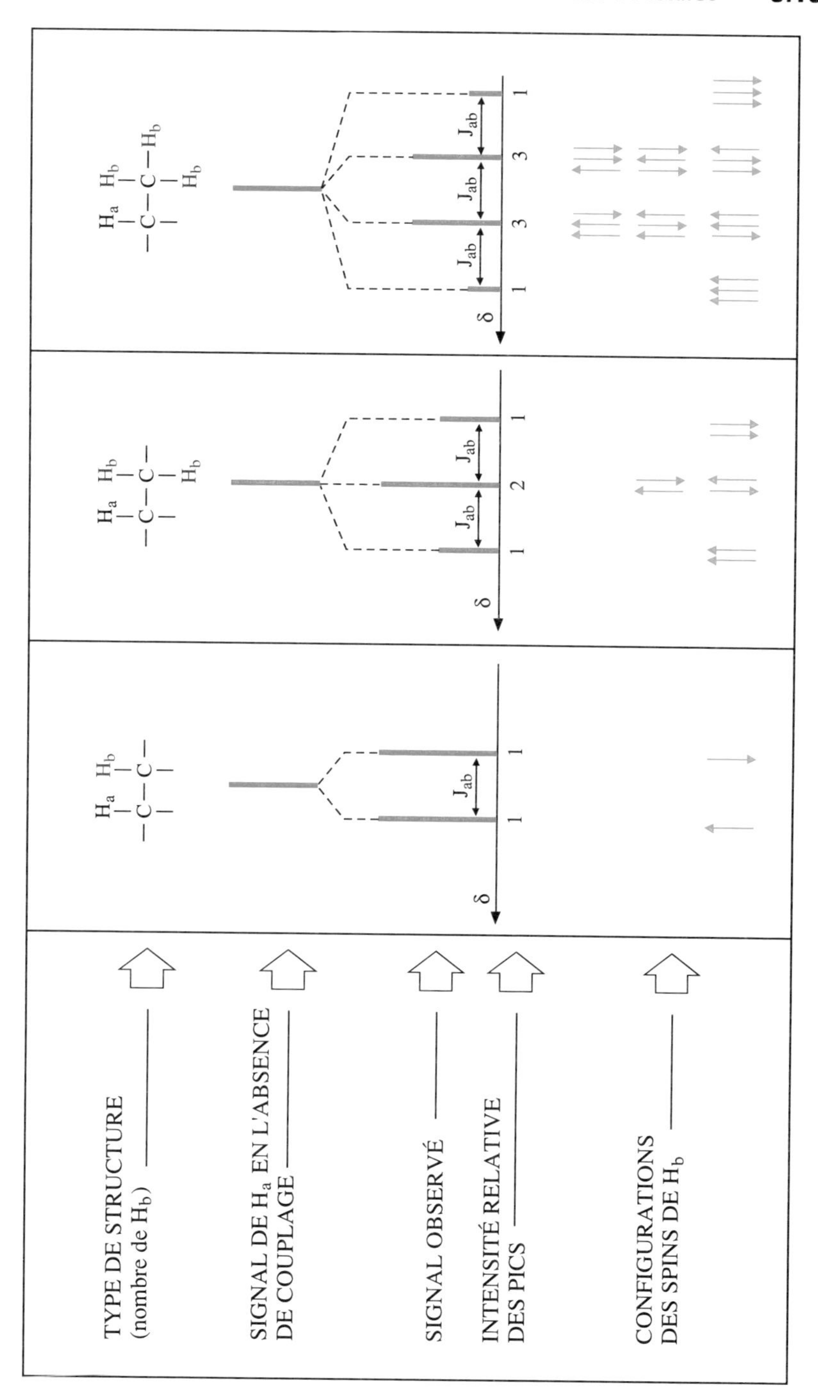


*Figure 6.9 — La multiplication des signaux par le couplage des spins.*

En cas de voisinage avec deux groupes de protons équivalents, les effets produits sont additifs. Ainsi, pour le composé $CH_3-CHCl-CH_3$, la résonance du groupe CH, qui voisine avec six H équivalents, correspond à un groupe de sept pics (intensité l), cependant que la résonance des groupes $CH_3$ se traduit par un doublet (intensité 6).

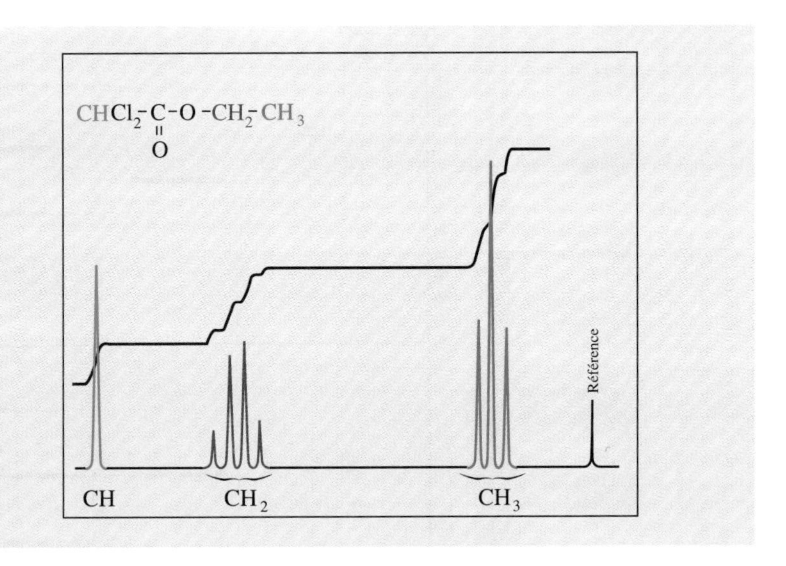


*Figure 6.10 — Le spectre de RMN du dichloracétate d'éthyle.*
La particularité de ce spectre est que les signaux de résonance des groupes $CH_2$ et $CH_3$ ne sont pas des pics simples mais, respectivement, un quadruplet et un triplet. La distance (exprimée en fréquence) des pics est la même dans les deux groupes; c'est la *constante de couplage J.*
L'apparition de signaux complexes, conséquence du couplage de spins, complique les spectres, surtout si les groupes de pics se chevauchent, mais donne des informations supplémentaires sur la disposition relative dans la molécule des divers groupes de protons, et même sur la conformation des liaisons C—H.

Cette interaction entre deux groupes de protons voisins, non équivalents, est appelée **couplage de spins.** Elle est *réciproque*, comme on peut le constater dans le spectre de la figure 6.10 : le spectre du groupe $CH_2$ est un quadruplet à cause du voisinage avec un groupe $CH_3$, et le spectre du groupe $CH_3$ est un triplet en raison de son voisinage avec un groupe $CH_2$.

L'écart de fréquence entre les pics d'une résonance multiple (triplet, quadruplet, etc.) est uniforme; c'est la *constante de couplage J*. Sa valeur est la même pour les deux groupes de protons en interaction (par exemple dans le triplet et dans le quadruplet de la figure 6.10). Elle est indépendante de celle du champ $H_0$, mais elle s'affaiblit rapidement avec la distance entre les deux groupes de protons. Bien que l'on connaisse certains cas de couplage à longue distance, on ne l'observe habituellement que pour des protons séparés au maximum par trois liaisons, comme les H portés par deux carbones adjacents. C'est la raison pour laquelle le spectre de la figure 6.8 ne comporte que des pics simples (singulets), car les H du composé en question sont tous séparés par quatre liaisons de leurs plus proches voisins. Le tableau 6.3 donne les valeurs de quelques constantes de couplage.

Il n'y a *pas de couplage entre des protons équivalents.* Par exemple, le spectre du composé $ClCH_2CH_2Cl$ ne comporte qu'un singulet pour l'ensemble de ses quatre protons.

Lorsque la résonance d'un groupe de protons correspond à deux ou plusieurs pics, par suite d'un couplage, on retient comme valeur du déplacement chimique pour ces protons celle qui correspond au centre du groupe de pics.

L'existence du couplage de spins peut compliquer considérablement les spectres de RMN, notamment lorsque la constante de couplage devient du même ordre de grandeur que la différence de déplacement chimique des deux groupes de protons. Il se produit alors un chevauchement des deux groupes de pics, pour donner un «multiplet» dont l'analyse peut être très difficile. La situation peut également devenir compliquée si un groupe de protons est couplé simultanément avec deux

*Tableau 6.3 — Valeurs de quelques constantes de couplage (en Hertz).*

Le couplage entre deux protons, ou groupes de protons, n'est effectif que s'ils ne sont pas équivalents; cette condition est rappelée par l'attribution des indices a et b. Mais, selon l'environnement moléculaire, les H figurant dans les structures indiquées peuvent être équivalents ou non.

| *Structure* | $J_{ab}$ (Hertz) | *Structure* | $J_{ab}$ (Hertz) |
|---|---|---|---|
| $C(H_a)(H_b)$ (géminal) | 9-15 | $H_a$–C=C–$H_b$ (cis) | 6-12 |
| $H_a$–C–C–$H_b$ | selon angle dièdre [2.7] : 0° ...... 8 ; 60° ..... 2 ; 90° ..... 0 ; 120° ... 2 ; 180° ... 9 | $H_a$–C=C–$H_b$ (trans) | 12-18 |
| C=C($H_a$)($H_b$) | 0-3 | $H_a$–cycle benzénique–$H_b$ (o), (m), (p) | ortho (o) ..... 6-10 ; méta (m) ..... 1-3 ; para (p) ...... 0-1 |

groupes voisins non équivalents. Diverses techniques permettent de clarifier plus ou moins le problème (utilisation de champs d'intensité différente, double irradiation,...), mais il faut néanmoins recourir parfois à l'ordinateur pour le résoudre.

Cette complication des spectres de RMN, si elle ne facilite pas la tâche du chimiste, a pour contrepartie la richesse et la finesse des informations qu'ils peuvent fournir sur la structure, et même la géométrie, des molécules. La RMN est actuellement, pour les chimistes organiciens, la technique de base d'élucidation des structures.

## Spectrométrie de masse

**6.17** La spectrométrie de masse est une technique entièrement différente des précédentes, puisqu'il ne s'agit plus d'une absorption du rayonnement par la matière.

L'échantillon est introduit dans une enceinte où règne le vide, vaporisé, puis soumis à un bombardement par un faisceau d'électrons de grande énergie. Ce bombardement provoque l'ionisation des molécules, par arrachement d'un électron, et on obtient ainsi une espèce qui est à la fois un cation (par sa charge positive) et un radical libre (par la possession d'un électron impair), que l'on appelle *ion moléculaire* ou *ion-parent*. Celui-ci peut ensuite se fragmenter par la rupture de certaines liaisons, pour donner d'autres ions positifs de masse plus faible. Ces derniers peuvent à leur tour se fragmenter encore et on obtient donc en définitive un grand nombre (parfois plusieurs dizaines) d'ions différents; ils sont d'autant plus nombreux que la molécule est plus « grosse » et comporte davantage d'atomes.

Ces divers ions sont ensuite accélérés dans un champ électrique puis dirigés, sous la forme d'un faisceau, entre les pôles d'un aimant. Sous l'effet du champ magnétique, leur trajectoire s'incurve pour devenir circulaire, avec un rayon de courbure qui dépend du rapport m/z de leur masse à leur charge. Cette trajectoire les conduit sur un récepteur, qui détecte leur arrivée et fournit un signal électrique. En faisant varier le champ électrique, donc la vitesse des ions, on peut faire en sorte qu'ils parviennent successivement au récepteur, dans l'ordre croissant de leur rapport m/z, c'est-à-dire en fait dans l'ordre croissant de leur masse m, car leur charge z est pratiquement toujours égale à l'unité. En fin de compte, le spectromètre fournit un diagramme, appelé *« spectre de masse »*, dont un exemple est donné par la figure 6.11.

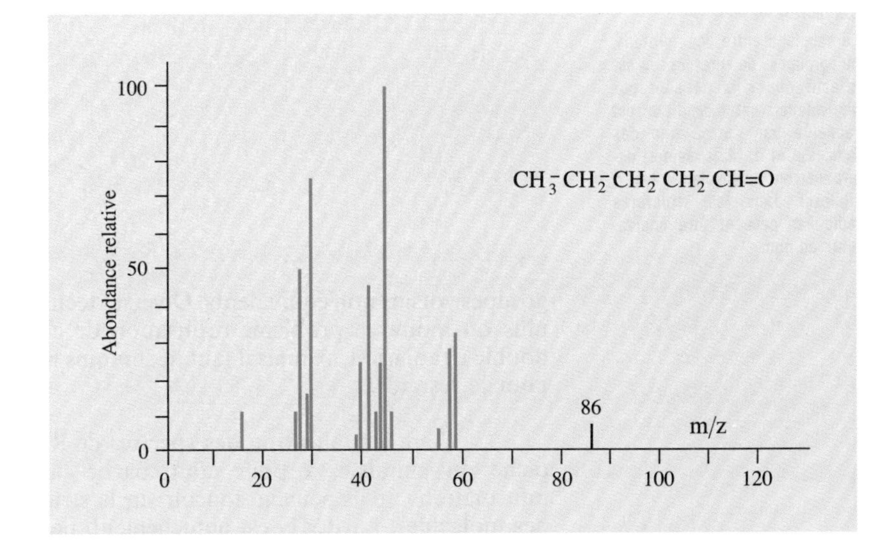


*Figure 6.11 — Le spectre de masse du pentanal*
**Chaque trait vertical correspond à l'un des ions formés à la suite du bombardement électronique. Sa position sur l'axe horizontal est déterminée par la valeur du rapport m/z de l'ion, c'est-à-dire en pratique par sa masse m (z = 1). Sa hauteur est proportionnelle à l'abondance relative de l'ion. L'ion le plus lourd (m/z = 86) correspond à l'ion moléculaire, ou « ion-parent ».**

La connaissance des modes les plus probables de rupture des chaînes carbonées et des groupes fonctionnels, ainsi que l'utilisation de tables donnant la liste de tous les ions possibles correspondant à une masse donnée, permet de déterminer la structure de la molécule initiale. Accessoirement, la spectrométrie de masse fournit également la masse molaire du composé (qui est aussi la masse de son « ion moléculaire », celle de l'électron arraché étant négligeable), avec une très grande précision.

*Figure 6.12 — Pupitre de commande et écran de contrôle d'un spectromètre de résonance magnétique nucléaire (RMN). Le spectre est tracé automatiquement sur la feuille de papier visible à gauche.*

## MOTS-CLÉS

- Corps pur
- Distillation
- Chromatographie
- Cryométrie
- Composition centésimale
- Constantes physiques
- Absorption (du rayonnement)
- Spectrophotométrie
- Loi de Lambert-Beer
- Bande d'absorption
- Coefficient d'extinction
- Ultraviolet
- Infrarouge
- Résonance magnétique nucléaire
- Déplacement chimique
- Couplage de spins

## OBJECTIFS

DEVENIR CAPABLE DE :

- Calculer une masse molaire à partir d'une mesure cryométrique.
- Établir une formule brute à partir d'une composition centésimale.
- Citer les constantes physiques les plus usuelles.
- Expliquer l'origine des spectres d'absorption dans l'ultraviolet et l'infrarouge, et des spectres de résonance magnétique nucléaire.
- Comprendre la signification des informations fournies par les spectres UV, IR et de RMN, et les utiliser pour résoudre des problèmes simples de détermination de structure.
- Expliquer le principe de la spectrométrie de masse.

## EXERCICES

***6-a*** L'oxydation d'un composé dans lequel on a reconnu la présence de C, H et N a donné les résultats suivants :

| | |
|---|---|
| Masse de l'échantillon | 50 mg |
| Masse de $CO_2$ obtenue | 110 mg |
| Masse d'eau obtenue | 68 mg |
| Volume de diazote recueilli | 10,2 ml (volume mesuré à 20 °C, sous une pression de 1 atm) |

La température de congélation d'une solution de 0,5 g de ce composé dans 100 g de benzène est inférieure de 0,87° à celle du benzène pur.

a) Quelle est la formule brute de ce composé?
b) Quelle est sa formule développée, sachant que l'on a mis en évidence par des tests chimiques la présence du groupe fonctionnel «amine secondaire», de sorte que la formule de ce composé est de la forme R—NH—R'?

***6-b*** L'analyse élémentaire d'un composé organique a montré qu'il ne contient que du carbone et de l'hydrogène. La combustion de 5 mg de ce composé fournit 16,15 mg de $CO_2$ et 5,30 mg d'eau. Le pic de son ion moléculaire en spectrométrie de masse correspond à $m/z = 68{,}114$. Il absorbe dans l'ultraviolet vers 220 nm ($\varepsilon = 20\,000$).

a) Quelle est la formule brute de ce composé?
b) Quelles sont les formules développées possibles?
c) Le spectre de RMN du composé permettrait-il de faire un choix entre ces formules? Quelle est l'observation la plus simple que l'on pourrait y faire?

***6-c*** L'analyse élémentaire d'un composé organique contenant les éléments C, H et O a donné les résultats suivants : C % = 68,57; H % = 8,57. Il possède dans l'infrarouge des bandes d'absorption à 1 730 $cm^{-1}$, 910 $cm^{-1}$ et 990 $cm^{-1}$. Dans l'ultraviolet, il absorbe à 185 nm et à 280 nm. La spectrométrie de masse lui attribue une masse molaire de 70. Quelle est la formule développée de ce composé?

***6-d*** Il existe trois isomères du dichlorocyclopropane : le 1,1-dichloro (A) et les deux 1,2-dichloro, cis (B) et trans (C) :

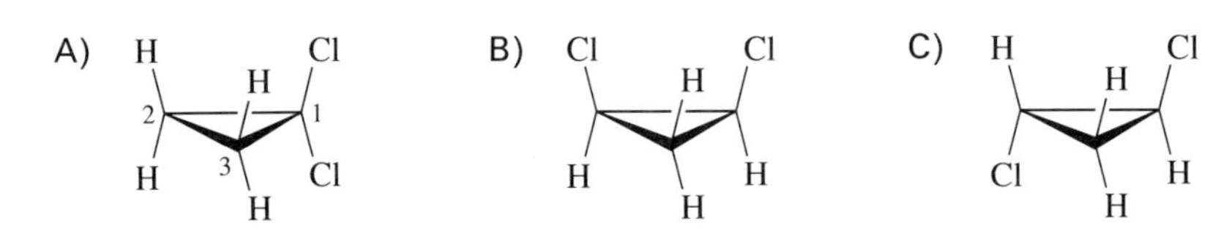


Leurs spectres de RMN présentent, selon l'isomère dont il s'agit, un, deux ou trois signaux. Peut-on identifier chacun de ces isomères sur cette seule base, sans faire intervenir la valeur des déplacements chimiques, ni le caractère de singulet ou de multiplet de ces signaux?

***6-e*** Les hydrogènes portés par les carbones 1, 2 et 3 du 1-chloropropane $\overset{3}{C}H_3-\overset{2}{C}H_2-\overset{1}{C}H_2Cl$ résonnent respectivement à 3,47 ppm, 1,81 ppm et 1,06 ppm. Quelle est l'origine de ces différences?

***6-f*** Quel type de spectre de RMN (nombre et position relative des signaux, multiplicité éventuelle des pics) peut-on attendre pour chacun des deux composés $Cl_2CH-CHCl_2$ et $Cl_2CH-CH_2Cl$?

***6-g*** Un hydrocarbure de formule $C_6H_{12}$ ne présente en RMN qu'un seul pic (singulet) à 1,4 ppm. Quelle est sa structure?
La substitution d'un seul de ses H par un Cl provoque une transformation très importante de son spectre, qui devient très complexe, présentant plusieurs pics multiples. Pourquoi?

***6-h*** Un composé de formule $C_3H_7Cl$ possède un spectre RMN comportant deux signaux : un doublet à 1,5 ppm et un heptuplet (7 pics) à 4,2 ppm (rapport d'intensités 6 : 1). Quelle est sa formule?

***6-i*** Une amine tertiaire (trois groupes alkyles liés à un même atome d'azote), de formule brute $C_6H_{15}N$ a un spectre de RMN comportant deux signaux : un triplet à 1,42 ppm et un quadruplet à 3,18 ppm (rapport d'intensités 3 : 2). Quelle est sa formule?

# La nomenclature

# 7

7.1 *Dans les débuts de la chimie organique, lorsque le nombre des composés qu'elle avait recensés était encore restreint, ceux-ci recevaient des noms particuliers, rappelant souvent leur origine (« menthol », retiré de l'essence de menthe; « cumène », retiré de l'essence de cumin; « acide formique », retiré des fourmis; etc.).*

*Puis, le nombre des composés organiques augmentant très rapidement, il a fallu instituer une « nomenclature systématique », c'est-à-dire fixer des règles assurant un langage commun entre tous les chimistes. Ces règles permettent d'associer à chaque formule développée un nom qui ne peut appartenir qu'à elle et, inversement, d'établir sans ambiguité à partir d'un nom la structure (formule développée) du composé qu'il désigne.*

*Ces règles sont établies par un organisme international, l'U.I.C.P.A. (Union Internationale de Chimie Pure et Appliquée, souvent désignée par son sigle anglais, IUPAC, prononcé comme un mot), et, le cas échéant, adaptées aux diverses langues dans lesquelles elles sont appelées à être utilisées (*). Elles permettent de donner un nom à n'importe quelle molécule, quelle que soit sa complexité. Mais, pour atteindre cet objectif, elles deviennent dans certains cas fort complexes elles-mêmes. Ce chapitre ne contient que les règles utiles pour nommer les composés étudiés dans ce livre, qui représentent des cas simples (**).*

*On utilise cependant aussi des noms particuliers, consacrés par l'usage mais non conformes à la nomenclature systématique. On le fait soit pour des composés simples très courants (acétone, chloroforme, toluène,...), soit au contraire pour des composés de structure complexe, dont le nom « officiel » est très long et compliqué, et serait inutilisable au moins dans le langage parlé (chlorophylle, pénicilline, cholestérol, saccharose,...). Ces noms ne peuvent être appris que par la pratique; certains seront mentionnés dans ce chapitre.*

---

(*) Ainsi, les autorités compétentes de Belgique, du Canada, de France et de Suisse ont adopté en 1988 des « Recommandations relatives à la présentation française des noms des composés organiques », qui s'appliquent depuis leur publication en 1989, et dont ce chapitre tient compte.

(**) Une sélection plus complète des règles édictées par l'UICPA, pour les structures et les fonctions les plus courantes, est disponible dans le recueil publié par M. Bernard et D. Plouin, *Nomenclature en chimie organique et minérale* (édité par la Société Française de Chimie, Collection « Dossiers pour l'enseignement de la chimie »; 74 pages). Hors commerce, ce fascicule peut être obtenu auprès de la S.F.C., 250 rue Saint Jacques, 75005 Paris. Grâce à l'aimable autorisation des auteurs, certains éléments de ce chapitre ont été empruntés à cet ouvrage.

# Préalables

- Structure des molécules; formules développées planes; fonctions simples (chapitre 1).

## Principe général

7.2 Le nom attribué à une molécule se *construit* par la réunion, dans un ordre et selon des règles d'écriture strictement déterminés, d'éléments traduisant chacune de ses particularités. Cette construction s'effectue en deux étapes :

a) on établit d'abord le nom de *la chaîne carbonée*, c'est-à-dire le nom de l'hydrocarbure ayant le même squelette carboné, qui constitue la base du nom du composé.
b) On ajoute ensuite à ce nom des préfixes et/ou des suffixes, ainsi que des indices numériques, indiquant la nature et la position sur la chaîne des *atomes ou groupes particuliers* que contient la molécule.

Cette démarche justifie le développement relativement important accordé dans la suite à la nomenclature des hydrocarbures.

# 1 — Hydrocarbures

## Hydrocarbures acycliques saturés

7.3 Les hydrocarbures acycliques saturés, de formule générale $C_nH_{2n+2}$, ont pour nom générique ALCANES.

L'enlèvement d'un atome d'hydrogène dans la formule d'un alcane produit un groupe ALKYLE, de symbole général R [1.16], dont le nom s'obtient en remplaçant la terminaison *ane* de l'alcane par la terminaison **yle.** Les noms et les écritures abrégées des principaux groupes alkyles ont été donnés dans le tableau 1.2. Les alcanes peuvent donc être représentés aussi par le symbole général RH.

### *Alcanes linéaires*

Les quatre premiers termes portent des noms d'usage; les termes suivants portent un nom formé d'un préfixe indiquant le nombre de carbones de leur chaîne suivi de la terminaison **ane** :

| $CH_4$ | Méthane | $C_9H_{20}$ | Nonane | $C_{17}H_{36}$ | Heptadécane |
|---|---|---|---|---|---|
| $C_2H_6$ | Éthane | $C_{10}H_{22}$ | Décane | $C_{18}H_{38}$ | Octadécane |
| $C_3H_8$ | Propane | $C_{11}H_{24}$ | Undécane | $C_{19}H_{40}$ | Nonadécane |
| $C_4H_{10}$ | Butane | $C_{12}H_{26}$ | Dodécane | $C_{20}H_{42}$ | Eicosane |
| $C_5H_{12}$ | Pentane | $C_{13}H_{28}$ | Tridécane | $C_{30}H_{62}$ | Triacontane |
| $C_6H_{14}$ | Hexane | $C_{14}H_{30}$ | Tétradécane | $C_{40}H_{82}$ | Tétracontane |
| $C_7H_{16}$ | Heptane | $C_{15}H_{32}$ | Pentadécane | $C_{50}H_{102}$ | Pentacontane |
| $C_8H_{18}$ | Octane | $C_{16}H_{34}$ | Hexadécane | ... | |

## *Alcanes ramifiés*

Pour nommer un alcane ramifié, on le considère comme formé d'une *chaîne principale* portant des *substituants* (ou « chaînes latérales »), constitués par des groupes alkyles :

a) On recherche dans la formule de cet alcane le plus long enchaînement carboné linéaire (qui n'y est pas nécessairement écrit en ligne droite). Le nom de l'alcane linéaire correspondant à cette *chaîne principale* (cf. ci-dessus) constitue la base du nom à construire.

S'il existe plusieurs chaînes d'égale longueur susceptibles de constituer la « chaîne principale », on choisit celle qui porte le plus grand nombre de substituants. En cas d'égalité sur ce point, on choisit celle pour laquelle les indices de position (voir ci-après) sont les plus petits.

b) On identifie le, ou les, groupe(s) alkyle(s) qui constitue(nt) le, ou les, *substituant(s)* de la chaîne principale, et on énonce son (leurs) nom(s) devant celui de cette chaîne. S'il y a plusieurs substituants, on les classe soit par ordre alphabétique, soit par complexité croissante (*).

c) On détermine la *position* de chaque substituant sur la chaîne principale en numérotant les carbones de celle-ci, et on indique cette position en faisant précéder le nom de chaque substituant d'un indice de position.

S'il n'y a qu'un substituant, le sens de numérotage de la chaîne principale est choisi de telle sorte que son indice de position soit le plus petit possible. S'il y a plusieurs substituants, le sens de numérotage est choisi de telle sorte que l'ensemble des indices de position obtenus comporte l'indice le plus petit dès qu'apparaît la première différence avec l'ensemble obtenu par le numérotage inverse.

*Exemples :*

$$\begin{array}{ccccccccc} & & 3 & & 4 & & 5 & & 6 \\ CH_3 & - & CH & - & CH_2 & - & CH_2 & - & CH_3 \\ & & | & & & & & & \\ & & CH_2 & - & CH_3 & & & & \\ & & 2 & & 1 & & & & \end{array}$$

3-méthylhexane

Le plus long enchaînement possible comporte six carbones (hexane), et il porte un groupe méthyle sur le carbone numéroté 3. Le numérotage inverse aurait attribué au méthyle la position 4; le numérotage indiqué doit donc être préféré.

$$\begin{array}{ccccccccccccc} 1 & & 2 & & 3 & & 4 & & 5 & & 6 & & 7 \\ CH_3 & - & CH_2 & - & CH & - & CH & - & CH_2 & - & CH_2 & - & CH_3 \\ & & & & | & & | & & & & & & \\ & & & & H_3C & & CH_2 & - & CH_3 & & & & \end{array}$$

4-éthyl-3-méthylheptane

---

(*) Dans la suite, l'ordre alphabétique est adopté.

Le plus long enchaînement possible comporte sept carbones (heptane). La chaîne principale porte un groupe méthyle et un groupe éthyle, classés ici par ordre alphabétique. En utilisant le sens de numérotage indiqué, leurs indices sont 4 et 3, alors qu'ils seraient 4 et 5 avec le numérotage inverse.

Si un même groupe alkyle se trouve deux ou plusieurs fois en position de substituant sur la chaîne principale, on ne répète pas son nom mais on le fait précéder d'un préfixe multiplicateur : di, tri, tétra, penta, etc. Ce préfixe n'est pas pris en compte pour le classement par ordre alphabétique.

*Exemple :*

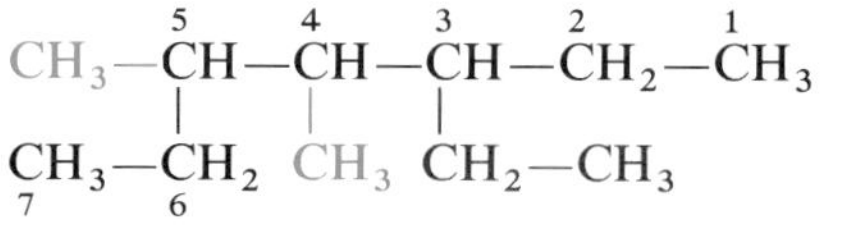

$$\begin{array}{llll} CH_3-\overset{5}{C}H & -\overset{4}{C}H & -\overset{3}{C}H & -\overset{2}{C}H_2-\overset{1}{C}H_3 \\ \qquad\;| & \quad| & \quad| & \\ \underset{7}{C}H_3-\underset{6}{C}H_2 & \;\;CH_3 & \;\;CH_2-CH_3 & \end{array}$$

3-éthyl-4,5-diméthylheptane

Une chaîne de sept carbones (heptane) porte deux groupes méthyles et un groupe éthyle. Le numérotage inverse de la chaîne principale aurait conduit à 5-éthyl-3,4-diméthylheptane et la première différence observée (indice 5 au lieu d'indice 3 pour le groupe éthyle) doit faire préférer le sens de numérotage indiqué.

Plusieurs points « d'orthographe chimique » doivent être notés :

– Employé comme préfixe, le nom d'un radical alkyle perd son e muet.
– Les composantes du nom d'un hydrocarbure (parties littérales, indices de position) sont toutes liées par des tirets; cependant les indices de position multiples pour un même type de substituant sont séparés par des virgules (exemple : 3-éthyl-4,5-diméthylheptane).
– Lorsque le nom d'un substituant est précédé d'un préfixe multiplicateur (di, tri,...), il doit être précédé du nombre correspondant d'indices de position, même si l'un d'eux doit être répété (exemple : 2,2,4-triméthylpentane).

## Hydrocarbures acycliques non saturés

**7.4** Le nom générique des hydrocarbures acycliques non saturés est ALCÈNES s'ils comportent une *double liaison*, et ALCYNES s'ils comportent une *triple liaison.*

Leur nom se forme à partir de celui de l'alcane qui possède le même squelette carboné, en remplaçant la terminaison *ane* par la terminaison **ène** pour les alcènes, et **yne** pour les alcynes. Cependant, la chaîne principale n'est pas nécessairement la plus longue (comme il est de règle pour les alcanes); c'est la plus longue des chaînes *contenant la double, ou la triple, liaison.*

La position de la double, ou triple, liaison dans la chaîne principale est indiquée par un indice, placé avant la terminaison ène ou yne, donnant le numéro du *premier carbone non saturé* rencontré lorsqu'on suit le sens de numérotage de la chaîne. La double, ou triple, liaison a priorité sur les substituants pour le choix du sens de numérotage : celui-ci doit obligatoirement donner à la liaison insaturée le plus petit indice de position possible.

Pour le premier terme de chaque série, un nom d'usage est conservé :

$H_2C{=}CH_2$ Éthylène (au lieu de Éthène)
$HC{\equiv}CH$ Acétylène (au lieu de Éthyne)

*Exemples :*

$CH_2{=}CH{-}CH(CH_3){-}CH_3$ 3-méthylbut-1-ène

$CH_3{-}CH(CH_3){-}C{\equiv}C{-}CH(CH_2{-}CH_3){-}CH_2{-}CH_3$ 5-éthyl-2-méthylhept-3-yne

Les hydrocarbures acycliques insaturés comportant *plusieurs liaisons multiples* sont nommés en remplaçant la terminaison *ane* de l'alcane correspondant par les terminaisons : **adiène, atriène,** etc. pour deux, trois, etc. doubles liaisons, ou **adiyne, atriyne,** etc., pour deux, trois, etc. triples liaisons. La présence simultanée d'une double et d'une triple liaison est indiquée par la terminaison **ényne** (*). Ces diverses terminaisons doivent être précédées d'autant d'indices de position qu'elles indiquent de liaisons multiples.

*Exemples :*

$H_2C{=}CH{-}CH{=}CH_2$ Buta-1,3-diène
$HC{\equiv}C{-}CH_2{-}C{\equiv}C{-}CH_3$ Hexa-1,4-diyne
$HC{\equiv}C{-}C(CH_3){=}CH_2$ 2-méthyl-but-1-ène-3-yne

Des deux premiers alcènes dérivent deux groupes portant des noms particuliers utiles à connaître :

$H_2C{=}CH{-}$ groupe *vinyle*
$H_2C{=}CH{-}CH_2{-}$ groupe *allyle*

Il peut être utile de savoir qu'il s'agit ici de règles propres à la nomenclature en *langue française* (convention ratifiée par les principaux pays francophones). En anglais, les indices de position des liaisons multiples (comme, du reste, ceux des fonctions) précèdent le nom de la chaîne principale (exemples : 2-butène, et non but-2-ène; 1,3-butadiène, et non buta-1,3-diène).

## Hydrocarbures monocycliques

**7.5** Les hydrocarbures monocycliques qui ne possèdent pas de chaîne latérale se nomment en faisant précéder du préfixe **cyclo** le nom de l'hydrocarbure acyclique linéaire, saturé ou non saturé, comportant le même nombre de carbones.

(*) Devant une voyelle, le suffixe *ène* devient *én.*

*Exemples :*

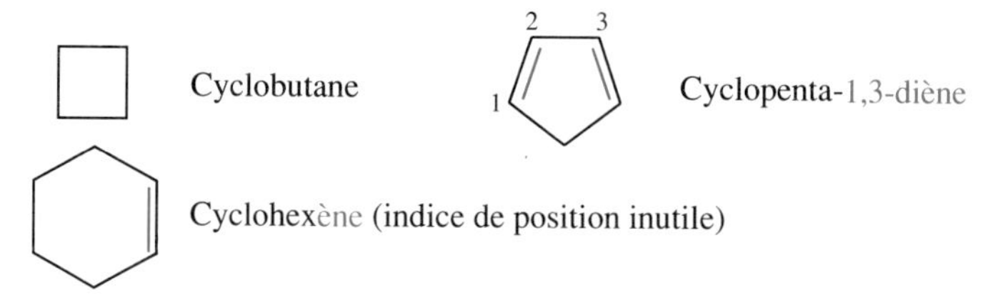


S'ils possèdent une ou plusieurs chaînes latérales, on considère le cycle comme « chaîne principale », et on nomme devant lui les groupes substituants, dans l'ordre alphabétique et avec des indices de position. Une liaison multiple a priorité vis-à-vis du sens de numérotage; elle doit avoir l'indice le plus faible possible.

*Exemples :*

$H_3C$ / $CH_3$ / $CH_3$ — 1,1,2-triméthylcyclopropane

$CH_3$ / $CH_3$ — 2,3-diméthylcyclohex-1-ène ("1" facultatif)

$CH_3$ — 2-méthylcyclopenta-1,3-diène

## Hydrocarbures benzéniques

**7.6** Leur nom générique est ARÈNES. Le terme le plus simple est le benzène :

Les autres termes en dérivent, soit par adjonction de chaînes latérales, soit par la réunion de plusieurs cycles, soit encore des deux façons simultanément. La plupart ont des noms d'usage et la nomenclature systématique est peu utilisée dans cette série.

*Exemples :*

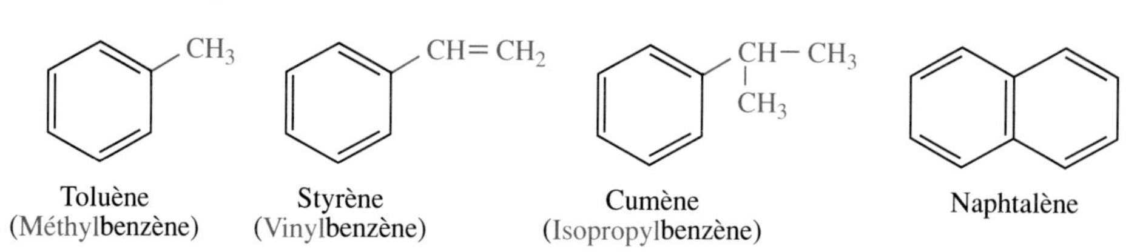


Toluène (Méthylbenzène) — Styrène (Vinylbenzène) — Cumène (Isopropylbenzène) — Naphtalène

Les dérivés disubstitués du benzène peuvent exister sous trois formes isomères, pour lesquelles on emploie les préfixes *ortho*, *méta* et *para*, souvent abrégés en *o*, *m* et *p*, au lieu de « 1,2 », « 1,3 » et « 1,4 ».

*Exemples :*

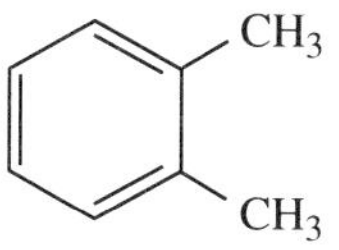

$CH_3$ $CH_3$ — *o* - Xylène (1,2-diméthylbenzène)

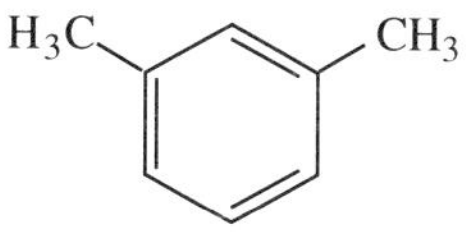

$H_3C$ $CH_3$ — *m* - Xylène (1,3-diméthylbenzène)

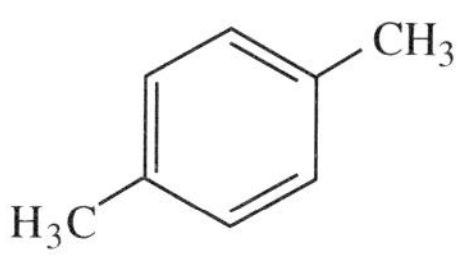

$CH_3$ $H_3C$ — *p* - Xylène (1,4-diméthylbenzène)

Deux groupes particuliers à cette série portent des noms d'usage fréquemment utilisés :

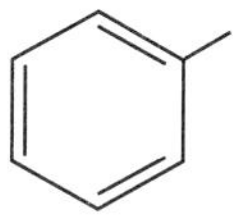

groupe (ou radical) *phényle*. C'est un groupe ARYLE (symbole général Ar), car la « valence disponible » se trouve sur l'un des carbones du cycle benzénique.

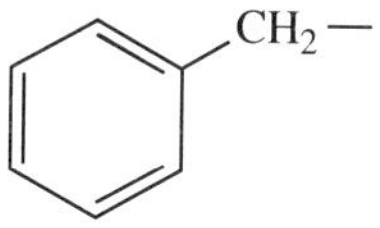

$CH_2$ —

groupe (ou radical) *benzyle*. C'est un groupe ALKYLE (R), car la « valence disponible » est portée par un carbone saturé (« $sp^3$ » [4.9]), hors du cycle benzénique.

# 2 — Composés à fonctions simples et multiples

**7.7** Les notions de fonction et de groupe (ou groupement) fonctionnel ont déjà été définies [1.10-11]. On parle de *« fonction simple »* si la molécule contient un seul groupe fonctionnel, et de *« fonction multiple »* si elle contient deux ou plusieurs groupes fonctionnels de même nature. Le terme de *« fonction mixte »* est employé pour le cas, envisagé ultérieurement [7.23], où des fonctions différentes coexistent dans la même molécule.

Bien qu'il existe de nombreux cas particuliers, le nom d'un composé « fonctionnel » se construit à partir de celui de l'hydrocarbure correspondant, c'est-à-dire celui qui possède le même squelette carboné y compris les insaturations, auquel on rajoute des préfixes et/ou des suffixes.

*Toutefois, le sens du numérotage de la chaîne principale peut devoir être inversé, par rapport à l'hydrocarbure, en raison de l'introduction de nouvelles priorités. Le nom d'un composé fonctionnel peut comporter quatre parties :*

| Préfixes | + | Chaîne principale | + | Suffixes d'insaturations | + | Suffixes de fonctions |
|---|---|---|---|---|---|---|
| A | | B | | C | | D |

*et le sens de numérotage de la chaîne doit, dans les choix successifs qui peuvent se présenter, affecter par priorité décroissante l'indice de position le plus petit à D (s'il y a lieu), puis à C (s'il y a lieu), et enfin à A.*

## Dérivés halogénés

7.8 Les halogènes (Fluor F, Chlore Cl, Brome Br et Iode I) sont souvent représentés par le symbole générique X. Les dérivés halogénés organiques comportent au moins une liaison C—X, et éventuellement plusieurs.

a) On nomme les dérivés halogénés en faisant précéder le nom de l'hydrocarbure correspondant des préfixes **fluoro, chloro, bromo, iodo,** précédés eux-mêmes éventuellement des préfixes multiplicateurs *di, tri, tétra, penta,* etc., et des indices de position. Le préfixe *per* indique que *tous* les H d'un hydrocarbure, quel que soit leur nombre, ont été remplacés par un halogène.

*Exemples :*

| | |
|---|---|
| $CH_3—CH_2Cl$ | Chloroéthane (indice inutile) |
| $CCl_2F_2$ | Dichlorodifluorométhane (indices inutiles) |
| $BrCH_2—CH(CH_3)—CH=CH—CH_2Br$ | 1,5-dibromo-4-méthylpent-2-ène |
| $CF_3—(CF_2)_3—CF_3$ | Perfluoropentane |

b) Les dérivés halogénés dans lesquels le « reste hydrocarboné » correspond à un groupe (ou radical) portant un nom usuel peuvent aussi être nommés comme « halogénures de... ».

*Exemples :*

| | |
|---|---|
| $CH_3I$ | Iodure de méthyle (Iodométhane) |
| $CH_3—C(CH_3)_2—Cl$ | Chlorure de tertiobutyle (2-chloro-2-méthylpropane) |
| $CH_2=CHCl$ | Chlorure de vinyle (Chloroéthylène) |

c) Enfin, certains dérivés halogénés sont le plus souvent désignés par un nom d'usage.

*Exemples :*

| | |
|---|---|
| $CCl_4$ | Tétrachlorure de carbone (Tétrachlorométhane) |
| $CHCl_3$ | Chloroforme (Trichlorométhane) (de même : bromoforme, iodoforme). |

## Composés organométalliques

7.9 Les composés organométalliques comportent une, ou plusieurs, liaison(s) carbone-métal. S'ils sont de la forme R—MX (M : métal; X : halogène), ce sont des *« halogénures d'alkylmétal »*.

*Exemple :* $CH_3—CH_2—MgI$ Iodure d'éthylmagnésium

S'ils sont de la forme $R—M—R$, ce sont des *« alkylmétal »*, nommés sur le modèle des exemples ci-après.

*Exemples :*

| | |
|---|---|
| $CH_3—CH_2—CH_2—CH_2—Li$ | Butyllithium |
| $CH_3—Cd—CH_3$ | Diméthylcadmium |
| $(CH_3—CH_2)_4Pb$ | Tétraéthylplomb |

## Alcools

**7.10** Les alcools ont pour formule générale $R—OH$. Le groupe « hydroxyle » OH y est lié à un carbone saturé, ou $sp^3$. On les nomme en faisant suivre le nom de l'hydrocarbure correspondant de la terminaison **ol** (avec élision de l'e muet final de l'hydrocarbure), immédiatement précédée de l'indice de position de la fonction. Si la molécule contient deux ou plusieurs fonctions alcool (diols, triols, ...), la terminaison ol est précédée d'un indice multiplicateur, lui-même précédé de tous les indices de position; le nom de l'hydrocarbure conserve alors son e muet.

*Exemples :*

| | |
|---|---|
| $CH_3—CH_2OH$ | Éthanol |
| $CH_3—CH_2—CH_2—C(CH_2OH)=CH—CH_3$ | 2-propylbut-2-én-1-ol |
| (cyclopentane) — OH | 3,3 diméthylcyclopentan-1-ol |
| $HOCH_2—C{\equiv}C—CH_2OH$ | But-2-yne-1,4-diol |

b) On peut également nommer les alcools simples (monoalcools) de la forme ROH en faisant précéder du mot *alcool* le nom du groupe R, complété de la terminaison *ique*.

*Exemples :*

| | |
|---|---|
| $CH_3OH$ | Alcool méthylique (méthanol) |
| $CH_3—CH(CH_3)—CH_2OH$ | Alcool isobutylique (2-méthylpropan-1-ol) |
| $CH_2{=}CH—CH_2OH$ | Alcool allylique (Prop-2-én-1-ol) |

c) Certains alcools portent des noms d'usage utilisés préférentiellement.

*Exemples :*

| | |
|---|---|
| $HOCH_2—CH_2OH$ | Ethylèneglycol (Ethane-1,2-diol) |
| $HOCH_2—CHOH—CH_2OH$ | Glycérol (Propane-1,2,3-triol) |
| (cyclohexane) OH | Menthol (2-isopropyl-5-méthylcyclohexan-1-ol) |

## Phénols

**7.11** Les composés dans lesquels un groupe hydroxyle OH est lié à un carbone d'un cycle benzénique ont pour nom générique PHENOLS. Leur formule générale est ArOH (Ar : groupe aryle [7.6]).

Il n'y a pas de règle générale pour les nommer. Le premier terme

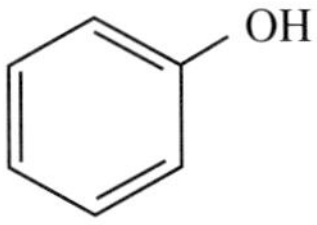

OH

Phénol

est « le » phénol (« phénol ordinaire »). Les autres termes sont, selon les cas, considérés comme des dérivés du phénol (par exemple, des alkylphénols), ou comme des dérivés d'hydrocarbures benzéniques divers (par exemple, les xylénols, dérivant des trois xylènes [7.6], comme le phénol dérive du benzène). En outre, beaucoup de phénols sont en fait toujours désignés par des noms d'usage. Seuls quelques exemples de ceux-ci sont donnés ici :

*Exemples :*

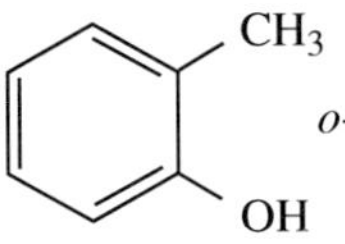

$CH_3$ / OH — *o*-crésol

$CH_3$ / OH — *m*-crésol

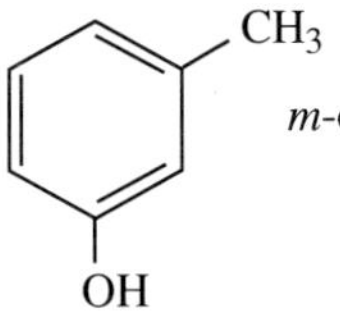

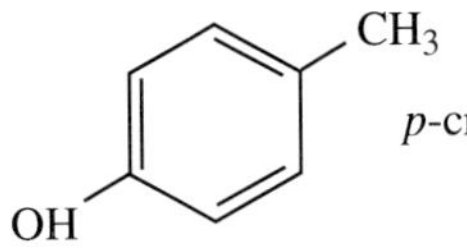

$CH_3$ / OH — *p*-crésol

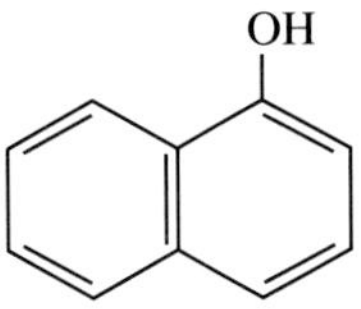

OH — a -naphtol

OH — b-naphtol

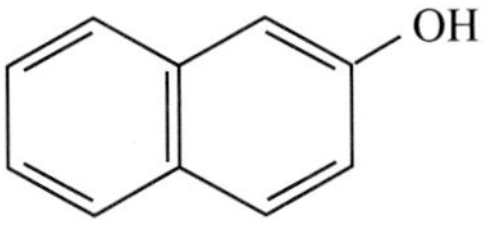

## Éthers-oxydes

**7.12** Les ÉTHERS-OXYDES sont les composés de la forme R—O—R (symétriques) ou R—O—R′ (mixtes); les deux groupes peuvent être aussi des groupes aryles Ar. Pour les nommer, on détermine d'abord un nom de base qui est celui du composé RH correspondant au groupe R prioritaire, c'est-à-dire celui qui contient le plus de carbones, ou une insaturation ou une fonction. Le groupe RO—, groupe **alkoxy** (*), qui contient l'autre groupe R est considéré comme un substituant dans le composé de base, et constitue un préfixe devant son nom.

(*) Ou **alkyloxy** (pentyloxy, hexyloxy, ...) pour les groupes comportant cinq carbones et plus (sauf $C_6H_5O$—, qui est le groupe *phénoxy*, et non phényloxy).

*Exemples :*

| | |
|---|---|
| $CH_3-O-CH_2-CH_3$ | Méthoxyéthane |
| $CH_3-CH_2-O-CH=CH-CH_3$ | 1-éthoxyprop-1-ène |
| $CH_3-O-CH_2-CHCl-CH_3$ | 2-chloro-1-méthoxypropane |

On peut aussi nommer les éthers-oxydes en faisant précéder les noms des deux groupes R et R′ du terme *oxyde de...* Ce procédé est surtout utilisé pour les éthers symétriques.

*Exemples :*

| | |
|---|---|
| $CH_3-O-CH=CH_2$ | Oxyde de méthyle et de vinyle (Méthoxyéthylène) |
| $CH_3-CH_2-O-CH_2-CH_3$ | Oxyde de diéthyle (Éthoxyéthane) |

Le dernier de ces éthers-oxydes est aussi appelé « l'éther » (ordinaire), ou « éther sulfurique », en référence à sa préparation par réaction entre l'éthanol et l'acide sulfurique.

## Amines

**7.13** Le terme générique AMINES s'applique à trois classes de composés, de formules générales :

| | | |
|---|---|---|
| $R-NH_2$ | Amines *primaires* | Les groupes R, R′ et R″ peuvent être identiques ou différents. |
| $R-NH-R'$ | Amines *secondaires* | |
| $R-N(R'')-R'$ | Amines *tertiaires* | |

### Amines primaires

a) Les amines primaires sont nommées en ajoutant la terminaison **amine** au nom du groupe R (ou Ar). Si le groupe R est ramifié, sa chaîne principale doit contenir le carbone lié au groupe $NH_2$; ce carbone porte toujours le numéro 1 de sorte que l'on ne donne pas d'indice de position à la fonction.

*Exemples :*

| | |
|---|---|
| $CH_3-CH_2-NH_2$ | Éthylamine |
| $CH_3-CH_2-CH(CH_2-NH_2)-CH_2-CH_3$ | 2-éthylbutylamine |

b) On peut également nommer les amines primaires en ajoutant le suffixe **amine** au nom de la chaîne carbonée (avec élision éventuelle de l'e muet, et indice de position pour $NH_2$)

*Exemple :*

| | |
|---|---|
| $CH_3-CH_2-CH_2-CH(CH_3)-NH_2$ | Pentan-2-amine (1-méthylbutylamine) |

c) Certaines amines primaires ont des noms d'usage utilisés préférentiellement :

*Exemples :*

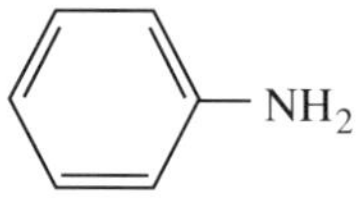

$C_6H_5-NH_2$ Aniline (Phénylamine)

$CH_3-C_6H_4-NH_2$ (ortho) Toluidine (*ortho*-Crésylamine)

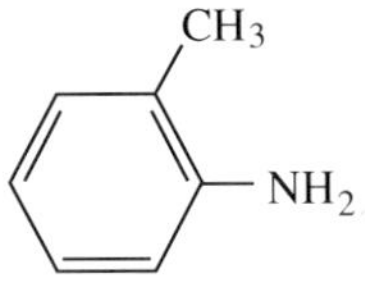

### Amines secondaires et tertiaires

Si elles sont *symétriques* (les deux ou les trois groupes R identiques), les amines secondaires ou tertiaires sont nommées selon la même règle que les amines primaires, mais en faisant précéder le nom des groupes R du préfixe multiplicateur di ou tri.

*Exemples :*

$CH_3-CH_2-NH-CH_2-CH_3$ Diéthylamine

$CH_3-N(CH_3)-CH_3$ Triméthylamine

Si elles sont *mixtes* (groupes R non tous identiques), elles sont considérées comme des dérivés de l'amine primaire qui pourrait être formée avec le groupe R le plus long ou le plus complexe, substituée sur l'atome d'azote (on dit substituée « à l'azote ») par les autres groupes. On énonce les noms de ces autres groupes devant celui de l'amine primaire, en les faisant précéder de la lettre N (azote), éventuellement répétée.

*Exemples :*

$CH_3-NH-CH_2-CH_3$ N-Méthyléthylamine

$C_6H_5-N(CH_3)-CH_3$ N,N-Diméthylaniline

$CH_3-CH_2-CH_2-N(CH_3)-CH_2-CH_3$ N-Éthyl N-méthylpropylamine

## Aldéhydes

**7.14** Les composés contenant un groupe $>C=O$ (groupe *carbonyle*) lié à un seul atome de carbone sont des ALDÉHYDES. Leur formule générale est $R-CH=O$ (premier terme $H-CH=O$, ou $CH_2O$).

a) Le nom d'un aldéhyde *acyclique* est formé en ajoutant la terminaison **al** (avec élision de l'e muet), ou **dial** pour un dialdéhyde, au nom de l'hydrocarbure correspondant ($CH_3$ au lieu de $CH=O$). Le carbone du groupe $CH=O$ porte toujours le numéro 1, et l'indice de position de la fonction est habituellement omis.

*Exemples :*

$CH_3-CH(CH_3)-CH_2-CH=O$ — 3-méthylbutanal

$CH_2=CH-CH=CH-CH=O$ — Penta-2,4-diénal

$CCl_3-CH=O$ — 2,2,2-trichloroéthanal

Les aldéhydes *cycliques* dans lesquels la fonction est liée directement à un cycle sont nommés en ajoutant la terminaison **carbaldéhyde** au nom du cycle.

*Exemple :*

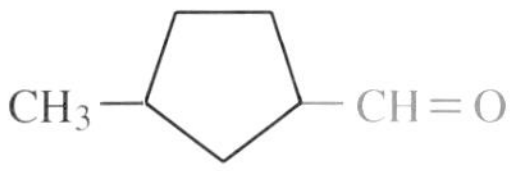

$CH_3-C_5H_8-CH=O$ — 3-méthylcyclopentanecarbaldéhyde

b) Si l'acide R—COOH correspondant à l'aldéhyde R—CH=O possède un nom d'usage [7.16], on peut former le nom de l'aldéhyde en remplaçant la terminaison *ique*, ou *oïque*, de l'acide par la terminaison **aldéhyde.** On peut aussi conserver le nom de l'acide et remplacer le mot *acide* par le mot *aldéhyde*.

*Exemples :*

| | |
|---|---|
| $H-CH=O$ | Formaldéhyde, ou Aldéhyde formique (Méthanal) |
| $CH_3-CH=O$ | Acétaldéhyde, ou Aldéhyde acétique (Éthanal) |
| $C_6H_5-CH=O$ | Benzaldéhyde, ou Aldéhyde benzoïque (Phénylméthanal) |
| $CH_3-CH=CH-CH=O$ | Crotonaldéhyde, ou Aldéhyde crotonique (But-2-énal) |

c) Enfin, certains aldéhydes ont des noms d'usage.

*Exemples :*

| | |
|---|---|
| $CH_2=CH-CH=O$ | Acroléine (Propénal) |
| $CH_3-C(CH_3)=CH-CH_2-CH_2-C(CH_3)=CH-CH=O$ | Citral (3,7-diméthylocta-2,6-diénal) |

## Cétones

**7.15** Les composés contenant un groupe $>C=O$ (groupe carbonyle) lié à deux carbones sont des CÉTONES. Leur formule générale est R—CO—R (cétones symétriques) ou R—CO—R′ (cétones mixtes).

a) Le nom d'une cétone se forme en ajoutant la terminaison **one** (avec élision du e muet), précédée d'un indice de position, à celui de l'hydrocarbure correspondant ($CH_2$ à la place de CO). La chaîne principale est la plus longue de celles qui contiennent le groupe CO.

*Exemples :*

$CH_3-CH_2-CH_2-CO-CH_3$ — Pentan-2-one

$CH_3-CO-CH_2-CO-CH_2-CH_3$ — Hexane-2,4-dione

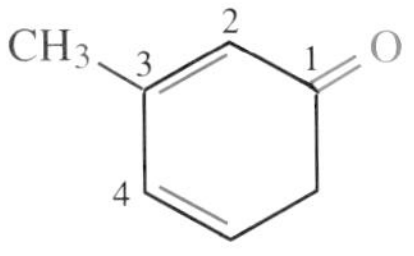

(cycle à 6 atomes : C1=O, double liaisons 2=3 et 4=5, $CH_3$ en 3) — 3-méthylcyclohexa-2,4-dién-1-one (« 1 » facultatif)

b) Si les groupes R et R′ sont simples, on peut également nommer les cétones en faisant suivre leurs noms, dans l'ordre alphabétique, du mot **cétone.**

*Exemples :*

| | |
|---|---|
| $CH_3-CO-CH_2-CH_3$ | Éthylméthylcétone (Butanone; indice inutile) |
| $CH_3-CH(CH_3)-CO-CH(CH_3)-CH_3$ | Diisopropylcétone (2,4-diméthylpentanone). |

c) Certaines cétones sont préférentiellement désignées par des noms d'usage.

*Exemples :*

| | |
|---|---|
| $CH_3-CO-CH_3$ | Acétone (Propanone; diméthylcétone) |
| $C_6H_5-CO-CH_3$ | Acétophénone (1-phényléthanone; Méthylphénylcétone) |

## Acides carboxyliques

**7.16** Les composés contenant le groupe *carboxyle* —COOH sont des ACIDES CARBOXYLIQUES (on dit aussi, plus simplement, des « ACIDES »).

a) En série *acyclique*, les acides sont nommés en faisant suivre le nom de l'hydrocarbure correspondant ($CH_3$ à la place de COOH) de la terminaison **oïque** (dioïque pour un diacide), et en le faisant précéder du mot **acide.** Le carbone du groupe COOH porte toujours le numéro 1, et on omet donc l'indice de position.

*Exemples :*

| | |
|---|---|
| $CH_3-COOH$ | Acide éthanoïque |
| $CH_3-CH_2-C(=CH_2)-CH_2-COOH$ | Acide 3-éthylbut-3-énoïque |
| $HOOC-CH_2-CH_2-COOH$ | Acide butanedioïque (indices inutiles). |

En série *cyclique*, les acides dont la fonction est directement liée à un cycle sont nommés en faisant suivre le mot acide du nom de l'hydrocarbure auquel on ajoute le suffixe **carboxylique.**

*Exemple :*

(cyclopentane)—COOH   Acide cyclopentanecarboxylique

b) En fait, de nombreux acides sont de manière très habituelle désignés par des noms d'usage. Quelques-uns de ces noms sont donnés ci-après :

| | |
|---|---|
| $H-COOH$ | Acide formique (méthanoïque) |
| $CH_3-COOH$ | Acide acétique (éthanoïque) |
| $CH_3-CH_2-COOH$ | Acide propionique (propanoïque) |
| $CH_2=CH-COOH$ | Acide acrylique (propènoïque) |
| $HOOC-COOH$ | Acide oxalique (éthanedioïque) |
| $HOOC-CH_2-COOH$ | Acide malonique (propanedioïque) |
| (benzène)—COOH | Acide benzoïque (benzène carboxylique) |

## Anhydrides (d'acides)

**7.17** Les composés de la forme R—CO—O—CO—R′ (avec R et R′ identiques ou différents; si R=R′, on écrit généralement $(R—CO)_2O$) sont les ANHYDRIDES (on ajoute parfois « d'acides »). Ils se nomment en faisant suivre le mot **anhydride** du nom de l'acide R—COOH, si R=R′, ou des noms des deux acides R—COOH et R′—COOH (dans l'ordre alphabétique).

*Exemples :*

| | |
|---|---|
| $(CH_3—CO)_2O$ | Anhydride acétique |
| $(\triangleright—CO)_2O$ | Anhydride cyclopropanecarboxylique |
| $CH_3—CO—O—CO—C_6H_5$ | Anhydride acétique et benzoïque |

## Halogénures d'acides (ou d'acyles)

**7.18** Le remplacement, dans un acide carboxylique, du groupe OH par un halogène X [7.8] engendre un HALOGÉNURE D'ACIDE, R—CO—X. Les groupes R—CO portant le nom générique de groupes ACYLES, ces composés sont également appelés HALOGÉNURES D'ACYLES.

Les noms des groupes acyles dérivent de ceux des acides, en remplaçant la terminaison ique par la terminaison **yle** (exemple : $CH_3—COOH$, acide acétique ou éthanoïque; $CH_3—CO$, groupe acétyle ou éthanoyle). Les groupes acyles qui dérivent des acides cyclo-alcanecarboxyliques sont nommés en remplaçant la terminaison *xylique* par la terminaison **nyle** (exemple : $C_6H_{11}—COOH$, acide cyclohexane-carboxylique; $C_6H_{11}—CO$, groupe cyclohexanecarbonyle).

Les halogénures d'acyles sont nommés en faisant précéder le nom du groupe acyle des mots *fluorure de*, *chlorure de*, *bromure de* ou *iodure de*.

*Exemples :*

| | |
|---|---|
| $CH_3—CH_2—COCl$ | Chlorure de propionyle (ou de propanoyle) |
| $C_6H_5—COBr$ | Bromure de benzoyle |

## Esters

**7.19** Le remplacement, dans un acide carboxylique, de l'hydrogène « fonctionnel » (celui du groupe COOH) par un groupe hydrocarboné donne un ESTER, de formule générale R—CO—OR′. Les esters sont nommés en remplaçant, dans le nom de l'acide, la terminaison *ique* par la terminaison **ate,** et en faisant suivre le mot ainsi obtenu du nom du groupe R′, lié par la préposition de.

*Exemples :*

| | |
|---|---|
| $CH_3—CO—O—CH_2—CH_2—CH_3$ | Acétate de propyle |
| $CH_3—O—CO—CH_2—CO—O—CH_3$ | Malonate de diméthyle |
| —CO—O— | Cyclobutanecarboxylate de cyclohexyle |

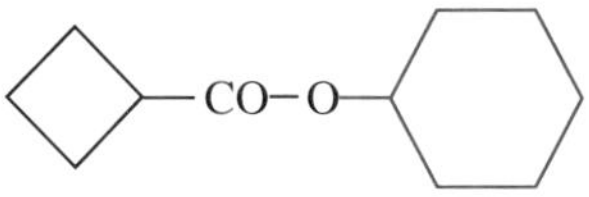

## Sels

**7.20** Le remplacement de l'hydrogène fonctionnel d'un acide par un métal M donne un SEL, de formule générale $(R—COO)_nM$ où n est égal à la valeur absolue de la charge positive du cation métallique. Les sels se nomment comme les esters, en remplaçant le nom du groupe R′ par celui du métal. Certains cations non métalliques, tels l'ion ammonium $NH_4^+$, peuvent tenir le même rôle qu'un cation métallique.

*Exemples :*

| | |
|---|---|
| $H—COONa$ | Formiate de sodium |
| $(CH_3—COO)_3Fe$ | Acétate de fer (III) |
| $NH_4OCO—COONH_4$ | Oxalate de diammonium |

## Amides

**7.21** Le terme générique AMIDES recouvre six types différents de molécules :

| | | |
|---|---|---|
| $R—CO—NH_2$ | Amide primaire | Les H liés à l'azote peuvent être substitués par des groupes hydrocarbonés. |
| $(R—CO)_2NH$ | Amide secondaire | |
| $(R—CO)_3N$ | Amide tertiaire | |

Seule la nomenclature des amides primaires sera envisagée ici. S'ils ne sont pas substitués à l'azote, ils se nomment en remplaçant la terminaison *ique*, ou *oïque*, de l'acide correspondant $R—COOH$ par la terminaison **amide** (pour les acides cycliques, la terminaison *carboxylique* est transformée en **carboxamide).** Les termes substitués à l'azote, de la forme $R—CO—NH—R'$ ou $R—CO—NR'R''$, se nomment en plaçant devant le nom de l'amide $R—CO—NH_2$, en préfixes, les noms des groupes R′ et R″, comme pour la désignation des amines secondaires et tertiaires [7.13].

*Exemples :*

| | |
|---|---|
| $CH_3—CO—NH—CH_2—C_6H_5$ | N-Benzylacétamide |
| $CH_3—CH_2—CO—N(CH_3)—CH_2—CH_3$ | N-éthyl N-méthyl-propionamide |
| $H—CO—N(CH_3)_2$ | N,N-diméthylformamide |

## Nitriles

**7.22** Les NITRILES ont pour formule générale $R-C\equiv N$. On les nomme en ajoutant la terminaison **nitrile** au nom de l'hydrocarbure correspondant ($CH_3$ à la place de $C\equiv N$).

*Exemples :*

$$CH_3-\underset{\displaystyle CH_3}{\underset{|}{C}}=CH-CH_2-C\equiv N$$

4-méthylpent-3-ène nitrile (indice 1 inutile)

On peut également faire suivre les mots **cyanure de** du nom du groupe R (en ce cas, le carbone du groupe $C\equiv N$ ne fait pas partie de la chaîne principale et ne porte plus le numéro 1).

*Exemple :* $CH_2=CH-CH_2-C\equiv N$ Cyanure d'allyle

Enfin, on peut considérer un nitrile $R-C\equiv N$ comme un dérivé de l'acide $R-COOH$, en particulier lorsque ce dernier porte un nom d'usage. On remplace alors, dans le nom de l'acide la terminaison *ique*, ou *oïque*, par la terminaison **onitrile.**

*Exemple :*

$CH_2=CH-C\equiv N$ Acrylonitrile ($CH_2=CH-COOH$ : acide acrylique.)

# 3 — Composés à fonctions mixtes

**7.23** Les composés à fonctions mixtes comportent, dans la même molécule, des fonctions différentes. Il n'y a pas de limite théorique au nombre des fonctions qui peuvent ainsi être associées, et il est évidemment impossible d'envisager ici toutes les combinaisons imaginables, même en se limitant aux associations de fonctions deux par deux. On ne considérera donc que quelques cas de composés bifonctionnels.

Du point de vue de la nomenclature, la réunion de deux (ou plusieurs) fonctions dans une molécule pose essentiellement des questions de priorité entre elles. La fonction prioritaire est désignée par un suffixe (ceux qui ont été indiqués précédemment), et le sens de numérotage de la chaîne principale est choisi de façon à lui attribuer l'indice le plus petit possible. Les autres fonctions présentes sont désignées par des préfixes, indiqués dans le tableau ci-dessous. Dans ce tableau, les fonctions sont classées par priorité décroissante de haut en bas : une fonction a priorité sur celles qui se trouvent au-dessous d'elle.

| FONCTION | PRIORITAIRE (suffixe) | NON PRIORITAIRE (préfixe) |
|---|---|---|
| Acide carboxylique | -oïque | – |
| Nitrile | -nitrile | cyano- ($C\equiv N$) |
| Aldéhyde | -al | formyl- (CHO) |
| Cétone | -one | oxo- (=O) |
| Alcool, Phénol | -ol | hydroxy- (OH) |
| Amine | -amine | amino- ($NH_2$, NHR, $NR_2$) |
| Dérivé halogéné | – | halogéno- |

*Exemples :*

| | |
|---|---|
| $CH_3-C(OH)-CH_2-CO-CH_3$ <br> (sous le C : $CH_3$) | 4-hydroxy-4-méthylpentan-2-one |
| $CH_3-CHOH-CH_2-CH{=}O$ | 3-hydroxybutanal |
| $CH_2{=}C-CO-CH_2-COOH$ <br> (sous le C : $CH_3$) | Acide 4-méthyl-3-oxopent-4-énoïque |
| $N{\equiv}C-CH-CH_2-CH-COOH$ <br> (sous chaque CH : $CH_3$) | Acide 4-cyano-2,4-diméthylbutanoïque |
| $CH_3-CH_2-CH-CH{=}O$ <br> (sous le CH : $C{\equiv}N$) | 2-formylbutyronitrile |
| $CH_3-CH_2-NH-CH-COOH$ <br> (sous le CH : $CH_3$) | Acide 2-(N-éthylamino)-propionique |
| (cyclohexane portant CH=O et =O) | 2-oxocyclohexanecarbaldéhyde |

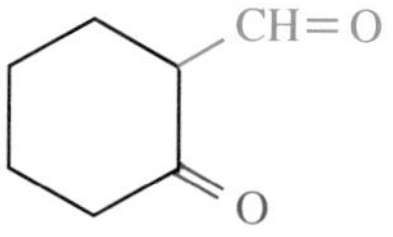

## Nomenclature « grecque »

**7.24** Si l'on veut indiquer seulement la position *relative* d'une fonction par rapport à une autre, on emploie une nomenclature faisant appel à l'alphabet grec. Le carbone portant la fonction principale (ci-dessous Y) est pris pour origine et les carbones voisins sont « numérotés » de proche en proche α (alpha), β (béta), γ (gamma), δ (delta), ε (epsilon),... d'un côté de la fonction et, si besoin est, α′, β′, γ′, δ′, ε′... de l'autre côté.

$$\ldots-\overset{\varepsilon'}{C}-\overset{\delta'}{C}-\overset{\gamma'}{C}-\overset{\beta'}{C}-\overset{\alpha'}{C}-\overset{Y}{C}-\overset{\alpha}{C}-\overset{\beta}{C}-\overset{\gamma}{C}-\overset{\delta}{C}-\overset{\varepsilon}{C}-\ldots$$

*Exemples :* $CH_3-CH_2-CH(NH_2)-COOH$ (acide amino-2 butyrique) est un α-aminoacide, ou encore un acide α-aminé.

$CH_3-CO-CH_2-COO-CH_3$ (3-oxobutyrate de méthyle) est un β-cétoester, ou encore un ester β-cétonique.

$CH_3-CH{=}CH-CO-CH_3$ (pent-3-én-2-one) est une cétone α,β-éthylénique (cétone éthylénique conjuguée).

$CH_3-CHCl-CO-CHCl-CH_3$ (2,4-dichloropentan-3-one) est une cétone α,α′-dichlorée.

On emploie la lettre ω, dernière lettre de l'alphabet grec, pour signifier que l'une des deux fonctions est portée par le dernier carbone de la chaîne, quelle que soit par ailleurs la longueur de cette chaîne. Ainsi, les ω-aminoacides comportent une fonction amine en bout de chaîne, à l'opposé de la fonction acide, mais peuvent comporter un nombre quelconque de carbones.

Ce repérage uniquement relatif des positions de deux fonctions conduit à définir des «types» de molécules, et n'identifie pas un composé déterminé. Ainsi $CH_3—CH_2—CHOH—CH_2OH$ (butane-1,2-diol) et $CH_3—CHOH—CHOH—CH_3$ (butane-2,3-diol) sont tous deux des α-diols, mais $CH_3—CHOH—CH_2—CH_2OH$ (butane-1,3-diol) est un β-diol.

## MOTS-CLÉS

- Noms génériques des fonctions
- Préfixes et suffixes désignant les structures et les fonctions
- Noms d'usage cités
- Chaîne principale
- Fonction prioritaire.

## OBJECTIFS

DEVENIR CAPABLE DE :

- Établir le nom d'un hydrocarbure ou d'un composé comportant une ou deux fonctions, au vu de sa formule développée (au niveau de complexité des exemples traités).
- Établir la formule développée d'un hydrocarbure ou d'un composé comportant une ou deux fonctions, connaissant son nom (au niveau de complexité des exemples traités).

## EXERCICES

*Aux règles de nomenclature exposées dans ce chapitre s'ajoutent celles qui concernent la stéréochimie et les stéréoisomères, indiquées dans le chapitre 3 (carbone asymétrique* [3.13], *liaison éthylénique* [3.24]*). Ces exercices peuvent donner lieu à leur application.*

*Les principes d'écriture des formules schématiques ont été précisés au chapitre 1* [1.9], *de même que les symboles usuels des groupes alkyles simples et du groupe phényle* [1.16].

*Les exercices proposés dans les chapitres suivants vous donneront également des occasions de pratiquer les règles de nomenclature.*

***7-a*** Établir les noms des composés suivants :

1) $C_6H_5C{\equiv}N$
2) $Cl_3C{-}CCl_3$
3) $-CH{=}CH_2$
4) $CH_3{-}CH{-}N{-}CH_2{-}CH_2{-}CH_3$
   $H_3C \quad CH_3$
5) $CH_2{=}CH{-}CH_2{-}CO{-}COO{-}CH_3$
6) Ph—COO—Ph
7) $CH_3{-}CH_2{-}O{-}CH_2{-}C{\equiv}CH$
8) $HOCH_2{-}CHOH{-}CH{=}O$
9) Cl(HOOC)C=C(H)COOH
10) Br— =O
11)
12)
13) OH
14) H H, $CH_3$ $CH_3$
15) Me—CHOH—Pr
16) $(Et)_2N{-}CH_2{-}CH{=}CH_2$
17) $iPr{-}N(Me)_2$
18) iBu—COCl
19) $CH_3{-}O{-}C(CH_3){=}CH{-}O{-}CH_3$
20) Et—CHOH—CHOH—tBu
21) O=CH—C(H)(Et)(Pr)

***7-b*** Établir la formule développée des composés portant les noms suivants.

*La transcription dans le sens nom→formule n'a pas été envisagée jusqu'ici. Il convient de procéder en trois étapes :*

- *Écrire le squelette carboné de la chaîne principale.*
- *Y « accrocher » les substituants et fonctions indiqués par les préfixes et les suffixes.*
- *Compléter en hydrogène les carbones de la chaîne principale.*

1) 4-éthyl-2,6,6-triméthyloctane
2) 1-chloro-3-méthyl-4-propylcyclopentane
3) Butanedioate de diméthyle
4) N-butylpropionamide
5) 3-méthylpent-3-én-2-one
6) N-éthyl-2-phényléthylamine
7) Acide (*R*)-2-aminobutanoïque
8) Trichloracétate d'ammonium
9) 4-bromo-3,5-diméthoxyphénol
10) Pent-3-yn-2-ol
11) (trans)-3-chlorocyclobutanecarboxaldéhyde
12) Triphénylméthanol
13) Benzylvinylcétone
14) (*Z*)-4-chlorobut-3-énal
15) Tributylaluminium
16) *p*-méthylbenzonitrile
17) 1,1,1-trichloro-2,2-diphényléthane
18) 3,3-dibromocyclohexanecarboxylate de potassium
19) Anhydride crotonique
20) Bromure d'isopropylmagnésium

***7-c*** Les noms suivants, même s'ils décrivent sans ambiguité une structure, ne sont pas corrects au regard des règles de la nomenclature. Pourquoi ne le sont-ils pas? Quel serait le nom correct?

1) 3-propylnonane
2) 2-fluoro-3-oxobutane
3) 1,1,2,2-tétraméthyléthane-1,2-diol
4) 1-cyanobut-3-én-2-one
5) N-méthyldiphénylamine
6) Diméthylacétylène
7) 1,1,4-triméthylbutane
8) 2-éthylcyclohexène
9) Cyclopent-1-én-3-ol
10) 2,2-diméthylbutanone
11) 3-oxocyclohexylamine
12) 2-éthylpropène
13) 1,2,4,5,6-pentaméthyloctane
14) Ethoxyméthane
15) N-méthyl-N-butyléthylamine
16) 3,7-dichloro-6-éthyl-4,4-diméthylnonane

# 2e partie

# Chimie organique descriptive

Les connaissances acquises dans les chapitres précédents permettent maintenant d'aborder l'étude du comportement chimique des composés organiques, avec la possibilité de les comprendre et (dans une certaine mesure) de les prévoir, au lieu de se borner à les constater et à les « apprendre ».

Mais la présentation qui en est faite dans cette seconde partie repose sur certaines *simplifications*, qu'il ne faut pas perdre de vue :

• Les réactions présentées comme caractéristiques d'un groupe fonctionnel, et illustrées par la réactivité de composés généralement monofonctionnels de structure simple, ne sont pas toujours aussi générales qu'on pourrait le supposer. Souvent elles sont influencées par la structure générale de la molécule, et ne s'appliquent pas identiquement à tous les termes d'une série. Selon l'environnement moléculaire du groupe fonctionnel, elles peuvent être plus ou moins faciles, ou même ne pas exister, et conduire parfois à des résultats différents.

• Il est fréquent également que les réactions ne conduisent pas au seul produit prévu par l'équation-bilan « théorique », et fournissent des mélanges plus ou moins complexes. Souvent deux ou plusieurs réactions sont en compétition, et telle réaction, secondaire dans un cas, peut devenir la réaction principale dans un autre.

• Seuls les « mécanismes » les plus typiques, ou les plus généraux, ont été décrits. De nombreuses réactions ne sont représentées que par leur équation-bilan, mais ceci n'exclut pas qu'elles soient en réalité plus complexes, et comportent éventuellement plusieurs étapes.

■ Les **objectifs** à atteindre dans cette seconde partie peuvent se définir globalement, au moins pour les chapitres 8 à 19 qui constituent la base des suivants, et en fait celle de toute la chimie organique. Il s'agit, à propos de chaque fonction étudiée, de *devenir capable de* :

– *Décrire*, en donnant des exemples, les réactions caractéristiques de la fonction, et les *relier* à la structure du groupe fonctionnel.
– *Prévoir* le résultat normalement attendu de l'application de ces réactions à n'importe quel terme simple de la série.
– *Expliquer* les particularités de certaines de ces réactions (plus ou moins grande facilité, orientation préférentielle, résultat stéréochimique, rôle des conditions expérimentales et notamment des catalyseurs), en les reliant à leur mécanisme.

– *Concevoir un schéma de synthèse* permettant de préparer un composé, ou de transformer un composé en un autre, cette préparation ou cette transformation étant possible en un petit nombre d'étapes (trois au maximum).
– *Appliquer les règles de nomenclature*, pour nommer un composé simple, ou pour établir sa formule connaissant son nom.

■ Les **préalables** de cette seconde partie sont constitués par l'ensemble des connaissances acquises dans la première partie. Cependant, les points les plus importants, à connaître parfaitement, sont les suivants :

– Notion de fonction et de groupe fonctionnel (chapitre 1).
– Nature de la covalence; polarisation; délocalisation électronique (mésomérie) et ses conséquences (chapitre 4).
– Modes de rupture et de formation des liaisons; intermédiaires (chapitre 5).
– Processus élémentaires et processus complexes; profil énergétique des réactions, énergie d'activation, état de transition (chapitre 5).
– Acidobasicité selon Brönsted (chapitre 5).
– Règles de nomenclature (il n'est pas indispensable qu'elles soient connues préalablement en totalité; elles peuvent être apprises au fur et à mesure, à propos de chaque fonction) (chapitre 7).

## Méthodes de préparation

Une réaction qui transforme une fonction en une autre décrit à la fois une propriété de la fonction de départ et une préparation possible de la fonction obtenue. La rubrique « Préparations » d'une fonction pourra donc largement faire « double emploi » avec les rubriques « Réactivité » d'autres fonctions. Lorsqu'une réaction devra ainsi être mentionnée deux fois, ce sera toujours très sommairement dans les méthodes de préparation, avec un renvoi au chapitre où cette réaction a été, ou sera, présentée de façon plus détaillée.

Dans les rubriques « Préparations », les signes [+], [=] et [–] indiquent si une méthode de préparation augmente, conserve ou diminue le nombre d'atomes de carbone, par rapport aux réactifs.

## Écriture des réactions

Selon un usage fréquent, le réactif sera parfois écrit au-dessus de la flèche, et seul le produit principal de la réaction sera indiqué. Ainsi, au lieu d'écrire :

$$H_2C{=}CH_2 + Br_2 \rightarrow BrCH_2{-}CH_2Br$$

puis $$BrCH_2{-}CH_2Br + 2OH^- \rightarrow HC{\equiv}CH + 2H_2O + 2Br^-$$

on écrira : $$H_2C{=}CH_2 \xrightarrow{Br_2} BrCH_2{-}CH_2Br \xrightarrow{OH^-} HC{\equiv}CH$$

ou même : $$H_2C{=}CH_2 \xrightarrow[2)\ OH^-]{1)\ Br_2} HC{\equiv}CH$$

Des crochets encadrant une formule écrite au-dessus ou au-dessous d'une flèche signifient qu'il s'agit d'un catalyseur.

Enfin, le symbole Δ, également placé au-dessus ou au-dessous d'une flèche, signifie que la réaction nécessite une élévation de température.

# Les alcanes 8

## les chaînes saturées acycliques

8.1 Les **alcanes** sont les *hydrocarbures* (composés de carbone et d'hydrogène seulement), *saturés* (pas de liaisons multiples), *acycliques* (chaînes ouvertes, linéaires ou ramifiées [1.4-6]). Ils répondent à la formule générale $\mathbf{C_nH_{2n+2}}$.

On peut les représenter symboliquement par la formule **RH**, réunion d'un *groupe alkyle* R et d'un hydrogène (par exemple, le propane $CH_3—CH_2—CH_3$ peut être considéré comme un composé de la forme RH, dans lequel R est indifféremment le groupe propyle $CH_3—CH_2—CH_2—$ ou le groupe isopropyle $CH_3—\underset{|}{C}H—CH_3$).

Les chaînes hydrocarbonées saturées sont également présentes dans d'innombrables composés organiques, dont elles constituent le *squelette*, et où elles portent des groupes fonctionnels divers; on peut considérer que ces groupes fonctionnels remplacent un ou plusieurs H de l'alcane ayant le même squelette. Dans ces composés, elles possèdent, à quelques nuances près, les mêmes caractères chimiques que dans les alcanes proprement dits. L'étude de ces derniers, à laquelle se limite ce chapitre, apporte donc des informations qui peuvent très largement être généralisées aux chaînes saturées des composés fonctionnels.

La *nomenclature* des alcanes est exposée au chapitre 7 [7.3].

## 1 — Caractères physiques

8.2 Dans une série homologue [1.17], par exemple celle des alcanes linéaires, les constantes physiques, telles que les points d'ébullition et de fusion, augmentent régulièrement avec la masse moléculaire. Dans les conditions ordinaires le méthane est un gaz (Eb = – 164 °C), ainsi que l'éthane, le propane et le butane (Eb = – 0,5 °C); à partir du pentane (Eb = 35 °C), les alcanes linéaires sont des liquides de point d'ébullition de plus en plus élevé et, à partir de $C_{17}H_{36}$ (F = 22 °C) ce sont des solides dont le point de fusion ne dépasse cependant pas 100 °C (pour $C_{60}H_{122}$, F = 99 °C).

Mais, à masse moléculaire égale, le point d'ébullition est d'autant plus bas que la molécule est plus ramifiée. Ainsi, ceux des trois alcanes isomères de formule $C_5H_{12}$ [1.5] sont :

Pentane (  ) : 35 °C

Isopentane ( 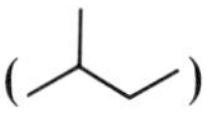 ) : 25 °C

Néopentane (  ) : 9 °C

Ces différences s'expliquent sur la base de l'intervention des forces de Van der Waals (*).

Les alcanes ont une densité assez faible (liquides : environ 0,7; solides : environ 0,8-0,9). Comme tous les hydrocarbures, ils sont insolubles dans l'eau; ils sont, par contre, miscibles avec un grand nombre de liquides organiques et sont des *solvants* de nombreux composés organiques, solides ou liquides (exemple : le « white spirit », solvant de peintures entre autres).

## 2 — Réactivité

**8.3** Les liaisons σ qui constituent les alcanes sont des *liaisons fortes :* C—C, environ 350 kJ . $mol^{-1}$; C—H, environ 400 kJ . $mol^{-1}$. Elles sont, d'autre part, *non, ou très peu, polarisées,* car le carbone et l'hydrogène ont des électronégativités peu différentes. Leur rupture est donc difficile et, lorsqu'elle se produit, s'effectue selon le mode *homolytique,* ou *radicalaire* [5.10].

Peu polaires, ces liaisons sont également *peu polarisables,* en raison de la faible « mobilité » des électrons σ. L'approche des réactifs, même chargés électriquement (anions, cations) n'induit pas significativement des pôles positifs (électrophiles) ou négatifs (nucléophiles) [5.13].

En conséquence, les alcanes manifestent une *grande stabilité* et sont *très peu réactifs.* Ils donnent des réactions radicalaires, à température élevée ou photochimiquement et, en l'absence de ces conditions, font preuve d'une grande inertie chimique. Ils ne sont pas attaqués par des réactifs pourtant « énergiques » comme les bases fortes en solution concentrée, l'acide sulfurique, les oxydants forts, etc. Enfin, ne comportant que des liaisons simples, « saturées », ils ne peuvent se prêter qu'à des réactions de *substitution,* à l'exclusion de toute addition [5.3].

Cette relative inertie des chaînes saturées explique le contraste que l'on observe habituellement, pour les composés possédant une fonction, entre la réactivité du groupe fonctionnel et la non-réactivité du reste de la molécule.

---

(*) Voir, par exemple, *Cours de Chimie physique,* chapitre 18.

## Réaction avec les halogènes

**8.4** Les halogènes $X_2$ ($F_2$, $Cl_2$, $Br_2$, $I_2$) n'ont pas tous le même comportement vis-à-vis des alcanes.

Le *difluor* $F_2$, extrêmement réactif, donne avec les alcanes une réaction violente, généralement destructive, dont le bilan est alors

$$C_nH_{2n+2} + (n+1)F_2 \rightarrow nC + (2n+2)HF$$

Il en est de même avec la plupart des composés organiques et, en chimie organique, l'expression *« les halogènes »* désigne habituellement, de façon restrictive, $Cl_2$, $Br_2$, et $I_2$ seulement. A bien des égards la chimie des dérivés organiques du fluor est « à part » [13.18].

La réaction « normale » entre les alcanes et les *autres halogènes* a pour bilan général :

$$RH + X_2 \rightarrow RX + HX$$

par exemple : $CH_3{-}CH_3 + Cl_2 \rightarrow CH_3{-}CH_2Cl + HCl$

C'est donc une réaction de *sustitution*, qui a lieu soit à température élevée (300 °C), soit sous l'action du rayonnement ultraviolet (réaction photochimique). Le *dichlore* réagit rapidement, le *dibrome* plus difficilement et le *diiode* ne réagit pratiquement pas (on observe au contraire la réaction inverse, $RI + HI \rightarrow RH + I_2$).

Cette réaction n'est pas sélective : tous les H d'un alcane sont substituables, et il est impossible de la contrôler de manière à obtenir un seul produit. Ainsi, la chloration du méthane, après la substitution d'un premier hydrogène et la formation du chlorométhane $CH_3Cl$ (ou chlorure de méthyle), conduit successivement au dichlorométhane $CH_2Cl_2$ (ou chlorure de méthylène), au trichlorométhane $CHCl_3$ (ou chloroforme) et, plus difficilement, au tétrachlorométhane $CCl_4$ (ou tétrachlorure de carbone). Ces quatre dérivés sont obtenus simultanément.

L'halogénation d'un alcane de masse moléculaire plus grande peut en outre donner à chaque étape de la réaction, et dès la première, un mélange d'isomères de position [1.14]. Les mélanges obtenus sont donc en général très complexes et l'halogénation directe des alcanes n'est pas une bonne méthode de préparation des dérivés halogénés.

### 8-A

*Combien de dérivés monochlorés, dichlorés, trichlorés et tétrachlorés peut-on obtenir au cours de la chloration du propane? (nommez-les).*

### 8-B

*On pourrait penser qu'en faisant réagir 1 mole de méthane avec 1 mole seulement de dichlore il ne pourrait pas se former de dérivés di, tri ou tétrachlorés. Or on obtient, même dans ces conditions un mélange. Comment l'expliquer? Comment pourrait-on favoriser la formation majoritaire de $CH_3Cl$?*

## *La substitution radicalaire* ($S_R$) *en chaîne*

**8.5** L'halogénation photochimique des alcanes s'accomplit par un processus en étapes, caractéristique d'une réaction *radicalaire* et *en chaîne*, détaillé ci-après sur l'exemple de la chloration du méthane.

a) **Phase d'initiation :** A la suite de l'absorption d'un photon ultraviolet, une molécule de dichlore se dissocie en deux atomes :

$$Cl_2 \xrightarrow{h\nu} 2\,Cl^{\bullet} \qquad \Delta H^{\circ} = +\,242\ kJ\,.\,mol^{-1}$$

Cette étape est endothermique [5.5]; elle «absorbe» 242 kJ par mole.

b) **Phase de propagation :** Une collision entre un atome de chlore et une molécule de méthane déclenche un processus en deux étapes :

1) $Cl^{\bullet} + CH_4 \rightarrow CH_3^{\bullet} + HCl \qquad \Delta H^{\circ} = +\,8\ kJ\,.\,mol^{-1}$
2) $CH_3^{\bullet} + Cl_2 \rightarrow CH_3Cl + Cl^{\bullet} \qquad \Delta H^{\circ} = -\,113\ kJ\,.\,mol^{-1}$

Ce processus est globalement exothermique (il s'accompagne d'une variation d'enthalpie $\Delta H^{\circ} = 8 - 113 = -\,105\ kJ\,.\,mol^{-1}$) et il produit autant d'atomes $Cl^{\bullet}$ qu'il en consomme. Il est donc «autoentretenu» et il se reproduit très rapidement un très grand nombre de fois. En principe, il suffirait qu'une seule molécule $Cl_2$ ait été dissociée pour que la totalité du méthane et du dichlore réagissent; mais en fait ce processus ne se reproduit qu'environ 10 000 fois, en raison de la survenue d'événements qui constituent la troisième phase.

c) **Phase d'arrêt (ou de terminaison) :** Il peut arriver, fortuitement, au hasard des collisions, que l'une ou l'autre des éventualités suivantes se produise :

$$2\,Cl^{\bullet} \rightarrow Cl_2 \quad \text{ou} \quad CH_3^{\bullet} + Cl^{\bullet} \rightarrow CH_3{-}Cl \quad \text{ou} \quad 2\,CH_3^{\bullet} \rightarrow CH_3{-}CH_3$$

Ces événements mettent fin à la propagation du mécanisme en chaîne, en faisant disparaître les radicaux libres qui lui sont nécessaires. La poursuite de la réaction nécessite un «réamorçage», par dissociation d'une molécule de dichlore.

Ce mécanisme permet d'expliquer les diverses observations expérimentales qui peuvent être faites à propos de cette réaction :

– *Différence de réactivité entre les halogènes :* Ces différences [8.4] se justifient à partir des valeurs différentes des énergies des liaisons rompues (X—X, C—H) ou formées (C—X, H—X), d'où résultent des valeurs différentes pour l'enthalpie globale de la phase de propagation. La substitution par le brome n'est que très légèrement exothermique ($-\,30\ kJ\,.\,mol^{-1}$) et la substitution par l'iode est endothermique ($+\,54\ kJ\,.\,mol^{-1}$). En ce dernier cas, c'est donc la réaction inverse (exothermique) qui est favorisée.

– *Différence de réactivité entre* H *portés par des carbones primaires, secondaires et tertiaires.* Outre le facteur énergétique, la réaction est également contrôlée par un facteur statistique. La probabilité de la formation d'un des dérivés halogénés d'un alcane est d'autant plus grande que le nombre des hydrogènes équivalents dont la substitution fournit ce dérivé est plus grand. Par exemple, dans la chloration du propane, la formation du 1-chloropropane $CH_3{-}CH_2{-}CH_2Cl$ peut résulter de la substitution de l'un ou l'autre de *six* hydrogènes équivalents, alors que la formation du 2-chloropropane $CH_3{-}CHCl{-}CH_3$ ne peut résulter que de la substitution de l'un ou l'autre de *deux* hydrogènes équivalents.

On devrait donc s'attendre à obtenir le 1-chloro et le 2-chloropropane dans la proportion de 6 à 2, soit 75 % et 25 % respectivement. Or on les obtient, à la température ordinaire, dans la proportion respective de 43 % et 57 %. Un site $-CH_2-$ est donc, par nature, plus réactif qu'un site $-CH_3$, ce qui revient à dire que les collisions d'un atome $Cl^{\bullet}$ sur un site $-CH_2-$ sont *plus souvent* suivies de réaction que les collisions sur un site $-CH_3$ [5.6]. On peut, de même, constater que les sites du type $-\overset{|}{\underset{|}{C}}H-$ (carbone tertiaire) sont encore plus réactifs.

Ces différences se justifient en partie par le fait que l'énergie de la liaison C—H, qui doit se rompre, diminue légèrement de $-CH_3$ (400 kJ . mol$^{-1}$) à $-CH_2-$ (393 kJ . mol$^{-1}$) et à $-\overset{|}{C}H-$ (372 kJ . mol$^{-1}$). Par ailleurs, pour des raisons qu'il n'est pas possible d'expliquer de façon simple, la stabilité des radicaux libres $R^{\bullet}$ qui constituent l'intermédiaire de la réaction augmente dans l'ordre $-\dot{C}H_2 < -\dot{C}H- < -\dot{C}-$ [5.7,10].

Cette accentuation de la réactivité par la stabilité du radical libre intermédiaire est aussi à l'origine de la sélectivité très marquée de la réaction en faveur des sites adjacents à une double liaison (*position allylique*) ou à un cycle benzénique (*position benzylique*) :

$$CH_2{=}CH-CH_2-CH_3 \xrightarrow{Cl_2,\ h\nu} CH_2{=}CH-CHCl-CH_3$$

$$C_6H_5-CH_2-CH_3 \xrightarrow{Cl_2,\ h\nu} C_6H_5-CHCl-CH_3$$

Les radicaux $CH_2{=}CH-\dot{C}H-CH_3$ et $Ph-\dot{C}H-CH_3$ sont en effet stabilisés par résonance [4.17].

*8-C*

*Peut-on penser que la différence de réactivité entre les sites* $CH_2$ *et* $CH_3$ *du propane augmente ou diminue quand la température s'élève?*

## Combustion-Oxydation

**8.6** Les alcanes peuvent réagir de deux façons avec le dioxygène :

a) Ils sont combustibles et leur *combustion*, comme celle de tous les hydrocarbures, provoque la rupture de toutes les liaisons C—C et C—H; les produits sont le dioxyde de carbone et l'eau :

$$2\,C_nH_{2n+2} + (3n+1)O_2 \rightarrow 2n\ CO_2 + (2n+2)H_2O$$

$$\Delta H° = -50\ kJ\ .\ g^{-1}$$

Cette réaction n'a pas d'intérêt du point de vue chimique, mais elle a un très grand intérêt pratique en raison de son caractère fortement exothermique. Elle est à la base de toutes les utilisations des alcanes comme sources d'énergie.

Les alcanes gazeux (méthane naturel, propane, butane) ou liquides (fuel, ou « fioul », mazout) sont très largement utilisés comme combustibles. La *chaleur* obtenue est utilisée soit directement (cuisson, chauffage), soit indirectement pour la production d'*électricité*, via la production de vapeur, dans les centrales thermiques. La combustion des carburants (essence, gas-oil ou « gazole », kérosène) dans les moteurs « à combustion interne » produit d'autre part une grande partie de l'*énergie mécanique* que nous utilisons, soit pour les transports (cyclomoteurs, motos, autos, camions, autocars, avions, bateaux...), soit pour la réalisation de travaux divers (tronçonneuses, tondeuses à gazon, engins de chantier...).

Ces diverses applications reposent sur deux modes différents de combustion. La *combustion progressive*, relativement lente, est celle qui se produit dans un briquet, un réchaud, un chalumeau ou une chaudière; elle ne produit que de la chaleur. On l'obtient en ne réalisant la mise en présence des deux réactifs (l'alcane et le dioxygène de l'air) que progressivement, dans un « brûleur » alimenté en alcane seulement au fur et à mesure que la combustion a lieu.

La *combustion explosive* a lieu lorsque l'alcane, gazeux ou « vaporisé » en très petites gouttelettes, est mélangé à l'avance avec le volume de dioxygène (ou, usuellement, d'air) nécessaire à sa combustion. Celle-ci, déclenchée par une flamme, une étincelle ou un fort échauffement [5.6] a lieu en un temps extrêmement court et la chaleur produite ne peut se dissiper immédiatement dans le milieu ambiant. Il en résulte donc une très brusque élévation de température des gaz produits par la réaction ($CO_2$, vapeur d'eau), qui se dilatent très violemment, produisant un effet d'explosion. Ce régime de combustion s'observe dans les « coups de grisou », dus à la présence de méthane dans l'atmosphère des mines, et dans les cylindres des moteurs « à explosions ». Dans ce dernier cas, l'élévation de température dans le cylindre produit une élévation de pression des gaz de combustion, qui repoussent le piston.

b) Les alcanes peuvent aussi, en présence de catalyseurs divers, subir une *oxydation ménagée* par le dioxygène de l'air. Ces réactions, uniquement industrielles, font apparaître diverses fonctions oxygénées, alcools et acides en particulier. On peut aussi considérer comme une oxydation du méthane sa réaction à haute température avec la vapeur d'eau :

$$CH_4 + H_2O \rightarrow CO + 3\,H_2$$

Le mélange $CO/H_2$ ainsi obtenu a diverses utilisations, entre autres la synthèse du méthanol [15.20].

## Action de la chaleur (Pyrolyse)

8.7 Les alcanes sont parmi les composés organiques les plus stables à la chaleur. Cependant, à partir de 700° environ, éventuellement en présence de catalyseurs, ils subissent diverses transformations consécutives à des ruptures de liaisons (pyrolyse = « coupure par la chaleur »).

– **Coupures de chaîne.** Des *ruptures de liaisons* C—C peuvent se produire à tous les niveaux d'une chaîne. Il en résulte la fragmentation de la molécule initiale en deux ou plusieurs molécules plus légères, et on obtient des mélanges d'alcanes et d'alcènes.

*Exemple :* $C_{20}H_{42}$ peut donner $C_{10}H_{20}$ (alcène) et $C_{10}H_{22}$ (alcane), ou $C_{16}H_{32}$ (alcène) et $C_4H_{10}$ (alcane), ou tout autre mélange de molécules totalisant 20 atomes de carbone et 42 atomes d'hydrogène.

– **Déshydrogénation.** La *rupture de liaisons* C—H peut conduire à une simple déshydrogénation, un alcane donnant un alcène (ou un mélange d'isomères de position d'un alcène) possédant le même nombre d'atomes de carbone.

*Exemple :* $C_4H_{10}$ (alcane) $\rightarrow$ $C_4H_8$ (alcène) + $H_2$

– **Isomérisation.** Un alcane à chaîne linéaire peut se « réarranger » en un isomère à chaîne ramifiée.

*Exemple :* le butane peut s'isomériser en isobutane.

– **Cyclisation.** On observe également la transformation de chaînes linéaires en chaînes cycliques, à la suite de la formation d'une liaison C—C entre leurs deux carbones extrêmes, ou même entre l'un d'eux et l'un de ceux de la chaîne. Simultanément, il se produit une déshydrogénation et l'on obtient en définitive un cycle benzénique, plus ou moins substitué.

*Exemples :*

Hexane → Benzène : $CH_3-(CH_2)_4-CH_3 \rightarrow$ [benzène] $+ 4\ H_2$

Heptane → Toluène : $CH_3-(CH_2)_5-CH_3 \rightarrow$ [cycle benzénique–$CH_3$] $+ 4\ H_2$

Ces diverses réactions s'interprètent par la formation initiale de *radicaux libres*, à la suite de la rupture homolytique de liaisons C—C ou C—H [5.10]. Divers processus interviennent ensuite entre ces radicaux libres : recombinaison de radicaux provenant de molécules différentes, « attaque » de liaisons C–H, transferts d'hydrogène entre radicaux, etc. Ainsi, la formation d'un alcane et d'un alcène à la suite d'une rupture de chaîne (ci-dessus, a) peut s'expliquer par un processus en deux étapes :

1) Formation de deux radicaux libres : $C_{20}H_{42} \rightarrow C_{16}H_{33}\cdot + C_4H_9\cdot$.

2) Transfert d'un $H^\cdot$ d'un radical à l'autre (à l'occasion d'une collision entre eux) :

$$C_{14}H_{29}-CH_2-\dot{C}H_2 + C_3H_7-\dot{C}H_2 \rightarrow C_{14}H_{29}-CH{=}CH_2 + C_3H_7-CH_3$$

Ces diverses réactions, qui ne peuvent valablement être mises en œuvre qu'à l'échelon industriel, trouvent des applications importantes dans la valorisation du pétrole brut.

# 3 — État naturel

8.8 Les alcanes existent en grande quantité sous forme de gisements naturels de gaz ou de pétrole. L'origine de ces gisements est attribuée à la fermentation de la cellulose des végétaux des temps préhistoriques, dans le sol, sous l'action de bactéries. Le gaz naturel est constitué principalement de méthane, mais les pétroles contiennent un mélange très complexe d'hydrocarbures, comportant de un à quarante carbones environ (cependant tous les pétroles ne sont pas constitués d'alcanes; ceux de Pensylvanie le sont, mais ceux d'Europe centralc sont formés principalement de cycloalcanes et ceux d'Indonésie contiennent en grande proportion des hydrocarbures benzéniques).

Sauf pour les premiers termes de la série, de $CH_4$ à $C_6H_{14}$, il est pratiquement impossible de retirer du pétrole brut un alcane particulier à l'état pur, à cause de la complexité du mélange et de la proximité des points d'ébullition des constituants de masse moléculaire voisine. Les méthodes de préparation artificielles restent donc le seul moyen d'obtenir un hydrocarbure déterminé.

# 4 — Préparations

*Au laboratoire*, on prépare très rarement des alcanes; ils ne présentent en effet que peu d'intérêt par eux-mêmes et leur faible réactivité ne les destine pas à être des intermédiaires en vue de nouvelles synthèses.

Par contre, on peut avoir besoin, dans une molécule comportant plusieurs fonctions, de « réduire » totalement l'une d'elles, c'est-à-dire de la faire disparaître en ramenant le carbone qui la portait à l'état de groupe $CH_3$, $CH_2$ ou CH.

*Exemples :*

$$H_2C{=}CH{-}CH_2{-}CH_2OH \rightarrow H_3C{-}CH_2{-}CH_2{-}CH_2OH$$

$$H_3C{-}CHOH{-}CH_2{-}CH{=}O \rightarrow H_3C{-}CHOH{-}CH_2{-}CH_3$$

C'est principalement dans cette perspective qu'il faut voir l'intérêt des « méthodes de préparation » des alcanes à partir de composés à fonctions diverses.

*Industriellement*, l'obtention de *mélanges* d'alcanes d'un type déterminé constitue l'un des objectifs de la « pétrochimie » [8.14] (alcanes légers à partir d'alcanes lourds, alcanes ramifiés à partir d'alcanes linéaires...) mais il ne s'agit jamais de préparer un alcane particulier à l'état pur. Ces opérations sont évoquées par ailleurs [25.3].

## 1) A partir d'halogénures d'alkyles

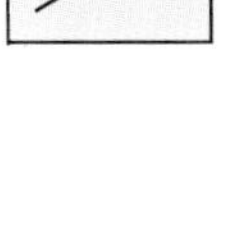

8.9 La **réduction d'un halogénure d'alkyle** RX (X = Cl, Br ou I) en alcane peut s'effectuer de deux façons :

• par le *dihydrogène*, en présence de palladium (Pd) comme catalyseur :

$$RX + H_2 \xrightarrow{[Pd]} RH + HX$$

*Exemple :*

$$CH_3Br + H_2 \xrightarrow{[Pd]} CH_4 + HBr$$

• par l'intermédiaire d'un composé *organomagnésien* R—MgX, en deux étapes :

1) Formation de l'organomagnésien :

$$RX + Mg \rightarrow R{-}MgX \quad [14.3]$$

2) Hydrolyse de l'organomagnésien :

$$R{-}MgX + H_2O \rightarrow RH + XMgOH \quad [14.5]$$

*Exemple :*

$$CH_3{-}CH_2Br \xrightarrow{Mg} CH_3{-}CH_2{-}MgBr \xrightarrow{H_2O} CH_3{-}CH_3 + BrMgOH$$

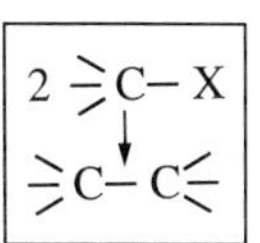


8.10 La **réaction de Wurtz** permet la synthèse d'un alcane à partir de deux molécules d'halogénures d'alkyles, traitées par un métal comme Na ou Zn :

$$RX + R'X + 2\,Na \rightarrow R{-}R' + 2\,NaX$$

Cette réaction présente l'inconvénient, si l'on utilise deux halogénures différents, de fournir le mélange des trois hydrocarbures R—R, R—R′ et R′—R′. On ne peut en effet pas empêcher la réaction de se produire entre deux molécules identiques aussi bien qu'entre deux molécules différentes. Cette méthode donne, par contre, de bons résultats pour la synthèse d'alcanes symétriques de masse molaire élevée (40 à 60 carbones).

On peut également parvenir au même résultat, à partir des mêmes composés de départ, par une méthode organomagnésienne qui évite l'obtention de mélanges dans les synthèses mixtes :

1) $RX + Mg \rightarrow R{-}MgX$

2) $R{-}MgX + R'X \rightarrow R{-}R' + MgX_2$

*Exemple :*

$$CH_3Br \xrightarrow{Mg} CH_3{-}MgBr \xrightarrow{CH_3{-}CHBr{-}CH_3} CH_3{-}\underset{\displaystyle CH_3}{\underset{|}{CH}}{-}CH_3$$

Cette réaction a cependant souvent un mauvais rendement avec les dérivés halogénés saturés (halogénoalcanes). Elle s'utilise plutôt avec des halogénures « activés », comme les halogénures allyliques $R{-}CH{=}CH{-}CH_2X$. L'obtention d'un alcane nécessite alors une hydrogénation ultérieure [8.11].

## 2) A partir d'hydrocarbures non saturés

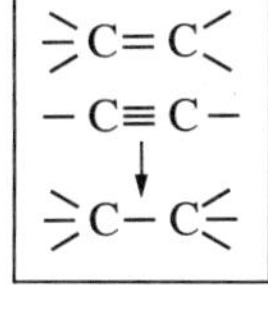


8.11 L'**hydrogénation catalytique** des liaisons doubles (alcènes) ou triples (alcynes) les transforme en liaisons simples. Les catalyseurs les plus usuels sont le nickel et le platine [9.4].

$$>C{=}C< \text{ (alcène ou composé éthylénique)} + H_2 \rightarrow -\underset{|}{C}H-\underset{|}{C}H-$$

$$-C{\equiv}C- \text{(alcyne ou composé acétylénique)} + 2\,H_2 \rightarrow -CH_2{-}CH_2-$$

*8-D* ______

*Le diméthylpropane (également appelé ______) peut-il être préparé par cette méthode?*

______

## 3) A partir de fonctions oxygénées

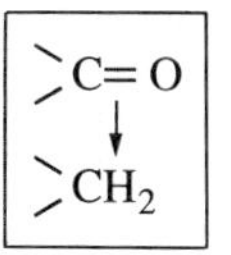


8.12 La **réduction totale des aldéhydes et des cétones** peut s'effectuer de diverses façons. L'agent réducteur peut être un métal, comme le zinc, en milieu acide *(réaction de Clemmensen)*.

*Exemple :*

$$CH_3{-}CO{-}CH_2{-}CH_3 \xrightarrow{Zn/H_3O^+} CH_3{-}CH_2{-}CH_2{-}CH_3 + H_2O$$

$>C-COOH \rightarrow >CH$

**8.13** La **décarboxylation des acides carboxyliques** (c'est-à-dire la perte du groupe carboxyle —COO—) conduit à un alcane possédant un carbone de moins. Elle se réalise notamment par chauffage en milieu basique, l'acide étant dans un premier temps transformé en son sel :

$$1)\ R\text{—}COOH + NaOH \rightarrow R\text{—}COONa + H_2O$$

$$2)\ R\text{—}COONa + NaOH \xrightarrow{\Delta} RH + Na_2CO_3$$

*Exemple :*

$$CH_3\text{—}COOH \xrightarrow{NaOH} CH_3\text{—}COONa \xrightarrow{NaOH,\ \Delta} CH_4 + Na_2CO_3$$

# 5 — Termes importants. Utilisations

**8.14** Les alcanes les plus importants sont ceux qui se trouvent dans la nature : gaz naturel et pétroles, mélanges complexes d'un très grand nombre d'hydrocarbures différents. Leur intérêt comme sources d'énergie (on dit parfois qu'ils constituent une « énergie fossile ») a déjà été évoqué plus haut [8.6]. Mais ils constituent aussi une source, directe ou indirecte, de matières premières pour de très nombreuses fabrications (matières plastiques, textiles synthétiques, détergents, etc.). La *pétrochimie* est l'ensemble des opérations de séparation, de raffinage et de transformation des constituants du pétrole brut, en vue de leur valorisation. Il s'agit d'un secteur majeur de la « très grosse » industrie chimique, la quantité de produits traités se chiffrant annuellement, en France seulement, en centaines de millions de tonnes. Ces opérations seront décrites au chapitre 25.

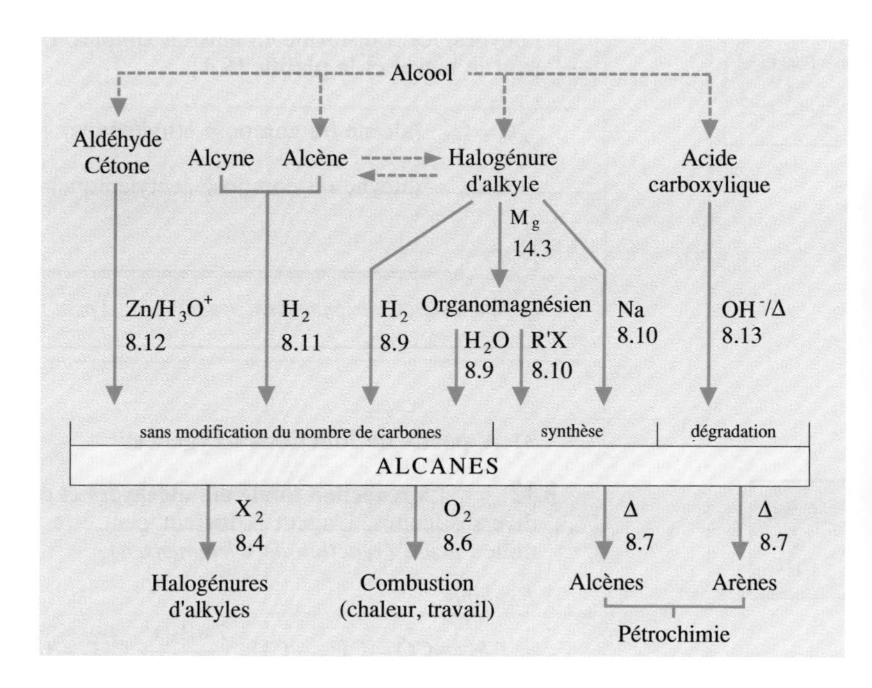

## EXERCICES

*Les* ***règles de nomenclature,*** *permettant de faire correspondre réciproquement un nom et une formule, sont exposées dans le chapitre 7 (pour les stéréoisomères, au chapitre 3).*

***8-a*** Deux composés A et B réagissent avec le magnésium pour donner deux dérivés C et D. L'action de l'eau sur C et sur D fournit, dans les deux cas, du butane. L'action du sodium sur A conduit à de l'octane, et son action sur B conduit à du 3,4-diméthylhexane.
Quelles sont les formules de A et de B? Nommer tous les composés intervenant dans ces réactions.

***8-b*** La combustion complète de 100 ml d'un mélange gazeux de méthane et d'éthane a produit 150 ml de dioxyde de carbone (mesurés dans les mêmes conditions de température et de pression). Quelle est la composition, en volumes, de ce mélange?

***8-c*** La monochloration du butane, à 25 °C, fournit un mélange contenant 27 % de 1-chloro-butane et 73 % de 2-chlorobutane.

– Quelle serait la proportion «statistique» obtenue si la vitesse propre de la réaction était la même dans les deux cas (même proportion de chocs efficaces)?
– Compte tenu du résultat expérimental, quel est le rapport des deux vitesses de réaction (rapport des réactivités sur les sites secondaires et primaires)?

***8-d*** Une détermination cryométrique, dont la précision peut être estimée de l'ordre de 1 %, a donné la valeur 129 pour la masse molaire d'un alcane. Son spectre de RMN présente deux pics simples, vers 0,9 et 1,3 ppm. Le rapport de leurs intensités est 9 : 1. Quelle est la structure de cet alcane?

# LES CARBURANTS

**8.15** Les moteurs « à combustion interne » (ainsi nommés par opposition aux machines à vapeur équipées d'un foyer extérieur, auxquelles ils ont succédé) utilisent l'énergie libérée par la combustion d'hydrocarbures. Cette combustion peut être provoquée, dans un mélange d'air et d'hydrocarbure gazeux ou « vaporisé » en un très fin brouillard, soit par une flamme ou une étincelle, soit par une simple élévation de la température. Il existe en effet, pour un tel mélange, une température « d'autoinflammation », à laquelle la combustion s'amorce spontanément [5.6; question 5.B].

Cette température d'autoinflammation est variable selon la masse moléculaire de l'hydrocarbure et elle dépend aussi de sa structure, linéaire ou ramifiée; elle peut même être différente pour deux isomères :

| | | |
|---|---|---|
| $C_6H_{14}$ | Hexane ......... | 234 °C |
| | 2-méthylpentane . | 306 °C |
| $C_8H_{18}$ | Octane ............... | 220 °C |
| | 2,2,4-triméthylpentane . . | 456 °C |

Dans un *moteur à « allumage commandé »*, la combustion est provoquée par l'étincelle qui jaillit entre les électrodes de la bougie après compression du mélange air/carburant. Mais cette compression élève la température du mélange gazeux et peut provoquer une autoinflammation prématurée. On dit alors que le moteur « cogne », ou « cliquète »; il ne donne pas sa puissance maximale et s'use plus rapidement. Cet inconvénient est d'autant plus à craindre que le taux de compression du moteur (rapport du volume initial non comprimé au volume final comprimé) est plus grand. Or le rendement des moteurs est d'autant meilleur que ce taux est plus élevé (consommation moindre pour une puissance donnée).

On recherche donc pour ces moteurs des carburants aussi peu « détonants » (autoinflammables) que possible. Les données ci-dessus montrent qu'à cet égard les alcanes ramifiés se comportent mieux que les alcanes linéaires; les hydrocarbures benzéniques ont aussi un très bon comportement. Les isomérisations et les cyclisations que subissent les alcanes à haute température [8.7] peuvent donc améliorer la qualité d'un carburant; c'est le but du « réformage » appliqué à certaines fractions obtenues par distillation du pétrole [25.3].

Le comportement à cet égard d'un carburant est caractérisé par son *indice d'octane*, qui est défini par comparaison avec deux étalons : l'heptane (indice 0) et le 2,4,4-triméthylpentane, improprement appelé en ce cas « iso-octane », (indice 100). Si un carburant a le même pouvoir antidétonant (même taux de compression maximal possible sans détonation) que celui d'un mélange heptane/isooctane contenant $x$ % en volume d'isooctane, son indice d'octane est $x$. Le supercarburant a usuellement un indice d'octane de 98. Par extrapolation, on définit des indices supérieurs à 100 (benzène : 107).

On peut améliorer l'indice d'octane d'un carburant par l'adjonction de tétraéthylplomb $(CH_3CH_2)_4Pb$ (l'indice d'octane de l'isooctane « plombé » peut atteindre 120). Mais ce plomb est rejeté dans l'atmosphère avec les gaz d'échappement et, en raison de sa toxicité, constitue un grave facteur de pollution (on estime que chaque année, dans le monde, plus de 200 000 tonnes de plomb sont ainsi rejetées dans l'atmosphère). La tendance est donc à l'utilisation de carburants sans plomb, pour lesquels un indice d'octane élevé est obtenu par une forte proportion d'alcanes ramifiés ou d'hydrocarbures benzéniques, ainsi que par l'addition d'éthanol $CH_3CH_2OH$ (dans la limite de 5 % en France) et d'un éther-oxyde $CH_3—O—C(CH_3)_3$.

Dans les *moteurs diésel*, le carburant est injecté dans des cylindres contenant de l'air porté, par compression, à une température de 500 °C à 600 °C, où il s'enflamme spontanément. Ce sont les alcanes linéaires de masse moléculaire moyenne (gas oil, ou gazole) qui conviennent le mieux. On définit alors un *indice de cétane*, par référence au comportement de mélanges d'hexadécane $C_{16}H_{34}$, ou « cétane » (indice 100) et d'α-méthylnaphtalène [7.6] (indice 0); le gazole commercial a normalement un indice de cétane égal à 50.

*Les pots d'échappement catalytiques*

Les gaz produits par un moteur (gaz « d'échappement ») sont constitués de vapeur d'eau, de dioxyde et de monoxyde de carbone $CO_2$ et $CO$, des oxydes d'azote $NO$ et $NO_2$, ainsi que d'hydrocarbures non brûlés. Les pots d'échappement « catalytiques » ont pour fonction de détruire, parmi ces composants, ceux qui représentent les facteurs de pollution les plus dangereux : $CO$, $NO$ et $NO_2$ et les hydrocarbures.

Ils contiennent des « lits » catalytiques au contact desquels les gaz circulent, constitués par des métaux tels que le platine, le palladium et le rhodium, déposés sur un support en céramique. Au contact de ces métaux, par le jeu de diverses réactions assez complexes, $CO$ est oxydé en $CO_2$, $NO_2$ et $NO$ sont réduits en diazote $N_2$, et les hydrocarbures sont oxydés en $CO_2$ et $H_2O$. Les rejets ne contiennent donc, outre le diazote « rendu » à l'atmosphère, que du dioxyde de carbone et de la vapeur d'eau (contrairement à ce que l'on entend parfois dire, l'utilisation généralisée de ces pots catalytiques n'apporterait donc pas un remède à l'augmentation du taux de $CO_2$ dans l'atmosphère).

Bien que des pots catalytiques fonctionnent déjà, ces dispositifs font encore l'objet de recherches et de mises au point. Il est en effet très difficile d'obtenir que toutes les réactions souhaitées se réalisent avec un rendement maximal, notamment en raison d'importantes variations de température des gaz en fonction du régime du moteur (de 400 °C à 900 °C, et même parfois 1 100 °C).

Par ailleurs, les pots catalytiques sont incompatibles avec l'utilisation de carburants « plombés » (contenant du tétraéthylpomb), car le plomb inactive (« empoisonne ») les catalyseurs. Leur usage généralisé ne peut donc qu'aller de pair avec celui des carburants sans plomb.

# Les alcènes

# 9

## la double liaison carbone-carbone

**9.1** Les **alcènes** sont les hydrocarbures acycliques possédant une *double liaison* C=C. Leur formule générale est $\mathbf{C_nH_{2n}}$. On les appelle également *hydrocarbures éthyléniques*, du nom du premier terme qui est l'éthylène, $H_2C{=}CH_2$ (*).

Mais la double liaison C=C est très fréquemment présente dans des composés, naturels ou non, possédant par ailleurs une ou plusieurs fonctions. Mis à part certains cas, elle conserve dans ces **composés éthyléniques** l'essentiel de la réactivité qu'elle présente dans les alcènes. Les réactions décrites dans ce chapitre sont donc autant celles de « la double liaison » que celles des alcènes proprement dits.

La *nomenclature* des alcènes est exposée au chapitre 7 [7.4].

*9-A*

*Remémorez-vous (si nécessaire) tout ce qui a déjà été « dit » à propos de la double liaison* C=C *: structure électronique de la liaison* $\pi$ [4.10], *géométrie et stéréoisomérie* [3.23,24], *spectroscopie* UV [6.11], IR [6.12], RMN [6.14].

## 1 — Caractères physiques

**9.2** Les alcènes ne possédant pas plus de quatre carbones sont gazeux dans les conditions ordinaires. Les suivants sont liquides et leur point d'ébullition augmente avec leur masse moléculaire. Les plus lourds sont solides. Un alcène bout un peu plus bas que l'alcane correspondant.

Les alcènes sont insolubles dans l'eau, mais solubles dans les autres hydrocarbures.

Le groupe C=C possède une absorption caractéristique dans l'ultraviolet lointain (vers 185 nm) et dans l'infrarouge (vibration d'élongation entre 1 620 et 1 680 $cm^{-1}$). Les H (protons) adjacents ont des déplacements chimiques caractéristiques en RMN (vers 5 ppm).

(*) Parfois, notamment dans le langage des « pétroliers » (chimistes du pétrole), on les appelle aussi **oléfines,** mais ce terme n'est pas reconnu par l'UICPA.

Pour une chaîne carbonée donnée, la *stabilité* d'un alcène (estimée à partir de son enthalpie standard de formation (*)) varie selon la position de la double liaison dans cette chaîne : l'isomère dans lequel elle est entourée du plus grand nombre de groupes alkyles (double liaison « la plus substituée ») est le plus stable. Par ailleurs, le stéréoisomère dans lequel les deux groupes les plus encombrants sur chaque carbone sont en position *trans* est plus stable que celui dans lequel ils sont en position *cis*.

*Exemples* (> signifiant « plus stable que ») :

Méthylbutènes: > > ;

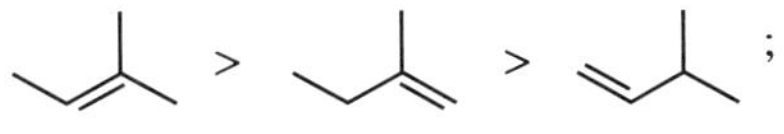

But-2-ène *Z* et *E* : >

# 2 — Réactivité

**9.3** A la différence des alcanes, les alcènes possèdent un véritable site réactif. La double liaison est beaucoup plus réactive que les enchaînements carbonés saturés qui « l'entourent », et la plupart des réactions se situent à son niveau.

Le caractère principal de la double liaison est d'être *non saturée* (ou *insaturée*), c'est-à-dire de pouvoir donner des *réactions d'addition* [5.3], par « ouverture » de la liaison $\pi$. Ces réactions sont facilitées par la *faible énergie de la liaison* $\pi$ (environ 250 kJ . mol$^{-1}$, à comparer avec 350 kJ . mol$^{-1}$ pour la liaison $\sigma$ C—C), qui rend facile sa rupture et grâce à laquelle le bilan thermodynamique est souvent favorable (exothermique).

D'autre part, une double liaison est un site de *forte densité électronique*, où se trouvent de surcroît des électrons facilement « accessibles » (cf. géométrie des orbitales, [4.10]). En conséquence, les réactions à son niveau résultent très souvent d'une *attaque par un réactif électrophile* (cation ou atome déficitaire dans une molécule).

Enfin, la double liaison, en raison même de sa réactivité, constitue un point vulnérable de l'enchaînement carboné, et certaines réactions entraînent la *coupure entre les deux carbones doublement liés* ($sp^2$) (action de certains oxydants en particulier).

## A. RÉACTIONS D'ADDITION

Le schéma général des réactions d'addition sur une liaison éthylénique peut être figuré par

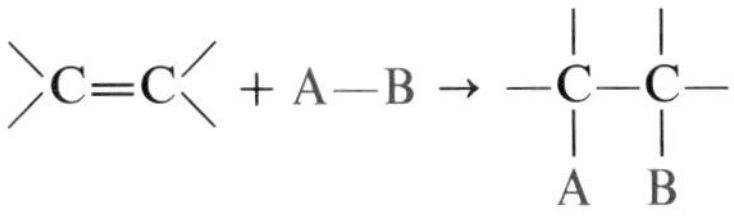

$$\rangle C{=}C\langle \; + \; A{-}B \rightarrow -\underset{A}{\overset{|}{\underset{|}{C}}}-\underset{B}{\overset{|}{\underset{|}{C}}}-$$

(*) Voir *Cours de Chimie physique*, chapitre 32.

sans préjuger du mécanisme réel, qui peut prendre des formes diverses, et qui sera envisagé cas par cas. Mais il y a toujours rupture de la liaison $\pi$ de l'alcène et de la liaison $\sigma$ de la molécule A—B, et formation de deux nouvelles liaisons $\sigma$, C—A et C—B. Le bilan thermodynamique de la réaction est la somme algébrique des énergies *à fournir* pour rompre les liaisons et des énergies *fournies* par la formation des nouvelles liaisons.

## Hydrogénation

**9.4** L'addition du dihydrogène sur une double liaison conduit à l'enchaînement saturé correspondant :

$$>C=C< + H_2 \rightarrow -\overset{|}{C}H-\overset{|}{C}H-$$

*Exemple :* $CH_3-CH=CH_2 + H_2 \rightarrow CH_3-CH_2-CH_3$

Cette réaction ne se produit avec une vitesse appréciable qu'en présence d'un catalyseur. Elle peut s'effectuer :

– soit en *phase gazeuse* : passage d'un mélange gazeux d'alcène et de dihydrogène, à une température convenable, sur le catalyseur contenu dans un tube chauffé,

– soit en *phase liquide* : agitation sous une atmosphère de dihydrogène de l'alcène contenant en suspension le catalyseur. L'emploi d'une pression élevée de dihydrogène (100 bars ou plus) peut être nécessaire.

Les catalyseurs d'hydrogénation sont des métaux (nickel, platine) finement divisés. Ils interviennent en effet par une action de surface, la réaction ayant lieu entre molécules d'alcène et de dihydrogène fixées («adsorbées») à la surface du métal. Dans cet état d'adsorption, les liaisons H—H et $\pi$, qui doivent être rompues, sont très notablement affaiblies. L'énergie d'activation de la réaction s'en trouve diminuée, et elle devient beaucoup plus rapide (cf. mécanisme de la catalyse [5.9]). Un morceau massif du même métal aurait aussi une action catalytique, mais sa surface serait trop faible pour que cette action soit vraiment sensible. La surface d'un catalyseur offerte aux réactifs peut être de l'ordre de $10^5$ $cm^2$ par gramme, soit plusieurs dizaines de milliers de fois plus grande que celle de la même masse du métal sous forme massive.

On peut préparer un catalyseur de nickel de deux façons :

a) à partir de carbonate de nickel $NiCO_3$, précipité dans une solution d'un sel de nickel :

$$NiCO_3 \xrightarrow{\Delta} NiO(+ CO_2) \xrightarrow{H_2} Ni + H_2O \quad \text{(Nickel « Sabatier »)}$$

b) à partir d'un alliage nickel/aluminium, attaqué par une solution de soude :

$$Ni/Al \xrightarrow{OH^-} NaAlO_2 \text{ (soluble)} + Ni \quad \text{(Nickel « Raney »)}$$

Dans les deux cas, le catalyseur se présente sous la forme d'une fine poudre noire.

Du fait qu'au moment de la réaction la molécule d'alcène est fixée « à plat » à la surface du catalyseur, les deux atomes d'hydrogène se fixent sur la même face du plan de la double liaison. On dit qu'il se produit une *cis-addition*, et que la réaction est *stéréospécifique* [5.16].

$$\mathrm{RR'C{=}CRR'} \xrightarrow{\ \mathrm{H},\ \mathrm{H}\ } \mathrm{RR'HC{-}CHRR'}$$

## 9-B

*L'hydrogénation du (Z)-3,4-diméthylhex-3-ène fournit-elle un produit optiquement actif ou inactif? (nommez-le).*

---

L'hydrogénation d'un alcène (ou de tout autre composé éthylénique) peut avoir pour objectif la préparation effective du composé saturé correspondant. Mais elle peut également avoir un but analytique : effectuée dans des conditions adaptées, elle permet de doser les doubles liaisons contenues dans un échantillon de matière, par mesure du volume de dihydrogène absorbé.

Parmi les applications industrielles de l'hydrogénation, on peut citer celle d'huiles végétales (esters non saturés) pour les transformer en graisses comestibles (margarines).

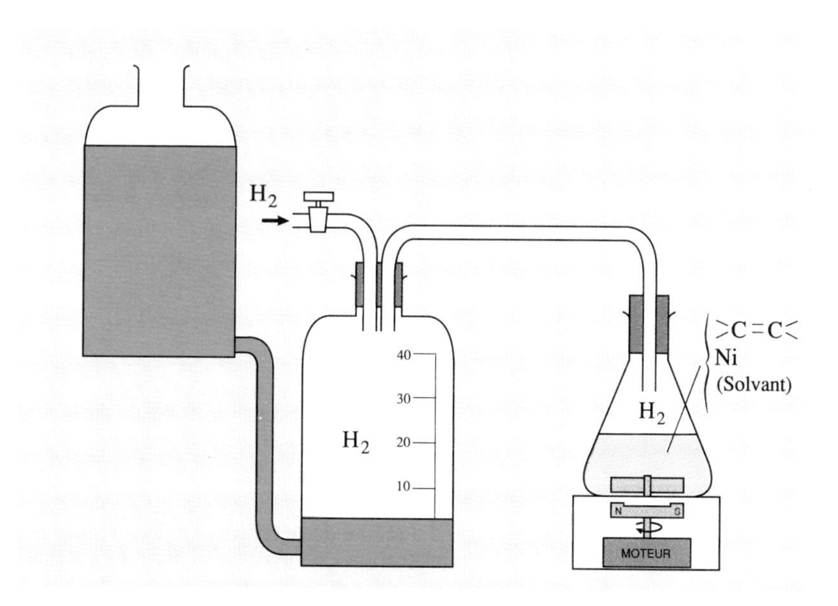


L'hydrogénation catalytique en milieu liquide, à la pression atmosphérique, s'effectue dans un appareillage très simple en verre, représenté schématiquement ci-dessus. Le dihydrogène est stocké dans un « gazomètre » (flacon gradué), sous une très légère pression, et la réaction a lieu dans un « erlenmeyer » visible à droite. Celui-ci contient l'alcène, dissous dans un solvant et le catalyseur (Ni en poudre); un barreau aimanté, entraîné par un aimant extérieur mû par un moteur, agite son contenu et maintient le nickel en suspension. La progression de la réaction est suivie par la montée du liquide (eau) dans le gazomètre, dont le niveau indique à tout moment la quantité de dihydrogène absorbée.

Si l'on doit réaliser la réaction sous une pression élevée, on utilise un autoclave, réacteur à parois d'acier épaisses (a), placé dans un four (b) pour pouvoir être éventuellement chauffé ; l'agitation est assurée par un dispositif magnétique que l'on voit au-dessus du four. On établit dans l'autoclave la pression de dihydrogène désirée (le plus souvent entre 100 et 200 bars), puis on l'isole de la source de dihydrogène par la fermeture d'une vanne. A partir de cet instant, on peut suivre l'avancement de la réaction par la baisse de la pression, lue sur un manomètre. Lorsque la pression ne baisse plus, la réaction est terminée.

a)

b)

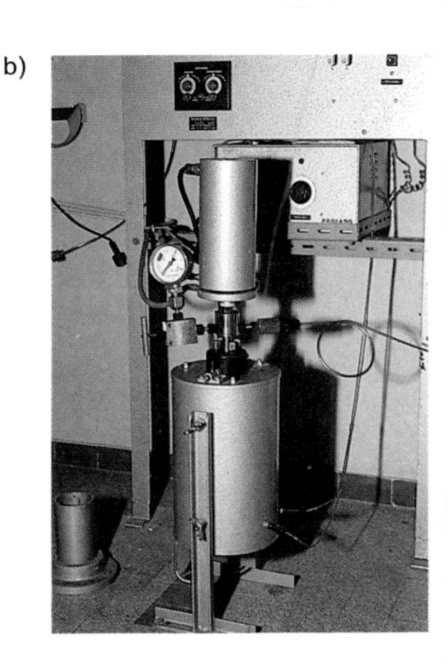

## Additions électrophiles

**9.5** La plupart des réactions d'addition sur les doubles liaisons présentent les caractères d'une réaction en deux étapes, dont la première consiste en une attaque électrophile [5.13] sur les électrons π : la molécule qui s'additionne subit une rupture hétérolytique, et le fragment cationique se fixe le premier sur l'un des carbones éthyléniques, en utilisant pour se lier le doublet π. Le fragment anionique vient ensuite se lier, grâce au doublet libre dont il dispose, sur l'autre carbone devenu le siège d'une lacune. L'intermédiaire de la réaction est un carbocation [5.12].

$$1^{re}\ \text{étape :}\quad \rangle C{=}C\langle + A{-}B \rightarrow -\underset{|}{\overset{A}{\overset{|}{C}}}-\overset{+}{C}\langle + B\!:^-$$

$$2^{e}\ \text{étape :}\quad B\!:^- + -\underset{|}{\overset{A}{\overset{|}{C}}}-\overset{+}{C}\langle \rightarrow -\underset{|}{\overset{A}{\overset{|}{C}}}-\underset{|}{\overset{B}{\overset{|}{C}}}-$$

Ce mécanisme se trouve validé par le fait qu'il permet d'expliquer de façon satisfaisante divers aspects secondaires de la réaction : différences de réactivité (vitesse de réaction) selon la structure de l'alcène, géométrie des produits formés, orientation de l'addition de réactifs dissymétriques, existence de réarrangements du squelette carboné.

La réalité de ce schéma en deux étapes peut, d'autre part, être attestée par la démonstration de l'existence effective (quoique fugitive) du carbocation intermédiaire. Cette démonstration peut être faite par une méthode consistant à introduire dans le milieu réactionnel une espèce étrangère à la réaction, susceptible de réagir avec l'intermédiaire supposé. Une partie de celui-ci se trouve ainsi soustraite à la réaction principale, pour donner un composé que l'on pourra retrouver dans les produits de la réaction. Dans le cas présent, l'introduction d'un anion étranger, $NO_3^-$ par exemple (par addition au milieu réactionnel de nitrate de sodium $NaNO_3$) a pour conséquence la formation d'une certaine quantité de $R{-}NO_3$, par réaction entre $NO_3^-$ et le carbocation $R^+$.

*9-C*

---

*Dans l'expérience décrite ci-dessus, la formation de $R—NO_3$ pourrait être due non pas à la réaction de $NO_3^-$ avec le carbocation, mais à une réaction de substitution de $Br^-$ par $NO_3^-$ dans le produit final, après sa formation. En ce cas, la formation d'un carbocation ne serait pas prouvée. Par quelle expérience complémentaire pourrait-on lever ce doute?*

---

## *Hydracides halogénés (halogénures d'hydrogène HX)*

**9.6** Les hydracides halogénés HCl, HBr, HI (chlorure, bromure et iodure d'hydrogène) s'additionnent directement sur les doubles liaisons, pour donner un dérivé monohalogéné saturé. L'électrophile est l'ion $H^+$, résultant de la dissociation de HX en $H^+$ et $X^-$ :

$$\rangle C{=}C\langle \xrightarrow{H^+} -\overset{H}{\underset{|}{\overset{|}{C}}}-\overset{+}{C}\langle \xrightarrow{X^-} -\overset{H}{\underset{|}{\overset{|}{C}}}-\overset{X}{\underset{|}{\overset{|}{C}}}-$$

*Exemple :*

$$\underset{\text{But-2-ène}}{CH_3-CH=CH-CH_3} + HBr \rightarrow \underset{\text{2-Bromobutane}}{CH_3-CH_2-CHBr-CH_3}$$

*9-D*

---

*En acceptant un proton, un alcène joue le rôle d'une ___; le carbocation formé est son ___ conjugué.*

---

Si l'environnement de la double liaison est dissymétrique, la réaction peut donner deux produits différents, selon le « sens » de l'addition :

*Exemple :*

$$\underset{\text{Propène}}{CH_3-CH=CH_2} + HCl \begin{cases} \nearrow CH_3-CHCl-CH_3 & \text{2-Chloropropane} \\ \searrow CH_3-CH_2-CH_2Cl & \text{1-Chloropropane} \end{cases}$$

On obtient un mélange des deux dérivés chlorés, mais le 2-chloropropane y est très majoritaire. On dit que la réaction est *régiosélective* (elle serait « régiospécifique » si l'on obtenait exclusivement l'un des deux dérivés chlorés).

■ *La règle de Markownikov*

La régiosélectivité de cette réaction est connue depuis très longtemps et, dès 1869, le chimiste russe Markownikov avait pu énoncer, comme une règle purement empirique, que lors de l'addition d'un composé hydrogéné AH sur un alcène dissymétrique *« l'hydrogène se fixe sur le carbone le moins substitué (ou le plus hydrogéné) »*. Formulée ainsi, cette règle connaît un certain nombre de contre-exemples et l'explication, ou la prévision, du sens de l'addition doit être recherchée en se référant, plus fondamentalement, à son mécanisme.

Les deux étapes de l'addition de HCl sur le propène, et l'obtention possible de deux dérivés chlorés, se schématisent ainsi :

$$CH_3-CH=CH_2+HCl \begin{cases} \nearrow \; CH_3-\overset{+}{C}H-CH_3 \;(a) \; + Cl^- \rightarrow CH_3-CHCl-CH_3 \;(b) \\ \searrow \; CH_3-CH_2-\overset{+}{C}H_2 \;(a') \; + Cl^- \rightarrow CH_3-CH_2-CH_2Cl \;(b') \end{cases}$$

L'orientation de la réaction « se joue » dans sa première étape, qui est l'étape cinétiquement déterminante [5.8], et résulte du « choix » fait par $H^+$ de se fixer sur l'un ou sur l'autre des carbones éthyléniques. Il en résulte en effet la formation de l'un ou l'autre des deux carbocations (a) et (a′), qui ne peuvent ensuite que conduire, respectivement, aux composés (b) et (b′).

Ces deux carbocations n'ont pas la même stabilité : (a), qui est secondaire, est plus stable que (a′) qui est primaire [5.12, tableau 5.1]. En conséquence, l'énergie d'activation de la formation de (a) est plus faible que celle de la formation de (a′), et la formation de (a) est plus rapide que celle de (a′) [5.7]. En définitive, la formation de (b) est plus rapide que celle de (b′), et (b) se forme en plus grande quantité que (b′).

Puisque l'orientation de la réaction se détermine au moment de l'attaque de $H^+$ sur l'un ou l'autre des deux carbones éthyléniques, c'est-à-dire dès la première interaction entre les réactifs, on peut s'étonner qu'elle soit influencée de manière anticipée par la stabilité d'un intermédiaire qui ne se formera qu'ultérieurement.

Pour surmonter ce paradoxe apparent, il faut avoir à l'esprit l'allure des profils énergétiques des deux réactions possibles [5.7 et figure 9.1]. L'intermédiaire le plus stable (cation secondaire), qui correspond au « creux » le plus bas, est aussi celui qui se forme avec la plus faible énergie d'activation.

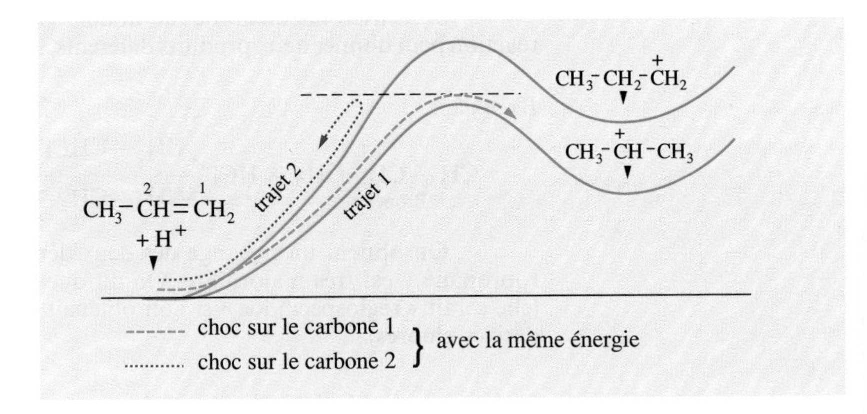


*Figure 9.1 — Interprétation cinétique de la règle de Markownikov.*
**La protonation de l'un des carbones éthyléniques du propène, pour former un carbocation, « réussit » plus souvent si elle concerne le carbone 1 que si elle concerne le carbone 2. Le chemin énergétique à suivre « monte moins haut » (énergie d'activation plus faible), car le carbocation secondaire est le plus stable (« creux » plus profond).**

Il convient aussi de se souvenir que toutes les collisions entre des réactifs susceptibles de donner lieu à une réaction ne sont pas efficaces [5.6]. Les chocs ont lieu aussi bien sur le $CH_2$ que sur le CH (et même sur le $CH_3$), mais ils sont *plus souvent efficaces* dans le premier cas que dans le second. Pour une énergie cinétique donnée au moment de la collision, les réactifs franchissent plus facilement la « barre » de l'état de transition sur le trajet 1 que sur le trajet 2. La réaction 1, conduisant au carbocation secondaire, est donc plus rapide ce qui revient à dire que ce carbocation se forme préférentiellement.

On dit en ce cas que la proportion finale des deux produits d'addition est **cinétiquement contrôlée.**

A la lumière de cette analyse, la « règle de Markownikov » peut être reformulée, d'une façon qui lui donne une portée beaucoup plus générale et qui fait rentrer les contre-exemples dans la norme : *« Lors de l'addition d'une molécule dissymétrique* A—B *sur une double liaison dissymétrique, pouvant donner lieu à deux orientations, le produit principal est celui qui se forme par l'intermédiaire réactionnel le plus stable ».*

*9-E*

---

*Quel serait le produit majoritairement obtenu dans l'addition de* HBr *sur le 2-méthylbut-2-ène et sur le 1-phénylpropène?*

---

■ *L'effet Karasch (effet peroxyde)*

**9.7** Certaines additions d'hydracides, qui ont lieu normalement dans le sens indiqué par la règle de Markownikov, ont lieu en sens inverse si la réaction est réalisée en présence d'un composé susceptible de fournir des radicaux libres, un peroxyde R—CO—O—O—CO—R par exemple. Il s'agit de « l'effet Karasch », ou « effet peroxyde ».

*Exemple :*

$$CH_3—CH{=}CH_2 + HBr \xrightarrow{\text{Peroxyde}} CH_3—CH_2—CH_2Br.$$

L'explication réside dans le fait que dans ces conditions la réaction n'a plus un mécanisme hétérolytique, mais devient homolytique et en chaîne (ce n'est donc plus une addition électrophile) :

a) Production des radicaux initiateurs

$$R—CO—O—O—CO—R \rightarrow 2\,CO_2 + 2\,R^{\bullet}$$

b) Phase d'initiation

$$R^{\bullet} + HBr \rightarrow RH + Br^{\bullet}$$

c) Phase de propagation

$$CH_3—CH{=}CH_2 + Br^{\bullet} \begin{cases} \nearrow CH_3—\dot{C}H—CH_2Br \ (A) \\ \searrow CH_3—CHBr—\dot{C}H_2 (A') \end{cases}$$

$$\begin{cases} (A) + HBr \rightarrow CH_3—CH_2—CH_2Br \ (B) + Br^{\bullet} \\ (A') + HBr \rightarrow CH_3—CHBr—CH_3 \ \ (B') + Br^{\bullet} \end{cases}$$

(A), radical libre secondaire, est plus stable que (A'), radical libre primaire [5.10]; en conséquence, la réaction conduit préférentiellement à (B),

L'addition de HBr en présence d'un peroxyde ne suit pas la règle initiale de Markownikov (on dit parfois que c'est une addition « anti-Markownikov »), mais par contre son résultat est en accord avec la règle « rénovée » énoncée ci-dessus.

## *Eau – Hydratation*

**9.8** L'addition de l'eau sur un alcène, ou *hydratation*, conduit à un alcool selon le schéma :

$$>C=C< + H{-}OH \rightleftarrows -\underset{|}{C}H-\underset{|}{\overset{\overset{OH}{|}}{C}}-$$

Comme dans l'addition des hydracides HX [9.6], l'électrophile est un proton (ion $H^+$). Mais la fixation directe de l'eau, sous la forme de $H^+$ puis $OH^-$, n'est pas possible, car ce n'est pas un acide assez fort pour « protoner » la double liaison qui est, quant à elle, une base extrêmement faible. La réaction n'a lieu qu'en présence d'un acide fort, tel que l'ion $H_3O^+$ présent dans une solution aqueuse d'acide sulfurique $H_2SO_4$ ($H_2SO_4 + H_2O \rightleftarrows HSO_4^- + H_3O^+$ [5.17]), ce dernier jouant le rôle d'un catalyseur [5.9].

L'hydratation s'effectue alors en trois étapes :

*1^re^ étape :* Protonation de la double liaison par l'acide sulfurique ($HO-SO_3H$) et formation d'un carbocation (*) :

$$>C=C< + H{-}OSO_3H \rightleftarrows -\underset{|}{C}H-\underset{|}{\overset{+}{C}}- + HSO_4^-$$

*2^e^ étape :* Intervention de l'eau, non plus comme acide (puisqu'elle ne peut pas jouer efficacement ce rôle), mais comme réactif nucléophile pouvant se fixer sur le carbocation par l'un de ses doublets libres :

$$-\underset{|}{C}H-\underset{|}{\overset{+}{C}}- + H-\ddot{O}-H \rightleftarrows -\underset{|}{C}H-\underset{|}{\overset{\overset{H\diagdown\overset{+}{O}\diagup H}{|}}{C}}-$$

*3^e^ étape :* Élimination d'un proton, facilitée par l'existence d'un déficit électronique sur l'oxygène :

$$-\underset{|}{C}H-\underset{|}{\overset{\overset{H\diagdown\overset{+}{O}\diagup H}{|}}{C}}- \rightleftarrows -\underset{|}{C}H-\underset{|}{\overset{\overset{OH}{|}}{C}}- + H^+$$

Le proton éliminé remplace celui que l'acide sulfurique a initialement fourni ($HSO_4^- + H^+ \rightleftarrows H_2SO_4$); le catalyseur n'est pas « consommé ».

La règle de Markownikov s'applique au moment de la formation du carbocation et le *sens de l'addition* lui est conforme : l'hydrogène se fixe sur le carbone le moins substitué et le groupe OH sur l'autre. Ainsi, l'hydratation du propène donne le propan-2-ol et non le propan-1-ol. Seul l'éthylène, dans ces conditions, conduit à un alcool primaire, l'éthanol (ou alcool éthylique), dont c'est du reste une préparation industrielle :

$$H_2C=CH_2 + H_2O \rightarrow CH_3-CH_2OH$$

---

(*) On utilise parfois $H_2SO_4$ très concentré et on peut alors considérer qu'au cours de cette première étape il se forme un composé d'addition $-\underset{|}{C}H-\underset{|}{\overset{|}{C}}-OSO_3H$. En ce cas, au cours de la deuxième étape, dont le résultat est inchangé, l'eau que l'on fait ensuite intervenir se substitue au groupe $-OSO_3H$ (substitution nucléophile), au lieu de se fixer simplement sur le carbocation.

*9-F*

*Comme acide fort, pour catalyser l'hydratation, ne pourrait-on pas utiliser HCl aussi bien que $H_2SO_4$? (réponse dans la suite).*

---

*A priori*, n'importe quel acide fort semblerait pouvoir jouer le rôle de catalyseur dans cette réaction. Mais le choix de $H_2SO_4$ répond à la nécessité de ne pas faire apparaître en présence du carbocation un anion trop fortement nucléophile. Si l'on employait HCl, l'anion $Cl^-$ pourrait réagir « pour son propre compte » et il se formerait le dérivé halogéné [9.6]. $HSO_4^-$ est peu nucléophile (parce que sa charge − est répartie sur plusieurs atomes) et, même s'il se fixe sur le carbocation, il est ensuite facilement « déplacé » par $H_2O$, plus nucléophile que lui.

Toutes les étapes de la réaction, et la réaction globale, sont inversibles (noter les doubles flèches ⇄). La réaction inverse est la déshydratation d'un alcool en alcène [9.19; 15.6]. A froid, en présence d'un excès d'eau, l'équilibre est déplacé dans le sens de la formation de l'alcool.

## ■ Hydratation par hydroboration

**9.9** L'hydratation d'une double liaison peut aussi être réalisée, de manière indirecte, en faisant intervenir dans un premier temps l'hydrure de bore $BH_3$ (qui existe en réalité sous la forme dimère $B_2H_6$). La première étape, appelée *hydroboration*, est une addition de $BH_3$ sur la double liaison, pour donner un alkylborane $R—BH_2$ :

$$\rangle C=C\langle + H—BH_2 \rightarrow —\underset{|}{C}H—\underset{|}{\overset{BH_2}{\overset{|}{C}}}—$$

(les trois liaisons B—H de $BH_3$ peuvent « fonctionner » et, en fait, trois molécules d'alcène réagissent avec une molécule $BH_3$, pour donner un trialkylborane $R_3B$).

La seconde étape est l'oxydation de l'alkylborane par le peroxyde d'hydrogène (ou « eau oxygénée ») $H_2O_2$, en milieu basique (mécanisme non détaillé ici) :

$$—\underset{|}{C}H—\underset{|}{\overset{BH_2}{\overset{|}{C}}}— \xrightarrow{H_2O_2,\ OH^-} —\underset{|}{C}—\underset{|}{\overset{OH}{\overset{|}{C}}}—$$

Le bilan global de ces deux réactions successives est celui d'une hydratation : addition de H et OH, et formation d'un alcool. Mais cette addition est « anti-Markownikov », ce qui présente l'intérêt de permettre la préparation d'alcools primaires à partir d'alcènes de la forme $R—CH=CH_2$ :

*Exemple :*

$$CH_3—CH_2—CH=CH_2 \xrightarrow[2)\ H_2O_2,\ OH^-]{1)\ BH_3} CH_3—CH_2—CH_2—CH_2OH$$

L'orientation de cette addition est cohérente avec la règle généralisée énoncée plus haut : la réaction d'hydroboration, de caractère électrophile, passe par le carbocation le plus stable (le plus substitué). Mais, le bore étant moins électronégatif que l'hydrogène, la rupture de la liaison B—H donne $H^-$ (et non $H^+$) et $BH_2^+$, qui constitue le réactif électrophile et se fixe en premier sur le carbone le moins substitué.

La réaction est en outre *stéréospécifique* : c'est une « cis-addition », H et OH se fixant du même côté par rapport au plan initial du groupe $\rangle C=C\langle$.

## Halogènes

**9.10** Les halogènes $X_2$ ($Cl_2$, $Br_2$, $I_2$) s'additionnent sur les doubles liaisons, en donnant un dérivé dihalogéné dans lequel les deux atomes d'halogène sont portés par deux carbones voisins (dérivés dihalogénés *vicinaux*, ou *vic*-dihalogénés) :

$$>C=C< + X_2 \rightarrow -\underset{|}{C}X-\underset{|}{C}X-$$

Le dichlore et le dibrome se fixent facilement à froid, mais le diiode ne s'additionne qu'indirectement, en présence de catalyseurs. Indépendamment de leur éventuel intérêt préparatif, ces réactions sont souvent utilisées pour la caractérisation des doubles liaisons, soit qualitativement (décoloration d'une solution de dibrome, initialement rouge-brun), soit quantitativement (détermination de la quantité de diiode pouvant être fixée par un échantillon de masse connue d'un composé insaturé; cf. exercice 24-a).

L'expérience permet de mettre en évidence (par le procédé déjà décrit [9.5]) l'existence d'un carbocation intermédiaire, contenant un seul atome d'halogène. Cette addition s'effectue donc selon le schéma général des additions électrophiles [9.5] : la dissociation hétérolytique de la molécule $X_2$ fournit un cation $X^+$, qui se fixe en premier, et un anion $X^-$ qui se fixe en second :

$$>C=C< + X_2 \rightarrow >\overset{+}{C}-\underset{|}{C}X- + X^- \rightarrow -\underset{|}{C}X-\underset{|}{C}X-$$

On pourrait s'étonner qu'une molécule symétrique, comme $X_2$, subisse une rupture hétérolytique, l'un des atomes X gardant le doublet de liaison, et non une rupture homolytique symétrique. Mais, à l'approche de la double liaison, site riche en électrons et répulsif pour d'autres électrons, la molécule $X_2$ subit une polarisation par influence. La rupture en $X^+$ et $X^-$ est plus ou moins simultanée avec la formation d'un «complexe» entre l'orbitale π et l'atome X le plus proche d'elle :

$$\underset{\diagup\ \diagdown}{\overset{\diagdown\ \diagup}{\overset{C}{\underset{C}{\|}}}} \dashrightarrow \overset{\delta+}{Br} \leftarrow \overset{\delta-}{Br}$$

L'expérience montre aussi que l'addition des halogènes est *stéréospécifique* et que c'est une *trans-addition* : les deux atomes d'halogène se fixent de part et d'autre du plan initial du groupe $>C=C<$. On peut en obtenir la preuve en effectuant la réaction sur un alcène qui présente l'isomérie $Z-E$ [3.24], et qui donne un dérivé halogéné possédant deux carbones asymétriques identiques. Chaque isomère de l'alcène donne spécifiquement la configuration du dérivé dihalogéné [3.18-20] correspondant à une trans-addition :

$$(Z)\text{-But-2-ène} + Br_2 \rightarrow 2R,3R \text{ et } 2S,3S$$

(Z)-But-2-ène

2R,3R et 2S,3S

2,3-dibromobutane racémique
(inactif mais dédoublable en énantiomères actifs)

$$CH_3\text{-}CH{=}CH\text{-}CH_3 \text{ ((E)-But-2-ène)} + Br_2 \longrightarrow (2S,3R) \equiv (2R,3S)$$

(*E*)-But-2-ène

2*S*,3*R*

2*R*,3*S*

2,3-dibromobutane méso
(inactif et indédoublable)

Si la première étape consistait en la formation d'un carbocation classique, plan, l'attaque ultérieure de celui-ci par l'ion bromure $Br^-$ pourrait avoir lieu indifféremment sur l'une ou l'autre de ses faces, et la réaction ne serait pas stéréospécifique :

$$CH_3CHBr\text{-}\overset{+}{C}H\text{-}CH_3 + Br^- \longrightarrow \begin{cases} \text{mélange racémique (attaque 1)} \\ \text{ou} \\ \text{forme méso (attaque 2)} \end{cases}$$

On explique le résultat expérimental (stéréospécificité) par l'intervention d'un cation particulier, ion « halonium » (ici « bromonium »), de structure cyclique. Dans ce cation « ponté », où la rotation entre les deux carbones n'est pas possible, la charge positive est répartie entre trois atomes. Il ne peut être attaqué par l'ion $X^-$ ($Br^-$) que du côté le moins encombré, et cette attaque provoque la réouverture du cycle. L'obtention du mélange racémique à partir du (*Z*)-but-2-ène se justifie par le fait que l'attaque sur chacun des deux carbones est également probable, de sorte qu'il se forme autant d'isomère *R,R* que d'isomère *S,S* :

$$(Z)\text{-but-2-ène} + Br_2 \longrightarrow \text{ion bromonium} + Br^- \longrightarrow \begin{cases} \text{isomère } R,R \text{ (attaque selon 1)} \\ \text{ou} \\ \text{isomère } S,S \text{ (attaque selon 2)} \end{cases}$$

La formation de ce cation cyclique n'est pas en contradiction avec la valence 1 habituelle du brome. On peut, par exemple, concevoir sa formation par établissement d'une liaison de coordinence entre le brome, porteur de doublets libres, et le carbone disposant d'une orbitale vide :

$$-\underset{|}{\overset{:\ddot{B}r:}{C}}-\overset{+}{\underset{|}{C}}- \;\rightarrow\; -C\overset{\ddot{B}r^+}{\frown}C-$$

A la température ordinaire, l'addition d'un halogène sur une double liaison étant beaucoup plus facile que la substitution à un atome d'hydrogène [8.4], on n'observe pas de substitution aussi longtemps qu'il subsiste des doubles liaisons. A haute température, il est au contraire possible de substituer un alcène sur les carbones saturés de sa chaîne, sans saturer préalablement ses doubles liaisons.

*Exemple :*

$$CH_3{-}CH{=}CH_2 + Cl_2 \xrightarrow{600^\circ} ClCH_2{-}CH{=}CH_2 + HCl$$

A cette température, en effet, la réaction de chloration radicalaire en chaîne sur le carbone saturé devient possible, et elle est beaucoup plus rapide que l'addition sur la double liaison. Elle devient donc la réaction principale. Cette substitution a lieu préférentiellement sur les positions adjacentes à la double liaison [8.5].

### *Acides HOX*

**9.11** Les acides de la forme HOX, essentiellement l'acide hypochloreux HOCl et l'acide hypobromeux HOBr, s'additionnent aux doubles liaisons selon le schéma :

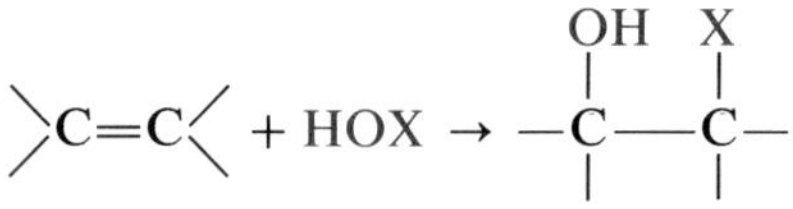

$$\rangle C{=}C\langle + HOX \rightarrow -\overset{\overset{OH}{|}}{\underset{|}{C}}-\overset{\overset{X}{|}}{\underset{|}{C}}-$$

Il se forme une *halohydrine*, ou alcool α-halogéné (chlorhydrine, bromhydrine). La réaction est *régiosélective* : on obtient principalement l'halohydrine résultant de la fixation de X sur le carbone le moins substitué et de OH sur le carbone le plus substitué.

*Exemple :*

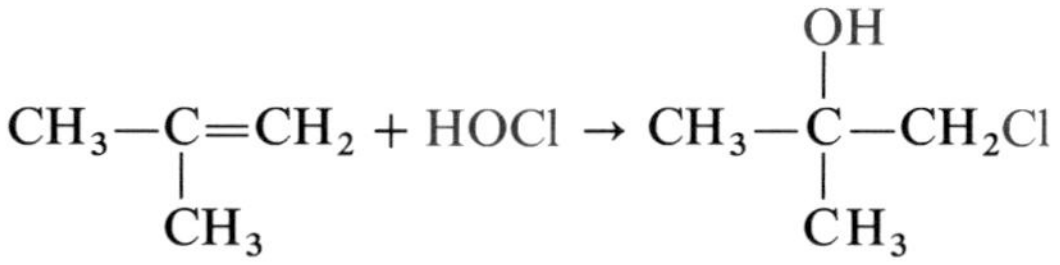

$$CH_3-\underset{\underset{CH_3}{|}}{C}{=}CH_2 + HOCl \rightarrow CH_3-\overset{\overset{OH}{|}}{\underset{\underset{CH_3}{|}}{C}}-CH_2Cl$$

Cette orientation se justifie par le fait que HOCl se scinde en $Cl^+$ et $OH^-$ (O est plus électronégatif que Cl), et que $Cl^+$ constitue le réactif électrophile. Très normalement [9.6] il se lie en premier sur le carbone le moins substitué, formant ainsi le cation intermédiaire le plus stable.

Pratiquement, la réaction se réalise en faisant réagir ensemble sur l'alcène l'halogène $X_2$ et l'eau. On peut considérer qu'il se forme dans ces conditions l'acide HOX, mais on peut aussi admettre que la réaction de $X_2$ sur l'alcène donne un ion halonium [9.10], ensuite ouvert par une attaque de l'eau, suivie de la perte d'un proton. Mais la régiosélectivité de la réaction est en ce cas plus délicate à expliquer, et on en restera ici au schéma ci-dessus, même s'il n'a qu'une valeur mnémotechnique.

## B. RÉACTIONS D'OXYDATION

Divers modes d'oxydation sont possibles pour les alcènes, conduisant à des résultats très différents et illustrant l'influence parfois déterminante des conditions opératoires (concentration, température, acidité du milieu) sur le déroulement d'une réaction.

### *a) Oxydation sans coupure de la chaîne. Epoxydation, hydroxylation*

**9.12** L'action d'un **peracide** R—CO—O—OH, par exemple l'acide perbenzoïque $C_6H_5-CO_3H$, sur un alcène conduit à la formation d'un *époxyde* :

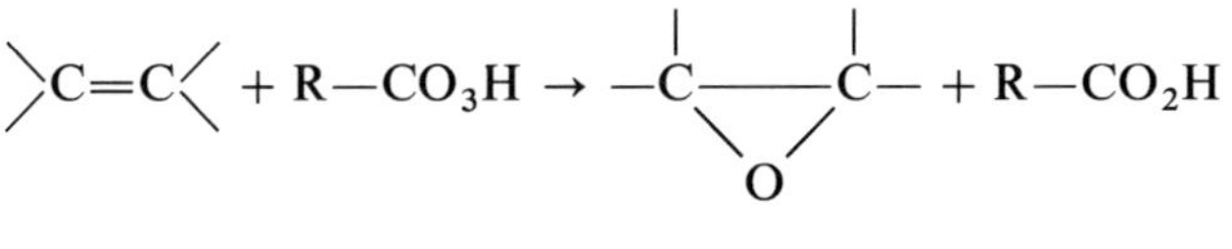

$$\rangle C{=}C\langle + R-CO_3H \rightarrow -\overset{|}{C}\underset{\diagdown O \diagup}{—\!—}\overset{|}{C}- + R-CO_2H$$

*Exemple :*

$$CH_3{-}CH{=}CH{-}CH_3 \xrightarrow{\text{Peracide}} CH_3{-}\underset{\diagdown O \diagup}{CH{-}{-}CH}{-}CH_3$$

But-2-ène — 2,3-époxybutane

Les époxydes sont très réactifs [15.22]. Ils peuvent, en particulier, être hydrolysés (*) en milieu acide, pour donner des *α-diols*, ou *glycols :*

$$CH_3{-}\underset{\diagdown O \diagup}{CH{-}{-}CH}{-}CH_3 + H_2O \xrightarrow{[H^+]} CH_3{-}CHOH{-}CHOH{-}CH_3$$

Butane-2,3-diol

Le bilan global de la transformation, par ce procédé, d'une double liaison en glycol est la *trans-addition* stéréospécifique de deux groupes hydroxyle OH (trans-dihydroxylation).

---

*9-G*

*Essayez de proposer un mécanisme plausible pour l'ouverture d'un époxyde par l'eau en milieu acide, justifiant en particulier que le résultat soit une trans-dihydroxylation par rapport à l'alcène initial (que peut faire un* $H^+$ *sur un époxyde? Que peut faire ensuite l'eau, compte tenu de son caractère nucléophile? Le résultat connu de la réaction est un guide; d'autre part l'ouverture d'un ion halonium* [9.10] *présente une situation un peu analogue).*

---

Le plus simple des époxydes, $H_2\underset{\diagdown O \diagup}{C{-}{-}C}H_2$ (époxyéthane, ou « oxyde d'éthylène ») est un intermédiaire industriel important. On ne le prépare pas avec un peracide, trop coûteux pour constituer un réactif industriel, mais par oxydation par le dioxygène (air), en présence d'un catalyseur.

**9.13** Le **permanganate de potassium** $KMnO_4$, en solution aqueuse diluée, à froid et en milieu neutre, donne directement un α-diol :

$$\rangle C{=}C\langle \xrightarrow{KMnO_4 \text{ dil.}} -\underset{|}{\overset{OH}{\overset{|}{C}}}-\underset{|}{\overset{OH}{\overset{|}{C}}}-$$

Cette réaction est chimiquement équivalente à la précédente, mais elle en diffère stéréochimiquement : c'est une *cis-addition* stéréospécifique, qui s'explique par la formation initiale d'un intermédiaire cyclique entre la double liaison et l'ion $MnO_4^-$.

---

(*) Il ne faut pas confondre les deux termes hydratation et hydrolyse :

– l'*hydratation* est une addition (fixation) d'eau, sous la forme de H et OH (exemple : hydratation de l'éthylène $H_2C{=}CH_2 + H_2O \rightarrow CH_3{-}CH_2OH$)

– l'*hydrolyse* est la coupure d'une liaison sous l'action de l'eau (exemple : hydrolyse d'un dérivé halogéné $CH_3Cl + H_2O \rightarrow CH_3OH + HCl$, comportant la rupture de la liaison C—Cl).

### *b) Oxydation avec coupure de la chaîne*

**9.14** En présence d'oxydants plus brutaux, comme le **permanganate** de potassium $KMnO_4$ en solution concentrée et à chaud ou le **bichromate** de potassium $K_2Cr_2O_7$ en milieu sulfurique (mélange sulfo-chromique), la double liaison est coupée et un atome d'oxygène se fixe sur chacun des deux carbones éthyléniques. Un carbone doublement lié portant deux groupes alkyles se transforme ainsi en fonction *cétone*, mais s'il porte un hydrogène (ou deux) il se transforme en fonction *aldéhyde*. En ce dernier cas, par suite de la très grande oxydabilité des aldéhydes, celui-ci se transforme habituellement en *acide carboxylique* :

R(H)C=C(R')R'' (Alcène) —Oxydant→ [ R(H)C=O (Aldéhyde) + O=C(R')R'' (Cétone) ]

R(H)C=O —Oxydant→ R(OH)C=O (Acide)

O=C(R')R'' - - Oxydant - -→ Deux acides

Éventuellement, mais seulement si le milieu est très fortement oxydant (forte concentration, milieu acide, température élevée) une cétone formée dans ces conditions peut être scindée en deux acides [18.19].

Un groupe terminal $=CH_2$ donne successivement, dans ces conditions, l'aldéhyde $H_2C{=}O$ (méthanal), l'acide correspondant H—COOH (acide formique), et finalement $CO_2$ et $H_2O$.

**9.15** L'**ozone** est un gaz de formule $O_3$ que l'on obtient, en petite quantité (environ 3 à 4 %), par la réaction $3\,O_2 \rightleftarrows 2\,O_3$, en soumettant du dioxygène à une décharge électrique (pratiquement, on fait passer un courant de dioxygène entre les armatures d'un condensateur où règne un champ électrique alternatif de l'ordre de 15000 volts/cm). Il réagit facilement avec les doubles liaisons, pour donner d'abord un produit d'addition (molozonide), qui se réarrange en *ozonide*.

Les ozonides sont instables, et peuvent même parfois se décomposer spontanément de façon explosive. Leur hydrolyse produit la scission de la molécule en deux composés carbonylés, aldéhyde(s) ou cétone(s) selon que les carbones intéressés portent ou non de l'hydrogène :

R(R')C=C(H)R'' (Alcène) + $O_3$ → Molozonide → Ozonide —$H_2O$→ R(R')C=O (Cétone) + O=C(H)R'' (Aldéhyde) + $H_2O_2$

Afin d'éviter l'oxydation éventuelle des aldéhydes en acides par le peroxyde d'hydrogène (eau oxygénée) $H_2O_2$, on effectue généralement l'hydrolyse en milieu réducteur, en présence de zinc et d'acide acétique.

Le principal intérêt de cette coupure des doubles liaisons par l'ozone, ou *ozonolyse*, est de fournir un moyen commode pour préciser chimiquement la structure d'un alcène, en particulier la position de la double liaison dans sa chaîne. En effet, les produits obtenus (aldéhydes et cétones, par définition plus simples que l'alcène de départ) sont en général aisés à identifier, et il est ensuite facile de « remonter » de leur formule à celle de l'alcène de départ [exercice 9.b]. Cependant, les méthodes physiques (par exemple la RMN, (6.13-16]) sont souvent plus faciles et plus rapides à mettre en œuvre, et plus riches d'informations.

### *c) Combustion*

**9.16** Les alcènes, comme tous les hydrocarbures sont combustibles. Ils brûlent dans le dioxygène, ou dans l'air.

*Exemple :*

$$H_2C{=}CH_2 + 3\,O_2 \rightarrow 2\,CO_2 + 2\,H_2O \qquad \Delta H = -\,1\,380\ kJ\,.\,mol^{-1}$$

## C. POLYMÉRISATION (*)

**9.17** Une polymérisation est une réaction dans laquelle les molécules d'un composé se soudent les unes aux autres, en nombre parfois très grand, sans aucune élimination, pour donner une substance (le *polymère*) dont la masse molaire est un multiple exact de celle du composé initial (le *monomère*).

L'*éthylène* peut se polymériser, pour donner des chaînes saturées linéaires parfois très longues constituant le « polyéthylène » :

$$n\,H_2C{=}CH_2 \rightarrow CH_3 + \underbrace{CH_2{-}CH_2{-}\ldots{-}CH_2}_{2n\,-\,3\ \text{groupes}\ CH_2} + CH{=}CH_2$$

La masse molaire du polyéthylène peut atteindre un million. Les polymères relativement légers sont des liquides plus ou moins visqueux, utilisés comme lubrifiants. Les plus lourds sont solides, mais se ramollissent à la chaleur et peuvent être moulés pour fabriquer des objets très divers. Ils se prêtent également à la fabrication de feuilles minces, très utilisées notamment dans l'emballage. Formé uniquement de liaisons simples (saturées), le polyéthylène est très inerte chimiquement.

Divers composés de la forme $A{-}CH{=}CH_2$, appelés *dérivés vinyliques* (du nom du groupe vinyle $-CH{=}CH_2$) peuvent également se polymériser selon le schéma :

$$n\,A{-}CH{=}CH_2 \rightarrow \ldots{-}\underset{\displaystyle A}{\underset{|}{CH}}{-}CH_2{-}\underset{\displaystyle A}{\underset{|}{CH}}{-}CH_2{-}\underset{\displaystyle A}{\underset{|}{CH}}{-}CH_2{-}\ldots$$

$$\text{ou} \quad \left(\underset{\displaystyle A}{\underset{|}{CH}}{-}CH_2\right)_n$$

(*) Une étude plus complète des réactions de polymérisation, ainsi que des propriétés et des utilisations des polymères, est incluse dans le chapitre 25.

*Exemples :*

$Cl-CH=CH_2$ (chlorure de vinyle) → Chlorure de polyvinyle
$N\equiv C-CH=CH_2$ (Acrylonitrile) → Polyacrylonitrile
$C_6H_5-CH=CH_2$ (Styrène) → Polystyrène

Ces divers polymères font partie des nombreuses *« matières plastiques »* que l'on utilise actuellement. Ils peuvent aussi constituer des *fibres textiles* synthétiques.

Hormis l'emploi de catalyseurs particuliers (procédé Ziegler-Natta), ces polymérisations peuvent s'effectuer selon deux types de mécanismes en chaîne :

– La **polymérisation radicalaire** est déclenchée par un « initiateur », composé capable de fournir facilement des radicaux libres (par exemple, un peroxyde [9.7]).

*Exemple :* polymérisation du styrène $Ph-CH=CH_2$ :

a) Initiation :

$$R^{\bullet} \text{ (produit par l'initiateur)} + Ph-CH=CH_2 \rightarrow R-CH_2-\dot{C}H-Ph$$

b) Propagation :

$$R-CH_2-\underset{\substack{|\\Ph}}{CH^{\bullet}} + CH_2=\underset{\substack{|\\Ph}}{CH} \rightarrow R-CH_2-\underset{\substack{|\\Ph}}{CH}-CH_2-\underset{\substack{|\\Ph}}{CH^{\bullet}}, \quad \text{etc.}$$

– La **polymérisation cationique** a lieu en milieu acide.

*Exemple :* polymérisation de l'isobutène (méthylpropène) :

a) Formation d'un carbocation initial :

$$CH_3-\underset{\substack{|\\CH_3}}{C}=CH_2 + H^+ \rightarrow CH_3-\underset{\substack{|\\CH_3}}{\overset{+}{C}}-CH_3$$

b) Propagation :

$$CH_3-\underset{\substack{|\\CH_3}}{\overset{\substack{CH_3\\|}}{C^+}} + CH_2=\underset{\substack{|\\CH_3}}{C}-CH_3 \rightarrow CH_3-\underset{\substack{|\\CH_3}}{\overset{\substack{CH_3\\|}}{C}}-CH_2-\underset{\substack{|\\CH_3}}{\overset{+}{C}}-CH_3, \quad \text{etc.}$$

Ce processus peut s'interrompre à tout moment, c'est-à-dire à tous les stades de développement du polymère, par le départ d'un proton et la formation d'une double liaison :

$$CH_3-\underset{\substack{|\\CH_3}}{\overset{\substack{CH_3\\|}}{C}}-\ldots-\underset{\substack{|\\CH_3}}{\overset{+}{C}}-CH_3 \rightarrow CH_3-\underset{\substack{|\\CH_3}}{\overset{\substack{CH_3\\|}}{C}}-\ldots-\underset{\substack{|\\CH_3}}{C}=CH_2 + H^+$$

# 3 — État naturel

**9.18** Les alcènes proprement dits (hydrocarbures éthyléniques acycliques) sont relativement rares dans la nature. Les pétroles n'en contiennent pas. On trouve dans le règne végétal surtout, des hydrocarbures polyinsaturés, comme l'ocimène (basilic), ou le myrcène (laurier) :

Ocimène Myrcène

ou cycliques, comme le limonène ou le pinène [11.10].

Par contre, la double liaison est très fréquente dans des composés naturels dont la molécule comporte par ailleurs diverses fonctions (alcools, aldéhydes et cétones, acides, ... éthyléniques).

# 4 — Préparations

Les alcènes peuvent se préparer soit à partir de composés saturés, par des réactions d'*élimination*, soit à partir de composés moins saturés qu'eux (alcynes) par une réaction d'*addition* :

$$-\overset{Y}{\underset{|}{\overset{|}{C}}}-\overset{Z}{\underset{|}{\overset{|}{C}}}- \xrightarrow{\text{Élimination}} \;>C=C<\; \xleftarrow{\text{Addition}} -C\equiv C-$$

(l'un des deux atomes Y et Z peut être un atome d'hydrogène).

Ces réactions permettent également de *créer une double liaison* dans un composé comportant par ailleurs une fonction (alcool, cétone, etc.).

## *Par une réaction d'élimination*

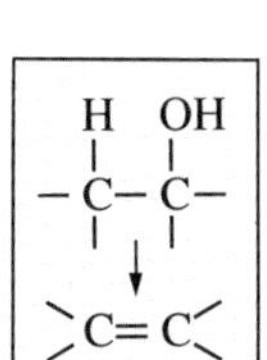

**9.19** La **déshydratation d'un alcool** conduit à la création d'une double liaison, par élimination du groupe hydroxyle OH avec un H d'un carbone adjacent.

*Exemple :* $CH_3-CHOH-CH_3 \rightleftarrows CH_3-CH=CH_2 + H_2O$

Cette déshydratation est catalysée par les acides de Brönsted ou de Lewis. Elle peut s'effectuer soit *en phase liquide*, par chauffage en présence de divers acides (sulfurique, phosphorique, oxalique, ...), soit *en phase gazeuse*, vers 350 °C, au contact d'alumine $Al_2O_3$. Les divers aspects de cette réaction seront étudiés de manière plus développée au chapitre 15 [15.6].

Une méthode moins directe, dont le bilan est identique, consiste à réaliser la **pyrolyse d'un ester** de l'alcool, habituellement son acétate :

– formation de l'ester :

$$R-CH_2-CH_2OH + CH_3-COOH \rightleftarrows R-CH_2-CH_2-O-CO-CH_3 + H_2O$$

– pyrolyse de l'ester :

$$R{-}CH_2{-}CH_2{-}O{-}CO{-}CH_3 \rightarrow R{-}CH{=}CH_2 + CH_3{-}COOH$$

L'acide acétique étant régénéré, le résultat global se ramène bien à la simple élimination d'une molécule d'eau.

Si les deux carbones adjacents à la fonction alcool portent tous deux de l'hydrogène, la double liaison peut se former avec l'un ou l'autre et l'on peut obtenir deux alcènes isomères par la position de leur double liaison dans leur chaîne carbonée. Mais la réaction est régiosélective : la *règle de Zaïtsev* indique que l'on obtient préférentiellement l'alcène dans lequel la double liaison est la plus substituée, c'est-à-dire entourée par le plus grand nombre de groupes alkyles, car c'est le plus stable [9.2]. Cela revient à dire que l'hydrogène est pris au carbone, voisin de la fonction alcool, qui en possède le moins.

*Exemple :* la déshydratation du butan-2-ol

$$CH_3{-}CH_2{-}CHOH{-}CH_3 \begin{array}{l} \nearrow CH_3{-}CH{=}CH{-}CH_3 \quad (A) \\ \qquad\quad \text{ou} \\ \searrow CH_3{-}CH_2{-}CH{=}CH_2 \quad (B) \end{array}$$

donne préférentiellement le but-2-ène- (A).

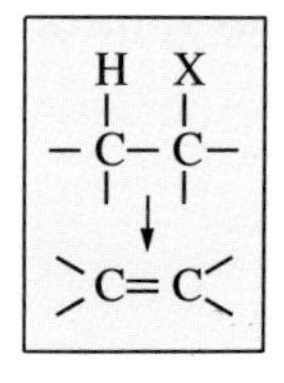


9.20 La **déshydrohalogénation d'un dérivé monohalogéné** (enlèvement de l'atome d'halogène et d'un atome d'hydrogène sur un carbone voisin) conduit également à un alcène. Cette élimination se produit en présence de réactifs basiques, tels que $OH^-$ (NaOH, KOH), $NH_2^-$ (amidure de sodium $NaNH_2$), $CH_3{-}CH_2O^-$ (éthylate de sodium $CH_3{-}CH_2ONa$).

*Exemple :*

$$CH_3{-}CH_2Br + OH^- \rightarrow H_2C{=}CH_2 + H_2O + Br^-$$
$$CH_3{-}CHCl{-}CH_3 + NH_2^- \rightarrow CH_3{-}CH{=}CH_2 + NH_3 + Cl^-$$

Les réactions de ce type, leurs mécanismes et leurs diverses particularités seront détaillés ultérieurement [13.8-10].

En cas de double possibilité d'élimination, la *règle de Zaïtsev* s'applique, comme pour la déshydratation des alcools [9.19] : la double liaison se forme préférentiellement avec le carbone le moins hydrogéné (le plus substitué par des groupes alkyles).

*Pour préparer par cette méthode le 2-méthylpent-2-ène on peut en principe partir indifféremment de deux dérivés halogénés ; lesquels ? Peut-on, de même, choisir entre deux composés de départ pour préparer le 3-méthylbut-1-ène ?*

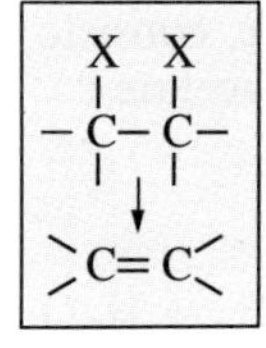


9.21 La **déshalogénation d'un dérivé dihalogéné vicinal,** sous l'action d'un métal comme le zinc, provoque également la formation d'une double liaison.

*Exemple :*

$$CH_3{-}CHCl{-}CHCl{-}CH_3 + Zn \rightarrow CH_3{-}CH{=}CH{-}CH_3 + ZnCl_2$$

### *Par une réaction d'addition*

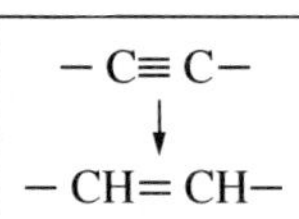

9.22 La **semi-hydrogénation d'une triple liaison** peut constituer une méthode de préparation des alcènes. La difficulté est d'éviter la fixation d'une seconde molécule de dihydrogène, qui transformerait l'alcène en alcane [9.4]. On peut y parvenir en utilisant un catalyseur peu actif (palladium « désactivé ») [10.4].

*Exemple :*

$$CH_3—C{\equiv}CH + H_2 \xrightarrow{Pd} CH_3—CH{=}CH_2$$

Cette méthode n'est pas générale puisqu'elle ne peut fournir que des alcènes dont les carbones doublement liés portent chacun au moins un hydrogène, c'est-à-dire des alcènes de la forme $R—CH{=}CH—R$ ou $R—CH{=}CH_2$, à l'exclusion de ceux qui comportent trois ou quatre groupes alkyles autour de la double liaison.

S'agissant, comme pour l'hydrogénation catalytique des alcènes [9.4], d'une cis-addition stéréospécifique, un alcène susceptible d'exister sous les deux formes stéréoisomères $Z$ et $E$ est obtenu sous la forme $Z$.

Mais un autre procédé, la réduction par le sodium dans l'ammoniac liquide, dont le bilan est :

$$R—C{\equiv}C—R' + 2\,Na + 2\,NH_3 \rightarrow R—CH{=}CH—R' + 2\,Na^+ + 2\,NH_2^-$$

fournit au contraire stéréospécifiquement l'isomère $E$, par une trans-addition de deux H [10.4].

# 5 — Termes importants. Utilisations

Les alcènes industriellement les plus importants sont les premiers termes : *éthylène* surtout (2 millions de tonnes produits par an), mais aussi *propène*, *butènes* et *isobutène*. Outre la production de polymères aux usages les plus divers, ils constituent des bases pour de très nombreuses synthèses [25.4]. Certains *diènes* (buta-1,3-diène, 2-méthylbuta-1,3-diène ou « Isoprène ») sont au départ de la fabrication des élastomères, ou caoutchoucs synthétiques [25.6-7]. Ces divers hydrocarbures non saturés sont obtenus à partir du pétrole, formé d'alcanes, par des réactions (uniquement industrielles) de déshydrogénation à haute température [8.7].

Par ailleurs, la double liaison éthylénique (sinon les alcènes proprement dits) joue des rôles variés dans de nombreux processus chimiques du vivant, en particulier ceux qui mettent en jeu les *composés « terpéniques »* [24.6-12]. A titre d'exemples : le rétinal est un aldéhyde polyéthylénique à cinq doubles liaisons, dont l'une subit une isomérisation $Z—E$ au cours des réactions qui assurent la vision; le squalène ($C_{30}H_{50}$) est un hydrocarbure polyéthylénique (six doubles liaisons) à partir duquel les organismes produisent le cholestérol; les phéromones, substances produites par certains insectes et qui constituent des signaux sexuels, comportent des doubles liaisons dans une géométrie bien déterminée.

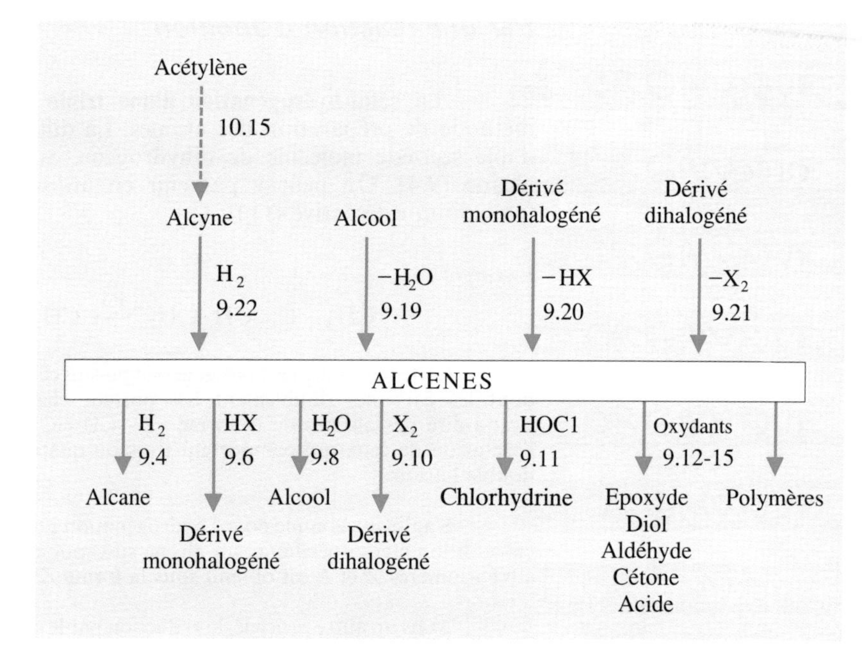


## EXERCICES

*Les **règles de nomenclature,** permettant de faire correspondre réciproquement un nom et une formule, sont exposées dans le chapitre 7 (pour les stéréoisomères, au chapitre 3).*

***9-a*** L'analyse élémentaire de deux hydrocarbures isomères leur a fait attribuer la formule $C_7H_{14}$. L'oxydation de A par $KMnO_4$ à chaud donne la cétone $CH_3{-}CH_2{-}CO{-}CH_3$ et l'acide $CH_3{-}CH_2{-}COOH$. Celle de B donne l'acide $(CH_3)_2CH{-}CH_2{-}CH_2{-}COOH$ et un dégagement gazeux. Quelles sont les formules de A et de B? Comment se nomment-ils?

***9-b*** Quelle est la structure des hydrocarbures dont l'ozonolyse fournit :

1) $CH_3{-}CH{=}O$ et $(CH_3)_2CH{-}CO{-}CH_3$
2) $CH_3{-}CO{-}CH_2{-}CH_3$, $H_2C{=}O$ et $O{=}CH{-}CH{=}O$
3) $O{=}CH{-}CH_2{-}CH{=}O$ et $CH_3{-}CO{-}CH_2{-}CO{-}CH_3$

Comment nomme-t-on chacun de ces hydrocarbures?

***9-c*** Quels sont les produits formés par la réaction du 2-méthylbut-1-ène avec chacun des corps simples ou composés suivants :

1) HCl 3) $Br_2$ 5) HBr(ROOR) 7) $O_2$(catal.)
2) IOH 4) $H_2O(H_2SO_4)$ 6) $BH_3$, puis $H_2O_2(OH^-)$ 8) $KMnO_4$ dilué

***9-d*** Par quelle(s) réaction(s) peut-on passer, en une ou plusieurs étapes,

1) de $CH_3{-}CHBr{-}CH_2Br$ à $CH_3{-}CH_2{-}CH_3$
2) de $CH_3{-}CHBr{-}CH_2Br$ à $CH_3{-}CHBr{-}CH_3$
3) de $CH_3{-}CHBr{-}CH_2Br$ à $CH_3{-}CH_2{-}CH_2Br$
4) de $CH_3{-}CH_2{-}CH_2Br$ à $CH_3{-}CHBr{-}CH_2Br$
5) de $CH_3{-}CH_2{-}CH_2OH$ à $CH_3{-}CHOH{-}CH_3$

6) de $CH_3—CHOH—CH_3$ à $CH_3—CH_2—CH_2OH$
7) de $CH_3—CH_2—CH_2OH$ à $CH_3—CHOH—CH_2OH$
8) de $CH_3—CHCl—CH_2Cl$ à $CH_3—COOH$
9) de $CH_3—CHCl—CH_3$ à $CH_3—CH{=}O$
10) de $CH_3—CH_2—CH_3$ à $CH_3—CH{=}CH_2$

***9-e*** Remplacer, dans les enchaînements de réactions suivants, les lettres (a), (b), (c), etc, par les formules des composés correspondants :

1) (a) + Zn → (b) + $ZnCl_2$
(b) + $KMnO_4$ à chaud → $CH_3—CH_2—COOH + CO_2 + H_2O$

2) (c) + HBr → (d)
(d) + Mg → (e)

$$(e) + CH_3Br \rightarrow CH_3—CH_2—\underset{\displaystyle H_3C|}{CH}—\overset{\displaystyle CH_3}{\underset{\displaystyle CH_3}{C}}—CH_2—CH_3 + MgBr_2$$

(c) + $O_3$, puis $H_2O$ → $2\,CH_3—CO—CH_2—CH_3 + H_2O_2$

***9-f*** Donner la formule et le nom complet, y compris la stéréochimie, des hydrocarbures qui donnent :

1) Par action du dibrome, le (2*R*,3*R*)-2,3-dibromo-3-méthylpentane.
2) Par action de $KMnO_4$ dilué, à froid, le (1*S*,2*R*)-1-phénylpropane-1,2-diol.

***9-g*** Donner la formule stéréochimique et le nom complet des composés résultant des réactions suivantes :

1) Epoxydation, puis hydrolyse, du (*E*)-1,2-diphényléthylène.
2) Hydrogénation catalytique du (*Z*)-3-méthyl-4-phénylpent-3-én-2-ol.

***9-h*** Un hydrocarbure décolore une solution de dibrome et, en présence de nickel, absorbe 0,4 litre de dihydrogène (volume mesuré à 0 °C et sous 1 atm) par gramme. Il présente un maximum d'absorption dans l'ultraviolet à 220 nm ($\varepsilon = 20\,000$). Son spectre infrarouge possède une bande à 840 $cm^{-1}$ et son spectre de RMN présente trois singulets, à 1,74 ppm, 1,79 ppm et 5,70 ppm; l'intensité des deux premiers est trois fois plus forte que celle du troisième. Son ozonolyse donne, entre autres, de l'acétone $CH_3—CO—CH_3$. Quelle est sa structure? Comment se nomme-t-il?

***9-i*** L'addition de HCl sur le 3,3,3-trifluopropène $F_3C—CH{=}CH_2$ donne, comme produit principal le 1-chloro-3,3,3-trifluoropropène $F_3C—CH_2—CH_2Cl$. Elle s'accomplit donc dans le sens « anti-Markownikov ». Peut-on justifier, sur une base plus large, ce résultat, ou s'agit-il vraiment d'une « anomalie »?

***9-j*** L'addition de HBr sur le 2-bromo-3-méthylbut-2-ène $CH_3—C(CH_3){=}CBr—CH_3$ ne donne que l'un des deux produits que l'on pourrait attendre *a priori*. Lequel? Pourquoi?

# Les alcynes 10

## la triple liaison carbone-carbone

**10.1** Les hydrocarbures acycliques qui comportent une triple liaison carbone-carbone, de formule générale $\mathbf{C_nH_{2n-2}}$, sont les **alcynes.** On les appelle également *hydrocarbures acétyléniques*, du nom usuel du premier terme de la série, l'acétylène HC≡CH.

On distingue, en raison de leurs caractères chimiques partiellement différents, deux types d'alcynes :

– alcynes **monosubstitués,** ou **vrais** . . . **R—C≡C—H**
– alcynes **disubstitués** . . . . . . . . . . . . . . **R—C≡C—R′**
(R et R′ identiques ou différents)

La *nomenclature* des alcynes est exposée au chapitre 7 [7.4].

## 1 — Caractères physiques

**10.2** L'acétylène (Eb = – 83 °C sous 1 atm), le propyne et le but-1-yne sont gazeux à la température ordinaire. Les autres termes sont liquides, puis solides, à mesure que leur masse moléculaire augmente.

La formation de l'acétylène selon la réaction (*)

$$2C + H_2 \rightarrow C_2H_2$$

est endothermique ($\Delta H = + 230$ kJ . mol$^{-1}$). L'acétylène est, pour cette raison, instable. Il tend à se décomposer en carbone et dihydrogène, de façon parfois violente, surtout s'il est comprimé ou liquéfié. Cette particularité a longtemps gêné son utilisation dans les diverses applications qu'il peut recevoir. On peut cependant le transporter sans danger sous forme de solution dans l'acétone, où il est très soluble, et l'utiliser sous une légère pression dans les synthèses industrielles à condition de le diluer avec un gaz inerte (diazote), et de chasser au préalable totalement l'air des installations.

---

(*) Cette réaction ne constitue pas, en pratique, une synthèse de l'acétylène, mais elle est réalisable à la température de l'arc électrique (environ 2 500 °C), comme dans la célèbre expérience de « l'œuf électrique » de Berthelot (1860) : il se forme un peu d'acétylène si l'on fait fonctionner un arc électrique entre deux électrodes de carbone, dans une atmosphère d'hydrogène.

# 2 — Réactivité

**10.3** Il convient de distinguer les propriétés de *la triple liaison*, communes à tous les alcynes [10.4-9], et celles de *l'hydrogène porté par un carbone triplement lié*, particulières aux alcynes vrais [10.10-13].

— **La triple liaison $C \equiv C$** présente une réactivité assez analogue à celle de la double liaison [9.3] :

— elle offre des possibilités de *réactions d'addition*, qui s'accomplissent en deux stades; le premier conduit à la formation d'une double liaison et le second à celle d'une liaison simple (ce second stade correspond donc, en fait, aux possibilités réactionnelles de la double liaison);

— elle constitue un *point vulnérable* de la chaîne, en présence d'oxydants.

Mais, bien que le groupe $C \equiv C$ représente une densité électronique globale supérieure à celle d'un groupe $C=C$ (deux doublets $\pi$ au lieu d'un), la triple liaison est *moins réactive* que la double liaison à l'égard des *réactifs électrophiles*. En effet, la triple liaison est notablement plus courte que la double liaison [2.13]. Le recouvrement des orbitales p est donc meilleur, et les électrons $\pi$ sont, en définitive, moins disponibles.

Dans certains cas, l'attaque par des *réactifs nucléophiles* (anions) est même possible (addition de $HC \equiv N$, par exemple).

— **L'hydrogène terminal des alcynes vrais** est *labile*. Ce terme signifie qu'il présente une aptitude marquée à se laisser « arracher » par une base, sous la forme $H^+$. Dans ces conditions, la rupture de la liaison $C-H$ conduit à un *carbanion* :

$$R-C \equiv C-H + B^- \underset{2}{\overset{1}{\rightleftarrows}} R-C \equiv C^- + BH$$

Ce *carbanion* (parfois appelé « alcynure ») peut être produit par l'action de bases fortes diverses ($R^-$, $NH_2^-$. ...). Il est *nucléophile*, c'est-à-dire porté à réagir avec les sites déficitaires en électrons [5.13]. Sur un carbone déficitaire *saturé* (dérivé halogéné) il provoque une *substitution*; sur un carbone déficitaire *non-saturé* (aldéhyde, cétone) il provoque une *addition*.

Ce comportement des alcynes vrais est en fait celui d'un acide de Brönsted [5.17] et le carbanion formé est la base conjuguée de l'acide $R-C \equiv C-H$. Mais l'acidité correspondante est extrêmement faible; le $pK_a$ des alcynes vrais est de l'ordre de 20 ($K_a \approx 10^{-20}$). La dissociation de la liaison $\equiv C-H$ n'est effective qu'en présence d'une *base suffisamment forte* pour que l'équilibre ci-dessus soit déplacé significativement dans le sens 1, et ce n'est pas le cas de l'eau.

L'origine de cette labilité réside dans l'état de liaison particulier où se trouvent les carbones d'un groupe $C \equiv C$, décrit dans la théorie de l'hybridation comme un état « sp » [4.11]. L'orbitale hybride sp utilisée par le carbone pour se lier à l'hydrogène comporte « 50 % de caractère s ». Or, dans une orbitale s, de symétrie sphérique [4.7], la densité électronique décroît très rapidement quand on s'éloigne du noyau. On peut donc dire que le doublet partagé de la liaison $C-H$ reste, en moyenne, plus près du noyau du carbone, ou encore que le carbone dans l'*état sp* se comporte comme un élément *plus électronégatif* que le carbone saturé dans l'état $sp_3$. On peut du reste vérifier expérimentalement que la liaison $C-H$ des alcynes vrais est effectivement plus fortement polarisée [4.13] (charge $\delta +$ plus importante sur H) que les liaisons $\rangle C-H$ d'un alcane, ou même qu'une liaison $=\underset{|}{C}-H$ dans un alcène.

On peut observer une situation analogue dans l'acide cyanhydrique N≡C—H. L'hydrogène y est labile, pour la même raison. Mais, en outre, l'électronégativité de l'azote renforce encore la polarisation de la liaison, et la stabilité de l'ion $N{\equiv}C^-$, de sorte que même dans l'eau on observe une dissociation notable ($K_a = 6 \cdot 10^{-10}$).

## Réactions d'addition

Les réactions d'addition sur les alcynes posent les mêmes questions de mécanisme, d'orientation (régiosélectivité) et de stéréochimie que celles des alcènes. Mais en outre elles posent la question supplémentaire de savoir si, après avoir conduit à la formation d'une double liaison, elles peuvent se poursuivre jusqu'à la formation d'une liaison simple.

### Hydrogénation

10.4 *L'addition du dihydrogène* à une triple liaison peut conduire, en deux étapes successives, à une double liaison d'abord, puis à une liaison simple saturée :

$$—C{\equiv}C— \xrightarrow{H_2} —CH{=}CH— \xrightarrow{H_2} —CH_2—CH_2—$$

La réaction nécessite un catalyseur. Le nickel ou le platine hydrogènent les doubles liaisons [9.4] et, par conséquent, conduisent jusqu'à l'enchaînement saturé. Mais certains catalyseurs peu actifs, comme le palladium Pd partiellement « désactivé » par divers procédés, n'assurent que la première étape, plus facile que la seconde, et permettent d'obtenir une double liaison.

L'hydrogénation catalytique des triples liaisons, comme celle des doubles liaisons, est une *cis-addition.*

*La réduction par le sodium dans l'ammoniac liquide* est un autre moyen pour transformer une triple liaison en double liaison, avec fixation de deux H sur les carbones (*) :

$$—C{\equiv}C— + 2\,Na \longrightarrow —\overset{\overline{\cdot\cdot}}{C}{=}\overset{\overline{\cdot\cdot}}{C}— + 2\,Na^+ \xrightarrow{2\,NH_3} —CH{=}CH— + 2\,NH_2^-$$

Le bilan stéréochimique est celui d'une *trans-addition.*

*10.A*

*Comparez, du point de vue stéréochimique, le résultat de l'hydrogénation d'un alcyne* R—C≡C—R′ *par* $H_2$/Pd *ou par* Na/$NH_3$. *Si, ensuite, on hydrogène catalytiquement, sur du nickel, les deux alcènes obtenus, le résultat est-il différent à partir de chacun d'eux?*

(*) La transformation de —C≡C— en —CH=CH— est bien une *réduction* : le nombre d'oxydation du carbone (voir *Cours de Chimie physique*, chap. 39) passe de − 1 à − 2. Le sodium joue donc effectivement le rôle d'un réducteur (donneur d'électrons).

### Halogènes

**10.5** Les triples liaisons peuvent *a priori* fixer successivement deux molécules d'un halogène $X_2$, en donnant dans un premier temps un dihalogénoalcène :

$$-C{\equiv}C- \xrightarrow{X_2} -CX{=}CX- \xrightarrow{X_2} -CX_2-CX_2-$$

Avec le diiode $I_2$, qui ne réagit pas directement sur les alcènes [9.10], seule la première étape a lieu. Mais avec le dichlore $Cl_2$ ou le dibrome $Br_2$ on ne peut obtenir une proportion importante de dihalogénoalcène qu'en faisant réagir l'alcyne en gros excès par rapport à l'halogène.

Le mécanisme de cette addition est le même que pour les alcènes [9.10]; c'est donc une *trans-addition.*

### Hydracides halogénés

**10.6** Deux molécules d'hydracide HX peuvent s'additionner successivement :

$$-C{\equiv}C- \xrightarrow{HX} -CH{=}CX- \xrightarrow{HX} -CH_2-CX_2-$$

Cette addition s'effectue dans le sens prévisible par la règle de Markownikov [9.6]. Dans la première étape, un alcyne vrai $R-C{\equiv}CH$ donne $R-CX{=}CH_2$ préférentiellement à $R-CH{=}CHX$ (avec un alcyne substitué, la règle ne permet pas de prévision, et on obtient un mélange des deux dérivés halogénés possibles). La seconde molécule HX s'additionne dans le même sens que la première, de sorte que l'on obtient toujours un dérivé dihalogéné *sur le même carbone* (dihalogénure *géminé*, ou *gem*-dihalogénure), ce carbone n'étant cependant jamais le premier de la chaîne.

*Exemples :*

$$CH_3-C{\equiv}CH \xrightarrow{2\,HCl} CH_3-CCl_2-CH_3 \quad \text{(et non } CH_3-CH_2-CHCl_2\text{)}$$

*10.B*

*Quel(s) facteur(s) peut-on invoquer pour expliquer l'orientation de cette addition, à chacune de ses étapes (c'est-à-dire pour justifier la plus grande stabilité de l'un des deux intermédiaires possibles, à chaque étape) (cf. 9.6, 9.E et exercice 9.j).*

### Eau-Hydratation

**10.7** L'addition de l'eau sur une triple liaison donne d'abord, selon le même schéma que l'hydratation des alcènes [9.8], et dans le sens prévisible par la règle de Markownikov, un *énol.* Celui-ci est instable et se transpose spontanément, par migration d'un atome d'hydrogène, en cétone [1.15] :

$$-C{\equiv}C- + H-OH \xrightarrow{Hg^{2+}} \underset{\text{Énol}}{-CH{=}C(OH)-} \longrightarrow \underset{\text{Cétone}}{-CH_2-C({=}O)-}$$

La réaction nécessite une catalyse acide, assurée par des ions mercuriques $Hg^{2+}$; ce sont des acides de Lewis [5.19], comme en sont également du reste les ions $H^+$ qui catalysent l'hydratation des doubles liaisons.

La régiosélectivité de la réaction au stade de la formation de l'énol a pour conséquence qu'un alcyne vrai $R-C\equiv CH$ donne la cétone $R-CO-CH_3$ et non l'aldéhyde $R-CH_2-CHO$ (qui proviendrait de l'énol « anti-Markownikov » $R-CH=CHOH$).

*Exemples :*

$$CH_3-CH_2-C\equiv CH + H_2O \xrightarrow{Hg^{2+}} CH_3-CH_2-COH=CH_2$$

$$\longrightarrow CH_3-CH_2-CO-CH_3$$

La seule exception est l'hydratation de l'acétylène $HC\equiv CH$, qui ne peut donner qu'un aldéhyde (l'acétaldéhyde, ou éthanal), puisque le groupe OH se fixe nécessairement sur un carbone terminal :

$$HC\equiv CH + H_2O \xrightarrow{Hg^{2+}} CH_2=CHOH \longrightarrow CH_3-CH=O$$

L'*hydratation par hydroboration*, décrite à propos des alcènes [9.9], peut être appliquée également aux triples liaisons pour former un énol. Son orientation « anti-Markownikov » conduit, dans le cas des alcynes vrais $R-C\equiv CH$, à l'énol $R-CH=CHOH$ et à l'aldéhyde $R-CH_2-CHO$.

*Exemples :*

$$CH_3-CH_2-C\equiv CH \xrightarrow[2)\ H_2O_2,\ OH^-]{1)\ BH_3} CH_3-CH_2-CH=CHOH$$

$$\longrightarrow CH_3-CH_2-CH_2-CH=O$$

## *Additions diverses*

**10.8** Divers autres composés de formule générale AH peuvent également s'additionner sur les triples liaisons. Ces réactions présentent de l'intérêt principalement dans le cas de l'acétylène, car les produits qui en résultent, de la forme $A-CH=CH_2$, sont des « dérivés vinyliques », susceptibles de se polymériser [9.17].

*Exemples :*

$$HC\equiv CH + CH_3-CO_2H \rightarrow CH_3-CO_2-CH=CH_2$$

Acétate de vinyle

$$HC\equiv CH + N\equiv C-H \rightarrow N\equiv C-CH=CH_2$$

Acrylonitrile

$$HC\equiv CH + HC\equiv CH \rightarrow HC\equiv C-CH=CH_2$$

Vinylacétylène

### *10-C*

*Il peut être établi que l'addition de* HCN *sur l'acétylène est un processus nucléophile* [5.13]. *Proposez un mécanisme pour cette réaction.*

## Oxydation

**10.9** La triple liaison est plus résistante à l'oxydation que la liaison éthylénique. Cependant, en présence d'oxydants énergiques (acide chromique $H_2CrO_4$, par exemple), il se produit une *coupure de la molécule* avec formation de deux acides :

$$R{-}C{\equiv}C{-}R' \rightarrow R{-}COOH + R'{-}COOH.$$

La *combustion* de l'acétylène,

$$HC{\equiv}CH + 5/2\,O_2 \rightarrow 2\,CO_2 + H_2O \qquad \Delta H = -\,1\,325\ kJ\ .\ mol^{-1}$$

dégage une quantité de chaleur particulièrement importante. En effet, à la chaleur de formation des produits s'ajoute la chaleur de dissociation de l'acétylène, puisque sa formation est endothermique [10.2].

La flamme de l'acétylène atteint une température de 2 000 °C dans l'air et 3 000 °C dans le dioxygène pur. Sa puissance calorifique est utilisée dans le chalumeau « oxy-acétylénique », qui brûle même sous l'eau, et que l'on emploie pour la soudure ou le découpage des tôles. En outre, cette flamme, riche en particules de carbone incandescentes, est très éclairante et cette caractéristique est mise à profit dans les lampes à acétylène, utilisées par exemple en spéléologie.

## Métallation des alcynes vrais

Ces réactions sont la conséquence de la labilité de l'hydrogène terminal des alcynes vrais, déjà évoquée [10.3]. Les dérivés que l'on peut obtenir en remplaçant cet hydrogène par un métal sont beaucoup plus réactifs que les alcynes vrais eux-mêmes et constituent des intermédiaires de synthèse intéressants.

### *a) Formation des dérivés métalliques*

**10.10** L'**action d'une base** $B^-$ sur un alcyne vrai [10.3] peut se représenter sous la forme ionique par l'équation

$$R{-}C{\equiv}CH + B^- \rightleftarrows R{-}C{\equiv}C^- + BH$$

Mais la base $B^-$ provient d'un composé dans lequel elle était associée à un métal M et celui-ci, dans le bilan complet de la réaction, s'associe sous la forme du cation $M^+$ au carbanion formé :

$$R{-}C{\equiv}CH + BM\ (B^-, M^+) \rightleftarrows R{-}C{\equiv}C{-}M + BH$$

En définitive, l'hydrogène labile est remplacé par un métal; on dit que l'alcyne a subi une *métallation* (*).

(*) Il en est de même dans la réaction de n'importe quel acide (et dans cette réaction l'alcyne vrai en est un, quoique faible) avec une base. Ainsi, la réaction de HCl avec la soude peut être décrite sous la forme ionique :

$$HCl + OH^- \rightarrow H_2O + Cl^-,$$

ou par un bilan complet qui comporte la formation de chlorure de sodium (remplacement de H par Na) : $HCl + NaOH \rightarrow H_2O + NaCl$.

*Exemples :*

– action de l'*amidure de sodium* $NaNH_2$, fournissant la base $NH_2^-$ (ion amidure) :

$$R{-}C{\equiv}CH + NaNH_2 \rightarrow \underset{\text{Dérivé sodé}}{R{-}C{\equiv}C{-}Na} + NH_3$$

– action d'un *composé organométallique* [14.1], par exemple un organolithien RLi ou un organomagnésien mixte RMgX, fournissant la base $R^-$ (carbanion) :

$$R{-}C{\equiv}CH + R'Li \rightarrow \underset{\text{Dérivé lithien}}{R{-}C{\equiv}C{-}Li} + R'H$$

$$R{-}C{\equiv}CH + R'MgX \rightarrow \underset{\text{Dérivé magnésien}}{R{-}C{\equiv}C{-}MgX} + R'H$$

La métallation d'un alcyne vrai peut aussi résulter de l'**action directe d'un métal,** en particulier un métal alcalin (Na, K, Li). L'hydrogène déplacé est alors réduit en dihydrogène, qui se dégage à l'état gazeux (comme dans la réaction habituelle d'un acide sur un métal, par exemple $Zn + 2\,HCl \rightarrow ZnCl_2 + H_2$) :

$$R{-}C{\equiv}CH + Na \rightarrow R{-}C{\equiv}C{-}Na + 1/2\,H_2$$

Enfin, les alcynes vrais subissent également une métallation au contact de réactifs particuliers, tels que le *« chlorure cuivreux ammoniacal »* qui donne un dérivé cuivreux R—C≡C—Cu, ou le *« nitrate d'argent ammoniacal »* qui donne un dérivé argentique R—C≡C—Ag. Ces dérivés sont rarement utilisés en synthèse, car ils sont instables, et même explosifs. Mais leur formation constitue un test de caractérisation des alcynes vrais (ils apparaissent comme des précipités respectivement rouge-brique et blanc).

Dans toutes ces réactions, l'*acétylène,* comportant deux H labiles, peut réagir deux fois, donnant par exemple XMg—C≡C—MgX avec un organomagnésien.

## *b) Réactions des dérivés métalliques*

Dans les dérivés métalliques des alcynes vrais, comme dans tous les organométalliques, la liaison carbone-métal est fortement polarisée :

$$R{-}C{\equiv}\overset{\delta-}{C}{-}\overset{\delta+}{\text{métal}}$$

Ces dérivés donnent donc facilement (plus facilement que l'alcyne vrai lui-même) le carbanion $R{-}C{\equiv}C^-$, basique et nucléophile. Les divers dérivés métalliques des alcynes vrais (sodés, lithiens, magnésiens, ...), très réactifs, donnent donc *tous les mêmes réactions*, puisque ce sont en fait celles de ce carbanion.

■ *Hydrolyse*

**10.11** En présence d'eau, les dérivés métalliques des alcynes vrais s'hydrolysent (voir note du § 9.12), en redonnant l'alcyne initial.

*Exemples :*

$$R{-}C{\equiv}C{-}Na + H_2O \rightleftarrows R{-}C{\equiv}CH + NaOH$$

ou

$$R{-}C{\equiv}C^- + H{-}OH \rightleftarrows R{-}C{\equiv}CH + OH^- \quad (Na^+ \text{ « spectateur »})$$

Cette réaction témoigne du caractère très fortement basique du carbanion $R—C{\equiv}C^-$, qui correspond au caractère très faiblement acide de son acide conjugué $R—C{\equiv}CH$ [10.3].

*10-D*

*Classez par force décroissante les bases* $R—C{\equiv}C^-$, $NH_2^-$ *et* $OH^-$. *Quels sont leurs acides conjugués? Classez-les également par force décroissante. Peut-on prévoir* a priori *la réaction de l'amidure de sodium sur l'eau?*

■ *Réaction avec les dérivés halogénés*

**10.12** Par son caractère nucléophile, le carbanion $R—C{\equiv}C^-$ peut provoquer une *substitution* de l'halogène sur le carbone saturé déficitaire d'un dérivé halogéné :

$$R—C{\equiv}C^- + R'—X \rightarrow R—C{\equiv}C—R' + X^-$$

*Exemples :*

$$CH_3—C{\equiv}C—MgCl + CH_3—CH_2Cl \rightarrow CH_3—C{\equiv}C—CH_2—CH_3 + MgCl_2$$

$$Ph—C{\equiv}C—Na + CH_3—CHCl—CH_3 \rightarrow Ph—C{\equiv}C—CH(CH_3)—CH_3 + NaCl$$

Cette réaction, dans ses diverses variantes, permet donc de réaliser en deux étapes l'*alkylation* d'un alcyne vrai, c'est-à-dire le remplacement de son hydrogène terminal par un groupe alkyle R. Elle sera, à ce titre, évoquée à nouveau à propos des méthodes de synthèse des alcynes [10.15].

Le caractère basique du carbanion $R—C{\equiv}C^-$ peut toutefois favoriser une réaction concurrente, consistant en une élimination de H et X (déshydrohalogénation) dans le dérivé halogéné, avec formation d'un alcène [9.20] :

$$R—C{\equiv}C^- + —\overset{|}{C}H—\overset{|}{C}X— \rightarrow R—C{\equiv}CH + {>}C{=}C{<} + X^-$$

En particulier, l'alkylation d'un alcyne vrai par un dérivé halogéné tertiaire $R_3CX$ a généralement, de ce fait, un mauvais rendement [13.11].

■ *Réaction avec les aldéhydes et les cétones*

**10.13** Le carbanion $R—C{\equiv}C^-$ peut également se lier au carbone déficitaire du groupe carbonyle ${>}C{=}O$, dans les aldéhydes et les cétones. S'agissant d'un carbone non saturé, il en résulte non une substitution, comme sur les dérivés halogénés, mais une *addition*. Il se forme un alcoolate, dont l'hydrolyse conduit finalement à un alcool acétylénique :

$$R—C{\equiv}C^- + {>}\overset{\delta+}{C}{=}\overset{\delta-}{O} \longrightarrow R—C{\equiv}C—\overset{|}{\underset{|}{C}}—O^-$$

Alcoolate

$$\xrightarrow{H_2O} R—C{\equiv}C—\overset{|}{\underset{|}{C}}—OH + OH^-$$

Alcool acétylénique

*Exemple :*

$$CH_3{-}CH_2{-}C{\equiv}C{-}MgBr + CH_3{-}CH{=}O$$

$$\longrightarrow CH_3{-}CH_2{-}C{\equiv}C{-}\underset{\displaystyle CH_3}{\underset{|}{CH}}{-}O^-(MgBr^+) \xrightarrow{H_2O}$$

$$CH_3{-}CH_2{-}C{\equiv}C{-}\underset{\displaystyle CH_3}{\underset{|}{CH}}{-}OH + BrMgOH$$

Si l'alcyne est l'acétylène, on parle de réaction d'*éthynylation* ($HC{\equiv}C{-}$ est le groupe éthynyle) et deux molécules d'aldéhyde ou de cétone peuvent réagir avec la même molécule d'acétylène.

*Exemple :* synthèse du but-2-yne-1,4-diol, par réaction entre l'acétylène (après métallation) et le formaldéhyde $H{-}CH{=}O$ :

$$HC{\equiv}CH \xrightarrow{H-CH=O} HOCH_2{-}C{\equiv}CH \xrightarrow{H-CH=O} HOCH_2{-}C{\equiv}C{-}CH_2OH$$

# 3 — Préparations

Certains végétaux contiennent des composés polyacétyléniques mais les alcynes, et plus généralement la triple liaison, sont très rares dans la nature. Ils doivent donc pratiquement toujours être préparés artificiellement et, pour ce faire, deux démarches totalement différentes sont possibles.

## a) Création d'une triple liaison dans une chaîne existante

$-CH_2-CX_2-$
$-CHX-CHX-$
↓
$-C{\equiv}C-$

**10.14** La **double deshydrohalogénation d'un dérivé dihalogéné** conduit à la création d'une triple liaison, de même que la deshydrohalogénation d'un dérivé monohalogéné conduit à celle d'une double liaison [9.20].

La dérivé dihalogéné peut être soit de la forme $-CHX{-}CHX-$ (dérivé dihalogéné *vicinal*, préparé par exemple par addition d'un halogène à un alcène de la forme $-CH{=}CH-$ [9.10]), soit de la forme $-CH_2{-}CX_2-$ (dérivé dihalogéné *géminé*, préparé à partir d'un aldéhyde ou d'un cétone [13.15]).

Comme pour créer une double liaison, l'élimination de deux H et deux X est provoquée par des réactifs basiques (mécanisme [13.9]). Une première étape conduit assez facilement à un dérivé monohalogéné éthylénique $-CH{=}CX-$, mais la seconde étape est plus difficile à réaliser, car ces dérivés sont particulièrement peu réactifs [20.21]. On doit donc utiliser des conditions très «énergiques» : soude ou potasse en solution concentrée, ou amidure de sodium, à chaud :

*Exemples :*

$$CH_3{-}CH_2{-}CHBr_2 + 2\,OH^- \xrightarrow{\Delta} CH_3{-}C{\equiv}CH + 2\,Br^- + 2\,H_2O$$

$$CH_3{-}CHBr{-}CH_2Br + 2\,NH_2^- \xrightarrow{\Delta} CH_3{-}C{\equiv}CH + 2\,Br^- + 2\,NH_3$$

La triple liaison se forme en principe soit entre les deux carbones monohalogénés, soit entre le carbone dihalogéné et le carbone voisin portant le moins d'hydrogène (règle de Zaïtsev [9.19]). Mais fréquemment le milieu basique produit une *isomérisation* de l'alcyne primitivement formé, dont la triple liaison se déplace le long de la chaîne. A cet égard, les bases $OH^-$ et $NH_2^-$ n'ont pas le même effet : $OH^-$ (soude, potasse) tend à faire migrer vers le centre de la chaîne une triple liaison terminale,

$$CH_3{-}CH_2{-}CHBr{-}CH_2Br \xrightarrow{KOH}$$

$$CH_3{-}CH_2{-}C{\equiv}CH \xrightarrow{KOH} CH_3{-}C{\equiv}C{-}CH_3$$

alors que $NH_2^-$ (amidure de sodium) tend au contraire à faire migrer la triple liaison vers l'extrémité de la chaîne,

$$CH_3{-}CHBr{-}CHBr{-}CH_3 \xrightarrow{NaNH_2}$$

$$CH_3{-}C{\equiv}C{-}CH_3 \xrightarrow{NaNH_2} CH_3{-}CH_2{-}C{\equiv}CH$$

D'autre part, on obtient souvent simultanément une quantité plus ou moins importante d'un *allène*, hydrocarbure à deux doubles liaisons adjacentes, par exemple $CH_3{-}CH{=}C{=}CH_2$ dans le cas des réactions ci-dessus. Cet allène constitue en effet un intermédiaire dans l'isomérisation par migration de la double liaison, et il peut en subsister une certaine quantité parmi les produits de la réaction.

*10.E*

---

*Essayez de proposer un mécanisme plausible pour la transformation en deux étapes : $CH_3{-}C{\equiv}C{-}CH_3 \rightarrow CH_3{-}CH{=}C{=}CH_2 \rightarrow CH_3{-}CH_2{-}C{\equiv}CH$, en présence de la base $NH_2^-$ (observez les migrations d'atomes, et pensez à la possibilité d'une résonance de certains intermédiaires).*

---

## b) Alkylation de l'acétylène ou d'un alcyne vrai

**10.15** On peut faire la *synthèse* (*) des alcynes en « construisant » leur molécule autour de la triple liaison de l'acétylène, selon le schéma :

$$\underset{\text{Acétylène}}{HC{\equiv}CH} \rightarrow \underset{\text{Alcynes vrais}}{R{-}C{\equiv}CH} \rightarrow \underset{\text{Alcynes substitués}}{R{-}C{\equiv}C{-}R'}$$

### 1) Préparation de l'acétylène

HC≡CH

L'acétylène peut s'obtenir par *hydrolyse du carbure de calcium* $CaC_2$, lui-même préparé par réaction entre le carbone (sous forme de coke) et la chaux, à très haute température dans un four électrique :

$$3\,C + CaO \xrightarrow{2200\,°C} CaC_2 + CO$$

$$CaC_2\ (\text{ou } Ca^{2+}, \bar{C}{\equiv}\bar{C}) + 2\,H_2O \rightarrow HC{\equiv}CH + Ca(OH)_2$$

---

(*) Le terme « synthèse » n'est pas synonyme de « préparation ». Il a un sens plus restrictif, comportant l'idée de *réunion d'éléments*, pour former un ensemble plus complexe. Par exemple, la formation des alcynes à partir de dérivés dihalogénés [10.14] constitue une « préparation », mais non une « synthèse », alors que la réunion d'une triple liaison (molécule d'acétylène) et d'un ou deux groupes alkyles constitue une « synthèse ».

Ce procédé a été appliqué industriellement à grande échelle, mais il n'est plus guère utilisé que pour obtenir de petites quantités d'acétylène, par exemple dans les « lampes à acétylène » où l'on fait tomber goutte à goutte de l'eau sur quelques dizaines de grammes de carbure de calcium (solide).

La préparation industrielle actuelle de l'acétylène consiste à porter du méthane (gaz naturel) à haute température pendant un temps très bref, en le faisant passer en continu dans un four :

$$2\,CH_4 \xrightarrow{1000\,°C} HC{\equiv}CH + 3\,H_2$$

Pour les usages de laboratoire, on ne prépare pas soi-même l'acétylène. On trouve dans le commerce des bouteilles en acier (celles qui sont utilisées également dans les postes de soudure), qui contiennent de l'acétylène dissous sous pression dans l'acétone, et qui le laissent s'échapper lorsqu'on ouvre leur robinet.

*2) Passage aux autres alcynes*

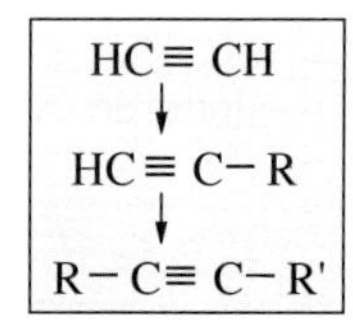


[+] Les autres alcynes, vrais ou substitués, peuvent se préparer à partir de l'acétylène, en remplaçant par un groupe alkyle R l'un de ses H labiles, ou les deux. Cette *alkylation* s'effectue par l'intermédiaire du dérivé métallique $HC{\equiv}CM$, ou $R{-}C{\equiv}CM$, en deux étapes déjà décrites plus haut [10.10,12].

En résumé :

$$R{-}C{\equiv}CH \xrightarrow{B^- \text{ ou Na}} R{-}C{\equiv}C{-}M \xrightarrow{R'X} R{-}C{\equiv}C{-}R'$$

avec $B^- = NH_2^-(NaNH_2)$ ou $R''^-(R''MgX, R''Na, R''Li)$.
et $M = Na, Li, MgX$.

# 4 — Termes importants

**10.16** Le seul alcyne préparé couramment, à l'échelle industrielle, est l'acétylène, encore que son importance ait beaucoup diminué au cours des dernières décennies. Il constituait antérieurement la matière première d'un grand nombre de fabrications, notamment par son hydratation en acétaldéhyde, transformé ensuite en des composés très variés. Mais sa préparation, si elle peut s'effectuer à partir de matières premières simples et de bas prix (coke et chaux, ou méthane) est par contre très coûteuse en énergie, en raison du caractère endothermique de sa formation [10.2] (de très hautes températures sont toujours nécessaires).

Avec le développement de la pétrochimie, un transfert s'est opéré : les fabrications antérieurement basées sur l'acétylène sont devenues possibles, plus économiquement, à partir de l'éthylène [25.4]. Il ne demeure donc que les utilisations de l'acétylène en synthèse, au laboratoire et en « chimie fine » [25.1], et pour la production de températures élevées (chalumeau). Cette situation ne pourrait se modifier qu'en cas d'épuisement des réserves de pétrole, ou si le rapport entre les prix du pétrole et de l'énergie électrique évoluait favorablement de façon importante.

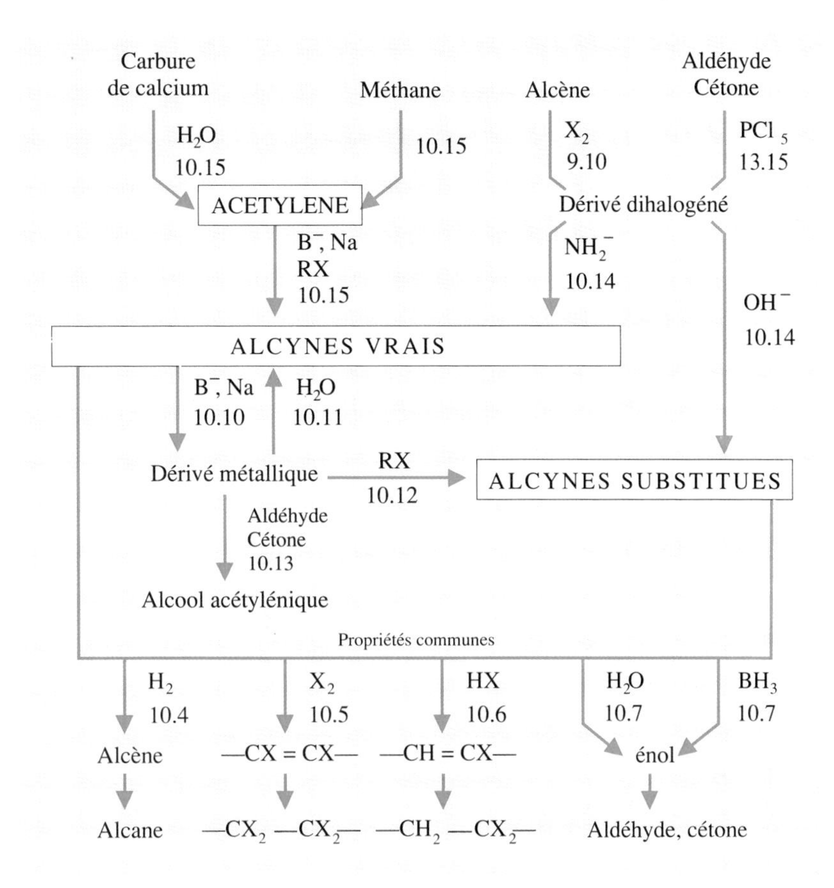


## EXERCICES

*Les* ***règles de nomenclature,*** *permettant de faire correspondre réciproquement un nom et une formule, sont exposées dans le chapitre 7 (pour les stéréosiomères, au chapitre 3).*

***10-a*** Indiquez, à la suite de la flèche, la formule du composé principal résultant des réactions suivantes, si elles sont possibles. Nommez-le.

1) Propyne + $Cl_2$ →
2) But-2-yne + 2 HCl →
3) Pent-1-yne + Chlorure cuivreux (CuCl) ammoniacal →
4) Isopropylacétylène + $H_2O$ $\xrightarrow{H_2SO_4,\ Hg^{2+}}$
5) Pent-2-yne + $H_2$ $\xrightarrow{Pd}$
6) But-2-yne + $CH_3MgCl$ →
7) 2-méthylbut-1-ène-3-yne + ... $Br_2$ →
8) Phénylacétylène + $NaNH_2$ →
9) Hex-1-yne + Na →
10) But-1-yne + $CH_3—CH_2—MgBr$ →
11) $CH_3—C{\equiv}C—MgCl$ + $CH_3—CO—CH_3$, puis $H_2O$ →

***10-b*** Par quelles réactions peut-on passer, en une ou plusieurs étapes, en ne faisant intervenir que des composés minéraux,

1) du propène au propyne
2) du propyne à $CH_3—CHOH—CH_3$
3) du pent-1-yne au pent-2-yne
4) du but-2-yne à $CH_3—CHBr—CBr_2—CH_3$
5) du but-1-yne à l'oct-3-yne
6) de $CH_3—CH_2OH$ à l'hex-3-yne
7) du propyne à $CH_3—CH_2—CH=O$
8) du but-2-yne au (2*R**,3*S**)-2,3-dibromobutane
9) du but-2-yne au (2*R**,3*R**)-2,3-dibromobutane
10) de l'hex-3-yne à $CH_3—CH_2—CH=O$
11) du cyclooctyne au *cis*-cyclooctane-1,2-diol

***10-c*** A partir d'acétylène et de substances minérales, comment peut-on préparer (en plusieurs étapes) les composés suivants?

1) $ClCH_2—CH_2Cl$
2) $Cl_2CH—CH_2Cl$
3) $HOCH_2—CH_2OH$
4) Butane
5) But-1-yne
6) $CH_3—CH_2OH$
7) $CH_3—CHOH—C\equiv CH$
8) $CH_2=CH—CH=CH_2$
9) $O=CH—CH=O$

***10-d*** Un hydrocarbure de formule brute $C_8H_{14}$ présente les caractères suivants :

– Un échantillon de 5,5 g fixe 1,12 l de dihydrogène sur palladium, et 2,24 l sur nickel (volumes mesurés à 0 °C et sous 1 atm).
– Un échantillon de 2 g, en présence de dibrome en excès, en fixe à froid 5,8 g.
– Il ne donne pas de précipité avec le nitrate d'argent ammoniacal.
– Son hydratation, soit par l'eau en présence d'ions mercuriques, soit par hydroboration, donne dans les deux cas le même produit (une cétone).
– Son hydrogénation sur le palladium donne un composé dont l'ozonolyse fournit un seul composé. Celui-ci présente une bande à 1 730 $cm^{-1}$ dans l'infrarouge.
– Son spectre de RMN présente deux signaux : un doublet et un heptuplet (rapport d'intensités 6:1).

Quelles conclusions peut-on tirer de chacune de ces informations?
Quelle est la formule de cet hydrocarbure? Quel est son nom?
Certaines des informations fournies ne sont-elles pas redondantes (c'est-à-dire qu'elles font « double emploi »). Lesquelles? Quelles informations sont vraiment essentielles et suffiraient à trouver la réponse?

***10-e*** Un corps A donne, en réagissant avec $CH_3MgBr$, un corps B et un dégagement gazeux. B, par réaction avec un corps C ($C_6H_{10}O$), suivie d'une hydrolyse, donne un corps D. La deshydratation de D en présence d'acide sulfurique donne un corps E qui, hydrogéné sur palladium, donne du 1-vinylcyclohexène F.

(F)

Identifiez les corps A, B, C, D et E. Quel est le gaz qui se dégage au cours de la première réaction?

# Hydrocarbures cycliques

# 11

## (non benzéniques)

**11.1** Les hydrocarbures dont la chaîne carbonée est cyclique [1.6] sont les **cycloalcanes** (saturés), les **cycloalcènes** (éthyléniques) et les **cycloalcynes** (acétyléniques). Il existe une très grande diversité de structures cycliques. D'une part le nombre d'atomes de carbone constituant un cycle est très variable (de trois à plusieurs dizaines); d'autre part, une molécule peut comporter deux ou plusieurs cycles, de tailles souvent différentes, «agencés» de toutes sortes de façons. Les exemples suivants, et ceux de la figure 11.1, donnent un aperçu de cette diversité de possibilités. En outre, les chaînes cycliques (monocycliques, bicycliques, polycycliques) peuvent porter des chaînes acycliques, saturées ou non.

Spiro [2,2] pentane

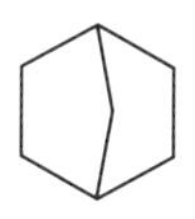

Bicyclo [2,2,1] heptane

Adamantane

Bullvalène

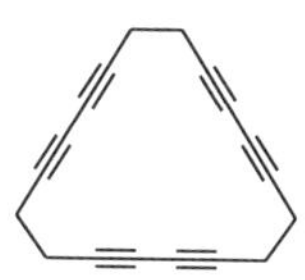

Cyclooctadéca-1,3,7,9,13,15-hexayne

Les hydrocarbures dont la molécule comporte un ou plusieurs *cycles benzéniques* [Tableau 1.1] constituent toutefois une classe particulière, les *arènes*, qui seront étudiés au chapitre 12.

Certaines structures, concevables sur le papier, ne sont cependant pas possibles, car elles imposeraient des déformations trop importantes aux angles que forment normalement les liaisons [2.5]. Ainsi, une triple liaison, qui entraîne la disposition linéaire de quatre atomes de carbone (C—C≡C—C), ne peut être introduite dans un cycle ne comportant pas au moins huit carbones. Il en est de même pour l'enchaînement —CH=CH— dans sa forme *E* [3.24]. Un carbone en « tête de pont » (par exemple, le carbone supérieur dans la représentation ci-dessus du bicyclo [2.2.1]-heptane) ne peut pas être impliqué dans une double liaison si la molécule ne comporte pas, au minimum, neuf atomes de carbone; ses trois voisins sont, en effet, normalement coplanaires avec lui [2.10], et cette disposition est *a priori* incompatible avec la cyclisation, sauf si les contraintes peuvent se répartir entre un nombre suffisant de liaisons.

La *nomenclature* des hydrocarbures cycliques est exposée au chapitre 7 [7.5].

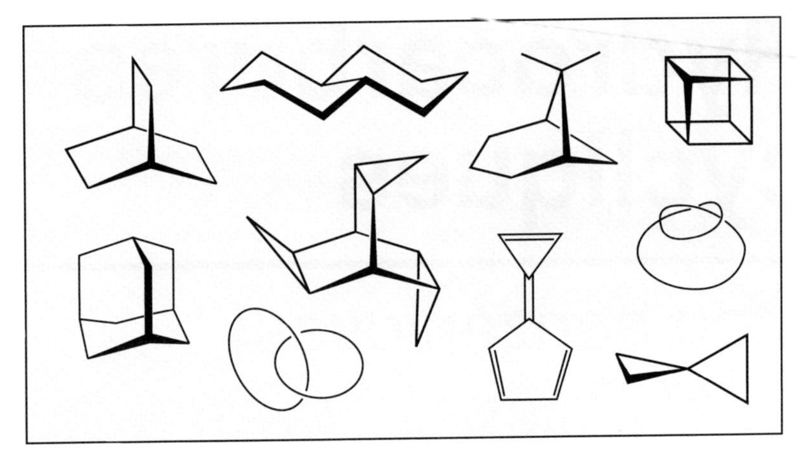

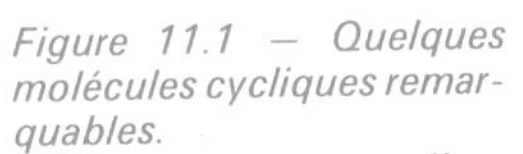

*Figure 11.1 — Quelques molécules cycliques remarquables.*

**Les structures cycliques offrent un large champ à l'imagination et à la créativité des chimistes. La synthèse de molécules dont le principal intérêt est d'ordre esthétique constitue pour eux des défis, qu'ils relèvent pour le seul plaisir de vaincre la difficulté.**

*11.A*

*Remémorez-vous tout ce qui a déjà pu être « dit », dans les chapitres antérieurs, concernant les cycles (quelques mots-clés : homocyclique, hétérocyclique, stéréoisomérie, cis, trans, conformation, chaise, bateau, axial, équatorial).*

# 1 — Caractères physiques

**11.2** Les caractères physiques courants des hydrocarbures cycliques (état physique dans les conditions normales, absorptions caractéristiques du rayonnement, solubilité, etc.) ne présentent pas de particularités notables par rapport à ceux des hydrocarbures acycliques.

Les différences de stabilité, associées à la présence dans certaines molécules de contraintes diverses (déformations angulaires imposées, liaisons éclipsées [2.8]) se traduisent dans les valeurs des enthalpies standard de formation (*), d'autant plus faibles que ces contraintes sont importantes. La tendance à une minimisation, ou une disparition, de ces contraintes conduit soit à des géométries particulières (cas du cyclohexane par exemple [2.9]), soit à des comportements chimiques particuliers [11.3].

# 2 — Réactivité

**11.3** Pour une très large part, les propriétés chimiques des hydrocarbures cycliques sont identiques à celles des hydrocarbures acycliques de même type. Les *cycloalcanes*, saturés, sont comme les alcanes peu réactifs et donnent essentiellement des réactions de substitution radicalaires. La double liaison des *cycloalcènes* se prête aux mêmes réactions d'addition et d'oxydation que celle des alcènes.

(*) Voir, par exemple, *Cours de Chimie physique*, chapitre 32.

Mais le caractère cyclique des molécules entraîne en outre, dans certains cas, des particularités de comportement. La plus notable concerne les *« petits cycles »* (cyclopropane et, dans une moindre mesure, cyclobutane). Ils manifestent une tendance marquée à *s'ouvrir*, par rupture d'une liaison carbone-carbone, dans des réactions dont le bilan est celui d'une *addition* du réactif sur les extrémités de la chaîne acyclique qui apparaît. L'existence de ces réactions témoigne d'une structure mal décrite par une formule ne comportant que des liaisons de covalence « classiques », et pour laquelle divers autres modèles peuvent être utilisés (tension du cycle, hybridation du carbone, ...).

## *Réactions sur les chaînes saturées*

**11.4** Comme les alcanes, et pour les mêmes raisons [8.3], les cycloalcanes manifestent une relative inertie chimique, et une aptitude à subir des substitutions de caractère radicalaire, notamment une *halogénation photochimique en chaîne* [8.4-5]. Dans les cycloalcènes, les carbones saturés adjacents à une double liaison (position allylique [8.5]) sont des sites préférentiels pour cette substitution.

*Exemples :*

cyclopentane $+ Br_2 \xrightarrow{h\nu}$ bromocyclopentane (—Br) $+ HBr$

cyclohexène $+ Cl_2 \xrightarrow{h\nu}$ 3-chlorocyclohexène (Cl) $+ HCl$

## *Réactions sur les doubles liaisons*

**11.5** Les réactions d'**addition** déjà décrites pour les alcènes [9.4-11] sont possibles sur un cycloalcène, avec les mêmes mécanismes et les mêmes caractères éventuels de régiosélectivité (règle de Markownikov) et de stéréospécificité (*cis*- ou *trans*-addition). Seuls quelques nouveaux exemples seront pris ici :

1,2-diméthylcyclohexène ($CH_3$, $CH_3$) $+ H_2 \xrightarrow{Ni}$ cyclohexane ($CH_3$, H, $CH_3$, H) (*cis*-addition)

1,2-diméthylcyclohexène ($CH_3$, $CH_3$) $+ Br_2 \longrightarrow$ cyclohexane ($CH_3$, Br, Br, $CH_3$) (*trans*-addition)

1-méthylcyclopentène (—$CH_3$) $+ HI \longrightarrow$ cyclopentane (I, $CH_3$) (règle de Markownikov)

bicyclooctène $+ KMnO_4$ dil. $\longrightarrow$ diol (OH, OH) (*cis*-hydroxylation)

Les réactions d'**oxydation** sont également les mêmes que pour un alcène, qu'il s'agisse de l'époxydation ou de la coupure de la chaîne, par exemple par l'ozone :

$H_3C$, $H_3C$ (cyclopentène) $CH_3$, $CH_3$ $\xrightarrow[2)\ H_2O]{1)\ O_3}$ $CH_3$, $CH_3$ $\diagdown$ C(CHO) $-$ $CH_2$ $-$ C(CHO) $\diagup$ $CH_3$, $CH_3$

## Combustion

**11.6** Donnant, comme celle des hydrocarbures acycliques, du dioxyde de carbone et de l'eau, la combustion des hydrocarbures cycliques ne présente pas d'intérêt chimique particulier. Par contre, c'est l'une des réactions qui permettent de mettre en évidence la différence de stabilité de ces hydrocarbures en fonction de la taille du cycle. Il est, en effet, relativement facile de mesurer la quantité de chaleur produite par une combustion (en utilisant une « bombe calorimétrique »), et on observe que celle des petits cycles est proportionnellement plus grande que celle des cycles moyens ou des chaînes ouvertes. Cela signifie que le niveau d'énergie des molécules des petits cycles est *plus élevé*, et donc qu'elles sont « déstabilisées » par des contraintes : déformation forcée des angles de liaisons, liaisons C—H de deux carbones adjacents éclipsées [2.8].

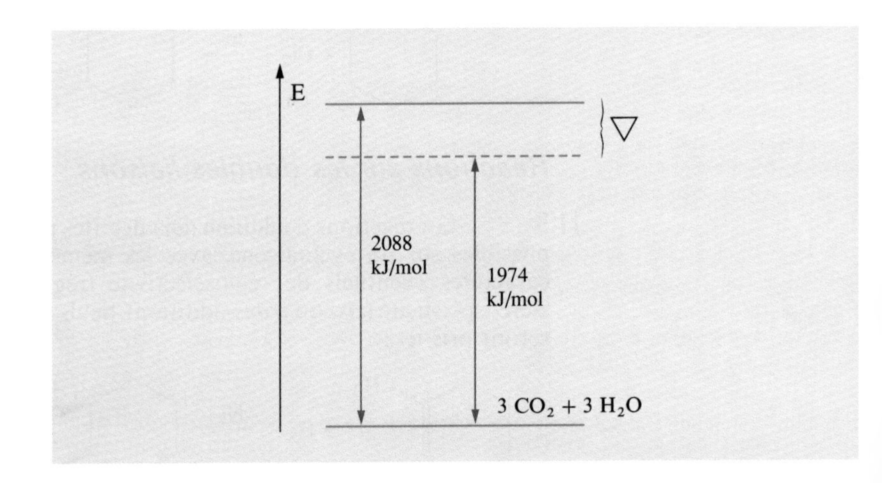


*Figure 11.2 — L'enthalpie de combustion du cyclopropane.*
**La valeur 1 974 kJ . mol$^{-1}$ résulte d'un calcul *a priori*, à partir des valeurs des énergies des liaisons rompues et formées dans la réaction. 2 088 kJ . mol$^{-1}$ est la valeur expérimentale, mesurée par calorimétrie. L'état final étant le même dans les deux cas, la différence se situe nécessairement au niveau de la molécule initiale ; elle traduit l'existence de contraintes qui la « déstabilisent ».**

Les enthalpies de combustion des quatre premiers cycloalcanes, rapprochées pour comparaison de celles de l'éthylène et d'une chaîne ouverte, sont (*pour un groupe* $CH_2$) :

| | | | |
|---|---|---|---|
| Cyclopropane ..... | 696 kJ . mol$^{-1}$ | Éthylène .......... | 705 kJ . mol$^{-1}$ |
| Cyclobutane ...... | 685 kJ . mol$^{-1}$ | Chaîne ouverte .... | 658 kJ . mol$^{-1}$ |
| Cyclopentane...... | 663 kJ . mol$^{-1}$ | | |
| Cyclohexane ...... | 658 kJ . mol$^{-1}$ | | |

On peut observer que le cyclohexane, molécule non plane et non contrainte, a la même enthalpie de combustion qu'une chaîne ouverte. Mais celle-ci augmente régulièrement, en même temps que l'importance des contraintes, lorsque la taille du cycle diminue. L'éthylène $H_2C{=}CH_2$, dont l'enthalpie de combustion est encore plus grande que celle du cyclopropane, est parfois considéré comme un cycle à deux carbones (« cycloéthane »).

## Ouverture des petits cycles ($C_3$, $C_4$)

11.7 Le cyclopropane et le cyclobutane, malgré l'absence de liaisons multiples, se comportent comme des molécules insaturées, et donnent des réactions d'addition par ouverture du cycle, à la suite de la rupture d'une liaison carbone-carbone. Il existe donc une analogie de réactivité entre ces petits cycles et la liaison éthylénique, mais on observe une diminution de la facilité de ces réactions d'addition, de l'éthylène au cyclopropane et au cyclobutane; à partir du cyclopentane elles ne sont plus possibles.

On peut attribuer cette tendance à l'ouverture des petits cycles à l'état de tension dans lequel ils se trouvent; dans la chaîne acyclique qui en résulte, les angles des liaisons C—C peuvent en effet retrouver leur valeur normale de 109°28′. Mais les théories plus modernes de la liaison attribuent aux carbones du cyclopropane un état d'hybridation [4.9-10] plus proche de $sp^2$ (comme dans l'éthylène) que de $sp^3$. Dans ce modèle, les liaisons C—C du cycle résultent du recouvrement des orbitales 2p naturelles et s'apparentent donc à des liaisons $\pi$. Les mauvaises conditions de recouvrement expliquent alors qu'elles soient faibles (énergie de rupture égale à 270 kJ . $mol^{-1}$, au lieu de 370 kJ . $mol^{-1}$ dans l'éthane).

■ *Dihydrogène*

11.8 En présence des catalyseurs d'hydrogénation habituels (nickel, par exemple), les petits cycles fixent une molécule de dihydrogène et se transforment en alcanes. Les températures nécessaires à la réaction témoignent de la diminution de réactivité signalée plus haut :

$$H_2C{=}CH_2 + H_2 \xrightarrow[20°]{[Ni]} H_3C{-}CH_3$$

$$\bigtriangledown + H_2 \xrightarrow[100°]{[Ni]} H_3C{-}CH_2{-}CH_3$$

$$\square + H_2 \xrightarrow[200°]{[Ni]} H_3C{-}CH_2{-}CH_2{-}CH_3$$

■ *Réactifs électrophiles*

11.9 Divers réactifs électrophiles (halogènes, hydracides halogénés, ...) s'additionnent sur le cyclopropane, mais non sur le cyclobutane. Les mécanismes de ces réactions sont les mêmes que pour les réactions analogues s'effectuant sur la double liaison des alcènes.

*Exemples :*

$$\bigtriangledown + Br_2 \rightarrow BrCH_2{-}CH_2{-}CH_2Br$$

$$CH_3{-}\bigtriangledown + HCl \rightarrow CH_3{-}CHCl{-}CH_2{-}CH_3$$

On observera que, dans ce dernier exemple, la règle de Markownikov [9.6] s'applique, avec la même justification que pour les alcènes.

### 11-B

*Pourquoi n'est-ce pas la liaison $CH_2{-}CH_2$ qui se rompt? Quel autre dérivé chloré aurait-on pu obtenir à la suite de la rupture de la liaison $CH{-}CH_2$? Pourquoi obtient-on plutôt le dérivé indiqué?*

# 3 — État naturel

**11.10** Des cycloalcanes sont présents dans certains pétroles, notamment dans les gisements d'Europe centrale. Diverses essences végétales contiennent des hydrocarbures cycliques non saturés, mono- ou polycycliques, comme le limonène (citron) ou le pinène (résine de pin) :

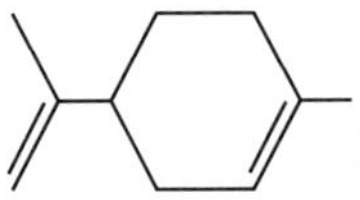

Limonène 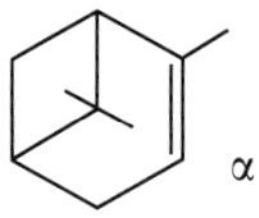 α -Pinène

Mais il est plus fréquent de trouver dans la nature des molécules cycliques, souvent polycycliques, comportant en outre des fonctions diverses : alcool, aldéhyde, cétone, acide, ... (ce ne sont alors évidemment pas des hydrocarbures). On peut mentionner en particulier la série des stéroïdes [24.13-17] (cholestérol, hormones sexuelles, cortisone).

# 4 — Préparations

Les *méthodes générales de préparation des hydrocarbures*, saturés ou non, sont en principe applicables en série cyclique (par exemple : obtention d'un cycloalcane par hydrogénation d'un cycloalcène [8.11], ou préparation d'un cycloalcène par déshydratation d'un alcool cyclique [9.19]). Seules seront envisagées ici quelques unes des réactions permettant la *création d'une chaîne cyclique.*

**11.11** La **réaction de Wurtz** [8.10], appliquée à un dérivé dihalogéné sur ses carbones terminaux, permet de créer une liaison entre ceux-ci :

$$(CH_2)_n\begin{cases} CH_2Cl \\ CH_2Cl \end{cases} + Zn \rightarrow (CH_2)_n\begin{cases} CH_2 \\ | \\ CH_2 \end{cases} + ZnCl_2$$

Le rendement de cette réaction, bon pour n = 1 (cyclopropane), diminue lorsque la longueur de la chaîne augmente car, compte tenu des possibilités de rotation au niveau de chaque liaison C—C, la probabilité que les deux sites terminaux soient proches dans l'espace diminue.

**11.12** Le **pontage d'une double liaison** par un groupe $CH_2$, à l'aide de diazométhane $CH_2N_2$, constitue une synthèse spécifique du cycle à trois carbones :

$$CH_3{-}CH{=}CH_2 + CH_2N_2 \rightarrow CH_3{-}\underset{\diagdown\ \diagup \atop CH_2}{CH{-}CH_2} + N_2$$

**11.13** La **synthèse diénique** (ou **réaction de Diels-Alder**) [20.4] donne accès au cycle du cyclohexène. Elle se schématise par :

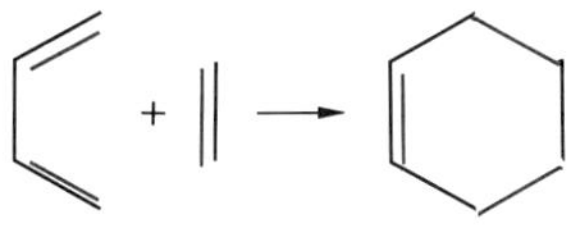

[+]

Cette réaction a un meilleur rendement lorsque le réactif monoéthylénique comporte un groupe attracteur d'électrons, comme CH=O ou C≡N. En ce cas, elle ne conduit pas à un hydrocarbure, mais il est toujours possible, dans une étape ultérieure, de « défonctionnaliser » la molécule obtenue.

*Exemples :*

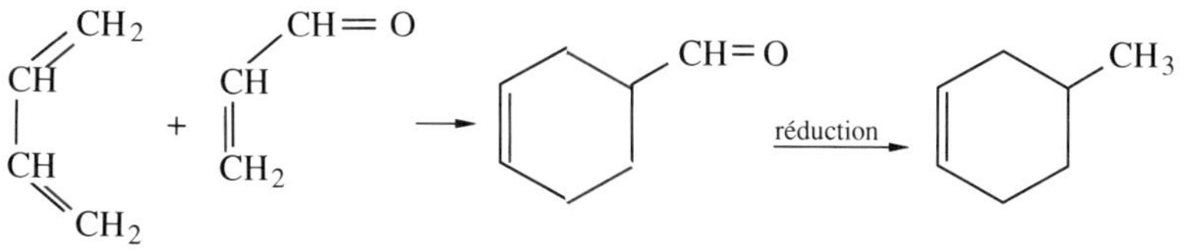

$CH_2=CH-CH=CH_2$ + $CH_2=CH-CH=O$ → (cyclohexène-CH=O) —réduction→ (cyclohexène-$CH_3$)

**11.14** L'**hydrogénation d'un cycle benzénique** [12.4], si elle ne constitue pas une création de chaîne cyclique, est une bonne méthode d'accès à la série du cyclohexane :

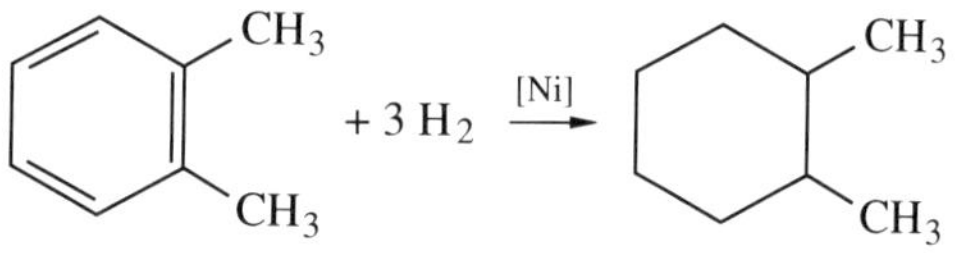

[=]

(1,2-diméthylbenzène) + 3 $H_2$ —[Ni]→ (1,2-diméthylcyclohexane)

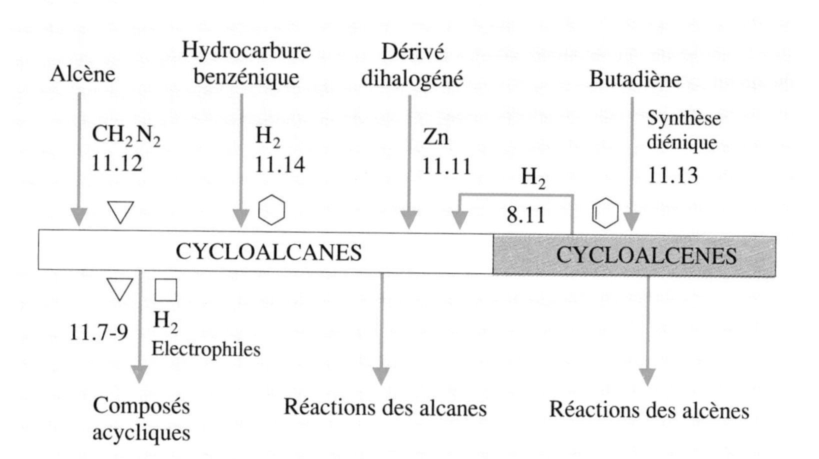

## EXERCICES

*Les* ***règles de nomenclature****, permettant de faire correspondre réciproquement un nom et une formule, sont exposées dans le chapitre 7 (pour les stéréoisomères, au chapitre 3).*

***11-a*** Quel est le produit principal résultant de la réaction du 1-méthylcyclohexène avec chacun des corps suivants?

1) HBr (en présence d'un peroxyde)
2) $O_3$, puis $H_2O$
3) $KMnO_4$ concentré
4) Acide peracétique, puis $H_2O$ en milieu acide
5) $BH_3$, puis $H_2O_2$ en milieu basique.

***11-b*** Comment peut-on préparer chacun des composés suivants, à partir du cyclohexanol (alcool résultant du remplacment d'un H par OH dans le cyclohexane)?

1) Chlorocyclohexane
2) Cyclohexylcyclohexane
3) 1,2-dibromocyclohexane
4) 3-chlorocyclohex-1-ène
5) Cyclohexane-1,2-diol (cis et trans)
6) Acide adipique $HOOC—(CH_2)_4—COOH$.

***11-c*** Comment peut-on passer, en plusieurs étapes, du cyclopropane à chacun des composés suivants?

1) Propène
2) Propan-2-ol
3) Hexane
4) 2,3-diméthylbutane.

***11-d*** Représentez stéréochimiquement le produit de l'addition du dibrome sur le 1,2-diméthylcyclohexène. Les atomes de brome occupent-ils des positions axiale(s) ou équatoriale(s)? Quelle est la conformation la plus stable de la molécule? La molécule obtenue est-elle chirale? Le produit obtenu est-il optiquement actif?

***11-e*** Mêmes questions qu'en **11-d** pour le produit résultant de l'hydrogénation catalytique du 1,2-diméthylcyclohexène.

# Les arènes 12

## le cycle benzénique

**12.1** Les **arènes** sont les hydrocarbures dont la formule dérive de celle du *benzène*,

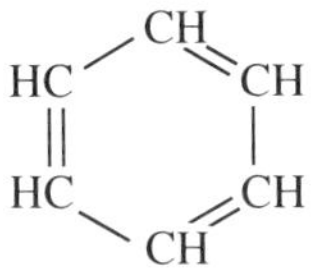

HC=CH–CH=CH–CH=CH (cycle) ou (hexagone)

Leurs molécules contiennent donc au moins un *« cycle benzénique »* (on dit aussi *« noyau benzénique »*). Elles peuvent en comporter plusieurs, soit reliés par des chaînes acycliques (C, E), soit directement liés par un sommet (F), soit encore accolés avec un côté commun (G). En outre, ces cycles peuvent porter une ou plusieurs « chaînes latérales », linéaires, ramifiées ou cycliques, saturées ou insaturées (A, B, D).

*Exemples* (voir aussi 7.6) :

(A) 1,3,5 - triméthylbenzène (Mésitylène)

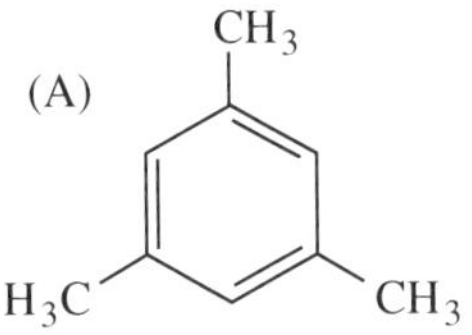

(B) Phénylacétylène ($C\equiv CH$)

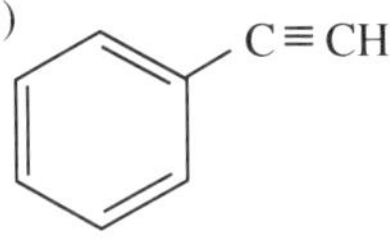

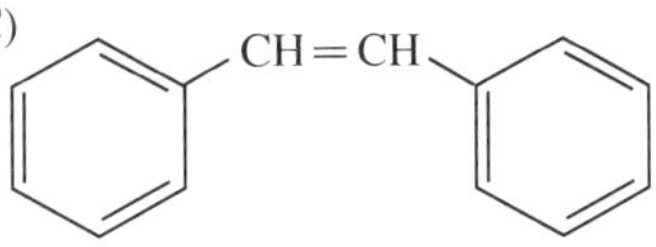

(C) 1,2 - diphényléthylène (Stilbène) ($CH=CH$)

(D) Cyclopropylbenzène

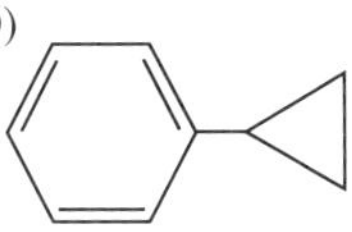

(E) Triphénylméthane

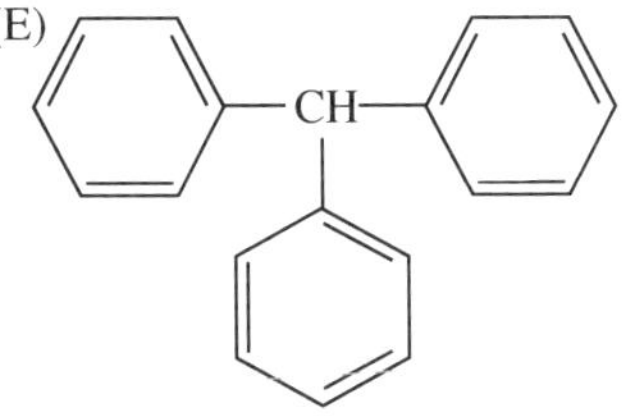

(F) Biphényle

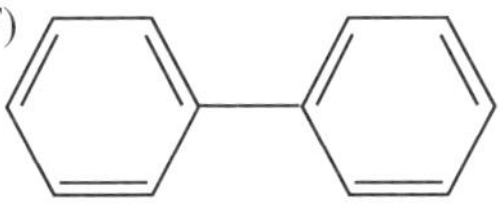

(G) Pyrène

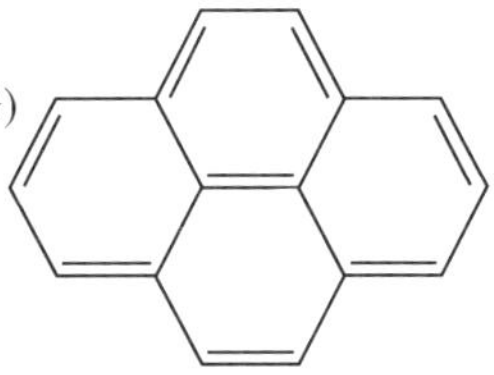

– On appelle parfois les arènes *« hydrocarbures aromatiques »*. Cette appellation, très ancienne, provient du fait que la plupart d'entre eux ont effectivement une odeur très prononcée [12.2]. Mais le terme « aromatique » a actuellement un sens différent, qui ne fait plus référence à l'odeur : il définit un ensemble de caractères, physiques et chimiques, que l'on trouve aussi dans des composés non dérivés du benzène [12.18; 21.4].

– La représentation du cycle benzénique par un hexagone où alternent trois liaisons simples et trois liaisons doubles (formule de Kékulé) ne correspond pas à sa véritable structure électronique. Tout au plus correspond-elle à *l'une* des formes limites à prendre en compte dans le modèle de la mésomérie [4.16]. On l'emploie cependant souvent, car la « matérialisation » des trois doublets $\pi$ permet de mieux suivre leur « sort » au cours des réactions. Mais ce n'est qu'un *symbole* et, dans ces conditions, la position assignée aux doubles liaisons est arbitraire. On peut d'ailleurs utiliser aussi une autre représentation, où la délocalisation des doublets $\pi$ est symbolisée par un cercle inscrit dans l'hexagone.

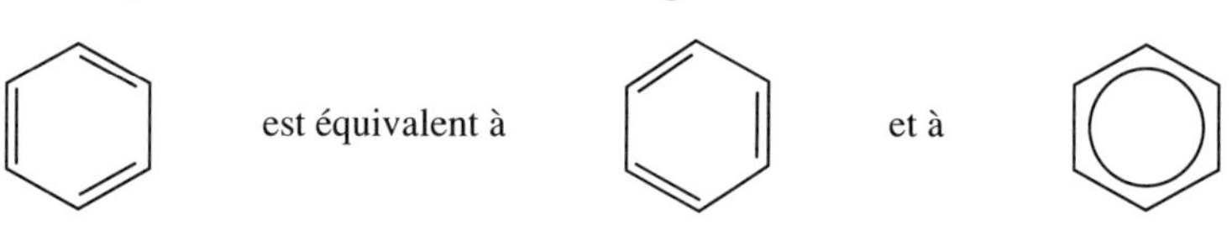


– L'enlèvement d'un hydrogène porté par un carbone *du cycle* fournit un groupe **aryle** (symbole : Ar). Celui d'un H porté par une chaîne latérale fournit un groupe *alkyle* (symbole : R).

*Exemples :* Groupes aryles (Ar) : Groupe alkyle (R) :

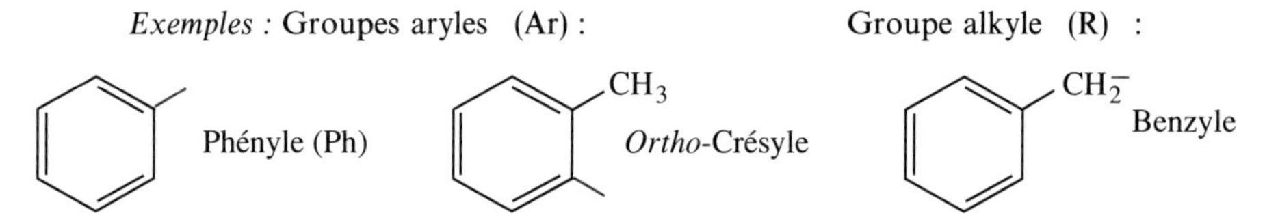


Indépendamment des arènes proprement dits, le cycle benzénique est présent dans de très nombreux composés, notamment naturels, en même temps que des fonctions diverses. Il y conserve, pour l'essentiel, ses caractères propres.

La nomenclature des arènes est exposée au chapitre 7 [7.6].

# 1 — Caractères physiques

**12.2** Selon leur masse moléculaire, les arènes sont des liquides ou des solides à la température ordinaire (benzène : F = 5,5 °C, Eb = 80 °C). Ils sont insolubles dans l'eau. Les termes liquides (benzène et toluène surtout) sont de bons solvants pour de nombreuses substances organiques (corps gras, caoutchouc...).

Ils ont souvent une odeur très marquée (exemples : la « benzine », nom commun du benzène; la « naphtaline », nom commun du naphtalène). Les composés naturels très odorants (essences de vanille, d'anis, de cumin, de thym...) ont d'ailleurs souvent une structure benzénique, associée à des fonctions diverses.

Le cycle benzénique absorbe dans l'ultraviolet, vers 255-270 nm ($\varepsilon$ = 250 à 350). Dans l'infrarouge, il présente des bandes caractéristiques vers 3 100-3 300 $cm^{-1}$ (vibration d'élongation C—H) et entre 650 et 900 $cm^{-1}$ (vibrations de déformation hors du plan du cycle). En RMN, le signal des protons benzéniques (H liés au cycle), très « déblindés », apparaît entre 6,5 et 8,5 ppm (benzène, 7,27 ppm).

Le cycle benzénique est un hexagone régulier plan; ses six liaisons C—C ont la même longueur, 0,146 nm, intermédiaire entre celle des liaisons simples (0,154 nm) et celle des liaisons doubles (0,135 nm).

L'enthalpie standard de formation du benzène est inférieure de 150 kJ . $mol^{-1}$ à la valeur calculable *a priori* pour le cyclohexa-1,3,5-triène. Cette différence correspond à l'énergie de résonance du système conjugué [4.20], et rend compte de la très grande stabilité du benzène.

*12-A*

*Êtes-vous sûr(e) de parfaitement connaître le sens des termes : conjugaison, délocalisation, résonance, forme limite, hybride, énergie de résonance (si nécessaire reportez-vous à l'index, ou directement au chapitre 4).*

## 2 — Réactivité

**12.3** La structure électronique particulière du cycle benzénique a déjà été décrite [4.16, 20, 21]. Les points essentiels la caractérisant sont les suivants :

– Les *trois doublets* π ne sont pas localisés sur trois liaisons particulières, mais *délocalisés* sur l'ensemble des six liaisons. Celles-ci sont donc toutes identiques, et « partiellement doubles ».

– Cette délocalisation, parfaitement symétrique, concernant un domaine étendu, procure au cycle benzénique une *stabilité exceptionnelle.*

Les conséquences de cet état de choses au niveau de la réactivité sont très importantes. Elles se résument dans le fait que *les réactions qui détruisent cette structure sont très défavorisées par rapport à celles qui la conservent, ou qui la restaurent après une destruction temporaire.*

Plus précisément, malgré le caractère apparemment non saturé du cycle benzénique, *les réactions d'addition sont difficiles et peu nombreuses.* En effet, une addition utilise un doublet π, qui devient un doublet σ [9.5] et par conséquent les éventuels produits d'additions sur le cycle benzénique perdent la stabilisation due à la délocalisation des trois doublets π.

Par contre, et malgré ce caractère apparemment non saturé du cycle benzénique, *les réactions de substitution sont faciles et nombreuses.* En effet, le remplacement d'un H du cycle par un autre atome ou groupe d'atomcs ne modifie pas la structure électronique du noyau, et ne fait pas perdre à la molécule la stabilité qui y correspond. La plupart de ces substitutions ont lieu en présence de réactifs *électrophiles*, en raison de la forte densité électronique « offerte » par le cycle.

Pour la même raison, les oxydants, même forts et dans des conditions où un alcène serait coupé, coupent difficilement le cycle. Mais les chaînes latérales sont beaucoup plus oxydables, particulièrement sur la « position benzylique » (premier carbone de la chaîne, lié au cycle).

## Réactions d'addition

Malgré le « handicap » qui les frappe [12.3], les réactions d'addition sur le cycle benzénique ne sont pas totalement inexistantes. Les hydracides ou l'eau ne s'additionnent pas, mais le dihydrogène et les halogènes peuvent s'additionner, dans des conditions toutefois différentes de leur addition sur les alcènes.

### *Hydrogénation*

**12.4** En présence de nickel, à température et sous une pression élevées (100 °C, 100 à 150 bars), le cycle benzénique fixe trois molécules de dihydrogène, et se transforme en cycle cyclohexanique :

$C_6H_5CH_3 + 3\,H_2 \xrightarrow{[Ni]} C_6H_{11}CH_3$

La réaction est toujours totale. On ne peut la limiter à la fixation d'une ou deux molécules de dihydrogène seulement, car les cyclohexadiènes ou les cyclohexènes qui se formeraient s'hydrogènent trop facilement dans ces conditions.

Une réduction par le sodium dans l'ammoniac liquide est possible, comme pour les alcynes [10.4]. Effectuée en présence d'éthanol *(réduction de Birch)* elle conduit à un cycle contenant deux doubles liaisons non conjuguées.

*Exemple :*

$C_6H_6 \xrightarrow{Na/NH_3}$ Cyclohexa-1,4-diène

### *Halogènes*

**12.5** Le cycle benzénique peut fixer trois molécules d'un halogène ($Cl_2$, $Br_2$), par une réaction photochimique, de mécanisme radicalaire en chaîne (donc très différent de celui de l'addition des halogènes sur les alcènes).

*Exemple :*

$$C_6H_6 + 3\,Cl_2 \xrightarrow{h\nu} C_6H_6Cl_6$$ 1,2,3,4,5,6-hexachlorocyclohexane (HCH, Lindane)

## Réactions de substitution

**12.6** La plupart des réactions de substitution sur le cycle benzénique correspondent au bilan suivant :

$$ArH + A{-}B \rightarrow Ar{-}A + HB$$

et leur mécanisme, en deux étapes, peut se schématiser ainsi :

H H H H H H + $\overset{\delta+}{A}$—$\overset{\delta-}{B}$ → H H H H H A H + $B^-$ → H H H H H A + H—B

Bilan : substitution

H H H H B H A H

Bilan : addition

Le réactif A—B subit une dissociation hétérolytique en $A^+$ et $B^-$, et c'est le fragment $A^+$, déficitaire et électrophile, qui interagit avec le cycle benzénique, riche en électrons très disponibles (les six électrons π). $A^+$ se lie à l'un des carbones du cycle, en utilisant un des doublets π, qui vient assurer la nouvelle liaison C—A. Il résulte de cette première étape un carbocation intermédiaire, non benzénique puisqu'il ne possède plus que deux doublets π. Ce carbocation se stabilise par l'élimination, sous la forme $H^+$, de l'hydrogène porté par le même carbone que A, et le doublet de la liaison C–H rompue « rentre » dans le cycle, qui redevient ainsi un cycle benzénique. Le fragment $B^-$ et le proton $H^+$ libéré forment le composé HB figurant dans le bilan de la réaction.

En raison de la nature de la première étape, les substitutions de ce type sont désignées comme *« substitutions électrophiles »* ($S_E$).

### 12-B

*Une seule forme limite est représentée ci-dessus, pour les molécules initiale et finale comme pour le carbocation intermédiaire, mais tous sont le siège d'une délocalisation. Représentez l'ensemble des formes limites, et l'hybride, pour le carbocation.*

On pourrait imaginer que l'anion $B^-$ réagisse avec le carbocation, de telle sorte qu'en définitive le réactif A—B se serait additionné sur deux carbones adjacents du cycle (cf. « bilan d'addition », dans le schéma ci-dessus). Cette addition serait identique, dans son déroulement, à l'addition électrophile sur la double liaison d'un alcène [9.5].

En réalité, cette addition ne s'observe pas. La réaction évolue uniquement vers le « bilan de substitution », et cela s'explique par des considérations énergétiques et cinétiques. Le produit résultant de l'addition n'a plus que deux doubles liaisons conjuguées, et il n'est plus le siège d'une délocalisation aussi importante et complète que celle du benzène. Son énergie de résonance est moins grande, et son niveau d'énergie est donc plus élevé. Le produit résultant de la substitution, au contraire, présente une structure résonante du type de celle du benzène, à laquelle le substituant A participe aussi le plus souvent. Son niveau d'énergie est donc plus bas (fig. 12.1).

L'orientation de la réaction se joue dans la seconde étape, à partir de l'intermédiaire commun aux deux schémas réactionnels. Elle est sous « contrôle cinétique », c'est-à-dire qu'elle résulte du rapport des vitesses des deux réactions dans la seconde étape. Or celle qui conduit au produit de substitution, plus stable, a la plus faible énergie d'activation (fig. 12.1), et elle est donc la plus rapide. Ainsi s'explique que la réaction donne pratiquement, comme seul produit, le dérivé substitué et que, plus généralement, les additions électrophiles sur le cycle benzénique sont impossibles.

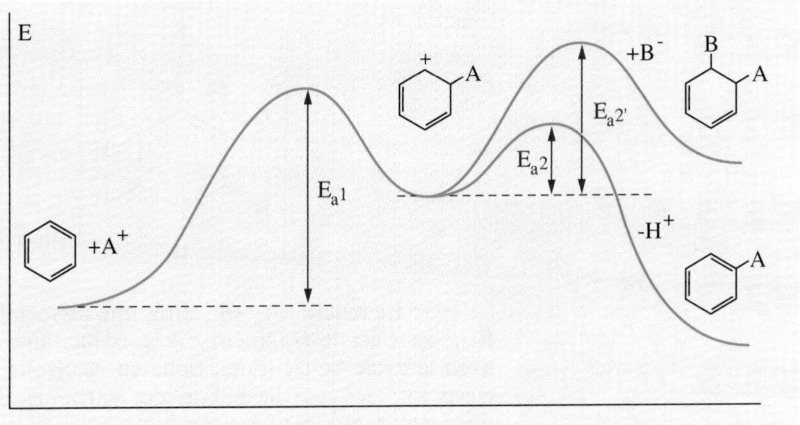


*Figure 12.1 — Les deux suites possibles d'une attaque électrophile sur le benzène.*
**A partir du même intermédiaire, la réaction peut s'achever par une *addition* ou par une *substitution*. Le chemin qui conduit au produit le plus stable (dérivé de substitution) présente l'énergie d'activation la plus faible. Il y correspond donc la réaction la plus rapide, qui consomme pratiquement la totalité de l'intermédiaire.**

Fréquemment, les substitutions sur le cycle benzénique nécessitent l'intervention d'un catalyseur, qui facilite la formation initiale de l'électrophile $A^+$. Ce catalyseur (Z) doit pouvoir fixer par coordinence l'ion $B^-$ « inutile » dans la réaction; ce doit donc être un acide de Lewis [5.19], avec un atome disposant d'une orbitale vacante. On fait souvent intervenir dans ce rôle le chlorure d'aluminium $AlCl_3$.

La réaction catalysée peut se schématiser ainsi :

1) *Formation de l'électrophile :* $A—B + Z \rightarrow A^+ + BZ^-$

2) *Substitution (en deux étapes) :* $A^+ + ArH \rightarrow Ar—A + H^+$

3) *Régénération du catalyseur :* $BZ^- + H^+ \rightarrow BH + Z$

(des exemples se présenteront dans la suite).

Ce processus constitue un exemple typique de la façon dont peut intervenir un catalyseur dans une réaction. La rupture de la liaison A—B, consommatrice d'énergie, se trouve « jumelée » avec la formation plus ou moins simultanée de la liaison B—Z, productrice d'énergie, et ainsi la libération de l'espèce active $A^+$ est plus facile (moins « coûteuse » en énergie) et plus rapide.

Les principales réactions de substitution sur le cycle benzénique, appliquées au benzène à titre d'exemple, sont regroupées dans le schéma ci-après. Pour chacune de ces réactions est indiqué le réactif A—B, le catalyseur usuel (entre [ ]), et l'espèce électrophile impliquée dans la première étape (entre parenthèses).

$X_2[AlCl_3]$ $(X^+)$ → $C_6H_5X$ — *Halogénation*

$HNO_3[H_2SO_4]$ $(NO_2^+)$ → $C_6H_5NO_2$ — *Nitration*

$H_2SO_4$ $(SO_3)$ → $C_6H_5SO_3H$ — *Sulfonation*

$RX[AlCl_3]$ $(R^+)$ → $C_6H_5R$ — *Alkylation*

$R{-}COCl[AlCl_3]$ $(R{-}CO^+)$ → $C_6H_5CO{-}R$ — *Acylation*

## *Halogénation*

**12.7** Le dichlore et le dibrome se substituent progressivement aux hydrogènes des cycles benzéniques, selon un bilan de la forme :

$$C_6H_6 + Cl_2 \rightarrow C_6H_5Cl + HCl$$

On peut ainsi obtenir successivement $C_6H_5Cl, C_6H_4Cl_2 \ldots C_6Cl_6$.

La réaction a lieu en présence de catalyseurs divers, dont le plus courant est le chlorure d'aluminium $AlCl_3$. Il favorise la coupure hétérolytique de la molécule $Cl_2$, et l'apparition de l'ion $Cl^+$ selon le schéma :

$$Cl{-}Cl + \square AlCl_3 \rightarrow Cl^+ + AlCl_4^-$$

Si l'hydrocarbure benzénique comporte une chaîne latérale saturée, on pourrait attendre également une substitution sur l'un de ses carbones, de même qu'elle a lieu dans les alcanes [8.4]. Cette possibilité existe effectivement, mais la substitution d'un hydrogène par un halogène sur un carbone saturé est une réaction radicalaire [8.5], à la différence de la substitution sur un carbone benzénique qui a un caractère hétérolytique et électrophile. En raison de cette différence de mécanisme, les conditions opératoires sont déterminantes pour le résultat de la réaction :

— à froid et en présence de chlorure d'aluminium, la formation de radicaux $Cl^\bullet$ n'est pas possible. Seuls des ions $Cl^+$ peuvent se former, et la substitution a lieu sur le cycle,

— à chaud, sans catalyseur et en présence de lumière, la rupture homolytique de la molécule $Cl_2$ est favorisée, et les radicaux $Cl^\bullet$ produits provoquent une substitution sur la chaîne saturée. Elle a lieu préférentiellement en position benzylique, en raison de la stabilité particulière du radical libre correspondant [8.5].

*Exemple :*

$C_6H_5{-}CHCl{-}CH_3$ $\xleftarrow[\Delta]{Cl_2,\ h\nu}$ $C_6H_5{-}CH_2{-}CH_3$ $\xrightarrow{Cl_2[AlCl_3]}$ $o\text{-}Cl{-}C_6H_4{-}CH_2{-}CH_3$

*12-C*

*Quelle autre réaction a déjà été rencontrée, dont l'orientation puisse être modifiée à volonté, par le choix des conditions opératoires, du fait que celles-ci déterminent l'un ou l'autre de deux mécanismes différents?*

## *Nitration*

**12.8** Un mélange d'acides nitrique et sulfurique concentrés (mélange « sulfonitrique ») provoque sur un cycle benzénique une réaction de *nitration* : remplacement d'un H par un groupe « nitro », $NO_2$. On obtient un *dérivé nitré*. Le bilan de la réaction sur le benzène est :

$$C_6H_6 + HNO_3 \rightarrow C_6H_5{-}NO_2 + H_2O$$

Pour des raisons qui seront précisées plus loin [12.11], la réaction est limitée à l'introduction de trois groupes $NO_2$ au maximum, en positions relatives *méta* [7.6] :

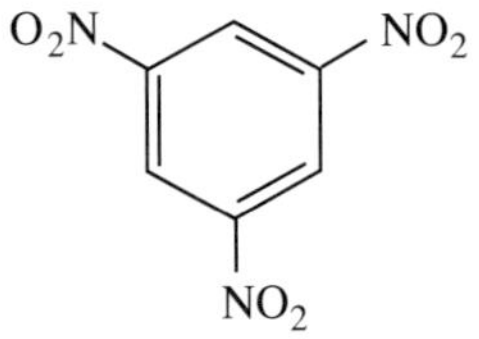

$O_2N$ $NO_2$ $NO_2$ 1,3,5-trinitrobenzène

L'acide sulfurique assure le rôle de catalyseur, en favorisant la formation du réactif électrophile $NO_2^+$ (ion nitronium), par la réaction :

$$H_2SO_4 + HNO_3 \rightarrow NO_2^+ + HSO_4^- + H_2O$$

Dans un premier temps, l'acide sulfurique protone l'acide nitrique (qui joue donc, dans cette circonstance, le rôle d'une base) et cette protonation entraîne la rupture hétérolytique de la liaison O—N :

$$H_2SO_4 + HO{-}NO_2 \rightarrow HSO_4^- + H_2\overset{+}{O}{-}NO_2 \rightarrow H_2O + NO_2^+$$

On retrouvera un mécanisme analogue pour la formation d'un carbocation à partir d'un alcool en milieu acide [15.5].

Le mononitrobenzène est un liquide auquel son odeur d'amande vaut d'être employé en parfumerie. C'est, par ailleurs, la matière première de la préparation de l'aniline $C_6H_5{-}NH_2$, elle-même base de la synthèse de nombreux colorants :

$$C_6H_5{-}NO_2 + 3\,H_2 \rightarrow C_6H_5{-}NH_2 + 2\,H_2O$$

Le 1,3,5-trinitrobenzène est un solide utilisé comme explosif, de même que le 2,4,6-trinitrotoluène (communément appelé T.N.T.).

## *Sulfonation*

**12.9** L'acide sulfurique très concentré (oléum, solution de $SO_3$ dans $H_2SO_4$) produit sur le cycle benzénique une réaction de *sulfonation*, conduisant à un *dérivé sulfoné*, ou *acide sulfonique*, $Ar{-}SO_3H$. Le bilan de la réaction sur le benzène est :

$$C_6H_6 + H_2SO_4 \rightleftarrows C_6H_5{-}SO_3H + H_2O$$

Cette réaction présente deux particularités par rapport aux autres substitutions électrophiles :

– d'une part, elle est inversible : le dérivé sulfoné peut être hydrolysé, en présence d'un excès d'eau, à chaud,
– d'autre part, l'espèce électrophile n'est pas un cation, mais la molécule $SO_3$ présente dans l'oléum, dont l'atome de soufre est rendu très déficitaire, donc électrophile, par la forte électronégativité des trois atomes d'oxygène qui l'entourent. Il se lie directement à l'un des carbones du cycle et l'intermédiaire de la réaction est globalement neutre. Le proton libéré dans la seconde étape subit seulement une migration interne au sein de cet intermédiaire :

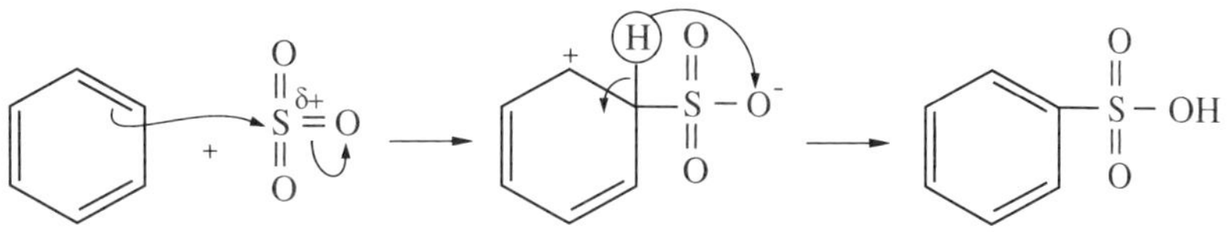

Cependant, en raison de l'existence d'un équilibre, dans l'oléum, entre $H_2SO_4$ et $SO_3$, il y a bien en définitive consommation d'acide sulfurique conformément au bilan indiqué.

Les acides sulfoniques interviennent dans la méthode la plus générale de préparation des *phénols* [16.10]. Par l'intermédiaire de leurs « chlorures d'acides », $Ar—SO_2Cl$, ils sont également utilisés dans la synthèse des *sulfamides*, employés en médecine comme antibactériens.

## *Alkylation-Acylation*

**12.10** L'*alkylation* et l'*acylation* sont deux réactions dans lesquelles l'espèce électrophile est un *carbocation*, et qui aboutissent à la création d'une nouvelle *liaison carbone-carbone*. Elles sont souvent appelées *réaction de Friedel et Crafts*.

– L'**alkylation** est la substitution d'un H par un groupe alkyle R; elle permet donc de lier une chaîne latérale sur un cycle. Elle résulte de la réaction entre un hydrocarbure benzénique et un halogénure d'alkyle RX, en présence de chlorure d'aluminium comme catalyseur. Avec le benzène et un chloroalcane, son bilan est :

$$C_6H_6 + R-Cl \xrightarrow{[AlCl_3]} C_6H_5-R + HCl$$

Le chlorure d'aluminium facilite la rupture de la liaison C—Cl, et la formation du réactif électrophile $R^+$, par la réaction :

$$R-Cl + AlCl_3 \rightarrow R^+ + AlCl_4^-$$

Conformément au schéma général [12.6], il est finalement régénéré par réaction avec le proton libéré :

$$AlCl_4^- + H^+ \rightarrow AlCl_3 + HCl$$

*A priori* très intéressante comme méthode de synthèse des hydrocarbures benzéniques à chaîne latérale, cette réaction présente cependant deux écueils :

– d'une part, il est difficile de la limiter à la substitution d'un seul H [12.11]

– d'autre part, le groupe alkyle R ne se lie pas toujours au cycle par le carbone qui portait l'halogène dans RX, par suite d'un *réarrangement* susceptible d'intervenir dans le carbocation $R^+$ [26.2]. Par exemple, la réaction du benzène avec le 1-chloropropane $CH_3—CH_2—CH_2Cl$ donne majoritairement l'isopropylbenzène $C_6H_5—CH(CH_3)_2$ au lieu du propylbenzène $C_6H_5—CH_2—CH_2—CH_3$ normalement attendu.

Enfin, les halogénures d'aryles Ar—X (par exemple, le chlorobenzène Ph—Cl) ne se prêtent pas à cette réaction, que l'on ne peut donc pas mettre en œuvre pour souder deux cycles benzéniques.

## 12-D

*En présence d'un acide, agissant comme catalyseur, le benzène paraît s'additionner sur le propène :*

$$C_6H_6 + CH_3—CH{=}CH_2 \xrightarrow{[H^+]} C_6H_5—\underset{\displaystyle CH_3}{\underset{|}{CH}}—CH_3$$

*Il s'agit en réalité d'une substitution électrophile sur le cycle benzénique (H remplacé par le groupe isopropyle). Proposez un mécanisme plausible pour cette réaction (il doit rendre compte de l'orientation de la réaction, qui donne l'isopropylbenzène et non le propylbenzène, ainsi que du rôle du catalyseur).*

– L'**acylation** est la substitution d'un H par un groupe acyle R—CO; on obtient donc une *cétone*, de la forme Ar—CO—R. Présentant beaucoup d'analogie avec l'alkylation, elle résulte de la réaction d'un *chlorure d'acide* (ou *chlorure d'acyle*) R—COCl sur un hydrocarbure benzénique, en présence de chlorure d'aluminium qui favorise la formation du carbocation $R—\overset{+}{C}{=}O$. Son bilan, sur le benzène, est :

$$C_6H_6 + R—\underset{\displaystyle O}{\underset{\|}{C}}—Cl \xrightarrow{[AlCl_3]} C_6H_5—\underset{\displaystyle O}{\underset{\|}{C}}—R + HCl$$

## Orientation des substitutions sur un cycle déjà substitué

**12.11** Une première substitution effectuée sur le benzène ne pose pas de problème d'orientation, puisque tous ses carbones sont équivalents. Mais une deuxième substitution, identique ou différente, peut *a priori* conduire aux trois isomères *ortho*, *méta* et *para* [7.6]. Par exemple, on peut attendre de la chloration du toluène les trois dérivés :

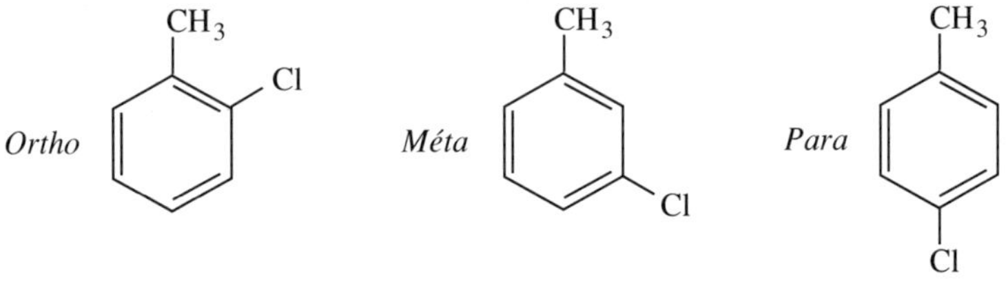

*Ortho* ($CH_3$, Cl) *Méta* ($CH_3$, Cl) *Para* ($CH_3$, Cl)

Sur une base purement statistique, du fait qu'il y a deux positions *ortho*, deux positions *méta* et une seule position *para*, on devrait obtenir 40 % de dérivé *ortho*, 40 % de dérivé *méta* et 20 % de dérivé *para* (soit 20 % du total sur chacun des cinq carbones susceptibles de subir la substitution). En fait, on n'obtient pas les trois isomères dans ces proportions statistiques. La seconde substitution est *« régiosélective »* et l'expérience montre que son orientation préférentielle ne dépend *pas* de la nature du second substituant qu'elle introduit, mais *de celle du substituant qui est déjà sur le cycle.*

*On observe aussi que la présence d'un premier substituant peut modifier de façon très importante la vitesse* d'une deuxième substitution : certains l'accélèrent (ils sont « activants »), d'autres la ralentissent (ils sont « désactivants »).

***La règle de Holleman***

L'ensemble des résultats expérimentaux connus à ce sujet a conduit depuis longtemps à formuler une règle empirique, connue sous le nom de « règle de Holleman » :

Les divers substituants que peut porter un cycle benzénique se classent en deux groupes selon la façon dont ils orientent une substitution :

*a) Substituants ortho/para-orienteurs :*

- activants : —OH, $-NH_2$, —R (groupes alkyles), —OR
- désactivants : —F, —Cl, —Br, —I (halogènes)

*b) Substituants méta-orienteurs :*

- désactivants :

$-NO_2$, $-SO_3H$, —COOH, —CH=O, —CO—R, —C≡N.

*Exemples :* Nitration comparée de quatre composés benzéniques.

| *Composé* | | *Vitesse relative par rapport au benzène* | *% mélange ortho + para (*)* | *% méta* |
|---|---|---|---|---|
| Phénol | $C_6H_5-OH$ | $10^3$ | 98 | 2 |
| Toluène | $C_6H_5-CH_3$ | 25 | 95 | 5 |
| Chlorobenzène | $C_6H_5-Cl$ | 0,3 | 99 | 1 |
| Nitrobenzène | $C_6H_5-NO_2$ | $10^{-4}$ | 6 | 94 |

Le mécanisme attribué à la substitution sur le cycle benzénique permet de donner à l'ensemble de ces faits une interprétation cohérente, sur la base de deux idées :

a) En raison de son caractère électrophile, la réaction est plus rapide ou plus lente selon que le substituant déjà présent augmente ou diminue la densité électronique du cycle. Son influence peut s'exercer par *effet inductif* (attractif ou répulsif) [4.14], et/ou par *effet mésomère* (donneur ou accepteur) [4.19].

*12-E*

*Quels sont les effets inductif et/ou mésomère exercés sur un cycle benzénique par les substituants :* OH, $CH_3$ *et* CH=O? *Représentez l'hybride qui décrit la molécule, lorsqu'il y a lieu.*

---

(*) La proportion, dans ce mélange, des deux isomères ortho et para peut varier assez largement selon les cas [5.15], mais cette question ne sera pas discutée ici.

b) La première étape de la réaction (formation de l'intermédiaire cationique) est cinétiquement déterminante [5.8]. La vitesse globale de la réaction est déterminée par la vitesse propre de cette étape, qui dépend de son énergie d'activation ($E_a^1$ sur la figure 12.1), laquelle est liée à la stabilité de l'intermédiaire. Or, les trois orientations ortho, méta et para correspondent à des intermédiaires différents, de stabilités différentes, et la réaction passe préférentiellement par le (ou les) plus stable(s) [5.7].

Il faut donc examiner, pour chaque type de substituant, quelle influence il peut avoir sur ces deux points.

## *12-F*

***Quelle autre « règle » a été précédemment interprétée sur des bases analogues?***

### ■ *Substitutions en présence d'un groupe ortho/para-orienteur*

Le groupe OH, par exemple, est inductif-attractif et mésomère-donneur. Mais, comme c'est le plus souvent le cas [4.19], l'effet mésomère est dominant et, en définitive, le cycle est globalement enrichi en densité électronique; c'est pourquoi la réaction est facilitée. Par ailleurs, le groupe OH exerce un effet stabilisant sur l'intermédiaire, *si l'électrophile s'est lié en ortho ou en para.* Dans ces deux cas, en effet, les doublets libres de l'oxygène peuvent participer à la délocalisation. Mais si l'électrophile s'est lié en *méta*, cette stabilisation supplémentaire ne peut pas avoir lieu.

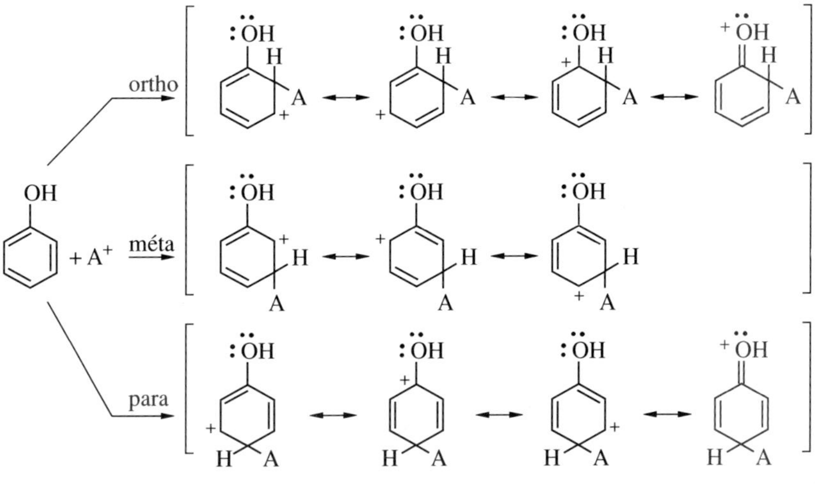

Les *halogènes* sont également *ortho/para*-orienteurs, mais désactivants. Ils peuvent, en effet, jouer le même rôle mésomère que le groupe OH, grâce à leurs doublets libres, pour une substitution en *ortho* ou en *para*, mais leur forte électronégativité appauvrit globalement le cycle.

### ■ *Substitutions en présence d'un groupe méta-orienteur*

Le groupe CH=O, par exemple, est inductif-attractif et mésomère-accepteur [12.E]. Les deux effets concourent donc à appauvrir le cycle, et par conséquent à ralentir la réaction. D'autre part, la double liaison C=O ne peut jamais participer à la délocalisation dans l'intermédiaire, quelle que soit la position dans laquelle l'électrophile s'est lié au cycle

La réaction en *ortho* ou en *para* est cependant particulièrement défavorisée, par le fait que l'une des formes limites décrivant l'intermédiaire (désignée par * ci-dessus) n'a qu'un poids très faible; elle comporte, en effet, une charge + sur le carbone portant le groupe CH=O, attracteur d'électrons. En définitive, la position *méta*, à défaut d'être favorisée, est *moins défavorisée* que les positions *ortho* ou *para*; c'est pourquoi la réaction s'y produit préférentiellement, mais plus difficilement que sur le benzène.

### 12-G

*Les groupes alkyles ($CH_3$ par exemple) ne donnent pas lieu à un effet mésomère. Comment pourrait-on justifier leur caractère ortho/para-orienteur et activant, en conservant un raisonnement fondé sur la stabilité comparée des intermédiaires possibles?*

---

*Remarque :* On peut «justifier» la règle de Holleman d'une façon plus simple, mais moins exacte, en raisonnant sur la molécule initiale, et non sur la stabilité de l'intermédiaire. En effet, dans la molécule de phénol $C_6H_5-OH$, l'effet mésomère se traduit par l'existence de charges négatives (δ−) sur les positions *ortho* et *para* (cf. question 12-E). On peut donc considérer comme normal qu'un réactif électrophile s'y fixe préférentiellement, et que la réaction soit facile. Inversement, dans la molécule de benzaldéhyde Ph—CH=O, ou de nitrobenzène $Ph-NO_2$, l'effet mésomère fait apparaître des charges positives (δ+) sur ces mêmes positions *ortho* et *para* (cf. question 12-E). Dans ces conditions, un réactif électrophile se lie plutôt en position *méta*, non (ou moins) appauvrie, mais plus difficilement.

## Oxydation

**12.12** Mis à part la combustion, *le cycle* benzénique est très résistant à l'oxydation. Les oxydants habituels ($KMnO_4$, par exemple) ne l'attaquent pas, mais, au contact de dioxygène, à 450 °C et en présence d'un catalyseur ($V_2O_5$), il est coupé et l'on obtient de l'anhydride maléique :

$$C_6H_6 + 9/2\ O_2 \longrightarrow C_4H_2O_3 + 2\ CO_2 + 2\ H_2O$$

L'oxydation du naphtalène est plus facile que celle du benzène, et donne de l'acide phtalique :

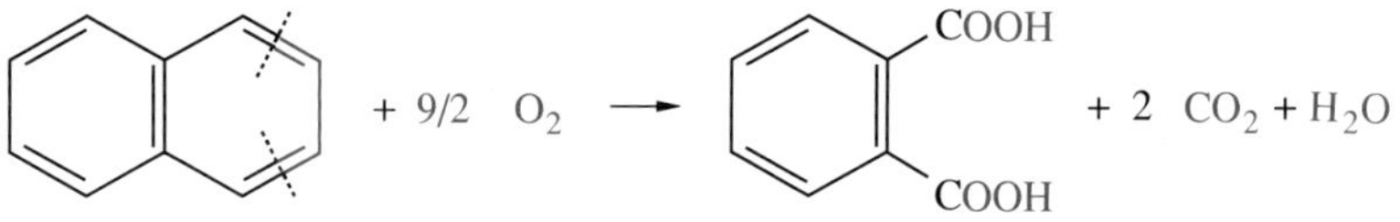

$$C_{10}H_8 + 9/2\ O_2 \longrightarrow C_6H_4(COOH)_2 + 2\ CO_2 + H_2O$$

La molécule du naphtalène ne comporte que cinq doublets π pour l'ensemble de ses deux cycles, et si on en attribue virtuellement trois à l'un de ces cycles, l'autre ne peut plus être « pleinement » un cycle benzénique; il ressemble davantage à un diène conjugué, comme en témoigne la relative facilité de son oxydation.

Les *chaînes latérales* s'oxydent beaucoup plus facilement que les cycles. Elles sont alors coupées, quelle que soit leur longueur, entre le premier et le deuxième atome de carbone (en partant du cycle), et il apparaît une fonction acide sur le carbone qui reste lié au noyau (position benzylique). On obtient donc toujours le même acide, qui est l'acide benzoïque :

*Exemples :*

$$C_6H_5{-}CH_3 \xrightarrow{KMnO_4} C_6H_5{-}COOH + H_2O$$

$$C_6H_5{-}CH_2{-}CH_2{-}CH_3 \xrightarrow{KMnO_4} C_6H_5{-}COOH + 2\,CO_2 + 3\,H_2O$$

S'il y a plusieurs chaînes latérales, chacune est coupée de la même manière, et l'on obtient autant de fonctions acides que le cycle portait de groupes alkyles.

## 3 — État naturel

**12.13** Le *cycle benzénique* est assez fréquent dans des molécules naturelles de structures plus ou moins complexes, notamment polycycliques, et comportant par ailleurs des fonctions diverses. Mais les *hydrocarbures benzéniques* sont beaucoup plus rares. Ils sont cependant présents dans certains gisements pétroliers, ceux d'Indonésie en particulier.

## 4 — Préparation

**12.14** L'*obtention des termes simples* (benzène, toluène, xylènes) est possible, industriellement, à partir de deux sources :

– le *pétrole* : par simple distillation s'ils s'y trouvent à l'état naturel, ou par une « cyclisation déshydrogénante » d'alcanes [8.7],

– la *houille* : par pyrogénation (traitement par la chaleur), qui fournit entre autres des goudrons riches en composés benzéniques, et en hydrocarbures notamment [25.2].

La *synthèse des autres termes* peut comporter, comme opération principale, le branchement d'une chaîne latérale, ou la réunion directe de deux cycles.

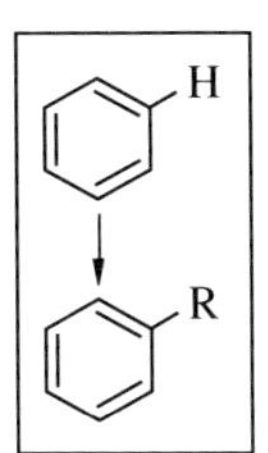

**12.15** La **réaction de Friedel et Crafts** permet de substituer une chaîne hydrocarbonée à un hydrogène, sur un cycle benzénique. Elle comporte plusieurs variantes :

– *Alkylation* directe, soit avec un halogénure d'alkyle :

$$ArH + RX \xrightarrow{[AlCl_3]} Ar{-}R + HX \quad [12.10]$$

soit avec un alcène :

$$ArH + R{-}CH{=}CH_2 \xrightarrow{[H^+]} Ar{-}CH(CH_3){-}R \quad [12.D]$$

– *Acylation* [12.10], suivie de la réduction de la fonction cétone créée, par exemple par la réaction de Clemmensen [8.12] :

$$ArH + R{-}COCl \xrightarrow{[AlCl_3]} Ar{-}CO{-}R \xrightarrow{Zn,\ H_3O^+} Ar{-}CH_2{-}R$$

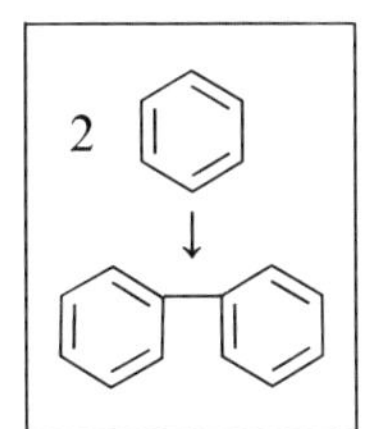

**12.16** La **réaction de Fittig,** entre deux dérivés halogénés, en présence de sodium ou de zinc, permet soit de réunir un cycle et une chaîne, soit de réunir deux cycles :

$$Ar{-}X + R{-}X + Zn \rightarrow Ar{-}R + ZnX_2$$

$$Ar{-}X + Ar'{-}X + Zn \rightarrow Ar{-}Ar' + ZnX_2$$

Analogue à la réaction de Wurtz [8.10], elle présente comme elle l'inconvénient de fournir souvent des mélanges.

# 5 — Termes importants. Utilisations

**12.17** Le benzène est, de loin, le plus important des hydrocarbures benzéniques. Il est à la base de très nombreuses fabrications (matières plastiques et résines, colorants, explosifs, détergents, insecticides, textiles, etc. [25.5]) et sa production annuelle, pour la France seulement, est de l'ordre de 500 000 tonnes (USA : 5 millions de tonnes).

Mais le benzène est toxique pour l'homme (maladies du foie), notamment par inhalation de ses vapeurs. Son utilisation est donc très strictement réglementée et contrôlée. Les arènes à plusieurs noyaux accolés (du type du pyrène [12.1], par exemple) sont, quant à eux, cancérigènes. Il s'en trouve dans les goudrons que contient la fumée de tabac.

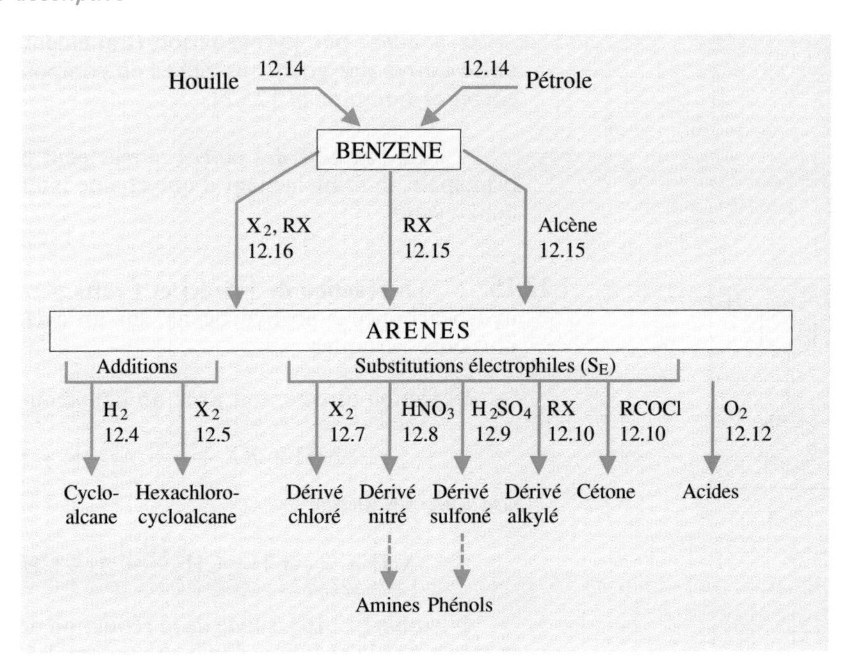


## EXERCICES

*Les **règles de nomemclature**, permettant de faire correspondre réciproquement un nom et une formule, sont exposées dans le chapitre 7 (pour les stéréosiomères, au chapitre 3).*

***12-a*** Quel est le produit principal formé dans les réactions suivantes (si elles sont possibles)?

1) Toluène + Ph—$CH_2Cl$ [$AlCl_3$]
2) Toluène + chlorobenzène [$AlCl_3$]
3) Ph—$CH_2$—$CH_2$—COCl [$AlCl_3$]
4) Ph—$CH_2$—$CH_2$—$CH_3$ + $Cl_2$ (à chaud, en présence de lumière)
5) Benzène + Cyclohexène (milieu acide)
6) Ph—CH=CH—Ph + Dihydrogène [Ni] (20 °C, pression atmosphérique)
7) Ph—CH=CH—Ph + Dihydrogène [Ni] (150 °C, 100 atm)
8) Benzène + ClCO—$CH_2$—$CH_2$—COCl [$AlCl_3$]
9) Benzène + Trichlorométhane $CHCl_3$ [$AlCl_3$]
10) Ph—$CH_2$—$CH_3$ + $Cl_2$ [$AlCl_3$]
11) Chlorobenzène + Chlorure de méthyle [$AlCl_3$]
12) Parachlorotoluène + Zn

***12-b*** Comment peut-on préparer chacun des composés suivants, en plusieurs étapes, à partir du benzène et de tout autre composé organique ou minéral nécessaire?

1) Acide *para*-benzenedicarboxylique (*p*-HOOC—$C_6H_4$—COOH; acide téréphtalique)
2) Acide *méta*-benzènedicarboxylique (*m*-HOOC—$C_6H_4$—COOH)
3) 1-phénylpropène
4) 1-phénylpropyne
5) 1,2-diphényléthane-1,2-diol (Ph—CHOH—CHOH—Ph).

***12-c*** Pour préparer les composés suivants à partir du benzène, peut-on effectuer les deux substitutions successives dans un ordre quelconque? Sinon, par laquelle faut-il commencer? (on supposera qu'il est toujours possible d'isoler l'un des deux isomères dans un mélange *ortho*/*para*).

1) *méta*-bromonitrobenzène
2) *para*-bromonitrobenzène
3) acide *ortho*-nitrobenzoïque
4) *para*-chlorotoluène
5) *méta*-bromoéthylbenzène
6) *para*-méthylacétophénone ($p$-$CH_3—C_6H_4—CO—CH_3$)

***12-d*** L'acylation du benzène par le chlorure de l'acide formique H—COCl donnerait l'aldéhyde benzoïque $C_6H_5—CH{=}O$, mais elle n'est pas possible car le composé H—COCl n'existe pas. Mais on peut obtenir cet aldéhyde en faisant réagir sur le benzène un mélange gazeux de monoxyde de carbone CO et de chlorure d'hydrogène HCl, en présence de chlorure d'aluminium (réaction de Gatterman-Koch). Quel mécanisme plausible peut-on imaginer pour cette réaction?

***12-e*** On peut chlorer le cycle benzénique par l'acide hypochloreux HO—Cl, en milieu acide fort. Quel peut être le mécanisme de cette réaction?

***12-f*** 1) Quelle orientation (*ortho, méta* ou *para*) peut-on attendre pour une substitution électrophile effectuée sur le trifluorométhylbenzène $C_6H_5—CF_3$?
2) Le groupe $NH_2$, normalement *ortho*/*para*-orienteur et activant, devient *méta*-orienteur et désactivant pour une réaction effectuée dans un milieu fortement acide. Comment l'expliquer?

***12-g*** Un composé A ($C_{14}H_{12}$) décolore une solution de dibrome et peut fixer, en présence de nickel, à la pression et à la température ordinaires, une mole de dihydrogène par mole. Son oxydation brutale donne, comme seul composé organique, l'acide benzoïque. Quelle conclusion peut-on tirer de ces informations quant à la structure de A?

L'addition de dibrome sur A, suivie de l'action de la soude concentrée sur le composé obtenu, donne un composé B ($C_{14}H_{10}$). Celui-ci, par hydrogénation sur palladium donne un composé C ($C_{14}H_{12}$), différent de A. Enfin, A, B et C, par hydrogénation sur nickel donnent le même composé D ($C_{14}H_{14}$). Quelle information complémentaire ces données apportent-elles sur la structure de A? Quelles sont les structures de B, C et D. Comment se nomment A, B, C et D?

# Le caractère aromatique

**12.18** Le cycle benzénique présente un ensemble de caractères très « typé » : très grande stabilité, tendance beaucoup plus marquée aux réactions de substitution qu'aux réactions d'addition malgré une structure « non saturée » (trois doublets $\pi$), résistance aux oxydants.

Ce « profil » définit le *caractère aromatique* ou *« aromaticité »*. Il n'est pas propre au seul cycle benzénique, et d'autres composés le possèdent également, mais tous les cycles présentant une alternance de liaisons simples et doubles ne le possèdent pas.

La **règle de Hückel** (1938) indique que *toute structure cyclique siège d'une délocalisation électronique couvrant l'ensemble du cycle, et affectant un ensemble de* $4n + 2$ *électrons* ($n = 0, 1, 2, 3, ...$) *présente le caractère aromatique.*

Pour $n = 0$ (deux électrons délocalisés), la seule structure possible est celle du *cation cyclopropényle* :

ou ou

+ 0,33 + 0,33

+ 0,33

Pour $n = 1$ (six électrons délocalisés), les exemples sont plus nombreux. En voici quelques-uns :

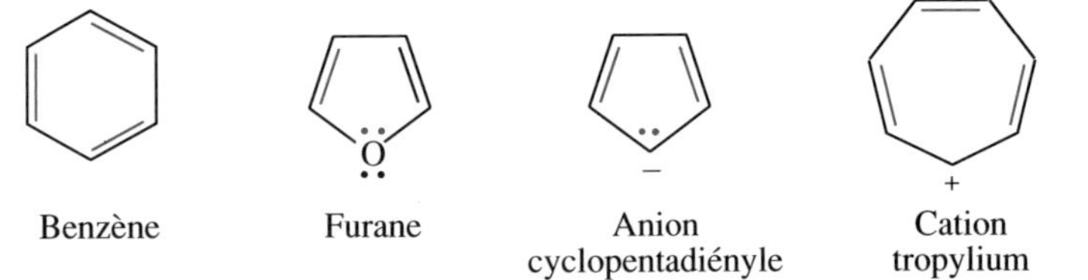


Le cas du benzène vient d'être traité, et celui du furane (ainsi que d'autres hétérocycles) le sera au chapitre 21. Mais celui de l'*anion cyclopentadiényle* mérite ici quelques développements.

La représentation de toutes ses formes limites, et de son hybride, montre qu'effectivement les deux doublets $\pi$ et le doublet n (non liant) sont totalement délocalisés sur l'ensemble du cycle, et que la charge $-1$ est également distribuée entre les cinq carbones :

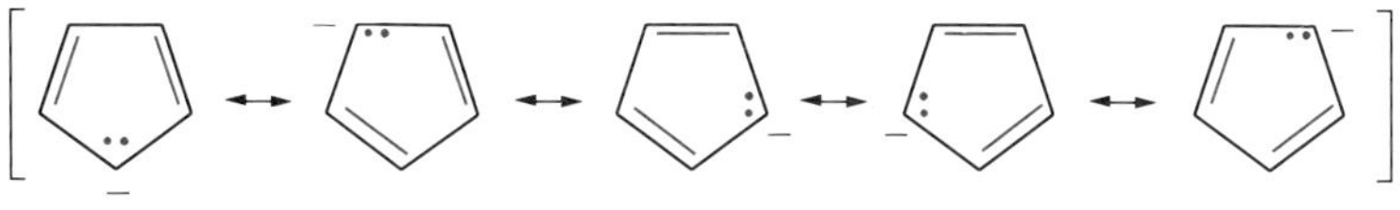

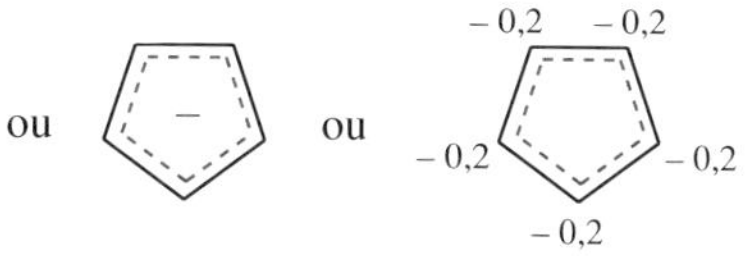

Cet anion est la base conjuguée [5.17] du cyclopenta-1,3-diène :

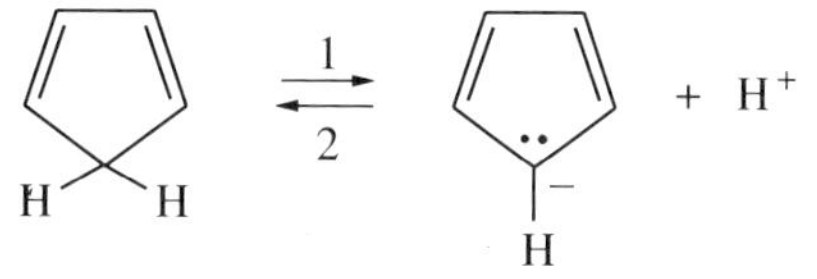

et sa stabilité particulière, associée à son caractrère aromatique, rend sa formation (réaction 1) facile. Inversement, sa protonation (réaction 2) est défavorisée, à la fois par la perte de stabilité qui en résulterait (par « immobilisation » de l'un des doublets dans la liaison C—H), et par la dispersion de la charge —, qui rend les cinq carbones peu nucléophiles.

La conséquence au plan chimique est que le cyclopenta-1,3-diène présente un caractère acide marqué : son $pK_a$ [5.17] vaut 16, alors que la valeur habituelle pour un groupe $CH_2$ adjacent à une double liaison est 40.

En d'autres termes, les deux H du groupe $CH_2$ dans le cyclopenta-1,3-diène sont *« labiles »*, comme l'est (pour d'autres raisons) l'H terminal des alcynes vrais [10.3]. Il en résulte les mêmes possibilités de réactions, par exemple une alkylation après métallation [10.10, 12].

Par ailleurs, l'anion cyclopentadiényle forme avec certains ions métalliques des « composés sandwich », appelés *métallocènes*, comme le ferrocène formé autour d'un ion $Fe^{2+}$,

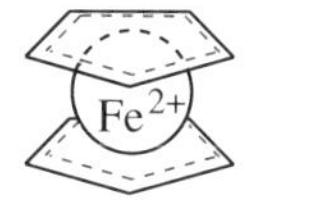

Ferrocène

ce qui montre que la charge — 1 n'est pas portée par un carbone déterminé, mais distribuée, de telle sorte que son barycentre se trouve au centre du pentagone.

Par contre, le cyclobutadiène, avec quatre électrons délocalisés, ne satisfait pas à la règle de Hückel, et n'est pas aromatique. Il est même très instable, et ne peut être observé qu'à très basse température (— 260 °C). De même, le cycloocta-1,3,5,7-tétraène, avec huit carbones et quatre doubles liaisons conjuguées (huit électrons délocalisés) ne manifeste que les caractères chimiques d'un alcène (réactions d'addition, d'oxydation, ...). Sa molécule n'est d'ailleurs pas plane.

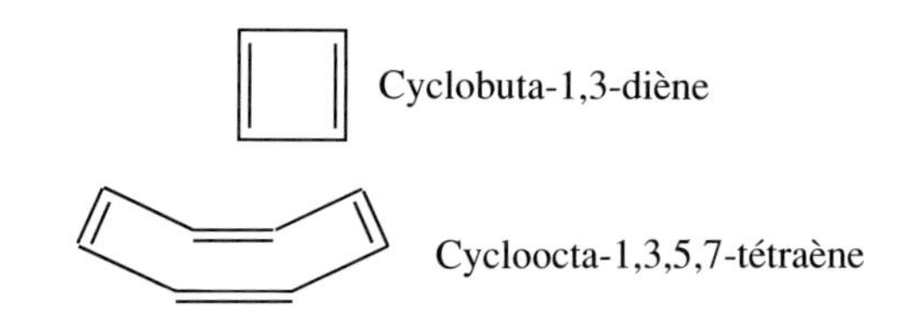


Au-delà, l'hydrocarbure cyclique à dix carbones, comportant cinq doubles liaisons conjuguées, est plan et aromatique, mais le suivant (douze carbones et six doubles liaisons) est de nouveau non plan et non aromatique, etc.

# Les dérivés halogénés

# 13

13.1 Les *dérivés halogénés* (on dit également « halogénures ») résultent du remplacement d'un ou plusieurs atomes d'hydrogène d'un hydrocarbure par un halogène X, chlore, brome, iode ou, plus rarement, fluor. Ils contiennent donc tous, par définition, au moins une **liaison carbone-halogène $\geqslant$C—X.**

Il existe une très grande diversité de dérivés halogénés, et leur réactivité diffère notablement selon qu'ils sont saturés ou non, benzéniques ou non, mono- ou polyhalogénés. D'autre part, les dérivés fluorés constituent une classe nettement à part : leurs modes d'obtention et leur comportement chimique sont très différents de ceux des dérivés chlorés, bromés ou iodés.

Ce chapitre concerne essentiellement les dérivés *monohalogénés saturés*, représentés d'une manière générale par **RX,** où X est un atome de chlore, de brome ou d'iode. Quelques indications sur les dérivés fluorés y sont également données. Le comportement particulier des dérivés halogénés non saturés (vinyliques, allyliques, benzéniques, benzyliques) est évoqué au chapitre 20 [20.21].

La *nomenclature* des dérivés halogénés est exposée au chapitre 7 [7.8].

## 1 — Caractères physiques

13.2 Les dérivés halogénés ont des points d'ébullition plus élevés que ceux des hydrocarbures correspondants. Ils ont également des densités plus grandes, surtout les dérivés polyhalogénés bromés ou iodés, qui comptent parmi les composés organiques ayant les plus fortes densités ($CH_3I$ : 2,28; $CHBr_3$ : 2,85).

Ils sont insolubles dans l'eau, mais sont de bons solvants (et souvent employés comme tels) pour de nombreux composés organiques, entre autres les corps gras.

La liaison C—X est polarisée et les dérivés halogénés possèdent un moment dipolaire moléculaire non nul (sauf si la géométrie moléculaire est telle que la résultante des moments des liaisons soit nulle [4.13]).

Les dérivés halogénés sont souvent fortement odorants (cf. chloroforme, trichloréthylène, *para*-dichlorobenzène utilisé comme antimite, etc.).

## 2 — Réactivité

13.3 Le comportement chimique des dérivés halogénés résulte, pour l'essentiel, des perturbations apportées dans la structure électronique de la molécule par *l'électronégativité de l'halogène*. La liaison C—X est *polarisée*, et le carbone se trouve déficitaire, porteur d'une charge $\delta+$; il est donc sujet à *l'attaque de réactifs nucléophiles*. Les liaisons C—H avoisinantes sont, par ailleurs, soumises à *l'effet inductif-attractif* [4.14] de l'halogène, et prédisposées à se rompre en libérant un ion $H^+$ sous *l'action d'une base* (H labile).

Plus précisément, les dérivés halogénés se prêtent à deux types principaux de réactions :

■ *Réactions de substitution* de l'halogène par un autre atome ou groupe d'atomes, à la suite d'une attaque par une espèce *nucléophile*. La très grande variété de ces réactions confère aux dérivés halogénés un grand intérêt comme intermédiaires de synthèses, permettant l'accès à des fonctions très diverses.

■ *Réactions d'élimination* de l'halogène et d'un H porté par le carbone adjacent, avec formation d'une double liaison, lors de l'attaque par une *base*.

En outre, les dérivés halogénés forment, avec certains métaux, des composés *organométalliques*. Ce type de réaction sera décrit au chapitre 14.

La *réactivité* (facilité de réaction) des dérivés halogénés augmente dans l'ordre $RF \ll RCl < RBr < RI$ ($<$ = moins réactif que); les dérivés fluorés sont presque inertes chimiquement.

Ce classement peut surprendre, car il correspond à un *affaiblissement* progressif de la polarisation de la liaison C—X (les halogènes se classent, pour l'électronégativité, dans l'ordre $F > Cl > Br > I$). Il montre que la réactivité des dérivés halogénés se relie non à la polarisation de la liaison C—X, mais à sa *polarisabilité*, c'est-à-dire son aptitude à accentuer sa polarisation à l'approche d'un réactif, jusqu'à une éventuelle rupture hétérolytique (ionisation), libérant l'anion $X^-$. Contrairement à la polarisation permanente qui augmente de C—I à C—F, la polarisabilité augmente de C—F à C—I; elle est en effet fonction du rayon atomique de l'halogène, qui augmente de F à I.

Dans la pratique du laboratoire, on utilise souvent les dérivés bromés, qui concilient une réactivité généralement suffisante et une préparation facile. Industriellement, pour des raisons de coût, on utilise habituellement des dérivés chlorés, malgré leur plus faible réactivité. Le chlore est « l'halogène industriel », à cause de la préparation facile du dichlore à partir d'une matière première peu onéreuse, le chlorure de sodium, par électrolyse.

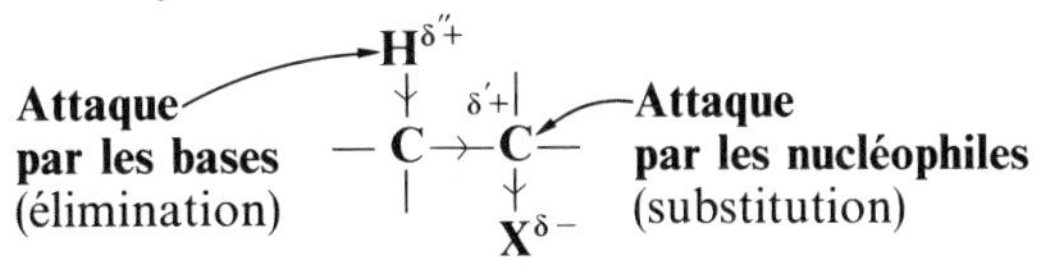


## Réactions de substitution

13.4 La substitution de l'halogène par un autre atome, ou groupe d'atomes, Y comporte la rupture de la liaison C—X et la formation d'une nouvelle liaison entre le carbone et le réactif :

$$\overset{\delta+}{-\mathrm{C}}-\overset{\delta-}{\mathrm{X}} + \mathrm{Y} \rightarrow -\mathrm{C}-\mathrm{Y} + \mathrm{X}^-$$

En quittant le carbone, l'halogène «emporte» le doublet de la liaison rompue, de sorte que le réactif doit « apporter » le doublet nécessaire à la nouvelle liaison C—Y. Le carbone joue donc le rôle d'accepteur (d'électrons) et le réactif celui de donneur (d'électrons), ou de nucléophile [5.13]. Cette réaction est une *substitution nucléophile* (*).

Le réactif nucléophile peut être un **anion,** et le bilan de la réaction est alors :

$$\overset{\delta+}{\mathrm{R}}-\overset{\delta-}{\mathrm{X}} + \mathrm{Y}\!:^- \rightarrow \mathrm{R}-\mathrm{Y} + \mathrm{X}\!:^-$$

*Exemple :* $CH_3Cl + OH^- \rightarrow CH_3OH + Cl^-$

L'anion qui constitue le réactif proprement dit est nécessairement accompagné d'un cation qui, usuellement, ne joue pas un rôle actif. Ainsi, l'action de la soude en milieu aqueux sur un dérivé halogéné peut s'écrire :

$$RX + NaOH \rightarrow ROH + NaX$$

ce qui pourrait éventuellement laisser croire que le «moteur» de la réaction serait l'affinité du sodium pour l'halogène. Mais, en réalité, la soude et le sel de sodium sont totalement dissociés, dans l'état initial comme dans l'état final :

$$RX + Na^+ + OH^- \rightarrow ROH + Na^+ + X^-$$

de sorte que le cation $Na^+$ est simplement «spectateur», non «acteur», et que la réaction se réduit effectivement à :

$$RX + OH^- \rightarrow ROH + X^-$$

Le réactif nucléophile peut être également **une molécule,** au sein de laquelle le doublet engagé dans la réaction peut être :

– un *doublet libre*, le bilan de la réaction étant alors :

$$\mathrm{R}-\mathrm{X} + \mathrm{Y}\!: \rightarrow [\mathrm{R}-\mathrm{Y}]^+ + \mathrm{X}^-$$

(*) La réaction s'effectue entre un nucléophile (le réactif $Y^-$) *et* un électrophile (le dérivé halogéné). Mais les réactions sont classées comme électrophiles ou nucléophiles selon le rôle joué par l'espèce choisie comme « réactif», par rapport à l'espèce choisie comme «substrat», et ce dernier est ici le dérivé halogéné [5.13].

*Exemple :*

$$R{-}X + R'{-}\ddot{N}\begin{smallmatrix}R''\\R'''\end{smallmatrix} \rightarrow \left[\begin{smallmatrix}R & & R''\\ & N & \\ R' & & R'''\end{smallmatrix}\right]^+ + X^-$$

Amine tertiaire — Ammonium quaternaire

Lorsque la molécule nucléophile comporte de l'hydrogène lié à l'atome porteur du doublet libre, la substitution proprement dite est suivie de l'élimination d'un proton :

$$R{-}X + H\ddot{Y} \rightarrow [R{-}\overset{+}{Y}H]X^- \rightarrow R{-}Y + HX$$

*Exemple :*

$$R{-}X + H_2\ddot{\underset{\cdot\cdot}{O}} \rightarrow \left[R{-}\overset{+}{\underset{\cdot\cdot}{O}}\begin{smallmatrix}H\\H\end{smallmatrix}\right]X^- \rightarrow R{-}\ddot{\underset{\cdot\cdot}{O}}H + HX$$

– un *doublet* $\pi$, comme dans la réaction de Friedel et Crafts [12.10] :

$$C_6H_6 + RX \xrightarrow{[AlCl_3]} C_6H_5{-}R + HX$$

## 13-A

*Au chapitre 12, la réaction de Friedel et Crafts a été présentée comme une substitution électrophile* [12.10]. *Elle est considérée ici comme une substitution nucléophile. Comment peut-on surmonter cette apparente contradiction et concilier ces deux points de vue?*

Le tableau ci-dessous regroupe divers exemples de substitution nucléophile sur les dérivés halogénés RX. Une liste plus complète se trouve au chapitre 26 [26.5].

| **Réactif** | **Nucléophile** | **Produit formé** | |
|---|---|---|---|
| *Anions* | | | |
| Soude (NaOH) | $OH^-$ | Alcool | R-OH |
| Alcoolate (R'ONa) | $R'O^-$ | Éther | R-O-R' |
| Sel organique (R'COONa) | $R'-COO^-$ | Ester | R'-COOR |
| Cyanure (KC≡N) | $C\equiv N^-$ | Nitrile | R-C≡N |
| Alcynure (R'C≡CNa) | $R'-C\equiv C^-$ | Alcyne substitué | R-C≡C-R' |
| Organomagnésien (R'MgX) | $R'^-$ | Hydrocarbure | R-R' |
| Nitrite ($AgNO_2$) | $NO_2^-$ | Dérivé nitré | $R-NO_2$ |
| *Molécules* | | | |
| Eau | $H_2O$ | Alcool | R-OH |
| Ammoniac | $NH_3$ | Amine primaire | $R-NH_2$ |
| Amine primaire | $R'-NH_2$ | Amine secondaire | R-NH-R' |
| Amine tertiaire | $R'_3N$ | Ammonium quaternaire | $(R'_3RN)^+$ |
| Benzène | $C_6H_6$ | Arène substitué | $C_6H_5-R$ |

*13-B*

*Quelles sont les étapes de la réaction entre l'ammoniac et le bromoéthane, conduisant à l'éthylamine* $CH_3—CH_2—NH_2$*?*

## *Les deux mécanismes de la substitution nucléophile*

**13.5** La substitution nucléophile, souvent désignée par le symbole $S_N$, peut s'accomplir selon deux schémas (deux « mécanismes ») qui diffèrent essentiellement par la chronologie des deux événements principaux : la rupture de la liaison C—X et la formation de la liaison nouvelle C—Y. Ces deux mécanismes sont envisagés ci-après dans l'hypothèse où le nucléophile est un anion $Y^-$, mais leur description pourrait facilement se transposer au cas où le nucléophile serait une molécule.

■ *Déroulement en deux étapes (mécanisme $S_N1$)*

La substitution peut s'effectuer en deux temps, la rupture de la liaison C—X *précédant* la formation de la liaison C—Y. Une première étape, dans laquelle le nucléophile n'intervient pas, produit un carbocation intermédiaire $R^+$; dans une seconde étape, celui-ci réagit avec le nucléophile pour donner le produit :

*1re étape :* $R—X \rightarrow R^+ + X^-$
*2e étape :* $R^+ + Y^- \rightarrow R—Y$

Il s'agit donc d'une « réaction complexe », au sens défini précédemment [5.7], dont le profil énergétique est celui de la figure 5.2b. On désigne ce type de réaction par le symbole « $S_N1$ », où le chiffre 1 signifie « monomoléculaire », en référence à la première étape qui ne met en jeu qu'une seule molécule.

Toutefois, la rupture de la liaison C—X, dans cette première étape, ne peut pas être réellement spontanée dans une molécule isolée. Elle met en jeu la participation du solvant [13.6] et, éventuellement, d'un catalyseur (comme $AlCl_3$ [12.10]).

■ *Déroulement en une seule étape (mécanisme $S_N2$)*

La substitution peut également s'accomplir en un seul « acte », la rupture de la liaison C—X et la formation de la liaison C—Y étant simultanées (réaction « concertée »).

Il s'agit alors d'une « réaction élémentaire » [5.7], dont le profil est celui de la figure 5.2a. Le système en réaction passe par un état de transition (déjà décrit précédemment [5.6]) dans lequel X et Y sont tous deux liés au carbone, par des liaisons « en train de se rompre » et « en train de se former » :

$$Y^- + \overset{\delta+}{R}—\overset{\delta-}{X} \rightarrow [Y\text{---}R\text{---}X]^- \rightarrow Y—R + X^-$$

État de transition

Ce type de réaction est désigné par le symbole « $S_N2$ », dans lequel le chiffre 2 signifie « bimoléculaire », en référence au fait qu'elle est déclenchée par une collision entre les *deux* réactifs, RX et $Y^-$.

## *Les facteurs déterminants du mécanisme*

13.6 Ces deux mécanismes ne sont pas exclusifs l'un de l'autre, et souvent ils interviennent simultanément : certaines molécules d'halogénure se dissocient en $R^+$ et $X^-$, pendant que d'autres, encore entières, entrent en collision avec $Y^-$ et réagissent à cette occasion. Les deux processus sont en compétition et la part respective qu'ils prennent à la formation du produit dépend de leurs vitesses relatives.

Mais divers facteurs peuvent favoriser l'un ou l'autre, et souvent les conditions sont réunies pour que l'un des deux mécanismes soit très largement dominant, parce que nettement plus rapide que l'autre. C'est ce qui autorise à parler, par simplification, de « réactions $S_N1$ » et de « réactions $S_N2$ ».

Les facteurs susceptibles de déterminer le mécanisme dominant d'une substitution nucléophile, en accélérant l'un des deux processus par rapport à l'autre, sont nombreux : nature du substrat RX (c'est-à-dire à la fois structure de R et nature de l'halogène X), nature du nucléophile, nature du solvant, présence d'un catalyseur, concentrations, température, ... Deux seulement de ces facteurs seront envisagés ici :

■ *Structure du dérivé halogéné*

Le carbone portant l'halogène peut être primaire, secondaire ou tertiaire [1.7], et on dit alors que le dérivé halogéné lui-même est primaire, secondaire ou tertiaire (on emploie parfois aussi le terme « nullaire » pour le groupe $CH_3$) :

| $CH_3X$ | $R{-}CH_2X$ | $R{-}CH(X){-}R'$ | $R{-}C(R')(R''){-}X$ |
|---|---|---|---|
| (nullaire) | Primaire | Secondaire | Tertiaire |

La vitesse de la substitution selon le *mécanisme $S_N1$* augmente avec le degré de substitution du carbone :

$$R_3CX > R_2CHX > RCH_2X > CH_3X$$

(> = plus rapide que). Le rapport de vitesse entre $CH_3X$ et $(CH_3)_3CX$ peut atteindre, toutes choses égales par ailleurs, $10^4$. Cet effet est imputable à la plus grande stabilité des carbocations les plus substitués [5.12]; leur formation nécessite une plus faible énergie d'activation et la première étape de la substitution, qui est cinétiquement déterminante [5.8] est plus rapide (*). Tout autre facteur de stabilisation du carbocation (résonance, par exemple) aura aussi pour effet de favoriser ce mécanisme.

La vitesse de la réaction selon le *mécanisme $S_N2$* diminue au contraire lorsque le degré de substitution du carbone augmente :

$$CH_3X > RCH_2X > R_2CHX > R_3CX$$

(*) La même argumentation a déjà été utilisée pour justifier l'orientation de l'addition électrophile (règle de Markownikov [9.6]) et celle de la substitution électrophile (règle de Holleman [12.11]).

Cet effet est attribuable à l'encombrement créé par les groupes R autour du carbone portant l'halogène, que le nucléophile doit pouvoir atteindre lors de la collision. Plus le nombre de ces groupes est grand, et plus ils sont volumineux, plus la proportion de collisions inefficaces [5.6] est importante.

*13-C*

*Quel est le mécanisme le plus probable pour la réaction entre la soude* ($OH^-$) et $CH_3$—CHBr—CH=$CH_2$? *Une indication : elle conduit au mélange des deux alcools* $CH_3$—CHOH—CH=$CH_2$ *et* $CH_3$—CH=CH—$CH_2$OH.

---

■ *Nature du solvant*

L'influence du solvant sur les deux types de substitution nucléophile a déjà été analysée, ayant servi d'exemple au chapitre 5 [5.20], à propos du rôle des solvants dans les réactions. Les conclusions peuvent se résumer ainsi :

– les solvants protiques (eau, méthanol...) favorisent le processus $S_N1$, en facilitant la formation du carbocation $R^+$ par l'établissement d'une « liaison hydrogène » avec l'halogène.

– les solvants polaires aprotiques (acétone, DMSO...) favorisent le processus $S_N2$, en solvatant le cation associé au nucléophile.

Malgré les restrictions formulées plus haut quant à l'unicité du mécanisme selon lequel s'effectue une substitution nucléophile, on peut donc considérer qu'un dérivé halogéné primaire, dans un solvant polaire aprotique, réagit selon le mécanisme $S_N2$ et qu'un dérivé halogéné tertiaire, dans un solvant protique, réagit selon le mécanisme $S_N1$. Les halogénures secondaires, par contre, donnent plus souvent lieu à des mécanismes de substitution mixtes.

## *Étude expérimentale de la substitution nucléophile*

13.7 Comment sait-on qu'il existe deux mécanismes-types pour la substitution nucléophile? Et comment peut-on déterminer par quel mécanisme se réalise effectivement telle ou telle réaction?

Chacun des deux processus $S_N1$ et $S_N2$ a des conséquences observables expérimentalement, d'ordre cinétique et d'ordre stéréochimique, qui constituent sa « signature ». Il en est de même, du reste, pour beaucoup d'autres réactions et il est classique, pour étudier les mécanismes réactionnels, de mettre en œuvre soit la « méthode cinétique » [5.8], soit la « méthode stéréochimique » [5.16].

■ *Aspect cinétique*

L'étude expérimentale de la réaction de « saponification » du chlorure de tertiobutyle $(CH_3)_3CCl$, ou plus simplement tBuCl,

$$\text{tBuCl} + \text{OH}^- \rightarrow \text{tBuOH} + \text{Cl}^-$$

montre que sa loi de vitesse [5.8] est de la forme :

$$v = k[\text{tBuCl}]$$

La réaction est d'ordre 1, et la concentration en ions $OH^-$ n'a pas d'influence sur sa vitesse. Un tel résultat est caractéristique d'une réaction complexe, dont la vitesse est réglée par celle de son étape la plus lente (étape cinétiquement déterminante). Dans le cas présent, cette étape est monomoléculaire, ne mettant en jeu qu'une seule molécule tBuCl; ce ne peut être que $tBuCl \rightarrow tBu^+ + Cl^-$, et il est normal que ce soit la plus lente car elle exige de l'énergie. Dans ces conditions, la seconde étape est nécessairement $tBu^+ + OH^- \rightarrow tBuOH$; elle est rapide, comme toute réaction entre deux ions. Ainsi se trouve établi le schéma en deux étapes, caractéristique d'une *réaction* $S_N1$, indiqué précédemment.

La saponification du bromure d'éthyle $CH_3CH_2Br$ (ou EtBr),

$$EtBr + OH^- \rightarrow EtOH + Br^-$$

se révèle expérimentalement d'ordre global 2 et d'ordre partiel 1 par rapport à *chacun* des deux réactifs :

$$v = k[EtBr][OH^-]$$

Une telle loi de vitesse est caractéristique d'une réaction élémentaire (une seule étape) et bimoléculaire (collision de deux « particules »), désignée précédemment comme *réaction* $S_N2$.

## 13-D

*Si, ayant fait réagir un dérivé halogéné avec de la soude en très grand excès, on constate que la réaction est d'ordre* 1 ($v = k[RX]$), *peut-on en conclure que son mécanisme est* $S_N1$*? Pourquoi?*

### ■ *Aspect stéréochimique*

Le principe de la méthode stéréochimique d'étude des mécanismes réactionnels a déjà été indiqué [5.16]. Son application à la substitution nucléophile suppose qu'on réalise la réaction sur un seul énantiomère d'un substrat chiral, optiquement actif, dans lequel le carbone portant l'halogène est asymétrique. Un tel substrat (par exemple $CH_3-\overset{*}{C}HCl-CH_2-CH_3$ sera représenté dans la suite par $\overset{*}{C}abcX$.

Si la réaction est effectuée dans des conditions qui déterminent un *mécanisme* $S_N1$ (prouvé par la cinétique), on observe une *racémisation* : le produit est obtenu sous la forme du mélange inactif de ses deux énantiomères (mélange racémique [3.11]). La réaction n'est donc pas stéréospécifique.

Ce résultat est parfaitement cohérent avec le schéma suggéré par la cinétique : le carbocation intermédiaire est plan [5.12] et le nucléophile peut, avec une égale probabilité, l'approcher par l'une ou l'autre de ses faces.

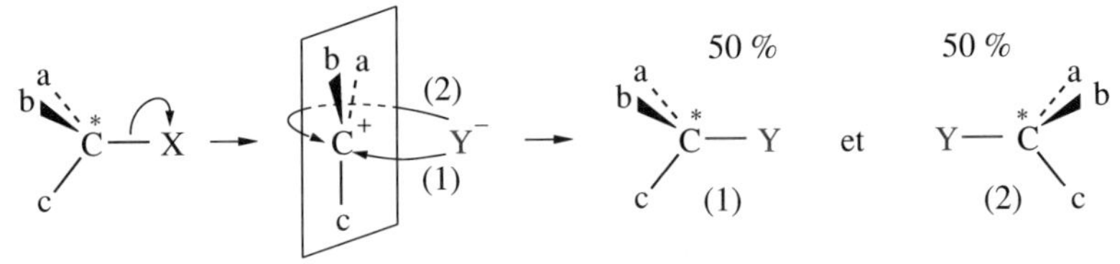

Si la réaction est réalisée dans des conditions qui déterminent un *mécanisme* $S_N2$, on constate que la réaction est stéréospécifique : un énantiomère du substrat donne un seul énantiomère du produit. On peut, de plus, mettre en évidence qu'elle s'accompagne d'une *inversion* de la configuration du carbone asymétrique (inversion de Walden).

Ce résultat, lui aussi, confirme et complète les indications fournies par l'étude cinétique. Pour que la collision soit efficace, le nucléophile doit s'approcher du carbone par le côté opposé à X. Cette approche provoque une polarisation accrue de la liaison C—X qui finira par subir une rupture hétérolytique, lorsque le nucléophile Y sera totalement lié au carbone. Dans l'état de transition, Y ayant commencé à se lier au carbone et X n'étant pas encore totalement séparé de lui, les trois autres liaisons, repoussées par l'approche de Y, sont coplanaires. Après le départ de X, elles se trouvent « retournées » et la configuration du carbone est inversée par rapport à la molécule initiale.

$$Y^- + \overset{a,b,c}{C}{}^{\delta+}\text{—}X^{\delta-} \rightarrow \left[ Y\cdots \overset{b\ a}{\underset{c}{C}} \cdots X \right]^- \rightarrow Y\text{—}\overset{a,b,c}{C} + X^-$$

Il faut noter toutefois que cette inversion ne se traduit pas nécessairement par un changement de signe du pouvoir rotatoire, puisqu'il y a eu une modification chimique de la molécule [3.15].

## Réactions d'élimination

**13.8** Lorsqu'un dérivé halogéné possède au moins un atome d'hydrogène sur un carbone adjacent à la liaison C—X, l'action d'une base provoque sa *déshydrohalogénation.* Cet hydrogène est éliminé ainsi que l'halogène, et il se forme une double liaison :

$$-\overset{H}{\underset{|}{\overset{|}{C}}}-\overset{X}{\underset{|}{\overset{|}{C}}}- + B^- \rightarrow \rangle C=C\langle + BH + X^-$$

*Exemple :*

$$CH_3\text{—}\underset{CH_3}{\underset{|}{C}}Cl\text{—}CH_3 + OH^- \rightarrow CH_3\text{—}\underset{CH_3}{\underset{|}{C}}=CH_2 + H_2O + Cl^-$$

De nombreuses bases peuvent provoquer cette élimination, des bases fortes comme $OH^-$ (soude, potasse), $NH_2^-$ (amidure de sodium $NaNH_2$), $RO^-$ (alcoolates RONa), mais aussi des bases plus faibles comme l'ammoniac $NH_3$, les amines $R\text{—}NH_2$ ou les alcools ROH.

Cette réaction est *régiosélective* : si la double liaison peut se former en deux positions, elle se forme préférentiellement avec le carbone le plus substitué, ou encore celui qui porte le moins d'atomes d'hydrogène (*règle de Zaïtsev*, formulée empiriquement en 1875).

*Exemple :*

$$CH_3\text{—}\underset{CH_3}{\underset{|}{C}}Br\text{—}CH_2\text{—}CH_3$$

$$\xrightarrow[70\ °C]{EtO^-/EtOH} \underset{(70\ \%)}{CH_3\text{—}\underset{CH_3}{\underset{|}{C}}=CH\text{—}CH_3} + \underset{(30\ \%)}{CH_2=\underset{CH_3}{\underset{|}{C}}\text{—}CH_2\text{—}CH_3}$$

Dans cette réaction, l'aptitude de la liaison C—H à se rompre, en libérant l'hydrogène sous la forme d'un $H^+$ « récupéré » par la base, est attribuable à sa polarisation par l'effet inductif attractif de l'halogène [13.2]. On peut donc être surpris qu'un hydrogène porté par le même carbone que l'halogène ne soit pas enlevé encore plus facilement par une base, selon le schéma :

$$-\overset{\displaystyle H}{\underset{\displaystyle X}{C}}- + B^- \rightarrow -\underset{\displaystyle X}{\overset{..}{\bar{C}}}- + BH$$

En fait, ce processus est défavorisé énergétiquement par rapport au départ d'un hydrogène du carbone voisin, qui constitue donc, lorsqu'il est possible, la seule éventualité à considérer. Mais on observe cependant le schéma ci-dessus, en présence d'une base très forte, lorsqu'il est le seul possible, comme c'est le cas par exemple dans le chloroforme $CHCl_3$ :

$$CHCl_3 \xrightarrow{tBuO^-} (CCl_3)^- \longrightarrow CCl_2 + Cl^-$$

Après l'enlèvement de $H^+$, l'élimination spontanée d'un ion $Cl^-$ conduit au dichlorocarbène, espèce extrêmement réactive et non isolable.

## *Les deux mécanismes de l'élimination*

13.9 Comme pour la substitution nucléophile, des informations sur le mécanisme de l'élimination sont apportées par son étude cinétique et stéréochimique. Elles conduisent à considérer deux schémas possibles, désignés par les symboles E1 et E2.

Dans le **mécanisme E1,** monomoléculaire (réaction d'ordre 1 : $v = k[RX]$), l'élimination s'effectue en deux étapes, par l'intermédiaire d'un carbocation :

*1^re^ étape* (lente) : $-\overset{\displaystyle H}{C}-\overset{\displaystyle X}{C}- \rightarrow -\overset{\displaystyle H}{C}-\overset{+}{C}- + X^-$

*2^e^ étape* (rapide) : $B^- + -\overset{\displaystyle H}{C}-\overset{+}{C}- \rightarrow BH + \rangle C{=}C\langle$

Ce processus est favorisé par les facteurs qui facilitent la formation du carbocation intermédiaire, et qui augmentent sa stabilité (halogénure tertiaire, solvant protique). On l'observe plutôt avec les bases faibles.

Dans le **mécanisme E2,** bimoléculaire (réaction d'ordre 2, avec $v = k[RX][B^-]$), l'élimination a lieu en une seule étape, dans un processus concerté et continu :

$$B^- + -\overset{\displaystyle H}{C}-\underset{\displaystyle X}{C}- \rightarrow \left[ -\overset{\displaystyle B\cdots H}{C}\!\overset{\vdots}{=}\!\underset{\displaystyle X}{C}- \right]^- \rightarrow BH + \rangle C{=}C\langle + X^-$$

Etat de transition

Ce mécanisme est favorisé si le carbocation qui pourrait se former n'est pas particulièrement stabilisé, en présence de bases fortes, dans des solvants polaires aprotiques

## *Aspect stéréochimique*

**13.10** La réaction E1 n'est pas stéréospécifique en raison de la possibilité de rotation interne qui existe dans le carbocation. Si l'alcène formé peut exister sous deux formes stéréoisomères *Z* et *E*, on obtient un mélange dans lequel la forme *E* est majoritaire en raison de sa plus grand stabilité

*Z* | *E*

Rotation de 180°

La réaction E2 est, au contraire, stéréospécifique, en ce sens qu'elle fournit un seul stéréoisomère *Z* ou *E* de l'alcène, dont la configuration est déterminée par celles, *R* ou *S*, que possèdent les deux carbones concernés dans le dérivé halogéné. Cette stéréospécificité ne peut donc être mise en évidence que si ces deux carbones sont asymétriques. Les résultats expérimentaux conduisent à attribuer une géométrie particulière à l'état de transition, dans lequel les liaisons C—H et C—X sont coplanaires et antiparallèles (*) :

$B^-$ … → [état de transition]$^-$ → BH + abC=Ccd + $X^-$

Etat de transition

### *13-E*

*Si on effectue la réaction*

$$\text{Ph—CHBr—CHBr—Ph} + OH^- \rightarrow \text{Ph—CBr=CH—Ph} + H_2O + Br^-$$

*sur l'isomère 2R,3S du substrat, et dans des conditions telles que le mécanisme soit E2, quel stéréoisomère du produit obtient-on?*

---

Les résultats obtenus lorsqu'on effectue la réaction sur des substrats cycliques illustrent bien cette *exigence stéréochimique* du mécanisme E2. Ainsi, la déshydrobromation du composé A, qui peut *a priori* donner soit le composé B soit le composé C, semblerait devoir donner préférentiellement B (règle de Zaïtsev et conjugaison de la double liaison avec le cycle benzénique).

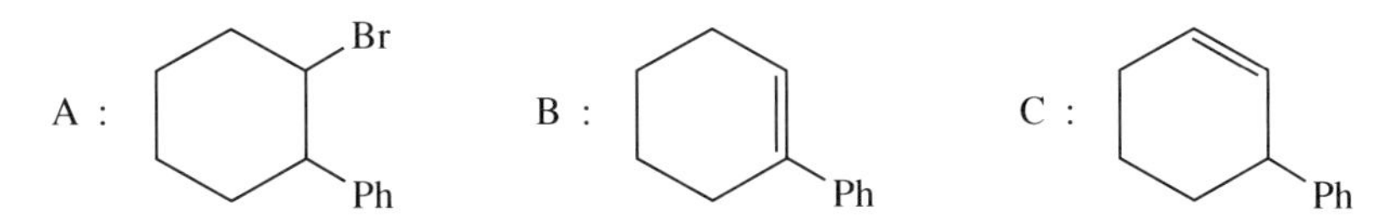


En fait, l'isomère *cis* de A donne effectivement B, mais son isomère *trans* donne C. Ceci s'explique bien si l'on observe que, dans le cyclohexane,

---

(*) La disposition de ces deux liaisons rappelle la position « trans » par rapport à une double liaison [3.24]. C'est en ce sens que l'on qualifie cette réaction de « trans-élimination », expression où le préfixe trans ne s'applique pas au produit de la réaction. Afin d'éviter toute ambiguïté, il est préférable d'utiliser le terme de « anti-élimination ».

seules des liaisons axiales sont coplanaires et antiparallèles [2.9]. Dans l'isomère *cis* de A, la liaison C—Br est antiparallèle avec la liaison C—H du carbone portant le groupe phényle, mais dans son isomère *trans* elle est antiparallèle avec l'une des liaisons C—H de l'autre carbone voisin :

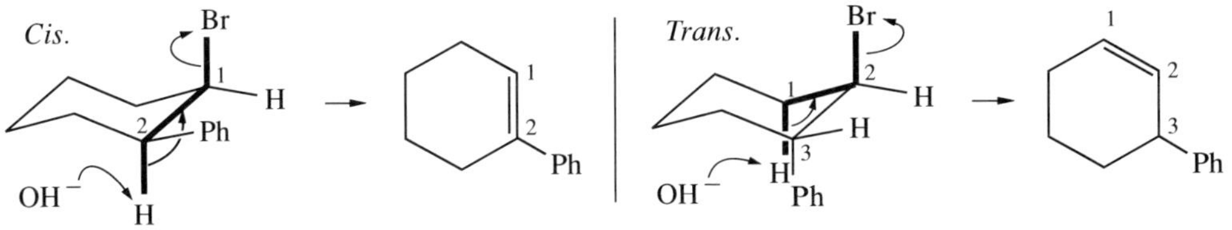

## La compétition substitution-élimination

**13.11** Il ressort de ce qui précède qu'un même réactif, $OH^-$ par exemple, peut provoquer sur un dérivé halogéné soit une substitution, soit une élimination.

*Exemple :*

$$CH_3{-}CH_2{-}CH_2Cl + OH^- \begin{cases} \xrightarrow{S_N} CH_3{-}CH_2{-}CH_2OH + Cl^- \\ \xrightarrow[E]{} CH_3{-}CH{=}CH_2 + H_2O + Cl^- \end{cases}$$

Les bases sont en effet toujours plus ou moins nucléophiles, et réciproquement [5.19] et, selon le site où se produit la collision (le carbone ou l'un des hydrogènes voisins), l'un ou l'autre de ces caractères se manifeste.

Il y a donc pratiquement toujours compétition entre les deux réactions, quelle que soit celle que l'on désire réaliser, et l'on obtient un mélange des deux produits. Parfois cependant l'un des deux est très largement majoritaire, voire quasi exclusif, ce qui signifie que l'une des deux réactions est pratiquement impossible à réaliser.

La situation se complique encore du fait que chacune des deux réactions peut s'effectuer par deux mécanismes, eux-mêmes en compétition. Dans le cas le plus général, ce sont donc quatre réactions, $S_N1$, $S_N2$, E1 et E2, qui sont susceptibles de se produire de façon concomitante, et deux d'entre elles ($S_N1$ et E1) ont une première étape commune conduisant au même carbocation intermédiaire.

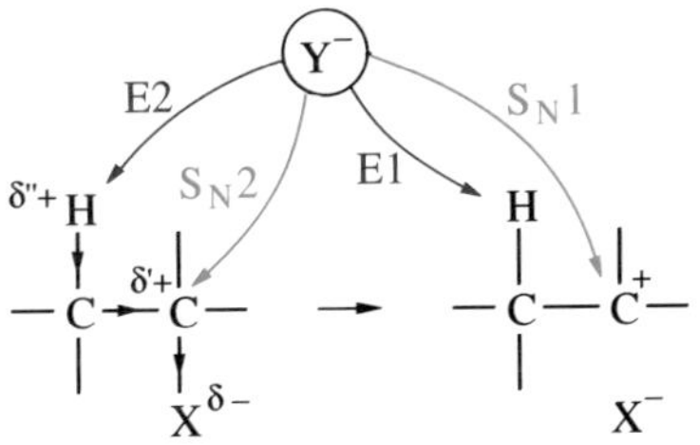

*13-F*

---

*Combien de produits (et lesquels) pourraient résulter de la réaction entre le 3-chlorobut-1-ène et la soude, si toutes les éventualités concevables se réalisaient?*

---

Les facteurs susceptibles d'influer sur la part prise par chacune des réactions possibles sont nombreux : nature du substrat, du réactif et du solvant, température, concentration, catalyse, etc. Une discussion approfondie du sujet ne peut trouver place ici, et on se bornera à quelques indications :

*Nature du substrat :* la part de l'élimination augmente avec le nombre de groupes alkyles liés au carbone portant l'halogène; elle augmente donc dans l'ordre $RCH_2X < R_2CHX < R_3CX$. Ainsi, dans des conditions où l'action de l'ion éthylate $EtO^-$ sur le bromure de propyle $CH_3—CH_2—CH_2Br$ donne 9 % d'élimination, elle en donne 87 % avec le bromure d'isopropyle $(CH_3)_2CHBr$ et 98 % avec le bromure de tertiobutyle $(CH_3)_3CBr$ (le % complémentaire correspond, dans chaque cas, à la substitution). Les tentatives de substitutions diverses sur un halogénure de tertiobutyle conduisent d'ailleurs à peu près toutes à la formation presque exclusive d'isobutène $(CH_3)_2C{=}CH_2$.

Cet effet de la structure de l'halogénure, qui crée des limitations à l'application de certaines réactions en synthèse, a une origine stérique. Après une substitution, le carbone conserve sa géométrie tétraédrique, alors qu'après une élimination deux carbones tétraédriques ($sp^3$) sont devenus éthyléniques ($sp^2$), avec un passage de 109,5° à 120° pour les angles formés par leurs liaisons. Il résulte de cette modification géométrique une « décompression » des atomes ou groupes liés à ces carbones, favorable au déroulement de la réaction. Mais cette décompression est peu effective sur un carbone primaire (dont l'environnement est peu « comprimé », vu le faible volume de l'hydrogène), alors qu'elle est très effective sur un carbone tertiaire, d'autant plus que les groupes qui l'entourent sont plus volumineux.

Une analyse plus fine conduit à distinguer les réactions monomoléculaires ($S_N1$ et E1) des réactions bimoléculaires ($S_N2$ et E2). Pour les réactions $S_N1$ et E1, la décompression est déjà réalisée dans le carbocation, mais la formation d'une liaison avec le nucléophile (substitution) entraîne le retour à la géométrie tétraédrique et une « recompression »; au contraire, la formation d'une double liaison (élimination) rend définitive la géométrie plane plus favorable. Dans la réaction E2, la décompression est déjà amorcée dans l'état de transition; elle le stabilise et diminue l'énergie d'activation de l'étape cinétiquement déterminante, qui est donc d'autant plus rapide que cette décompression est importante. La réaction $S_N2$ sur un halogénure encombré (tertiaire) est au contraire défavorisée, les groupes alkyles gênant l'approche du nucléophile par « l'arrière » [13.7].

*Nature du réactif :* Si les caractères basique et nucléophile, qui ont les mêmes origines [5.13, 17-19], sont toujours associés, par contre leurs « forces » (« basicité » et « nucléophilie ») ne vont pas de pair. Il existe des bases fortes faiblement nucléophiles, comme $OH^-$ ou $RO^-$; elles provoquent plutôt des éliminations, surtout si elles sont concentrées. Inversement, un réactif fortement nucléophile et faiblement basique, comme $I^-$, provoque plutôt des substitutions.

*Température :* une élévation de la température favorise l'élimination au détriment de la substitution.

# 3 — Préparations

Les dérivés halogénés ne se trouvent pratiquement pas à l'état naturel, mais ils peuvent être préparés par un assez grand nombre de réactions.

*13-G*

*Quelles réactions conduisant à des dérivés halogénés ont déjà été rencontrées dans les chapitres précédents?*

*1) Dérivés monohalogénés*

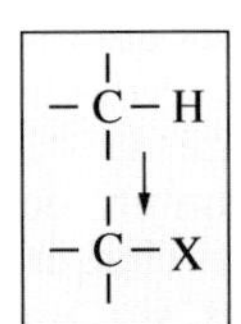

**13.12** La **substitution directe d'un hydrogène par un halogène** n'est une bonne méthode que dans des cas particuliers. L'halogénation radicalaire d'un *alcane* quelconque [8.4] donne en effet toujours des mélanges d'isomères et de produits contenant un nombre variable d'atomes d'halogène. Mais elle peut donner spécifiquement des dérivés halogénés en position allylique ou en position benzylique [8.5]. L'halogénation électrophile du cycle benzénique est également une réaction utilisable [12.7]. Enfin, il est possible d'halogéner les cétones sélectivement en position α [18.17]

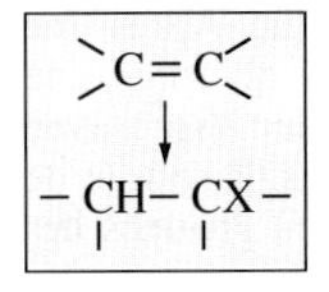

**13.13** L'**addition d'un hydracide halogéné sur une double liaison** [9.6] permet de préparer avec certitude un dérivé *mono*halogéné. La régiosélectivité de la réaction, différente selon les conditions opératoires (règle de Markownikov, effet Karasch), rend en général nettement majoritaire l'un des deux produits d'addition possibles

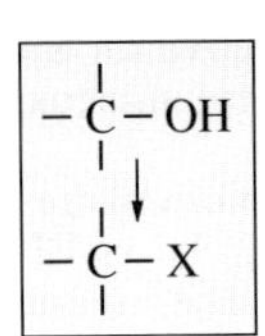

**13.14** La **transformation d'un alcool ROH en dérivé halogéné RX** est la méthode la plus générale et la plus utilisée. Elle peut s'effectuer à l'aide de divers réactifs :

– *hydracide halogéné :*

$$ROH + HBr \rightleftarrows RBr + H_2O$$

– *dérivé halogéné du phosphore* ($PCl_3$, $PCl_5$, $PBr_3$, ...)

$$3\,ROH + PBr_3 \rightarrow 3\,RBr + P(OH)_3$$

$$ROH + PCl_5 \rightarrow RCl + HCl + POCl_3$$

– *chlorure de thionyle* ($SOCl_2$)

$$ROH + SOCl_2 \rightarrow RCl + SO_2 + HCl$$

*2) Dérivés dihalogénés*

■ Sur le même carbone (dérivés *« géminés »*, ou *gem*-dihalogénés)

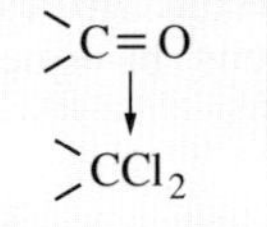

**13.15** **Action du pentachlorure de phosphore $PCl_5$ sur un aldéhyde ou une cétone** [18.13]

$$R{-}CH{=}O + PCl_5 \rightarrow R{-}CHCl_2 + POCl_3$$

$$R{-}\underset{\underset{O}{\|}}{C}{-}R' + PCl_5 \rightarrow R{-}CCl_2{-}R' + POCl_3$$

$-C\equiv C-$ → $-CH_2-CX_2-$

**13.16** **Addition d'un hydracide halogéné sur une triple liaison** [10.6] :

$$R-C\equiv CH + 2\,HCl \rightarrow R-CCl_2-CH_3$$

Dans le cas d'un alcyne vrai, les deux halogènes se placent normalement sur le deuxième carbone de la chaîne (règle de Markownikov), mais il est possible d'inverser le sens de l'addition, en présence d'un peroxyde (effet Karasch). Dans le cas d'un alcyne substitué, on obtient un mélange.

■ Sur deux carbones voisins (dérivés « *vicinaux* », ou *vic*-dihalogénés)

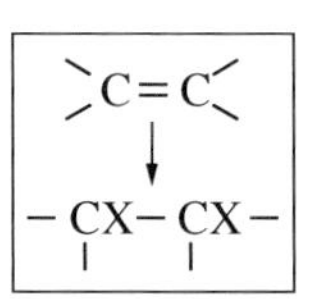


**13.17** **Addition d'un halogène sur une double liaison** [9.10] :

$$R-CH=CH-R' + X_2 \rightarrow R-CHX-CHX-R'$$

Si l'on désire obtenir un stéréoisomère déterminé du produit, la réaction doit être effectuée sur un stéréoisomère déterminé de l'alcène.

# 4 — Dérivés fluorés

**13.18** Les dérivés fluorés constituent une classe très particulière de dérivés halogénés. Contrairement aux dérivés chlorés, bromés ou iodés, qui sont très réactifs, ils sont totalement inertes chimiquement dans les conditions normales, ce comportement étant attribuable à la très faible polarisabilité de la liaison C—F, elle-même conséquence du faible rayon de l'atome de fluor [13.3].

Ils ne peuvent pas être préparés par l'action directe du difluor sur les hydrocarbures, car la réaction, très violente, est difficile à contrôler; elle provoque généralement la rupture de toutes les liaisons C—C et C—H [8.4]. En raison de l'intérêt pratique de certains dérivés fluorés, des méthodes de préparation particulières ont été recherchées, et l'une d'elles consiste à substituer F à Cl dans des dérivés chlorés, par l'action du fluorure mercurique $HgF_2$ ou du trifluorure d'antimoine $SbF_3$.

*Exemples :*

$$2\,CH_3-CH_2Br + HgF_2 \rightarrow 2\,CH_3-CH_2F + HgBr_2$$

$$3\,CCl_4 + 2\,SbF_3 \rightarrow 3\,CF_2Cl_2 + 2\,SbCl_3$$

$$3\,CHCl_3 + 2\,SbF_3 \rightarrow 3\,CHClF_2 + 2\,SbCl_3$$

Le tétrafluoroéthylène $F_2C=CF_2$, que l'on prépare en vue de sa polymérisation ultérieure, s'obtient aussi par une réaction particulière :

$$2\,CHClF_2 \xrightarrow{800\ °C} F_2C=CF_2 + 2\,HCl$$

On sait également préparer des *perfluoroalcanes* $C_nF_{2n+2}$, par action du fluorure de cobalt $CoF_3$ sur les alcanes.

Les utilisations des dérivés fluorés sont regroupées avec celles des autres dérivés halogénés dans le paragraphe suivant.

# 5 — Termes importants. Utilisations

**13.19** Les dérivés halogénés constituent certainement la classe de composés organiques dont les applications sont les plus nombreuses et les plus diverses, dans les domaines industriel, agricole, médical et domestique. L'énumération qui suit en constitue quelques exemples, mais elle n'est en aucune façon exhaustive.

La très grande variété des réactions possibles à partir des dérivés chlorés, bromés ou iodés leur confère un grand intérêt comme *intermédiaires de synthèse* (cf. tableau récapitulatif ci-après).

On utilise par ailleurs des dérivés halogénés comme *solvants* (trichloréthylène $ClCH{=}CCl_2$, chloroforme $CHCl_3$, ...), fluide d'*extincteur* (bromotrifluorométhane $CF_3Br$), *fluide frigorifique* et fluide propulseur dans les *bombes à aérosols* (Chlorofluorocarbones, « CFC », par exemple fréon-12 $CF_2Cl_2$); on pense même pouvoir utiliser les dérivés perfluorés comme sang artificiel. Les dérivés polychlorés du biphényle (« PCB », Pyralène) sont des liquides utilisés comme fluides de refroidissement et d'isolement dans les transformateurs.

Un domaine d'applications particulièrement important est celui des *insecticides* et des *pesticides* : D.D.T. (dichlorodiphényltrichloréthane), H.C.H. ou Lindane (hexachlorocyclohexane), etc., ainsi que celui des *herbicides* (chlorophénols).

Enfin, certains *polymères* (« matières plastiques ») parmi les plus utilisés dérivent de monomères chlorés : polychlorure de vinyle, ou « PVC » (polymère du chlorure de vinyle $ClCH{=}CH_2$), polychloroprène (caoutchouc synthétique, polymères du chloroprène $CH_2{=}CCl{-}CH{=}CH_2$). Le téflon est le polymère du tétrafluoroéthylène :

$$nF_2C{=}CF_2 \rightarrow (\!-CF_2{-}CF_2-\!)_n$$

Il possède des propriétés particulièrement remarquables (résistance totale à tous les agents chimiques, résistance mécanique, stabilité à haute température) qui sont mises à profit dans des applications trés diverses (revêtement de poêles type « Téfal », pièces mécaniques comme des engrenages autolubrifiés, film isolant type « Gore-Tex », etc.).

L'intérêt, si grand soit-il, des applications de dérivés halogénés ne doit cependant pas faire oublier certains problèmes liés à leur utilisation, notamment en matière d'environnement. Ce point de vue est développé dans l'encadré placé à la fin de ce chapitre.

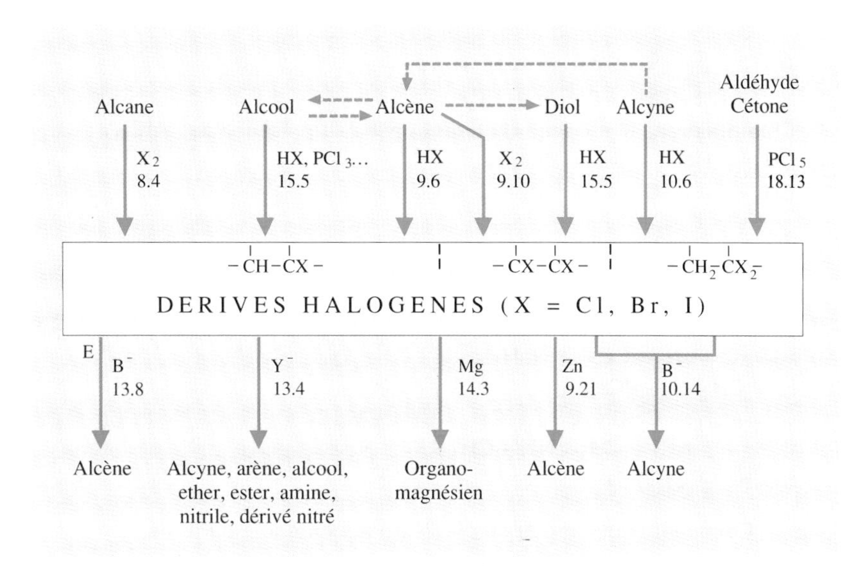


## EXERCICES

*Les **règles de nomenclature**, permettant de faire correspondre réciproquement un nom et une formule, sont exposées dans le chapitre 7 (pour les stéréoisomères, au chapitre 3).*

***13-a*** L'action de la soude sur le 1-chlorobicyclo[2.2.1] heptane,

Cl (géométrie décrite § 2.9)

ne donne ni substitution, ni élimination. Comment expliquer cette non-réactivité? (recherchez quel(s) facteur(s) défavorable(s) pourrai(en)t exister, dans toutes les hypothèses de mécanismes).

***13-b*** Comment pourrait-on obtenir stéréospécifiquement le (2*R*)-butan-2-ol $CH_3—\overset{*}{C}HOH—CH_2—CH_3$ en disposant, comme composé de départ, du (2*R*)-2-chlorobutane (on exclut donc la méthode qui consisterait à fractionner le mélange racémique obtenu à la suite d'une réaction $S_N1$).

***13-c*** On met en solution dans l'acétone l'énantiomère dextrogyre du 2-iodobutane et de l'iodure de sodium. Dans ces conditions, il se produit une substitution de l'iode contenu dans le composé organique par les ions iodures, selon le mécanisme $S_N2$. Le pouvoir rotatoire observé sur la solution évolue-t-il? Comment? Si l'on appelle $+\alpha$ sa valeur initiale, vers quelle valeur finale tend-il? Cette valeur dépend-elle de la quantité d'iodure de sodium mise en solution?

***13-d*** On réalise la réaction

$$CH_3—CH_2—MgBr + CH_3—\overset{*}{C}HBr—\underset{CH_3}{\underset{|}{C}H}—CH_3 \rightarrow CH_3—\underset{*}{\overset{CH_2—CH_3}{\overset{|}{C}H}}—\underset{CH_3}{\underset{|}{C}H}—CH_3 + MgBr_2$$

dans des conditions telles que son mécanisme soit $S_N2$. Si le carbone asymétrique (*) du substrat était dans la configuration *R*, quelle est sa configuration dans le produit? Que peut-on en conclure?

***13-e*** Les réactions $S_N1$ et E1 ont une première étape commune, qui est cinétiquement déterminante. Considérées isolément, elles auraient donc, dans des conditions identiques, la même vitesse. Pourquoi alors, lorsqu'elles ont lieu simultanément, en compétition, ne se forme-t-il pas toujours autant de produit d'élimination que de produit de substitution?

***13-f*** Quels sont les produits principaux des réactions suivantes?

1) $H_2C{=}CH{-}CH_2{-}CH_2Br + KOH$ (concentrée, à chaud)
2) $H_2C{=}CH{-}CH_2{-}CH_2Br + HBr$
3) Chlorobenzène + chlorure de tertiobutyle (en présence de $AlCl_3$)
4) $CH_3{-}CHOH{-}CH_3 + PBr_3$
5) $CH_3{-}CH_2{-}CH_2Cl + CH_3{-}CH_2{-}ONa$
6) (cyclohexyl)$-OH + SOCl_2$
7) $BrCH_2{-}CH_2Br + KC{\equiv}N$
8) Bromocyclohexane + soude (diluée, à froid)
9) $HC{\equiv}C{-}CH_2{-}CH_2I + NaNH_2$
10) $Ph{-}CH{=}O + PCl_5$
11) $CH_3{-}CH_2{-}CHCl{-}CH_3 + CH_3{-}CH_2{-}MgCl$
12) $C_6H_5{-}CH_2Cl + CH_3{-}NH{-}CH_3$
13) $CH_3Br + (CH_3)_3N$

***13-g*** Comment peut-on préparer le 2-bromopentane à partir de :

1) Pent-1-yne
2) $CH_3{-}CH_2{-}CH_2{-}CH_2{-}CH_2OH$
3) 1-bromopentane
4) 1,2-dibromopentane
5) $CH_3{-}CHOH{-}CH_2{-}CH_2{-}CH_3$

***13-h*** Comment peut-on passer, en une ou plusieurs étapes :

1) du 1-chloropentane — au pent-1-yne
2) du 1-chloropentane — au 1-phénylpentane
3) du 1-chloropentane — au butanal $CH_3{-}CH_2{-}CH_2{-}CH{=}O$
4) de $CH_3{-}CH_2{-}CO{-}CH_3$ — au but-2-yne
5) de $CH_3{-}CHOH{-}CH_3$ — à $CH_3{-}CH(NH_2){-}CH_3$
6) de $CH_3{-}CHOH{-}CH_3$ — au méthylbutane (isopentane)
7) de (cyclohexyl)$-Cl$ — à (cyclohexane-1,2-diyl)$(OH)_2$

***13-i*** Quelle est la formule des composés (a), (b), (c) et (d) participant aux réactions suivantes :

$$(a) + H_2O \xrightarrow{H_2SO_4} (b)$$
$$(b) + SOCl_2 \rightarrow (c) + SO_2 + HCl$$
$$2(c) + 2\,Na \rightarrow \text{3,3,4,4-tétraméthylhexane} + 2\,NaCl$$
$$(c) + CH_3O^- \rightarrow (d) + CH_3OH + Cl^-$$

(a) présente, dans l'infrarouge, une bande intense à 890 $cm^{-1}$.

***13-j*** Même question pour l'enchaînement de réactions :

$$HC{\equiv}CH + NaNH_2 \rightarrow (a) + NH_3$$
$$(a) + \text{bromure d'isopropyle} \rightarrow (b) + NaBr$$
$$(b) + H_2O \xrightarrow{Hg^{2+}} (c)$$
$$(c) + PCl_5 \rightarrow (d) + POCl_3$$

# PESTICIDES ET ENVIRONNEMENT

13.20 Les *pesticides* (insecticides, herbicides, fongicides) sont des produits destinés à lutter contre les insectes ou les plantes nuisibles. Ce sont souvent des composés chlorés, les deux plus connus étant le D.D.T. (**D**ichloro**D**iphényl**T**richloréthane) et le lindane (l'un des stéréoisomères de l'hexachlorocyclohexane, ou HCH) :

Cl—C6H4—CH(CCl3)—C6H4—Cl D.D.T.

$C_6H_6Cl_6$ Lindane

Le D.D.T., en particulier, a été employé en quantités énormes depuis la seconde guerre mondiale (on estime que, depuis cette époque, on en a globalement répandu, dans le monde, 5 à 6 millions de tonnes). Grâce à son utilisation, entre autres résultats, le rendement des cultures de coton a été multiplié par deux, et celui de la culture du cacao par 3,5, au bénéfice de l'économie des pays producteurs. La destruction systématique de l'anophèle, moustique propagateur de la malaria, a sauvé quelque 15 millions de vies humaines, et diverses autres épidémies ont été évitées.

Mais c'est un composé très stable, qui a une longue durée de vie dans les milieux naturels (plusieurs années ou même dizaines d'années) et le vent, les eaux de ruissellement ou les courants marins l'ont dispersé à l'échelle de toute notre planète. On en retrouve actuellement dans les graines oléagineuses, dans le plancton et dans certains mollusques marins qui sont capables de l'extraire de l'eau de mer et de le concentrer dans leur organisme; il s'en trouve même dans la glace polaire, et dans la graisse des pingouins. Il est responsable de la fragilisation de la coquille des œufs de certains oiseaux, dont l'espèce est de ce fait menacée. Certains équilibres naturels en ont aussi été modifiés : la disparition de certains insectes peut entraîner celle des oiseaux qui s'en nourrissent, ou, au contraire, faire proliférer d'autres insectes dont ils étaient les prédateurs.

Les *fréons*, ou « chlorofluorocarbones » (CFC), dérivés chlorés et fluorés du méthane, sont largement utilisés comme fluide dans le circuit de refroidissement des réfrigérateurs, ou comme fluide propulseur dans les « bombes à aérosols ». Ces applications correspondent incontestablement à des « commodités » de la vie moderne, mais on libère ainsi chaque année dans l'atmosphère terrestre environ un million de tonnes de ces CFC, et on s'interroge actuellement sur le rôle néfaste qu'ils pourraient jouer au niveau de la couche d'ozone de la haute atmosphère.

Ces exemples, comme bien d'autres, montrent l'ambiguïté qui peut marquer le « progrès », dont il est rare que les aspects positifs n'aient pas une contrepartie. Même les progrès de la médecine, et l'allongement de l'espérance de vie (passée de 50 à 75 ans en moins d'un siècle), dû en partie à la découverte et à la synthèse de médicaments nouveaux, peuvent conduire à des problèmes liés au vieillissement de la population, et à la modification de l'équilibre entre actifs et non-actifs.

Mais, s'agissant de la chimie, et de sa présence dans la vie courante, il semble que le public en voie parfois plus facilement les aspects négatifs que les aspects positifs. Selon un préjugé assez répandu, ce qui est « chimique » est mauvais, par opposition aux vertus intrinsèques de ce qui est « naturel ». La chimie est souvent associée à toxicité, pollution, danger.

Cette opposition un peu simpliste semble ignorer que la nature, à commencer par la vie elle-même, repose sur des phénomènes chimiques, et que dans la nature tout n'est pas nécessairement « bon » (il existe des composés toxiques naturels...).

D'autre part, il est clair que les utilisations de la chimie sont ce que les hommes en font. S'il ne peut être nié que l'activité chimique, industrielle mais aussi domestique (le chauffage, l'utilisation d'une voiture), peut polluer l'environnement, il faut observer que la chimie peut également fournir les moyens d'analyse, de contrôle ou d'épuration propres à lutter contre cette pollution, ou à l'éviter.

On pourrait probablement se passer de bombes aérosols, ou de colorants dans les bonbons, mais peut-on (et doit-on) se passer d'engrais ou de pesticides? Il n'y a pas de réponse à cette question en dehors de choix politiques, économiques, sociaux, éthiques. Il nous appartient de gérer des situations où s'affrontent des enjeux contradictoires, économiques et écologiques.

Les chimistes, pour leur part, continuent de travailler, pour offrir des possibilités nouvelles ou meilleures dans d'innombrables domaines (voir introduction [0.6] ). Ils cherchent, entre autres, des pesticides efficaces et moins toxiques que ceux que l'on connaît actuellement... mais ils seront peut-être plus chers!

# Les composés organo-métalliques

# 14

## organomagnésiens

14.1 Les *composés organométalliques* sont des composés organiques dans lesquels un métal se trouve *directement lié* à un ou plusieurs atomes de carbone : $R-C\equiv C-Na$, dérivé sodé d'un alcyne vrai, est un composé organométallique, mais $R-ONa$, alcoolate, n'en est pas un.

De nombreux métaux donnent des combinaisons organométalliques, entre autres :

| | *Exemples* |
|---|---|
| **Li, Na, K** (métaux alcalins, monovalents) | $CH_3-C\equiv C-Na$ |
| **Mg, Cd, Zn, Hg** (métaux bivalents) | $CH_3-Cd-CH_3$ |
| **Al** (métal trivalent) | $(CH_3-CH_2-CH_2)_3Al$ |
| **Pb** (métal tétravalent) | $(CH_3-CH_2)_4Pb$ |

Leur *stabilité* augmente, donc leur *réactivité* diminue, des métaux légers monovalents (alcalins) aux métaux lourds polyvalents. Les dérivés sodés RNa sont trop réactifs pour pouvoir être isolés, alors que le tétraéthylplomb ($Et_4Pb$) est un composé stable utilisé comme additif dans les carburants pour améliorer leur « indice d'octane » [8.15].

*14-A*

*A quelle caractéristique de la liaison carbone-métal pourrait-on relier les différences de réactivité observées entre les organométalliques? Sur cette base, comment situer la réactivité des organomagnésiens par rapport aux extrêmes signalés ci-dessus?*

---

Les organométalliques se forment parfois par une réaction directe entre le métal et un composé possédant un hydrogène labile (exemple : la sodation des alcynes vrais [10.10]). Plus généralement, ils résultent de la réaction du métal sur un dérivé halogéné.

*Exemple :*

$$R{-}Cl + 2\,Li \rightarrow LiCl + R{-}Li \quad \text{(alkyllithium)}$$

Certains peuvent également être obtenus par une réaction de « double décomposition » (ou d'échange) à partir d'un autre organométallique.

*Exemple :*

$$2\,R{-}MgBr + CdCl_2 \rightarrow R{-}Cd{-}R + MgBr_2 + MgCl_2$$

On distingue les organométalliques *symétriques* (exemple : R—Zn—R, dialkylzinc) et *mixtes* (exemple : R—MgBr, bromure d'alkylmagnésium).

La *nomenclature* des organométalliques est exposée au chapitre 7 [7.9].

## ORGANOMAGNÉSIENS MIXTES

14.2 Les composés organomagnésiens mixtes ont pour formule générale **R—MgX** (*). R peut être un groupe *alkyle* (acyclique ou cyclique, saturé ou non), ou un groupe *aryle* (en ce cas, la formule devient Ar—MgX). X peut être Cl, Br ou I, mais Cl correspond à des organomagnésiens peu actifs et I à des halogénures parfois malaisés à préparer; on utilise donc souvent le brome.

Les organomagnésiens mixtes n'existent absolument pas à l'état naturel; ce sont tous des composés synthétiques et qui, à leur tour, ne servent qu'à la synthèse. Leur utilisation est extrêmement intéressante pour préparer de nombreuses fonctions, comme on pourra le constater dans la suite, bien qu'il n'y soit signalé qu'une partie de leurs nombreuses réactions

Les composés organomagnésiens ont été découverts par Victor Grignard, chimiste français (1871-1935, Prix Nobel 1912). On les appelle souvent « réactifs de Grignard », de même que l'on dit couramment, quand on les utilise, « faire une réaction de Grignard », ou même « faire un Grignard ».

# 1 — Préparation

14.3 Il n'existe qu'une seule méthode pour préparer les organomagnésiens, et elle repose sur une réaction dont le bilan est très simple :

$$RX + Mg \rightarrow R{-}MgX$$

---

(*) Cette formule ne correspond pas à la structure réelle des organomagnésiens mixtes, qui est plus complexe (notamment dans leurs solutions). Mais elle rend cependant bien compte de leur comportement et elle est couramment admise pour les représenter, mais elle n'est qu'un symbole.

Deux conditions doivent cependant être observées :

a) La réaction doit être faite en *présence d'un éther* (R—O—R), qui joue le rôle de solvant mais participe aussi à la formation de l'organomagnésien, dont la formule complète devrait s'écrire :

```
R'\ .. /R'
    O
    |
R—Mg—X
    |
    O
R'/ .. \R'
```

*14-B*

*Comment expliquer que des molécules puissent ainsi se lier, sans qu'aucune de leurs liaisons ne se rompe? Comment qualifier la liaison* Mg—O? *Ne faudrait-il pas, en principe, indiquer des charges sur certains atomes?*

Mais, lors de réactions ultérieures, tout se passe comme si l'organomagnésien avait simplement pour formule R—MgX, de sorte que l'on peut « ignorer » les deux molécules d'éther liées par coordinence, par les doublets libres de l'oxygène, sur l'atome de magnésium. On utilise le plus souvent, dans ce rôle, l'éther « ordinaire » (oxyde d'éthyle $CH_3—CH_2—O—CH_2—CH_3$).

La réaction se réalise en plaçant dans un ballon des copeaux de magnésium et de l'éther, et en faisant tomber goutte à goutte l'halogénure RX. La chaleur dégagée par la réaction produit une élévation de température, limitée par l'ébullition de l'éther (Eb = 35 °C) et progressivement le magnésium disparaît, tandis que la phase liquide prend une teinte gris-foncé. On obtient ainsi directement l'organomagnésien en solution dans l'éther, et on ne l'isole pas; les réactions ultérieures se font avec cette solution (voir illustrations à la fin de ce chapitre).

b) Le « milieu réactionnel » doit être strictement *anhydre* (exempt d'eau) : l'éther et l'halogénure, liquides, ne doivent contenir aucune trace d'eau en solution, le magnésium et la verrerie doivent être parfaitement secs en surface, sinon la réaction ne « démarre » pas.

## 2 — Réactivité

**14.4** Dans les réactions auxquelles il participe, un organomagnésien subit une rupture hétérolytique, selon le schéma :

$$\overset{\delta-}{R}—\overset{\delta+}{Mg}X \rightarrow R^- + \overset{+}{Mg}X$$

Les réactions des organomagnésiens, bien que leurs mécanismes soient souvent plus complexes, peuvent s'interpréter comme des *réactions du carbanion* $R^-$, et celui-ci possède un double caractère :

- *basique :* c'est une base très forte (puisque son acide conjugué, l'hydrocarbure RH, est toujours un acide extrêmement faible [5.17]), qui réagit avec tous les composés possédant un *hydrogène labile*,

• *nucléophile* : il réagit facilement avec les composés possédant un *carbone déficitaire* (porteur d'une charge δ+). Si ce carbone est saturé (comme dans un dérivé halogéné), il en résulte une substitution; s'il est non saturé (comme dans un aldéhyde, une cétone ou un nitrile), il en résulte une *addition*.

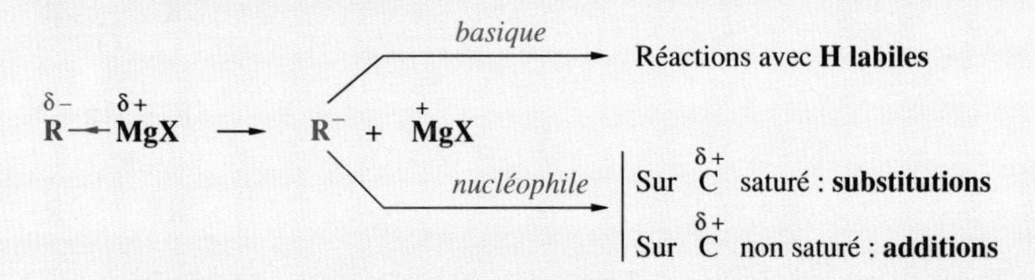


Par rapport aux dérivés halogénés, à partir desquels ils se préparent, les organométalliques présentent une *inversion de polarisation*. Dans les dérivés halogénés, le carbone, moins électronégatif que l'halogène, est déficitaire (charge δ+); dans les composés organométalliques au contraire, étant plus électronégatif que le métal, il est excédentaire (charge δ—).

En conséquence, les dérivés halogénés permettent de réaliser des réactions typiques du comportement d'un *carbone électrophile* (apte à réagir avec des nucléophiles), soit par l'intermédiaire du carbocation $R^+$ effectivement formé, soit par un processus concerté. Par contre, les organométalliques, et en particulier les organomagnésiens, permettent de réaliser des réactions typiques du *carbone nucléophile* (apte à réagir avec des électrophiles), soit par l'intermédiaire du carbanion $R^-$ effectivement formé, soit par un processus concerté.

De ce fait, la chimie des dérivés halogénés et celle des organométalliques présentent un aspect complémentaire, et couvrent une grande partie du domaine de la chimie de synthèse.

## Réactions avec les composés à hydrogène labile

**14.5** Le bilan général de ce type de réaction peut se schématiser ainsi (*) :

$$XMg^+R^- + \overset{\delta+}{H}-\overset{\delta-}{A} \rightarrow RH + A-MgX$$

*Exemples :*

| | | | | | | |
|---|---|---|---|---|---|---|
| Eau | $R^-MgX^+$ | + | HO—H | → RH | + | HO—MgX |
| Hydracide | — | | X—H | → — | | X—MgX |
| Alcool | — | | RO—H | → — | | RO—MgX |
| Phénol | — | | ArO—H | → — | | ArO—MgX |
| Acide carboxylique | — | | R—COO—H | → — | | R—COO—MgX |
| Alcyne vrai | — | | R—C≡C—H | → — | | R—C≡C—MgX |
| Ammoniac | — | | $NH_2$—H | → — | | $NH_2$—MgX |
| Amine primaire | — | | R—NH—H | → — | | R—NH—MgX |

(*) Dans cette réaction, comme dans la suite du chapitre, l'organomagnésien est représenté sous une forme ionisée en $R^-$ et $MgX^+$. Cela ne signifie pas qu'il se dissocie réellement, et préalablement à la réaction. Souvent le mécanisme de ces réactions est « concerté » et plus complexe. Il faut donc avoir à l'esprit que cette représentation correspond à un modèle simplifié de la réaction, et n'a qu'une valeur symbolique.

Les composés formés sont facilement hydrolysables, selon la réaction générale :

$$A—MgX + \overset{\delta+}{H}—\overset{\delta-}{OH} \rightarrow AH + X—MgOH \ (*)$$

En définitive, on récupère donc le composé initial AH, et le bilan global se réduit à l'hydrolyse de l'organomagnésien (RMgX → RH).

La seule de ces réactions qui présente de l'intérêt est celle des alcynes vrais, car elle donne un nouvel organomagnésien, acétylénique, susceptible de donner ultérieurement toutes les réactions de synthèse des organomagnésiens (exemple : synthèse des alcynes à partir de l'acétylène [10.15]).

## Réactions de substitution

### *Dérivés halogénés*

**14.6** Vis-à-vis du carbone saturé déficitaire d'un dérivé halogéné, un organomagnésien se comporte comme un réactif nucléophile : son groupe R se substitue à l'halogène :

$$XMg^{+}R^{-} + \overset{\delta+}{R'}—\overset{\delta-}{X} \rightarrow R—R' + MgX_2$$

Cette réaction offre donc un moyen de réunir deux groupes hydrocarbonés, en créant une nouvelle liaison carbone-carbone. Elle a déjà été rencontrée, d'une part comme méthode de préparation des hydrocarbures [8.10], et d'autre part comme un exemple de substitution nucléophile sur les dérivés halogénés [13.4].

*14-C*

*Peut-on s'attendre à obtenir un bon rendement pour la synthèse du 2,2-diméthylbutane par la réaction entre* $(CH_3)_3CCl$ *et* $CH_3—CH_2MgCl$?

### *Orthoformiate d'éthyle*

**14.7** Dans l'orthoformiate d'éthyle, le carbone porteur des trois groupes OEt est fortement déficitaire. Il est attaqué par le carbanion, qui se substitue à l'un des groupes OEt; il en résulte un acétal [18.10], dont l'hydrolyse ultérieure donne un aldéhyde. L'ensemble de ces deux réactions

(*) X—MgOH représente un composé instable, qui se décompose en $\frac{1}{2}MgX_2$ et $\frac{1}{2}Mg(OH)_2$. Pour simplifier l'écriture, on emploie cependant cette formule, en quelque sorte fictive.

constitue une intéressante méthode de préparation des aldéhydes, avec allongement de la chaîne :

$$XMg^+R^- + H-\overset{\delta+}{C}(\overset{\delta-}{O}-Et)(O-Et)(O-Et) \rightarrow R-CH(O-Et)(O-Et) + Et-O^-$$

Orthoformiate d'éthyle — Acétal

$$\xrightarrow{H_2O} R-CH=O + 2\,Et-OH + EtO-MgX$$

## Réactions d'addition

Les organomagnésiens manifestent une grande réactivité à l'égard des groupes $>C=O$ et $-C\equiv N$. Le carbone y est lié à un élément plus électronégatif que lui, de sorte qu'il se trouve déficitaire et apte à réagir avec le carbanion $R^-$. Par contre, les liaisons multiples carbone-carbone ($>C=C<$ et $-C\equiv C-$), dans lesquelles les carbones ne sont pas électrophiles, ne donnent pas lieu à des réactions avec les organomagnésiens.

Le produit résultant de l'addition est sans intérêt en lui-même, mais son hydrolyse conduit à diverses fonctions nouvelles. Ces réactions sont importantes en synthèse.

### *Aldéhydes. Cétones. Dioxyde de carbone*

**14.8** Les organomagnésiens réagissent sur le *groupe carbonyle* $>C=O$ selon le schéma suivant :

$$XMg^+R^- + \underset{b}{\overset{a}{>}}\overset{\delta+}{C}=\overset{\delta-}{O} \rightarrow R-\underset{b}{\overset{a}{C}}-O^-MgX^+$$

Il se forme un alcoolate magnésien, dont l'hydrolyse donne un alcool :

$$R-\underset{b}{\overset{a}{C}}-O^-MgX^+ + H_2O \rightarrow R-\underset{b}{\overset{a}{C}}-OH + XMgOH$$

Cette réaction en deux étapes se résume donc dans le bilan global :

$$\underset{b}{\overset{a}{>}}C=O \xrightarrow[2)\ H_2O]{1)\ RMgX} R-\underset{b}{\overset{a}{C}}-OH$$

Les **aldéhydes** R—CH=O et les **cétones** R—CO—R′ réagissent selon ce schéma. Le **dioxyde de carbone** $CO_2$, ou O=C=O, réagit normalement par l'une de ses doubles liaisons mais, du fait de la présence de l'autre double liaison, on obtient un acide et non un alcool. Ces résultats sont résumés ci-après (dans tous les cas l'organomagnésien apporte le groupe R, les groupes R′ et R″ provenant du substrat) :

|  |  |  |  |  |
|---|---|---|---|---|
| – si a = b = H | $H_2C{=}O$ | Formaldéhyde | → $R{-}CH_2OH$ | Alcool primaire |
| – si a = H, b = R′ | R′—CH=O | Aldéhyde quelconque | → R—CH(OH)—R′ | Alcool secondaire |
| – si a = R′, b = R″ | R′—C(=O)—R″ | Cétone | → R—C(R′)(OH)—R″ | Alcool tertiaire |
| – si a = b = O | O=C=O | Dioxyde de carbone | → R—C(=O)—OH | Acide carboxylique |

## 14-D

*Comment la réaction d'un organomagnésien sur l'orthoformiate d'éthyle peut-elle fournir un aldéhyde, puisque les organomagnésiens réagissent facilement sur les aldéhydes. Ne devrait-on pas obtenir un alcool?*

## *Esters. Chlorures d'acides*

**14.9** Les **esters,** R—CO—OR′, réagissent d'abord normalement par leur groupe carbonyle, comme les aldéhydes ou les cétones. Mais cette première étape d'addition est immédiatement suivie d'une seconde, au cours de laquelle s'élimine spontanément une molécule d'alcoolate magnésien mixte, ROMgX, et il se forme une cétone. Celle-ci réagit alors à son tour avec l'organomagnésien, pour donner, dans une troisième étape, un alcool tertiaire :

$$XMg^+R^- + \underset{\text{Ester}}{R'(R''O)C{=}O} \rightarrow R{-}C(R')(OR'')){-}O^-MgX^+ \rightarrow \underset{\text{Cétone}}{R{-}C(R'){=}O} + R''OMgX$$

puis

$$XMg^+R^- + R'(R)C{=}O \longrightarrow R{-}C(R')(R){-}O^-MgX^+ \xrightarrow{H_2O} \underset{\text{Alcool}}{R{-}C(R')(R){-}OH} + XMgOH$$

La cétone qui se forme d'abord résulte d'un processus d'*addition-élimination*, dont le bilan est en fait la *substitution* nucléophile du groupe R″O— par le carbanion $R^-$ de l'organomagnésien.

*14-E*

*Au cours de cette substitution, dans quel ordre se succèdent la formation et la rupture des liaisons concernées? Sur ce point, comment cette réaction se compare-t-elle aux substitutions* $S_N1$ *et* $S_N2$ [13.5]*?*

L'alcool tertiaire obtenu à l'issue de cette réaction comporte nécessairement, parmi ses trois groupes alkyles, deux fois celui du magnésien. Cette préparation des alcools tertiaires est donc moins générale que celle qui utilise une cétone [14.8], par laquelle on peut *a priori* préparer n'importe quel alcool tertiaire.

**14.10** Les **chlorures d'acides,** R—COCl, réagissent de la même façon que les esters, le chlore jouant le même rôle que le groupe R″O de ceux-ci. Il se forme donc d'abord une cétone, à la suite de l'addition-élimination détaillée ci-dessus :

$$XMg^+R^- + \underset{Cl}{\overset{R'}{\;}}\!\!>C{=}O \rightarrow R{-}\underset{Cl}{\overset{R'}{C}}{-}O^-\,MgX^+ \rightarrow R{-}\overset{R'}{C}{=}O + ClMgX$$

et cette cétone, avec une seconde molécule d'organomagnésien, donne l'alcool tertiaire $R_2R'C{-}OH$.

Cependant, à très basse température (— 60 °C) la réaction conduit à la cétone R—CO—R′, car dans ces conditions l'organomagnésien ne réagit pas sur elle pour donner un alcool tertiaire.

*14-F*

*Quelle explication donner au fait qu'à très basse température un organomagnésien ne réagisse plus avec les cétones, mais réagisse encore avec les chlorures d'acides?*

## Nitriles

**14.11** La réaction entre un organomagnésien et un nitrile R—C≡N conduit d'abord à une *imine*, par une addition sur la triple liaison C≡N dont le schéma est identique à celui de l'addition sur le groupe carbonyle C=O :

$$XMg^+R^- + R'{-}\overset{\delta+}{C}{\equiv}\overset{\delta-}{N} \longrightarrow \underset{R'}{\overset{R}{\;}}\!\!>C{=}N^-\,MgX^+$$

$$\xrightarrow{H_2O} \underset{R'}{\overset{R}{\;}}\!\!>C{=}NH + XMgOH$$

Imine

Mais l'imine s'hydrolyse facilement elle-même, et le produit final de la réaction est une *cétone* :

$$\underset{R'}{\overset{R}{\;}}\!\!>C{=}NH + H_2O \rightarrow \underset{R'}{\overset{R}{\;}}\!\!>C{=}O + NH_3$$

### *Époxydes*

**14.12** Les époxydes [9.12; 15.22] possèdent un cycle fortement contraint, qui s'ouvre facilement par rupture de l'une des liaisons C—O. Cette ouverture peut notamment être provoquée par une attaque nucléophile sur l'un des deux carbones; l'hydrolyse en milieu acide en a déjà été un exemple [9.12], la réaction avec les organomagnésiens en constitue un autre.

Sur l'oxyde d'éthylène, le plus simple des époxydes, elle s'effectue selon le schéma :

$$XMg^+R^- + H_2\overset{\delta+}{C}\text{—}CH_2 \text{ (cycle via } O^{\delta-}) \longrightarrow R\text{—}CH_2\text{—}CH_2\text{—}O^-MgX^+$$

$$\xrightarrow{H_2O} R\text{—}CH_2\text{—}CH_2OH + XMgOH$$

Avec d'autres époxydes, il peut se poser une question d'orientation de la réaction, si la molécule est dissymétrique. Ainsi, le 1,2-époxypropane peut donner deux produits différents avec le bromure de méthylmagnésium :

$$\overset{(1)}{H_2C}\text{—}\overset{(2)}{CH}\text{—}CH_3 \text{ (cycle via O)} \xrightarrow[\text{2) } H_2O]{\text{1) } CH_3MgBr} \begin{cases} (1)\ CH_3\text{—}CH_2\text{—}CHOH\text{—}CH_3 & (A) \\ (2)\ HOCH_2\text{—}CH(CH_3)\text{—}CH_3 & (B) \end{cases}$$

La réaction est *régiosélective* : on obtient majoritairement l'alcool résultant de l'attaque sur le carbone le moins encombré (donc, dans l'exemple ci-dessus, l'alcool A, résultant de l'attaque sur le groupe $CH_2$).

Cette réaction est considérée comme une addition, puisque l'organomagnésien s'additionne comme sur un groupe carbonyle : $R^-$ se lie sur C et MgX sur O, à la suite de la rupture d'une liaison C—O. Mais on peut aussi la considérer comme une substitution nucléophile sur le carbone, $R^-$ se substituant à l'oxygène. Si ce carbone est asymétrique, on peut mettre en évidence que cette substitution s'accompagne d'une inversion de configuration (mécanisme $S_N2$ [13.7]).

## ORGANOCADMIENS

**14.13** Les organocadmiens symétriques R—Cd—R, dont le mode de préparation à partir des organomagnésiens a déjà été indiqué [14.1], sont moins réactifs que les organomagnésiens. En particulier, ils ne réagissent pas avec les cétones, ce qui permet de préparer celles-ci à partir de chlorures d'acides, par la réaction

$$R\text{—}Cd\text{—}R + 2\,R'\text{—}COCl \rightarrow 2\,R\text{—}CO\text{—}R' + CdCl_2$$

sans qu'il soit nécessaire, comme avec les organomagnésiens, d'opérer à très basse température [14.10].

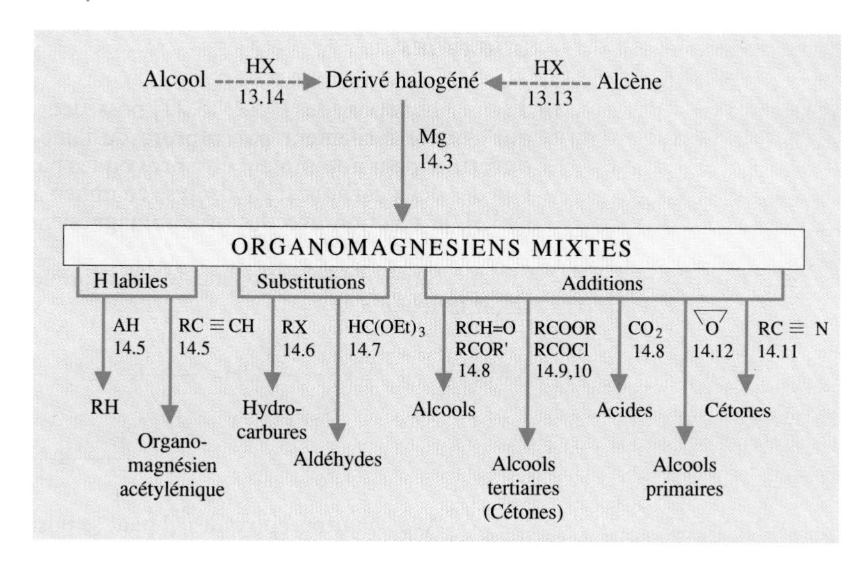
Alcool
HX
13.14
Dérivé halogéné
HX
13.13
Alcène
Mg
14.3
ORGANOMAGNESIENS MIXTES
H labiles
Substitutions
Additions
AH
14.5
RC ≡ CH
14.5
RX
14.6
HC(OEt)3
14.7
RCH=O
RCOR'
14.8
RCOOR
RCOCl
14.9,10
CO2
14.8
O
14.12
RC ≡ N
14.11
RH
Organo-
magnésien
acétylénique
Hydro-
carbures
Aldéhydes
Alcools
Alcools
tertiaires
(Cétones)
Acides
Alcools
primaires
Cétones

## EXERCICES

*Les **règles de nomenclature**, permettant de faire correspondre réciproquement un nom et une formule, sont exposées dans le chapitre 7 (pour les stéréoisomères, au chapitre 3).*

**14-a** Complétez les réactions suivantes (le second membre correspond au résultat final, après hydrolyse) :

1) $CH_3-CH_2-MgBr + C_6H_5-CH=O \rightarrow ...$
2) $CH_3-CH_2-MgBr + ... \rightarrow CH_3-CH_2-CO_2H$
3) $CH_3-CH_2-MgBr + H-CH=O \rightarrow ...$
4) $CH_3-CH_2-MgBr + ... \rightarrow CH_3-CH_2-CH_2-CH_2OH$
5) $CH_3-CH_2-MgBr + CH_3-C\equiv CH \rightarrow ...$
6) $CH_3-CH_2-MgBr + CH_3-CH_2-CO-OCH_3 \rightarrow ...$
7) $CH_3-CH_2-MgBr + CH_3-CHOH-CH_3 \rightarrow ...$
8) $CH_3-CH_2-MgBr + H_2O \rightarrow ...$
9) $CH_3-CH_2-MgBr + ... \rightarrow CH_3-CH_3 + CH_3OH$
10) $CH_3-CH_2-MgBr + ... \rightarrow CH_3-CH_2-CH(CH_3)-CH_3$
11) $CH_3-CH_2-MgBr + CH_3-CH_2-CO-CH_3 \rightarrow ...$
12) $CH_3-CH_2-MgBr + C_6H_5-C\equiv N \rightarrow ...$

**14-b** Comment peut-on préparer les composés suivants, en une ou plusieurs étapes, à partir du bromure de phénylmagnésium?

1) $C_6H_5-CHCl_2$
2) $C_6H_5-CHCl-CH_3$
3) $C_6H_5-CO-CH_3$
4) $C_6H_5-CH_2-CH_2Br$
5) $C_6H_5-\underset{\displaystyle CH_3}{\underset{|}{C}}=CH_2$

**14-c** Par quel enchaînement de réactions peut-on passer

1) de $R-CH=CH_2$ à $R-CH(CH_3)-CO_2H$
2) de $R-CH=CH_2$ à $R-CH(CH_3)-CH_2OH$ (sans autre matière première organique)
3) de $Ph-CO-Ph$ à $Ph-\underset{\displaystyle CH_2}{\underset{\|}{C}}-Ph$
4) de $CH_3-CH_2-COCl$ à $CH_3-CH_2-\underset{\displaystyle CH_3}{\underset{|}{C}}(OH)-CH_2-CH_3$
5) de $R-C\equiv N$ à $R-CCl_2-CH_3$
6) de $R-CH_2Cl$ à $R-CH_2-CH_2-Cl$
7) de $R-CH_2Cl$ à $R-CH_2-CH_2-CH_2Cl$
8) de $Ph-C\equiv CH$ à $Ph-\underset{\displaystyle CH_3}{\underset{|}{C}}=CH_2$
9) de $CH_3-CH_2OH$ à $CH_3-CH_2-CH=O$

**14-d** Identifier les composés représentés par (a), (b), (c), (d) et (e) dans l'enchaînement de réactions suivant :

$$(a) + PCl_5 \rightarrow (b) + POCl_3$$
$$(b) + 2\,OH^- \rightarrow (c) + 2\,H_2O + 2\,Cl^-$$
$$(c) + CH_3MgBr \rightarrow (d) + CH_4$$
$$(d) + \underset{\diagdown\ O\ \diagup}{H_2C\text{———}CH_2}, \quad \text{puis} \quad H_2O \rightarrow (e)$$
$$(e) \xrightarrow{H_2SO_4} CH_3-\underset{\displaystyle CH_3}{\underset{|}{CH}}-C\equiv C-CH=CH_2 + H_2O$$

***14-e*** La réaction $Ph-CO-CH_3 + CH_3-CH_2MgBr \rightarrow Ph-\overset{*}{C}(OH)(CH_3)-CH_2-CH_3$ s'accompagne de la création d'un carbone asymétrique. Compte tenu de la géométrie du groupe $>C=O$ dans la molécule initiale, cet alcool est-il obtenu sous une forme optiquement active ou inactive?

***14-f*** On considère la réaction du bromure d'éthylmagnésium sur le *cis*-2,3-époxybutane :

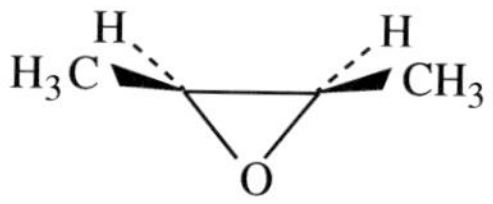

H H
$H_3C$ $CH_3$
O

pour donner, après hydrolyse, l'alcool $CH_3-CH_2-CH(CH_3)-CHOH-CH_3$

1) La molécule initiale contient-elle un ou des carbone(s) asymétrique(s)? Est-elle optiquement active?
2) La molécule obtenue est-elle optiquement active?
3) L'attaque du carbanion $CH_3-CH_2^-$ peut avoir lieu indifféremment sur l'un ou l'autre des deux carbones du cycle, également encombrés. Les deux modes d'attaque donnent-ils deux molécules identiques ou non?
4) Pratiquement, cette réaction donne-t-elle l'alcool sous une forme optiquement active, ou inactive?

## UNE SYNTHÈSE ORGANOMAGNÉSIENNE AU LABORATOIRE

**14.14** Supposons qu'il s'agisse de préparer du 2-méthylbutan-2-ol par une synthèse magnésienne à partir de bromure d'éthyle $CH_3CH_2Br$ et d'acétone $CH_3{-}CO{-}CH_3$, en trois étapes :

1) *Formation du bromure d'éthylmagnésium :*

$$CH_3CH_2Br + Mg \rightarrow CH_3CH_2{-}MgBr$$

2) *Addition de l'acétone :*

$$CH_3CH_2{-}MgBr + CH_3{-}CO{-}CH_3 \rightarrow CH_3{-}CH_2{-}\underset{\displaystyle CH_3}{\underset{|}{C}}(OMgBr){-}CH_3$$

3) *Hydrolyse de l'alcoolate magnésien :*

$$CH_3{-}CH_2{-}\underset{\displaystyle CH_3}{\underset{|}{C}}(OMgBr){-}CH_3 + H_2O \rightarrow CH_3{-}CH_2{-}\underset{\displaystyle CH_3}{\underset{|}{C}}(OH){-}CH_3$$

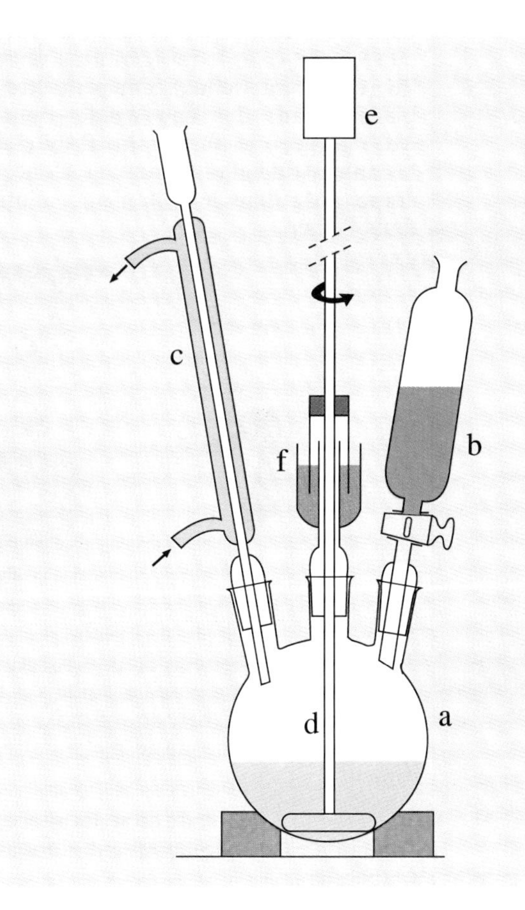

La synthèse s'effectue dans l'appareillage classique de la plupart des réactions organiques, constitué par un ballon à trois cols (a), équipé d'une ampoule à robinet (b), d'un réfrigérant (c) dans l'enveloppe duquel circule de l'eau froide, et d'un agitateur interne (d) entraîné par un moteur (e) (cet agitateur pénètre dans le ballon par l'intermédiaire d'un joint à mercure (f) qui assure l'étanchéité).

1) On place dans le ballon le magnésium (sous forme de copeaux) et on le recouvre avec de l'éther (photo A); puis on remplit l'ampoule à robinet avec une solution de bromure d'éthyle dans de l'éther, et on la fait couler lentement, goutte à goutte, dans le ballon.

A

La chaleur dégagée par la réaction élève la température dans le ballon et l'éther qu'il contient se met à bouillir; les vapeurs d'éther se condensent dans le réfrigérant et on voit couler de l'éther liquide au bas du réfrigérant (reflux). On peut être amené à refroidir le ballon en le plaçant dans de l'eau froide, pour « calmer » la réaction et éviter « d'engorger » le réfrigérant. Progressivement le magnésium disparaît et le contenu du ballon devient gris foncé (photo B). A la fin de cette première étape, on a dans le ballon une solution de bromure d'éthylmagnésium dans l'éther.

B

2) La seconde étape s'effectue sans délai, dans le même ballon; on introduit lentement, à l'aide de l'ampoule à robinet, une solution d'acétone dans l'éther, en refroidissant le ballon; le rythme de l'addition est réglé de façon que le mélange réactionnel ne s'échauffe pas exagérément.

Une fois l'addition terminée, on laisse tourner quelque temps l'agitateur. Le ballon contient alors une solution dans l'éther d'alcoolate magnésien.

3) L'hydrolyse de l'alcoolate s'effectue en versant le contenu du ballon sur un mélange eau/glace (photo C). Le résultat est une bouillie blanche, par suite de la formation d'hydroxyde de magnésium; celui-ci est dissous par l'addition d'un peu d'acide chlorhydrique et on obtient alors un liquide limpide formé de deux couches non miscibles : la couche supérieure (phase éthérée) contient la majeure partie de l'alcool, en solution dans l'éther; la couche inférieure (phase aqueuse) est constituée par une solution dans l'eau de $MgCl_2$ et $MgBr_2$ contenant en outre un peu de l'alcool (sa solubilité dans l'eau n'est pas nulle).

On opère la séparation de ces deux phases en versant le tout dans un « décanteur »; après quelques instants de repos, les deux couches se séparent (schéma 1 ci-dessous et photo D) et il est facile de les recueillir séparément dans deux récipients distincts (schémas 2 et 3).

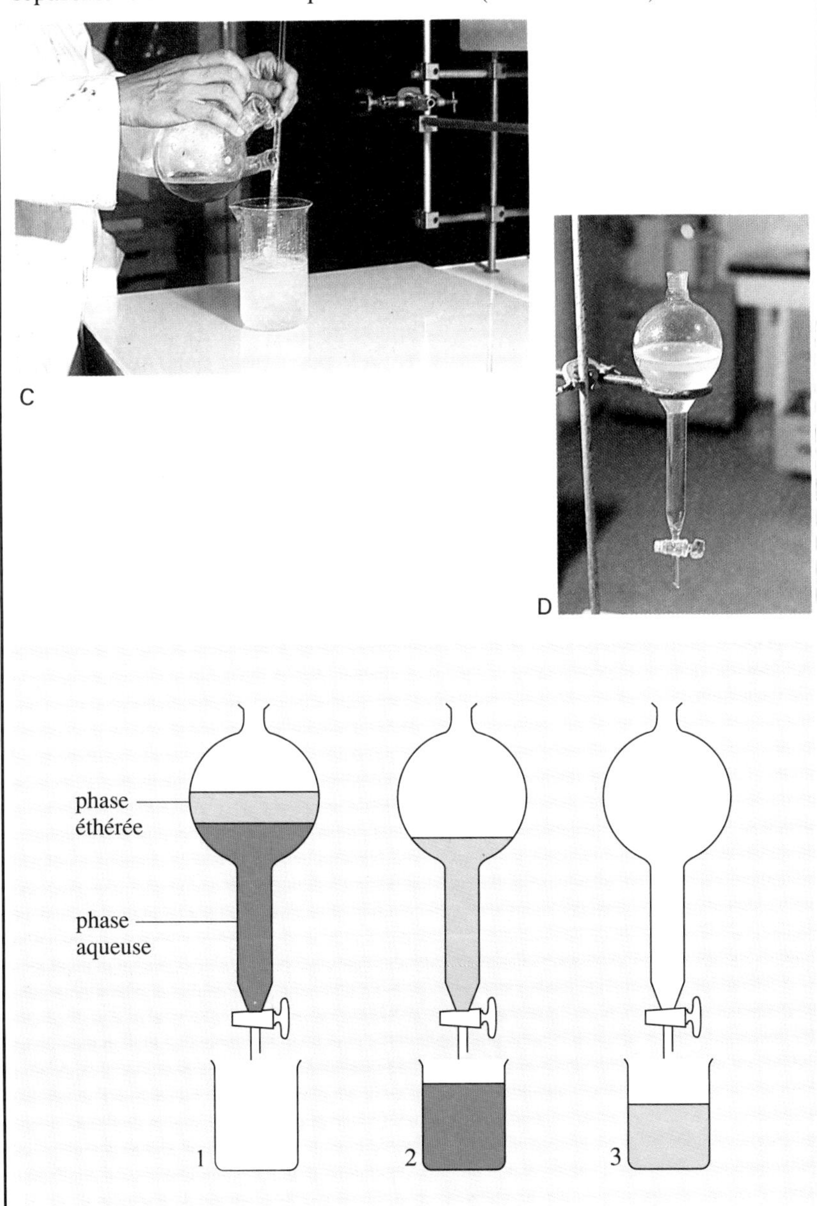

Afin de récupérer aussi complètement que possible l'alcool formé, il faut encore « extraire » l'alcool qui se trouve dans la phase aqueuse, en utilisant le fait qu'il est beaucoup plus soluble dans l'éther que dans l'eau. On remet la phase aqueuse dans le décanteur et on l'agite vigoureusement avec un peu d'éther (photo E). Après repos et séparation des deux couches, on recommence une ou deux fois, de façon à « épuiser » totalement la phase aqueuse.

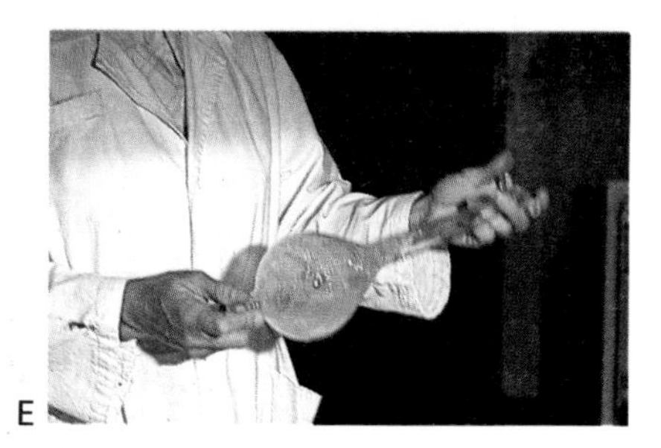
E

On réunit enfin toutes les solutions éthérées, on les sèche en y introduisant un desséchant solide (par exemple, $Na_2SO_4$ anhydre), puis on filtre et on distille. On recueille d'abord l'éther ($Eb_{760} = 35°$), puis le thermomètre monte à 102°, point d'ébullition du 2-méthyl-butan-2-ol que l'on recueille à part.

Il ne reste qu'à vérifier la pureté du produit (indice de réfraction, spectres...) et à le peser pour déterminer le rendement de la synthèse; dans le cas présent, si l'on a bien travaillé, ce rendement doit être voisin de 90 % (1 mole de réactifs donne 0,9 mole d'alcool) mais de nombreuses réactions ont des rendements plus faibles.

# Les alcools

# 15

## les éthers-oxydes
## les thiols

**15.1** Les *alcools* sont les composés dans lesquels un groupe *hydroxyle* OH est lié à un carbone saturé ($sp^3$). Leur groupement fonctionnel est donc $\geqslant$**C—OH** et leur formule générale est **R—OH.**

On connaît aussi des composés dans lesquels un groupe OH est lié à un carbone non saturé, mais ce ne sont pas des alcools :

– si un groupe OH est lié à l'un des carbones d'un cycle benzénique, il s'agit d'un *phénol* [chap. 16],

– si un groupe OH est porté par l'un des deux carbones d'une double liaison, il s'agit d'un *énol*, forme tautomère généralement instable d'un aldéhyde ou d'une cétone [1.15].

Ceci n'exclut pas la présence éventuelle d'un cycle benzénique, ou d'une double liaison, dans la molécule d'un alcool, à la condition que le groupe hydroxyle ne soit pas directement lié à un carbone non saturé ($sp^2$).

*Exemples :*

Alcools : $CH_3-CH(OH)-CH(CH_3)-CH_3$ ; OH, $CH_3$ (cyclohexène substitué) ; $C_6H_5-CH_2OH$

Phénol : OH, $CH_3$ (cycle benzénique)

Enol : $CH_3-C(OH)=CH-CH_2-CH_3$

On distingue trois « classes » d'alcools, en fonction du degré de substitution du carbone portant la fonction [1.7] :

| $R-CH_2OH$ | $R-CH(OH)-R'$ | $R-C(R')(OH)-R''$ |
|---|---|---|
| Alcool primaire | Alcool secondaire | Alcool tertiaire |

La *nomenclature* des alcools est exposée au chapitre 7 [7.10].

# 1 — Caractères physiques

**15.2** Aucun alcool n'est gazeux à la température ordinaire. Les alcools acycliques sont liquides jusqu'en $C_{12}$, solides au-delà.

Les *points d'ébullition* des alcools sont beaucoup plus élevés que ceux des hydrocarbures correspondants et de presque tous les autres composés fonctionnels possédant le même nombre d'atomes de carbone, comme le montrent les données suivantes :

*Points d'ébullition (en °C, sous 1 atm) de quelques composés en $C_2$*

| Composé | Éb. | Composé | Éb. |
|---|---|---|---|
| $CH_3—CH_3$ | −88,5 | $CH_3—CH_2Br$ | 38,4 |
| $CH_3—O—CH_3$ | −24,0 | $CH_3—CH_2I$ | 72,3 |
| $CH_3—CH_2Cl$ | 13,1 | $CH_3—CH_2—OH$ | 78,3 |
| $CH_3—CH{=}O$ | 20,8 | $CH_3—CO_2H$ | 118,1 |

Il apparaît clairement que l'élévation très importante du point d'ébullition consécutive au remplacement d'un H de l'éthane par un groupe OH (+ 167°) n'est pas due à l'augmentation de la masse moléculaire qui en résulte. L'éther $CH_3—O—CH_3$, isomère de l'éthanol $CH_3—CH_2OH$, bout beaucoup plus bas que lui, et l'iodure d'éthyle $CH_3—CH_2I$, bien que beaucoup plus lourd que lui, bout cependant plus bas également. Seul l'acide acétique bout plus haut.

La valeur élevée des points d'ébullition des alcools est due à l'existence de liaisons intermoléculaires, appelées **liaisons hydrogènes** (*). Celles-ci résultent de la forte polarisation de la liaison O—H, qui entraîne la présence de charges partielles importantes sur O et sur H. Il se manifeste des forces d'attraction électrostatique entre l'oxygène d'une molécule et l'hydrogène d'une autre, qui provoquent des « associations » de molécules, en nombre plus ou moins grand (on dit, d'ailleurs, que les alcools sont des liquides « associés »). Ces associations peuvent, par exemple, prendre les formes suivantes :

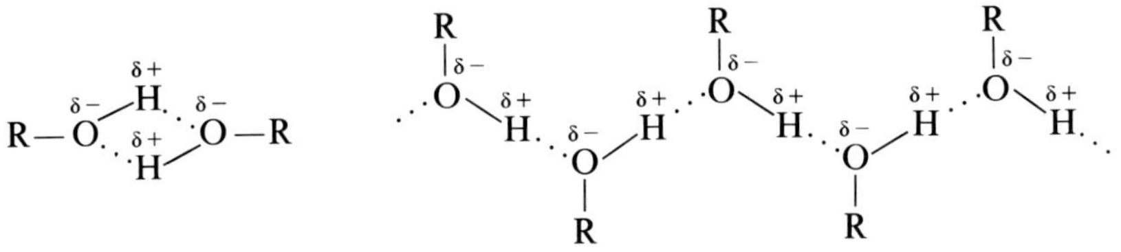

Structure « dimère »

Structure « polymère »

La liaison hydrogène est loin d'être aussi forte qu'une liaison covalente normale, et la mise en solution d'un alcool (dans un solvant qui ne soit pas susceptible de former lui-même des associations de ce type) suffit à la rompre par dispersion des molécules au sein du solvant. Mais elle augmente néanmoins l'énergie nécessaire pour libérer une molécule des interactions exercées par ses voisines dans la phase liquide, et la faire passer dans la phase gazeuse, et l'élévation du point d'ébullition en est une conséquence. La liaison hydrogène a également un effet sur la *viscosité*, qui est plus grande que pour un liquide non associé, car elle réduit la mobilité des molécules les unes par rapport aux autres.

(*) Sur ce sujet, on pourra consulter également le *Cours de Chimie physique* (chapitre 18).

La liaison hydrogène existe dans tous les composés organiques possédant un groupe OH (alcools R—OH, phénols Ar—OH, acides R—CO—OH) ou un groupe N—H (amines), et également dans certains composés minéraux (eau H—OH, fluorure d'hydrogène HF). Dans tous les cas, elle a pour conséquence une forte élévation du point d'ébullition par rapport à la valeur prévisible en fonction de la masse moléculaire, ou par analogie avec des composés voisins.

Les premiers termes des alcools sont *solubles dans l'eau*, grâce à l'établissement de liaisons hydrogène mixtes, entre les groupes OH de molécules d'alcool et de molécules d'eau. Mais cette solubilité diminue à mesure que la masse moléculaire augmente, car la partie hydrocarbonée de la molécule prend de plus en plus d'importance par rapport au groupe fonctionnel, et il y correspond une insolubilité dans l'eau (les hydrocarbures y sont insolubles).

Les alcools sont *toxiques*. L'absorption de méthanol peut provoquer la cécité et même la mort; les effets néfastes de l'éthanol (alcool éthylique) sur l'organisme sont d'autre part bien connus.

# 2 — Réactivité

15.3 Deux caractéristiques du groupement fonctionnel des alcools déterminent leur réactivité : la *polarisation des liaisons* C—O et O—H, due à la forte électronégativité de l'oxygène, et la présence sur ce dernier de *deux doublets libres :*

$$\overset{\delta+}{—\underset{|}{\overset{|}{C}}}—\overset{\delta'-}{\ddot{\underset{\cdot\cdot}{O}}}—\overset{\delta''+}{H}$$

Selon les conditions, les alcools peuvent réagir de deux façons :

— *Par rupture de la liaison* O—H, qui se produit en *milieu basique.* L'hydrogène « fonctionnel » présente une certaine labilité, ou aptitude à se laisser « arracher » par une base sous la forme $H^+$, avec formation d'un ion alcoolate $RO^-$ :

$$RO—H + B^- \underset{2}{\overset{1}{\rightleftarrows}} RO^- + BH$$

Les réactions qui en résultent sont dues au caractère basique et nucléophile de l'ion $RO^-$, qui peut provoquer des éliminations ou des substitutions sur d'autres molécules.

Cet équilibre n'est cependant déplacé significativement dans le sens 1 qu'en présence d'une base forte. Ce caractère « acide » des alcools décroît des alcools primaires aux secondaires et de ceux-ci aux tertiaires, et on peut voir dans cette évolution une conséquence de l'effet inductif répulsif des groupes R [4.14], qui « contrarierait » la polarisation de la liaison O—H, et diminuerait la stabilité de l'ion $RO^-$. Mais ces différences de réactivité sont aussi très largement liées au rôle du solvant; le classement indiqué plus haut s'observe en solution dans l'eau, mais il peut être inversé en phase gazeuse.

– ***Par rupture de la liaison*** **C—O, qui se produit en *milieu acide*. La « protonation » de l'oxygène entraîne la formation du carbocation $R^+$ :**

$$R-\ddot{O}H + H^+ \rightleftarrows R-\overset{+}{\ddot{O}}(H)-H \rightleftarrows R^+ + H_2O$$

Les acides de Lewis (électrophiles) peuvent jouer le même rôle.

Les réactions associées à cette rupture de la liaison C—O résultent soit de la fixation d'un nucléophile sur $R^+$ (bilan : *substitution* de OH par ce nucléophile), soit du départ d'un proton ($H^+$) en α du carbone portant la charge + (bilan : *élimination* de H et OH, et formation d'une double liaison).

La facilité de cette rupture diminue des alcools tertiaires aux secondaires et de ceux-ci aux primaires, en raison de la stabilité décroissante du carbocation formé [5.12].

Les alcools peuvent donc jouer le rôle d'un *acide* en présence d'une base, et celui d'une *base* en présence d'un acide; ils sont *amphotères*. En milieu neutre, aucun des deux schémas n'est possible et les alcools sont pratiquement non réactifs.

$$\overset{\delta+}{-C}\!\rightarrow\!\overset{\delta'-}{\ddot{O}}\!\leftarrow\!\overset{\delta''+}{H}$$

**Attaque par les bases** ($\rightarrow RO^-$)
(primaires > secondaires > tertiaires)

**Attaque par les acides** ($\rightarrow R^+$)
(tertiaires > secondaires > primaires)

## Réaction avec les bases

**15.4** Le comportement des alcools en milieu basique traduit la *labilité de l'hydrogène fonctionnel*, conséquence de la forte polarisation de la liaison O—H. L'enlèvement de cet hydrogène par une base conduit à la formation des **alcoolates,** tels que :

| | |
|---|---|
| $CH_3ONa$ | Méthanolate (ou méthylate) de sodium |
| $CH_3-CH_2-CH_2OK$ | Propan-1-olate (ou propylate) de potassium |

*15-A*

*Quels autres cas de labilité de l'hydrogène avons-nous déjà rencontrés? Par quelles possibilités de réactions se traduisaient-ils?*

La mise en présence d'un alcool et d'une base $B^-$ donne lieu à l'établissement de l'équilibre

$$ROH + B^- \underset{2}{\overset{1}{\rightleftarrows}} RO^- + BH$$

entre les deux couples acidobasiques [5.17] $ROH/RO^-$ et $BH/B^-$. Cet équilibre est d'autant plus déplacé dans le sens 1 que la base $B^-$ est plus forte, c'est-à-dire que le $pK_a$ du couple $BH/B^-$ est plus fort.

Le $pK_a$ des alcools se situe entre 16, pour les alcools primaires, et 18, pour les alcools tertiaires (ou encore, leurs constantes d'acidité $K_a$ se situent entre $10^{-16}$ et $10^{-18}$). Leur réaction avec la soude en solution aqueuse ($pK_a(H_2O/OH^-) = 14$) est donc toujours très incomplète, puisque la base $RO^-$ est notablement plus forte que la base $OH^-$. A l'équilibre, il ne se forme que très peu d'alcoolate :

$$ROH + OH^- \underset{2}{\overset{1}{\rightleftarrows}} RO^- + H_2O$$

ou $$ROH + NaOH \underset{2}{\overset{1}{\rightleftarrows}} RONa + H_2O$$

Par contre, l'action de l'eau sur un alcoolate (sens 2) provoque son hydrolyse à peu près totale.

Pour former effectivement les alcoolates, il faut faire intervenir des bases plus fortes que $RO^-$, comme $NH_2^-$ (amidure de sodium $NaNH_2$; $pK_a(NH_3/NH_2^-) = 35$) qui donne une réaction pratiquement totale :

$$ROH + NH_2^- \rightarrow RO^- + NH_3$$

Les organométalliques (les organomagnésiens en particulier) donnent également une réaction complète ($pK_a(RH/R^-) \approx 50$).

Les alcoolates peuvent également être obtenus par l'action directe d'un métal, en particulier un métal alcalin comme Na ou K, sur l'alcool :

$$ROH + Na \rightarrow RONa + \frac{1}{2} H_2$$

*15-B*

---

*S'agit-il aussi d'une réaction acidobasique? Quel est le caractère du métal qui est mis en jeu?*

---

Les ions alcoolates $RO^-$ sont des bases fortes, mais leur basicité varie cependant en raison inverse de l'acidité de l'alcool dont ils sont la base conjuguée. Les alcoolates tertiaires $R_3CO^-$ (par exemple $tBuO^-$, ion « tertiobutylate ») sont donc les plus fortement basiques.

Les alcoolates sont utilisés dans diverses réactions, soit de substitution nucléophile [13.4],

*Exemple :*

$$CH_3{-}CH_2O^- + CH_3Br \rightarrow CH_3{-}CH_2{-}O{-}CH_3 + Br^-$$

soit d'élimination [13.8] :

*Exemple :*

$$CH_3O^- + (CH_3)_3CCl \rightarrow CH_2{=}C(CH_3)_2 + Cl^- + CH_3OH$$

## Réaction avec les acides minéraux

Le groupe OH est un « mauvais groupe partant » : la liaison qui l'unit au carbone se rompt très difficilement. Mais le groupe $-\overset{+}{O}H_2$ qui résulte de la fixation d'un proton, en milieu acide, sur l'un des doublets libres de l'oxygène, se sépare beaucoup plus facilement du carbone, comme peut le faire par exemple un halogène. Comme dans le cas des dérivés halogénés, des réactions de *substitution* ($\overset{+}{O}H_2$ remplacé par un nucléophile) ou d'*élimination* (départ de $\overset{+}{O}H_2$ et d'un H en α) deviennent possibles.

Ces réactions peuvent s'effectuer selon les mécanismes $S_N1$ ou $S_N2$ [13.5], E1 ou E2 [13.9]. Les mécanismes monomoléculaires en deux étapes ($S_N1$ et E1) s'observent principalement avec les alcools tertiaires, en raison de la stabilité particulière des carbocations tertiaires.

Dans toutes ces réactions, les alcools se classent pour leur réactivité (facilité, ou rapidité, de réaction) dans l'ordre suivant (> = plus réactif que) :

Tertiaires > Secondaires > Primaires

*15-C*

*Pourquoi la protonation de l'oxygène facilite-t-elle la rupture de la liaison C—O?*

### *Formation d'esters minéraux*

Il s'agit de réactions de *substitution*, correspondant au bilan général

$$R-OH + HY \rightleftarrows R-Y + H_2O$$

dans lesquelles l'acide HY joue un double rôle : il assure la protonation de l'oxygène et son anion $Y^-$ constitue le réactif nucléophile. Les composés RY qui en résultent sont souvent appelés « esters minéraux », bien que le terme ester désigne, en principe, exclusivement le produit de la réaction entre un alcool et un acide organique R—COOH.

■ *Hydracides halogénés*

15.5 Les hydracides halogénés HX réagissent avec les alcools, pour donner des dérivés halogénés, dont c'est une bonne méthode de préparation [13.14].

*Exemples :*

$$CH_3-OH + HCl \rightleftarrows Cl^- + CH_3-\overset{+}{O}H_2 \rightleftarrows CH_3-Cl + H_2O \quad (S_N2)$$

$$tBu-OH + HCl \rightleftarrows tBu-\overset{+}{O}H_2 + Cl^- \rightleftarrows \underbrace{tBu^+ + Cl^-}_{\displaystyle \downarrow \atop \displaystyle tBu-Cl} + H_2O \quad (S_N1)$$

Cette réaction peut être catalysée par les ions $Zn^{2+}$ ($ZnCl_2$ en solution), agissant comme acide de Lewis [5.19]. Ils peuvent en effet, grâce à leurs orbitales vacantes, se fixer sur l'un des doublets libres de l'oxygène et ainsi faciliter la rupture de la liaison C—O (pour les mêmes raisons que dans le cas de la protonation, cf. 15-C) :

$$\text{a) } R{-}\ddot{\underset{\cdot\cdot}{O}}H + Zn^{2+} \rightarrow R{-}\overset{+}{\underset{\underset{Zn^{+}}{|}}{O}}{-}H \rightarrow R^{+} + ZnOH^{+}$$

$$\text{b) } R^{+} + Cl^{-} \rightarrow R{-}Cl$$

Dans ces conditions, à la température ordinaire, la réaction des alcools tertiaires est pratiquement immédiate, celle des alcools secondaires a lieu en une dizaine de minutes, mais les alcools primaires ne réagissent que très lentement. Sous le nom de *« test de Lucas »*, cette réaction constitue un moyen de caractérisation analytique des trois classes d'alcools. On l'effectue en mélangeant dans un tube à essai un petit échantillon de l'alcool et une solution de chlorure de zinc dans l'acide chlorhydrique; lorsque l'halogénure se forme, au bout d'un temps variable, la solution se trouble, car il est insoluble dans l'eau.

Les alcools peuvent également être convertis en dérivés halogénés par divers réactifs : dérivés halogénés du phosphore, chlorure de thionyle [13.14].

■ *Acide nitrique*

L'acide nitrique transforme les alcools en nitrates d'alkyles, ou « esters nitriques » :

$$R{-}OH + HNO_3 \rightarrow R{-}O{-}NO_2 + H_2O$$

Cette réaction se pratique surtout sur des polyalcools (par exemple le glycérol ou propane-1,2,3-triol), pour fabriquer des explosifs [20.11].

## Deshydratation

**15.6** En présence d'acide sulfurique $H_2SO_4$, ou phosphorique $H_3PO_4$, dont les anions sont peu nucléophiles, les alcools ne donnent pas d'esters, mais ils se *deshydratent*, c'est-à-dire subissent une perte d'eau. Dans cette réaction, l'acide joue le rôle de catalyseur.

Selon la température, cette déshydratation conduit soit à un *alcène*, soit à un *éther-oxyde.*

*Exemple :*

$$CH_3{-}CH_2OH \xrightarrow[170\,^{\circ}C]{H_2SO_4} \underset{\text{Alcène}}{H_2C{=}CH_2} + H_2O$$

$$2\,CH_3{-}CH_2OH \xrightarrow[140\,^{\circ}C]{H_2SO_4} \underset{\text{Ether-oxyde}}{CH_3{-}CH_2{-}O{-}CH_2{-}CH_3} + H_2O$$

Les alcools peuvent également être deshydratés au contact d'un catalyseur solide, comme l'alumine $Al_2O_3$, en phase gazeuse, vers 350-400 °C. On obtient alors uniquement l'alcène.

Les alcools tertiaires se déshydratent très facilement, dès 50 °C, les alcools secondaires plus difficilement, vers 100 °C, et les alcools primaires encore plus difficilement, vers 150 °C

Si deux alcènes isomères par la position de la double liaison peuvent se former, celui qui se forme majoritairement, parfois même exclusivement, peut être prévu par la *règle de Zaïtsev* (comme pour la deshydrohalogénation des dérivés halogénés [13.8]) : la double liaison se forme préférentiellement avec le carbone le plus substitué, pour donner l'alcène le plus stable [9.2].

*Exemple :* le butan-2-ol $CH_3-CH_2-CHOH-CH_3$ donne presque uniquement le but-2-ène $CH_3-CH=CH-CH_3$ et seulement des « traces » de but-1-ène $CH_3-CH_2-CH=CH_2$.

D'autre part, si l'alcène formé peut exister sous deux formes stéréoisomères $Z$ et $E$, la réaction donne la forme dans laquelle les deux substituants les plus volumineux sont en position *trans*, également parce que c'est la plus stable [9.2].

On peut attribuer le mécanisme suivant à la déshydratation des alcools en phase liquide, au contact d'un acide comme $H_2SO_4$ :

a) Première étape : protonation de l'alcool et formation d'un carbocation,

$$-\overset{\overset{\displaystyle H}{|}}{\underset{|}{C}}-\overset{\overset{\displaystyle :\ddot{O}H}{|}}{\underset{|}{C}}- + H_2SO_4 \rightleftarrows -\overset{\overset{\displaystyle H}{|}}{\underset{|}{C}}-\overset{\overset{\displaystyle :\overset{+}{O}H_2}{|}}{\underset{|}{C}}- + HSO_4^-$$

$$\rightleftarrows -\overset{\overset{\displaystyle H}{|}}{\underset{|}{C}}-\overset{+}{\underset{|}{C}}- + H_2O + HSO_4^-$$

b) Première éventualité pour la seconde étape : perte d'un proton par le carbocation,

$$HSO_4^- + -\overset{\overset{\displaystyle H}{|}}{\underset{|}{C}}-\overset{+}{\underset{|}{C}}- \rightleftarrows H_2SO_4 + \gt C=C \lt \quad \text{Alcène}$$

b′) Deuxième éventualité pour la seconde étape : réaction du carbocation avec une deuxième molécule d'alcool,

$$\ldots -\overset{|}{\underset{|}{C^+}} + H\ddot{O}-\overset{|}{\underset{|}{C}}- \ldots \rightarrow \ldots \overset{|}{\underset{|}{C}}-\overset{+}{\underset{\underset{\displaystyle H}{|}}{\ddot{O}}}-\overset{|}{\underset{|}{C}}- \ldots$$

$$\xrightarrow{HSO_4^-} \ldots -\overset{|}{\underset{|}{C}}-\ddot{\underset{\cdot\cdot}{O}}-\overset{|}{\underset{|}{C}} \ldots + H_2SO_4$$

Éther-oxyde

Ce mécanisme rend bien compte de la formation des deux produits, alcène et éther, ainsi que du rôle catalytique de l'acide sulfurique qui n'est, en définitive, pas « consommé ». Il justifie également l'influence de la température sur le résultat de la réaction (alcène à température élevée, éther à température plus basse). En effet, la formation de l'éther nécessite que le carbocation ait « le temps » de rencontrer une molécule d'alcool avant d'avoir perdu un proton et donné l'alcène. Or la « durée de vie » d'un carbocation est d'autant plus courte que la température est plus élevée.

La déshydratation des alcools donne lieu à une compétition entre une réaction d'élimination (formation de l'alcène) et une réaction de substitution (formation de l'éther-oxyde par substitution de OR à OH dans la molécule impliquée par la première étape). La situation est analogue à celle qui a déjà été rencontrée à propos des dérivés halogénés [13.11]; la seule différence est que le « groupe partant » est OH (ou $\overset{+}{O}H_2$) au lieu de X.

Dans le mécanisme décrit ci-dessus, la compétition a lieu entre les deux mécanismes monomoléculaires correspondants, E1 et $S_N1$. C'est ainsi que réagissent en particulier les alcools *secondaires*. Mais les alcools *primaires*, en raison de la moindre stabilité de leur carbocation, réagissent plutôt selon des mécanismes bimoléculaires. La compétition a alors lieu entre les mécanismes E2 et $S_N2$, et elle se joue au niveau du premier intermédiaire (alcool protoné) :

$$\text{E2} \rightarrow \quad HSO_4^- \rightarrow H \quad (\text{sur } R-CH-CH_2-\overset{+}{O}H_2)$$

$$R-\underset{|}{\overset{H}{C}}H-CH_2-\overset{+}{O}H_2$$

$$S_N2 \rightarrow \quad R-CH_2-CH_2\ddot{O}H$$

Les alcools *tertiaires* donnent un alcène par une réaction E1, mais ils ne donnent pas d'éthers, trop instables en raison du volume important des deux groupes liés à l'oxygène.

La déshydratation en phase gazeuse sur alumine s'interprète comme une catalyse par un acide de Lewis, analogue à celle des ions $Zn^{2+}$ dans la réaction des alcools avec HCl [15.5]. La formation exclusive d'alcènes s'explique par la température élevée à laquelle la réaction a lieu

*15-D*

*La déshydratation d'un alcool et l'hydratation d'un alcène* [9.8] *sont deux réactions inverses, qui ont lieu dans les mêmes conditions* ($H_2SO_4$) *et comportent les mêmes intermédiaires. Si l'on déshydrate un alcool, puis réhydrate l'alcène obtenu, on devrait donc retrouver l'alcool dont on est parti. Est-ce toujours le cas?*

## Estérification

**15.7** Les alcools réagissent avec les acides carboxyliques R—COOH pour donner un *ester*, selon le bilan :

$$\underset{\text{Acide}}{R-\underset{\substack{\| \\ O}}{C}-OH} + \underset{\text{Alcool}}{R'-OH} \underset{2}{\overset{1}{\rightleftarrows}} \underset{\text{Ester}}{R-\underset{\substack{\| \\ O}}{C}-OR'} + H_2O$$

*Exemple :*

$$\underset{\text{Acide benzoïque}}{C_6H_5-COOH} + \underset{\text{Méthanol}}{CH_3OH} \rightleftarrows \underset{\text{Benzoate de méthyle}}{C_6H_5-CO-OCH_3} + H_2O$$

La réaction, catalysée par les acides forts ($H_2SO_4$ par exemple) est *inversible*, la réaction inverse (sens 2) étant l'*hydrolyse* de l'ester. Comme toute réaction inversible, elle est incomplète, ou *limitée*, en ce sens que la consommation des réactifs n'est pas complète. Elle aboutit à un état d'équilibre dans lequel les *quatre* espèces figurant dans le bilan sont présentes, dans des proportions qui n'évoluent plus, les deux réactions inverses se produisant simultanément avec la même vitesse et annulant leurs effets.

En outre, l'estérification est une réaction particulièrement lente. Dans certains cas, à la température ordinaire, l'état d'équilibre n'est atteint qu'au bout de plusieurs jours.

La quantité d'ester formée à l'équilibre dépend principalement de la classe de l'alcool. A partir de 1 mole d'acide et 1 mole d'alcool, on obtient environ :

– si l'alcool est primaire ......... 0,67 mole d'ester
– si l'alcool est secondaire ........ 0,60 mole d'ester
– si l'alcool est tertiaire .......... 0,05 mole d'ester

Pour rendre une réaction inversible plus complète et améliorer son rendement (proportion des réactifs transformée en produit), on peut en principe agir sur trois paramètres : la température, la pression, les concentrations des composés en présence (« action de masse ») (*).

Dans le cas de l'estérification, la température est sans effet car la réaction est pratiquement « athermique » (chaleur, ou enthalpie, de réaction nulle). Le seul intérêt d'élever la température est d'atteindre l'état d'équilibre plus rapidement, mais sa composition n'est pas modifiée. La pression est également sans effet, parce que la réaction ne s'accompagne pas d'une variation de volume significative.

Mais on peut modifier l'équilibre final pour obtenir une plus grande quantité d'ester en utilisant un excès de l'un des réactifs (celui qui est le moins cher) par rapport à l'autre. Celui qui est « en défaut » peut alors être estérifié à peu près totalement, et l'excès inutilisé de l'autre est récupérable. Ainsi, avec 1 mole d'un alcool primaire et 10 moles d'acide, on obtient 0,97 mole d'ester (le taux d'estérification de l'alcool est 97 %, et il reste 9,03 moles d'acide récupérables).

Le même résultat peut être obtenu en éliminant l'un des produits de la réaction au fur et à mesure de sa formation. Un procédé très couramment employé pour rendre l'estérification complète (même sans excès de l'un des réactifs) est d'éliminer l'eau, par diverses techniques (fig. 15.1).

Les esters peuvent être obtenus dans de meilleures conditions (réactions plus rapides et plus totales) en utilisant à la place de l'acide l'un de ses dérivés, *anhydride* ou *chlorure d'acide* [19.16, 17]. Avec un chlorure d'acide, la réaction normale (non inversible) est :

$$\mathrm{R{-}\underset{\underset{\displaystyle O}{\|}}{C}{-}Cl + R'{-}OH \rightarrow R{-}\underset{\underset{\displaystyle O}{\|}}{C}{-}OR' + HCl}$$

(*) Les lois du déplacement des équilibres sont exposées dans tous les manuels de chimie physique ou générale (voir, par exemple, le *Cours de Chimie physique*, chapitres 35 et 36).

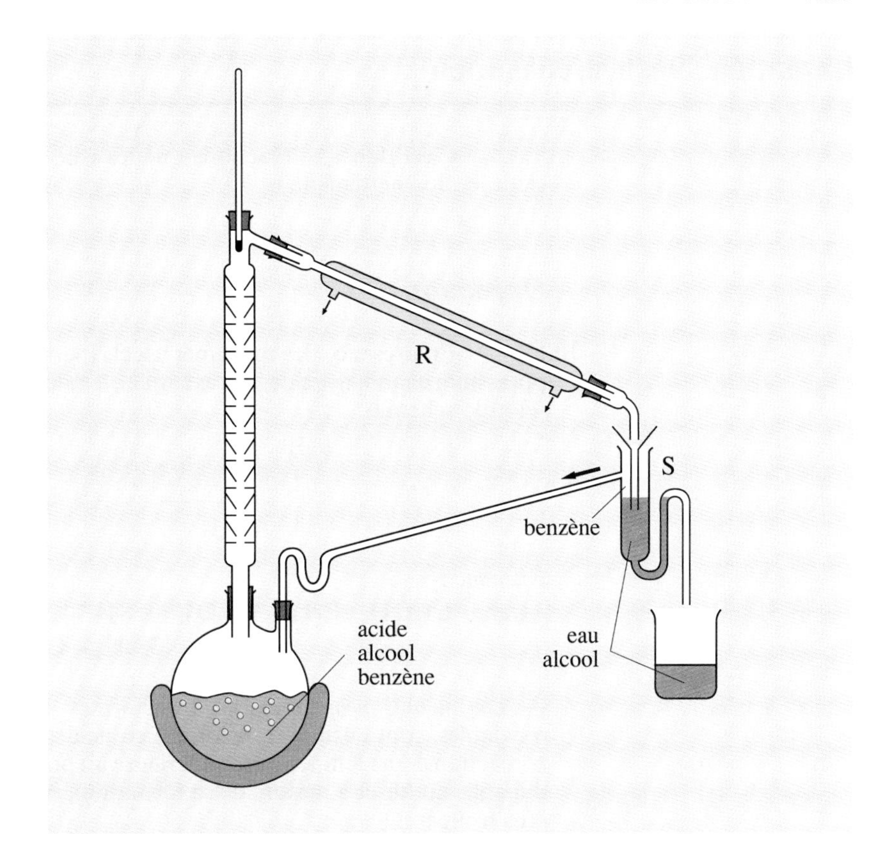

*Figure 15.1 — La technique de l'estérification.*
Pour éliminer au fur et à mesure de sa formation l'eau qui résulte de l'estérification, on peut ajouter du benzène au mélange d'acide et d'alcool, et opérer à la température d'ébullition du mélange.
Le benzène, l'eau et l'alcool forment un « azéotrope », c'est-à-dire qu'ils distillent ensemble, dans des proportions constantes, et ainsi l'eau se trouve entraînée dans la phase gazeuse.
Après refroidissement et condensation (au cours de son passage dans le réfrigérant R), le mélange qui s'est vaporisé est recueilli dans un séparateur S, où il se décante en deux couches : la couche supérieure est constituée de benzène, qui est renvoyé dans le ballon; la couche inférieure, qui contient l'eau et un peu d'alcool, est soutirée.
On calcule la quantité d'alcool à utiliser en tenant compte de la perte qui se produit ainsi.

mais les alcools tertiaires peuvent donner une réaction différente :

$$R{-}COCl + R_3C{-}OH \rightarrow R_3C{-}Cl + R{-}COOH$$

en raison de la facilité avec laquelle leur liaison $C{-}O$ se rompt.

Le **mécanisme** de l'estérification n'est pas simple, et en outre il n'est pas le même dans tous les cas; il ne sera donc pas envisagé ici en détail. Mais son étude expérimentale offre un exemple de l'une des méthodes de détermination des mécanismes réactionnels, la méthode du *marquage isotopique.*

Il n'est pas possible de savoir *a priori* si la molécule d'eau formée dans la réaction contient le groupe OH de l'acide ou celui de l'alcool. Pour le savoir, on effectue la réaction avec un alcool, préparé spécialement, dans lequel l'oxygène est l'isotope $^{18}O$ (au lieu de l'isotope « normal » $^{16}O$), et on peut mettre en évidence que cet oxygène « lourd » se retrouve dans la molécule de l'ester, non dans celle d'eau. La réaction comporte donc les coupures de liaisons suivantes (*O* désignant l'oxygène $^{18}O$) :

$$\underset{\displaystyle O}{\overset{}{R{-}\underset{\|}{C}}} \,\vdots\, O{-}H + R'{-}\mathit{O} \,\vdots\, H \rightleftarrows \underset{\displaystyle O}{R{-}\underset{\|}{C}}{-}\mathit{O}{-}R' + H_2O$$

Le mécanisme de la réaction n'est pas élucidé pour autant, mais on dispose à son sujet d'une indication essentielle.

## Oxydation. Déshydrogénation

C'est dans ces réactions que les trois classes d'alcools se différencient le plus nettement.

### *Oxydation*

**15.8** En présence des oxydants usuels (permanganate ou bichromate de potassium en milieu acide, par exemple), les alcools subissent une oxydation selon le schéma :

$$-\underset{|}{\overset{\overset{\displaystyle H}{|}}{C}}-OH \xrightarrow{\text{Oxydant}} \;>C{=}O + H_2O$$

*Exemple :*

$$3\,CH_3{-}CHOH{-}CH_3 + Cr_2O_7^{2-} + 8\,H^+ \rightarrow 3\,CH_3{-}CO{-}CH_3 + 7\,H_2O + 2\,Cr^{3+}$$

– Les *alcools primaires* sont transformés en aldéhydes qui, étant très oxydables, sont ensuite transformés en acides [18.18]. Mais si on effectue la réaction à une température supérieure au point d'ébullition de l'aldéhyde, il distille au fur et à mesure de sa formation, échappe à l'oxydation, et peut être récupéré.

– Les *alcools secondaires* sont transformés en cétones, qui peuvent éventuellement être ensuite oxydées en donnant deux acides [18.19], mais seulement si les conditions d'oxydation sont très brutales.

– Les *alcools tertiaires*, ne possédant pas d'hydrogène sur le carbone fonctionnel ne peuvent être oxydés. Mais ils se déshydratent, car l'oxydation se fait généralement en milieu acide, en donnant un alcène qui peut ensuite être oxydé avec coupure de la double liaison [9.14].

Alcool primaire $R{-}CH_2OH \rightarrow \underset{\text{Aldéhyde}}{R{-}CH{=}O} \rightarrow \underset{\text{Acide}}{R{-}COOH}$

Alcool secondaire $R{-}CHOH{-}R' \rightarrow \underset{\text{Cétone}}{R{-}CO{-}R'} \dashrightarrow 2$ Acides

Alcool tertiaire $R{-}\underset{\underset{\displaystyle R''}{|}}{C}OH{-}R' \rightarrow$ Alcène $\rightarrow$ Produits d'oxydation

### *Déshydrogénation*

**15.9** A 300 °C, en phase vapeur, au contact de cuivre jouant le rôle de catalyseur, les alcools se déshydrogènent selon le schéma :

$$-\underset{|}{\overset{\overset{\displaystyle H}{|}}{C}}-OH \xrightarrow[300\,°C]{Cu} \;>C{=}O + H_2$$

Comme dans l'oxydation, les alcools primaires donnent un aldéhyde et les alcools secondaires donnent une cétone. Les alcools tertiaires ne peuvent pas se déshydrogéner.

*15-E*

*— Pourquoi dit-on que l'on « oxyde » un alcool en le transformant en aldéhyde ou cétone qui ne contient pas plus d'oxygène que lui? Est-ce l'hydrogène qui se retrouve dans* $H_2O$ *qui est oxydé?*
*— La déshydrogénation d'un alcool donne le même produit (aldéhyde ou cétone) que son oxydation. Peut-on, pour cette raison, dire que c'est aussi une oxydation? Si oui, quel est l'oxydant?*

# 3 — État naturel

**15.10** Il existe des alcools dans la nature, notamment dans les végétaux qui contiennent divers alcools « terpéniques », souvent très odoriférants : menthol, terpinéol, linalol, etc. Dans les organismes animaux on en trouve également, par exemple le cholestérol. La vitamine A est aussi un alcool (voir formules et autres exemples au chapitre 24).

Mais le plus souvent, dans la nature, la fonction alcool est associée dans la même molécule à d'autres fonctions (aldéhyde, cétone, acide, ...), et fréquemment elle est estérifiée.

# 4 — Préparations

La fonction alcool constitue en quelque sorte un carrefour en synthèse, et les voies pour y accéder sont nombreuses, mais toutes ne sont pas générales pour les trois classes d'alcools.

1) *A partir d'un alcène*

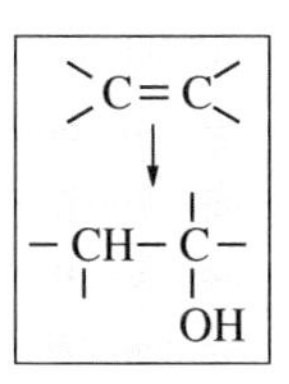


**15.11** L'**hydratation des alcènes,** catalysée par l'acide sulfurique [9.8] conduit à des alcools. Mais seul l'éthylène fournit un alcool primaire (l'éthanol, dont c'est d'ailleurs une préparation industrielle); les autres alcènes ne peuvent donner que des alcools secondaires ou tertiaires (règle de Markownikov).

L'hydratation des doubles liaisons par **hydroboration** [9.9] permet toutefois d'obtenir une addition de l'eau « anti-Markownikov ».

*Exemple :*

$H_2O$ $[H_2SO_4]$ → OH

1) $BF_3$, 2) $H_2O_2$ → OH

*2) A partir d'un dérivé halogéné*

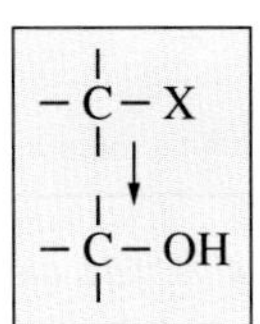

**15.12** L'**hydrolyse** (action de l'eau) ou la **saponification** (action de la soude) des dérivés halogénés [13.4] conduisent, par une substitution nucléophile, à un alcool. Cette substitution risque d'être « concurrencée » par une élimination, donnant un alcène [13.11], surtout si l'halogénure est tertiaire; ce risque est fortement diminué si l'on utilise, à la place de soude, de l'hydroxyde d'argent AgOH. On peut également tourner cette difficulté en faisant d'abord réagir le dérivé halogéné avec de l'acétate de sodium $CH_3—CO_2Na$ pour former l'ester $CH_3—CO_2R$ [13.4], qui est ensuite hydrolysé en alcool R—OH et acide acétique [15.16].

*Exemple :*

Cl ; $Ag^+OH^-$ → OH + AgCl

$CH_3—CO_2Na$ → $O—COCH_3$ ; $H_2O$ → OH + $CH_3COOH$

*3) A partir d'un aldéhyde, d'une cétone ou d'un époxyde*

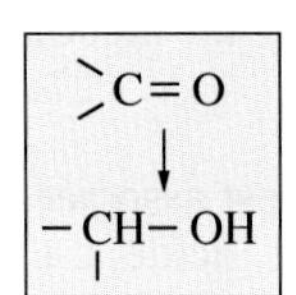

**15.13** L'**hydrogénation catalytique** des aldéhydes et des cétones conduit, respectivement, aux alcools primaires et aux alcools secondaires [18.4].

*Exemples :*

$$\underset{\text{Aldéhyde}}{CH_3—CH_2—CH{=}O} + H_2 \xrightarrow{[Ni]} \underset{\text{Alcool primaire}}{CH_3—CH_2—CH_2OH}$$

$$\underset{\text{Cétone}}{CH_3—CO—CH_2—CH_3} + H_2 \xrightarrow{[Ni]} \underset{\text{Alcool secondaire}}{CH_3—CHOH—CH_2—CH_3}$$

**15.14** La **réduction par un hydrure métallique,** comme LiH ou $AlLiH_4$, transforme également les aldéhydes en alcools primaires et les cétones en alcools secondaires [18.6]. L'attaque par un ion hydrure $H^-$ peut aussi ouvrir le cycle des époxydes, avec formation d'un alcool [15.22].

*Exemples :*

=O ; $LiAlH_4$ → $O^-$ ; $H_2O$ → OH

O ; 1) $AlLiH_4$ 2) $H_2O$ → OH

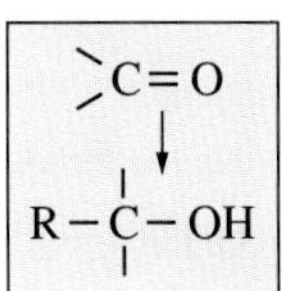

**15.15** La **réaction des organomagnésiens** sur les aldéhydes, les cétones et les époxydes permet d'effectuer la *synthèse* d'alcools des trois classes. Ces réactions ont été présentées en détail au chapitre 14 (14.8, 12) et leurs résultats sont simplement résumés ci-dessous :

$R{-}MgX$ + Formaldéhyde $H_2C{=}O \longrightarrow R{-}CH_2OH$ Alcools primaires

$R{-}MgX$ + autres aldéhydes $R'{-}CH{=}O \longrightarrow R{-}CHOH{-}R'$ Alcools secondaires

$R{-}MgX$ + Cétones $R'{-}CO{-}R'' \longrightarrow R{-}\underset{\displaystyle R''}{\underset{|}{C}}OH{-}R'$ Alcools tertiaires

$R{-}MgX$ + Oxyde d'éthylène $H_2C{-}CH_2$ (pont O) $\longrightarrow R{-}CH_2{-}CH_2OH$ Alcools primaires

$R{-}MgX$ + autres époxydes $\longrightarrow$ Alcools secondaires ou tertiaires

4) *A partir d'un ester*

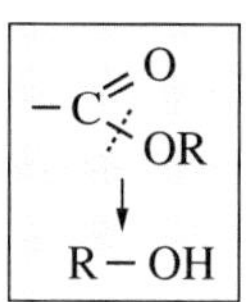

**15.16** L'**hydrolyse des esters** fournit un acide carboxylique et un alcool :

$$R{-}\underset{\displaystyle O}{\underset{\|}{C}}{-}OR' + H_2O \rightleftarrows R{-}\underset{\displaystyle O}{\underset{\|}{C}}{-}OH + R'{-}OH$$

Cette réaction, inversible, est limitée par la réaction inverse (estérification [15.7]). On peut la rendre plus complète et améliorer son rendement en utilisant un grand excès d'eau (application de la loi « d'action de masse »).

**15.17** La **saponification des esters** consiste en une réaction avec une solution de soude :

$$R{-}\underset{\displaystyle O}{\underset{\|}{C}}{-}OR' + NaOH \rightarrow R{-}\underset{\displaystyle O}{\underset{\|}{C}}{-}ONa + R'{-}OH$$

Elle fournit le même alcool que l'hydrolyse, mais elle n'est pas inversible, puisque l'acide formé est neutralisé, et peut donc être totale. Cette réaction doit son nom au fait que, appliquée aux esters particuliers que sont les corps gras [20.11, 24.1], elle sert à préparer les savons.

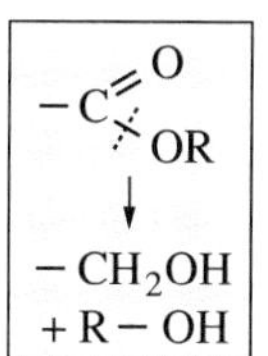

**15.18** La **réduction des esters,** soit par le dihydrogène en présence d'un catalyseur, soit par un hydrure métallique (réduction par l'ion hydrure $H^-$) fournit *deux alcools* :

$$R{-}\underset{\displaystyle O}{\underset{\|}{C}}{-}OR' + 2\,H_2 \rightarrow R{-}CH_2OH + R'{-}OH$$

$$R{-}\underset{\displaystyle O}{\underset{\|}{C}}{-}OR' + 2\,H^- \text{ (puis } H_2O) \rightarrow R{-}CH_2OH + R'{-}OH$$

(la seconde équation représente le bilan global d'une réaction qui comporte en réalité deux étapes, cf. question 15-F ci-après).

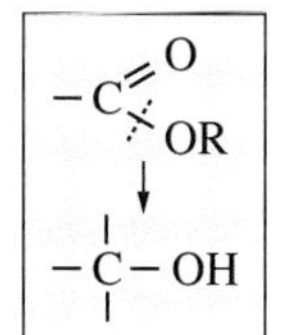

**15.19** La **réaction d'un organomagnésien sur un ester** conduit à un alcool tertiaire qui comporte nécessairement deux fois le groupe alkyle de cet organomagnésien [14.9].

*Exemple :*

$$CH_3{-}CO_2CH_2{-}CH_3 + 2\; C_6H_5{-}MgBr \text{ (puis } H_2O) \longrightarrow C_6H_5{-}\underset{\displaystyle OH}{\underset{|}{\overset{\displaystyle CH_3}{\overset{|}{C}}}}{-}C_6H_5$$

*15-F*

*Qu'y a-t-il de commun entre la saponification d'un ester, sa réduction par un hydrure et sa réaction avec un organomagnésien? Connaissant le mécanisme de sa réaction avec un organomagnésien* [14.9], *proposez un mécanisme plausible pour les deux autres réactions.*

*15-G*

*Faites une liste, disposée verticalement, des méthodes de préparation des alcools, et faites à côté trois colonnes correspondant aux trois classes d'alcools. Pour chaque réaction, indiquez par une croix dans la (ou les) colonne(s) correspondante(s) si elle est applicable aux trois classes, ou seulement à l'une, ou deux, d'entre elles.*

# 5 — Termes importants. Utilisations

**15.20** Pour le tonnage produit et la diversité des utilisations, le *méthanol* $CH_3OH$ est le plus important des alcools. Il est connu depuis 1661 et sa structure a été établie en 1835. On l'obtient industriellement par synthèse, à partir d'un mélange d'oxyde de carbone et de dihydrogène :

$$CO + 2\,H_2 \xrightarrow[250\ °C,\ 50\ bars]{ZnO} CH_3OH$$

Le mélange de $CO$ et $H_2$ nécessaire est lui-même obtenu par réaction soit du coke (carbone), soit du méthane [8.6], avec la vapeur d'eau, à haute température. La production mondiale annuelle de méthanol est de 13 millions de tonnes, dont la moitié environ est convertie en méthanal (formaldéhyde) $H_2C{=}O$ par oxydation catalytique. Ce dernier est utilisé entre autres à la préparation de résines thermodurcissables [16.7; 25.8].

Le méthanol est également employé à la synthèse de l'acide acétique, par réaction avec $CO$, ainsi qu'à la préparation d'esters méthyliques (par exemple, le méthacrylate de méthyle $H_2C{=}C(CH_3){-}CO_2Me$, dont la polymérisation donne le « Plexiglas »). Enfin, il est encore utilisé comme solvant et comme additif dans les carburants.

L'*éthanol* est également produit en grande quantité (environ un million de tonnes/an), soit par hydratation de l'éthylène, soit par fermentation de solutions sucrées, naturelles (jus de raisin ou de betterave) ou artificielles (hydrolyse de l'amidon ou de la cellulose) [22]. Sous la forme de la fabrication de diverses boissons alcoolisées, cette réaction est sans doute la plus ancienne des réactions organiques connues de l'homme et exploitées par lui; mais elle constitue également un procédé de préparation de l'éthanol pur.

Le *propan-2-ol* est la matière première de la préparation de l'acétone $CH_3{-}CO{-}CH_3$ [18.30].

Enfin, divers alcools comportant de 6 à 16 atomes de carbone sont utilisés dans la préparation de détergents, ou autres composés « tensioactifs » [25.9].

## ÉTHERS-OXYDES.

**15.21** Les *éthers-oxydes* (souvent appelés plus simplement « éthers ») ont pour groupement fonctionnel l'enchaînement $\rangle C-O-C\langle$, et pour formules générales **R—O—R** (éthers symétriques) ou **R—O—R′** (éthers mixtes). Leur nomenclature est exposée au chapitre 7 [7.12].

Ils sont *peu réactifs* et, pour cette raison, souvent employés comme solvants. La présence de deux doublets libres sur l'oxygène les rend cependant aptes à former des liaisons par coordinence, soit avec des molécules comportant des orbitales vides (trifluorure de bore $BF_3$, organomagnésiens [14.3]), soit avec des cations métalliques (éthers-couronne [15.26]).

Les éthers sont coupés, à chaud, par les hydracides HI et HBr, en donnant deux dérivés halogénés.

*Exemple :*

$$CH_3-O-CH_2-CH_3 + 2\,HI \xrightarrow{\Delta} CH_3I + CH_3-CH_2I + H_2O$$

Les éthers-oxydes peuvent être obtenus par déshydratation des alcools [15.6], mais on peut également les préparer par une réaction entre un alcoolate et un dérivé halogéné *(réaction de Williamson)*

$$RO^- + R'-X \rightarrow R-O-R' + X^-$$

Les alcoolates et les dérivés halogénés étant des dérivés des alcools, il existe donc deux méthodes pour préparer un éther R—O—R′ à partir des deux alcools ROH et R′OH :

$$R-O-R' \xleftarrow[\Delta]{H_2SO_4} \left\{\begin{array}{l} ROH \xrightarrow{B^-,\,Na} RONa \\ R'OH \xrightarrow{HX} R'X \end{array}\right\} \longrightarrow R-O-R'$$

La réaction de Williamson a cependant un champ d'application limité, du fait que la substitution nucléophile souhaitée est toujours plus ou moins en compétition avec une élimination [13.11], qui devient même la réaction principale si le dérivé halogéné est tertiaire.

---

*15-H*

*La méthode par déshydratation présente, quant à elle, aussi un inconvénient, lorsqu'il s'agit de préparer un éther mixte. Lequel? (situation analogue : cf. 8.10).*

---

*15-I*

*Quel mécanisme plausible pourrait-on attribuer à la coupure d'un éther par HI? (les deux dérivés halogénés se forment successivement).*

---

15.22 Les **époxydes** peuvent être considérés (bien que ce ne soit pas leur méthode de préparation) comme les éthers « internes » des α-diols :

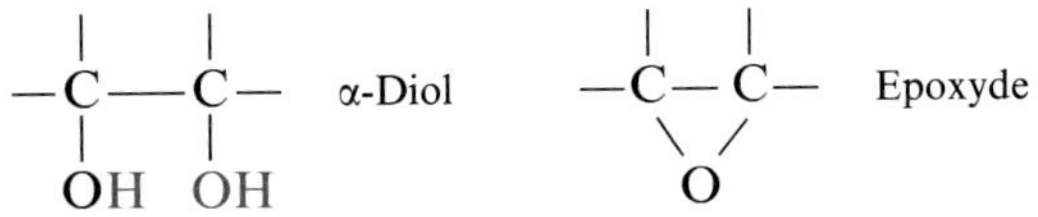

$$\underset{\text{OH}}{\overset{|}{\underset{|}{-\text{C}}}}-\underset{\text{OH}}{\overset{|}{\underset{|}{\text{C}-}}} \quad \alpha\text{-Diol} \qquad -\overset{|}{\text{C}}-\overset{|}{\text{C}}- \ (\text{pont O}) \quad \text{Epoxyde}$$

Ils s'obtiennent par oxydation des alcènes au moyen d'un peracide [9.12]. Contrairement aux éthers ouverts, ils sont *très réactifs*, en raison de la forte contrainte (déformation angulaire) qui règne dans leur cycle [2.8]. Ils présentent une grande tendance à s'ouvrir par rupture de l'une des liaisons C—O, à l'occasion d'une attaque nucléophile sur l'un des deux carbones. Deux exemples de cette réactivité ont déjà été rencontrés : l'hydrolyse en milieu acide [9.12] et la réaction avec les organomagnésiens [14.12]. Ils peuvent également être ouverts par les hydrures métalliques (NaH, $LiAlH_4$), sources d'ions hydrures $H^-$ à caractère nucléophile; on obtient un alcool, après hydrolyse de l'alcoolate qui se forme en premier lieu :

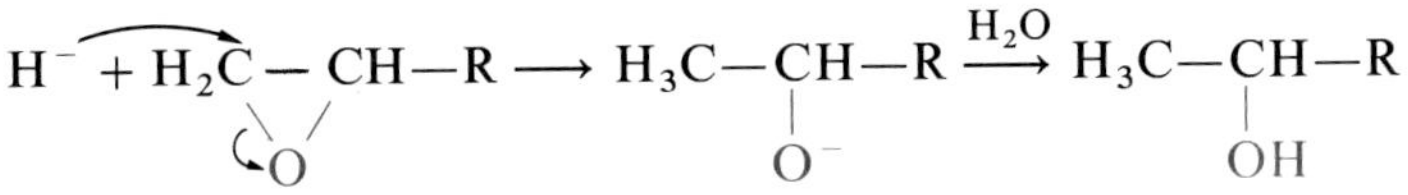

$$H^- + H_2C\overset{O}{-}CH-R \longrightarrow H_3C-\underset{O^-}{\underset{|}{C}}H-R \xrightarrow{H_2O} H_3C-\underset{OH}{\underset{|}{C}}H-R$$

L'attaque de l'ion hydrure, comme les autres attaques nucléophiles, a lieu préférentiellement sur le carbone le moins substitué, parce qu'il est moins encombré (la réaction est donc régiosélective). D'autre part, également comme les autres attaques nucléophiles, elle s'accompagne d'une inversion de configuration sur le carbone concerné (la réaction est stéréospécifique).

## THIOLS — THIOÉTHERS

Les *thiols*, encore appelés *mercaptans*, et les *thioéthers* sont respectivement analogues aux alcools et aux éthers-oxydes, un atome de soufre remplaçant l'atome d'oxygène :

**R—SH** Thiols **R—S—R′** Thioéthers

## Thiols

*Préparation*

15.23 Les réactions permettant de préparer des thiols sont souvent calquées sur certaines de celles qui conduisent aux alcools :

— **Addition du sulfure d'hydrogène sur un alcène :**

$$R-CH=CH_2 + H_2S \xrightarrow{H_2SO_4} R-CHSH-CH_3$$

Comme l'hydratation des alcènes [9.8], la réaction s'effectue en présence d'acide sulfurique, et obéit à la règle de Markownikov.

– **Substitution dans un dérivé halogéné** par un ion $SH^-$ :

$$RX + SH^- \rightarrow R{-}SH + X^-$$

Le réactif est l'hydrogénosulfure de sodium NaSH, analogue soufré de la soude, et la réaction est très semblable à la « saponification » des dérivés halogénés par réaction avec l'ion $OH^-$.

*Propriétés*

**15.24** Les thiols ont une odeur très nauséabonde, et peuvent être détectés dans l'air à des teneurs extrêmement faibles (1 partie pour 50 milliards).

Le soufre étant moins électronégatif que l'oxygène, la liaison S—H est moins polarisée que la liaison O—H. En conséquence, il n'y a pas de liaisons hydrogène fortes entre les molécules des thiols, dont le point d'ébullition est très inférieur à celui des alcools correspondants ($CH_3OH$, Eb = 64,7 °C; $CH_3SH$, Eb = 6 °C).

Malgré cette différence d'électronégativité entre S et O, les thiols sont nettement *plus acides que les alcools* ($pK_a$ entre 9 et 12), de même que $H_2S$ est plus acide que $H_2O$. Il intervient ici d'autres facteurs que l'électronégativité, tels que la différence de rayon entre S et H (plus grande que entre O et H) et la longueur de la liaison S—H. Les thiols donnent donc plus facilement que les alcools des dérivés métalliques, appelés *thiolates* :

$$R{-}SH + Na \rightarrow R{-}SNa + \frac{1}{2}H_2$$

Même en présence de soude, qui ne réagit pratiquement pas avec les alcools [15.4], il se forme une certaine quantité de thiolate de sodium :

$$R{-}SH + NaOH \rightleftarrows R{-}SNa + H_2O$$

L'ion thiolate se comporte comme un réactif nucléophile, susceptible, par exemple, de donner des réactions de substitution telles que :

$$R{-}S^- + R'{-}X \rightarrow R{-}S{-}R' + X^-$$

qui conduit à un thioéther.

L'*estérification* des thiols par les acides carboxyliques est difficile, mais leurs esters s'obtiennent facilement par réaction avec un chlorure d'acide

$$R{-}COCl + R'{-}SH \rightarrow R{-}CO{-}SR' + HCl$$

L'*oxydation* des thiols est très différente de celle des alcools :

– un oxydant doux comme le diiode conduit à un disulfure d'alkyle :

$$2\,R{-}SH + I_2 \rightarrow R{-}S{-}S{-}R + 2\,HI$$

– l'acide nitrique transforme les thiols en acides sulfoniques :

$$R{-}SH \xrightarrow{HNO_3} R{-}SO_3H$$

Le groupement fonctionnel thiol, et le pont disulfure —S—S—, jouent des rôles importants dans divers processus biologiques (synthèse des protéines et des acides gras).

## Thioéthers

**15.25** Les thioéthers, ou sulfures d'alkyles, peuvent être obtenus par action d'un thiolate sur un dérivé halogéné (cf. plus haut), et par addition d'un thiol sur un alcène :

$$R{-}SH + R'{-}CH{=}CH_2 \rightarrow R'{-}CH_2{-}CH_2{-}S{-}R$$

Il s'agit d'une réaction radicalaire, conduisant au produit « anti-Markownikov » (analogie avec l'effet Karasch [9.7]).

L'oxydation d'un thioéther donne facilement un *sulfoxyde*, qui peut ultérieurement être à son tour oxydé en *sulfone* :

$$CH_3{-}\ddot{\underset{\cdot\cdot}{S}}{-}CH_3 \xrightarrow{\text{Oxydation}} CH_3{-}\underset{\underset{O}{\|}}{\ddot{S}}{-}CH_3 \xrightarrow{\text{Oxydation}} CH_3{-}\overset{\overset{O}{\|}}{\underset{\underset{O}{\|}}{S}}{-}CH_3$$

Sulfure de diméthyle — Diméthylsulfoxyde (DMSO) — Diméthylsulfone

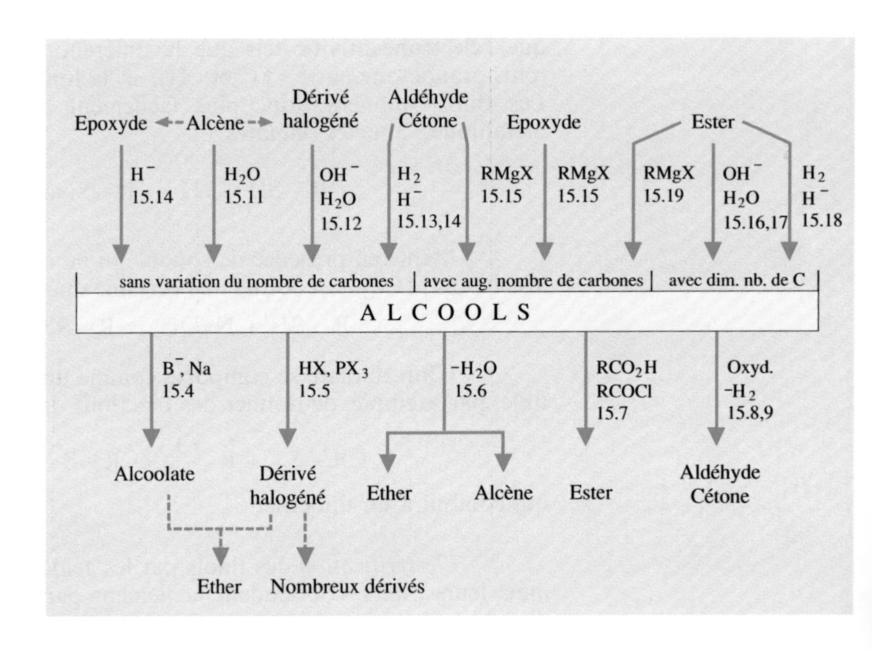

## EXERCICES

*Les **règles de nomenclature**, permettant de faire correspondre réciproquement un nom et une formule, sont exposées dans le chapitre 7 (pour les stéréoisomères, au chapitre 3).*

***15-a*** Peut-on s'attendre à ce que l'équilibre

$$CH_3O^- + (CH_3)_3COH \underset{2}{\overset{1}{\rightleftarrows}} CH_3OH + (CH_3)_3CO^-$$

évolue préférentiellement dans l'un des sens 1 ou 2? Si oui, dans lequel? Pourquoi?

***15-b*** Deux raisons rendent l'enchaînement de réactions suivant non vraisemblable, ou même impossible, Lesquelles?

$$tBu{-}O{-}tBu + 2\,HI \rightarrow 2\,tBuI + H_2O$$
$$tBuI + CH_3O^- \rightarrow tBu{-}O{-}CH_3 + I^-$$

***15-c*** En présence de soude aqueuse, on observe la transformation suivante :

$$Br{-}(CH_2)_4{-}CH_2OH \xrightarrow{OH^-}$$ O

Comment l'expliquer? Quels autres produits sont susceptibles de se former également dans ces conditions?

***15-d*** Que peut donner la réaction entre le benzène et le propan-2-ol en milieu acide?
Quelles autres réactions déjà rencontrées permettraient d'obtenir le même produit?
Qu'y-a-t-il de commun entre elles et la réaction envisagée ici?

***15-e*** Indiquez le (ou les) composé(s) résultant des réactions suivantes :

1) Propan-2-ol + HBr
2) Propan-1-ol + Na
3) Cyclohexanol chauffé avec $H_2SO_4$
4) Alcool tertiobutylique chauffé avec $H_2SO_4$
5) Éthanol + $CH_3{-}CH_2{-}COCl$
6) Cyclohexanol + oxydant très énergique
7) $Ph{-}CH_2OH + KMnO_4(H_2SO_4)$
8) 1-méthylcyclohexanol + $K_2Cr_2O_7(H_2SO_4)$, à chaud
9) Butan-2-ol + $PCl_5$
10) Cyclopentanol + $H{-}COOH$
11) 3-méthylpentan-3-ol sur Cu, à 300°
12) $Ph{-}CH{=}CH{-}CO_2{-}CH_2{-}CH_3 + OH^-$ (soude en solution aqueuse)
13) $Ph{-}CH{=}CH{-}CO_2{-}CH_2{-}CH_3 + LiAlH_4$, puis $H_2O$

***15-f*** L'alcool éthylénique $CH_3{-}CH{=}CH{-}CHOH{-}CH_3$ (quel est son nom?) réagit-il avec les composés suivants et, dans l'affirmative, quel est le produit de la réaction?

1) $H_2$ (Ni Raney)
2) $CH_3Cl$
3) $H_2O(H_2SO_4)$, à froid
4) $KMnO_4$ dilué, à froid
5) $KMnO_4$ concentré, à chaud
6) HBr
7) $CH_3{-}C{\equiv}CH$
8) KOH
9) $CH_3{-}MgBr$
10) $O_3$, puis $H_2O$
11) $H_2SO_4$, à chaud
12) $SOCl_2$

***15-g*** Par quelle méthode simple pourrait-on déterminer la quantité d'alcool contenue dans un carburant formé d'un mélange d'hydrocarbures saturés et d'éthanol?

***15-h*** A partir de méthanol $CH_3OH$, comme unique matière première organique, et de réactifs minéraux, comment pourrait-on préparer les alcools suivants (en plusieurs étapes) :

1) Éthanol
2) Propan-1-ol (deux façons)
3) Propan-2-ol
4) Butan-2-ol
5) 2-méthylpropan-2-ol

***15-i*** Comment peut-on transformer, en une ou plusieurs étapes, à l'aide de réactifs minéraux exclusivement, le butan-2-ol en :

1) 2-bromobutane
2) 2,3-dibromobutane
3) But-2-yne
4) $CH_3—CH_2—CO—CH_3$
5) But-1-yne
6) $CH_3—CH_2—CH(CH_3)—C{\equiv}N$
7) 3,4-diméthylhexan-3-ol
8) $CH_3—CH_2—CH(CH_3)—COOH$
9) $CH_3—CH_2—CH(CH_3)—NH_2$

***15-j*** Trouver la formule des composés désignés par (a), (b), (c), etc. dans les réactions suivantes :

1) $CH_3—C{\equiv}CH + H_2O(Hg^{2+}) \rightarrow$ (a)
   (a) $+ H_2$(Ni Raney) $\rightarrow$ (b)
   (b) + Na $\rightarrow$ (c) $+ \frac{1}{2} H_2$
   (b) $+ SOCl_2 \rightarrow$ (d) $+ SO_2 + HCl$
   (c) + (d) $\rightarrow$ (e) + NaCl
   (e) + 2 HI $\rightarrow$ 2 (f) $+ H_2O$

2) (g) + Mg $\rightarrow$ (h)
   (h) $+ CO_2 \rightarrow$ (i) (après hydrolyse)
   (i) + (j) $\rightleftarrows$ (k) $+ H_2O$
   (k) $+ AlLiH_4 \rightarrow CH_3—CH_2—CH_2OH + CH_3OH$ (après hydrolyse)
   (k) + 2 (h), puis $H_2O \rightarrow$ (l) $+ CH_3OH$

## ÉTHERS-COURONNES ET MOLÉCULES CREUSES

**15.26** Les *éthers-couronnes* sont des polyéthers cycliques, de la forme $\left[-\!\left(CH_2-CH_2-O\right)\!-_n\right]$ tels que le composé A :

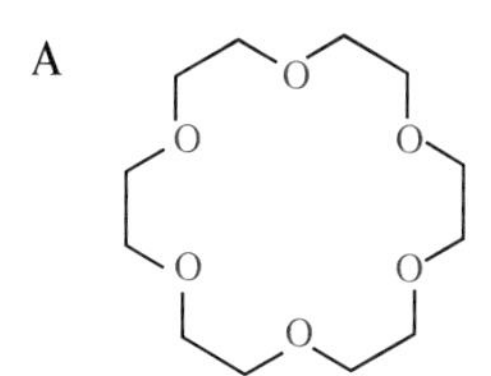


Un éther-couronne (18-couronne-6)

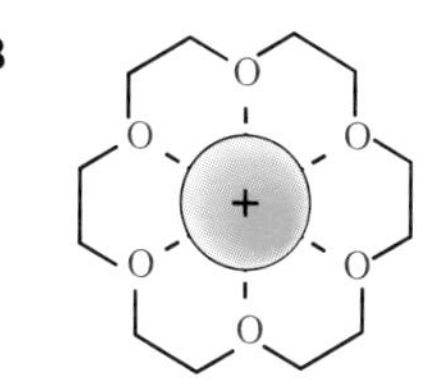


Un cation métallique complexé

Ils présentent la propriété de pouvoir « complexer » un cation métallique qui vient se placer dans l'espace libre central, et y est maintenu par des interactions avec les oxygènes, auxquels leurs doublets libres donnent un caractère nucléophile [15.21]. Mais ils ne forment un complexe stable qu'avec un cation dont la dimension correspond à celle de cet espace libre; ainsi les éthers-couronnes comportant 12, 15 ou 18 atomes complexent respectivement les cations $Li^+$, $Na^+$ et $K^+$. Une telle molécule est donc capable de « reconnaître » un cation déterminé dans un mélange, et de l'en extraire sélectivement.

Cette complexation des cations peut être utilisée pour rendre plus réactif l'anion qui accompagne le cation, de la même manière qu'un solvant dipolaire aprotique « active » les réactifs anioniques [5.20]. On peut même, en présence d'un éther-couronne, dissoudre un sel comme le permanganate de potassium $KMnO_4$ dans un milieu organique où il n'est normalement pas soluble (par exemple, le benzène) et obtenir ainsi un réactif oxydant très fort (par les ions $MnO_4^-$ « libérés ») en milieu anhydre.

Cette reconnaissance est encore plus sélective avec les *cryptands*, molécules analogues mais à trois dimensions, comme le composé C :

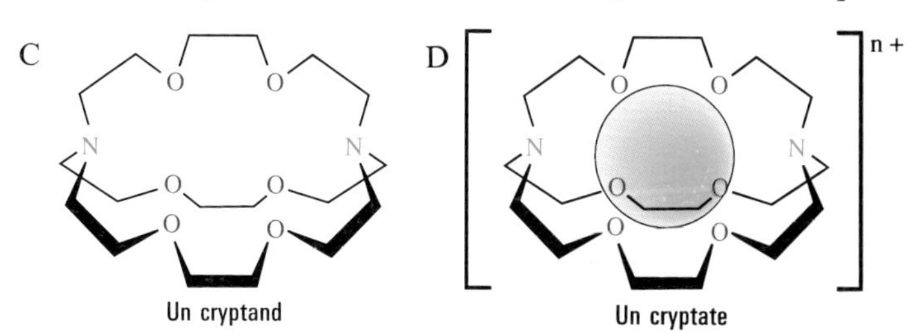


Un cryptand

Un cryptate

Ces molécules présentent en leur centre une cavité, approximativement sphérique, dans laquelle peuvent aussi venir se loger des cations métalliques, à la condition que leur diamètre corresponde à celui de cette cavité. Selon la longueur des chaînes reliant les deux atomes d'azote (« ajustable » à volonté lors de la synthèse du cryptand) on peut donc construire des molécules capables de « mettre en cage » sélectivement un cation déterminé.

On sait aussi préparer des molécules creuses capables de « reconnaître » et complexer sélectivement un cation tétraédrique, comme $NH_4^+$, ou de « trier » parmi des espèces ioniques de forme linéaire, celles qui ont une longueur déterminée, grâce à une cavité interne non plus sphérique mais cylindrique.

En remplaçant les fonctions éthers par des fonctions amines protonées (sites électrophiles), on peut, d'une manière analogue, complexer sélectivement des anions.

Cette *chimie des molécules creuses* constitue l'aspect le plus simple d'une *chimie supramoléculaire*, développée en France par Jean-Marie LEHN (Université de Strasbourg, Prix Nobel de chimie 1987), qui étudie les associations de deux ou plusieurs espèces chimiques maintenues ensemble par des forces intermoléculaires. Ces associations ont des propriétés, notamment optiques et électriques, très particulières, qui permettent d'envisager des applications d'un très grand intérêt et très nouvelles, dans des domaines variés, comme celui de la catalyse ou celui du stockage, du traitement et du transfert de signaux et d'informations.

# Les phénols 16

**16.1** Les *phénols* sont les composés qui comportent un groupe hydroxyle OH lié à l'un des carbones *d'un cycle benzénique* :

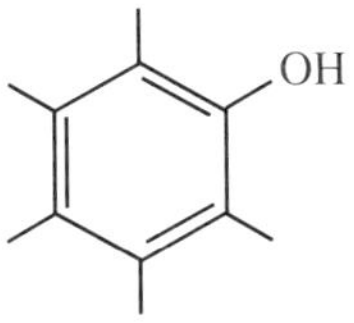

Les groupes hydrocarbonés qui possèdent leur « valence disponible » sur un carbone d'un cycle benzénique étant les groupes (ou radicaux) aryles Ar [12.1], la formule générale des phénols est **Ar—OH.** Le premier terme, $C_6H_5$—OH, dérivant du benzène, est souvent représenté par Ph—OH (Ph = groupe, ou radical, Phényle [1.16]).

Si le groupe OH se trouve sur la *chaîne latérale* d'un hydrocarbure benzénique, il ne s'agit plus d'un phénol mais d'un *alcool benzénique*, dont les propriétés sont celles d'un alcool normal. Ainsi, du toluène $C_6H_5$—$CH_3$ dérivent quatre composés hydroxylés :

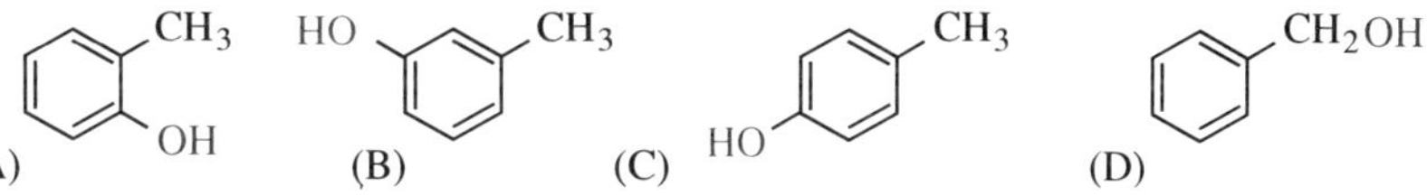

(A) (B) (C) (D)

A, B et C sont des phénols (*ortho-*, *méta-* et *para-*crésol), mais D est un alcool (alcool benzylique).

## 1 — Caractères physiques

**16.2** Presque tous les phénols sont solides à la température ordinaire. Ils sont, comme les alcools, le siège d'associations intermoléculaires par liaison hydrogène.

Les premiers termes sont légèrement solubles dans l'eau. Ils possèdent en général une odeur forte.

# 2 — Réactivité

16.3 Comme les alcools, les phénols possèdent l'enchaînement C—O—H, avec deux liaisons polarisées et deux doublets libres sur l'oxygène. On pourrait donc supposer que leur réactivité est analogue à celle des alcools.

Mais le groupe hydroxyle OH y est en interaction avec le cycle benzénique, au sein d'un système conjugué qui englobe dans une même délocalisation électronique les trois doublets π du cycle et les doublets de l'oxygène :

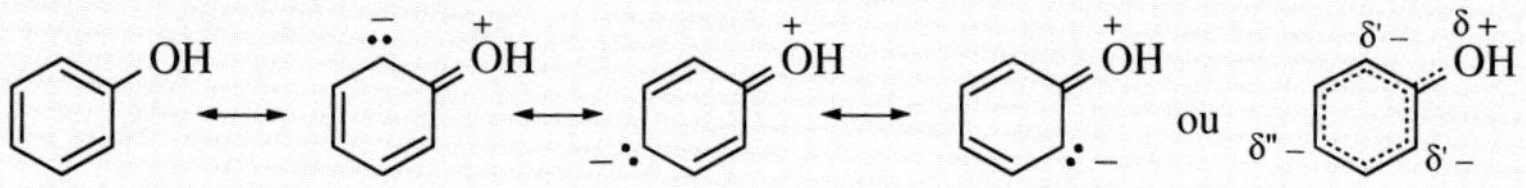

OH ⟷ $\overset{+}{\text{O}}$H ⟷ $\overset{+}{\text{O}}$H ⟷ $\overset{+}{\text{O}}$H ou δ'– δ+ OH δ"– δ'–

Il en résulte une *modification réciproque de la réactivité du groupe* C—OH *(par rapport aux alcools) et de celle du cycle (par rapport à celle des hydrocarbures benzéniques)*.

## Réactivité de la fonction

— La *rupture de la liaison* O—H est *facilitée*. D'une part, le déficit électronique sur l'oxygène provoque un accroissement de sa polarisation. D'autre part, l'ion phénolate $ArO^-$, base conjuguée des phénols, est stabilisé par résonance et sa formation, moyennant le départ de $H^+$, en est favorisée. Les réactions associées à cette rupture sont donc plus faciles, ou plus complètes, qu'avec les alcools.

Il faut observer toutefois que les phénols eux-mêmes sont aussi stabilisés par résonance. Mais ils le sont *moins que les ions phénolates* correspondants car, dans la molécule ArOH la délocalisation entraîne une « séparation de charges » (création de pôles δ+ et δ–, cf. ci-dessus hybride décrivant le phénol), alors que dans un ion phénolate elle disperse seulement la charge sur quatre sites, ce qui est très favorable à la stabilité :

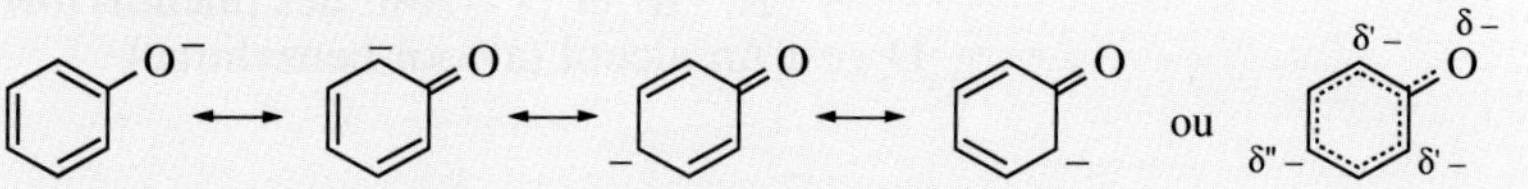

$O^-$ ⟷ O ⟷ O ⟷ O ou δ'– δ– O δ"– δ'–

— La *rupture de la liaison* C—O est rendue *plus difficile*. D'une part cette liaison est renforcée par la délocalisation (elle n'est pas double, mais elle est « plus que simple », cf. hybride décrivant le phénol). D'autre part, comme dans les alcools [15.3], sa rupture nécessite la fixation préalable d'un électrophile ($H^+$, $Zn^{2+}$, etc.) sur un doublet de l'oxygène. Or cette fixation est défavorisée pour deux raisons :

— le déficit sur l'oxygène (charge δ+) diminue l'affinité d'un électrophile pour lui,

— la fixation de cet électrophile immobiliserait l'un des doublets et diminuerait les possibilités de délocalisation ainsi que le gain de stabilité qu'elle procure.

Les réactions observées avec les alcools comportant la rupture de la liaison C—O sont donc beaucoup plus difficiles, ou même impossibles, avec les phénols.

En résumé, les phénols sont *plus acides* et *moins basiques* (ou nucléophiles) que les alcools.

### Réactivité du cycle

La contrepartie de « l'appauvrissement » de l'oxygène est « l'enrichissement » du cycle, particulièrement dans les positions *ortho* et *para* (cf. hybride du phénol, ci-dessus). En conséquence, la présence du groupe OH *facilite* les substitutions électrophiles sur le cycle, et les *oriente* préférentiellement vers ces positions *ortho* et *para* (OH est un substituant « activant et *ortho*/*para*-orienteur »; voir discussion détaillée [12.11]).

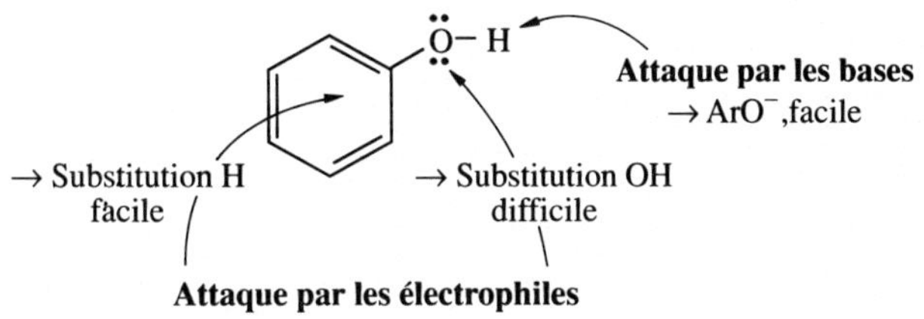

Attaque par les bases
→ $ArO^-$, facile

→ Substitution H
facile

→ Substitution OH
difficile

Attaque par les électrophiles

## *Formation des phénolates*

16.4 La *labilité de l'hydrogène fonctionnel* des phénols est beaucoup plus forte que celle des alcools. Lorsqu'ils sont solubles dans l'eau, l'équilibre

$$ArOH + H_2O \underset{2}{\overset{1}{\rightleftarrows}} ArO^- + H_3O^+$$

est suffisamment déplacé dans le sens 1 pour que leurs solutions soient « acides » au sens usuel du terme (pH < 7, virage d'indicateurs colorés).

Les phénols sont des acides faibles, mais leurs $pK_a$ (10 pour le phénol ordinaire PhOH) sont comparables à celui du cyanure d'hydrogène (acide cyanhydrique) HCN, ou à celui de l'ion ammonium $NH_4^+$, couramment considérés comme des acides. Ils sont très inférieurs à ceux des alcools (16 à 18), ce qui peut s'exprimer aussi en disant que leurs constantes d'acidité $K_a$ sont $10^6$ à $10^8$ fois plus grandes que celles des alcools.

Avec la soude, $OH^-$ étant une base beaucoup plus forte que $ArO^-$, la formation des *phénolates* (*) est une réaction pratiquement totale :

$$ArOH + OH^- \rightarrow ArO^- + H_2O$$

ou

$$ArOH + NaOH \rightarrow ArONa + H_2O$$

(*) On dit aussi *« phénates »*, mais l'appellation *« phénolates »* est plus correcte.

Les phénolates peuvent se former également par la réaction directe entre un phénol et un métal comme Na ou K :

$$ArOH + Na \rightarrow ArONa + \frac{1}{2} H_2$$

Les phénols étant plus acides que les alcools, les ions phénolates $ArO^-$ qui sont leurs bases conjuguées sont moins basiques que les alcoolates $RO^-$, bases conjuguées des alcools. Ils ne peuvent donc pas être utilisés dans les réactions où un alcoolate est employé dans le rôle d'une base forte (éliminations [15.4]), mais ils peuvent donner des substitutions nucléophiles.

*Exemple :*

$$PhO^- + CH_3{-}CH_2{-}CH_2Cl \rightarrow CH_3{-}CH_2{-}CH_2{-}O{-}Ph + Cl^-$$

(synthèse d'un éther-oxyde par la réaction de Williamson [15.21]).

*16-A*

*La réaction* tBuONa + ArOH → tBuOH + ArONa *pourrait-elle être utilisée pour préparer les phénolates?*

## *Estérification*

**16.5** Les *acides carboxyliques* n'estérifient que très difficilement, et très peu, les phénols. Leurs esters se forment par contre facilement en présence d'un chlorure d'acide ou d'un anhydride [19.16, 17] :

$$\underset{}{ArOH} + \underset{\text{Chlorure d'acide}}{R{-}COCl} \rightarrow \underset{\text{Ester}}{R{-}CO{-}OAr} + HCl$$

$$ArOH + \underset{\text{Anhydride}}{R{-}CO{-}O{-}CO{-}R} \rightarrow \underset{\text{Ester}}{R{-}CO{-}OAr} + R{-}COOH$$

*Exemple :*

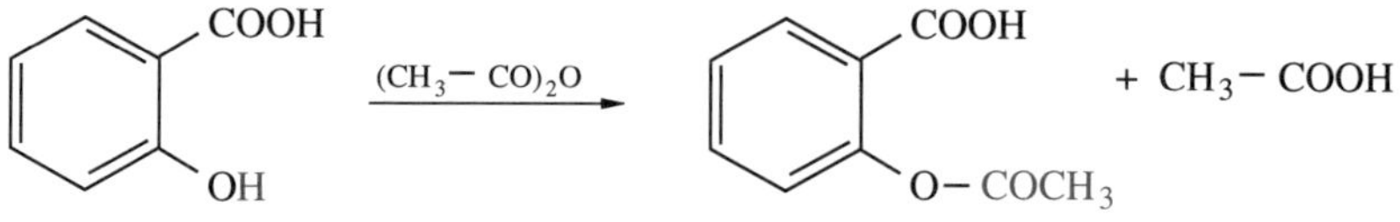

$$C_6H_4(COOH)(OH) \xrightarrow{(CH_3-CO)_2O} C_6H_4(COOH)(O-COCH_3) + CH_3-COOH$$

Acide salicylique — Acide acétylsalicylique (Aspirine)

Les *acides minéraux* ne réagissent pas avec les phénols. Ainsi, on ne peut pas préparer les halogénures d'aryles ArX par réaction entre un phénol et un hydracide halogéné HX. Étant donné le mécanisme de la substitution de OH par X en milieu acide [15.5], cette impossibilité de réaction démontre bien que la protonation de l'oxygène dans les phénols est très défavorisée [16.3].

## *Déshydratation. Éthers*

**16.6** La déshydratation des phénols ne peut être qu'intermoléculaire, et se limite donc à la formation d'éther-oxydes; elle est possible par catalyse, à haute température :

$$2\,ArOH \xrightarrow[400°]{ThO_2} Ar—O—Ar + H_2O$$

Il existe aussi des éthers mixtes, de la forme Ar—O—R, qui s'obtiennent par la réaction d'un phénolate sur un halogénure d'alkyle (méthode de Williamson) [16.4].

Seuls les éthers mixtes peuvent être coupés par l'iodure d'hydrogène HI [15.21]; la réaction ne donne que le dérivé iodé RI :

$$Ar—O—R + HI \rightarrow ArOH + RI$$

*16-B*

*Pourquoi la déshydratation d'un phénol ne peut-elle être qu'intermoléculaire? Que pourrait-on attendre d'une déshydratation intramoléculaire?*

*16-C*

*Pourquoi la réaction des éthers de la forme* Ar—O—R *avec* HI *ne donne-t-elle pas, comme avec les éthers de la forme* R—O—R, *deux dérivés halogénés? Et pourquoi celui qui se forme est-il* RI *et non* ArI*?*

## *Réactions du cycle benzénique*

**16.7** Le cycle benzénique des phénols présente l'ensemble des propriétés caractéristiques qui ont été décrites au chapitre 12. Mais la présence du groupe hydroxyle peut modifier la facilité ou l'orientation de certaines réactions.

■ *Additions*

L'*hydrogénation* du cycle des phénols conduit à des alcools secondaires cycliques.

*Exemple :*

$$C_6H_5OH + 3H_2 \xrightarrow{[Ni]} C_6H_{11}OH$$

OH (phénol) + $3H_2$ —[Ni]→ OH (cyclohexane) Cyclohexanol

■ *Substitutions*

Les substitutions électrophiles possibles sur le cycle benzénique (halogénation, nitration, sulfonation, alkylation, acylation [12.6-10]) sont plus faciles sur le cycle d'un phénol, le groupe OH ayant un effet « activant ». Mais elles se portent préférentiellement sur les positions *ortho* et *para* par rapport à la fonction phénol [12.11].

*Exemple :* On obtient très facilement, par nitration, le 2,4,6-trinitrophénol (acide picrique) :

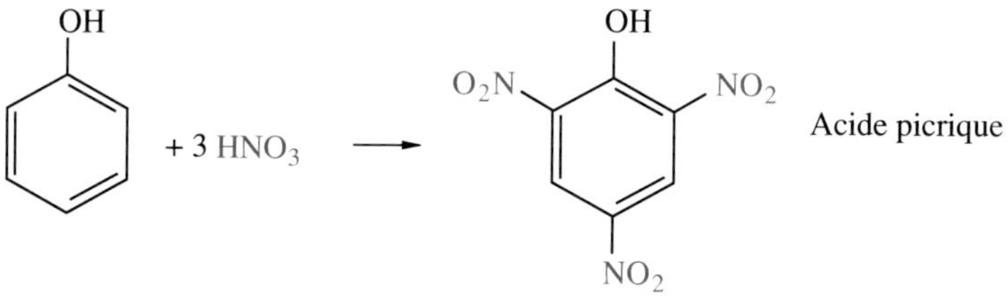

OH (phénol) + 3 $HNO_3$ ⟶ 2,4,6-trinitrophénol (OH, $O_2N$, $NO_2$, $NO_2$) Acide picrique

mais la nitration ne peut pas se poursuivre au-delà de cette trisubstitution.

L'activation des positions *ortho* et *para* par le groupe OH permet des réactions qui ne sont pas possibles avec les hydrocarbures benzéniques. C'est le cas de la réaction avec les sels de diazonium [17.12] pour donner des colorants. C'est aussi celui d'une réaction du phénol avec le formaldéhyde $H_2C{=}O$, qui conduit à des produits de très grande masse moléculaire constituant des « résines thermodurcissables », comme la bakélite [25.8].

*Schématiquement*, la réaction consiste en une élimination d'eau entre deux cycles benzéniques et une molécule de formaldéhyde :

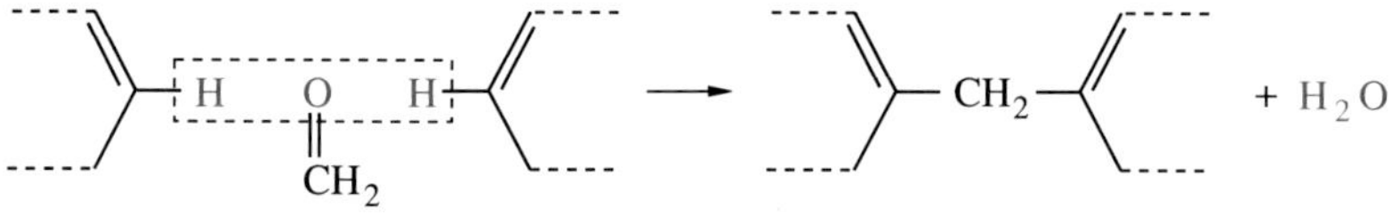

H O H (O=$CH_2$) ⟶ $-CH_2-$ + $H_2O$

mais, grâce à l'existence de trois sites réactifs sur chaque cycle (les deux positions *ortho* et la position *para*), il se constitue un réseau complexe tridimensionnel (réduit ici à une représentation fragmentaire et bidimensionnelle) :

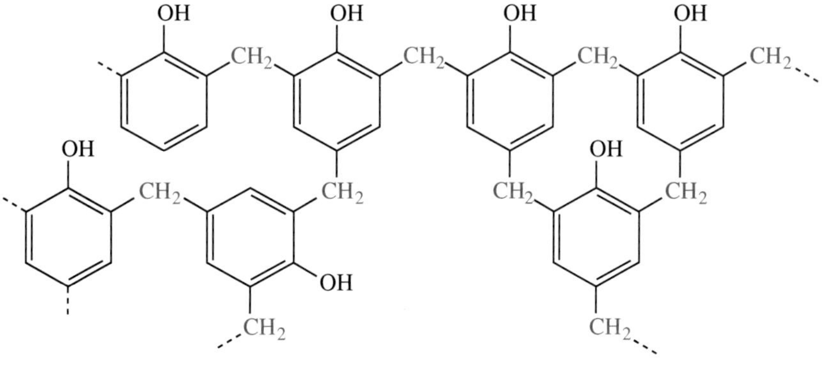

OH OH OH OH $CH_2$ $CH_2$ $CH_2$ $CH_2$ OH OH $CH_2$ $CH_2$ $CH_2$ $CH_2$ OH $CH_2$ $CH_2$

# 3 — État naturel

**16.8** De nombreux phénols existent à l'état naturel dans les végétaux, dont ils sont souvent des constituants très odoriférants.

*Exemples :*

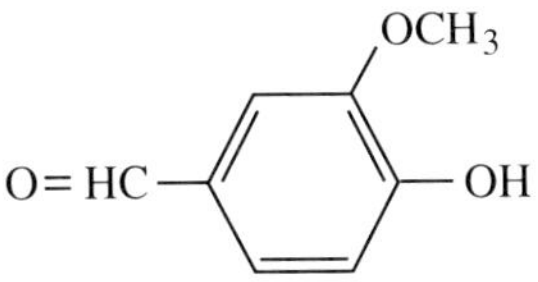

Vanilline (vanille) 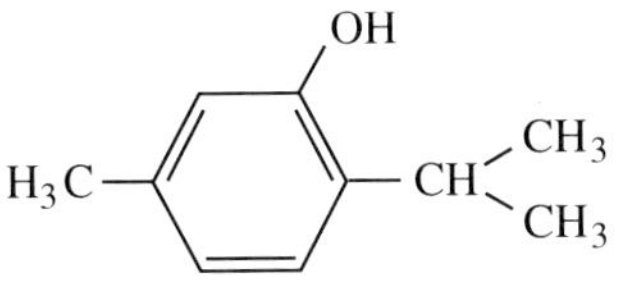 — Thymol (thym) 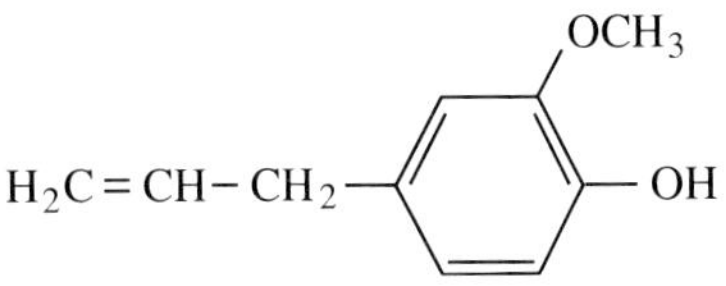 — Eugénol (clou de girofle)

# 4 — Préparations

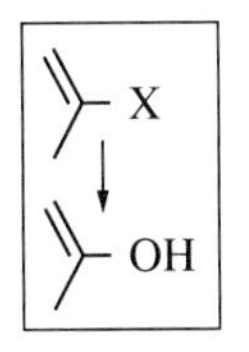

**16.9** L'**hydrolyse** ou la **saponification des halogénures d'aryles ArX** (par analogie avec la préparation des alcools à partir des halogénures d'alkyles RX [15.12]) est difficile à réaliser car les halogénures d'aryles sont très peu réactifs [20.21]. Elle nécessite une température très élevée :

$$C_6H_5Cl + OH^- \xrightarrow{300\ °C} C_6H_5OH + Cl^-$$

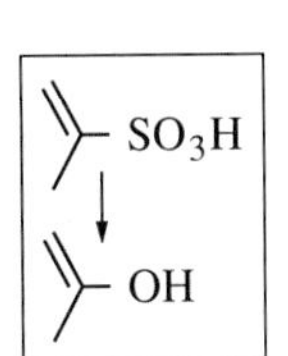

**16.10** La **fusion alcaline des acides sulfoniques** (obtenus par la sulfonation d'un hydrocarbure [12.9]) conduit en trois étapes aux phénols :

1) Neutralisation de l'acide

$$Ar{-}SO_3H + NaOH \rightarrow Ar{-}SO_3Na + H_2O$$

2) Formation d'un phénolate

$$Ar{-}SO_3Na + 2\,NaOH \rightarrow Ar{-}ONa + Na_2SO_3 + H_2O$$

3) Formation du phénol

$$Ar{-}ONa + HCl \rightarrow ArOH + NaCl$$

Les deux premières réactions ont lieu vers 350-400°, entre l'acide sulfonique et la soude fondus ensemble à sec.

**16.11** La **diazotation des amines primaires benzéniques** $\mathbf{Ar{-}NH_2}$ conduit aux phénols à la suite d'une réaction dite « désamination nitreuse » [17.12] qui se résume ainsi :

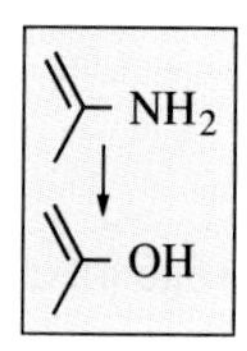


1) Formation d'un dérivé diazoté

$$ArNH_2 + HNO_2 + HCl \xrightarrow{0°} ArN_2^+Cl^- + 2\,H_2O$$

2) Hydrolyse $ArN_2^+Cl^- + H_2O \xrightarrow{100°} ArOH + N_2 + HCl$

16.12 La **distillation de la houille** [25.2] fournit des *goudrons*, dont on peut retirer divers phénols, en particulier les termes les plus simples, phénol ordinaire et crésols. Les goudrons sont des mélanges très complexes, dont on extrait les phénols, constituants acides, par un lavage à la soude.

16.13 La **préparation industrielle du phénol ordinaire** s'effectue à partir de benzène et de propène, par l'intermédiaire du cumène, et fournit en même temps de l'acétone qui est un autre produit intéressant. On pourrait transformer indépendamment le benzène en phénol et le propène en acétone, mais l'intérêt économique du procédé provient du fait qu'il permet de réaliser simultanément les deux transformations en un minimum d'étapes.

$$C_6H_6 + CH_2{=}CH{-}CH_3 \xrightarrow{H^+} C_6H_5{-}CH(CH_3)_2 \xrightarrow{air}$$

Benzène — Propène — Cumène

$$C_6H_5{-}C(CH_3)_2{-}OOH \xrightarrow{H^+} C_6H_5{-}OH + CH_3{-}CO{-}CH_3$$

Hydroperoxyde — Phénol — Acétone

# 5 — Termes importants. Utilisations

16.14 Le « phénol ordinaire », $C_6H_5OH$, est le seul phénol vraiment important sur le plan industriel. On en produit annuellement dans le monde 1,5 million de tonnes et ses utilisations sont très diverses : résines thermodurcissables du type phénol-formaldéhyde, textiles synthétiques de la catégorie des polyamides (notamment les nylons), colorants, herbicides, fongicides et germicides. En outre, il intervient dans de nombreuses synthèses en « chimie fine » (médicaments, etc.).

Les naphtols, phénols dérivant du naphtalène [7.11] sont également utilisés dans la synthèse des colorants.

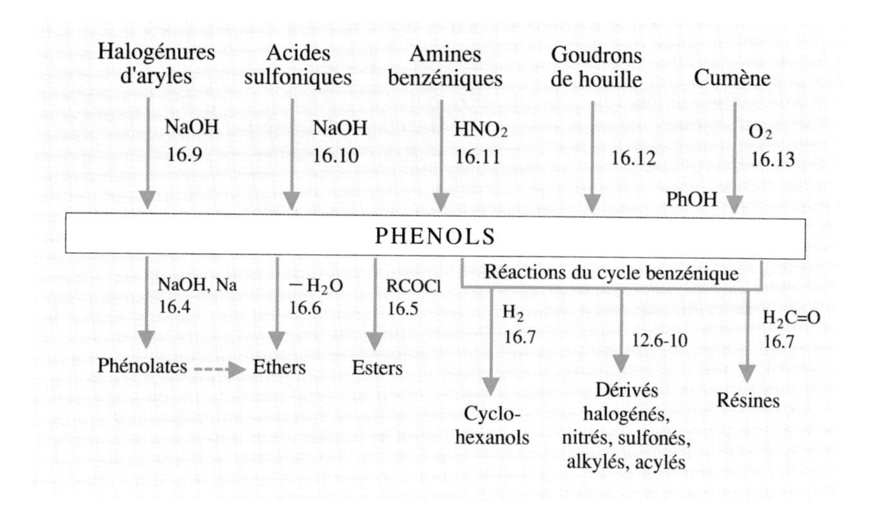


## EXERCICES

*Les **règles de nomenclature**, permettant de faire correspondre réciproquement un nom et une formule, sont exposées dans le chapitre 7 (pour les stéréoisomères, au chapitre 3).*

***16-a*** Les phénolates sont-ils stables dans l'eau? Quelles sont les espèces présentes dans leurs solutions? Celles-ci sont-elles acides, neutres ou basiques?

***16-b*** Quels sont les produits principaux des réactions suivantes?

1) *ortho*-crésol + $H_2$ (Ni Raney)
2) *méta*-crésol + $H_2SO_4$ concentré
3) Phénol + Chloroéthane($AlCl_3$)
4) *para*-crésol + $CH_3—COCl$
5) *para*-nitrophénol + $HNO_3/H_2SO_4$
6) Acide *méta*-benzènedisulfonique + NaOH(350°), puis HCl
7) Phénol + $CH_3MgBr$, puis $H_2O$
8) HO–$C_6H_4$–$SO_3H$ + NaOH (solution aqueuse)
9) HO–$C_6H_4$–$SO_3H$ + NaOH (fusion à 350°)
10) HO–$C_6H_4$–$CH_2OH$ + $CH_3I$, en milieu basique (NaOH en solution aqueuse)
11) HO–$C_6H_4$–$CH_2OH$ + HBr
12) $Ph—CH_2—O—CH_2—CH_3$ + Iodure d'hydrogène HI
13) $Ph—O—CH_2—CH_3$ + Iodure d'hydrogène HI

***16-c*** Quel est le comportement des réactifs suivants vis-à-vis du phénol et vis-à-vis du cyclohexanol?

1) HCl
2) $HNO_3$ concentré
3) $H_2$ (Ni Raney)
4) $CH_3—CH_2—MgBr$
5) $CH_3—COCl$
6) Na
7) NaOH (en solution)
8) $H_2SO_4$ concentré
9) $CH_3—COOH$
10) $CH_3Br(AlCl_3)$
11) Cu(300°)
12) $NaNH_2$

***16-d*** Comment pourrait-on transformer, en une ou plusieurs étapes,

1) le benzène en *para*-nitrophénol
2) le benzène en *méta*-crésol
3) le benzène en *para*-crésol
4) le benzène en cyclohexanone 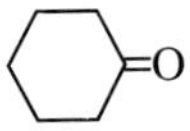
5) le benzène en styrène —CH = CH$_2$
6) le phénol en cyclohexène
7) le phénol en iodocyclohexane
8) le toluène en acide *para*-nitrobenzoïque $O_2N$—$C_6H_4$—COOH

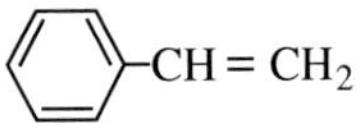

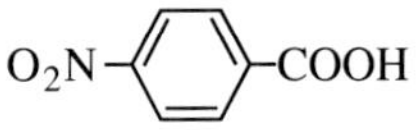

# Les amines 17

17.1 Les *amines* sont des composés dans lesquels un atome d'azote est directement lié à un ou plusieurs atomes de carbone. Elles peuvent être considérées, et définies, comme des dérivés de l'ammoniac $NH_3$ résultant de la substitution progressive des trois atomes d'hydrogène par des groupes hydrocarbonés. Il existe donc trois classes d'amines :

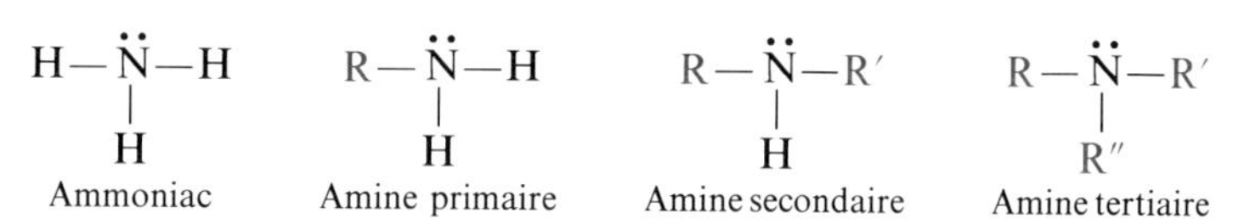


R, R′ et R″ peuvent être identiques ou différents; si l'un d'eux au moins est un groupe aryle Ar, il s'agit d'une amine benzénique (on dit aussi « aromatique » [12.1]).

Les expressions *« primaire », « secondaire »* et *« tertiaire »* n'ont pas ici la même signification que pour les alcools [15.1]. Pour les amines, elles sont relatives au degré de substitution *de l'azote*, et non pas à celui du carbone qui porte le groupe fonctionnel. Ainsi une amine comportant un groupe $NH_2$ sur un carbone secondaire, comme $CH_3—CH(NH_2)—CH_3$ est une amine *primaire*, de la forme $R—NH_2$ (avec R=isopropyle), alors que l'alcool analogue $CH_3—CH(OH)—CH_3$ est un alcool secondaire. Le véritable analogue oxygéné d'une amine secondaire serait un éther-oxyde [15.21].

*17-A*

*Un alcool tertiaire comporte au minimum ——— atomes de carbone; une amine tertiaire en comporte au minimum ———.*

La *nomenclature* des amines a été exposée au chapitre 7 [7.13].

## 1 — Caractères physiques

17.2 Les amines les plus légères ($MeNH_2$, $Me_2NH$, $Me_3N$, $EtNH_2$) sont gazeuses à 20 °C; les autres sont des liquides ou des solides selon leur masse moléculaire. Les liaisons N—H donnent lieu, comme les liaisons O—H, à une association par liaisons hydrogène [15.2], mais elle est beaucoup plus faible que pour les alcools, car l'azote est moins électronégatif que l'oxygène. Les points d'ébullition des amines, tout en étant plus élevés que ceux des hydrocarbures, sont donc moins élevés que ceux des alcools correspondants ($CH_3—CH_2OH$ : 78 °C; $CH_3—CH_2NH_2$ : 16,6 °C).

Les premiers termes conservent des propriétés physiques analogues à celles de l'ammoniac : grande solubilité dans l'eau, odeur « ammoniacale ».

Les amines benzéniques Ar—$NH_2$ sont des liquides visqueux, ou des solides, insolubles dans l'eau et d'odeur désagréable.

17-B

*Les deux amines* $(CH_3)_3N$ *et* $CH_3—CH_2—CH_2—NH_2$ *sont isomères; sachant que leurs deux points d'ébullition sont (à la pression atmosphérique)* 3 °C *et* 49 °C, *attribuez à chacune le sien. Parmi les composés dont les points d'ébullition sont donnés au* § 15.2, *quels sont ceux qui correspondent à une situation analogue?*

# 2 — Réactivité

**17.3** Dans l'enchaînement C—N—H, l'azote est plus électronégatif que le carbone et l'hydrogène, de sorte que les deux *liaisons C—N et N—H sont polarisées.* D'autre part, il porte un *doublet libre :*

$$\overset{\delta+}{—\text{C}}—\overset{\delta'-}{\ddot{\text{N}}}—\overset{\delta''+}{\text{H}}$$

La situation est donc comparable à celle des alcools [15.3], mais l'azote est moins électronégatif que l'oxygène et la réactivité des amines est, pour cette raison, notablement différente en fait de celle des alcools.

– La disponibilité du *doublet libre* est beaucoup plus grande et les amines sont beaucoup *plus basiques* que les alcools. Elles sont aussi *plus nucléophiles* et réagissent facilement avec les composés comportant un carbone déficitaire électrophile; il en résulte une substitution si ce carbone est saturé (dérivés halogénés, alkylation des amines [17.8]), ou une addition s'il est insaturé (aldéhydes, cétones, dérivés des acides [17.10, 11]).

– La *rupture des liaisons* C—N et N—H est beaucoup plus difficile que celle des liaisons C—O et O—H. Celle de la liaison C—N ne s'observe pratiquement pas, même après protonation de l'azote, et celle de la liaison N—H est très difficile. Les amines sont donc beaucoup *moins acides* que les alcools.

En résumé, et toujours comparativement aux alcools, la réactivité des amines se « concentre » très nettement sur *l'azote et son doublet libre,* qui est pratiquement le *seul site réactionnel.* Les liaisons ou les atomes avoisinants ne participent que rarement, et secondairement, aux réactions.

Enfin, leur réactivité différencie beaucoup plus nettement les amines primaires, secondaires et tertiaires que les trois classes d'alcools (mais on a vu que la signification de ces termes n'est pas la même dans les deux cas [17.1]). Dans les mêmes conditions, les trois classes d'amines donnent souvent des produits différents, et certaines réactions n'appartiennent qu'à l'une des trois classes. La présence ou l'absence d'hydrogène sur l'azote est fréquemment à l'origine de ces différences.

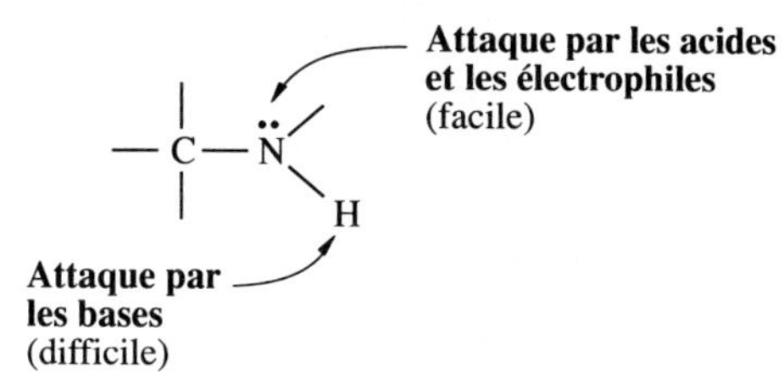


## Propriétés acidobasiques

**17.4** Au sens de Brönsted [5.17], les amines peuvent *a priori* avoir tout à la fois un caractère *basique* (accepteur de proton) grâce à leur doublet libre, et un caractère *acide* (donneur de proton) si elles possèdent de l'hydrogène lié à l'azote; la polarisation de la liaison N—H doit, en effet, conférer une certaine labilité à cet hydrogène.

Par exemple, pour une amine primaire :

= *Comportement basique* (en présence d'un acide) :

$$R—\ddot{N}H_2 + AH \rightleftarrows R—\overset{+}{N}H_3 + A^- \qquad (1)$$

L'amine est, en ce cas, la forme basique du couple $R—\overset{+}{N}H_3/R—\ddot{N}H_2$.

= *Comportement acide* (en présence d'une base) :

$$R—\ddot{N}H_2 + B \rightleftarrows R—\ddot{N}H^- + BH^+ \qquad (2)$$

L'amine est alors la forme acide du couple $R—\ddot{N}H_2/R—\ddot{N}H^-$

### Caractère basique

**17.5** Dans ce paragraphe, relatif à une propriété *commune à toutes les amines*, elles seront représentées d'une façon générique par $R_3\ddot{N}$, étant entendu que les trois groupes R peuvent être identiques ou différents, et que l'un d'eux, ou deux d'entre eux, peu(ven)t être un atome d'hydrogène (amines respectivement secondaires $R_2NH$ et primaires $RNH_2$).

Le caractère acidobasique dominant des amines est celui que traduit l'équilibre (*1*) ci-dessus : elles présentent un net caractère basique.

*Dans l'eau*, il s'établit l'équilibre :

$$R_3\ddot{N} + H—OH \rightleftarrows R_3\overset{+}{N}H + OH^-$$

dont la constante d'équilibre $K_b = [R_3\overset{+}{N}H][OH^-]/[R_3N]$, qui est liée à la constante d'acidité $K_a$ du couple $R_3\overset{+}{N}H/R_3N$ par la relation $K_a \cdot K_b = 1 \cdot 10^{-14}$, vaut environ $10^{-4}$ ($pK_a \approx 10$). $R_3\overset{+}{N}H$ est un acide faible et $R_3N$, sa base conjuguée, est une base moyennement forte. Les solutions d'amines dans l'eau sont donc basiques (pH > 7).

Cette réaction est tout à fait analogue à celle de l'ammoniac $NH_3$ avec l'eau, pour donner l'ion ammonium $NH_4^+$. Les cations résultant de la protonation des amines sont des ions *alkylammoniums* (mono-, di- ou trialkylammoniums, selon la classe de l'amine).

*En présence d'acides*, il se forme des sels d'alkylammoniums. Par exemple, avec HCl :

$$R_3N + HCl \rightleftarrows (R_3\overset{+}{N}H, Cl^-)$$

Chlorure d'alkylammonium

Ces sels, en raison de leur structure ionique, sont des solides cristallisés, solubles dans l'eau. La réaction peut avoir lieu *en solution aqueuse;* si l'amine était insoluble dans l'eau, elle se dissout alors. En milieu acide, toutes les amines sont solubles dans l'eau (sous la forme d'un de leurs sels) et on utilise parfois ce fait pour extraire les amines d'un mélange (par exemple, extraction des amines contenues dans les goudrons de houille par un « lavage acide » de ces goudrons [25.2]). Elles peuvent ensuite être « libérées » par l'action d'une base forte telle que $OH^-$ (soude ou potasse) en excès, qui déprotone l'ion alkylammonium formé :

$$R_3\overset{+}{N}H + OH^- \rightleftarrows R_3N + H_2O$$

La réaction peut aussi avoir lieu *en phase gazeuse*. La mise en présence de HCl gazeux et de vapeurs d'une amine provoque, comme avec l'ammoniac, la formation d'une abondante et épaisse fumée blanche, constituée de microcristaux du chlorhydrate.

### *Influence des facteurs structuraux sur la basicité des amines*

**17.6** *En phase gazeuse*, la basicité des amines (mesurée non pas par la valeur de $K_a$, qui ne concerne par définition que les réactions dans l'eau, mais par la variation d'enthalpie libre $\Delta G°$ associée à la formation de l'acide conjugué (*)), augmente avec le nombre de groupes R liés à l'azote :

$$NH_3 < RNH_2 < R_2NH < R_3N \quad (< \, = \text{« moins basique que »})$$

Ces variations peuvent s'expliquer par les effets inductif-répulsifs des groupes R, qui stabilisent *l'acide conjugué plus que la base*, en « comblant » partiellement le déficit électronique sur l'azote :

$$R \rightarrow \overset{+}{N}H \leftarrow R \quad (\uparrow R)$$

Cette stabilisation est d'autant plus importante que les groupes R sont plus nombreux (on retrouve ici l'argumentation déjà utilisée pour expliquer que la stabilité des carbocations croît avec leur degré de substitution [5.12]; les deux situations sont très comparables).

*En solution* dans l'eau, les amines secondaires sont les plus basiques, et les amines primaires et tertiaires ont sensiblement la même basicité. L'interprétation de ces différences est plus difficile; outre les facteurs intervenant en phase gazeuse, la solvatation préférentielle de l'une des deux espèces conjuguées doit aussi être prise en compte.

---

(*) Voir, par exemple, « Cours de Chimie physique », chapitre 34.

Les *amines benzéniques* Ar—$NH_2$ sont beaucoup moins basiques que les amines saturées. La constante d'acidité du couple Ar—$NH_3^+$/Ar—$NH_2$ vaut environ $10^{-5}$ ($pK_a \approx 5$); elle est donc $10^5$ fois plus grande que celle d'une amine saturée. L'origine de cette différence réside dans la participation du doublet libre de l'azote au système conjugué, dans lequel il est délocalisé avec les doublets $\pi$ du cycle [4.17] :



D'une part, la densité électronique (temps de présence du doublet) sur l'azote s'en trouve réduite, et le déficit ainsi créé ($\delta+$) défavorise la protonation. D'autre part, la protonation de l'azote supprime la possibilité de délocalisation du doublet libre, qui se trouve «immobilisé» sous la forme d'un doublet $\sigma$ dans la nouvelle liaison N—H. L'acide conjugué Ar—$\overset{+}{N}H_3$ est donc *moins stabilisé par résonance que la base* Ar—$NH_2$ et, de ce fait, sa formation est énergétiquement défavorisée.

*17-C*

*Quelle situation analogue à celle des amines benzéniques a-t-elle déjà été rencontrée?*

### *Caractère acide*

**17.7** La labilité de l'hydrogène lié à l'azote d'une amine primaire ou secondaire est très faible ($K_a \approx 10^{-30}$; $pK_a \approx 30$). Les équilibres du type (*2*) [17.4] ne s'établissent significativement qu'en présence de bases extrêmement fortes. Dans l'eau la dissociation des amines primaires et secondaires est nulle ($H_2O$ n'est pas une base assez forte), mais elles réagissent avec le carbanion d'un organomagnésien [14.5].

*Exemple :*

$$CH_3CH_2—NH_2 + CH_3MgBr \rightarrow CH_3CH_2—NHMgBr + CH_4$$

Comme les alcynes vrais [10.10] ou les alcools [15.4], les amines primaires ou secondaires réagissent avec les métaux alcalins, pour donner un dérivé métallique, non isolable.

*Exemple :* $(CH_3)_2NH + Na \rightarrow (CH_3)_2NNa + 1/2\,H_2$

Il s'agit de la réduction par le métal des ions $H^+$ provenant de la dissociation de l'amine. La proportion d'amine dissociée est, à tout moment, extrêmement faible, mais la dissociation progresse, jusqu'à être totale, à mesure que les ions $H^+$ sont consommés par la réduction.

## Alkylation

**17.8** Les amines, par la présence du doublet libre sur l'azote, peuvent constituer des réactifs nucléophiles et, à ce titre, donner par exemple des réactions de *substitution nucléophile* dans des molécules comportant un site déficitaire et électrophile. Tel est le cas des *dérivés halogénés*, dont les réactions de substitution en présence d'un réactif nucléophile ont déjà été étudiées en détail [13.4-7]. Les amines ont d'ailleurs déjà été considérées, dans cette étude, comme des réactifs nucléophiles possibles [13.4].

Le schéma général de la réaction est :

$$>\ddot{N}: + -\overset{|}{\underset{|}{C}}{}^{\delta+}-X^{\delta-} \rightarrow -\overset{|}{\underset{|}{N^+}}-\overset{|}{\underset{|}{C}}- + X^-$$

Il s'agit *a priori* d'une propriété commune à toutes les amines, puisqu'elle est associée à la possession du doublet libre sur l'azote, mais le résultat final dépend en fait de la classe de l'amine.

– *Amines primaires et secondaires :* la réaction conduit à un ion di- ou trialkylammonium, qui se « déprotone » facilement (en fait, le proton qu'il perd est fixé par une molécule de l'amine initiale n'ayant pas encore réagi) :

Amine primaire :

$$\underset{\text{Amine primaire}}{R-\ddot{N}H_2} + R'X \rightarrow \underset{+X^-}{R-\overset{+}{N}H_2-R'} \rightarrow \underset{\text{Amine secondaire}}{R-\ddot{N}H-R'} + H^+ (\text{fixé par } R-NH_2)$$

Amine secondaire :

$$\underset{\text{Amine secondaire}}{R-\ddot{N}H-R'} + R''X \rightarrow R-\underset{\underset{R''}{|}}{\overset{+}{N}}H-R' + X^-$$

$$\rightarrow \underset{\text{Amine tertiaire}}{R-\underset{\underset{R''}{|}}{\ddot{N}}-R'} + H^+ (\text{fixé par } R-NH-R')$$

Le bilan global est celui d'une *alkylation :* substitution sur l'azote d'un H par un groupe R, transformant une amine primaire en amine secondaire, et une amine secondaire en amine tertiaire. Cette réaction est connue sous le nom de *réaction d'Hofmann.*

– *Amines tertiaires :* par suite de l'absence d'hydrogène sur l'azote, l'ion tétraalkylamonnium qui se forme ne peut perdre un proton; il constitue donc le produit final de la réaction :

$$R-\underset{\underset{R''}{|}}{\ddot{N}}-R' + R'''X \rightarrow R-\underset{\underset{R''}{|}}{\overset{\overset{R'''}{|+}}{N}}-R' + X^-$$

Les ions tétraalkylammoniums sont également appelés « ammoniums quaternaires », et on dit que l'on a réalisé la « quaternisation » de l'amine tertiaire.

L'amine secondaire obtenue par alkylation d'une amine primaire peut, aussitôt formée, réagir à son tour avec le dérivé halogéné pour donner une amine tertiaire. Cette dernière peut d'autre part, dès qu'elle est formée, se quaterniser. Cette réaction donne donc généralement des mélanges, ce qui diminue son intérêt comme méthode de synthèse des amines. On peut cependant favoriser la monoalkylation d'une amine primaire ou secondaire, en la faisant réagir en grand excès par rapport au dérivé halogéné. D'autre part, la quaternisation d'une amine tertiaire ne donne évidemment qu'un seul produit.

17-D

*Quels sont les produits pouvant résulter de la réaction entre* $CH_3CH_2NH_2$ *et* $CH_3Br$? *Si l'on emploie un excès de l'amine, lequel de ces produits est obtenu en plus grande quantité? Pour quelle raison exacte devient-il le produit principal?*

## *Les sels d'ammoniums quaternaires*

**17.9** Les ions ammoniums quaternaires sont obtenus en même temps qu'un anion, généralement un halogénure ($Cl^-$, $Br^-$, $I^-$), avec lequel ils forment un *« sel d'ammonium quaternaire »*.

*Exemple :*

$$(CH_3)_3\ddot{N} + CH_3Cl \rightarrow (CH_3)_4N^+, Cl^-$$

L'action de l'hydroxyde d'argent AgOH sur un halogénure d'ammonium quaternaire permet d'obtenir l'hydroxyde correspondant :

$$\left[\begin{array}{c} R''' \\ | \\ R-\overset{+}{N}-R' \\ | \\ R'' \end{array}\right] X^- + AgOH \rightarrow \left[\begin{array}{c} R''' \\ | \\ R-\overset{+}{N}-R' \\ | \\ R'' \end{array}\right] OH^- + AgX$$

Ces hydroxydes sont des bases très fortes (aussi fortes que la soude ou la potasse). D'autre part, ils se décomposent sous l'action de la chaleur selon le bilan :

$$\left[\begin{array}{c} R''' \\ | \\ R-CH_2-CH_2-\overset{+}{N}-R' \\ | \\ R'' \end{array}\right] OH^- \xrightarrow{\Delta} R-CH=CH_2 + R'-\underset{\underset{R'''}{|}}{\ddot{N}}-R'' + H_2O$$

Il s'agit de la réaction d'**élimination de Hofmann,** dont le mécanisme peut se représenter ainsi :

$$OH^- \curvearrowright \overset{\delta+}{H}-CH(R)-CH_2-\overset{+}{N}(R')(R'')(R''') \xrightarrow{\Delta} H_2O + R-CH=CH_2 + R'-\underset{\underset{R'''}{|}}{\ddot{N}}-R''$$

On reconnaît dans ce schéma une élimination de type E2 [13.9], dans laquelle le « groupe partant » est $\overset{+}{N}R_3$. L'électronégativité de l'azote et le déficit électronique dont il est le siège provoquent la même polarisation et le même effet inductif que l'halogène dans un dérivé halogéné, avec les mêmes conséquences [13.2].

L'élimination de Hofmann est régiosélective : si deux alcènes isomères peuvent se former, elle donne préférentiellement celui dont la double liaison est *la moins substituée.*

*Exemple :*

$$[CH_3-CH_2-\underset{\displaystyle CH_3}{\underset{|}{CH}}-\overset{+}{N}(CH_3)_3]\,OH^- \rightarrow$$

$$CH_3-CH_2-CH=CH_2 + N(CH_3)_3 + H_2O$$

(et non $CH_3-CH=CH-CH_3$)

L'élimination de H et de X dans un dérivé halogéné donne au contraire préférentiellement l'alcène le plus substitué (règle de Zaïtsev [13.8]); l'élimination de Hofmann suit donc une orientation *« anti-Zaïtsev »*.

Par ailleurs, elle est stéréospécifique (« trans-élimination »), comme le sont normalement les réactions de type E2 [13.9].

*17-E*

*Si on chauffe fortement l'hydroxyde de tétraméthylammonium* $(CH_3)_4\overset{+}{N}$, $OH^-$, *on obtient de la triméthylamine* $(CH_3)_3N$ *et du méthanol* $CH_3OH$. *Comment expliquer ce résultat? A-t-il, comme l'élimination de Hofmann, son équivalent dans la réactivité des dérivés halogénés?*

## Acylation

**17.10** Les amines primaires et secondaires réagissent avec les chlorures d'acides R—COCl, pour donner des **amides substitués** [19.19]. La réaction, dont le bilan comporte le remplacement, sur l'azote, d'un H par un groupe *acyle* R—CO, est une *acylation.* Son mécanisme sera envisagé au chapitre 19, en même temps que celui de diverses réactions analogues des chlorures d'acides [19.16].

*Exemple :*

$$C_6H_5-NH_2 + CH_3-COCl \rightarrow C_6H_5-NH-CO-CH_3 + HCl$$

La même transformation peut être réalisée avec un anhydride d'acide [19.17], ou avec un acide carboxylique. Elle est importante à deux titres : d'une part les peptides et les protéines, constituants de la matière vivante, résultent de la création de fonctions amides entre molécules d'aminoacides [23.10]; d'autre part, certains « polyamides » (comme le nylon, le perlon...) sont utilisés comme textiles artificiels [25.8].

## Réaction avec les aldéhydes et les cétones

**17.11** Comme l'ammoniac, les amines primaires et secondaires, en raison de leur caractère nucléophile, peuvent s'additionner sur la double liaison C=O des aldéhydes et des cétones, pour donner un aminoalcool :

$$R-\ddot{N}H_2 + R'-\overset{\delta+}{C}(=O)-R'' \longrightarrow R-\overset{+}{N}H_2-C(R')(O^-)-R'' \longrightarrow R-\ddot{N}H-C(R')(OH)-R''$$

(si $R''=H$, la réaction concerne un aldéhyde).

Si l'amine est primaire, ce qui assure la présence d'un H sur l'azote dans l'aminoalcool, celui-ci se déshydrate spontanément et il se forme une **imine,** que l'on appelle aussi *« base de Schiff »* :

$$R-\ddot{N}H-C(R')(OH)-R'' \rightarrow \underset{\text{Imine}}{R-\ddot{N}=C(R')-R''} + H_2O$$

Si l'amine est secondaire, cette deshydratation est impossible. Mais s'il existe de l'hydrogène dans l'un des groupes alkyles, en α de la fonction alcool, la deshydratation peut avoir lieu dans la chaîne carbonée, et on obtient une *énamine :*

$$R_2\ddot{N}-C(R')(OH)-CH_2-R'' \rightarrow \underset{\text{Énamine}}{R_2\ddot{N}-C(R')=CH-R''} + H_2O$$

## Diazotation

**17.12** La diazotation est une réaction propre aux seules *amines primaires.* Elle a lieu en présence d'acide nitreux $HNO_2$, libéré « in situ » par action de l'acide chlorhydrique sur une solution de nitrite de sodium $NaNO_2$ ($HNO_2$ étant instable ne peut pas être préparé à l'avance et conservé).

Le bilan de la diazotation est :

$$R-NH_2 + NaNO_2 + 2\,HCl \xrightarrow{0\,°C} R-N_2^+, Cl^- + NaCl + 2\,H_2O$$

On obtient un *chlorure de diazonium* $R-N_2^+, Cl^-$, dont le cation (ion diazonium) est un hybride de deux formes mésomères [4.16] :

$$[R-\ddot{N}=\overset{+}{\ddot{N}} \leftrightarrow R-\overset{+}{N}\equiv\ddot{N}]$$

La diazotation comporte quatre étapes :

a) Formation de l'ion nitrosonium $\overset{+}{N}=O$, à partir de l'acide nitreux :

$$NaNO_2 + HCl \longrightarrow HNO_2 \quad (\text{ou } HO-N=O) + NaCl$$

$$H-\ddot{O}-N=O + HCl \rightarrow H-\overset{+}{O}(H)-N=O + Cl^- \rightarrow H_2O + \underset{\text{ion nitrosonium}}{\overset{+}{N}=O}$$

b) Nitrosation de l'amine (formation d'une nitrosoamine) :

$$R-\ddot{N}H_2 + \overset{+}{N}=O \rightarrow R-\overset{+}{N}H_2-N=O \rightarrow \underset{\text{nitrosoamine}}{R-NH-N=O} + H^+$$

c) Transposition de la nitrosoamine en composé hydroxyazoïque, par un réarrangement analogue à l'équilibre céto-énolique [1.15; 18.14] :

$$R-NH-N=O \rightarrow R-N=N-OH \qquad \text{Hydroxyazoïque}$$

d) Formation du cation diazonium (analogue à la formation d'un carbocation à partir d'un alcool [15.3]) :

$$R-N=N-\ddot{O}H + H^+ \rightarrow R-N=N-\overset{+}{\underset{\substack{|\\H}}{O}}-H \rightarrow \underset{\text{ion diazonium}}{R-N=\overset{+}{N}} + H_2O$$

Diverses possibilités de réactions ultérieures existent, au-delà de la formation du chlorure de diazonium, qui n'est pas l'objectif final de la réaction de diazotation lorsqu'on la réalise :

– **Amines primaires saturées** $R-NH_2$ : les ions alkyldiazoniums $R-N_2^+,Cl^-$ ne sont pas stables. Ils se décomposent immédiatement avec dégagement de diazote, en donnant un carbocation $R^+$ qui réagit aussitôt avec l'eau :

$$R-\overset{+}{N}\equiv N \rightarrow R^+ + N_2 \xrightarrow{H_2O} R-OH + N_2 + H^+ \quad (HCl)$$

On obtient un alcool et le bilan global se réduit à :

$$R-NH_2 \xrightarrow[H_2O]{NaNO_2,HCl} R-OH$$

On dit que l'on a réalisé une *« désamination nitreuse »*.

– **Amines primaires benzéniques** $Ar-NH_2$ : les ions aryldiazoniums $Ar-N_2^+$ sont stables, en raison de la résonance (délocalisation électronique) qui existe entre le cycle benzénique et le groupe diazo, et ils peuvent donner diverses réactions intéressantes :

• *Avec perte de l'azote :*

Les sels d'aryldiazonium réagissent avec divers nucléophiles. Ces réactions peuvent s'interpréter par la formation intermédiaire du carbocation $Ar^+$ ($Ar-N_2^+ \rightarrow Ar^+ + N_2$), qui réagit ensuite avec le nucléophile.

*Exemples :*

$$Ar^+ + \begin{cases} H_2O \xrightarrow{100\ °C} Ar-OH + H^+ \\ CuI \longrightarrow Ar-I + Cu^+ \\ KC\equiv N \rightarrow Ar-C\equiv N + K^+ \\ NaBF_4 \rightarrow Ar-F + BF_3 + Na^+ \end{cases}$$

Le bilan complet, pour la première de ces réactions par exemple, serait :

$$ArN_2^+,Cl^- + H_2O \rightarrow Ar-OH + N_2 + HCl$$

Certaines de ces réactions permettent d'obtenir des composés qui seraient très difficiles à préparer autrement; c'est le cas des iodures et fluorures d'aryles, qui ne peuvent pas être obtenus par l'action directe de l'halogène sur l'hydrocarbure benzénique ($I_2$ ne réagit pas et $F_2$ donne des réactions difficilement contrôlables).

• *Sans perte de l'azote :*

Le cation diazonium peut constituer le réactif électrophile dans une réaction de substitution sur le cycle benzénique [12.6]. Il faut cependant que le cycle soit « activé », comme l'est celui des phénols et des amines benzéniques (OH et $NH_2$ sont des substituants « activants » et « *ortho/para*-orienteurs » [12.11]).

$$Ar-N=\overset{+}{N} + H-C_6H_4-OH \longrightarrow Ar-N=N-C_6H_4-OH + H^+$$

Azoïque

Ces réactions, parfois appelées « copulations », constituent une importante voie de synthèse pour la fabrication de matières colorantes employées, notamment, pour la teinture des textiles [17.20].

*17-F*

*Pouvez-vous reconstituer le déroulement de cette substitution, et justifier son orientation en* para, *sans vous reporter (immédiatement) aux* § 12.6 *et* 12.11?

Dans les conditions de la réaction de diazotation, en présence de $NaNO_2$ et HCl (c'est-à-dire, en définitive, de l'ion nitrosonium $\overset{+}{N}=O$), les **amines secondaires** fournissent une nitrosoamine $R_2N-N=O$. Dans ce cas, en effet, la réaction ne peut pas se poursuivre au-delà de la deuxième étape (b) indiquée plus haut, par suite de l'absence d'hydrogène sur l'azote. Les **amines tertiaires** ne donnent pas de réaction; si elles sont benzéniques, elles peuvent être nitrosées sur le cycle, par une substitution électrophile, mais il ne s'agit pas d'une réaction de leur groupe fonctionnel.

# 3 — État naturel

**17.13** La fonction amine est souvent présente dans des composés naturels, d'origine végétale ou animale, au sein de structures assez complexes, où elle est en outre associée à diverses autres fonctions.

On la trouve dans de nombreux alcaloïdes, composés polycycliques et hétérocycliques d'origine végétale (caféine, cocaïne, morphine, nicotine, quinine, etc. [21.11]). Elle intervient de diverses façons dans les mécanismes fondamentaux de la vie animale : aminoacides constitutifs des protéines [23.2], bases azotées des acides nucléiques [22.21], neurotransmetteurs de l'influx nerveux entre les cellules cérébrales (acétylcholine, noradrénaline, ...), régulation de la pression sanguine (adrénaline), mécanisme de la vision, etc.

# 4 — Préparations

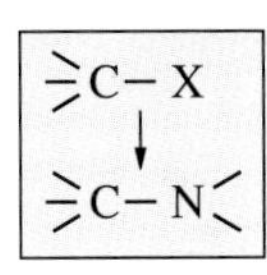

**17.14** La **méthode de Hofmann** consiste à alkyler, par un dérivé halogéné RX,

– l'ammoniac pour obtenir une amine primaire :

$$RX + NH_3 \rightarrow R{-}NH_2 + HX$$

– une amine primaire pour obtenir une amine secondaire :

$$R'X + R{-}NH_2 \rightarrow R{-}NH{-}R' + HX$$

– une amine secondaire pour obtenir une amine tertiaire :

$$R''X + R{-}NH{-}R' \rightarrow R{-}\underset{\displaystyle R''}{\underset{|}{N}}{-}R' + HX$$

Mais l'amine voulue peut subir elle-même, en cours de réaction, une nouvelle alkylation et on obtient toujours des mélanges de molécules plus ou moins alkylées; même la préparation d'une amine tertiaire (alkylation totale de $NH_3$) peut conduire en outre à un sel d'ammonium quaternaire [17.8]. Tout au plus peut-on limiter la proportion de produits indésirables en employant un grand excès d'ammoniac, ou d'amine initiale, par rapport au dérivé halogéné [17.E].

La **méthode de Gabriel** permet, dans le seul cas de la préparation des amines *primaires*, de ne pas obtenir un mélange. Elle utilise, à la place d'ammoniac, le phtalimide dans lequel l'azote ne porte qu'un seul H et ne peut donc être alkylé qu'une seule fois. Après l'alkylation, un traitement en milieu basique crée le groupe $NH_2$ :

$$C_6H_4\begin{cases}CO\\CO\end{cases}\!\!>NH \xrightarrow{RX} C_6H_4\begin{cases}CO\\CO\end{cases}\!\!>N{-}R \xrightarrow{KOH} C_6H_4\begin{cases}COOK\\COOK\end{cases} + R{-}NH_2$$

Phtalimide — Phtalate de K — Amine primaire

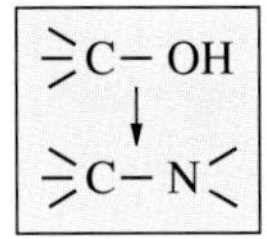

**17.15** La **réaction d'un alcool avec l'ammoniac ou une amine** primaire ou secondaire conduit au même résultat que celle d'un dérivé halogéné [17.14]. Elle a lieu en phase vapeur, à 300 °C :

$$R{-}OH + NH_3 \rightarrow R{-}NH_2 + H_2O$$

$$R{-}OH + R'{-}NH_2 \rightarrow R{-}NH{-}R' + H_2O$$

$$R{-}OH + R'{-}NH{-}R'' \rightarrow R'{-}\underset{\displaystyle R}{\underset{|}{N}}{-}R'' + H_2O$$

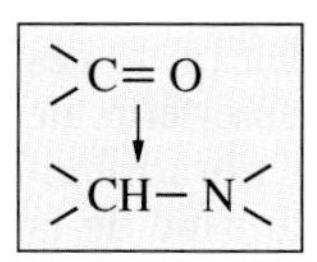

**17.16** L'**amination réductive des aldéhydes et des cétones** consiste à les faire réagir avec l'ammoniac, ou avec une amine primaire ou secondaire, et du dihydrogène, en présence d'un catalyseur tel que Ni. On peut considérer qu'il se forme d'abord une imine [17.11] et que sa double liaison $C{=}N$ est ensuite hydrogénée.

$$R{-}CO{-}R' + NH_3 + H_2 \rightarrow R{-}\underset{\displaystyle R'}{\underset{|}{CH}}{-}NH_2 + H_2O$$

$$R{-}CO{-}R' + R''NH_2 + H_2 \rightarrow R{-}\underset{\displaystyle R'}{\underset{|}{CH}}{-}NH{-}R''$$

$$R{-}CO{-}R' + R''{-}NH{-}R''' + H_2 \rightarrow R{-}\underset{\displaystyle R'}{\underset{|}{CH}}{-}\underset{\displaystyle R''}{\underset{|}{N}}{-}R'''$$

$R'{=}H$ si le composé de départ est un aldéhyde.

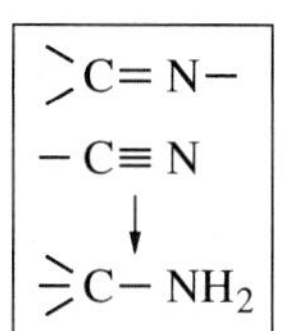

**17.17** La **réduction d'une autre fonction azotée** peut constituer une bonne méthode de préparation des *amines primaires.*

- *Fonctions insaturées :*

Nitriles [19.20] $R{-}C{\equiv}N + 2\,H_2 \rightarrow R{-}CH_2{-}NH_2$

Oximes [18.11] $R{-}CH{=}N{-}OH + 2\,H_2 \rightarrow R{-}CH_2{-}NH_2{+}H_2O$

La réduction (hydrogénation) peut aussi être réalisée par un hydrure métallique, comme $LiAlH_4$ [19.20].

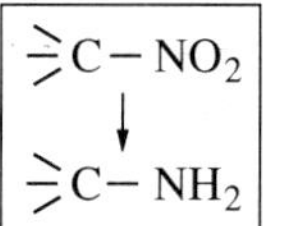

- *Dérivés nitrés :*

$$R{-}NO_2 + 6(H) \rightarrow R{-}NH_2 + 2\,H_2O$$

L'agent réducteur peut être $H_2$ en présence d'un catalyseur, un hydrure tel que $LiAlH_4$ (source d'ions hydrures $H^-$), ou encore le fer en milieu chlorhydrique. Cette réaction est particulièrement intéressante avec les dérivés nitrés benzéniques, faciles à préparer [12.8] (préparation de l'aniline $Ph{-}NH_2$ à partir du nitrobenzène $Ph{-}NO_2$).

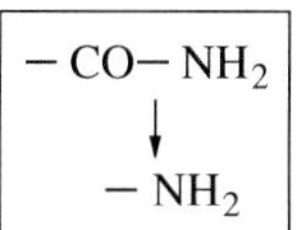

**17.18** La **dégradation des amides** $R{-}CO{-}NH_2$ par l'hypobromite de sodium fournit une amine primaire, par une réaction assez complexe dont le bilan est :

$$R{-}\underset{\displaystyle O}{\underset{\|}{C}}{-}NH_2 + NaOBr \rightarrow R{-}NH_2 + CO_2 + NaBr$$

*17-G*

*Pourquoi la réaction* $H_2C{=}CH_2 + NH_3 \rightarrow H_3C{-}CH_2{-}NH_2$ *n'est-elle pas possible? (si elle l'était, quel serait son mécanisme? pourquoi l'ammoniac ne peut-il pas jouer le rôle nécessaire?). L'eau ne s'additionne pas non plus directement sur les alcènes, mais une catalyse acide est possible; l'est-elle également ici?*

*17-H*

*La réaction* $RX + NH_2^- \rightarrow R{-}NH_2 + X^-$ *n'est pas non plus une préparation possible des amines, car elle conduit à un autre résultat. Lequel? Pourquoi?*

# 5 — Termes importants. Utilisations

**17.19** Sur le **plan industriel,** l'amine simple, monofonctionnelle, la plus importante est l'*aniline* $C_6H_5—NH_2$. Elle est notamment utilisée dans la fabrication de colorants [17.20], ainsi que dans celle des polyuréthanes (objets moulés, « mousse plastique » [25.8]).

Une diamine, l'*hexaméthylènediamine* $H_2N(CH_2)_6NH_2$, sert à la synthèse du Nylon 6/6 [25.8]. Certains *acides aminés* sont également à la base de la fabrication de textiles artificiels (acide 11-aminoundécanoïque $H_2N(CH_2)_{10}COOH$ pour le Rilsan, acide 6-aminocaproïque $H_2N(CH_2)_5COOH$ pour le Nylon 6 et le Perlon).

Les *sels d'ammonium quaternaires* [17.9] ont diverses utilisations, comme agents tensioactifs et détergents [25.9], comme bactéricides et également comme catalyseurs par « transfert de phase » (à l'interface entre un milieu organique et un milieu aqueux).

Dans le **domaine de la santé,** beaucoup de molécules aminées possédant une activité physiologique sont utilisées en médecine (éphédrine, amphétamine, théophylline, barbituriques, etc.). Certaines, comme les alcaloïdes de l'opium (pavot), la mescaline (cactus) et l'acide lysergique (dont le « LSD » est le diéthylamide) ont un pouvoir hallucinogène.

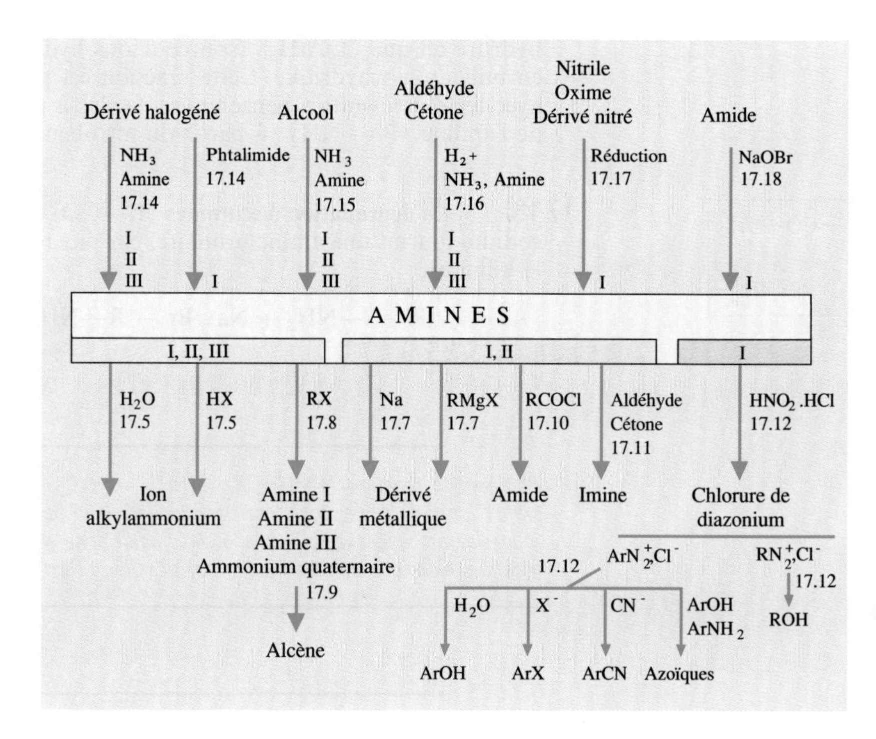


Les chiffres romains I, II, III représentent symboliquement la classe des amines (primaires, secondaires, tertiaires).

## EXERCICES

*Les **règles de nomenclature,** permettant de faire correspondre réciproquement un nom et une formule, sont exposées dans le chapitre 7 (pour les stéréoisomères, au chapitre 3).*

***17-a*** Combien y a-t-il d'amines de formule brute $C_4H_{11}N$? Donnez un nom à chacune d'elles, en précisant si elle est primaire, secondaire ou tertiaire.

***17-b*** Le paragraphe 17.3 souligne que les alcools et les amines, malgré des analogies de structure, ont des comportements chimiques parfois assez différents. Quelles sont, plus précisément, les réactions des uns et des autres qui illustrent ces différences (comportements différents dans des conditions identiques, réactions possibles avec l'une des fonctions et impossibles avec l'autre, ...)?
Comparez également le phénol et l'aniline; présentent-ils les mêmes différences de réactivité vis-à-vis, respectivement, des alcools et des amines saturées?

***17-c*** Quel est le produit principal résultant de chacune des réactions suivantes?

1) Isopropylamine + $CH_3Br$
2) Ammoniac + Chlorure de tertiobutyle
3) Triéthylamine + iodure d'éthyle
4) $CH_3—CH_2—CH{=}O + NH_3 + H_2(Ni)$
5) *para*-nitrotoluène + dihydrogène
6) Butan-2-ol + éthylamine (300 °C)
7) $CH_3—CO—CH_3 + CH_3NH_2 + H_2(Ni)$
8) $CH_3—CH_2—C{\equiv}N + LiAlH_4$
9) *ortho*-méthylaniline + $NaNO_2$ + HCl
10) $CH_3—CH_2—CO—NH_2 + NaOBr$
11) Aniline + $C_6H_5—CH{=}O$
12) N-méthyléthylamine + HCl
13) Propan-2-amine + $NaNO_2$ + HCl
14) Diéthylamine + $C_6H_5—COCl$
15) $C_6H_5—N_2^+, Cl^-$ + aniline
16) (cycle à six chaînons)NH + $CH_3Cl$ en excès, puis AgOH et chauffage.

***17-d*** Comment pourrait-on effectuer, en plusieurs étapes, la transformation

1) de $C_6H_5—NH_2$ en $C_6H_5—CH_2—NH_2$
2) de $CH_3—CH{=}CH_2$ en $CH_3—CH(NH_2)—CH_3$
3) de $CH_3—CH{=}CH_2$ en $CH_3—CH_2—CH_2—NH_2$
4) du benzène en 1,3,5-tribromobenzène
5) de N-méthylbutylamine en butène-1
6) d'aniline en cyclohexène

***17-e*** Quatre amines acycliques, A, B, C et D, sont isomères et ont pour formule $C_3H_9N$.
– A et C, traitées par le nitrite de sodium en milieu chlorhydrique donnent un dégagement de diazote et un produit de formule $C_3H_8O$; D, dans les mêmes conditions ne donne rien.
– Le produit résultant du traitement de A par $NaNO_2$ ne réagit que très lentement avec une solution de chlorure de zinc dans l'acide chlorhydrique (test de Lucas). Indiquer la formule développée des quatre amines.

***17-f*** Identifier les composés E, F, G, H et I participant aux réactions suivantes :

$$E(C_5H_{13}N) \xrightarrow{CH_3I} F(C_7H_{18}NI)$$

$$F \xrightarrow{AgOH} G(C_7H_{19}NO)$$

$$G \xrightarrow{\Delta} H(C_3H_9N) + I(C_4H_8) + H_2O$$

$$I + O_3\text{, puis } H_2O \longrightarrow H_2C{=}O + CH_3{-}CO{-}CH_3 + H_2O_2$$

En fait, deux structures sont possibles pour E; comment pourraient-elles être distinguées en RMN?

***17-g*** Quelle est la structure (y compris la géométrie) des deux produits d'élimination obtenus à partir du (2*R*,3*R*)-2-bromo-3-méthylpentane,
a) en présence de soude concentrée, dans un solvant polaire aprotique (par exemple, DMSO),
b) par élimination de Hofmann, après réaction de ce composé avec la triméthylamine. Nommez ces deux produits. Sont-ils optiquement actifs?

## LES COLORANTS

**17.20** De tout temps l'homme a cherché à donner, par « teinture », des couleurs aux tissus dont il se vêt, ou dont il décore son habitation. Dès l'antiquité, il savait extraire à cet effet des *matières colorantes*, soit de végétaux (indigo, garance), soit d'animaux (carmin tiré de la cochenille, pourpre extraite du murex). Ces produits faisaient alors l'objet d'un commerce important, entre pays producteurs et utilisateurs.

Jusqu'au milieu du XIXᵉ siècle, seuls les colorants naturels ont été utilisés mais il s'est ensuite développé une très importante industrie des colorants de synthèse, notamment en Allemagne dans la seconde moitié du XIXᵉ siècle, qui fournit actuellement des milliers de colorants divers, adaptés à de nombreux usages particuliers (production française en 1988 : 46 500 t). Dans cette chimie particulière, les amines benzéniques (anilines, naphtylamine) jouent un rôle très important, par les réactions de diazotation et de copulation [17.12].

La couleur est liée au phénomène d'absorption du rayonnement par la matière; elle apparaît si cette absorption a lieu dans le domaine spectral du visible [6.11]. Ceci se produit si la molécule comporte un système conjugué suffisamment étendu, de sorte que les colorants ne peuvent pas être des molécules simples. Pour qu'ils présentent une couleur intense, leur molécule doit contenir un grand nombre de groupes non saturés, appelés en l'occurence groupes « chromophores » (C=C, C=N, N=N, N=O, cycle benzénique), tous conjugués. Ils possèdent souvent aussi des groupes dits « auxochromes », tels que OH ou $NH_2$, dont les doublets libres participent également au système conjugué.

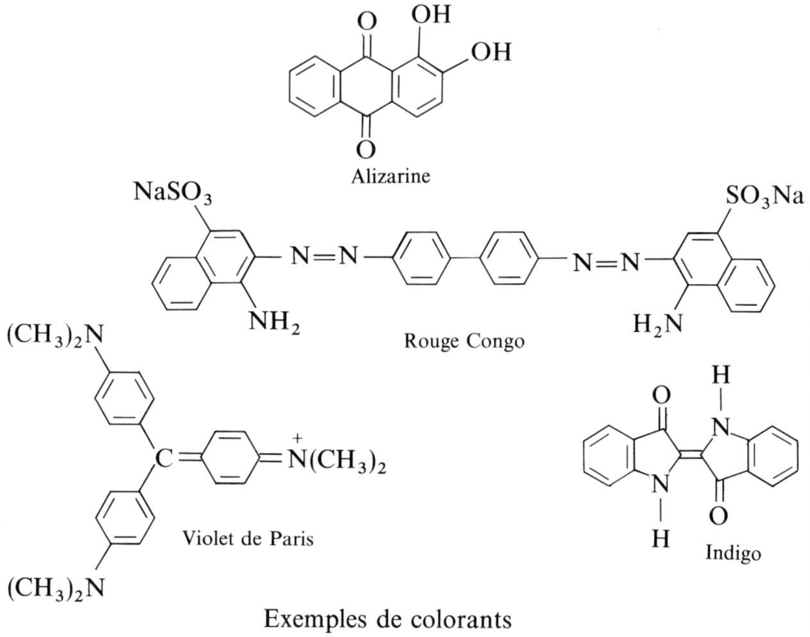

Alizarine

Rouge Congo

Violet de Paris

Indigo

Exemples de colorants

Mais un composé coloré, même intensément, n'est un « colorant » que s'il présente en outre une certaine affinité chimique pour la fibre textile, de sorte qu'il ne s'élimine pas lors des lavages (il ne doit pas « déteindre »). Or les fibres textiles ont des natures chimiques très variées, et en particulier plus ou moins polaires. Pour obtenir des teintures irréversibles on a donc été amené à faire la synthèse de colorants présentant eux aussi des structures et des fonctions très variées, aptes à se lier aux divers types de fibres.

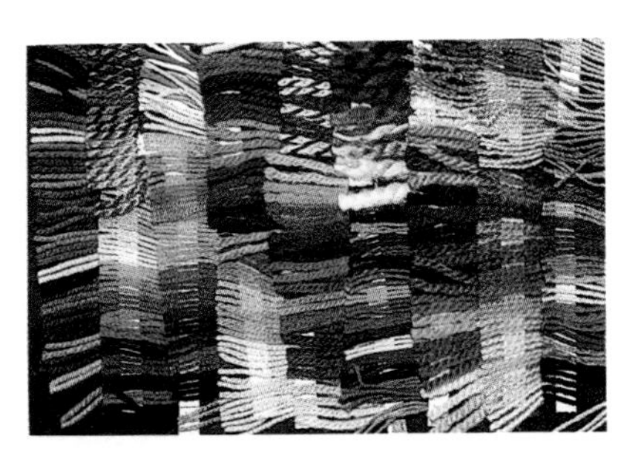

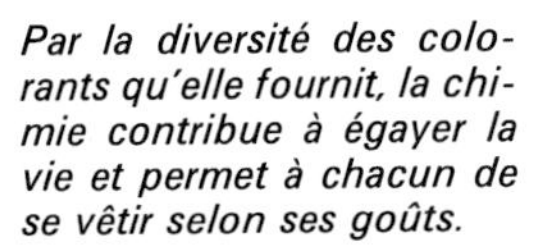

*Par la diversité des colorants qu'elle fournit, la chimie contribue à égayer la vie et permet à chacun de se vêtir selon ses goûts.*

En principe, la teinture s'effectue par trempage du textile dans une solution de colorant, mais on a dû aussi mettre au point un grand nombre de procédés particuliers, correspondant aux divers types de situation. Ainsi, dans certains cas, le colorant est produit « in situ », par une réaction de copulation réalisée en plongeant dans une solution de diazoïque un textile préalablement imprégné d'une solution de phénol ou d'amine.

N.B. Il ne faut pas confondre les *« colorants »*, utilisés pour la teinture des textiles, et les *« pigments »* utilisés pour colorer, par exemple, les peintures ou les matières plastiques. Ce sont des solides colorés, minéraux (oxydes, sulfures, chromates, ...) ou organiques, insolubles dans le milieu où ils sont introduits, employés sous la forme de poudre très fine.

# Les aldéhydes et les cétones

# 18

**18.1** Les fonctions *aldéhyde* et *cétone* ont le même groupe fonctionnel $>C{=}O$, appelé *groupe carbonyle*, et ne diffèrent que par le nombre de groupes alkyles ou aryles qui l'entourent, ou encore par le degré de substitution du carbone fonctionnel :

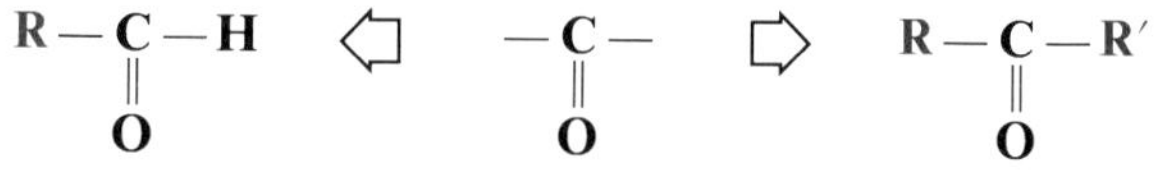

$$\underset{\text{Aldéhydes}}{R-\overset{\displaystyle O}{\overset{\|}{C}}-H} \Leftarrow \underset{\text{Groupe carbonyle}}{-\overset{\displaystyle O}{\overset{\|}{C}}-} \Rightarrow \underset{\text{Cétones}}{R-\overset{\displaystyle O}{\overset{\|}{C}}-R'}$$

R=H, alkyle ou aryle — R et R′ = alkyle ou aryle

Aldéhydes et cétones sont des *composés carbonylés*, et présentent beaucoup d'analogies (comme en présentent, par exemple, les alcools primaires et secondaires), mais la tradition a cependant maintenu cette distinction de deux fonctions distinctes.

On représente souvent les aldéhydes par R—CHO, ou RCHO, sans expliciter la double liaison C=O; mais il faut se garder d'écrire R—COH, qui suggérerait un groupe hydroxyle OH lié au carbone (C—OH), comme dans un alcool. De même, les cétones sont souvent représentées par R—CO—R′, ou même RCOR′, mais il faut avoir présent à l'esprit qu'il ne s'agit pas en ce cas d'un enchaînement C—O—C, comme dans un éther-oxyde.

La *nomenclature* des aldéhydes et des cétones a été exposée au chapitre 7 [7.14-15].

## 1 — Caractères physiques

**18.2** Le formaldéhyde $H_2C{=}O$ est gazeux dans les conditions ordinaires, et l'acétaldéhyde $CH_3{-}CHO$ est un liquide extrêmement volatil, bouillant à 21 °C. Mais tous les autres aldéhydes, ainsi que toutes les cétones, sont des liquides, ou des solides si leur masse moléculaire est élevée.

Les premiers termes, par exemple l'acétone $CH_3-CO-CH_3$, sont solubles dans l'eau, mais cette solubilité diminue lorsque la masse moléculaire augmente; elle est pratiquement nulle à partir de cinq carbones.

Les caractéristiques spectroscopiques des composés carbonylés, dans l'UV et l'IR et en RMN, ont été indiquées au chapitre 6.

## 2 — Réactivité

18.3 Les éléments structuraux déterminant la réactivité des aldéhydes et des cétones sont :

= l'existence d'une *liaison* $\pi$ entre C et O,

= la présence de deux *doublets libres* sur O,

= la différence d'électronégativité entre C et O, entraînant la *polarisation* de la double liaison et un effet inductif-attractif sur les liaisons voisines :

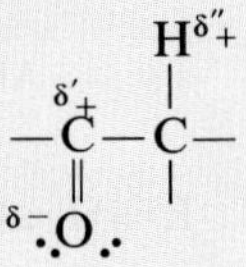

$$\begin{array}{ccc} & & H^{\delta''+} \\ & & | \\ -\overset{\delta'+}{C} & - & C- \\ \| & & | \\ {}^{\delta-}\ddot{O}\!: & & \end{array}$$

■ Les principales réactions des aldéhydes et des cétones ont presque toutes pour origine l'une ou l'autre des caractéristiques suivantes, et parfois les deux :

*a) L'insaturation de la double liaison* C=O : elle entraîne des *réactions d'addition* qui débutent le plus souvent par l'attaque du fragment nucléophile sur le carbone insaturé déficitaire, suivie de la fixation du fragment électrophile sur l'oxygène (exemple : addition des organométalliques).

Cependant, les doublets libres de l'oxygène lui confèrent une certaine *basicité*, et sa protonation a pour effet d'accroître le déficit électronique sur le carbone fonctionnel, en raison d'une résonance dans le cation formé. En milieu acide, les additions s'effectuent donc dans l'ordre inverse (le réactif nucléophile se fixe sur C dans la *seconde* étape), et elles bénéficient d'une « catalyse acide » (exemple : formation des hémiacétals).

*b) La labilité des hydrogènes en* $\alpha$ *du groupe carbonyle* (portés par l'un des carbones voisins), due à l'effet inductif de l'oxygène mais aussi, et surtout, à la formation en milieu basique d'un ion *énolate*, stabilisé par résonance :

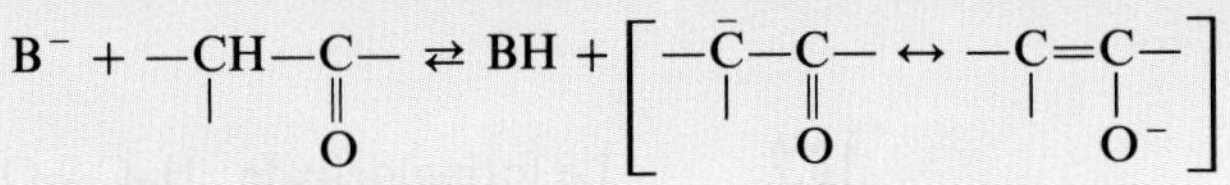

$$B^- + -\underset{|}{C}H-\underset{\|\atop O}{C}- \rightleftarrows BH + \left[ -\underset{|}{\bar{C}}-\underset{\|\atop O}{C}- \leftrightarrow -\underset{|}{C}=\underset{|\atop O^-}{C}- \right]$$

Il en résulte diverses possibilités de *substitution* de ces H labiles (alkylation, halogénation...).

■ Par ailleurs, les aldéhydes et les cétones, à la condition de posséder au moins un H en α du carbonyle, donnent lieu à l'*équilibre céto-énolique* entre deux formes tautomères [1.15] :

$$-\underset{|}{CH}-\underset{\underset{O}{\|}}{C}- \rightleftarrows -\underset{|}{C}=\underset{\underset{OH}{|}}{C}-$$

Aldéhyde, cétone — Enol

L'établissement de cet équilibre est catalysé tout à la fois par un milieu basique et par un milieu acide; son existence interfère souvent avec le déroulement des réactions.

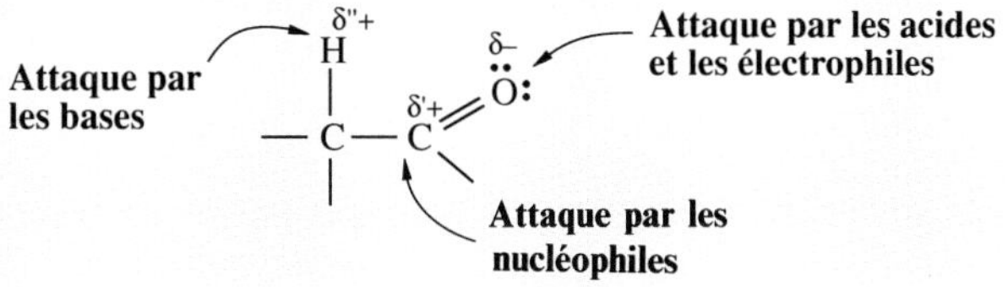

**Attaque par les bases** (H, δ''+)

**Attaque par les acides et les électrophiles** (O, δ−)

**Attaque par les nucléophiles** (C, δ'+)

## Additions sur le groupe carbonyle (et leurs suites)

### *Dihydrogène*

**18.4** En présence d'un catalyseur, par exemple le nickel Raney [9.4], un aldéhyde ou une cétone peut fixer une molécule de dihydrogène sur sa double liaison C=O, et donner un alcool :

$$R-\underset{\underset{O}{\|}}{C}-R' + H_2 \xrightarrow{[Ni]} R-\underset{\underset{OH}{|}}{CH}-R'$$

Un aldéhyde (R'=H) fournit un alcool primaire et une cétone (R et R'≠H) fournit un alcool secondaire.

L'hydrogénation de la liaison C=O est plus difficile que celle de la liaison éthylénique C=C et nécessite des conditions plus « brutales » : chauffage vers 80-100 °C, pression de dihydrogène de quelques atmosphères. Avec un catalyseur tel que le platine, il est possible d'hydrogéner sélectivement la liaison éthylénique d'un aldéhyde ou d'une cétone insaturé, à pression et température ordinaires, sans hydrogéner son groupe carbonyle.

*Exemple*

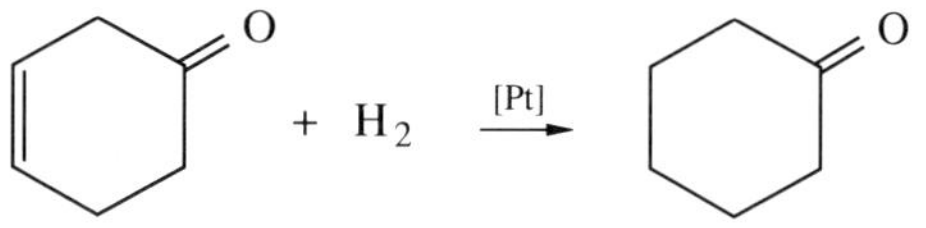

cyclohex-2-énone + $H_2$ $\xrightarrow{[Pt]}$ cyclohexanone

## *Schémas des additions ioniques*

**18.5** Le mécanisme d'addition le plus fréquent est celui d'une réaction nucléophile en deux étapes; il est en accord avec le caractère déficitaire (électrophile) du carbone dans le groupe carbonyle.

Le réactif qui s'additionne fournit, par sa rupture hétérolytique, un cation et un anion, et c'est celui-ci qui, dans une première étape, se lie au carbone, grâce au doublet qu'il apporte. Le doublet π de la liaison C=O « reflue » sur l'oxygène, qui porte de ce fait une charge négative. Dans la seconde étape, le cation du réactif se lie sur lui :

$$\overset{\delta+}{A}-\overset{\delta-}{B} + \begin{matrix} R \\ R' \end{matrix}\!\!>\overset{\delta+}{C}=\ddot{O}: \longrightarrow B-\underset{R'}{\overset{R}{\overset{|}{\underset{|}{C}}}}-\ddot{O}:^- + A^+ \longrightarrow B-\underset{R'}{\overset{R}{\overset{|}{\underset{|}{C}}}}-O-A$$

Si le fragment A est un métal, le composé formé est un *alcoolate*, qui peut être ensuite hydrolysé [15.4], et en définitive le bilan global se résume à :

$$A-B + R-\underset{\underset{O}{\|}}{C}-R' \xrightarrow{H_2O} B-\underset{R'}{\overset{R}{\overset{|}{\underset{|}{C}}}}-OH$$

(exemple : addition des hydrures [18.6], ou des organométalliques [18.7]).

Si le fragment A est un hydrogène ($H^+$), le composé formé dans l'addition, qui est déjà de la forme $B-\overset{|}{\underset{|}{C}}-OH$, peut être stable et constituer le produit final de la réaction (exemple : addition de HCN [18.8]). Mais, en ce cas également, des réactions ultérieures peuvent se produire (exemple : réaction avec divers composés azotés [18.8]).

Ces additions nucléophiles ont lieu en milieu basique (le fragment $B^-$ est une base, au sens de Bronsted ou au sens de Lewis). D'autres additions sur le groupe carbonyle ont lieu en *milieu acide* et la basicité de l'oxygène [18.3] y joue alors le rôle principal.

La première étape est en effet la protonation de l'oxygène, dans un équilibre acidobasique qui s'établit entre le composé carbonylé et son acide conjugué. La forme protonée est le siège d'une délocalisation électronique et, dans l'une de ses formes limites, le carbone est porteur d'une charge +. Dans l'hybride, le carbone est donc plus fortement déficitaire que dans la molécule neutre, et son attaque par un nucléophile, dans une seconde étape, est ainsi facilitée :

$$\begin{matrix} R \\ R' \end{matrix}\!\!>C=\ddot{O}: + H^+ \rightleftarrows \left[\begin{matrix} R \\ R' \end{matrix}\!\!>C=\overset{+}{\underset{\cdot\cdot}{O}}H \leftrightarrow \begin{matrix} R \\ R' \end{matrix}\!\!>\overset{+}{C}-\ddot{O}H\right] \xrightarrow{Y^-} Y-\underset{R'}{\overset{R}{\overset{|}{\underset{|}{C}}}}-OH$$

(exemple : addition des alcools [18.10]).

Le point commun des réactions regroupées ci-après sous la désignation de « réactions d'addition » est qu'elles comportent toutes la *fixation d'un nucléophile sur le carbone* (dans la première ou la seconde étape), et l'*utilisation du doublet* π *pour fixer un électrophile sur l'oxygène.* Mais certaines d'entre elles sont suivies, spontanément, d'autres réactions et leur bilan global n'est pas celui d'une simple addition, au sens usuel du terme. Il en résulte que cette rubrique « réactions d'addition » présente une grande diversité et peut, au premier abord, paraître manquer d'unité.

*18-A*

*Dans ces réactions d'addition, les cétones sont moins réactives que les aldéhydes. Deux raisons peuvent l'expliquer; l'une est d'ordre géométrique (ou stérique), l'autre est d'ordre électronique. Quelles pourraient être ces deux raisons?*

## *Hydrures*

**18.6** Les hydrures métalliques, tels que LiH (hydrure de lithium), $NaBH_4$ (borohydrure de sodium), ou $LiAlH_4$ (aluminohydrure de lithium), sont des donneurs potentiels d'ions hydrure (l'hydrogène y possède le nombre d'oxydation −I). Ils réagissent très facilement avec les aldéhydes et les cétones, qu'ils transforment (réduisent), après hydrolyse de l'alcoolate d'abord formé, en alcools respectivement primaires et secondaires :

$$Li^+H^- + R-\underset{\underset{O}{\|}}{C}-R' \longrightarrow R-\underset{\underset{O^-Li^+}{|}}{CH}-R' \xrightarrow{H_2O} R-\underset{\underset{OH}{|}}{CH}-R' + LiOH$$

Le bilan est le même que celui de l'hydrogénation catalytique [18.4], mais cette réaction est plus facile à mettre en œuvre. D'autre part, elle présente l'intérêt d'être spécifique des liaisons C=O, et de ne pas réduire (hydrogéner) les liaisons éthyléniques C=C éventuellement présentes dans la même molécule.

*Exemple :*

cyclohexénone (C=O) $\xrightarrow[2)\ H_2O]{1)\ LiAlH_4}$ cyclohexénol (OH)

## *Organométalliques*

**18.7** Les organométalliques [14.1] réagissent par la rupture de leur liaison carbone-métal, qui fournit un carbanion $R^-$. Celui-ci constitue un réactif nucléophile qui peut se fixer sur le carbone fonctionnel d'un aldéhyde ou d'une cétone. Il se forme un alcoolate, dont l'hydrolyse ultérieure conduit à un alcool (ces réactions ont déjà été décrites au chapitre 14 [14.8]).

*Exemple :* action d'un organomagnésien R—MgBr sur une cétone,

$BrMg^+R^-$ + cyclobutanone (O) ⟶ cyclobutane(R)($O^-MgBr^+$) $\xrightarrow{H_2O}$ cyclobutane(R)(OH) + BrMgOH

L'organométallique peut aussi être un organoalcalin (RNa, RLi); il peut résulter de la métallation d'un alcyne vrai [10.13].

Les aldéhydes donnent des alcools secondaires (sauf $H_2C{=}O$ qui donne des alcools primaires); les cétones donnent des alcools tertiaires.

## *Cyanure d'hydrogène*

**18.8** Le cyanure d'hydrogène (ou acide cyanhydrique) $H{-}C{\equiv}N$ s'additionne sur le groupe carbonyle en donnant une *cyanhydrine :*

$$\overset{+}{H}\ \overset{-}{C}{\equiv}N + R{-}\underset{\substack{\|\\ O}}{C}{-}R' \longrightarrow R{-}\underset{\substack{|\\ O^-}}{\overset{\substack{C\equiv N\\ |}}{C}}{-}R' + H^+ \longrightarrow R{-}\underset{\substack{|\\ OH}}{\overset{\substack{C\equiv N\\ |}}{C}}{-}R'$$

Les cyanhydrines possèdent deux fonctions (alcool et nitrile) très réactives, et constituent un intermédiaire intéressant pour l'accès à divers types de composés.

*Exemple :*

$$H{-}C{\equiv}N + \underset{\text{Acétone}}{CH_3{-}CO{-}CH_3}$$

$$\longrightarrow \underset{\text{Cyanhydrine}}{CH_3{-}\underset{\substack{|\\ OH}}{\overset{\substack{CH_3\\ |}}{C}}{-}C{\equiv}N}$$

$$\xrightarrow[\text{[15.6]}]{-H_2O} CH_2{=}\overset{\substack{CH_3\\ |}}{C}{-}C{\equiv}N \quad \text{Nitrile éthylénique}$$

$$\xrightarrow[\text{[17.17]}]{H_2} CH_3{-}\overset{\substack{CH_3\\ |}}{C}(OH){-}CH_2{-}NH_2 \quad \text{Aminoalcool}$$

$$\xrightarrow[\text{[19.11]}]{H_2O} CH_3{-}\overset{\substack{CH_3\\ |}}{C}(OH){-}COOH \quad \text{Hydroxyacide}$$

L'hydrolyse du nitrile éthylénique donne l'acide méthacrylique

$$CH_2{=}C(CH_3){-}COOH,$$

dont l'ester méthylique (méthacrylate de méthyle, $CH_2{=}C(CH_3){-}COOCH_3$) se polymérise pour donner le « Plexiglas ».

### *18-B*

*En fait,* HCN ($K_a = 10^{-10}$, *ou* $pK_a = 10$) *ne s'additionne que très lentement et la réaction doit être catalysée par une base forte, comme* $OH^-$. *Comment justifier le rôle de cette base?*

## *Eau. Hydratation*

**18.9** L'eau peut s'additionner sur le groupe carbonyle, pour donner un *hydrate* d'aldéhyde ou de cétone, mais la réaction est inversible et, à l'équilibre, la quantité formée de cet hydrate est généralement très faible.

$$H_2O + R-\underset{\underset{O}{\|}}{C}-R' \rightleftharpoons R-\underset{\underset{OH}{|}}{\overset{\overset{OH}{|}}{C}}-R'$$

Il existe cependant deux exceptions : le méthanal $H_2C{=}O$ et le chloral $Cl_3C{-}CH{=}O$ forment des hydrates stables, par une réaction totale. Dans sa solution aqueuse, appelée *formol*, le méthanal est entièrement sous forme d'hydrate.

## *Alcools. Formation d'acétals*

**18.10** Par chauffage avec un alcool, en présence de HCl anhydre, les aldéhydes et les cétones se transforment en *hémiacétals*, puis en *acétals :*

$$R-\underset{\underset{O}{\|}}{C}-R' \xrightleftharpoons{R''OH,\,HCl} R-\underset{\underset{OH}{|}}{\overset{\overset{OR''}{|}}{C}}-R' \xrightleftharpoons{R''OH,\,HCl} R-\underset{\underset{OR''}{|}}{\overset{\overset{OR''}{|}}{C}}-R' + H_2O$$

Hémiacétal Acétal

La réaction est inversible et les acétals s'hydrolysent facilement en aldéhyde ou cétone, et alcool.

Cette réaction offre un exemple d'addition sur le groupe carbonyle catalysée par un acide. La première phase, conduisant à l'hémiacétal, est une simple addition de l'alcool; elle débute par la protonation du groupe carbonyle, selon le schéma déjà indiqué [18.5], suivie de l'attaque nucléophile de l'alcool sur le carbone, auquel il se lie par l'un des doublets libres de son oxygène :

$$R-\underset{\underset{:\ddot{O}:}{\|}}{C}-R' \xrightleftharpoons{H^+} \left[ R-\underset{\underset{^+\ddot{O}H}{\|}}{C}-R' \leftrightarrow R-\underset{\underset{:\ddot{O}H}{|}}{\overset{+}{C}}-R' \right] \xrightleftharpoons{R''OH} R-\underset{\underset{OH}{|}}{\overset{\overset{H\diagdown\overset{+}{O}\diagup R''}{|}}{C}}-R'$$

$$\rightleftharpoons R-\underset{\underset{OH}{|}}{\overset{\overset{OR''}{|}}{C}}-R' + H^+ \quad \text{Hémiacétal}$$

Dans la seconde phase, il se crée une fonction éther-oxyde, de façon très «classique» [15.6], entre les groupes OH de l'hémiacétal et de l'alcool, avec élimination d'une molécule d'eau :

$$R-\underset{\underset{:\ddot{O}H}{|}}{\overset{\overset{OR''}{|}}{C}}-R' \xrightleftharpoons{H^+} R-\underset{\underset{^+\ddot{O}H_2}{|}}{\overset{\overset{OR''}{|}}{C}}-R' \rightleftarrows R-\underset{+}{\overset{\overset{OR''}{|}}{C}}-R' + H_2O \xrightleftharpoons{R''OH}$$

$$-R-\underset{\underset{H\diagup O^+ \diagdown R''}{|}}{\overset{\overset{OR''}{|}}{C}}-R' \rightleftarrows R-\underset{\underset{OR''}{|}}{\overset{\overset{OR''}{|}}{C}}-R' + H^+ \quad \text{Acétal}$$

La formation d'un acétal constitue un moyen de « protéger » une fonction aldéhyde ou cétone pendant que l'on effectue sur une autre partie de la molécule une réaction qui aurait pu la concerner aussi. Les fonctions éther-oxydes de l'acétal sont en effet très peu réactives [15.21], et la facilité de leur hydrolyse permet la « récupération » ultérieure aisée de la fonction carbonylée. On utilise souvent, dans cette application, un dialcool comme l'éthane-1,2-diol $HOCH_2—CH_2OH$ au lieu de deux molécules d'un monoalcool; il se forme alors un acétal cyclique, appelé *dioxolane*.

*Exemple :* alkylation d'un aldéhyde, après l'avoir halogéné en α [18.15],

$$BrCH_2-CH=O \xrightarrow[H^+]{HOCH_2-CH_2OH} BrCH_2-CH\langle\text{O-CH}_2\text{-CH}_2\text{-O}\rangle \xrightarrow{R-MgBr} R-CH_2-CH\langle\text{O-CH}_2\text{-CH}_2\text{-O}\rangle \xrightarrow{H_2O}$$

$$R-CH_2-CH=O + HOCH_2-CH_2OH$$

On évite ainsi une réaction simultanée de l'organomagnésien sur la fonction aldéhyde, qui l'aurait transformée (définitivement) en alcool secondaire.

## 18-C

*La formation d'un acétal étant inversible, c'est une réaction incomplète; dans certains cas il ne se forme même que très peu d'acétal à l'équilibre. Comment pourrait-on la rendre plus complète, voire totale? (l'estérification présente une situation très analogue).*

## Amines et réactifs azotés divers

**18.11** Il a déjà été signalé [17.11] que l'ammoniac et les amines primaires $R—NH_2$ donnent avec les aldéhydes et les cétones des **imines,** à la suite d'une addition sur le groupe carbonyle conduisant, dans un premier temps, à un aminoalcool :

$$R-\underset{\underset{O}{\|}}{C}-R' + NH_3 \rightarrow \left(R-\underset{\underset{OH}{|}}{\overset{\overset{R'}{|}}{C}}-NH_2\right) \rightarrow R-\overset{\overset{R'}{|}}{C}=NH + H_2O$$

Imine

$$R-\underset{\underset{O}{\|}}{C}-R' + R''-NH_2 \rightarrow \left(R-\underset{\underset{OH}{|}}{\overset{\overset{R'}{|}}{C}}-NH-R''\right)$$

$$\rightarrow R-\overset{\overset{R'}{|}}{C}=N-R'' + H_2O$$

Imine
(base de Schiff)

La même réaction est possible avec divers composés azotés de la forme $A—NH_2$, selon le bilan :

$$R-\underset{\underset{O}{\|}}{C}-R' + A-NH_2 \rightarrow R-\underset{\underset{R'}{|}}{C}=N-A + H_2O$$

L'intérêt principal de ces réactions est de conduire à des dérivés généralement cristallisés et faciles à obtenir purs, très utiles pour contribuer à la caractérisation et l'identification d'un aldéhyde ou d'une cétone, par la détermination de leur point de fusion (cf. fig. 6.1).

*Exemples :*

| A | *Réactif* | *Dérivé* | |
|---|---|---|---|
| HO– | Hydroxylamine | R–C(R')=N–OH | Oxime |
| $H_2N$– | Hydrazine | R–C(R')=N–$NH_2$ | Hydrazone |
| $C_6H_5$–NH– | Phénylhydrazine | R–C(R')=N–NH–$C_6H_5$ | Phénylhydrazone |
| $O_2N$–$C_6H_3(NO_2)$–NH– | 2,4-dinitro-phénylhydrazine | R–C(R')=N–NH–$C_6H_3(NO_2)$–$NO_2$ | 2,4-dinitro-phénylhydrazone |
| $H_2N$–CO–NH– | Semicarbazide | R–C(R')=N–NH–CO–$NH_2$ | Semicarbazone |

(les dérivés des aldéhydes correspondent à R′=H).

Les **hydrazones,** chauffées en milieu basique, perdent une molécule de diazote :

$$R-C(R')=N-NH_2 \xrightarrow{OH^-,\Delta} R-CH_2-R' + N_2$$

On peut ainsi réaliser, par leur intermédiaire, la réduction totale d'un aldéhyde ou d'une cétone en hydrocarbure ( $>C=O \rightarrow >CH_2$). C'est la *réduction de Wolff-Kishner*.

Les **oximes,** en milieu acide, subissent une transformation (*réarrangement de Beckman*) qui donne un amide substitué :

$$R-C(R')=N-OH \xrightarrow{H^+} R-C(=O)-NH-R'$$

Les oximes possèdent deux isomères du type *Z*/*E* [3.23-24],

$$(R)(R')C=\ddot{N}-OH \quad \text{et} \quad (R)(R')C=\ddot{N}-OH$$

et on observe que, dans cette réaction, c'est toujours le groupe R « antiparallèle » avec OH qui migre du carbone sur l'azote. On est donc conduit à attribuer à la première étape de ce réarrangement un mécanisme concerté (une condition d'antiparallélisme analogue a été rencontrée dans le mécanisme E2 d'élimination des dérivés halogénés [13.10] :

$$(R)(R')C=N-OH \xrightarrow{H^+} (R)(R')C=N-\overset{+}{O}H_2 \longrightarrow R'-\overset{+}{C}=N-R + H_2O$$

$$\xrightarrow{H_2O} R'-C(OH)=N-R + H^+ \longrightarrow R'-C(=O)-NH-R$$

*18-D*

*On pourrait penser que la protonation du groupe* OH *conduit d'abord* (*comme dans la déshydratation des alcools* [15.6]) *à la rupture de la liaison* N—O *et à la formation du cation* $RR'C{=}N^+$; *la migration de l'un des groupes* R *interviendrait ensuite. Pourquoi cette hypothèse ne peut-elle être retenue? Quel serait en ce cas le résultat de la réaction?*

## *Réaction de Cannizzaro*

**18.12** Il s'agit d'une réaction *particulière aux aldéhydes ne possédant pas d'hydrogène en α du groupe carbonyle* (par exemple, le benzaldéhyde $C_6H_5$—CHO). En présence de soude concentrée, ils subissent une réaction de « dismutation » (*) au cours de laquelle une molécule d'aldéhyde est oxydée en acide (sous la forme de son sel de sodium), alors qu'une autre est réduite en alcool primaire :

*Exemple :*

$$\underset{\text{Benzaldéhyde}}{2\,C_6H_5\text{—}CHO} + OH^- \rightarrow \underset{\text{Benzoate (de Na)}}{C_6H_5\text{—}COO^-} + \underset{\text{Alcool benzylique}}{C_6H_5\text{—}CH_2OH}$$

Cette réaction peut être décrite en deux étapes :

a) attaque nucléophile de $OH^-$ sur le carbone fonctionnel déficitaire de l'aldéhyde :

$$Ph\text{—}CH{=}O + OH^- \rightarrow Ph\text{—}CH(OH)\text{—}O^-$$

b) « reconstitution » de la double liaison C=O, avec élimination d'un ion hydrure $H^-$ qui se lie sur le carbone fonctionnel d'une autre molécule, et enfin transfert d'un $H^+$ entre l'acide et l'alcoolate formés ($Ph\text{—}CH_2\text{—}O^-$ est beaucoup plus basique que $Ph\text{—}COO^-$) :

$$Ph\text{—}C(OH)(H)\text{—}O^- + Ph\text{—}CH{=}O \rightarrow Ph\text{—}C(OH){=}O + Ph\text{—}CH_2\text{—}O^-$$

$$\rightarrow Ph\text{—}C(O^-){=}O + Ph\text{—}CH_2\text{—}OH$$

La réduction en alcool primaire s'effectue donc exactement de la même manière qu'en présence d'un hydrure métallique [18.6]; c'est une simple addition nucléophile sur le groupe carbonyle. La libération de l'ion $H^-$ par l'autre molécule résulte d'un processus d'addition élimination, dont le bilan global est la substitution de $OH^-$ à $H^-$.

---

(*) Une *dismutation* est une réaction d'oxydoréduction entre deux molécules d'un composé, l'une oxydant l'autre et étant réduite par elle. Le nombre d'oxydation de l'élément concerné, identique dans les deux molécules initiales, se trouve augmenté dans l'un des produits et diminué dans l'autre (dans le cas présent, il s'agit de celui du carbone fonctionnel, égal à + I dans l'aldéhyde, à − I dans l'alcool et à + III dans l'acide).

*18-E*

*Pourquoi cette réaction ne peut-elle avoir lieu qu'avec des aldéhydes? Et pourquoi faut-il qu'ils ne possèdent pas d'hydrogène en α?*

### *Pentachlorure de phosphore*

**18.13** Le pentachlorure de phosphore $PCl_5$ transforme les aldéhydes et les cétones en dérivés dihalogénés géminés (dérivés *gem*-dihalogénés) [13.15] :

$$R{-}\underset{\underset{O}{\|}}{C}{-}R' + PCl_5 \rightarrow R{-}CCl_2{-}R' + POCl_3$$

Bien qu'il s'agisse en apparence de la substitution de l'oxygène par deux chlores, cette réaction débute par une *addition* sur le groupe carbonyle.

## Réactions associées à la labilité de l'hydrogène en α du carbonyle

Les atomes d'hydrogène portés par un carbone « en α » du carbonyle (c'est-à-dire un carbone adjacent à celui du carbonyle) sont *labiles*, ou encore « acides ». La constante d'acidité correspondante [5.17] est extrêmement faible ($K_a = 10^{-20}$, ou $pK_a = 20$) et la dissociation dans l'eau, pour les termes qui y sont solubles, est pratiquement nulle. Mais ces hydrogènes peuvent être « arrachés » par une base suffisamment forte, telle que $OH^-$, $CH_3CH_2O^-$, $NH_2^-$ :

$$-\underset{\underset{O}{\|}}{C}-\overset{\overset{H}{|}}{\underset{|}{C}}- + OH^- \rightleftarrows -\underset{\underset{O}{\|}}{C}-\overset{\overset{-}{\ddot{}}}{\underset{|}{C}}- + H_2O$$

Aldéhyde ou cétone — Ion énolate

L'origine de cette labilité a déjà été indiquée [18.3], et la structure mésomère de l'ion énolate, dont la stabilisation par résonance joue un rôle important, est à nouveau envisagée ci-après [18.14].

Les cétones possèdent deux carbones en α et, si tous deux portent de l'hydrogène, les réactions qui le mettent en cause peuvent avoir lieu sur l'un ou l'autre de ces deux carbones. Dans les cétones mixtes R—CO—R′ ($R \neq R'$) il peut donc se poser des problèmes d'orientation préférentielle, mais ils ne seront pas discutés ici.

### *Équilibre céto-énolique*

**18.14** Les aldéhydes et les cétones peuvent exister sous deux formes *tautomères* [1.15] en équilibre l'une avec l'autre : la forme *cétonique* (on emploie ce terme même pour les aldéhydes) et la forme *énolique* :

$$\underset{\text{(aldéhyde ou cétone)}}{\underset{\text{Forme cétonique}}{-\underset{|}{C}H-\underset{\underset{O}{\|}}{C}-}} \rightleftarrows \underset{\text{(énol)}}{\underset{\text{Forme énolique}}{-\underset{|}{C}=\underset{\underset{OH}{|}}{C}-}}$$

*Exemple :*

$$\underset{\text{Acétone}}{CH_3-\underset{\underset{O}{\|}}{C}-CH_3} \rightleftarrows \underset{\text{Propén-2-ol}}{CH_2=\underset{\underset{OH}{|}}{C}-CH_3}$$

L'établissement de l'équilibre à partir de l'une des deux formes, très lent en milieu neutre, est catalysé par les bases et par les acides. En milieu basique, la transformation réciproque des deux formes tautomères s'effectue par l'intermédiaire de l'ion énolate, selon le mécanisme suivant :

$$B^- + -\underset{|}{\overset{\overset{H}{|}}{C}}-\underset{\underset{O}{\|}}{C}- \rightleftharpoons \left[ -\underset{|}{\overset{\cdot\cdot}{C}}-\underset{\underset{\cdot\overset{\cdot\cdot}{O}\cdot}{\|}}{C}- \longleftrightarrow -\underset{|}{C}=\underset{\underset{:\ddot{O}:^-}{|}}{C}- \right] \rightleftharpoons -\underset{|}{C}=\underset{\underset{OH}{|}}{C}- + B^-$$

Aldéhyde, cétone — $+ \; BH$ Ion énolate — Enol

Dans chacune des deux réactions inverses (cétone → énol et énol → cétone), le rôle de la base est le même. Il consiste à être le « véhicule » d'un proton ($H^+$), pris sur un site et transporté sur un autre, pendant que les électrons $\pi$ se déplacent entre les liaisons C—C et C—O. Un tel transfert de proton est une *« prototropie »*.

Cette réaction constitue un bon exemple pour illustrer la différence entre *équilibre chimique* et *mésomérie*. La forme cétonique et la forme énolique existent réellement et sont continuellement en transformation chimique réciproque de l'une en l'autre; elles sont en « équilibre chimique ». Mais les deux formules utilisées pour décrire l'ion énolate (entre les crochets) ne sont que des « formes limites » [4.16], qui n'ont pas chacune une réalité propre. La structure réelle, et unique, de l'ion énolate doit être imaginée comme un « hybride » de ces deux structures fictives, entre lesquelles il y a « mésomérie » ou « résonance ». Cet hybride peut être représenté approximativement par le schéma :

$$-\underset{|}{\overset{\delta-}{C}}\overset{---}{=}\underset{\underset{O^{\delta'-}}{\vdots}}{C}- \qquad (\delta + \delta' = -1)$$

dans lequel la charge négative est *répartie entre deux sites*, l'oxygène et le carbone en $\alpha$. C'est la raison pour laquelle un proton peut se lier sur l'un ou l'autre de ces deux sites, et passer de l'un à l'autre, transporté par la base $B^-$.

La forme énolique des aldéhydes et cétones simples, saturés, est très instable et à l'équilibre elle n'est présente qu'en très faible quantité (l'acétone, prise ci-dessus comme exemple, ne contient à l'équilibre que 0,0003 % d'énol). Mais la forme énolique peut devenir prédominante si elle est particulièrement stabilisée (plus stabilisée que la forme cétonique). C'est le cas, par exemple, de la pentane-2,4-dione $CH_3-CO-CH_2-CO-CH_3$, qui contient 80 % de l'une de ses formes énoliques,

$$CH_3-C(OH)=CH-CO-CH_3;$$

celle-ci est en effet stabilisée à la fois par la conjugaison de ses deux doubles liaisons (C=C et C=O) et par une liaison hydrogène [15.2] interne :

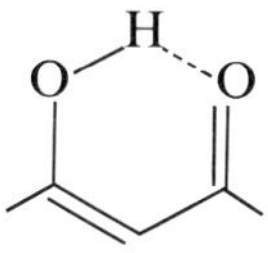

### 18-F

*L'équilibre céto-énolique peut aussi se réaliser en milieu acide. Quel est alors l'intermédiaire de la réaction? Quel pourrait être son mécanisme?*

## Alkylation

**18.15** L'ion énolate formé en milieu basique [18.3,14] est un nucléophile et peut, à ce titre, donner des réactions de substitution avec les dérivés halogénés [13.4] :

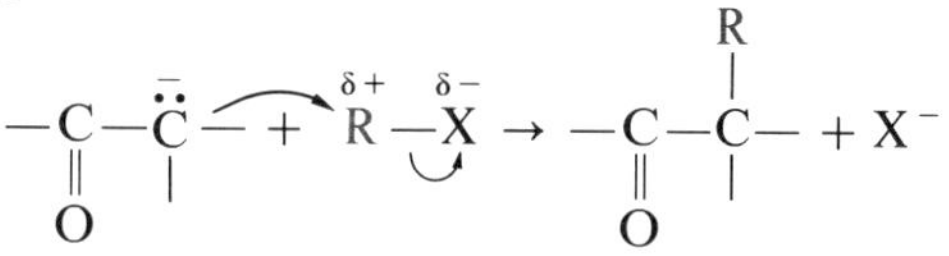

$$-\underset{\underset{O}{\|}}{C}-\overset{\bar{\cdot\cdot}}{\underset{|}{C}}- + \overset{\delta+}{R}-\overset{\delta-}{X} \rightarrow -\underset{\underset{O}{\|}}{C}-\overset{R}{\overset{|}{\underset{|}{C}}}- + X^-$$

Si l'on considère le résultat par rapport au composé carbonylé de départ, on a réalisé son *alkylation en* α du carbonyle. La réaction peut se poursuivre aussi longtemps qu'il reste des hydrogènes substituables en α (il peut même être difficile de la limiter à une monoalkylation); mais les hydrogènes portés par les autres carbones de la molécule ne sont pas labiles, et la réaction se limite aux positions α.

*Exemple :*

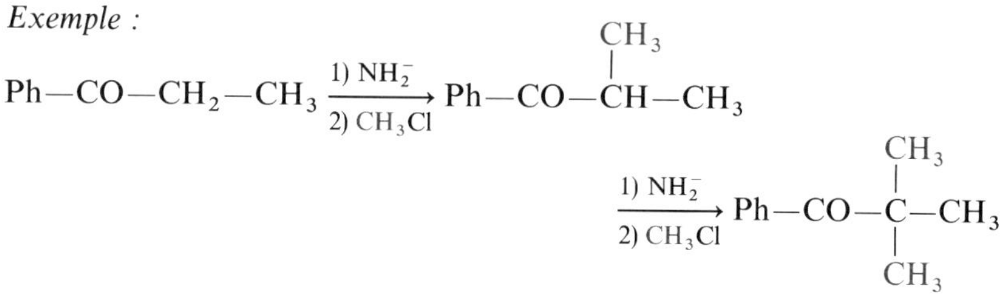

$$Ph-CO-CH_2-CH_3 \xrightarrow[2)\ CH_3Cl]{1)\ NH_2^-} Ph-CO-\overset{CH_3}{\overset{|}{C}H}-CH_3$$

$$\xrightarrow[2)\ CH_3Cl]{1)\ NH_2^-} Ph-CO-\underset{CH_3}{\underset{|}{\overset{CH_3}{\overset{|}{C}}}}-CH_3$$

### 18-G

*Au cours de l'alkylation d'un aldéhyde ou d'une cétone par un dérivé halogéné RX, il peut se former aussi un « éther d'énol »* $>C=C<_{OR}$ *(on dit qu'il y a eu « O-alkylation » au lieu de « C-alkylation »). Comment expliquer sa formation?*

## Aldolisation. Cétolisation

**18.16** Les aldéhydes et les cétones donnent en milieu basique un anion (énolate) qui se comporte comme un réactif nucléophile [18.15]. Par ailleurs, ils réagissent avec les nucléophiles, qui se lient sur leur carbone fonctionnel déficitaire (cf. par exemple l'addition des organométalliques [18.7]).

Il n'est donc pas étonnant qu'en milieu basique un aldéhyde ou une cétone possédant au moins un H en α réagisse *sur lui-même*, en l'absence de tout autre réactif : l'énolate formé à partir d'une première molécule s'additionne sur le groupe carbonyle d'une autre :

$$-\underset{\underset{O}{\|}}{C}-\overset{\overset{H}{|}}{\underset{|}{C}}- + OH^- \longrightarrow -\underset{\underset{O}{\|}}{C}-\overset{\bar{\cdot\cdot}}{\underset{|}{C}}- + H_2O$$

puis

$$-\underset{\underset{O}{\|}}{C}-\overset{\bar{\cdot\cdot}}{\underset{|}{C}}- + -\overset{\delta+}{\underset{\underset{O^{\delta-}}{\|}}{C}}- \longrightarrow -\underset{\underset{O}{\|}}{C}-\overset{|}{\underset{|}{C}}-\overset{|}{\underset{\underset{O^-}{|}}{C}}- \xrightarrow{H_2O} -\underset{\underset{O}{\|}}{C}-\overset{|}{\underset{|}{C}}-\overset{|}{\underset{\underset{OH}{|}}{C}}- + OH^-$$

La réaction peut avoir lieu entre deux molécules du même aldéhyde ou de la même cétone, mais aussi entre molécules différentes, même entre un aldéhyde et une cétone. Le composé qui en résulte comporte à la fois une fonction *alcool* (primaire, secondaire ou tertiaire) et, selon les cas, une fonction *aldéhyde* (c'est alors un **aldol)** ou une fonction cétone (c'est alors un **cétol).**

*Exemples :*

Propanal + propanal :

a) $CH_3-CH_2-CHO + OH^- \longrightarrow CH_3-\bar{\ddot{C}}H-CHO + H_2O$

b) $CH_3-CH_2-\underset{\underset{O}{\|}}{CH} + \underset{\underset{CH_3}{|}}{\bar{\ddot{C}}H}-CHO \xrightarrow{H_2O} \underset{\text{Aldol}}{CH_3-CH_2-}\underset{\underset{OH}{|}}{CH}-\underset{\underset{CH_3}{|}}{CH}-CHO + OH^-$

Acétone + acétone :

a) $CH_3-CO-CH_3 + OH^- \longrightarrow CH_3-CO-\bar{\ddot{C}}H_2 + H_2O$

b) $CH_3-CO-\bar{\ddot{C}}H_2 + \overset{\overset{CH_3}{|}}{\underset{\underset{O}{\|}}{C}}-CH_3 \xrightarrow{H_2O} \underset{\text{Cétol}}{CH_3-CO-CH_2-}\overset{\overset{CH_3}{|}}{\underset{\underset{OH}{|}}{C}}-CH_3 + OH^-$

Éthanal + formaldéhyde (ce dernier étant non «énolisable», puisque démuni de H en α) :

a) $CH_3-CHO + OH^- \longrightarrow \bar{\ddot{C}}H_2-CHO + H_2O$

b) $O=CH_2 + \bar{\ddot{C}}H_2-CHO \xrightarrow{H_2O} \underset{\text{Aldol}}{HOCH_2-CH_2-CHO} + OH^-$

Les aldols et cétols ainsi obtenus se déshydratent facilement, en donnant un aldéhyde ou une cétone *non saturé* (ou éthylénique). Cette déshydratation a lieu en milieu acide, comme pour une fonction alcool normale [15.6], mais parfois elle se produit par un simple chauffage; on l'appelle souvent « crotonisation », du nom de l'aldéhyde éthylénique obtenu dans l'exemple suivant :

$$\underset{\text{« Aldol »}}{CH_3{-}CHOH{-}CH_2{-}CHO} \xrightarrow{[H^+]} \underset{\text{Aldéhyde crotonique}}{CH_3{-}CH{=}CH{-}CHO}$$

*18-H*

---

*Si l'on réalise une aldolisation entre l'éthanal* $CH_3{-}CHO$ *et le propanal* $CH_3{-}CH_2{-}CHO$, *combien d'aldols différents peut-on obtenir? Combien peut-on en obtenir si le propanal a préalablement été transformé en acétal* [18.10]*? Et si le propanal est remplacé par le benzaldéhyde* $C_6H_5{-}CHO$?

---

## *Halogénation*

**18.17** L'ion énolate peut également réagir avec les halogènes $X_2$ ($Cl_2$, $Br_2$, $I_2$) pour donner un aldéhyde ou une cétone halogéné en α du carbonyle :

$$-\underset{\underset{O}{\|}}{C}-\overset{\bullet\bullet}{\underset{|}{C}}- \;+\; X-X \longrightarrow -\underset{\underset{O}{\|}}{C}-\overset{X}{\overset{|}{\underset{|}{C}}}- \;+\; X^-$$

*Exemple :*

$$CH_3{-}CH_2{-}CHO \xrightarrow{OH^-} CH_3{-}\overset{\bullet\bullet}{\bar{C}}H{-}CHO + H_2O \xrightarrow{Br_2} CH_3{-}CHBr{-}CHO + Br^-$$

Pour les cétones possédant de l'hydrogène dans les deux positions α, l'halogénation s'effectue préférentiellement sur le carbone le moins substitué (portant le plus d'hydrogène).

## *Réaction haloforme*

L'halogénation en milieu basique conduit à un résultat particulier avec les composés carbonylés possédant un groupe $-CO{-}CH_3$, c'est-à-dire avec :

- les cétones « méthylées », de la forme $R{-}CO{-}CH_3$
- un aldéhyde, l'éthanal $CH_3{-}CH{=}O$.

La réaction, que chaque substitution rend plus facile pour les hydrogènes restant à substituer, aboutit très vite à un dérivé trihalogéné $R{-}CO{-}CX_3$. Celui-ci subit ensuite une coupure en « haloforme » $CHX_3$ (chloroforme, $CHCl_3$, bromoforme $CHBr_3$, iodoforme $CHI_3$) et sel de l'acide $R{-}COOH$ :

$$R-\underset{\underset{O}{\|}}{C}-CH_3 \xrightarrow{X_2,\,OH^-} R-\underset{\underset{O}{\|}}{C}-CX_3 \xrightarrow{OH^-} R-\underset{\underset{O}{\|}}{C}-O^- + CHX_3$$

On peut ainsi préparer le chloroforme (solvant, anesthésique) dans de meilleures conditions que par l'action directe du dichlore sur le méthane. D'autre part, l'iodoforme est un solide jaune qui « précipite », très reconnaissable à son aspect et à son odeur, et son obtention est un test de caractérisation des cétones méthylées.

Cette réaction particulière a pour origine le caractère de « bon groupe partant » qu'acquiert le groupe $CH_3$ à mesure que ses hydrogènes sont remplacés par des chlores (polarisation de plus en plus importante de sa liaison avec le carbone du carbonyle). La phase de rupture de la liaison $CO{-}CCl_3$ correspond à un schéma « d'addition-élimination » déjà rencontré à propos de la réaction entre un organomagnésien et un chlorure d'acide [14.10] (analogie entre l'influence exercée par Cl ou par $CCl_3$, tous deux très fortement inductif-attractif) :

$$R{-}\underset{\underset{O}{\|}}{C}{-}CX_3 + OH^- \longrightarrow R{-}\overset{\overset{OH}{|}}{\underset{\underset{O^-}{|}}{C}}{-}CX_3$$

$$\longrightarrow R{-}\overset{\overset{OH}{|}}{\underset{\underset{O}{\|}}{C}} + CX_3^- \longrightarrow R{-}\overset{\overset{O^-}{|}}{\underset{\underset{O}{\|}}{C}} + CHX_3$$

## Oxydation

Les aldéhydes et les cétones, qui réagissent de façon très similaire dans la plupart des réactions décrites jusqu'ici, se différencient par contre beaucoup plus nettement dans les réactions d'oxydation.

18.18 **Les aldéhydes** s'oxydent en donnant *un acide*, sans modification de la chaîne carbonée :

$$R{-}\underset{\underset{O}{\|}}{C}{-}H \xrightarrow{\text{Oxydant}} R{-}\underset{\underset{O}{\|}}{C}{-}OH$$

Cette oxydation est *très facile*, non seulement en présence des oxydants classiques comme le permanganate de potassium $KMnO_4$ ou le bichromate de potassium $K_2Cr_2O_7$, mais aussi au contact du dioxygène de l'air et avec des réactifs particuliers tels que la « liqueur de Fehling » ou le « nitrate d'argent ammoniacal ».

La *liqueur de Fehling* est une solution, bleu foncé, d'ions $Cu^{2+}$ complexés par des ions tartrate $^-O_2C{-}CHOH{-}CHOH{-}CO_2^-$. L'oxydant est le cuivre (II) qui est réduit par l'aldéhyde en cuivre (I), sous la forme d'un précipité rouge-brique de $Cu_2O$ apparaissant en même temps que la solution se décolore. Le bilan simplifié de la réaction est

$$R{-}CHO + 2\,Cu^{2+} + 5\,OH^- \rightarrow R{-}COO^- + Cu_2O + 3\,H_2O$$

Le *nitrate d'argent ammoniacal* (réactif de Tollens) est une solution d'ions $Ag^+$ complexés par l'ammoniac ($[Ag(NH_3)_2]^+$). L'oxydant est l'argent (I) qui est réduit en argent métallique. Celui-ci se dépose sur les parois du tube qui prend l'aspect argenté d'un miroir (test « du miroir d'argent »). Le bilan simplifié de la réaction est :

$$R{-}CHO + 2\,Ag^+ + 3\,OH^- \rightarrow R{-}COO^- + 2\,Ag + 2\,H_2O$$

La réduction du nitrate d'argent par un aldéhyde peut constituer un procédé d'argenture du verre; il est facile, par exemple, d'argenter une vieille ampoule électrique ou tout autre objet creux en verre.
Se procurer (en pharmacie) du nitrate d'argent et du glucose, et préparer deux solutions à 10 % environ (utiliser de l'eau distillée ou de l'eau « déminéralisée » vendue pour les batteries d'auto).
Ajouter goutte à goutte à la solution de nitrate d'argent de l'ammoniaque, en quantité juste suffisante pour redissoudre le précipité brun qui se forme au début (agiter au cours de l'addition d'ammoniaque).
Bien nettoyer et dégraisser l'intérieur de l'ampoule, rincer à l'eau distillée et verser dedans des volumes approximativement égaux de chaque solution; chauffer un peu le mélange en plongeant l'ampoule dans de l'eau chaude. L'argenture est obtenue en une dizaine de minutes.
*Attention :* le nitrate d'argent, cristallisé ou en solution, ne doit pas entrer au contact de la peau; en cas de contact accidentel, rincer immédiatement et abondamment.
La solution de nitrate d'argent ammoniacal ne doit être préparée qu'au moment de l'emploi et ne doit pas être conservée (risque de formation lente d'un dérivé explosif).

18.19 **Les cétones** s'oxydent beaucoup plus difficilement, et seulement en présence d'oxydants très « énergiques » ($KMnO_4$ concentré, à chaud et en milieu acide; anhydride chromique $CrO_3$; acide nitrique...). Cette oxydation entraîne la coupure de la chaîne carbonée entre le groupement carbonyle et l'un des deux carbones en α, avec formation de *deux acides*. La coupure peut en général se produire d'un côté ou de l'autre du carbonyle, de sorte que l'on obtient le plus souvent un mélange d'acides (quatre au maximum, si la cétone est dissymétrique) :

$$R-CH_2 \overset{1}{\vdots} CO \overset{2}{\vdots} CH_2-R' \quad \begin{cases} \text{coupure 1} \longrightarrow R-COOH + R'-CH_2-COOH \\ \text{coupure 2} \longrightarrow R-CH_2-COOH + R'-COOH \end{cases}$$

Cette réaction a plus d'intérêt lorsqu'on l'applique à une cétone cyclique pour obtenir un diacide. C'est une méthode de préparation industrielle de l'acide adipique (matière première de la synthèse du nylon [25.8]) à partir de la cyclohexanone :

$$\text{cyclohexanone (C=O)} \longrightarrow HOOC-(CH_2)_4-COOH$$

L'oxydation des cétones s'explique mieux si l'on considère qu'elles réagissent sous leur forme énolique, et qu'il s'agit en définitive de la coupure d'une double liaison éthylénique [9.14] :

$$R-CH_2-CO-R' \rightleftarrows R-CH=\underset{\underset{OH}{|}}{C}-R' \xrightarrow{\text{oxydant}} R-COOH + HOOC-R'$$

*18-1*

*Comment peut-on accepter cette explication, sachant qu'une cétone ne contient qu'une certaine proportion, parfois très faible, de forme énolique, et que, cependant, elle est oxydée en totalité?*

## Polymérisation

**Le formaldéhyde,** normalement gazeux, existe aussi sous la forme d'un trimère $(CH_2O)_3$, appelé *trioxyméthylène* ou *trioxane*, et d'un polymère $(CH_2O)_n$, appelé *paraformaldéhyde.* Ces produits sont des solides blancs pulvérulents. Ils se dépolymérisent facilement, par simple chauffage et la manière usuelle de se procurer du méthanal au laboratoire (par exemple pour faire une synthèse organomagnésienne), consiste à décomposer par la chaleur, au moment voulu, une petite quantité de trioxane.

Trioxane 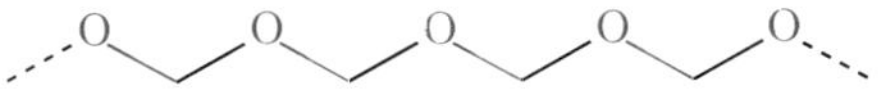 — Paraformaldéhyde 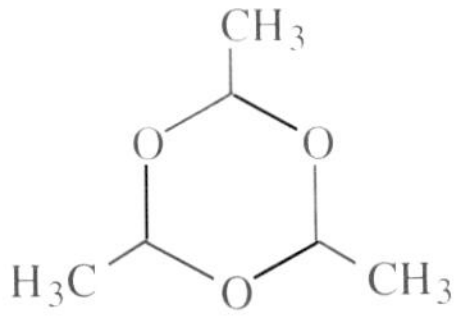 — Paraldéhyde

**L'acétaldéhyde** existe également sous la forme d'un trimère, le *paraldéhyde,* qui est un liquide bouillant à 125 °C (l'acétaldéhyde bout à 21 °C). Le paraldéhyde se dépolymérise facilement par chauffage en présence de traces d'un acide et cette opération constitue aussi un moyen commode pour obtenir, au moment de l'emploi, l'acétaldéhyde qu'il est malaisé de conserver à cause de son bas point d'ébullition. On connaît également un polymère de l'acétaldéhyde $(CH_3CHO)_n$, appelé *métaldéhyde,* ou encore « méta »; c'est un solide blanc parfois utilisé comme combustible de camping.

# 3 — État naturel

18.20 Les fonctions aldéhyde et cétone sont fréquentes dans les composés naturels, soit seules, soit associées à d'autres fonctions. En particulier, de nombreuses « essences » végétales, de la famille des *terpènes* [24.6] sont des aldéhydes ou des cétones.

*Exemples*

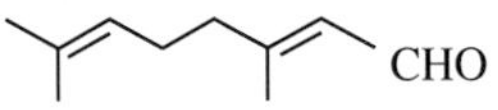

Géranial (géranium) 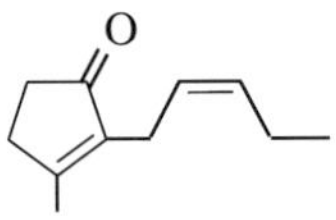 — Jasmone (jasmin) 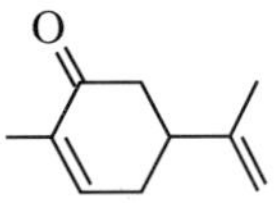 — Carvone (carvi)

D'autres exemples sont cités par ailleurs : camphre [24.8], citronellal [exercice 24-c], vanilline [16.8]. On trouve aussi la fonction cétone dans divers *stéroïdes* [24.13] : testostérone, progestérone, cortisone, etc.

# 4 — Préparations

### *Méthodes communes aux aldéhydes et aux cétones*

18.21 L'**oxydation** ou la **déshydrogénation des alcools** primaires ou secondaires conduit, respectivement, aux aldéhydes et aux cétones [15.8,9] :

$-CH-OH \downarrow \; >C=O$

$$R-CHOH-R' \xrightarrow{\text{oxydant}} R-CO-R' + H_2O$$

$$R-CHOH-R' \xrightarrow{\text{Cu, 300°C}} R-CO-R' + H_2$$

R'=H : alcool primaire → aldéhyde
R et R'≠H : alcool secondaire → cétone

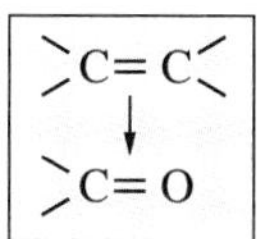

**18.22** La **coupure des alcènes par oxydation** fournit des composés carbonylés, aldéhydes ou cétones selon la structure de la molécule [9.14] :

$$R-\underset{R'}{\underset{|}{C}}=\underset{R'''}{\underset{|}{C}}-R'' \xrightarrow{\text{Oxydant}} R-\underset{R'}{\underset{|}{C}}=O + O=\underset{R'''}{\underset{|}{C}}-R''$$

Il est difficile, dans ces conditions, d'éviter l'oxydation des aldéhydes en acides. La coupure par l'ozone [9.15], si elle n'est pas applicable à des quantités importantes en raison des risques qu'elle présente, permet par contre d'éviter cet inconvénient.

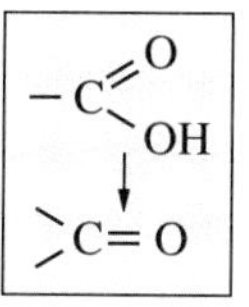

**18.23** Le **contact d'un acide, en phase gazeuse, avec MnO à 300 °C** provoque une réaction qui peut se schématiser par :

$$R-CO-\boxed{OH + HO-CO}-R \xrightarrow{\text{MnO, 300 °C}} R-CO-R + CO_2 + H_2O$$

On obtient donc une cétone symétrique. Si on utilise un mélange de deux acides R—COOH et R'—COOH, on obtient un mélange des trois cétones R—CO—R, R—CO—R' et R'—CO—R'; mais si l'un des deux acides est l'acide formique H—COOH il se forme de façon préférentielle un aldéhyde :

$$R-CO-\boxed{OH + HO-CO}-H \xrightarrow{\text{MnO, 300 °C}} R-CO-H + CO_2 + H_2O$$

Avec une molécule d'un diacide (au lieu de deux molécules d'un monoacide) on obtient une cétone cyclique [20.18].

Il existe une variante de ce procédé, consistant à former le sel de calcium d'un acide et à la décomposer par la chaleur (méthode de Piria) :

$$R-\underset{O}{\underset{\|}{C}}-\boxed{O-Ca-O}-\underset{O}{\underset{\|}{C}}-R \xrightarrow{\Delta} R-\underset{O}{\underset{\|}{C}}-R + CaCO_3$$

### *Méthodes particulières aux aldéhydes*

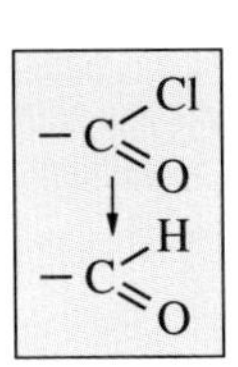

**18.24** **Réduction des chlorures d'acides,** par le dihydrogène en présence de palladium Pd :

$$\mathrm{R-\underset{\underset{O}{\|}}{C}-Cl + H_2 \xrightarrow{[Pd]} R-\underset{\underset{O}{\|}}{C}-H + HCl}$$

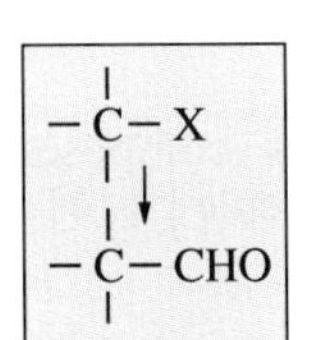

**18.25** **Action d'un organomagnésien sur l'orthoformiate d'éthyle** [14.7]; la réaction donne un acétal [18.10], dont l'hydrolyse fournit un aldéhyde :

$$\mathrm{HC(OCH_2-CH_3)_3 \xrightarrow{RMgX} R-CH(OCH_2-CH_3)_2 \xrightarrow{H_2O} R-CH=O}$$

### *Méthodes particulières aux cétones*

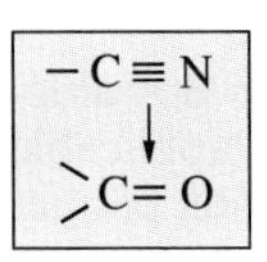

**18.26** **Action d'un organomagnésien sur un nitrile** [14.11] :

$$\mathrm{R-C\equiv N \xrightarrow{R'MgX} R-\underset{\underset{R'}{|}}{C}=N-MgX \xrightarrow{H_2O} R-\underset{\underset{R'}{|}}{C}=NH}$$

$$\mathrm{\xrightarrow{H_2O} R-\underset{\underset{R'}{|}}{C}=O + NH_3}$$

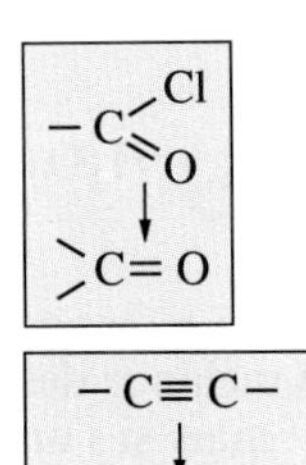

**18.27** **Action d'un organocadmien sur un chlorure d'acide** [14.13] :

$$\mathrm{2\,R-\underset{\underset{O}{\|}}{C}-Cl + R'-Cd-R' \rightarrow 2\,R-CO-R' + CdCl_2}$$

$-C\equiv C- \;\downarrow\; -CO-CH_2-$

**18.28** **L'hydratation d'un alcyne** [10.7] donne une cétone, par l'intermédiaire de sa forme énolique :

$$\mathrm{R-C\equiv C-R' + H_2O \xrightarrow{[Hg^{2+}]} R-\underset{\underset{OH}{|}}{C}=CH-R' \rightarrow R-\underset{\underset{O}{\|}}{C}-CH_2-R'}$$

Un alcyne vrai donne une cétone de la forme $\mathrm{R-CO-CH_3}$ et seul l'acétylène donne un aldéhyde, l'acétaldéhyde $\mathrm{CH_3-CHO}$.

**18.29** **L'acylation d'un hydrocarbure benzénique** [12.10] constitue un mode de synthèse des cétones benzéniques, de la forme Ar—CO—R :

$$\mathrm{ArH + R-COCl \xrightarrow{AlCl_3} Ar-CO-R + HCl}$$

# 5 — Termes importants. Utilisations

**18.30** Le **méthanal,** ou *formaldéhyde,* $\mathrm{H_2C=O}$ est l'aldéhyde industriellement le plus important. Il est obtenu par oxydation catalytique du méthanol [15.20] par le dioxygène, et la production annuelle mondiale est d'environ neuf millions de tonnes. Il est commercialisé sous la forme de solutions dans l'eau, appelées *formol*, et il est utilisé principalement dans la production de résines thermodurcissables, du type phénoplastes [16.7] par condensation avec le phénol ou du type aminoplastes [25.8] par condensation avec l'urée ou la mélamine. Il est également utilisé dans la fabrication des colles urée-formol, employées pour la réalisation des panneaux de particules. Enfin, c'est par ailleurs un antiseptique.

L'**éthanal,** ou *acétaldéhyde*, $CH_3—CHO$ est produit industriellement par une oxydation catalytique directe de l'éthylène [25.4]. Il est surtout utilisé à la préparation de l'acide acétique et de l'anhydride acétique.

L'**acétone** $CH_3—CO—CH_3$ se prépare industriellement à partir du propène, soit par hydratation en propan-2-ol suivie d'une déshydrogénation, soit par l'intermédiaire du cumène [16.13]. Elle est utilisée comme solvant et dans diverses synthèses, entre autres celle du méthacrylate de méthyle [18.8] dont la polymérisation donne le Plexiglas.

La **cyclohexanone,** obtenue par hydrogénation du phénol en cyclohexanol suivie d'une déshydrogénation, est une matière première dans la synthèse des nylons [25.8].

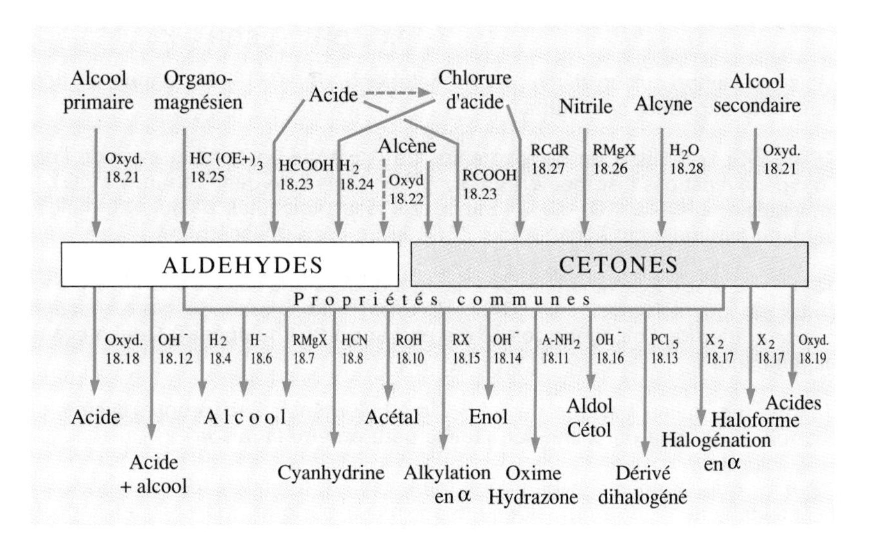


## EXERCICES

*Les* ***règles de nomenclature,*** *permettant de faire correspondre réciproquement un nom et une formule, sont exposées dans le chapitre 7 (pour les stéréoisomères, au chapitre 3).*

***18-a*** Quel est le produit principal formé dans chacune des réactions suivantes?

1) Cyclopentanone + $CH_3CH_2MgBr$, puis $H_2O$
2) $C_6H_5—COCl + H_2$ (Pd)
3) 2,2-diméthylpropanal chauffé avec NaOH concentrée.
4) 2-méthylbutanal + $LiAlH_4$, puis $H_2O$
5) Butanal en milieu basique ($OH^-$)

6) $HOCH_2—CH_2—CH_2—CH_2—CH=O$ + HCl gazeux.
7) Acétophénone + $H_2N—NH_2$
8) $C_6H_5—COCl$ + Benzène ($AlCl_3$)
9) Butanone + HCN
10) Cyclohexanone + $PCl_5$
11) $tBu—CO—CH_3 + Br_2$ en milieu basique.
12) Pentan-3-one + $KMnO_4$ concentré, à chaud, en milieu acide.

***18-b*** Par quelles réactions peut-on préparer la butanone, en une ou plusieurs étapes, à partir de :

1) 2-chlorobutane
2) Éthanal (seul composé organique)
3) 2,3-dichlorobutane
4) $CH_3—C≡N$
5) But-1-ène
6) 3-méthylpentan-2-ol.

***18-c*** Par quels enchaînements de réactions peut-on préparer les composés suivants à partir de l'acétaldéhyde comme seule matière première organique (on peut utiliser par contre tout composé minéral utile) :

1) $CHCl_3$
2) $CH_3—CH_2Cl$
3) $HC≡CH$
4) Éthane-1,2-diol
5) Butanal
6) Butan-2-one
7) $H_3C—CH=CH—CHO$
8) But-2-ène
9) Buta-1,3-diène
10) Diéthylamine
11) 2-chlorobutane
12) $CH_3—CO—O—CH_2—CH_3$

***18-d*** L'action de la soude diluée sur un dérivé halogéné donne, par substitution, un alcool

$$RX + OH^- \rightarrow ROH + X^-$$

Mais son action sur un dérivé *gem*-dihalogéné $R—CX_2—R'$ donne un composé carbonylé $R—CO—R'$. Comment expliquer ce résultat?

***18-e*** Si l'on laisse un certain temps de l'acétone en contact avec de l'eau $H_2{}^{18}O$ (eau dans laquelle l'oxygène n'est pas l'isotope « normal » $^{16}O$ mais l'oxygène « lourd » $^{18}O$), on constate qu'il se forme des molécules $CH_3—C^{18}O—CH_3$, ainsi que des molécules d'eau « normale » $H_2O$. Par quel mécanisme peut-on expliquer cet échange de $^{18}O$ entre l'eau et l'acétone?

***18-f*** L'étude expérimentale de l'halogénation d'une cétone en milieu basique montre que sa loi de vitesse [5.8] est de la forme $v=k[OH^-][\text{Cétone}]$; la vitesse de cette réaction ne dépend donc pas de la concentration de l'halogène (ordre nul par rapport à l'halogène). Quel mécanisme est suggéré par ce résultat expérimental?

***18-g*** En milieu basique, le (+)-2-méthylbutanal perd progressivement son activité optique (pouvoir rotatoire), qui finit par s'annuler. Quelle peut en être la raison?

***18-h*** Pour préparer le pentaérythritol, matière première de la fabrication d'un explosif, on fait réagir l'acétaldéhyde avec le formaldéhyde en milieu basique ($OH^-$), et l'on obtient successivement, en trois étapes, les composés de formule $C_3H_6O_2$, $C_4H_8O_3$ et $C_5H_{10}O_4$. Ce dernier, en présence de soude concentrée, se transforme en deux composés, de formule $C_5H_{12}O_4$ (pentaérythritol) et $C_5H_9O_5Na$ (ce dernier est le sel de sodium d'un composé $C_5H_{10}O_5$). Quelle est la formule du pentaérythritol?

***18-i*** Quels sont les composés (a), (b) et (c) participant aux réactions suivantes?

$$(a) \xrightarrow{[OH^-]} (b)$$

$$(b) \xrightarrow{[H^+]} (c) + H_2O$$

$$(c) + O_3, \text{ puis } H_2O \rightarrow O=CH—CO—CH_2—CH_2—CH_2—CH=O + H_2O_2$$

(c) réduit la liqueur de Fehling.

# Les acides carboxyliques et leurs dérivés

# 19

**19.1** Les acides organiques, ou *acides carboxyliques*, ont pour formule générale

$$\mathbf{R-\underset{\underset{O}{\|}}{C}-OH} \qquad \text{ou} \qquad \mathbf{Ar-\underset{\underset{O}{\|}}{C}-OH}$$

Ils doivent leur nom à celui du groupe $\mathbf{-\underset{\underset{O}{\|}}{C}-O-}$, appelé *groupe carboxyle*. On les représente par les formules simplifiées **R—COOH** ou $\mathbf{R-CO_2H}$ (ou Ar—COOH, $Ar-CO_2H$).

La *nomenclature* des acides a été exposée au chapitre 7 [7.16].

## 1 — Caractères physiques

**19.2** Les acides acycliques linéaires sont des liquides, ou des solides dont le point de fusion ne dépasse pas 100 °C (l'acide stéarique $C_{17}H_{35}-COOH$, dont sont faites les bougies « stéariques », fond à 70 °C). Les acides ont les points d'ébullition les plus élevés parmi les composés possédant une fonction simple sur une chaîne donnée. Ils sont supérieurs à ceux des alcools [15.2], car les acides sont associés par liaison hydrogène plus fortement encore que les alcools. Ils se trouvent en grande partie sous la forme d'un dimère cyclique

$$R-C\begin{matrix}\nearrow O\cdots HO \searrow \\ \searrow OH\cdots O \nearrow\end{matrix}C-R$$

Leur solubilité dans l'eau, totale jusqu'en $C_4$, diminue ensuite et devient nulle à partir de $C_9$.

# 2 — Réactivité

**19.3** Le groupement fonctionnel des acides carboxyliques réunit le groupe OH, caractéristique des alcools, et le groupe C=O, caractéristique des aldéhydes et des cétones. Mais la réactivité des acides *n'est pas la somme de celle des alcools et de celle des cétones.* Les deux groupes OH et C=O ne sont pas indépendants dans le groupe COOH, et le comportement de chacun est fortement modifié par le voisinage de l'autre. Ils sont en effet engagés « solidairement » dans une *structure mésomère, ou résonante,* dans laquelle ils perdent leur « individualité »

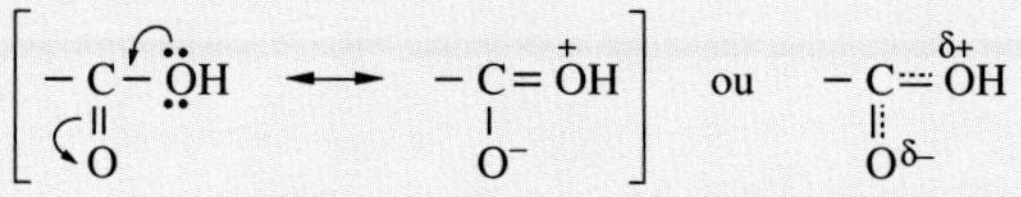

$$\left[ -\underset{\underset{O}{\|}}{C}-\ddot{O}H \longleftrightarrow -\underset{\underset{O^-}{|}}{C}=\overset{+}{O}H \right] \quad \text{ou} \quad -\underset{\underset{O^{\delta-}}{\vdots}}{C}\text{---}\overset{\delta+}{O}H$$

**Groupe OH :** L'hydrogène est beaucoup plus labile que celui des alcools, ou même des phénols. Les acides carboxyliques, quoiqu'acides faibles, sont notablement *dissociés en solution aqueuse.* Cette acidité est attribuable à l'effet inductif-attractif exercé par *les deux* oxygènes, mais aussi, et surtout, à la *stabilisation par résonance de l'ion carboxylate* $R—COO^-$, base conjuguée des acides [19.4].

**Groupe C=O :** Le carbone fonctionnel des acides est nettement moins électrophile (moins réactif vis-à-vis des nucléophiles) que celui des aldéhydes ou des cétones. D'autre part, les réactifs nucléophiles sont toujours simultanément plus ou moins basiques, et ils réagissent souvent en priorité avec l'hydrogène labile (exemple : un organomagnésien RMgX donne RH au lieu de se lier sur le carbone du C=O). En conséquence, les réactions d'*addition nucléophile* sont peu nombreuses et, parfois, n'ont lieu qu'après une première réaction avec l'hydrogène du groupe OH (exemple : réduction par les hydrures [19.7]).

Par contre, certains dérivés des acides (esters, chlorures d'acides) réagissent avec les nucléophiles mais, après une étape d'addition, il se produit une élimination et le bilan final est une *substitution* [19.15, 16].

**Hydrogène en α :** La labilité des hydrogènes en α du carbonyle est beaucoup plus faible que pour les aldéhydes ou les cétones; la forme énolique est inexistante. La délocalisation des électrons π du carbonyle dans le groupe carboxyle les rend en effet moins disponibles pour une résonance avec le doublet libre du carbanion en α [18.3, 14].

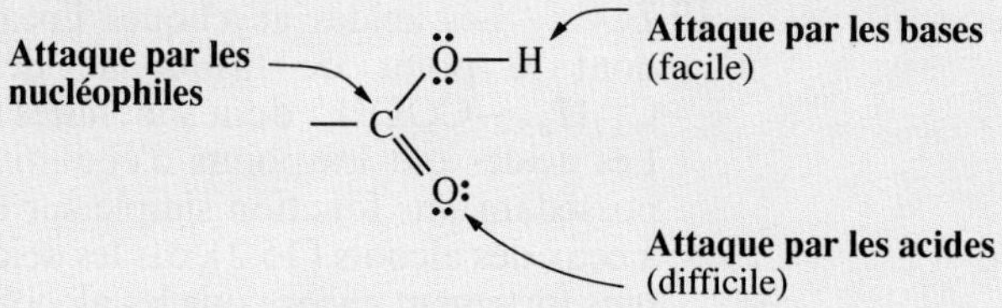

**Attaque par les nucléophiles** → C ; —C(=Ö:)—Ö—H ; **Attaque par les bases** (facile) → H ; **Attaque par les acides** (difficile) → O:

## *Propriétés acidobasiques*

- *Acidité*

**19.4** Le caractère dominant des acides carboxyliques est (comme leur nom l'indique...) leur acidité. S'ils sont solubles dans l'eau, il s'établit dans leurs solutions un équilibre de dissociation :

$$R\text{—}COOH + H_2O \underset{2}{\overset{1}{\rightleftarrows}} R\text{—}COO^- + H_3O^+$$

dont la constante d'équilibre (constante d'acidité $K_a$ de l'acide [5.17]) vaut $10^{-4}$ à $10^{-5}$ ($pK_a = 4$ à 5). C'est une acidité faible par rapport à celle des acides dits « forts » (HCl, $HNO_3$. etc.), totalement dissociés, mais cependant forte pour un composé organique. Elle est principalement due à l'effet favorable exercé sur la réaction dans le sens 1 par la stabilité de l'ion $R\text{—}COO^-$, siège d'une délocalisation électronique (résonance) :

$$\left[ R-C\begin{matrix} /O^- \\ \backslash\backslash O \end{matrix} \longleftrightarrow R-C\begin{matrix} //O \\ \backslash O^- \end{matrix} \right] \quad \text{ou} \quad R-C\begin{matrix} O^{-\frac{1}{2}} \\ O^{-\frac{1}{2}} \end{matrix}$$

L'acide $R\text{—}COOH$ est également le siège d'une résonance, mais elle provoque une « séparation de charge », créant un pôle positif sur l'oxygène de l'hydroxyle et un pôle négatif sur celui du carbonyle [19.3]. La délocalisation électronique dans l'ion carboxylate $R\text{—}COO^-$ provoque une division de sa charge $-1$ entre les deux oxygènes qui, par raison de symétrie, portent chacun une charge $-1/2$ (les deux formes limites qui le décrivent ont le même « poids »). Cette dispersion de la charge a un effet stabilisant important, et l'anion est *plus stabilisé* que la molécule. D'autre part, l'absence d'un site fortement chargé négativement diminue l'affinité de cet anion pour l'ion $H^+$, et défavorise la réaction dans le sens 2.

*19-A*

*Dans la molécule* $R\text{—}COOH$, *la longueur de la liaison* $C{=}O$ *est 0,120 nm et celle de la liaison* $C\text{—}OH$ *est 0,134 nm. Dans l'ion* $R\text{—}COO^-$, *les deux liaisons carbone-oxygène ont la même longueur : 0,127 nm. Que montrent ces valeurs?*

- *Sels*

**19.5** Les acides carboxyliques donnent de nombreux sels, soit avec les métaux eux-mêmes, soit avec certains de leurs composés (hydroxydes, carbonates, etc.).

*Exemples :*

$$2\,CH_3\text{—}COOH + Zn \rightarrow \underset{\text{Acétate de zinc}}{(CH_3\text{—}COO)_2Zn} + H_2$$

$$C_6H_5\text{—}COOH + KOH \rightarrow \underset{\text{Benzoate de potassium}}{C_6H_5\text{—}COOK} + H_2O$$

$$2\,H\text{—}COOH + CaCO_3 \rightarrow \underset{\text{Formiate de calcium}}{(H\text{—}COO)_2Ca} + CO_2 + H_2O$$

Certaines propriétés de ces sels sont à mentionner ici :

- Les *sels de métaux alcalins* (Na, K) sont décomposés par la chaleur : ils se « décarboxylent » et donnent un hydrocarbure RH [8.13]. Ceux des acides acycliques à longue chaîne (16 à 18 carbones) constituent les *savons* [25.9].
- Les sels de calcium, également par décomposition thermique, donnent des cétones (méthode de Piria [18.23]).

• Les sels d'ammonium $R{-}CO_2NH_4$ peuvent se déshydrater en donnant des amides qui, à leur tour, par une deuxième déshydratation, donnent des nitriles :

$$\underset{\text{Sel d'ammonium}}{R{-}CO_2NH_4} \xrightarrow{-H_2O} \underset{\text{Amide}}{R{-}CO{-}NH_2} \xrightarrow{-H_2O} \underset{\text{Nitrile}}{R{-}C{\equiv}N}$$

• *Basicité*

19.6 Les acides carboxyliques peuvent aussi avoir un comportement basique, en fixant un $H^+$, mais cette basicité est très faible et ne se manifeste qu'en présence d'acides très forts. Les deux atomes d'oxygène du groupe COOH possèdent des doublets libres, et ils constituent donc deux sites aptes à être protonés. Mais la protonation se réalise préférentiellement sur celui du groupe carbonyle (maintien des possibilités de délocalisation) :

$$R{-}\underset{\underset{O}{\|}}{C}{-}OH + H^+ \rightleftarrows R{-}\underset{\underset{^+OH}{\|}}{C}{-}OH$$

Ceci explique que, dans un acide, les liaisons hydrogène ne s'établissent pas entre les groupes OH (comme dans les alcools), mais entre le groupe OH d'une molécule et le groupe C=O d'une autre [19.2].

## *Réduction*

19.7 Bien que l'attaque nucléophile sur le carbone fonctionnel soit difficile [19.3], un nucléophile très fort comme l'ion hydrure $H^-$, fourni par l'aluminohydrure de lithium $LiAlH_4$, peut se lier sur lui. Mais, dans un premier temps, il se produit une réaction acidobasique, plus rapide, entre $H^-$ et l'hydrogène labile.

a) $R{-}COOH + LiAlH_4 \rightarrow R{-}COO^-Li^+ + H_2 + AlH_3$

b) $R{-}COO^-Li^+ \xrightarrow[2)\ H_2O]{1)\ LiAlH_4} R{-}CH_2OH$

En définitive, l'acide est *réduit* en alcool primaire. Cette réduction est plus facile si l'acide est préalablement estérifié [15.18].

## *Décarboxylation*

19.8 A température plus ou moins élevée, les acides carboxyliques peuvent se « décarboxyler », c'est-à-dire perdre leur groupe carboxyle $-CO_2-$ sour la forme d'une molécule de dioxyde de carbone. Il se forme un hydrocarbure, selon le schéma :

$$R{-}CO_2H \xrightarrow{\Delta} RH + CO_2$$

Les acides simples ne se décarboxylent qu'à température très élevée (700 °C pour l'acide acétique). Mais ceux qui possèdent en position β un second groupe carbonyle (β-cétoacides [20.27], acide malonique [20.17]) se décarboxylent beaucoup plus facilement, parfois même à la température ordinaire. On a d'autre part vu plus haut [19.5] que les sels d'acides carboxyliques peuvent aussi se décarboxyler; cette réaction constitue une préparation des hydrocarbures [8.13].

# 3 — État naturel

**19.9** De nombreux acides carboxyliques sont présents dans la nature, mais le plus souvent sous la forme d'esters. En particulier, les corps gras d'origine végétale ou animale (lipides [24.1]) sont des esters du glycérol et de divers « acides gras », acycliques à chaîne linéaire plus ou moins longue. L'acide abiétique, contenu dans la résine de pin, est par contre un exemple d'acide « libre » à l'état naturel.

Divers hydroxyacides se rencontrent également : acide lactique $CH_3—CHOH—COOH$ (lait, muscles), acide citrique

$$HOOC—CH_2—C(OH)(COOH)—CH_2—COOH$$

(jus de citron), acide cholique (bile [24.14]). Enfin, divers acides aminés sont les « matériaux » constitutifs des protéines [23.10].

# 4 — Préparations

**19.10** Diverses **réactions d'oxydation** fournissent des acides, avec conservation ou diminution du nombre des atomes de carbone. On peut mentionner en particulier les cas suivants :

[=] [−]

– *Alcènes* [9.14] :

$$R-CH=C(R'')-R' \xrightarrow{\text{Oxydant}} R-CH=O + R'-CO-R''$$

$$R-CH=O \rightarrow R-COOH \qquad R'-CO-R'' \dashrightarrow \text{2 acides}$$

– *Hydrocarbures benzéniques à chaînes latérales* [12.12] :

$$C_6H_5—R \xrightarrow{\text{oxydant}} C_6H_5—COOH \text{ (+ dioxyde de carbone et eau)}$$

– *Aldéhydes et cétones* [18.18, 19] :

$$R—CH=O \rightarrow R—COOH$$

$$R—CO—CH_2—R' \rightarrow R—COOH + R'—COOH$$

**19.11** La **synthèse à partir d'un dérivé halogéné** peut s'effectuer de plusieurs façons, pour former un acide possédant *soit un, soit deux carbones de plus* que le dérivé halogéné :

[+]

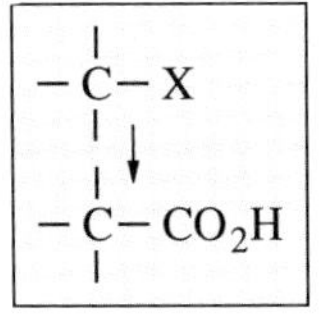


– *Synthèse organomagnésienne* [14.8] :

$$RX \xrightarrow{Mg} R—MgX \xrightarrow{CO_2} R—C(=O)—OMgX \xrightarrow{H_2O} R—C(=O)—OH + XMgOH$$

– *Passage par un nitrile :*

$$RX \xrightarrow[\text{[19.20]}]{KC\equiv N} R—C\equiv N \xrightarrow[\text{[19.20]}]{H_2O} R—COOH + NH_3$$

$$-\overset{|}{\underset{|}{C}}-X \;\downarrow\; -\overset{|}{\underset{|}{C}}-CH_2-CO_2H$$

– *Synthèse malonique* [20.17] :

a) alkylation du malonate d'éthyle,

$$H_2C\begin{matrix}\diagup COOEt\\ \diagdown COOEt\end{matrix} \xrightarrow{Na} \overset{+}{Na}\overset{-}{C}H\begin{matrix}\diagup COOEt\\ \diagdown COOEt\end{matrix} \xrightarrow{RX} R-CH\begin{matrix}\diagup COOEt\\ \diagdown COOEt\end{matrix}$$

b) hydrolyse et décarboxylation

$$R-CH\begin{matrix}\diagup COOEt\\ \diagdown COOEt\end{matrix} \xrightarrow{H_2O} R-CH\begin{matrix}\diagup COOH\\ \diagdown COOH\end{matrix}$$

$$\longrightarrow R-CH\begin{matrix}\diagup COOH\\ \diagdown H\end{matrix} \quad (R-CH_2-COOH) + CO_2$$

Une réaction analogue utilisant l'*acétylacétate d'éthyle* au lieu du malonate d'éthyle peut également être utilisée [20.28].

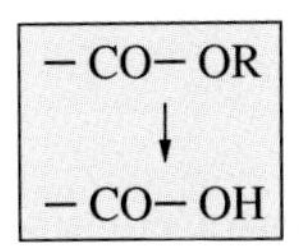

**19.12** L'**hydrolyse** ou la **saponification d'un ester** [15.16, 17] peut constituer une méthode de préparation des acides, dans la mesure où cet ester est un produit naturel (puisque, dans le cas contraire, il faut disposer de l'acide pour préparer l'ester) :

– *hydrolyse* $R-COOR' + H_2O \rightleftarrows R-COOH + R'OH$

– *saponification* $R-COOR' + NaOH \rightarrow R-COONa + R'-OH$
$R-COONa + HCl \rightarrow R-COOH + NaCl$

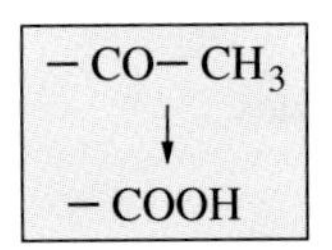

**19.13** La **réaction haloforme** [18.17] permet de passer d'une cétone méthylée $R-CO-CH_3$ à un acide, avec perte d'un atome de carbone :

$$R-CO-CH_3 \xrightarrow{X_2,\,OH^-} R-CO-CX_3 \xrightarrow{OH^-} R-COONa \xrightarrow{HCl} R-COOH$$

# 5 — Termes importants. Utilisations

**19.14** L'acide *acétique* est connu depuis très longtemps, en raison de sa formation dans la transformation spontanée du vin en vinaigre. On le prépare par oxydation de l'acétaldéhyde, par oxydation (craquage oxydant) d'alcanes comme le butane, et par synthèse à partir du méthanol $CH_3OH$ et du monoxyde de carbone [15.20]. Il est utilisé à préparer divers acétates : de vinyle $CH_3-CO_2-CH=CH_2$ (polymérisable), d'éthyle, de butyle et de pentyle (solvants), de cellulose [22.17] (films, peintures, textiles artificiels).

Parmi les autres acides ayant des applications industrielles, on peut citer l'acide acrylique $CH_2=CH-CO_2H$ (esters polymérisables), l'acide undécén-10-oïque $H_2C=CH-(CH_2)_8-COOH$ obtenu par craquage thermique de l'huile de ricin (Rilsan [25.8]), ainsi que divers diacides : adipique (nylon 6/6 [25.8]), phtaliques (polyesters [25.8]).

# Les dérivés des acides

**19.15** On considère comme dérivant de la fonction acide les cinq fonctions suivantes :

| $R-\underset{\underset{O}{\parallel}}{C}-Cl$ | $R-\underset{\underset{O}{\parallel}}{C}-O-\underset{\underset{O}{\parallel}}{C}-R'$ | $R-\underset{\underset{O}{\parallel}}{C}-OR'$ | $R-\underset{\underset{O}{\parallel}}{C}-NH_2$ | $R-C\equiv N$ |
|---|---|---|---|---|
| Chlorure d'acide | Anhydride d'acide | Ester | Amide | Nitrile |

(Dans ces formules générales les groupes R et R′ peuvent être identiques ou différents. Ils peuvent être remplacés par des groupes aryles Ar).

Les *quatre premières* présentent des analogies, car elles sont toutes de la forme R—CO—Z, où Z est, ou contient, un atome fortement électronégatif et porteur d'au moins un doublet libre, lié au groupe carbonyle. Leur réaction la plus typique est la substitution de Z par un nucléophile, par un mécanisme en deux étapes d'*addition-élimination.* Leur réactivité vis-à-vis des nucléophiles est plus faible que celle des aldéhydes ou des cétones; elle décroît selon le classement :

$$R-COCl > (RCO)_2O > R-CO_2R' > R-CONH_2$$

($>$ = « plus réactif que »)

Les *nitriles*, de structure très différente, donnent surtout des réactions d'*addition*, débutant par une attaque nucléophile sur leur carbone insaturé déficitaire.

La *nomenclature* de ces fonctions a été exposée au chapitre 7 [7.17-22].

## Chlorures d'acides

**19.16** Les *chlorures d'acides* (également appelés *chlorures d'acyles*, les groupes R—CO portant le nom général de groupes « acyles ») sont particulièrement représentatifs des caractères chimiques des composés de la forme R—CO—Z.

### *Préparation*

Le passage d'un acide au chlorure d'acide correspondant est possible par réaction avec l'un des composés suivants :

– Chlorure de thionyle $SOCl_2$ :

$$R-COOH + SOCl_2 \rightarrow R-COCl + SO_2 + HCl$$

– Pentachlorure de phosphore :

$$R-COOH + PCl_5 \rightarrow R-COCl + POCl_3 + HCl$$

– Trichlorure de phosphore :

$$3\,R-COOH + PCl_3 \rightarrow 3\,R-COCl + H_3PO_3$$

On peut observer que ces trois réactifs sont également utilisables pour substituer par Cl le groupe hydroxyle OH d'un alcool [13.14]. Par contre, l'action directe de HCl, qui transforme facilement un alcool en chlorure [15.5], est impossible ici.

*19-B*

*On ne peut pas non plus transformer un phénol* Ar—OH *en dérivé chloré* Ar—Cl *par l'action de* HCl [16.5]. *L'explication peut-elle être la même dans les deux cas?*

## *Réactivité*

### Substitutions nucléophiles

Comme dans les dérivés halogénés simples RX, le chlore des chlorures d'acides est substituable par divers réactifs nucléophiles : anions, molécules à doublet libre, molécules à doublet π [13.4]. Le bilan de ces substitutions est simplement (dans le cas de la réaction avec un anion),

$$\mathrm{R{-}\underset{\underset{O}{\|}}{C}{-}Cl + Y^- \rightarrow R{-}\underset{\underset{O}{\|}}{C}{-}Y + Cl^-}$$

Mais la réaction s'effectue en deux étapes : la première est l'addition du nucléophile sur le carbone fonctionnel puis, dans la seconde, le doublet π reprend sa place pendant que la liaison C—Cl se rompt :

$$\mathrm{R{-}\underset{\underset{O}{\|}}{C}{-}Cl + Y^- \xrightarrow{\text{Addition}} R{-}\overset{\overset{Y}{|}}{\underset{\underset{O^-}{|}}{C}}{-}Cl \xrightarrow{\text{Elimination}} R{-}\underset{\underset{O}{\|}}{C}{-}Y + Cl^-}$$

• *Anions :*

– Saponification ($OH^-$)

$$\mathrm{R{-}COCl + OH^- \rightarrow \underset{+\,Cl^-}{R{-}COOH}\left(\xrightarrow{OH^-} \underset{Sel}{R{-}COO^-} + H_2O\right)}$$

– Organométalliques ($R^-$) [14.10, 13]

$$\mathrm{R{-}COCl + R'MgX \rightarrow \underset{Cétone}{R{-}CO{-}R'}\left(\xrightarrow{R'MgX} R{-}\underset{\underset{R'}{|}}{C}(OH){-}R'\right)}$$

Alcool tertiaire

$$\mathrm{2R{-}COCl + R'{-}Cd{-}R' \rightarrow 2\,\underset{Cétone}{R{-}CO{-}R'} + CdCl_2}$$

• *Molécules à doublet libre :* En pratique, ces molécules ($H_2O$, ROH, $NH_3$, ...) possèdent toujours aussi un H labile qui, dans une dernière étape, est éliminé. Le bilan global se ramène à l'élimination d'une molécule HCl.

*Exemple :* l'hydrolyse,

$$\mathrm{R{-}\underset{\underset{O}{\|}}{C}{-}Cl + H_2O \rightarrow R{-}\underset{\underset{O^-}{|}}{\overset{\overset{+}{OH_2}}{\overset{|}{C}}}{-}Cl \rightarrow R{-}\underset{\underset{O}{\|}}{\overset{\overset{+}{OH_2}}{\overset{|}{C}}} + Cl^- \rightarrow R{-}\underset{\underset{O}{\|}}{\overset{OH}{\overset{|}{C}}} + Cl^- + H^+}$$

soit, en résumé : $\mathrm{R{-}COCl + H_2O \rightarrow R{-}COOH + HCl}$

Les *alcools*, l'*ammoniac* et les *amines* réagissent de façon analogue :

$$\mathrm{R{-}COCl + R'OH \rightarrow \underset{Ester}{R{-}COOR'} + HCl}$$

$$\mathrm{R{-}COCl + NH_3 \rightarrow \underset{Amide}{R{-}CONH_2} + HCl}$$

$$\mathrm{R{-}COCl + R'{-}NH_2 \rightarrow \underset{Amide\ N\text{-}substitu\acute{e}}{R{-}CO{-}NH{-}R'} + HCl}$$

Ces trois dernières réactions constituent des préparations usuelles des esters et des amides.

• *Molécules possédant un doublet* π : l'exemple le plus intéressant est la réaction avec le cycle benzénique, qui a été précédemment décrite comme une acylation de celui-ci [12.10]. Mais, par rapport au chlorure d'acide, on peut la considérer comme une substitution de Cl par le cycle :

$$\mathrm{R{-}COCl + C_6H_6 \xrightarrow{AlCl_3} R{-}CO{-}C_6H_5 + HCl}$$

**Hydrogénation**

L'hydrogénation des chlorures d'acides, en présence d'un catalyseur au palladium Pd, conduit à un aldéhyde et constitue une voie par laquelle il est possible de réduire, indirectement, un acide en aldéhyde; la réduction directe des acides conduit en effet à l'alcool primaire correspondant [19.7].

$$\mathrm{R{-}COCl + H_2 \xrightarrow{[Pd]} R{-}CHO + HCl}$$

# Anhydrides d'acides

**19.17** Les anhydrides d'acides (on dit aussi, plus simplement, *anhydrides*) dérivent formellement des acides de la même manière que les éther-oxydes dérivent des alcools [15.21]. On peut en effet considérer qu'ils résultent d'une déshydratation intermoléculaire, selon le schéma

$$\mathrm{R{-}\underset{\underset{O}{\|}}{C}{-}\boxed{OH + H}O{-}\underset{\underset{O}{\|}}{C}{-}R \longrightarrow R{-}\underset{\underset{O}{\|}}{C}{-}O{-}\underset{\underset{O}{\|}}{C}{-}R + H_2O}$$

Ils peuvent être effectivement préparés par la déshydratation directe d'un acide, en présence de pentoxyde de phosphore (anhydride phosphorique) $P_2O_5$. Mais ils sont obtenus plus facilement par une réaction entre un chlorure d'acide et un sel, calquée sur la méthode de Williamson de préparation des éther-oxydes [15.21] :

$$R-\underset{\displaystyle\underset{O}{\|}}{C}-Cl + R-\underset{\displaystyle\underset{O}{\|}}{C}-ONa \rightarrow R-\underset{\displaystyle\underset{O}{\|}}{C}-O-\underset{\displaystyle\underset{O}{\|}}{C}-R + NaCl$$

(cette réaction constitue un exemple supplémentaire de substitution nucléophile sur un chlorure d'acide [19.16], le nucléophile étant l'ion carboxylate $R-COO^-$).

Les réactions des anhydrides sont pratiquement les mêmes que celles des chlorures d'acides, avec une réactivité moindre. Le « groupe partant » dans les substitutions nucléophiles est $O-CO-R$ au lieu d'être $-Cl$ et, dans les réactions des chlorures d'acides où il se forme HCl, il se forme avec les anhydrides une molécule d'acide $R-COOH$.

*Exemples :*

$$R-CO-O-CO-R + H_2O \rightarrow 2\,R-COOH$$

$$R-CO-O-CO-R + R'OH \rightarrow R-COOR' + R-COOH$$

Cette dernière réaction constitue une préparation usuelle des esters.

# Esters

**19.18** Il a déjà été question des esters, à diverses reprises, dans les chapitres antérieurs, à propos de leur formation [15.7] ainsi qu'à propos de leurs réactions : hydrolyse [15.16], saponification [15.17], réduction [15.18], réaction avec les organomagnésiens [14.9], décomposition par la chaleur [9.19]. Ces réactions sont du même type que celles des chlorures d'acides et des anhydrides.

La décomposition par la chaleur d'un ester, selon le bilan :

$$R-\underset{\displaystyle\underset{O}{\|}}{C}-O-CH_2-CH_2-R' \xrightarrow{\Delta} R-\underset{\displaystyle\underset{O}{\|}}{C}-OH + H_2C{=}CH-R'$$

est une réaction d'élimination [5.3], qui s'effectue par un mécanisme particulier, différent des deux mécanismes d'élimination E1 et E2 qui ont déjà été décrits [13.9].

C'est une réaction purement intramoléculaire, monomoléculaire ainsi que le montre son *ordre cinétique égal à* 1 par rapport à l'ester [5.8]. On observe d'autre part que c'est une réaction *stéréospécifique :* la géométrie de la double liaison formée, comparée avec celle de l'alcène de départ, montre que l'hydrogène éliminé avec le groupe $R-COO$ se place, au moment de la réaction, dans le même plan que lui, et en position « cis » (ou « syn »). On appelle donc cette réaction « cis-élimination », et on lui attribue un mécanisme *électrocyclique* [5.14], comportant un transfert électronique « circulaire » à l'intérieur de la molécule :

[Schéma : ester cyclique (R, C, O, C a b, C c d, H) → [état de transition] → R–C(=O)–O–H + alcène (a, b)C=C(c, d)]

Etat de transition

Contrairement à ce que l'on aurait pu penser, dans la molécule d'acide « régénérée » à partir de l'ester, l'atome d'oxygène doublement lié au carbone n'est pas celui qui l'était dans la molécule d'acide qui a initialement donné l'ester.

---

*19-C*

*Si on décompose par la chaleur l'acétate de (2R,3S)-3-méthylbut-2-yle*

$$CH_3{-}CO_2{-}\overset{2}{C}H(CH_3){-}\overset{3}{C}H(CH_3){-}CH_2{-}CH_3,$$

*dans quelle configuration (Z ou E) obtient-on l'alcène formé?*

---

# Amides

**19.19** Le remplacement de l'hydroxyle des acides par un groupe aminé conduit aux amides :

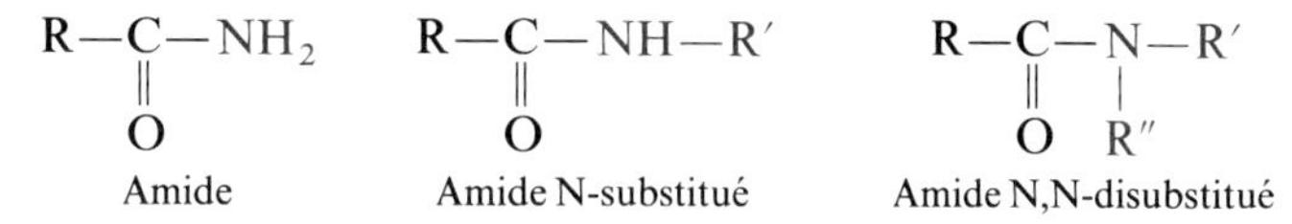


Le passage des acides aux amides peut s'effectuer par l'intermédiaire de l'une des autres fonctions dérivées des acides :

– chlorure d'acide (Z=Cl), anhydride (Z=OCOR) ou ester (Z=OR′):

$$R{-}\underset{\underset{O}{\|}}{C}{-}Z + NH_3 \rightarrow R{-}\underset{\underset{O}{\|}}{C}{-}NH_2 + HZ$$

(avec une amine primaire ou secondaire à la place de l'ammoniac, on obtient les amides N-substitués)

– nitriles :

$$R{-}C{\equiv}N + H_2O \rightleftarrows R{-}\underset{\underset{O}{\|}}{C}{-}NH_2$$

On peut également transformer un acide en amide par l'intermédiaire d'un sel d'ammonium :

$$R{-}\underset{\underset{O}{\|}}{C}{-}OH + NH_3 \rightarrow R{-}\underset{\underset{O}{\|}}{C}{-}ONH_4 \rightleftarrows R{-}\underset{\underset{O}{\|}}{C}{-}NH_2 + H_2O$$

Considérant ces deux dernières réactions, on peut donc situer les amides « entre » les nitriles et les sels d'ammonium, du point de vue « hydratation-déshydratation », dans un schéma global comportant des transformations toutes inversibles :

$$R{-}C{\equiv}N \underset{-H_2O}{\overset{+H_2O}{\rightleftarrows}} R{-}\underset{\underset{O}{\|}}{C}{-}NH_2 \underset{-H_2O}{\overset{+H_2O}{\rightleftarrows}} R{-}\underset{\underset{O}{\|}}{C}{-}ONH_4$$

$$\rightarrow \begin{cases} \text{milieu acide : } R{-}COOH + NH_4^+ \\ \text{milieu basique : } R{-}COO^- + NH_3 + H_2O \end{cases}$$

Contrairement aux amines, qui contiennent également le groupe $NH_2$, les amides ne sont que très faiblement basiques en raison de la résonance dont ils sont le siège :

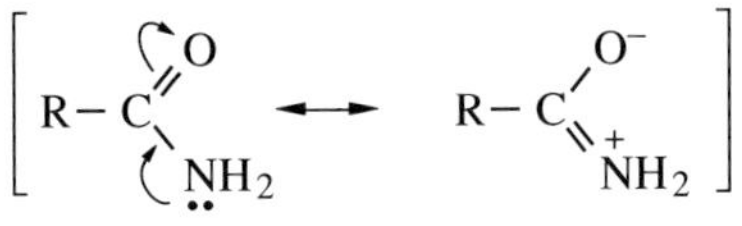

$$\left[ R-C\begin{smallmatrix} O \\ \\ \ddot{N}H_2 \end{smallmatrix} \longleftrightarrow R-C\begin{smallmatrix} O^- \\ \\ \overset{+}{N}H_2 \end{smallmatrix} \right]$$

Comme dans le cas des amines benzéniques. également peu basiques [17.6], cette résonance provoque une diminution de densité électronique sur l'azote; d'autre part, la stabilité qui lui correspond est perdue en cas de protonation sur l'azote supprimant la délocalisation de son doublet libre.

En présence d'hypobromite de sodium NaOBr, les amides subissent une dégradation en amines

$$R{-}CONH_2 + NaOBr \rightarrow R{-}NH_2 + CO_2 + NaBr.$$

Par ailleurs ils donnent lieu à une tautomérie [1.15] avec une forme analogue à la forme énolique des composés carbonylés :

$$R{-}\underset{\underset{O}{\|}}{C}{-}NH_2 \rightleftarrows R{-}\underset{\underset{OH}{|}}{C}{=}NH$$

et ils réagissent sous cette forme avec le pentachlorure de phosphore pour donner un dérivé qui, traité par l'ammoniac, conduit aux **amidines** :

$$R{-}\underset{\underset{OH}{|}}{C}{=}NH \xrightarrow{PCl_5} R{-}\underset{\underset{Cl}{|}}{C}{=}NH \xrightarrow{NH_3} R{-}\underset{\underset{NH_2}{|}}{C}{=}NH$$

Amidine

Les amidines sont des bases fortes, car le cation formé en milieu acide est stabilisé par résonance entre deux formes mésomères symétriques :

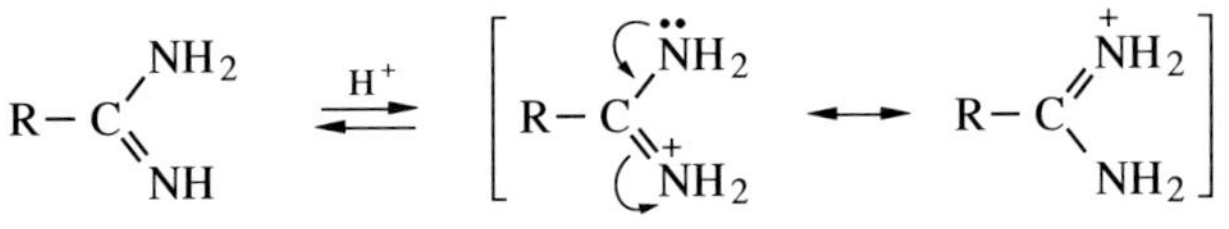

$$R-C\begin{smallmatrix} NH_2 \\ \\ NH \end{smallmatrix} \underset{}{\overset{H^+}{\rightleftarrows}} \left[ R-C\begin{smallmatrix} \ddot{N}H_2 \\ \\ \overset{+}{N}H_2 \end{smallmatrix} \longleftrightarrow R-C\begin{smallmatrix} \overset{+}{N}H_2 \\ \\ NH_2 \end{smallmatrix} \right]$$

*19-D*

*Par quelle représentation unique peut-on décrire la structure de ce cation. Comment se répartit la charge +1 entre les deux atomes d'azote?*

# Nitriles

**19.20** On peut préparer les nitriles $R{-}C{\equiv}N$

– par déshydratation des *sels d'ammonium.*

$$R-\underset{\underset{O}{\|}}{C}{-}ONH_4 \xrightarrow{-\,2H_2O} R{-}C{\equiv}N$$

– par action du *cyanure de potassium* $KC{\equiv}N$ sur un dérivé halogéné :

$$RX + KC{\equiv}N \rightarrow R{-}C{\equiv}N + KX$$

Les nitriles benzéniques, $Ar{-}C{\equiv}N$, peuvent être obtenus par l'action du cyanure de potassium sur un sel de diazonium [17.12].

Le premier terme, $H{-}C{\equiv}N$ (appelé cyanure d'hydrogène ou, moins correctement, « acide cyanhydrique ») possède un caractère acide ($K_a = 6 \cdot 10^{-10}$) qui le différencie nettement des autres termes et dont l'origine a déjà été discutée [10.3].

Les autres nitriles donnent principalement des réactions d'addition nucléophiles sur leur triple liaison :

– Dihydrogène :

$$R{-}C{\equiv}N + 2\,H_2 \longrightarrow R{-}CH_2{-}NH_2$$

– Hydrures :

$$R{-}C{\equiv}N \xrightarrow[2)\ H_2O]{1)\ LiAlH_4} R{-}CH_2{-}NH_2$$

– Eau :

$$R{-}C{\equiv}N + \overset{\delta+}{H}{-}\overset{\delta-}{OH} \longrightarrow R{-}C(OH){=}NH \longrightarrow R{-}C({=}O){-}NH_2$$

(on remarquera l'analogie de cette réaction avec l'hydratation d'un alcyne, conduisant en premier lieu à une forme énolique, puis à une cétone [10.7]).

– Organomagnésien [14.11] :

$$XMg^{+}R^{-} + R'{-}C{\equiv}N \longrightarrow R{-}C(R'){=}NMgX \xrightarrow{H_2O} R{-}C(R'){=}NH \xrightarrow{H_2O} R{-}C(R'){=}O + NH_3$$

# Dérivés de l'acide carbonique

**19.21** **L'acide carbonique** $H_2CO_3$, stable uniquement en solution aqueuse, peut être rapproché des acides organiques. Sa structure est en effet

$$O{=}C(OH)_2$$

de sorte qu'il s'agit d'un « pseudo-diacide », avec deux groupes OH, mais un seul $C{=}O$. Cet acide carbonique possède des dérivés correspondant à ceux d'un acide carboxylique normal :

## *Esters carboniques*

$$O{=}C(O{-}CH_2{-}CH_3)_2$$ Carbonate d'éthyle

## *Chlorure d'acide*

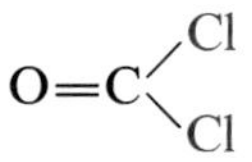

$$O{=}C\begin{matrix}\diagup Cl\\ \diagdown Cl\end{matrix}$$ Phosgène

habituellement appelé « phosgène » et qui se forme directement par action du dichlore sur l'oxyde de carbone, en présence de lumière (d'où son nom). C'est un gaz très toxique.

## *Mono-amide*

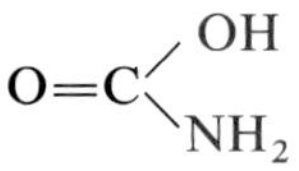

$$O{=}C\begin{matrix}\diagup OH\\ \diagdown NH_2\end{matrix}$$ Acide carbamique

C'est l'acide carbamique, dont les sels (exemple : carbamate d'ammonium) et les esters, appelés *uréthanes* (exemple : carbamate d'éthyle, ou uréthane « ordinaire ») sont utilisés en médecine.

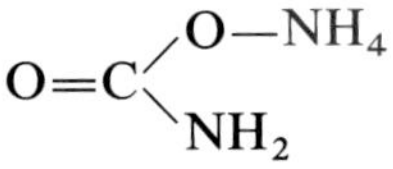

$$O{=}C\begin{matrix}\diagup O{-}NH_4\\ \diagdown NH_2\end{matrix} \qquad O{=}C\begin{matrix}\diagup O{-}CH_2{-}CH_3\\ \diagdown NH_2\end{matrix}$$

carbamate d'ammonium 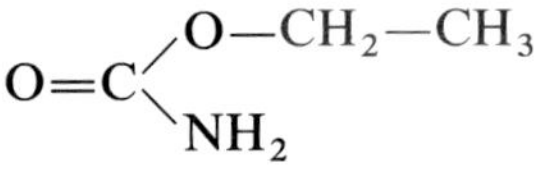 — carbamate d'éthyle (uréthane)

Son amidine

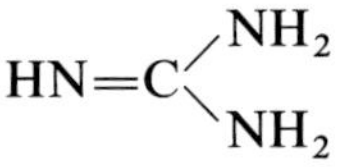

$$HN{=}C\begin{matrix}\diagup NH_2\\ \diagdown NH_2\end{matrix}$$

est la *guanidine*, base aussi forte que les hydroxydes alcalins (soude, potasse), du fait de la très grande symétrie de son acide conjugué

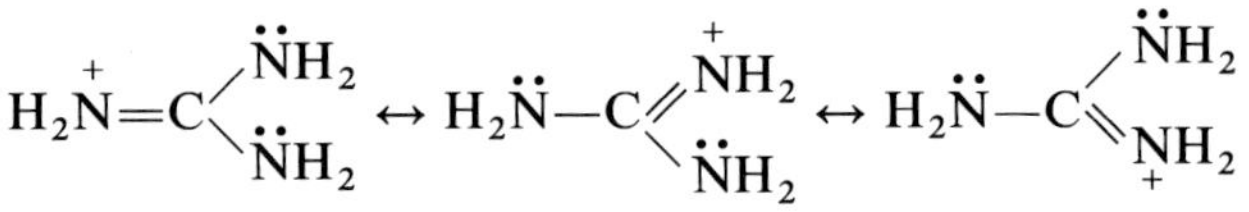

$$H_2\overset{+}{N}{=}C\begin{matrix}\diagup \ddot{N}H_2\\ \diagdown \ddot{N}H_2\end{matrix} \leftrightarrow H_2\ddot{N}{-}C\begin{matrix}\diagup\!\!\diagup \overset{+}{N}H_2\\ \diagdown \ddot{N}H_2\end{matrix} \leftrightarrow H_2\ddot{N}{-}C\begin{matrix}\diagup \ddot{N}H_2\\ \diagdown\!\!\diagdown \underset{+}{N}H_2\end{matrix}$$

### *19-E*

*Donnez une représentation unique de ce cation « guanidinium », et indiquez la répartition de la charge + 1 entre les trois atomes d'azote.*

---

## *Nitrile*

$$HO{-}C{\equiv}N$$ Acide cyanique

## *Di-amide*

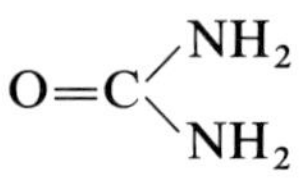

$$O{=}C\begin{matrix}\diagup NH_2\\ \diagdown NH_2\end{matrix}$$ Urée

19.22 **L'urée** est une substance importante à la fois biologiquement et industriellement (engrais, alimentation animale, résines). On peut l'obtenir de trois façons :

a) par l'action du chlorure d'acide correspondant sur l'ammoniac :

$$\underset{\text{Phosgène}}{O{=}C\begin{matrix}\diagup Cl\\ \diagdown Cl\end{matrix}} + 2\,NH_3 \rightarrow \underset{\text{Urée}}{O{=}C\begin{matrix}\diagup NH_2\\ \diagdown NH_2\end{matrix}} + 2\,HCl$$

b) par l'intermédiaire du cyanamide calcique $CaCN_2$, à partir du carbure de calcium :

$$CaC_2 + N_2 \rightarrow CaCN_2 + C$$

$$CaCN_2 + H_2O + CO_2 \rightarrow \underset{\text{Cyanamide}}{NH_2{-}C{\equiv}N} \xrightarrow{H_2O} \underset{\text{Urée}}{O{=}C(NH_2)_2}$$

c) par une réaction entre l'ammoniac et le dioxyde de carbone

$$CO_2 + 2\,NH_3 \rightarrow H_2N{-}CO{-}NH_2 + H_2O$$

C'est, par ailleurs, un produit de dégradation des matières albuminoïdes, et il s'en trouve dans l'urine (20 g/l environ).

L'urée est un solide blanc, soluble dans l'eau; elle est faiblement basique.

Son *hydratation* conduit au carbonate d'ammonium (propriété normale d'un amide) :

$$O{=}C\begin{matrix}\diagup NH_2\\ \diagdown NH_2\end{matrix} \xrightarrow{2\,H_2O} O{=}C\begin{matrix}\diagup ONH_4\\ \diagdown ONH_4\end{matrix} \begin{matrix}\xrightarrow{H^+} CO_2 + H_2O + 2\,NH_4^+\\ \xrightarrow[OH^-]{} 2\,NH_3 + CO_3^{2-} + 2\,H_2O\end{matrix}$$

C'est ainsi que, grâce à l'humidité du sol, l'urée utilisée comme engrais apporte aux végétaux l'azote ammoniacal qui leur est nécessaire.

Par *action de l'hypobromite de sodium*, il se produit une dégradation, comme avec les amides ordinaires :

$$O{=}C(NH_2)_2 + 2\,NaOBr \rightarrow N_2 + 2\,H_2O + CO_2 + 2\,NaBr$$

(d'où la possibilité de doser l'urée par mesure du volume d'azote dégagé, après avoir absorbé $CO_2$ dans une solution alcaline).

La *labilité des quatre hydrogènes* permet une réaction de condensation avec le formaldéhyde, donnant des « matières plastiques » (résines urée-formaldéhyde [25.8]).

En présence d'un *chlorure d'acide*, il se forme un *uréide* :

$$O{=}C\begin{matrix}\diagup NH_2\\ \diagdown NH_2\end{matrix} + 2\,R{-}COCl \rightarrow \underset{\text{Uréide}}{O{=}C\begin{matrix}\diagup NH{-}CO{-}R\\ \diagdown NH{-}CO{-}R\end{matrix}} + 2\,HCl$$

et si la réaction est faite avec le chlorure d'un diacide on obtient un uréide cyclique; par exemple, avec le chlorure de l'acide malonique [20.17],

$$O{=}C\begin{matrix}\diagup NH_2\\ \diagdown NH_2\end{matrix} + \begin{matrix}Cl{-}CO\diagdown\\ Cl{-}CO\diagup\end{matrix}CH_2 \rightarrow O{=}C\begin{matrix}\diagup NH{-}CO\diagdown\\ \diagdown NH{-}CO\diagup\end{matrix}CH_2$$

malonylurée

Les deux atomes d'hydrogène du groupe $-CH_2-$ de la malonylurée sont labiles, à cause du voisinage immédiat de deux groupes carbonyles, et cet uréide cyclique est également appelé « acide barbiturique ». Ses dérivés dans lesquels ces deux hydrogènes sont remplacés par divers radicaux (éthyle, phényle, ...) sont employés en médecine comme calmants.

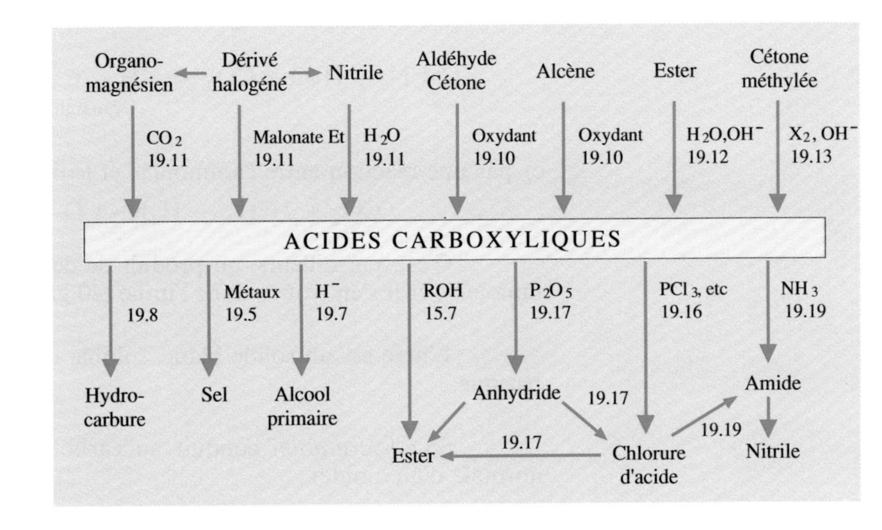

## EXERCICES

*Les **règles de nomenclature**, permettant de faire correspondre réciproquement un nom et une formule, sont exposées dans le chapitre 7 (pour les stéréoisomères, au chapitre 3).*

***19-a*** Les alcools ROH, les phénols ArOH et les acides R—COOH possèdent tous un groupe hydroxyle OH, et un hydrogène labile. Mais leur caractère acide se manifeste avec des «forces» très différentes.

– Comment ces trois fonctions se classent-elles par rapport à leurs constantes d'acidité respectives?
– Quels sont, dans leur structure, les éléments communs justifiant leur caractère acide, et les facteurs particuliers qui justifient les différences entre leurs constantes d'acidité?
– Certains de ces facteurs peuvent-ils également être invoqués pour interpréter l'acidité du cyclopentadiène, qui ne possède pas d'hydroxyle [12.18]?

***19-b*** Remplacez les ... par le (ou les) composé(s) correspondant(s) :

1) Ph—COCl + Aniline → ...
2) Ph—COCl + ... → Ph—$CO_2CH_3$ + HCl
3) Propionate de sodium chauffé avec NaOH → ...
4) $CH_3—CH_2—CH_2—COOH$ + ... → $CH_3—CH_2—CH_2—COCl + SO_2 + HCl$
5) Chlorure d'acétyle + butanoate de sodium → ...
6) Cyclohexanol + ... → acétate de cyclohexyle + $CH_3—COOH$
7) Acide pentanoïque à 300° sur MnO → ...
8) ... + $H_2O$ → 2 $CH_3—CH_2—COOH$
9) Benzoate de méthyle + bromure de propylmagnésium, puis $H_2O$ → ...
10) ... + KOH → formiate de potassium + éthanol
11) ... + 2 $H_2O$ + HCl → acide 2-méthylpropanoïque + $NH_4Cl$
12) Chlorure de benzoyle + ... → Ph—CH=O + HCl
13) Propanenitrile + ... → pentanone-3
14) Chlorure de tertiobutyle + cyanure de potassium → ...

***19-c*** Par quelles suites de réactions peut-on transformer l'acide propionique, à l'aide de réactifs minéraux seulement, en :

1) 1,1-dichloropropane
2) 3,3-dichloropentane
3) Pentan-3-ol
4) Hexan-3-ol
5) Propionate de propyle
6) Acide butanoïque
7) Propylamine
8) Butylamine

***19-d*** Comment pourrait-on préparer l'acide propionique à partir de chacun des composés suivants (et de tout composé organique ou minéral nécessaire)?

1) Propionate d'éthyle
2) But-1-ène
3) Propionamide
4) Butanone
5) Bromure d'éthyle
6) 1-chloropropane

***19-e*** Par quels enchaînements de réactions peut-on passer

1) de Ph—$NH_2$ à Ph—COOH
2) de R—CO—$NH_2$ à R—CO—R
3) de $CH_3—CH_2—COOH$ à $CH_3—CH_2—NH_2$
4) de $C_6H_5—CH_3$ (seul) à $C_6H_5—CO—C_6H_5$
5) de $C_6H_5—COCl$ à $C_6H_5—CHOH—CH_3$
6) de $CH_3—CH_2OH$ à $CH_3—CH_2—CH_2—COOH$
7) de HC≡CH à $CH_3—CO—CH_3$
8) de $H_2C=CH_2$ à $HOOC—CH_2—CH_2—COOH$.

***19-f*** Trouver la formule des composés remplacés par les lettres (a), (b), (c), etc. dans l'enchaînement de réactions suivant :

(a) + HBr ⇄ (b) + $H_2O$
(b) + Mg → (c)
(c) + $CO_2$, puis $H_2O$ → (d) + BrMgOH
(d) + NaOH → (e) + $H_2O$
(d) + $PCl_5$ → (f) + $POCl_3$ + HCl
(e) + (f) → (g) + NaCl
(a) + (g) → $CH_3—CH_2—CO_2—CH_2—CH_3 + CH_3—CH_2—COOH$.

## LES AGENTS TENSIOACTIFS ET LA DÉTERGENCE

**19.23** Les savons sont des sels alcalins (de sodium ou de potassium) d'acides acycliques saturés à longue chaîne, comme le stéarate de sodium $C_{17}H_{35}COONa$, par exemple. Leurs propriétés détergentes résultent de l'antagonisme qui existe entre les deux parties de leur molécule. La chaîne hydrocarbonée, non polaire [4.13], a les caractères d'un hydrocarbure : insoluble dans l'eau, elle est hydrophobe (elle « fuit » l'eau), mais elle est lipophile, c'est-à-dire qu'elle a de l'affinité pour les milieux organiques, et en particulier les corps gras. Le groupe carboxylate $COO^-$, très polaire, présente au contraire de l'affinité pour l'eau, composé polaire; il est hydrophile.

O

$O^-Na^+$ Stéarate de sodium

← Partie lipophile (hydrophobe) → Partie hydrophile

Une solution de savon dans l'eau contient peu de molécules isolées. Elles se concentrent aux interfaces entre la solution et une autre phase, notamment à l'interface eau/air. Il s'y constitue un *film monomoléculaire* ordonné, dans lequel les groupes hydrophiles sont tournés vers la solution, les chaînes hydrophobes tendant au contraire à en sortir. La présence de ce film diminue la tension superficielle de la solution, qui est inférieure à celle de l'eau (*). Un film analogue se constitue aussi à l'interface entre la solution aqueuse et une autre phase liquide, par exemple à la surface d'une goutte d'huile.

A partir d'une certaine concentration, il se constitue d'autre part dans la solution des *micelles*, agglomérats de quelques dizaines à quelques centaines de molécules tournant leurs groupes $COO^-$ vers l'extérieur.

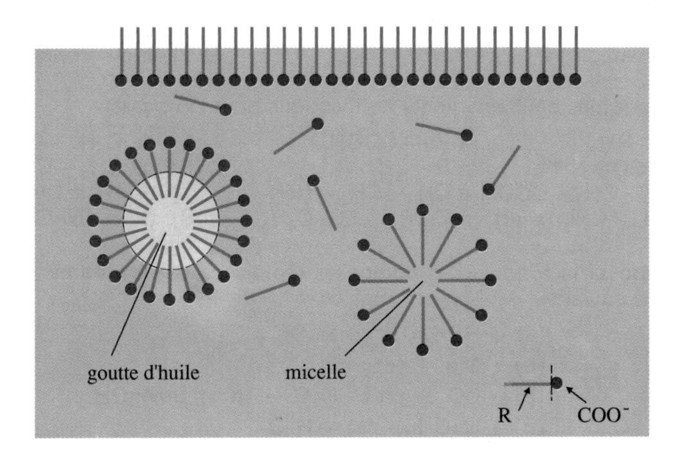


(*) D'où le nom d'agents « tensioactifs » donné aux savons et aux détergents de synthèse.

Les quatre figures ci-dessous montrent, de façon très schématique et simplifiée, comment le savon élimine les salissures, par exemple un film de graisse déposé sur une fibre textile. Il se forme d'abord un film monomoléculaire de savon à l'interface eau/graisse, pour lequel les micelles fonctionnent comme des « réserves » d'ions $R—COO^-$ (1). La présence de ce film favorise la formation progressive de globules de graisse (2,3), qui s'enrobent eux-mêmes d'un film de savon, pendant que la fibre nettoyée s'en recouvre aussi. Les globules et la fibre présentent donc en surface des charges électriques de même signe (les charges négatives des groupes $COO^-$), et la répulsion électrostatique favorise la dispersion des globules de graisse dans la solution, où ils forment une « émulsion » (4). Ils seront ensuite éliminés par le rinçage, qui débarrassera aussi la fibre de son film de savon. Une action mécanique simultanée (sous les coups de battoir des lavandières, ou dans le tambour des machines à laver) favorise la séparation des particules de graisse et de la fibre.

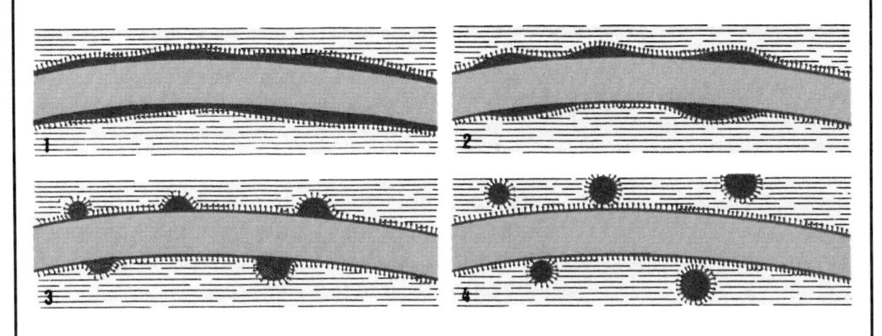


Le pouvoir moussant du savon s'explique aussi par la formation d'un film à l'interface eau/air.

Actuellement, on utilise en fait beaucoup plus souvent des *détergents de synthèse* que du savon, mais « le principe » est le même. Ces détergents possèdent, comme le savon, une chaîne hydrocarbonée importante (comportant souvent un cycle benzénique) et un groupe polaire. Mais celui-ci, au lieu d'être un groupe carboxylate est, par exemple, un groupe sulfonate $SO_3^-$ [25.9]. Les « lessives » que l'on emploie ne contiennent le plus souvent que 10 à 15 % de détergent, qui s'y trouve associé à d'autres constituants (polyphosphates, silicates, perborates, ...), dont les rôles sont multiples : stabilisation de l'émulsion de salissures pour éviter une redéposition sur les fibres, adoucissement de l'eau par « séquestration » des ions $Ca^{2+}$, décoloration des taches, etc.

# Composés à fonctions multiples et mixtes

# 20

Jusqu'ici il a été supposé que les composés étudiés ne comportaient dans leur molécule qu'une seule fonction (composés à *fonctions simples*). Or il est fréquent de trouver réunies dans une même molécule plusieurs fonctions, soit identiques (composés à *fonctions multiples*), soit différentes (composés à *fonctions mixtes*).

Dans ces composés, chaque fonction peut garder son « individualité » et réagir normalement, indépendamment de la (ou des) autre(s). Mais il n'en est pas toujours ainsi, et la position relative des fonctions sur la chaîne carbonée joue un rôle important.

– Lorsque deux fonctions sont très proches (position $\alpha$ [7.24]), il peut se produire une perturbation mutuelle plus ou moins importante de leurs propriétés (exemple : doubles liaisons conjuguées [20.2], diols $\alpha$ [20.8]).

– Lorsque deux fonctions sont peu éloignées (position $\beta$) l'effet principal de leur réunion peut être une « activation » des atomes compris entre elles (exemple : labilité des hydrogènes du $CH_2$ compris entre deux groupes carbonyles [20.13]).

– Lorsque deux fonctions sont éloignées l'une de l'autre, elles gardent en principe leur indépendance, mais il peut alors se produire des réactions internes à la molécule (réactions « intramoléculaires ») aboutissant à une cyclisation. Il ne faut pas perdre de vue, en effet, que des atomes de carbone séparés par quatre ou cinq liaisons peuvent être proches l'un de l'autre dans l'espace, par le jeu des rotations possibles autour des liaisons [2.7], et que les cycles à cinq ou six atomes sont les plus faciles à former (exemple : lactones [20.25]).

On peut imaginer un très grand nombre de combinaisons des fonctions simples, prises deux par deux, trois par trois, etc. mais seules seront envisagées ici quelques associations de fonctions parmi les plus fréquentes ou les plus caractéristiques par les propriétés nouvelles qui y apparaissent.

Les règles de base de la nomenclature applicables aux fonctions mixtes ont été indiquées au chapitre 7 [7.23].

# composés à fonctions multiples

## Diènes et polyènes

**20.1** Les deux doubles liaisons d'un diène peuvent se trouver dans les positions relatives suivantes :

$$\underset{(A)}{-\overset{}{\underset{|}{C}}=C=\underset{|}{C}-} \qquad \underset{(B)}{-\underset{|}{C}=\underset{|}{C}-\underset{|}{C}=\underset{|}{C}-} \qquad \underset{(C)}{-\underset{|}{C}=\underset{|}{C}-(\overset{|}{\underset{|}{C}})_n-\underset{|}{C}=\underset{|}{C}-}$$

La structure (A) est celle des **allènes** ($H_2C{=}C{=}CH_2$ est « l'allène » ordinaire), composés instables qui se transforment facilement en alcynes [10.14].

Dans la structure (C), où deux liaisons simples au moins séparent les deux doubles liaisons, les propriétés de ces dernières ne sont pas modifiées par rapport à celles d'un alcène simple. Les réactions habituelles des alcènes peuvent avoir lieu sur chacune d'elles, et le spectre ultraviolet de ces diènes est le même que celui d'un alcène.

Dans la structure (B), par contre, où les deux doubles liaisons sont *conjuguées*, leurs propriétés sont profondément modifiées par leur proximité. Elles réagissent comme un ensemble, constituant en quelque sorte un nouveau groupe fonctionnel, et leur spectre ultraviolet est fortement modifié [6.11].

## Diènes conjugués

**20.2** Le cas d'une telle structure a déjà été envisagé à propos de la mésomérie [4.19]. Contrairement à ce que suggère la formule habituelle, les électrons $\pi$ des deux doubles liaisons ne restent pas localisés entre les carbones 1 et 2 d'une part, 3 et 4 d'autre part. Ils sont *délocalisés* dans un nuage électronique qui intéresse l'ensemble des trois liaisons du système conjugué. La liaison centrale, entre les carbones 2 et 3, n'est pas une simple liaison $\sigma$, mais elle possède un caractère partiel de double liaison :

$$-\underset{|}{\overset{1}{C}}\overset{--}{=}\underset{|}{\overset{2}{C}}\overset{--}{=}\underset{|}{\overset{3}{C}}\overset{--}{=}\underset{|}{\overset{4}{C}}-$$

L'exemple le plus simple des diènes de ce type est le buta-1,3-diène $H_2C{=}CH{-}CH{=}CH_2$, que l'on obtient à partir du pétrole par vapocraquage [25.3].

### *Addition en 1,4*

**20.3** Si on fait agir du chlorure d'hydrogène sur le buta-1,3-diène on obtient, après addition d'une molécule HCl par molécule de butadiène, un mélange de 3-chlorobut-1-ène (a), normalement attendu, et de 1-chlorobut-2-ène (b), non attendu *a priori* :

$$H_2C=CH-CH=CH_2 + HCl \longrightarrow \begin{cases} H_2C=CH-CHCl-CH_3 \quad (a) \quad 80\ \% \\ H_3C-CH=CH-CH_2Cl \quad (b) \quad 20\ \% \end{cases}$$

Ce résultat est explicable sur la base du mécanisme normal d'addition des hydracides sur les doubles liaisons [9.6], en tenant compte de la structure particulière du carbocation intermédiaire obtenu en ce cas. La fixation initiale d'un $H^+$ sur l'un des carbones terminaux donne en effet un carbocation dans lequel les électrons π et la charge positive sont délocalisés :

$$H_2C=CH-CH=CH_2 + H^+ \longrightarrow [H_2C=CH-\overset{+}{C}H-CH_3$$

$$\longleftrightarrow H_2\overset{+}{C}-CH=CH-CH_3] \quad \text{ou} \quad H_2\overset{\delta+}{C}\text{---}CH\text{---}\overset{\delta'+}{C}H-CH_3$$

et l'anion $Cl^-$ a donc la possibilité de se lier sur l'un ou l'autre des carbones 1 et 3, tous deux déficitaires.

### 20-A

*Dans l'addition de HCl sur le butadiène, pourquoi n'obtient-on pas également du 4-chlorobut-1-ène ? D'autre part, quel(s) produit(s) peut-on attendre de l'addition d'une seconde molécule de HCl ?*

---

On obtient également deux produits d'addition (par addition-1,2 et par addition-1,4) au cours de la réaction d'un diène conjugué avec un halogène. Ainsi, l'addition du dibrome sur le buta-1,3-diène donne les deux produits (a′) et (b′) :

$$H_2C=CH-CH=CH_2 + Br_2 \longrightarrow \begin{cases} H_2C=CH-CHBr-CH_2Br \quad (a') \quad 54\ \% \\ BrCH_2-CH=CH-CH_2Br \quad (b') \quad 46\ \% \end{cases}$$

L'interprétation est la même : la fixation de $Br^+$ est la première étape de la réaction [9.10] et, lorsqu'elle a eu lieu sur le carbone 1, le carbocation formé possède deux sites déficitaires sur lesquels $Br^-$ peut ensuite venir se lier :

$$H_2C=CH-CH=CH_2 + Br^+ \longrightarrow [H_2C=CH-\overset{+}{C}H-CH_2Br$$

$$\longleftrightarrow H_2\overset{+}{C}-CH=CH-CH_2Br] \quad \text{ou} \quad H_2\overset{\delta+}{C}\text{---}CH\text{---}\overset{\delta'+}{C}H-CH_2Br$$

## Synthèse diénique (réaction de Diels-Alder)

**20.4** Les composés éthyléniques peuvent s'additionner « en 1,4 » sur les diènes conjugués, en formant une chaîne cyclique à six carbones avec une double liaison (cycle du cyclohexène). Schématiquement, la réaction peut se représenter ainsi :

On appelle cette réaction *synthèse diénique*, ou encore *réaction de Diels-Alder*. C'est une *cycloaddition*, à laquelle on attribue un mécanisme *électrocyclique* (transfert électronique circulaire concerté) [5.14]. Le rendement est faible si le diène n'est pas « enrichi » par des substituants à caractère donneur et si le composé éthylénique (le « diénophile ») n'est pas « appauvri » par un ou des substituant(s) attracteur(s).

*Exemple :*

Cette réaction est également possible avec des systèmes diéniques inclus dans des cycles, comme celui du cyclopentadiène ou celui du furane [21.7].

*Exemple :*

### *20-B*

*Compte tenu des exigences géométriques de la réaction, les diènes suivants peuvent-ils participer à une synthèse diénique?*

## Polymérisation

**20.5** Les diènes conjugués simples, comme le butadiène, peuvent se polymériser selon le schéma :

$$n\ H_2C{=}CH{-}CH{=}CH_2 \rightarrow -(CH_2{-}CH{=}CH{-}CH_2)_n-$$

Ces polymères se présentent sous la forme d'*élastomères*, c'est-à-dire de substances analogues au caoutchouc, et on fabrique précisément une grande variété de caoutchoucs synthétiques par des réactions de ce type [25.7].

Le caoutchouc naturel est d'ailleurs le polymère d'un diène simple, l'isoprène [24.12] :

$$CH_2{=}CH{-}\underset{\displaystyle CH_3}{\underset{|}{C}}{=}CH_2$$

## Polyènes

**20.6** Si les doubles liaisons sont contiguës, il s'agit d'un *cumulène*

$$=C=C=C=C=C=$$

Si elles sont séparées par un carbone saturé au moins, elles restent indépendantes et les propriétés sont celles d'un alcène répétées (cas des polymères de diènes conjugués, cf. ci-dessus).

Les polyènes conjugués

$$\ldots{-}\underset{|}{C}{=}\underset{|}{C}{-}\underset{|}{C}{=}\underset{|}{C}{-}\underset{|}{C}{=}\underset{|}{C}{-}\underset{|}{C}{=}\underset{|}{C}{-}\ldots$$

sont les plus intéressants; certains possèdent plus de dix doubles liaisons conjuguées et sont en rapport avec des substances biologiquement importantes (carotène, vitamine A [24.9 et 24.11]).

A mesure qu'augmente le nombre de doubles liaisons conjuguées, la longueur d'onde du maximum d'absorption dans l'ultra-violet [6.11] se déplace vers la région visible du spectre; à partir de cinq doubles liaisons, l'absorption se produit effectivement dans la région violette du spectre visible et, en conséquence, la substance apparaît colorée en jaune. A mesure que le déplacement s'accentue vers le bleu, puis vers le vert du spectre, la couleur « s'approfondit » en passant à l'orangé et au rouge.

# Diols et polyols

**20.7** Ces composés réunissent dans une même molécule deux fonctions alcool, ou davantage, qui peuvent être séparément primaires, secondaires ou tertiaires.

*Exemple :*

$$R{-}CHOH{-}CH_2OH \qquad \text{Diol } \alpha \text{ primaire-secondaire}$$

$$R{-}\overset{\displaystyle R'}{\underset{\displaystyle OH}{C}}{-}CH_2{-}\overset{\displaystyle R''}{\underset{\displaystyle OH}{C}}{-}R''' \qquad \text{Diol } \beta \text{ bitertiaire}$$

Les deux —OH d'un diol ne peuvent être sur le même carbone (ce serait alors un hydrate d'aldéhyde ou de cétone instable [18.9]).

## Diols (glycols)

**20.8** La préparation des diols, ou glycols, s'effectue selon les mêmes méthodes que celle des alcools simples, mais à partir d'un composé possédant :

– soit deux groupements transformables en fonctions alcool, par exemple un dihalogénure :

$$-\overset{|}{\underset{}{C}}Cl-\overset{|}{C}Cl- + 2\,OH^- \rightarrow -\overset{|}{\underset{HO}{\underset{|}{C}}}-\overset{|}{\underset{OH}{\underset{|}{C}}}- + 2\,Cl^-$$

– soit un groupement transformable et une fonction alcool :

$$\underset{\text{Aldol [18.16]}}{CH_3-CHOH-CH_2-CH{=}O} + H_2 \rightarrow CH_3-CHOH-CH_2-CH_2OH$$

Seuls les α-glycols ont, en outre, des méthodes de préparation qui leur sont propres.

*Exemples :*

- oxydation ménagée d'un alcène [9.12] :

$$>C{=}C< \xrightarrow{O_2} \underset{\text{Époxyde}}{>C\overset{O}{—}C<} \xrightarrow{H_2O} -\overset{|}{\underset{HO}{\underset{|}{C}}}-\overset{|}{\underset{OH}{\underset{|}{C}}}-$$

- réduction des cétones par un métal (Mg) :

$$\underset{\text{Acétone}}{2\,CH_3-\underset{O}{\underset{\|}{C}}-CH_3} \xrightarrow[H_2O,\ H^+]{Mg} \underset{\text{Pinacol}}{H_3C-\overset{H_3C}{\overset{|}{\underset{HO}{\underset{|}{C}}}}-\overset{CH_3}{\overset{|}{\underset{OH}{\underset{|}{C}}}}-CH_3}$$

### *Caractères physiques*

**20.9** Les caractères physiques des diols sont très sensiblement modifiés par rapport à ceux des alcools simples; l'accumulation des groupes hydroxyles dans une molécule entraîne :

– une élévation très importante du point d'ébullition (liaisons hydrogène plus nombreuses) :

$$CH_3-CH_2OH \quad Eb = 78{,}3°$$
$$HOH_2C-CH_2OH \quad Eb = 198°$$

– une augmentation de la viscosité,
– un accroissement de la solubilité dans l'eau,
– une saveur sucrée.

Pour les triols et polyols, ces caractères sont encore plus accentués.

## *Réactivité*

**20.10** Les propriétés des diols sont, dans l'ensemble, celles des alcools répétées deux fois (exemple : formation de diesters). Cependant, quelques particularités peuvent résulter de la proximité plus ou moins grande des deux fonctions, notamment dans les réactions de déshydratation et d'oxydation :

– La **déshydratation des α-diols** s'accompagne d'un réarrangement moléculaire, connu sous le nom de « transposition pinacolique » :

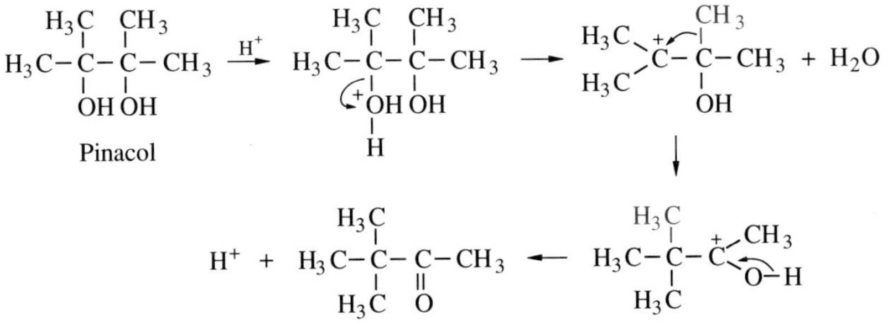

$$(CH_3)_2C(OH)-C(OH)(CH_3)_2 \xrightarrow{H^+} (CH_3)_2C(\overset{+}{O}H_2)-C(OH)(CH_3)_2 \longrightarrow (CH_3)_2\overset{+}{C}-C(CH_3)_2OH + H_2O$$

Pinacol

$$\longrightarrow (CH_3)_3C-\overset{+}{C}(CH_3)-OH \longrightarrow H^+ + (CH_3)_3C-C(=O)-CH_3$$

Pinacolone

Si l'une des deux fonctions est primaire, on obtient un aldéhyde au lieu d'une cétone.

### *20-C*

*Vérifiez effectivement qu'il est normal, en ce cas, d'obtenir un aldéhyde. Qu'aurait-on pu obtenir d'autre? Prenez comme exemple*

$$(CH_3)_2C(OH)-CH_2OH$$

*et examinez quel est celui des deux* OH *qui partira le plus probablement, en fonction de la stabilité de l'intermédiaire qui se formera.*

– La **déshydratation des β-diols** donne, d'une façon normale, un diène, mais celle des **γ-diols** peut conduire à une cyclisation, par formation d'un éther-oxyde interne :

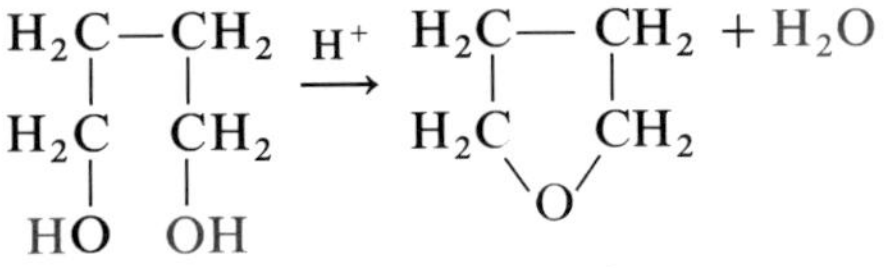

$$HO-CH_2-CH_2-CH_2-CH_2-OH \xrightarrow{H^+} \text{(cycle } H_2C-CH_2-CH_2-CH_2-O\text{)} + H_2O$$

Butane-1,4-diol → Tétrahydrofurane

### *20-D*

*Quel peut être le mécanisme de cette déshydratation?*
*(rappelez-vous comment se forme un éther à partir de deux molécules d'un mono-alcool).*

– L'**oxydation des α-diols,** par l'acide périodique $HIO_4$ ou par le tétracétate de plomb $(CH_3CO_2)_4Pb$, provoque la coupure de la liaison C—C entre les deux fonctions, et la formation de deux composés carbonylés, aldéhydes ou cétones selon la classe de la fonction alcool.

*Exemples :*

$$R{-}CHOH{-}CH_2OH \xrightarrow{HIO_4} R{-}CH{=}O + H_2C{=}O$$

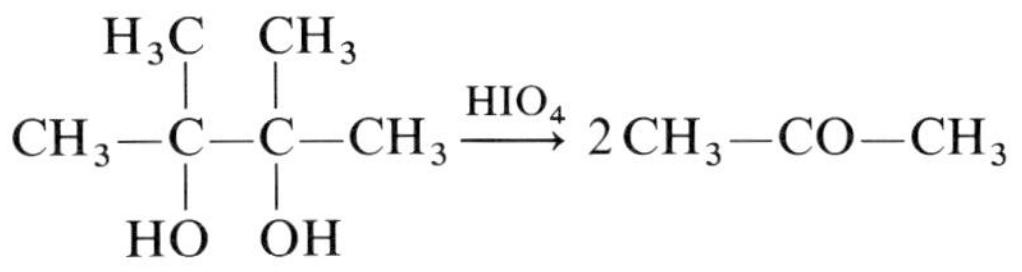

$$CH_3{-}C(CH_3)(OH){-}C(CH_3)(OH){-}CH_3 \xrightarrow{HIO_4} 2\,CH_3{-}CO{-}CH_3$$

*Diols importants :*

L'éthane-diol $HOH_2C{-}CH_2OH$, ou « glycol ordinaire », ou « éthylène-glycol », fabriqué à partir de l'éthylène (par oxydation, et hydratation de l'oxyde d'éthylène [9.12], ou par saponification de la chlorhydrine $ClCH_2{-}CH_2OH$ [9.11]), est utilisé dans la fabrication d'explosifs (esters nitriques) et dans celle du tergal [25.8], et comme antigel.

## Triols

**20.11** Un seul est vraiment important, le ***glycérol*** (ou « glycérine ») :

$$HOH_2C{-}CHOH{-}CH_2OH \quad \text{Propane-1,2,3-triol}$$

Il se trouve à l'état naturel, sous forme de triesters,

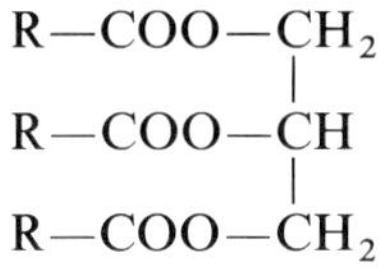

$$\begin{array}{l} R{-}COO{-}CH_2 \\ \qquad\qquad\;\; | \\ R{-}COO{-}CH \\ \qquad\qquad\;\; | \\ R{-}COO{-}CH_2 \end{array}$$

qui constituent les corps gras, graisses ou huiles, d'origine animale ou végétale (huile de lin, d'olive, d'arachide, beurre, etc.) [24.1]. Les acides R—COOH de ces esters sont des acides acycliques linéaires à longue chaîne, appelés précisément « acides gras » (exemple : acide stéarique $C_{17}H_{35}{-}COOH$).

La préparation du glycérol à partir de ces corps gras peut se faire par hydrolyse, fournissant à côté du glycérol les acides gras à l'état libre, ou par saponification, auquel cas les acides gras sont transformés en sels de sodium ou de potassium qui constituent les *savons* [25.9].

Le glycérol se prépare aussi à partir du propène obtenu par craquage du pétrole :

$$CH_2{=}CH{-}CH_3 \xrightarrow[400^\circ]{Cl_2} CH_2{=}CH{-}CH_2Cl \xrightarrow{HOCl}$$

$$CH_2OH{-}CHCl{-}CH_2Cl \xrightarrow{NaOH} CH_2OH{-}CHOH{-}CH_2OH$$

*20-E*

*Pourquoi, dans la première étape, le dichlore donne-t-il avec le propène une substitution, et non une addition sur la double liaison, pourtant* a priori *plus facile? (réponse : voir* 8.5 *et* 12.7).

C'est un liquide très visqueux, bouillant à 290°, de saveur sucrée et toxique; ses principaux dérivés sont des esters :

– avec l'acide nitrique, on obtient le *trinitrate de glycérol*, qui est un explosif (appelé improprement nitroglycérine)

$$\begin{array}{l} CH_2OH \\ | \\ CHOH \\ | \\ CH_2OH \end{array} + 3\,HNO_3 \rightarrow \begin{array}{l} CH_2-O-NO_2 \\ | \\ CH-O-NO_2 \\ | \\ CH_2-O-NO_2 \end{array} + 3\,H_2O$$

Mélangé avec une matière inerte pour réduire sa sensibilité au choc, il constitue la dynamite, inventée par Alfred Nobel (1833-1896).

– avec l'acide ortho-phtalique

$$C_6H_4(COOH)_2 \quad \text{(COOH en positions ortho)}$$

il se produit une réaction de polyestérification, conduisant à des résines thermodurcissables (*résines « glycérophtaliques »*) [25.8].

La déshydratation du glycérol conduit à l'acroléine

$$CH_2{=}CH{-}CH{=}O.$$

*20-F*

*Essayez de proposer un mécanisme vraisemblable expliquant la formation d'acroléine lors de la déshydratation du glycérol.*

## Polyols

Les seuls importants contiennent en outre une fonction carbonylée; ce sont les sucres, qui seront étudiés au chapitre 22.

# Composés dicarbonylés

Il s'agit de dialdéhydes, de dicétones et d'aldéhydes-cétones, dont les deux fonctions peuvent occuper des positions relatives diverses.

## Composés α-dicarbonylés

**20.12** Ils peuvent être obtenus par oxydation d'un composé carbonylé simple au moyen d'oxyde de sélénium $SeO_2$ (réaction de Riley).

*Exemples :*

$$CH_3{-}CH{=}O + SeO_2 \rightarrow \underset{\text{glyoxal}}{O{=}CH{-}CH{=}O} + H_2O + Se$$

$$C_6H_5{-}CH_2{-}CO{-}C_6H_5 + SeO_2 \rightarrow \underset{\text{dibenzoyle}}{C_6H_5{-}CO{-}CO{-}C_6H_5} + H_2O + Se$$

On peut également préparer les α-dicétones par oxydation d'un α-cétol secondaire (acyloïne) :

$$R{-}CHOH{-}CO{-}R' \xrightarrow{\text{oxydant}} R{-}CO{-}CO{-}R' + H_2O$$

Parmi les réactions des composés α-dicarbonylés, dont beaucoup sont identiques à celles d'un composé carbonylé simple, il convient de faire mention toutefois d'un comportement particulier en milieu basique : le chauffage d'une α-dicétone en présence d'une base provoque une transposition appelée *« réarrangement benzylique »*

$$C_6H_5{-}\overset{O}{\overset{\|}{C}}{-}\overset{O}{\overset{\|}{C}}{-}C_6H_5 \xrightarrow{OH^-} C_6H_5{-}\overset{O}{\overset{\|}{C}}{-}\underset{C_6H_5}{\underset{|}{\overset{O^-}{\overset{|}{C}}}}{-}OH \longrightarrow C_6H_5{-}\underset{C_6H_5}{\underset{|}{\overset{O^-}{\overset{|}{C}}}}{-}\overset{O}{\overset{\|}{C}}{-}OH \xrightarrow{H_2O} C_6H_5{-}\underset{C_6H_5}{\underset{|}{\overset{OH}{\overset{|}{C}}}}{-}\overset{O}{\overset{\|}{C}}{-}OH$$

Dans le cas du glyoxal, $O{=}CH{-}CH{=}O$, ce réarrangement, comportant alors la migration d'un $H^-$, se ramène à une réaction de Cannizzaro intramoléculaire [18.12].

## Composés β-dicarbonylés

**20.13** Les β-dicétones de la forme $R{-}CO{-}CH_2{-}CO{-}R'$ sont les plus importants des composés de ce type.

Leur principale méthode de préparation est la *réaction de Claisen*, réaction entre une cétone et un ester en présence d'une base, telle que l'ion éthylate $CH_3{-}CH_2O^-$. Cette réaction présente une grande analogie avec la cétolisation [18.16] : le carbanion (ion énolate) formé à partir de la cétone s'additionne sur le groupe carbonyle de l'ester. Mais, comme dans toutes les attaques nucléophiles sur les esters (composés de la forme « R—CO—Z » [19.15,16]), cette addition est suivie d'une élimination spontanée qui « restitue » un ion éthylate :

*Exemple :*

$$CH_3{-}\underset{O}{\underset{\|}{C}}{-}CH_2^- + \underset{\text{Acétate d'éthyle}}{CH_3{-}\underset{O}{\underset{\|}{C}}{-}OEt} \longrightarrow CH_3{-}\underset{O}{\underset{\|}{C}}{-}CH_2{-}\underset{O^-}{\underset{|}{\overset{OEt}{\overset{|}{C}}}}{-}CH_3 \longrightarrow \underset{\text{Pentane-2,4 dione (Acétylacétone)}}{CH_3{-}\underset{O}{\underset{\|}{C}}{-}CH_2{-}\underset{O}{\underset{\|}{C}}{-}CH_3} + EtO^-$$

Une caractéristique des β-dicétones est l'existence d'un *équilibre tautomère* avec une forme énolique nettement prédominante [18.14] :

$$\underset{\text{Forme cétonique (20 \%)}}{CH_3-\underset{\underset{O}{\|}}{C}-CH_2-\underset{\underset{O}{\|}}{C}-CH_3} \rightleftarrows \underset{\text{Forme énolique (80 \%)}}{CH_3-\underset{\underset{O}{\|}}{C}-CH=\underset{\underset{OH}{|}}{C}-CH_3}$$

## 20-G

*Une autre forme énolique est possible :* $CH_2=C(OH)-CH_2-CO-CH_3$.
*Pour quelle raison sa formation est-elle moins probable?*

---

La propriété dominante de la *forme cétonique* est la labilité des H du groupe $-CH_2-$ situé entre les deux carbonyles. En effet, outre l'effet inductif attracteur des deux C=O, le carbanion correspondant est fortement stabilisé par résonance :

$$CH_3-\overset{\overset{O}{\|}}{C}-\overset{-}{C}H-\overset{\overset{O}{\|}}{C}-CH_3 \longleftrightarrow CH_3-\overset{\overset{O^-}{|}}{C}=CH-\overset{\overset{O}{\|}}{C}-CH_3$$

$$\longleftrightarrow CH_3-\overset{\overset{O}{\|}}{C}-CH=\overset{\overset{O^-}{|}}{C}-CH_3 \quad \text{ou} \quad CH_3-\overset{\overset{O^{\delta-}}{\|}}{C}\cdots\overset{\delta-}{C}H\cdots\overset{\overset{O^{\delta-}}{\|}}{C}-CH_3$$

(cf. labilité des hydrogènes en α d'un carbonyle [18.3]).

Cette labilité se traduit (comme pour les autres cas de labilité de l'hydrogène rencontrés jusqu'ici : alcynes vrais, aldéhydes, cétones...) par la possibilité de remplacer ces atomes d'hydrogène par un puis deux groupes alkyles :

$$CH_3-CO-CH_2-CO-CH_3 \xrightarrow{Na^+NH_2^-} CH_3-CO-\overset{-}{C}H-CO-CH_3$$

$$\xrightarrow{RX} CH_3-CO-\underset{\underset{R}{|}}{C}H-CO-CH_3 + X^-$$

Par ailleurs, en milieu basique, les β-dicétones subissent une coupure en acide (obtenu sous la forme de son sel) et cétone :

$$CH_3-CO\,\vdots\,CH_2-CO-CH_3 \xrightarrow{NaOH} CH_3-COONa + CH_3-CO-CH_3$$

## Quinones

**20.14** Les quinones sont des dicétones éthyléniques conjuguées cycliques, telles que :

Parabenzoquinone ou Orthobenzoquinone

Toutes les doubles liaisons étant conjuguées, elles sont le siège d'une délocalisation électronique générale, et certaines de leurs formes limites [4.16] les apparentent aux composés benzéniques :

$O=C_6H_4=O \longleftrightarrow \overset{+}{O}-C_6H_4-\overset{-}{O} \longleftrightarrow \overset{-}{O}-C_6H_4-\overset{+}{O}$

mais leur comportement est souvent celui de cétones éthyléniques conjuguées.

*Addition 1,4* [20.20]

Le chlorure d'hydrogène, par exemple, s'additionne sur la parabenzoquinone de la façon suivante :

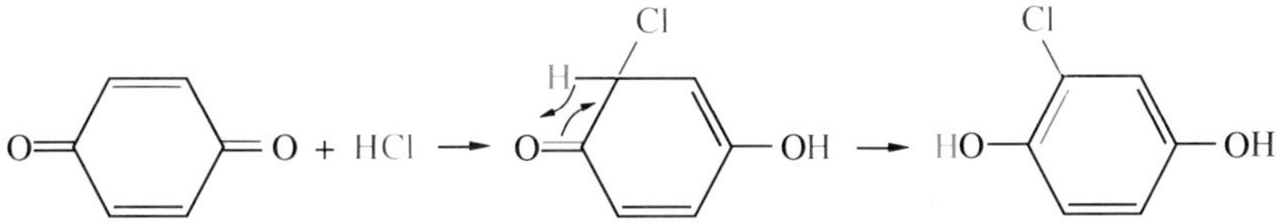

$O=C_6H_4=O + HCl \longrightarrow O=C_6H_4(H)(Cl)-OH \longrightarrow HO-C_6H_3(Cl)-OH$

*Réaction de Diels-Alder* [20.4]

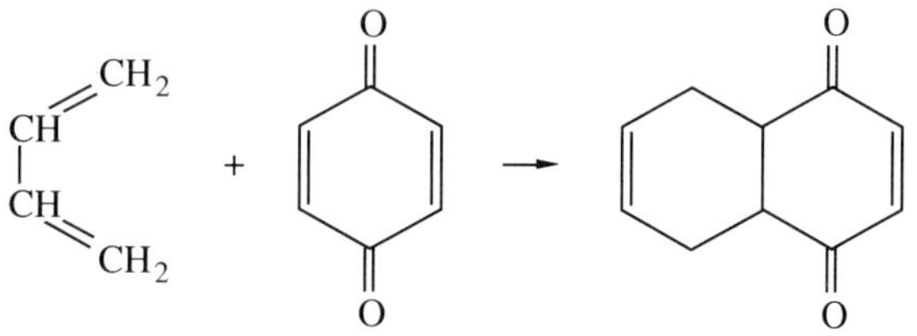

$CH_2=CH-CH=CH_2 + O=C_6H_4=O \longrightarrow$ (adduit bicyclique dicétonique)

*Réduction*

$O=C_6H_4=O + 2H^+ + 2e^- \rightleftharpoons HO-C_6H_4-OH$

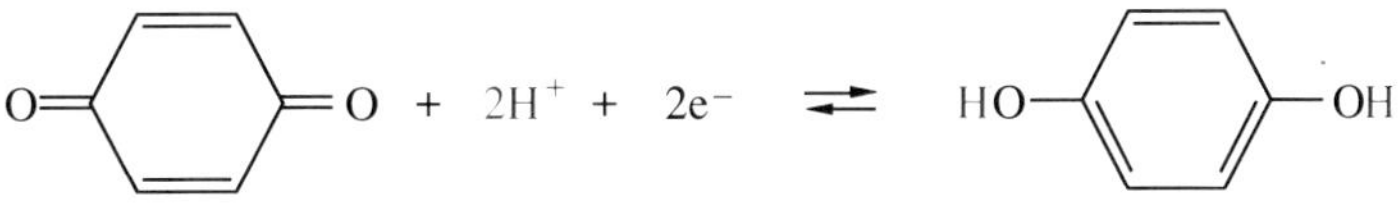

Hydroquinone
(paradiphénol)

La réaction est inversible, et la transformation inverse, outre qu'elle constitue une préparation de la quinone, traduit le caractère réducteur de l'hydroquinone qui justifie, en particulier, son emploi comme révélateur photographique (réduction des ions $Ag^+$ de l'émulsion en argent métallique).

# Diacides

**20.15** Les méthodes générales de préparation des diacides consistent souvent à appliquer les réactions habituelles de création de la fonction acide à un composé bifonctionnel convenable (saponification d'un diester, hydrolyse d'un dinitrile, etc.).

L'influence mutuelle des deux fonctions se traduit essentiellement par une augmentation de leur acidité, par suite d'un effet inductif-attractif réciproque [4.14]. Cet effet diminue rapidement lorsque l'éloignement des deux groupes fonctionnels augmente :

$$HOOC{-}COOH \qquad K_a = 3{,}5 \,.\, 10^{-2}$$
$$HOOC{-}CH_2{-}COOH \qquad K_a = 1{,}7 \,.\, 10^{-3}$$
$$HOOC{-}CH_2{-}CH_2{-}COOH \qquad K_a = 6{,}6 \,.\, 10^{-5}$$

Toutefois, lorsqu'une des deux fonctions a été ionisée (neutralisée) la fonction restante devient moins fortement acide, par suite de l'effet inductif-répulsif du groupe $-COO^-$ créé à son voisinage :

$$HOOC{-}CH_2{-}COOH \rightleftarrows HOOC{-}CH_2{-}COO^- + H^+ \quad K_1 = 1{,}7.10^{-3}$$
$$HOOC{-}CH_2{-}COO^- \rightleftarrows {}^-OOC{-}CH_2{-}COO^- + H^+ \quad K_2 = 2.10^{-6}$$

Par ailleurs, les diacides sont plus ou moins sensibles à la chaleur, et se décomposent selon des schémas divers (voir exemples ci-après).

## 20.16 Acide oxalique HOOC—COOH

Il est préparé par pyrolyse du formiate de sodium, lui-même obtenu par action de l'oxyde de carbone sur la soude (l'origine de l'acide oxalique est donc entièrement minérale) :

$$CO + NaOH \rightarrow H{-}COONa$$
$$2\,H{-}COONa \xrightarrow{\text{chauffage}} H_2 + NaOOC{-}COONa$$

Son caractère chimique le plus marquant est d'être un réducteur énergique

$$C_2O_4H_2 \rightarrow 2\,CO_2 + 2\,H^+ + 2\,e^-$$

## 20.17 Acide malonique HOOC—$CH_2$—COOH

Ses deux propriétés essentielles sont :

– la labilité des deux H du groupe $-CH_2-$,

– une instabilité se traduisant par la perte facile d'une molécule de $CO_2$ (décarboxylation) :

$$HOOC{-}CH_2{-}COOH \rightarrow CH_3{-}COOH + CO_2$$

Ces propriétés sont mises à profit dans les *« synthèses maloniques »*, où l'on utilise de préférence un ester malonique, moins instable [19.11], et également dans la *réaction de Knoevenagel.*

$$\underset{\text{Aldéhyde}}{R{-}CH{=}O} + H_2C\begin{smallmatrix} \diagup COOEt \\ \diagdown COOEt \end{smallmatrix} \rightarrow R{-}CHOH{-}CH\begin{smallmatrix} \diagup COOEt \\ \diagdown COOEt \end{smallmatrix}$$

$$\rightarrow R{-}CH{=}C\begin{smallmatrix} \diagup COOEt \\ \diagdown COOEt \end{smallmatrix} \xrightarrow{\text{hydrolyse}} \underset{\text{Acide éthylénique}}{R{-}CH{=}CH{-}COOH} + CO_2$$

## 20.18 Acide adipique HOOC—$(CH_2)_4$—COOH

Cet acide est la matière première de la synthèse du nylon 6/6 [25.8]. On peut le préparer industriellement de deux façons résumées ci-dessous :

a)

Phénol $\xrightarrow{H_2}$ Cyclohexanol $\xrightarrow[(HNO_3)]{\text{Oxydation}}$ $HOOC(CH_2)_4COOH$

## 20-H

*Comment peut-on interpréter l'oxydation du cyclohexanol en acide adipique? Il ne s'agit pas de rechercher véritablement un mécanisme, mais d'imaginer les deux étapes successives de cette transformation. Deux voies sont possibles.*

b)

Benzène $\xrightarrow{H_2}$ Cyclohexane $\xrightarrow[\text{Catal.}]{O_2}$ $HOOC-(CH_2)_4-COOH$

Par chauffage, l'acide adipique subit une cyclisation intramoléculaire, les deux groupes fonctionnels participant à une réaction analogue à celle qui permet d'obtenir une cétone à partir de deux molécules d'un monoacide [18.23].

$$H_2C(CH_2COOH)-H_2C(CH_2COOH) \xrightarrow{300°} \text{Cyclopentanone } (C{=}O) + CO_2 + H_2O$$

Cyclopentanone

## 20.19 Acides phtaliques

*L'acide orthophtalique :* $C_6H_4(COOH)_2$ (COOH en ortho)

est fabriqué par oxydation du naphtalène, ou de l'*ortho*-xylène

$$\text{Naphtalène} \xrightarrow[\text{Catalyseur}]{\text{Air}} C_6H_4(COOH)_2 + 2CO_2 + H_2O$$

Par réaction avec des phénols, il permet d'obtenir des colorants (phtaléines); en présence d'un polyalcool (entre autres le glycérol) il se produit une polyestérification conduisant à des produits macromoléculaires [25.8].

*L'acide téréphtalique :*

$$HOOC-C_6H_4-COOH$$

est obtenu par oxydation du *para*-xylène, ou d'un autre hydrocarbure benzénique ayant deux chaînes latérales en position *para*, et sert à la fabrication du tergal, par polyestérification avec le glycol ordinaire [25.8].

# composés à fonctions mixtes

Toutes les combinaisons possibles des fonctions simples ne sont pas d'égal intérêt. Ce qui suit restera limité à quelques groupes de composés de particulière importance, eu égard au nombre de représentants connus de ce groupe, ou à leur rôle dans les processus biologiques, par exemple.

## Composés éthyléniques

La présence simultanée dans une molécule d'une double liaison et d'une fonction quelconque est fréquente (alcools, aldéhydes, cétones, acides, halogénures éthyléniques). Souvent les propriétés de ces deux groupes fonctionnels ne s'en trouvent pas sensiblement modifiées; les alcools éthyléniques, par exemple, ont à la fois les propriétés normales des alcools et des alcènes.

Il se manifeste cependant un mode de réactivité bien particulier lorsque la double liaison se trouve en position conjuguée par rapport à un autre groupement contenant également des électrons π. Le cas des diènes conjugués a déjà été abordé [20.2], mais les mêmes particularités apparaissent pour les composés carbonylés éthyléniques.

### Composés carbonylés éthyléniques

**20.20** Les *aldéhydes et cétones α-β-éthyléniques* sont caractérisés par l'enchaînement :

$$-\overset{|}{C}=\overset{|}{C}-\overset{|}{C}=O$$

dans lequel les électrons π de la liaison éthylénique sont conjugués avec ceux du groupe carbonyle; la délocalisation des électrons π confère à la liaison centrale un caractère partiellement éthylénique,

$$\left[-C=C-C=O \longleftrightarrow -\overset{+}{C}-C=C-\overset{-}{O}\right] \quad \text{ou} \quad -\overset{\delta+}{C}\cdots C\cdots C\cdots\overset{\delta'-}{O}$$

L'effet mésomère [4.19] fait apparaître une charge $\delta^+$ sur le carbone «en 4» (par rapport à l'oxygène). Par ailleurs l'électronégativité de l'oxygène et la polarisation de la liaison C=O provoquent un autre déficit, sur le carbone «en 2», comme dans tous les composés carbonylés [18.3]. Un réactif nucléophile, un organomagnésien par exemple, peut donc réagir sur deux sites, et on observe la formation de deux produits : l'attaque «en 2» donne l'alcool tertiaire normalement attendu, et l'attaque «en 4» donne une cétone saturée alkylée en β par rapport au carbonyle :

*Attaque «en 2» :*

$$XMg^+R^- + -C=CH-C=O$$

$$\longrightarrow -C=CH-\overset{R}{\overset{|}{C}}-OMgX \xrightarrow{H_2O} -C=CH-\overset{R}{\overset{|}{C}}-OH$$

Alcool tertiaire

*Attaque « en 4 » :*

$$XMg^+R^- + -\overset{\delta+}{C}=CH-C=\overset{\delta-}{O} \longrightarrow R-C-CH=C-OMgX$$

$$\xrightarrow{H_2O} R-C-CH=C-OH \longrightarrow R-C-CH_2-C=O$$

Enol — Cétone saturée

S'il n'y a pas conjugaison (aldéhydes et cétone β,γ-éthyléniques, par exemple) les propriétés sont pratiquement celles d'un aldéhyde ou d'une cétone saturé et d'un alcène.

## Dérivés halogénés éthyléniques

**20.21** Les possibilités de réaction de la liaison carbone-halogène sont en principe les mêmes que pour les dérivés halogénés saturés (réactions de substitution diverses et d'élimination, cf. chapitre 13), mais la réactivité de cette liaison, entendue au sens de « facilité de réaction », peut être modifiée de façon importante par le voisinage d'une liaison non saturée.

– composés de la forme $-C=C-X$ (*halogénures « vinyliques »*) : leur réactivité est beaucoup moins grande que celle des halogénures saturés, et on peut attribuer ce fait à la participation de deux formes mésomères à la structure de la molécule :

$$\left[-C=C-\ddot{X}: \longleftrightarrow -\overset{-}{C}-C=\overset{+}{X}:\right]$$

La stabilisation de la molécule initiale (qui n'existe plus dans le carbocation résultant du départ de l'halogène), l'appauvrissement électronique qui en résulte pour l'atome d'halogène et le renforcement de la liaison C—X rendent plus difficile la rupture de celle-ci avec départ de $X^-$. En outre, la mobilité des électrons π compense partiellement le déficit du carbone porteur de l'halogène, qui est donc moins électrophile.

Le cas des *halogénures benzéniques* du type ArX (halogène porté par le cyle) est analogue.

– composés de la forme $-C=C-C-X$ *(halogénures « allyliques »)* : leur réactivité est, au contraire, nettement plus grande quc celle des halogénures saturés; l'explication réside dans le fait que la molécule n'est pas stabilisée par résonance, alors que le carbocation résultant du départ de l'halogène l'est et se forme donc facilement.

$$\left[-C=C-\overset{+}{C}- \longleftrightarrow -\overset{+}{C}-C=C-\right]$$

Le cas des halogénures du type $C_6H_5-CH_2X$ *(halogénures benzyliques)* est analogue.

Si l'halogène et la double liaison sont séparés par plus d'un carbone, le comportement de l'halogénure est semblable à celui d'un halogénure saturé.

# Aldéhydes-alcools et cétones-alcools

**20.22** Les réactions d'aldolisation et de cétolisation, conduisant à des β-*aldols* et des β-*cétols*

$$\underset{\text{OH}}{\overset{|}{\underset{|}{-\text{C}}}}-\overset{|}{\underset{|}{\text{C}}}-\text{CH}=\text{O} \qquad \underset{\text{OH}}{\overset{|}{\underset{|}{-\text{C}}}}-\overset{|}{\underset{|}{\text{C}}}-\underset{\text{O}}{\underset{\|}{\text{C}}}-$$

β-aldol β-cétol

ont déjà été envisagées [18.16]. Les deux fonctions sont, dans ces composés, relativement indépendantes, et il n'apparaît pas, du fait de leur réunion dans une même molécule, de propriétés nouvelles notables, si ce n'est une plus grande facilité de déshydratation de la fonction alcool (réaction de crotonisation [18.16]).

Parmi les α-*cétols*, ceux dont la fonction alcool est secondaire sont communément appelés *acyloïnes* en série aliphatique, et *benzoïnes* en série benzénique. On obtient les acyloïnes par une réaction de condensation entre deux molécules d'un ester, en présence de sodium

$$2\,\text{R}-\underset{\text{O}}{\underset{\|}{\text{C}}}-\text{OCH}_2-\text{CH}_3 \xrightarrow{\text{Na}} \text{R}-\underset{\text{OH}}{\underset{|}{\text{CH}}}-\underset{\text{O}}{\underset{\|}{\text{C}}}-\text{R}$$

et les benzoïnes par condensation de deux molécules d'un aldéhyde benzénique en présence de cyanure de potassium

$$2\,\text{C}_6\text{H}_5-\text{CH}=\text{O} \xrightarrow{\text{KC}\equiv\text{N}} \text{C}_6\text{H}_5-\underset{\text{OH}}{\underset{|}{\text{CH}}}-\underset{\text{O}}{\underset{\|}{\text{C}}}-\text{C}_6\text{H}_5$$

Dans ces composés les deux fonctions sont encore assez indépendantes, ainsi l'hydrogénation de la fonction cétone conduit à un α-diol, et l'oxydation de la fonction alcool à une α-dicétone.

# Acides-alcools

**20.23** Pour les obtenir, on peut, utilisant les méthodes classiques de préparation de chaque fonction :

– *partir d'un acide et créer la fonction alcool.*

*Exemple :*

$$\text{R}-\text{CH}_2-\text{COOH} \xrightarrow{\text{Cl}_2} \text{R}-\text{CHCl}-\text{COOH} \xrightarrow{\text{H}_2\text{O}} \text{R}-\text{CHOH}-\text{COOH}$$

— *créer les deux fonctions.*

*Exemples :*

$$R{-}CH{=}CH_2 \xrightarrow{HOCl} R{-}CHOH{-}CH_2Cl$$

$$\xrightarrow{KCN} R{-}CHOH{-}CH_2{-}C{\equiv}N \xrightarrow{H_2O} R{-}CHOH{-}CH_2{-}COOH$$

ou

$$R{-}CH{=}O \xrightarrow{HCN} R{-}CHOH{-}C{\equiv}N \xrightarrow{H_2O} R{-}CHOH{-}COOH$$

Il se manifeste quelques particularités dans les propriétés des acides-alcools $\alpha$, d'une part, et $\gamma$ ou $\delta$, d'autre part.

## *Acides $\alpha$-alcools. Lactides*

**20.24** Les acides $\alpha$-*alcools*, comme l'acide lactique

$$CH_3{-}CHOH{-}COOH$$

peuvent donner lieu à une estérification réciproque de deux molécules, avec formation d'un diester cyclique, appelé un *lactide* (même s'il ne s'agit pas de l'acide lactique) :

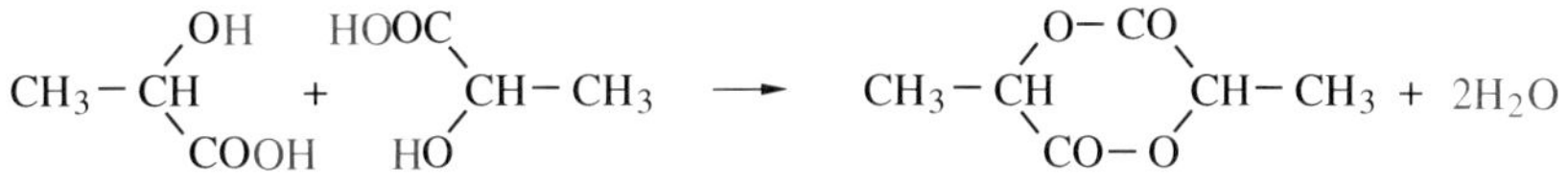

$$CH_3{-}CH(OH)(COOH) + HOOC(HO)CH{-}CH_3 \longrightarrow CH_3{-}CH\begin{matrix}O{-}CO\\CO{-}O\end{matrix}CH{-}CH_3 + 2H_2O$$

Lactide

Cette réaction est si facile qu'il n'est pas possible de conserver un acide $\alpha$-alcool, si ce n'est sous forme d'un de ses sels.

## *Acides $\beta$- et $\gamma$-alcools. Lactones*

**20.25** Les *acides alcools* $\gamma$ ou $\delta$ ont leurs deux fonctions suffisamment proches dans l'espace pour qu'il puisse se produire une estérification intramoléculaire, donnant une $\gamma$- ou $\delta$-*lactone* :

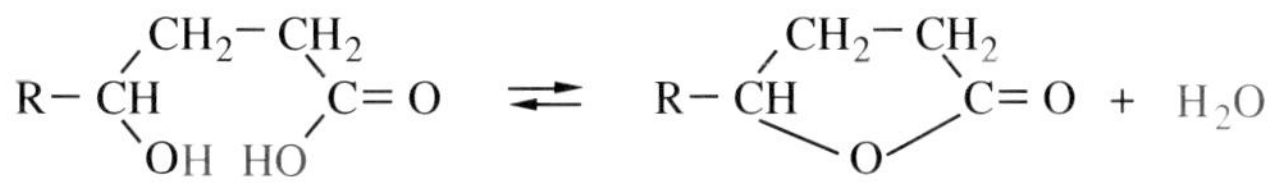

$$R{-}CH(OH){-}CH_2{-}CH_2{-}C({=}O)OH \rightleftharpoons R{-}CH\begin{matrix}CH_2{-}CH_2\\O\end{matrix}C{=}O + H_2O$$

Acide $\gamma$-alcool — $\gamma$-lactone

Cette réaction est très facile, au point qu'il est difficile d'isoler à l'état pur un acide-alcool de ce type, car il est constamment en équilibre avec la lactone, qui peut même constituer la majeure partie du mélange (les acides $\beta$-alcools ne manifestent pas cette tendance, car la lactone correspondante comporterait un cycle à quatre atomes, peu stable).

En milieu basique les lactones peuvent être ouvertes par divers réactifs nucléophiles, selon le schéma général suivant :

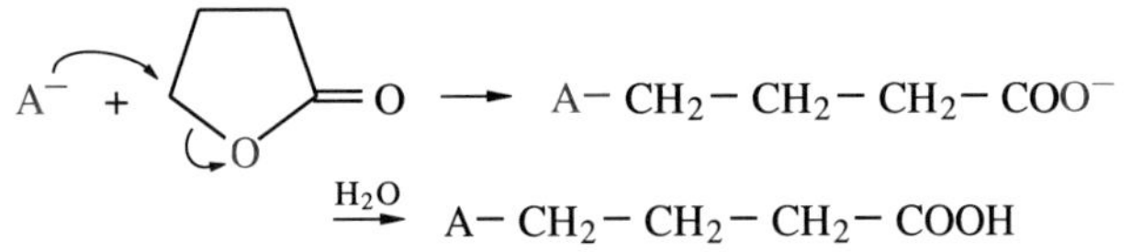

$$A^- + \text{(γ-butyrolactone)} \longrightarrow A-CH_2-CH_2-CH_2-COO^-$$

$$\xrightarrow{H_2O} A-CH_2-CH_2-CH_2-COOH$$

*Exemples :*

| | | |
|---|---|---|
| $OH^-$ (potasse) | $\rightarrow HOCH_2-CH_2-CH_2-COOH$ | Acide γ-alcool |
| $RO^-$ (alcoolate) | $\rightarrow ROCH_2-CH_2-CH_2-COOH$ | Acide-éther |
| $NH_2^-$ (amidure) | $\rightarrow H_2N-CH_2-CH_2-CH_2-COOH$ | Acide aminé |
| $CN^-$ (cyanure) | $\rightarrow N{\equiv}C-CH_2-CH_2-CH_2-COOH$ | Acide-nitrile |

En milieu acide, par un mécanisme plus complexe, en deux étapes, l'ouverture s'effectue selon un schéma différent :

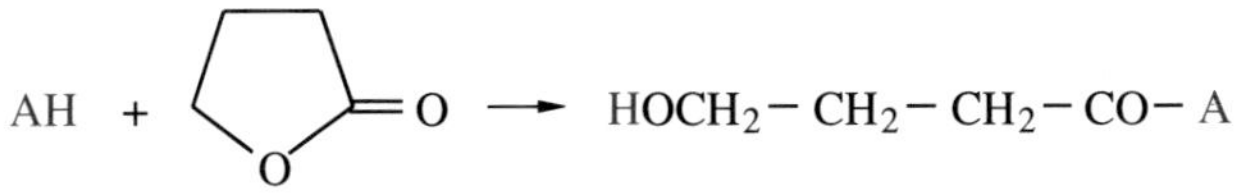

$$AH + \text{(γ-butyrolactone)} \longrightarrow HOCH_2-CH_2-CH_2-CO-A$$

*Exemples :*

| | | |
|---|---|---|
| $H_2O$ | $\rightarrow HO-CH_2-CH_2-CH_2-COOH$ | acide-alcool |
| ROH (alcool) | $\rightarrow HO-CH_2-CH_2-CH_2-COOR$ | ester-alcool |

# Acides et esters cétoniques

## α-céto-acides

**20.26**

$$R-\underset{\underset{O}{\|}}{C}-\underset{\underset{O}{\|}}{C}-OH$$

Une *préparation* générale des α-céto-acides consiste en l'action du cyanure cuivreux sur un chlorure d'acide, suivie de l'hydrolyse du « cyanure d'acide » obtenu :

$$R-COCl + CuC{\equiv}N \rightarrow R-COC{\equiv}N \xrightarrow{H_2O} R-CO-COOH$$

(réaction très apparentée à la création de la fonction acide par action du cyanure de potassium sur un dérivé halogéné, [19.11]).

Leur *comportement* est caractérisé par une forte tendance à perdre un atome de carbone, soit par chauffage,

$$R-CO-COOH \xrightarrow{170°} R-COOH + CO$$

soit par oxydation,

$$R-CO-COOH \xrightarrow{\text{oxydant}} R-COOH + CO_2$$

## *β-céto-acides*

**20.27**

$$R-\underset{\underset{O}{\|}}{C}-CH_2-\underset{\underset{O}{\|}}{C}-OH$$

Obtenus en général par hydrolyse des β-céto-esters, ils se décarboxylent très facilement, par un léger chauffage, c'est-à-dire perdent une molécule de $CO_2$ en donnant une cétone,

$$\underset{\text{acide acétylacétique}}{CH_3-CO-CH_2-COOH} \xrightarrow{\text{chauffage}} \underset{\text{acétone}}{CH_3-CO-CH_3} + CO_2$$

## *β-céto-esters*

**20.28**

$$R-\underset{\underset{O}{\|}}{C}-CH_2-\underset{\underset{O}{\|}}{C}-OR'$$

Ils sont beaucoup plus stables que les β-céto-acides (le mécanisme de la réaction de décarboxylation montre que la présence d'un hydrogène sur l'un des oxygènes du carboxyle est nécessaire pour qu'elle puisse avoir lieu).

Parmi les nombreuses méthodes de préparation des β-céto-esters, on ne retiendra ici que deux réactions :

– *condensation de Claisen* [20.13] entre deux molécules d'ester, par exemple deux molécules d'acétate d'éthyle :

a) $$CH_3-\underset{\underset{O}{\|}}{C}-OEt + EtO^- \longrightarrow {}^-CH_2-\underset{\underset{O}{\|}}{C}-OEt + EtOH$$

b) $$CH_3-\overset{\overset{OEt}{|}}{\underset{\underset{O}{\|}}{C}} + {}^-CH_2-\underset{\underset{O}{\|}}{C}-OEt \longrightarrow CH_3-\overset{\overset{OEt}{|}}{\underset{\underset{O^-}{|}}{C}}-CH_2-\underset{\underset{O}{\|}}{C}-OEt$$

$$\longrightarrow \underset{\text{acétylacétate d'éthyle}}{CH_3-\underset{\underset{O}{\|}}{C}-CH_2-\underset{\underset{O}{\|}}{C}-OEt} + OEt^-$$

*20-I*

*Cette réaction peut être effectuée entre deux esters différents; dans le cas général combien de produits peut-on alors obtenir simultanément? Une telle condensation mixte est donc, en général, d'un médiocre intérêt, mais on la considère comme une réaction intéressante si l'un des esters est, par exemple, un formiate* (H—CO—OR) *ou un benzoate* ($C_6H_5$—CO—OR). *Pourquoi?*

— *action d'un organomagnésien sur un nitrile-ester* [14.11] :

$$RMgX + N{\equiv}C{-}CH_2{-}COOEt \rightarrow XMgN{=}\underset{\displaystyle R}{\underset{|}{C}}{-}CH_2{-}COOEt$$

$$\xrightarrow{H_2O} O{=}\underset{\displaystyle R}{\underset{|}{C}}{-}CH_2{-}COOEt + NH_3 + XMgOH$$

Il a déjà été signalé [1.15] que l'acétylacétate d'éthyle existe sous deux formes tautomères, en équilibre mutuel :

$$\underset{\text{forme cétonique}}{CH_3{-}\underset{\displaystyle O}{\underset{\|}{C}}{-}CH_2{-}\underset{\displaystyle O}{\underset{\|}{C}}{-}OC_2H_5} \leftrightarrows \underset{\text{forme énolique}}{CH_3{-}\underset{\displaystyle OH}{\underset{|}{C}}{=}CH{-}\underset{\displaystyle O}{\underset{\|}{C}}{-}OC_2H_5}$$

La forme cétonique est marquée essentiellement par la labilité des deux atomes d'hydrogène du groupe $—CH_2—$, qui est mise à profit dans diverses réactions. Il est facile de remplacer l'un de ces hydrogènes par un groupe alkyle, en passant par le dérivé sodé (c'est-à-dire par le carbanion obtenu par attaque d'une base) :

$$CH_3{-}CO{-}CH_2{-}CO{-}OC_2H_5$$

$$\xrightarrow{NaNH_2} CH_3{-}CO{-}\underset{Na^+}{\overset{-}{C}H}{-}CO{-}OC_2H_5 + NH_3$$

$$\xrightarrow{RX} CH_3{-}CO{-}\underset{\displaystyle R}{\underset{|}{C}H}{-}CO{-}OC_2H_5$$

Le produit alkylé peut ensuite subir, de même que l'acétylacétate d'éthyle lui-même, diverses réactions de coupure :

— *en milieu alcalin :*

$$CH_3{-}CO \vdots \underset{\displaystyle R}{\underset{|}{C}H}{-}CO \vdots OC_2H_5 + 2\,KOH \longrightarrow CH_3{-}COOK$$

$$+ R{-}CH_2{-}COOK + C_2H_5OH$$

et l'enchaînement réactionnel complet constitue une méthode de préparation de l'acide $R—CH_2—COOH$ à partir de l'halogénure $RX$ [19.11].

— *en milieu acide*, l'ester est hydrolysé et l'acide β-cétonique formé se décompose spontanément, en perdant $CO_2$ :

$$CH_3{-}CO{-}\underset{\displaystyle R}{\underset{|}{C}H}{-}CO{-}OC_2H_5 \xrightarrow{H_2O} CH_3{-}CO{-}\underset{\displaystyle R}{\underset{|}{C}H}\vdots\boxed{COO}H + C_2H_5OH$$

$$\downarrow$$

$$CH_3{-}CO{-}CH_2{-}R + CO_2$$

On dispose ainsi d'une méthode de préparation des cétones de la forme $R—CH_2—CO—CH_3$ (toujours à partir de $RX$).

## Acides aminés

Parmi les acides aminés, ou amino-acides, sont particulièrement importants :

— ceux dont le groupe amine est situé à l'autre extrémité de la chaîne ($\omega$-amino-acides), dont la polycondensation conduit aux polyamides [25.8],

— ceux dont les deux groupes fonctionnels sont contigus ($\alpha$-aminoacides) qui jouent un rôle essentiel dans la constitution de la matière vivante, et dont l'étude sera développée dans le chapitre 23.

## EXERCICES

*Les **règles de nomenclature**, permettant de faire correspondre réciproquement un nom et une formule, sont exposées dans le chapitre 7 (pour les stéréoisomères, au chapitre 3).*

Ces exercices font appel à l'ensemble des réactions rencontrées jusqu'ici. Des exercices de récapitulation sont par ailleurs proposés à la suite du chapitre 26.

***20-a*** Quel est le produit principal formé dans les réactions suivantes?

1) Pentane-1,5-diol chauffé avec $H_2SO_4$
2) Cyclohexanone + $SeO_2$
3) Propane-1,3-diol + anhydride acétique
4) Acétone + butanoate d'éthyle, en milieu basique
5) $HC{\equiv}C{-}CHOH{-}CH_3 + H_2O\,(Hg^{2+})$
6) Hexa-2,4-diène + acrylate d'éthyle
7) Cyclohexane-1,2-diol + $(CH_3CO_2)_4Pb$
8) Propionate d'éthyle + éthylate de sodium
9) $ClCH_2{-}CH_2OH$ + KCN, puis hydrolyse acide.
10) Cyclohexane-1,2-dione chauffée en milieu basique.

***20-b*** Comment peut-on, en plusieurs étapes, transformer l'acétone en chacun des composés suivants, en n'utilisant que des réactifs minéraux?

1) $CH_3{-}C(CH_3){=}CH{-}CO{-}CH_3$

2) $CH_3{-}CH(CH_3){-}CH_2{-}COCl$

3) $CH_3{-}C(CH_3)_2{-}CCl_2{-}CH_3$

***20-c*** Comment peut-on, en plusieurs étapes, en utilisant tout composé organique ou minéral nécessaire, transformer :

1) le butane-1,4-diol en acide adipique
2) le butane-1,4-diol en 1,4-dichlorobut-2-ène
3) le propanal en $CH_3{-}CH_2{-}CHOH{-}COOH$
4) le cyclohexa-1,4-diène en $O{=}CH{-}CH_2{-}CH{=}O$
5) $HOOC{-}CH_2{-}CH_2{-}NH_2$ en $HOOC{-}CH_2{-}CH_2OH$
6) le buta-1,3-diène en but-2-ène
7) le propionate d'éthyle en hexane-3,4-diol
8) la pentan-2-one en acide 2-méthylpentanoïque
9) la pentan-2-one en acide 3-méthylhexanoïque
10) l'éthanal en acide but-2-énoïque
11) ROH en $R{-}CH_2{-}CH_2OH$ (sans utiliser les organomagnésiens)
12) l'hex-3-ène-2-one en 4-méthylhexan-2-one

# Composés hétérocycliques

# 21

**21.1** Un *hétérocycle* est une chaîne cyclique comportant un ou plusieurs atomes autres que du carbone (« hétéroatomes »). Un *composé hétérocyclique* est un composé dont la molécule contient un ou plusieurs hétérocycles, éventuellement associés à des chaînes carbonées, cycliques ou acycliques.

Les hétéroatomes les plus courants sont l'oxygène, l'azote et le soufre, et les hétérocycles les plus stables sont, comme pour les cycles carbonés, ceux qui comportent cinq ou six atomes. Mais il en existe qui n'en comportent que trois ou quatre.

Les composés hétérocycliques simples ne se trouvent pas à l'état naturel, mais les hétérocycles sont très fréquents au sein de molécules plus ou moins complexes, dans de très nombreux composés naturels (alcaloïdes en particulier).

*21-A*

*Nous avons déjà rencontré, dans les chapitres précédents, divers hétérocycles. Lesquels?*

## 1 — Hétérocycles à cinq atomes

**21.2** Les principaux hétérocycles à cinq atomes sont *insaturés*. Il en existe une grande diversité, dont les composés suivants offrent quelques exemples :

– *Un hétéroatome :*

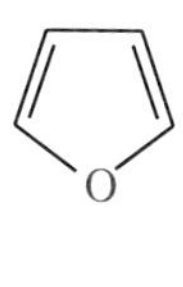


Furane

N
|
H

Pyrrole

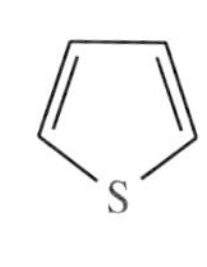


Thiophène

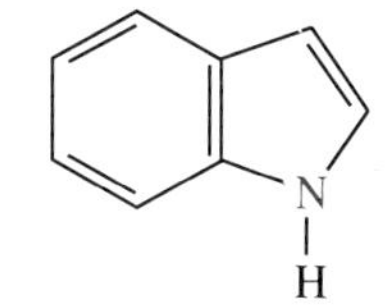


Indole

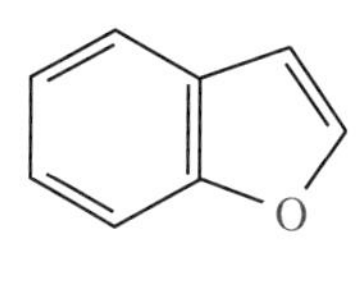


Coumarone

– *Deux hétéroatomes :*

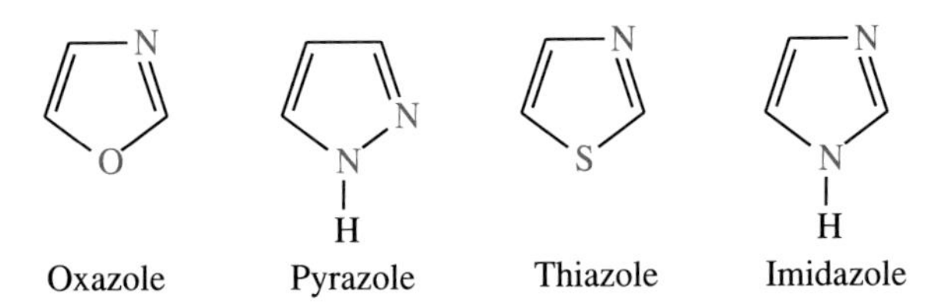


– *Plusieurs hétéroatomes :*

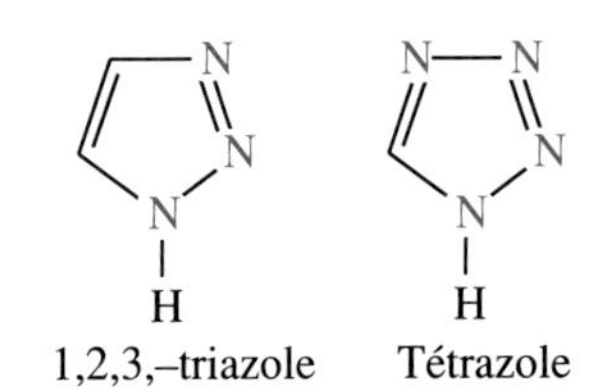


Il existe cependant aussi des hétérocycles saturés.

*Exemples :*

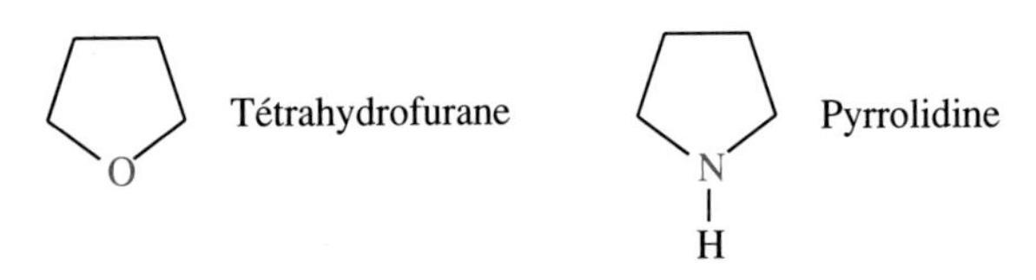


Mais ces derniers ne présentent pas d'intérêt particulier. Leurs propriétés sont pratiquement les mêmes que celles des composés analogues à chaîne acyclique : éthers-oxydes pour le tétrahydrofurane et amines secondaires pour la pyrrolidine.

## Furane. Pyrrole. Thiophène

Ces trois composés sont très représentatifs des caractères les plus originaux de la « chimie hétérocyclique ».

### Sources et préparations

**21.3** Le furane, le pyrrole et le thiophène peuvent être obtenus à partir du même composé de départ, l'aldéhyde succinique, qu'il convient en l'occurrence de considérer sous sa forme énolique [1.15; 18.3] (réaction de Paal-Knorr) :

$$O{=}CH{-}CH_2{-}CH_2{-}CH{=}O$$
$$(\text{ou}\quad HO{-}CH{=}CH{-}CH{=}CH{-}OH)$$
Aldéhyde succinique)

$$\xrightarrow{P_2O_5} \text{Furane}$$
$$\xrightarrow{NH_3} \text{Pyrrole}$$
$$\xrightarrow{P_2S_5} \text{Thiophène}$$

Par ailleurs, il existe pour chacun d'eux des préparations spécifiques :

– Le *furane* est généralement préparé par « décarbonylation » catalytique du furfural, lui-même obtenu à partir de déchets céréaliers (paille, épis de maïs) :

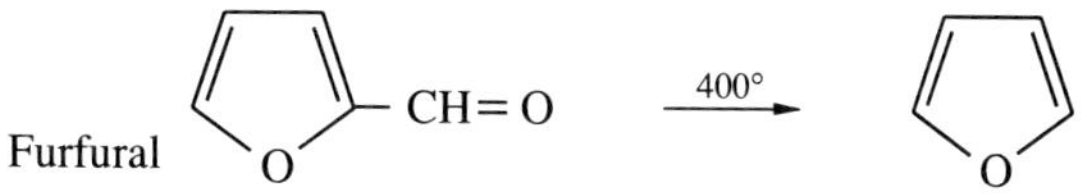

Furfural — CH=O —400°→ furane

– Le *pyrrole* peut être obtenu à partir du furane, par une réaction catalytique, à 400 °C, avec de l'ammoniac et de la vapeur d'eau :

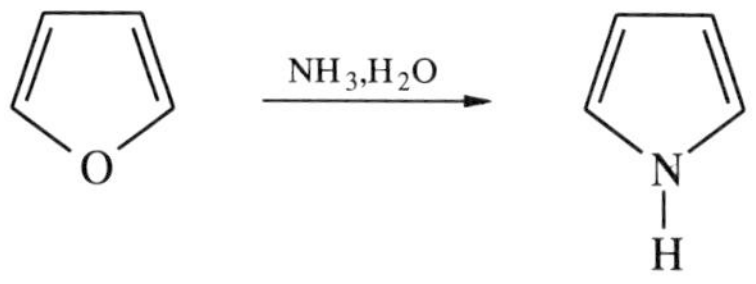

furane —$NH_3$,$H_2O$→ pyrrole (N–H)

– Le *thiophène* peut se préparer par une réaction à haute température entre le butane et le soufre :

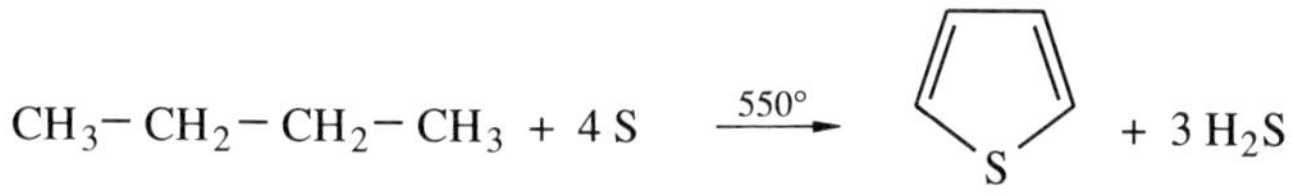

$$CH_3-CH_2-CH_2-CH_3 + 4\,S \xrightarrow{550°} \text{thiophène} + 3\,H_2S$$

Enfin, on trouve du pyrrole et du thiophène dans les *goudrons de houille* [25.2].

## *Structure*

**21.4** Les électrons non-liants (doublets libres) présents sur l'hétéroatome, O, N ou S, participent avec les électrons π des doubles liaisons à une structure conjuguée comportant un total de six électrons délocalisés. Comme dans le cas du benzène, et plus généralement des composés cycliques conjugués comportant 4n + 2 électrons délocalisés (règle de Hückel [12.18]), ces six électrons occupent des orbitales moléculaires englobant la totalité du cycle. On ne peut représenter cette structure que par un ensemble de plusieurs formes limites en résonance et un schéma décrivant approximativement leur hybride.

*Exemple :* pour le pyrrole,

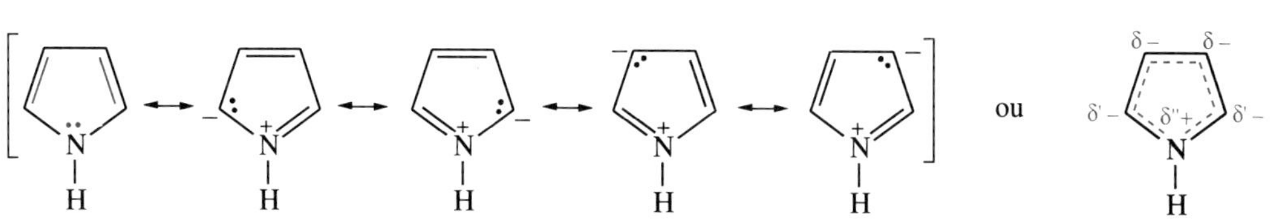

[formes limites du pyrrole ↔ ↔ ↔ ↔] ou hybride (δ–, δ–, δ'–, δ'–, δ''+)

Le pyrrole présente exactement le même type de structure électronique que l'ion cyclopentadiényle [12.18]. On dit que deux structures présentant une telle analogie sont *isoélectroniques*. Les conséquences au plan chimique sont les mêmes dans les deux cas.

## *Réactivité*

**21.5** Cette structure électronique justifie le *caractère aromatique* que manifestent le furane, le pyrrole et le thiophène, très comparable à celui du benzène : grande stabilité, difficulté des réactions d'addition et facilité des réactions de *substitution* par des réactifs électrophiles; celles-ci s'effectuent même beaucoup plus facilement que sur le benzène.

En outre, la présence d'un (ou deux) doublet(s) libre(s) sur l'hétéroatome leur confère un caractère *basique*. Enfin, l'hydrogène lié à l'azote du pyrrole est *labile*.

■ *Acidobasicité*

**21.6** Le **pyrrole,** pour les mêmes raisons qu'une amine secondaire à laquelle il ressemble par son groupe fonctionnel —NH— [17.1], est à la fois *acide* (labilité de l'hydrogène lié sur l'azote) et basique (doublet libre sur l'azote). Mais la structure particulière dans laquelle l'azote se trouve ici engagé rend le pyrrole beaucoup moins basique, et beaucoup plus acide, qu'une amine secondaire. Ainsi la pyrrolidine [21.2], qui a un squelette identique mais saturé, et qui est une « vraie » amine secondaire, est $10^{11}$ fois plus basique et $10^{18}$ fois moins acide que le pyrrole (comparaison des constantes d'équilibre correspondantes).

La basicité du pyrrole, c'est-à-dire son aptitude à se protoner (fixer un proton), est affaiblie pour deux raisons, toutes deux liées à sa structure mésomère. D'une part, la densité électronique sur l'azote est diminuée par rapport au composé saturé correspondant (voir schéma de l'hybride ci-dessus), en raison de la délocalisation du doublet libre. D'autre part, la fixation d'un proton sur l'azote transforme le pyrrole en un cation dans lequel la structure aromatique est détruite, et la stabilité correspondante perdue; cette fixation est donc énergétiquement défavorisée :

$$C_4H_4\ddot{N}H + H^+ \rightleftharpoons C_4H_4\overset{+}{N}H_2$$

Le cation formé comporte seulement deux doubles liaisons conjuguées et, comme les diènes conjugués, il se polymérise du reste facilement [20.5].

La labilité de l'hydrogène se manifeste, comme dans les autres cas, par la possibilité de former des dérivés métalliques en présence d'un réactif comme la soude. La métallation du pyrrole est plus facile que celle des amines secondaires.

$$C_4H_4N{-}H + NaOH \longrightarrow C_4H_4N{-}Na + H_2O$$

### *21-B*

*Le type d'argumentation utilisé pour justifier les caractères acidobasiques du pyrrole, en les comparant à ceux des amines saturées, est d'une grande généralité. Il a déjà été employé dans d'autres cas; lesquels?*

Le **furane** et le **thiophène** présentent également un certain caractère basique. Par contre, ils ne peuvent évidemment pas disposer d'un H labile.

■ *Réactions d'addition*

21.7 L'*hydrogénation* catalytique de ces trois hétérocycles, difficile pour le thiophène qui « empoisonne » certains catalyseurs, conduit au cycle saturé correspondant.

*Exemple :*

Furane + $2\,H_2$ —catal.→ Tétrahydrofurane

Le tétrahydrofurane, ou « THF », est souvent utilisé comme solvant en chimie organique, notamment pour préparer les organomagnésiens; sa fonction éther-oxyde lui permet d'y jouer le même rôle, indispensable, que l'éther ordinaire (oxyde d'éthyle). C'est, par ailleurs, la matière première d'un procédé de synthèse du nylon.

Le furane, par son système de deux doubles liaisons conjuguées, peut participer à des « synthèses diéniques » [20.4].

*21-C*

*Quelle molécule résulterait d'une synthèse diénique entre le furane et l'éthylène?*

■ *Réactions de substitution*

21.8 Comme les hydrocarbures benzéniques, et plus facilement que ceux-ci, le furane, le pyrrole et le thiophène se prêtent à diverses réactions de substitution : halogénation, nitration, sulfonation, alkylation, acylation. Les conditions dans lesquelles ces réactions peuvent avoir lieu, et leur mécanisme, sont les mêmes qu'avec le benzène [12.6-10]. La très grande réactivité de ces trois composés est due à l'enrichissement électronique du cycle au détriment de l'hétéroatome qui joue un rôle mésomère-donneur. La monosubstitution peut conduire à deux isomères de position, mais elle a lieu préférentiellement sur le carbone voisin de l'hétéroatome (position 2).

*Exemples :*

Furane (O1, 2, 3, 4, 5) + $Br_2$ ⟶ 2-bromofurane (—Br) + HBr

Pyrrole (N—H) + $CH_3Cl$ ⟶ 2-méthylpyrrole (—$CH_3$) + HCl

Thiophène (S) + $H_2SO_4$ ⟶ acide thiophène-2-sulfonique (—$SO_3H$) + $H_2O$

*21-D*

*Écrivez le mécanisme complet de la réaction entre le pyrrole et le chlorométhane. En utilisant le même genre d'argumentation que pour justifier l'orientation des substitutions sur le cycle benzénique* [12.11]*, expliquez pour quelle raison l'alkylation du pyrrole s'effectue préférentiellement en position 2.*

---

Le pyrrole est assez réactif pour se prêter à la réaction de Friedel et Crafts en l'absence de catalyseur mais, par contre, les réactions qui nécessitent un milieu fortement acide (nitration, sulfonation) peuvent provoquer sa polymérisation [21.6]. Des conditions plus douces que pour le benzène doivent donc être observées, la réaction demeurant possible grâce à la grande réactivité du cycle pyrrolique (par exemple, pour la nitration, l'acide nitrique peut être remplacé par le nitrate d'acétyle $CH_3-CO-ONO_2$, autre source d'ions $NO_2^+$).

La sulfonation du thiophène, beaucoup plus rapide que celle du benzène, est utilisée pour éliminer chimiquement les petites quantités de thiophène qui se trouvent toujours dans le benzène provenant des goudrons de houille (les deux points d'ébullition sont très voisins et la distillation ne permet pas une séparation totale). Le thiophène est totalement sulfoné avant que le benzène ne le soit sensiblement.

# 2 — Hétérocycles à six atomes

**21.9** Voici quelques exemples de structures dans cette série :

– *Un hétéroatome :*

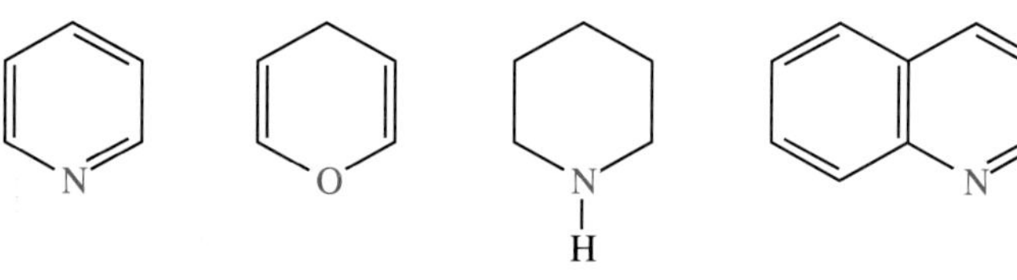

Pyridine Pyrane Pipéridine Quinoléine

– *Plusieurs hétéroatomes :*

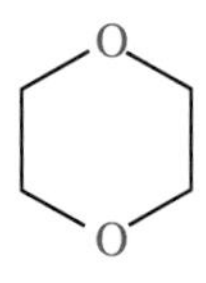

Dioxane

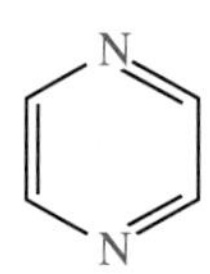

Pyrazine

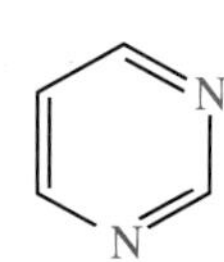

Pyrimidine

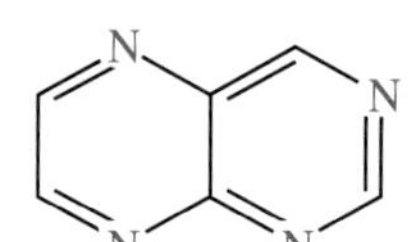

Ptéridine

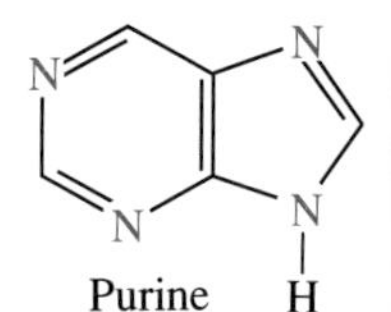

Purine

## Pyridine

**21.10** La pyridine ne se prépare pas. On l'extrait des goudrons de houille, qui contiennent également les méthylpyridines isomères (picolines). La pyridine est souvent utilisée comme solvant pour réaliser des réactions.

### Structure

La pyridine présente une ressemblance avec le benzène encore plus directe que celle des hétérocycles à cinq atomes. Sa molécule, hexagonale et plane, comporte comme le benzène trois doublets d'électrons π délocalisés :

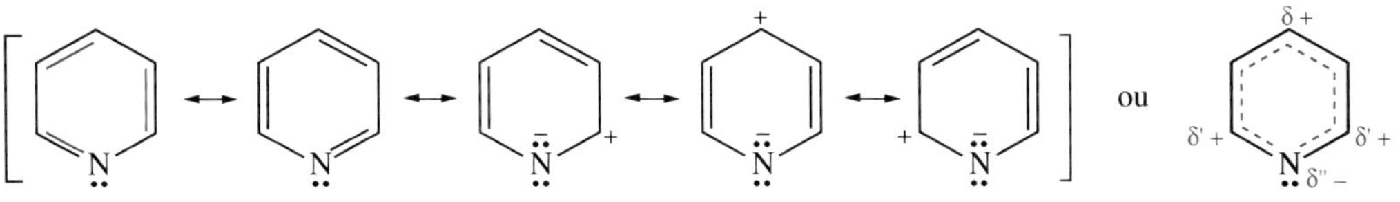

ou

δ+ ; δ'+ ; δ'+ ; δ''−

Contrairement au cas du pyrrole, le doublet libre de l'azote n'est pas impliqué dans cette délocalisation. L'azote est dans l'état d'hybridation $sp^2$, son doublet libre occupe l'une des orbitales hybrides dont l'axe est dans le plan du cycle, et il apporte au système conjugué un électron impair occupant l'orbitale p non hybridée [4.21].

### Réactivité

■ *Basicité*

La pyridine est une base très notablement plus forte que le pyrrole (constantes d'équilibre dans le rapport $10^5$). Cette différence est attribuable au fait que le doublet libre de l'azote ne participe pas au système conjugué : d'une part il est plus « disponible » (la densité électronique sur l'azote n'est pas affaiblie), d'autre part l'acide conjugué de la pyridine, résultant de la protonation de l'azote, conserve son caractère aromatique :

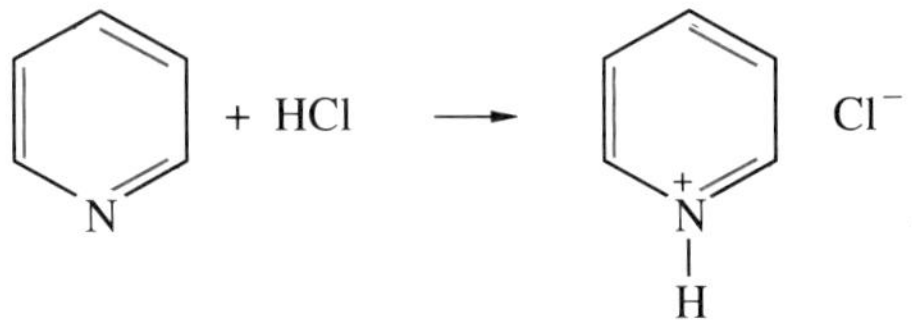

+ HCl ⟶ $Cl^-$

Chlorure de pyridinium

■ *Réactions de substitution*

Les substitutions électrophiles, caractéristiques des composés aromatiques, sont difficiles et nécessitent des conditions très énergiques. En effet, contrairement au cas du pyrrole, l'azote de la pyridine n'exerce pas d'effet mésomère-donneur et joue au contraire un rôle désactivant par son effet inductif-attractif. En outre, les réactifs électrophiles ($Br^+$, $NO_2^+$, etc.) se lient de préférence à l'azote, en donnant un ion pyridinium encore moins réactif que la molécule initiale, l'appauvrissement du cycle se trouvant alors accentué par la charge positive sur l'azote. La réaction de Friedel et Crafts est impossible.

Les substitutions ont lieu préférentiellement sur le carbone 3, moins désactivé que les autres positions.

*Exemple :*

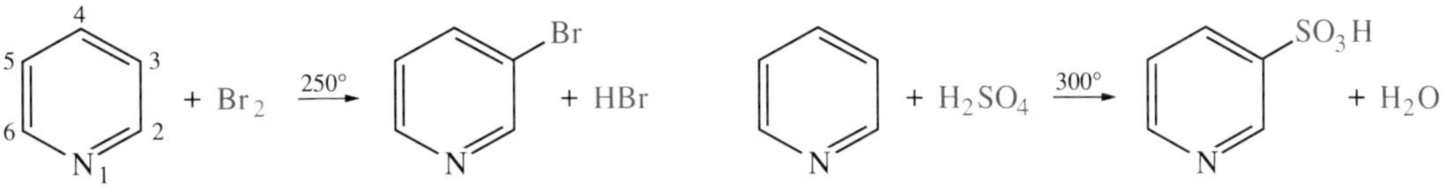

+ $Br_2$ $\xrightarrow{250°}$ (3-bromopyridine) + HBr

+ $H_2SO_4$ $\xrightarrow{300°}$ (acide pyridine-3-sulfonique, $SO_3H$) + $H_2O$

Des substitutions nucléophiles sont également réalisables.

*Exemple :*

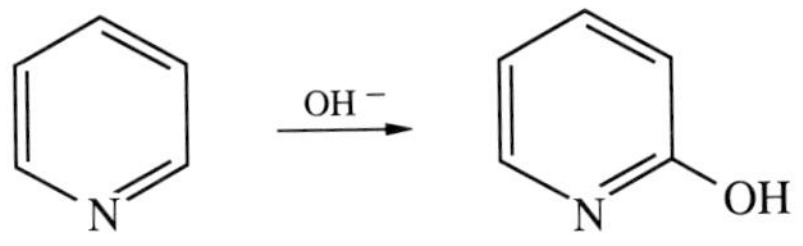

OH⁻

N N OH

■ *Réactions d'addition*

Le dihydrogène en présence de platine comme catalyseur, ou le sodium dans l'éthanol, réduisent la pyridine en pipéridine [21.9].

■ *Oxydation*

Le cycle de la pyridine est très résistant aux agents oxydants, par contre les chaînes latérales s'oxydent facilement (ce comportement est très analogue à celui des hydrocarbures benzéniques).

*Exemple :*

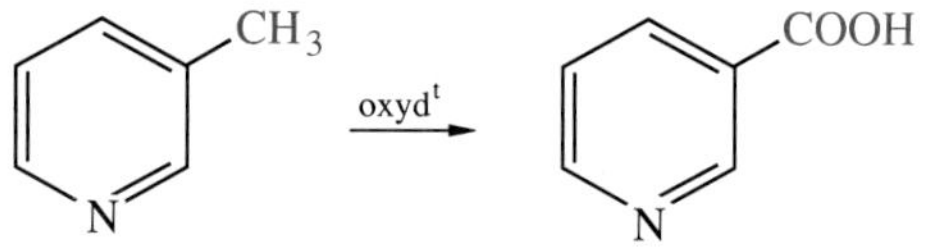

$CH_3$ oxyd[t] COOH

N N

# 3 — Alcaloïdes. Porphyrines. Composés biologiquement actifs

21.11 Les structures hétérocycliques, principalement azotées, se retrouvent dans de nombreux composés naturels d'origine végétale appelés *alcaloïdes.* Elles y sont diversement associées, soit entre elles, soit avec des motifs structuraux différents très variés.

*Exemples :*

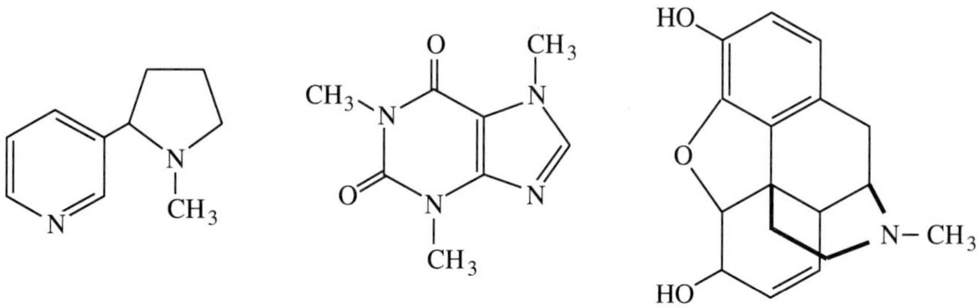

N N $CH_3$

Nicotine (tabac)

O $CH_3$ $CH_3$ N N O N N $CH_3$

Caféine (café,thé)

HO O N − $CH_3$ HO

Morphine (opium)

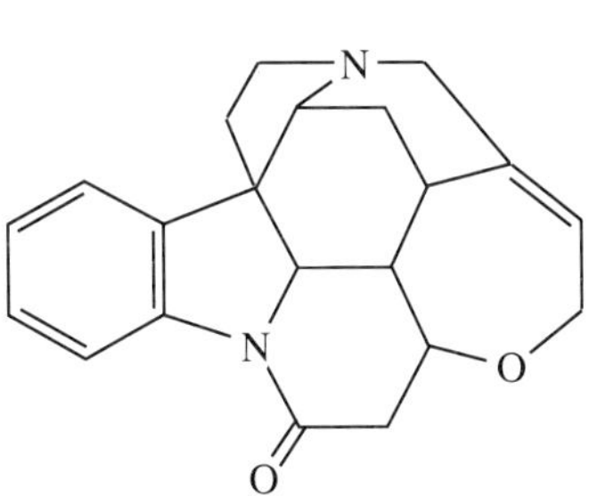

N
N
O
O

Strychnine (noix vomique)

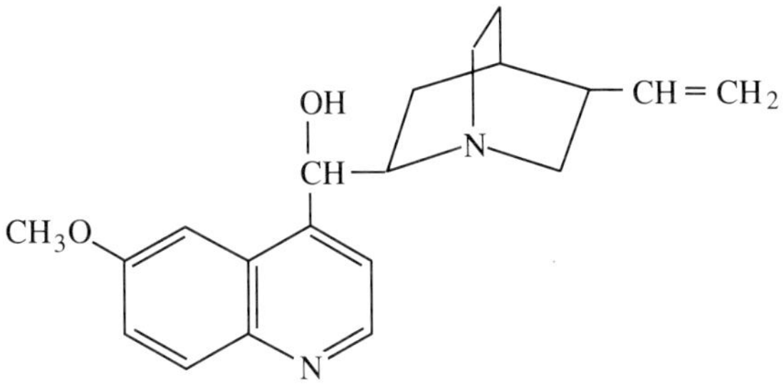

OH
CH
$CH_3O$
N
N
$CH=CH_2$

Quinine (Quinquina)

On trouve également des motifs hétérocycliques dans la structure très complexe des *porphyrines* (chlorophylle, hémoglobine, ...).

*Exemple :*

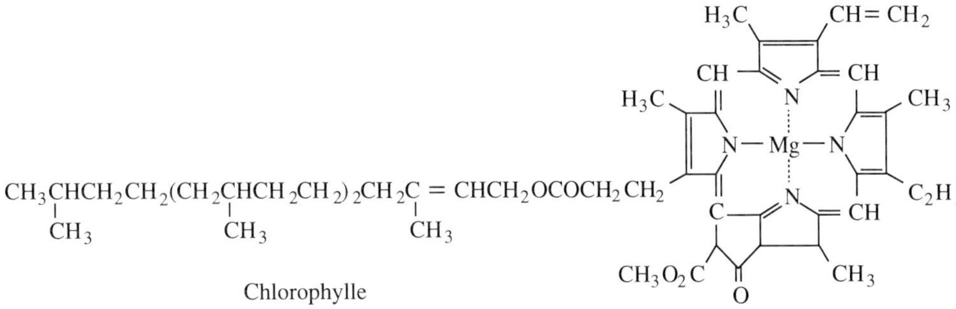

$H_3C$ $CH=CH_2$
CH N CH
$H_3C$ $CH_3$
N — Mg — N
$CH_3CHCH_2CH_2(CH_2CHCH_2CH_2)_2CH_2C = CHCH_2OCOCH_2CH_2$
$CH_3$ $CH_3$ $CH_3$
C N CH $C_2H_5$
$CH_3O_2C$ O $CH_3$

Chlorophylle

Enfin, de nombreux composés biologiquement actifs (antibiotiques, hypnotiques, etc.) possèdent également des éléments structuraux hétérocycliques.

*Exemples :*

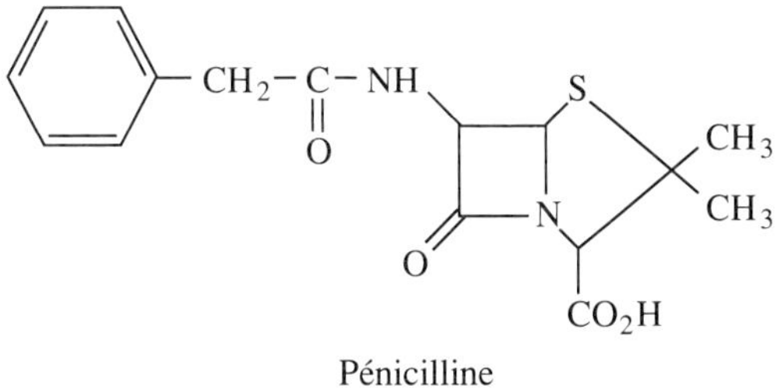

$CH_2-C-NH$
O
S
$CH_3$
$CH_3$
N
O
$CO_2H$

Pénicilline

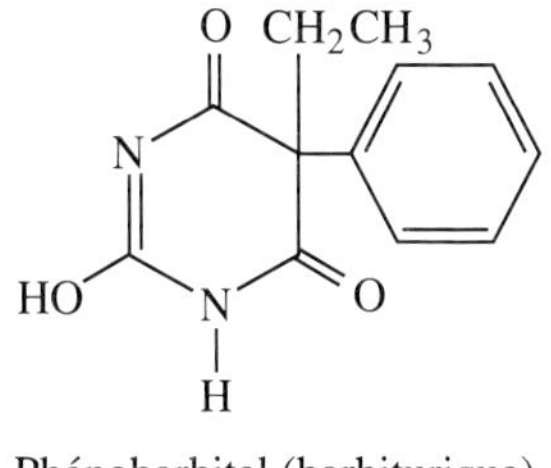

O $CH_2CH_3$
N
HO N O
H

Phénobarbital (barbiturique)

## EXERCICES

*Les **règles de nomenclature**, permettant de faire correspondre réciproquement un nom et une formule, sont exposées dans le chapitre 7 (pour les stéréoisomères, au chapitre 3).*

***21-a*** L'azépine est un hétérocycle à sept atomes, de formule :

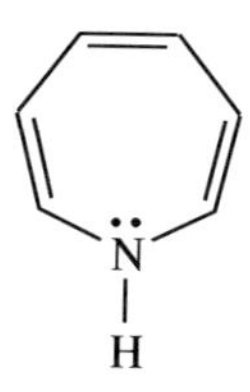


1) Le doublet libre de l'azote participe-t-il ou non à un même système conjugué avec les trois doublets $\pi$ ?
2) L'azépine présente-t-elle le caractère aromatique?

***21-b*** La pyrrolidine et le pyrrole ont des moments dipolaires portés par le même axe, mais ils sont de sens contraire.

1) Quelle est la direction de leur axe commun par rapport à la molécule?
2) Quel est le sens de chacun sur cet axe.

***21-c*** Dans l'imidazole [21.2] les deux atomes d'azote présentent-ils la même basicité? Sinon, quel est le plus basique? Pourquoi?

***21-d*** Quel est le produit principal formé dans les réactions suivantes?

1) Furane + $H_2SO_4$ concentré
2) Thiophène + $CH_3-COCl$
3) Pyrrole + 1-chloropropane
4) Pyrrole + $Ph-N_2^+Cl^-$
5) Pyridine + $HNO_3$
6) Pyrrole + Pyridine
7) Pyrrole + $CH_3-MgCl$
8) Furane + Quinone (cf. 20.14).

***21-e*** Quelle est la formule des composés représentés par (a), (b), (c), etc. dans les réactions suivantes?

1) (a) + $Br_2 \rightarrow$ (b) + HBr
   (b) + Mg $\rightarrow$ (c)
   (c) + $CO_2$, puis $H_2O \rightarrow$ (d)

   (d) + $CH_3-CH_2OH \rightleftarrows$ (cycle thiophène, S) $-CO_2-CH_2-CH_3 + H_2O$

2) Pipéridine + $CH_3Br$ en excès $\rightarrow$ (e)
   (e) + AgOH $\rightarrow$ (f) + AgBr
   (f) par chauffage $\rightarrow$ (g).

***21-f*** Quel mécanisme vraisemblable pourrait décrire les réactions suivantes et expliquer leur résultat?

1) Tétrahydrofurane + HCl $\rightarrow$ 1,4-dichlorobutane
2) $EtO_2C-CHBr-CH_2-CO_2Et$ + Pyridine $\rightarrow EtO_2C-CH{=}CH-CO_2Et$
3) $CH_3-$(cycle furane, O)$-CH_3 + H_2SO_4$ dilué $\rightarrow CH_3-CO-CH_2-CH_2-CO-CH_3$

# Les glucides 22

## Définitions. Classification

22.1 Les glucides constituent une classe de produits naturels dont la formule brute peut souvent être mise sous la forme $C_m(H_2O)_n$, d'où l'appellation qui leur est également donnée d'*Hydrates de carbone.* Toutefois, outre que l'hydrogène et l'oxygène ne s'y trouvent absolument pas sous la forme de molécules d'eau, certains termes ne peuvent répondre à cette définition; le terme de glucide apparaît donc préférable.

Ce sont des composés polyhydroxylés comportant en outre une fonction aldéhyde ou cétone (ou du moins susceptibles de la libérer par hydrolyse). Ces substances se trouvent dans les végétaux, qui en font la synthèse à partir de $CO_2$ et $H_2O$ présents dans l'atmosphère, grâce à l'énergie apportée par la lumière solaire et captée par la chlorophylle (processus de la photosynthèse) :

$$n\,CO_2 + n\,H_2O \xrightarrow[\text{solaire}]{\text{lumière}} (CH_2O)_n + n\,O_2.$$

L'un des glucides les plus simples ainsi formés est le *glucose* (sucre des fruits) $C_6H_{12}O_6$. Par condensation il forme des substances de masse moléculaire beaucoup plus élevée, comme la *cellulose* $(C_6H_{10}O_5)_n$ qui constitue les parois des cellules végétales, ou l'*amidon* qui, stocké dans les graines notamment, sert de réserve en vue de la croissance de la plante.

Les glucides contenus dans les aliments jouent également un rôle primordial dans le métabolisme animal. Au cours de la digestion ils sont dégradés (hydrolysés) en glucose qui est ensuite condensé en *glycogène* (rôle du foie). Ce dernier, comme l'amidon des végétaux, stocké dans l'organisme, constitue une substance de réserve : apporté au niveau des cellules musculaires par le sang, il y est oxydé par une réaction enzymatique, avec dégagement d'énergie (17 kJ/g). Ainsi se trouve réalisée, en définitive, la transformation de l'énergie solaire en énergie mécanique (musculaire) et calorifique dans le corps.

D'autre part, les acides nucléiques (ADN, ARN), porteurs des caractères génétiques héréditaires au niveau des noyaux des cellules vivantes ont une structure partiellement glucidique.

Enfin, dans la vie pratique, la cellulose est liée à l'industrie du papier, des textiles naturels (coton) ou artificiels (rayonne, viscose), de la cellophane, de matières plastiques (celluloïd, rhodoïd), d'explosifs, d'adhésifs, etc.

Les **Oses,** encore appelés *monosaccharides* ou *sucres simples*, sont les plus simples des glucides. Ce sont des composés comportant de 3 à 8 atomes de carbone qui, sauf exceptions (cas des désoxy-sucres, cf. 22.8) sont tous porteurs de fonctions oxygénées : fonctions alcool et une fonction aldéhyde ou cétone. Selon le nombre d'atomes de carbone, ce sont des *trioses*, *tétroses*, *pentoses*, *hexoses*... Par ailleurs, selon qu'ils comportent une fonction aldéhyde ou une fonction cétone, on les appelle *aldoses* ou *cétoses*, de sorte que si l'on veut indiquer tout à la fois la nature de la fonction carbonylée et le nombre d'atomes de carbone on dira, par exemple : *aldopentoses*, *cétopentoses*, *aldohexoses*, *cétohexoses*...

Ce sont les unités structurales entrant dans la constitution des glucides plus complexes.

Les **Osides** résultent de la condensation, avec élimination d'eau, de molécules d'oses et, éventuellement, de substances non glucidiques également.

Les *holosides* sont formés par la réunion de motifs exclusivement glucidiques et, par hydrolyse, ne fournissent donc que des oses. Ceux qui ne comportent qu'un nombre restreint (inférieur à 10) de ces motifs sont nommés *oligoholosides* (ou *oligosaccharides*) et, selon la valeur de ce nombre, on parle de *diholoside*, *triholoside*... (ou *disaccharide*, *trisaccharide*...). D'autres résultent de la condensation d'un très grand nombre de molécules d'oses (jusqu'à 3 000 environ), ce sont les *polyholosides* (ou *polysaccharides*, ou *osanes*), qui sont de véritables « hauts polymères » naturels.

Les *hétérosides* (ou *glycosides*) proviennent de la condensation d'oses et de substances non glucidiques. Par hydrolyse ils fournissent d'une part un ou plusieurs oses, et d'autre part une *aglycone* (composé n'appartenant pas au groupe des glucides, par exemple un phénol). Si, dans l'hétéroside, l'aglycone est liée au motif glucidique par un groupe oxygéné, il s'agit d'un O-hétéroside; si c'est par un atome d'azote, il s'agit d'un N-hétéroside.

L'ensemble de cette nomenclature, compliquée par l'existence de nombreux termes synonymes, est résumé dans le tableau suivant (en majuscules les termes retenus pour la suite, en minuscules les synonymes) :

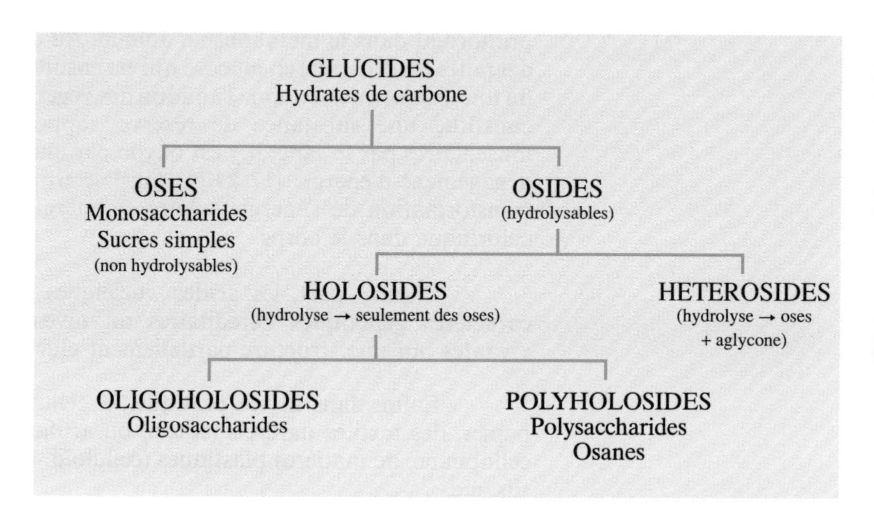

## La représentation de Fischer

**22.2** Dans la chimie des glucides, les aspects stéréochimiques sont importants. Mais il s'agit de molécules comportant plusieurs carbones asymétriques, et la représentation perspective (procédé du « coin volant » [2.4]) est mal adaptée à leur description. On utilise donc de manière habituelle une autre représentation conventionnelle, appelée *« projection de Fischer »*.

Les quatre liaisons formées par un carbone saturé sont représentées par des traits pleins, mais :

– un trait *vertical* correspond à une liaison située *dans le plan* du papier, ou *en arrière de ce plan,*
– un trait *horizontal* correspond à une liaison dirigée *en avant* du plan du papier.

On dispose la chaîne principale verticalement.

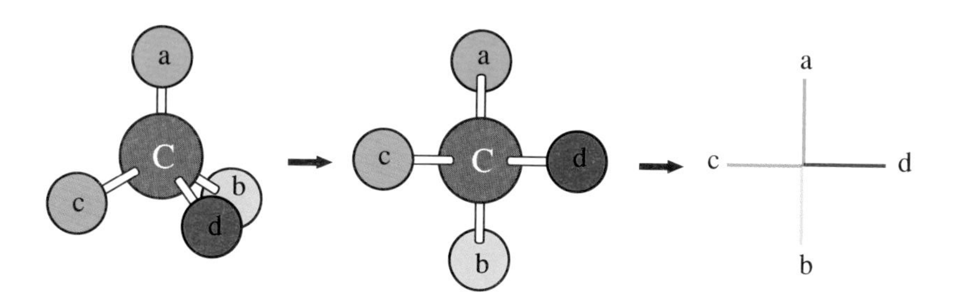


*Figure 22.1 — La projection de Fischer.*
**La représentation d'une molécule en « projection de Fischer suppose qu'on la considère dans une position déterminée conventionnelle : le carbone étant «à hauteur d'œil», deux des liaisons sont dans un plan horizontal et viennent vers l'observateur, les deux autres sont dans un plan vertical et sont dirigées vers l'arrière.**

Il faut prendre garde aux erreurs que l'on commettrait facilement en « manipulant » inconsidérément ces formules. En règle générale :

– Une *rotation de 180° dans le plan du papier* laisse inchangée la molécule représentée.
– Une *rotation de 90° dans le plan du papier* transforme une molécule en son énantiomère.
– Une *rotation de 180° hors du plan du papier* (autour d'un axe contenu dans ce plan) transforme aussi une molécule en son énantiomère.

Molécule initiale : c—a/b—d (ou c ▶ a/b ◀ d)

Rotation 180° dans le plan → d—b/a—c (ou d ▶ b/a ◀ c) : identique à la molécule initiale

Rotation 90° dans le plan → b—c/d—a (ou b ▶ c/d ◀ a) : énantiomère de la molécule initiale

Rotation 180° hors du plan → d—a/b—c (ou d ▶ a/b ◀ c) : énantiomère de la molécule initiale

*Un carbone asymétrique :*

Les deux énantiomères de l'acide lactique [3.8] se représentent ainsi :

Forme *S*

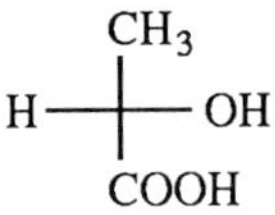

$CH_3$ / H — — OH / COOH identique à $CH_3$ / H — — OH / COOH ou encore à $CH_3$ / HOOC — C — OH / H

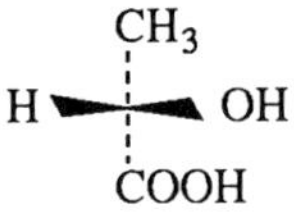

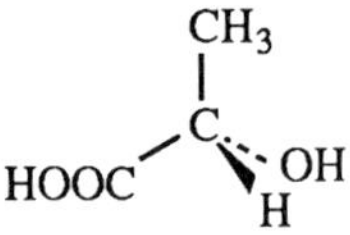

Forme *R*

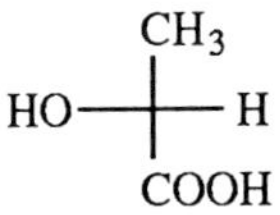

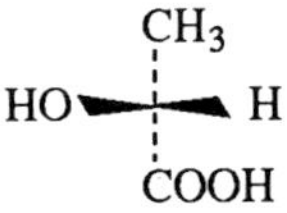

$CH_3$ / HO — — H / COOH identique à $CH_3$ / HO — — H / COOH ou encore à $CH_3$ / HOOC — C — H / OH

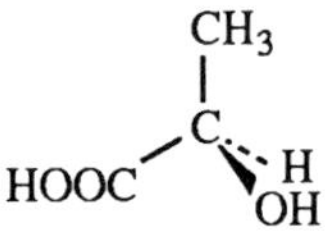

*Deux carbones asymétriques :*

La représentation en projection de Fischer de la molécule A ci-après suppose qu'on la considère d'abord dans la conformation particulière B où les H et les OH sont tous en avant du plan du papier (la rotation des deux carbones asymétriques l'un par rapport à l'autre ne modifie pas leurs configurations respectives).

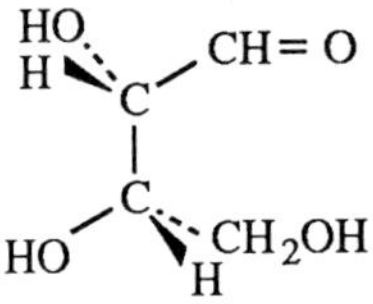

(A) HO, H — C — CH=O / HO — C — $CH_2OH$, H identique à (B) CH=O / HO — C — H / HO — C — H / $CH_2OH$ ou encore à (C) CH=O / HO — — H / HO — — H / $CH_2OH$

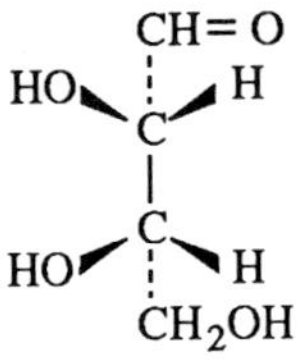

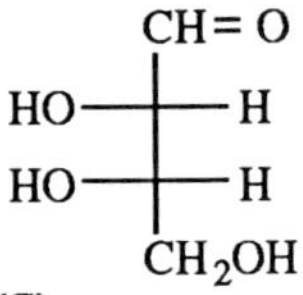

Une conformation décalée — Une conformation éclipsée — Projection de Fischer

Les règles de transformation de cette représentation sont les mêmes que précédemment. Une rotation de C de 180° dans le plan du papier le transforme en D, qui lui est identique; mais sa rotation de 180° autour d'un axe vertical le transforme en E qui est son énantiomère :

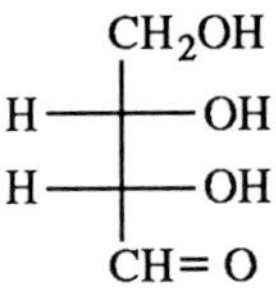

(D) $CH_2OH$ / H — — OH / H — — OH / CH=O

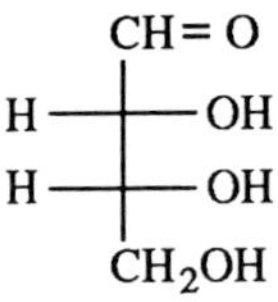

(E) CH=O / H — — OH / H — — OH / $CH_2OH$

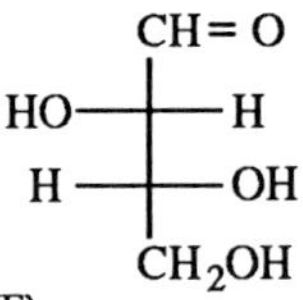

(F) CH=O / HO — — H / H — — OH / $CH_2OH$

Identique à (C) — Énantiomère de (C) — Diastéréoisomère de (C)

La permutation des deux substituants sur une ligne horizontale est équivalente à l'inversion de la configuration du carbone qui les porte. Par suite, F est un diastéréoisomère de C, puisque l'un de ses carbones a subi une inversion alors que l'autre conservait sa configuration [3.18].

*Plusieurs carbones asymétriques :*

Le glucose $HOH_2C-\overset{*}{C}HOH-\overset{*}{C}HOH-\overset{*}{C}HOH-\overset{*}{C}HOH-CH{=}O$ possède quatre carbones asymétriques (*), chacun dans une configuration bien déterminée. Sa molécule peut être représentée soit dans une conformation « en zig-zag » (G), soit dans une conformation convexe (H)

(G) (H)

Le glucose dans deux conformations

et sa projection de Fischer s'obtient en imaginant que l'on « déroule » la chaîne de (G) et l'allonge verticalement dans le plan du papier, en orientant les H et les OH vers l'avant. Par convention, on place la fonction la plus oxydée (ici CH=O, plus oxydée que $CH_2OH$) en haut :

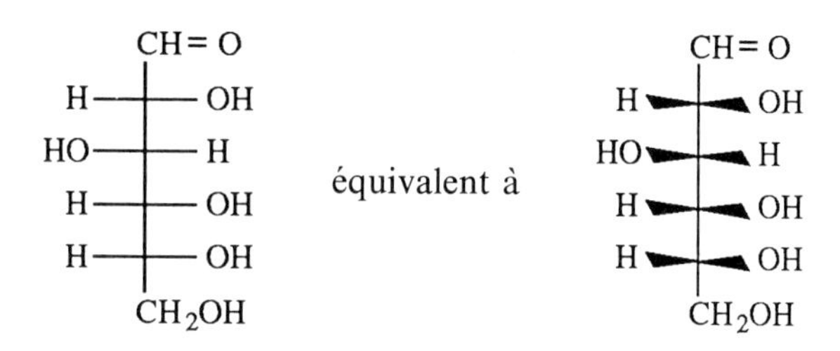


# 1 — Les oses

Seuls seront envisagés ici les oses comportant six atomes de carbone *(hexoses)*. Le *glucose* représentatif de la série des aldohexoses, fera l'objet du développement le plus important; la série des cétohexoses sera illustrée par le *fructose*.

## Aldohexoses : le glucose

22.3 Il existe trois aldohexoses naturels, mais le glucose est le plus important par suite de son abondance dans la nature (sucre des fruits et du miel) et de la participation de la « structure glucose » à la constitution des oligo- et polyholosides les plus intéressants.

### *Forme ouverte (aldéhydique)*

Certains des caractères chimiques du glucose permettent de lui attribuer la structure suivante :

$$HOH_2C-\overset{*}{C}HOH-\overset{*}{C}HOH-\overset{*}{C}HOH-\overset{*}{C}HOH-CH=O$$

■ *Configuration*

Cette formule comporte quatre atomes de carbone asymétriques (marqués d'un astérisque) et il y correspond donc $2^4 = 16$ stéréoisomères, représentés ci-après en projection de Fischer [22.2].

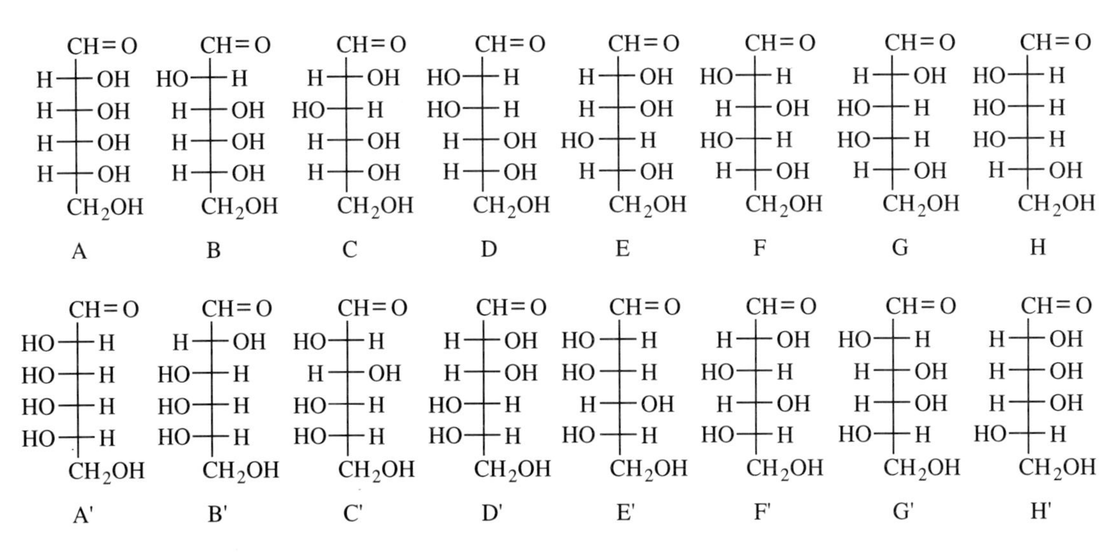


A et A′, B et B′, ... H et H′ constituent des paires d'énantiomères, alors que les séries A, B, ... H et A′, B′, ... H′ sont formées de diastéréoisomères [3.18].

Tous les isomères de la série A, B, ... H ont la même configuration du carbone 5 :

H—┼—OH
$CH_2OH$

C'est celle du (+)-glycéraldéhyde et, pour cette raison [3.16] ils sont dits appartenir à la « série D ».

Les isomères de la série A′, B′, ... H′ sont caractérisés par une configuration opposée du carbone 5 :

HO—┼—H
$CH_2OH$

qui est celle du (−)-glycéraldéhyde; ils constituent donc la « série L ».

Ainsi qu'il l'a déjà été souligné, l'appartenance à la série D ou à la série L n'implique pas un signe déterminé pour le pouvoir rotatoire.

Le glucose naturel est l'isomère C, ainsi que l'a démontré Fischer en 1896 dans un travail demeuré célèbre qu'il n'est pas possible de détailler ici. Il est par ailleurs dextrogyre, c'est donc le (+)-(D)-glucose. Seuls deux autres aldohexoses existent à l'état naturel, le (+)-(D)-mannose (isomère D) et le (+)-(D)-galactose (isomère G), mais tous les autres ont été obtenus par synthèse.

La notation D ou L pour un ose ne concerne que la configuration du carbone 5, mais on peut évidemment, en outre, caractériser la configuration de chacun des carbones asymétriques [3.13]. Ainsi le glucose possède la configuration complète 2*R*, 3*S*, 4*R*, 5*R*.

### 22-A

*Comparez les formules stéréochimiques du D-glucose et du D-galactose, et établissez par comparaison la configuration absolue de chaque carbone asymétrique dans ce dernier.*

### 22-B

*Si l'imprimeur avait retourné « la tête en bas » l'une des représentations stéréochimiques des 16 aldohexoses, la molécule serait-elle restée identique à elle-même? Aurait-elle été transformée en son énantiomère? En un diastéréoisomère?*

## ■ *Propriétés chimiques*

**22.4** Diverses réactions du glucose sont en accord avec cette structure et, en particulier, traduisent la présence d'une fonction aldéhyde :

– **oxydation :** le glucose est réducteur, ainsi qu'en témoigne son action sur la liqueur de Fehling ou sur le nitrate d'argent ammoniacal [18.18]. L'oxydation par le brome le transforme en *acide gluconique*

$$HOH_2C—CHOH—CHOH—CHOH—CHOH—CO_2H$$

tandis que l'acide nitrique l'oxyde en *acide glucarique*

$$HO_2C—CHOH—CHOH—CHOH—CHOH—CO_2H$$

– **réduction :** les réducteurs habituels de la fonction aldéhyde [18.4, 6] transforment le glucose en *sorbitol*

$$HOH_2C—CHOH—CHOH—CHOH—CHOH—CH_2OH$$

– **action de la phénylhydrazine :** réactif classique de la fonction aldéhyde [18.11], la phénylhydrazine donne avec le glucose une réaction plus complexe, impliquant la participation de la fonction alcool secondaire adjacente à la fonction aldéhyde. La réaction, dont le mécanisme est assez complexe, conduit à une *osazone* et, par hydrolyse, à une *osone*. La réduction sélective, possible, de la fonction aldéhyde de cette osone fournit un moyen de passer d'un aldose à un cétose :

| CH=O | | CH=N–NH–Ph | | CH=O | | $CH_2OH$ |
|---|---|---|---|---|---|---|
| \| | | \| | | \| | | \| |
| CHOH | $\xrightarrow{PhNHNH_2}$ | C=N–NH–Ph | $\xrightarrow{H_2O}$ | C=O | $\xrightarrow{\text{réduction}}$ | C=O |
| \| | | \| | | \| | | \| |
| ⋮ | | ⋮ | | ⋮ | | ⋮ |
| Glucose | | Osazone | | Osone | | Cétose |

### 22-C

*L'action de la phénylhydrazine sur le D-glucose conduit à un cétose qui est le fructose. Cette réaction constitue un moyen d'établir la configuration des carbones asymétriques du fructose : représentez-le en projection de Fischer. Appartient-il à la série D ou à la série L?*

– **action de l'hydroxylamine :** Il se forme, normalement, l'oxime de la fonction aldéhyde [18.11], dont la déshydratation donne une cyanhydrine. En présence d'oxyde d'argent, cette dernière se scinde en acide cyanhydrique et un aldopentose (D-arabinose). Cet enchaînement de réactions constitue la méthode de dégradation de Wöhl.

| D-glucose | | Oxime | | Cyanhydrine | | D-arabinose |
|---|---|---|---|---|---|---|
| CH=O | | CH=NOH | | C≡N | | HC≡N |
| \| | | \| | | \| | | + |
| CHOH | $\xrightarrow{H_2NOH}$ | CHOH | $\xrightarrow{-H_2O}$ | CHOH | $\xrightarrow{Ag_2O}$ | CH=O |
| \| | | \| | | \| | | \| |
| CHOH | | CHOH | | CHOH | | CHOH |
| \| ⋮ | | \| ⋮ | | \| ⋮ | | \| ⋮ |

*22-D*

*Un aldohexose de la série D est soumis à une dégradation de Wöhl, qui conduit à un aldo________ose X. Celui-ci peut être oxydé par* $HNO_3$ *en un diacide Y optiquement inactif. X est à nouveau soumis à une dégradation de Wöhl, et on obtient un aldo________ose Z que l'on oxyde également par* $HNO_3$*. Le résultat de cette oxydation est de l'acide tartrique sous une forme optiquement active.*

*Pouvez-vous déterminer duquel des 16 aldohexoses on est parti?*

– **action de l'acide cyanhydrique :** la formation d'une cyanhydrine par addition sur la fonction aldéhyde [18.8] offre, par l'enchaînement de réactions figuré ci-dessous, un moyen de passer d'un aldose à son homologue supérieur, comportant un carbone et une fonction alcool secondaire de plus (méthode de Kiliani) :

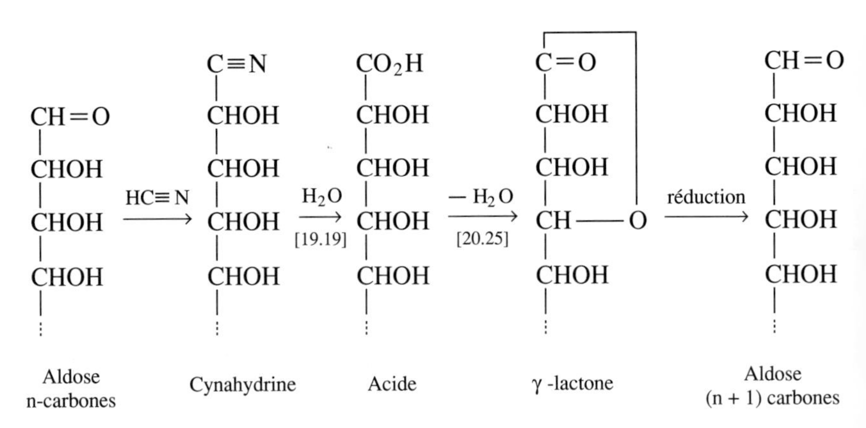


Toutefois cette synthèse n'est pas stéréospécifique, et on obtient les deux énantiomères relativement au nouveau carbone asymétrique.

*22-E*

*Quelle est l'étape dont la non-stéréospécificité est en cause ici?*

— **fermentation :** une solution de glucose abandonnée à l'air subit une réaction de fermentation, provoquée par le développement de microorganismes (levures) produisant un enzyme (catalyseur biologique), la zymase. Ce processus de fermentation est très complexe et on retiendra seulement qu'il aboutit à la formation d'alcool éthylique et de dioxyde de carbone :

$$C_6H_{12}O_6 \rightarrow 2\,CH_3CH_2OH + 2\,CO_2$$

## *Forme cyclique (hémiacétalique)*

**22.5** Certains des caractères chimiques des aldohexoses, et du glucose en particulier, ne sont pas en accord avec la formule aldéhydique utilisée jusqu'ici :

— toutes les réactions des aldéhydes ne sont pas observées,
— dans les conditions où un aldéhyde donnerait un acétal diméthylique (chauffage avec de l'alcool méthylique, en présence de HCl anhydre [18.10] le glucose ne donne qu'un dérivé monométhylé, obtenu sous deux formes isomères désignées par $\alpha$ et $\beta$ :

$$HOH_2C-(CHOH)_4-CH{=}O \xrightarrow{CH_3OH,\ H^+} \begin{cases} \not\rightarrow\ HOH_2C-(CHOH)_4-CH(OCH_3)_2 \\ \rightarrow\ C_6H_{11}O_5-OCH_3\ (\alpha \text{ et } \beta) \end{cases}$$

■ *Structure*

Divers arguments d'ordre chimique conduisent à attribuer aux deux dérivés ainsi obtenus les structures suivantes :

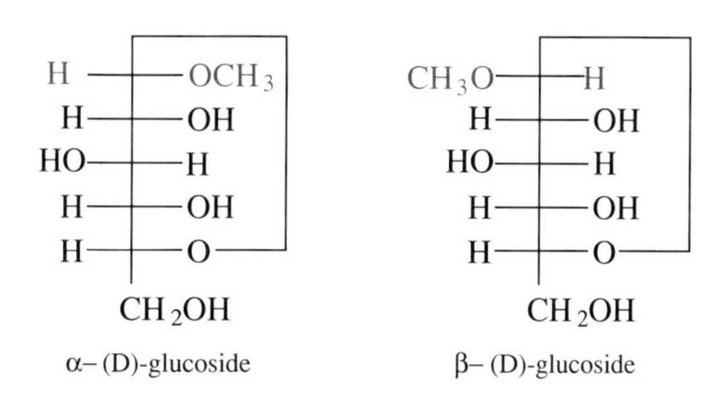

α-(D)-glucoside β-(D)-glucoside

Ce sont des hétérosides dont l'aglycone [22.1] serait l'alcool méthylique; on les appelle, puisqu'ils dérivent du glucose «*glucosides*» (*).

L'explication de ces faits réside dans l'existence du glucose sous deux formes tautomères [1.15], dont l'une est la forme ouverte aldéhydique, et l'autre une forme cyclique dans laquelle la fonction aldéhyde n'est pas libre mais engagée dans un hémiacétal avec l'hydroxyle du carbone 5

(*) Ne pas confondre *glycoside*, terme général synonyme de hétéroside, et *glucoside* désignant les glycosides du glucose.

Forme aldéhydique $\rightleftarrows$ Forme hémiacétalique

Un *hémiacétal* résulte de l'addition d'une molécule d'un alcool sur une fonction aldéhyde

$$R{-}C\!\begin{smallmatrix}\diagup H\\ \diagdown\!\!\diagdown O\end{smallmatrix} + R'OH \rightarrow R{-}CH\!\begin{smallmatrix}\diagup OR'\\ \diagdown OH\end{smallmatrix}$$

alors qu'un acétal [18.10] provient de la condensation de deux molécules d'alcool avec un aldéhyde

$$R{-}C\!\begin{smallmatrix}\diagup H\\ \diagdown\!\!\diagdown O\end{smallmatrix} + 2\,R'OH \rightarrow R{-}CH\!\begin{smallmatrix}\diagup OR'\\ \diagdown OR'\end{smallmatrix} + H_2O$$

La cyclisation du glucose en forme hémiacétalique a pour effet de créer un centre d'asymétrie supplémentaire sur le carbone 1. Il y a donc deux stéréoisomères de cette forme cyclique, différant uniquement par la configuration de ce carbone. On les désigne par α et β et on les appelle *formes anomères* (le carbone 1 est également appelé « carbone anomère »)

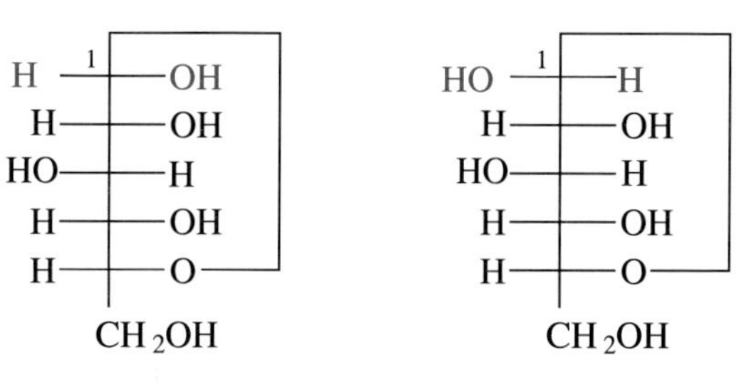

Forme hémiacétalique α ou α– (D)-glucose

Forme hémiacétalique β ou β– (D)-glucose

Pour ces deux formes cycliques, la représentation de Fischer est souvent abandonnée au profit d'une représentation plus proche de la réalité (représentation de Haworth) : le cycle est supposé plan, les deux liaisons d'un carbone (une équatoriale et une axiale) sont représentées par un trait vertical, les atomes placés au sommet de ces traits sont au-dessus du plan du cycle, les autres sont en-dessous.

α-(D)-glucose

β-(D)-glucose

*22-F*

*Faites l'effort de vous convaincre réellement, par une vue dans l'espace, que ces représentations sont bien équivalentes, quant à la configuration de chaque carbone asymétrique, aux projections de Fischer correspondantes.*

La géométrie réelle de ce cycle à six atomes (qui est un hétérocycle) est très voisine de celle du cyclohexane, la conformation la plus stable étant du type « chaise ». Ceci permet de justifier que la forme β est plus stable que la forme α, car tous les substituants y sont en position équatoriale [2.9].

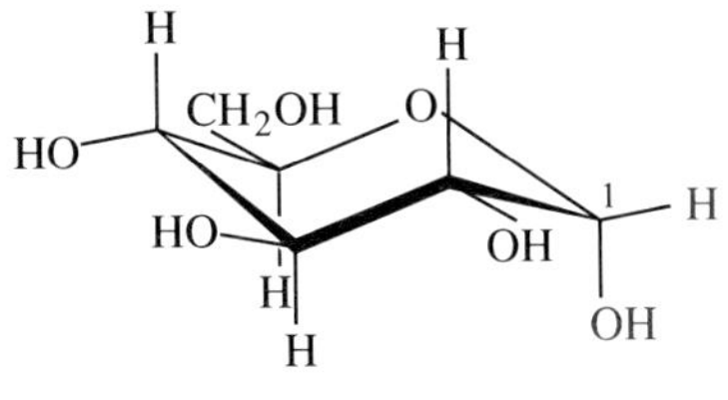

α–(D)–Glucose

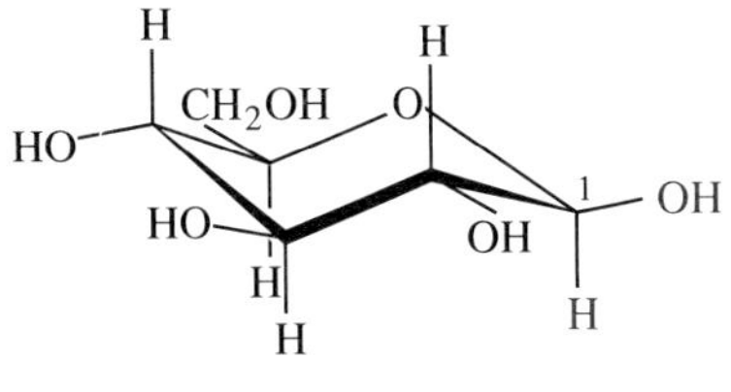

β–(D)–Glucose

Cet hétérocycle est apparenté à la structure du pyrane [21.9], d'où le nom de *« forme pyranose »* donné à cette structure cyclique (par exemple, dans le cas présent, α-D-glucopyranose). On trouve également des formes cycliques résultant d'une hémiacétalisation avec le carbone 4, comportant donc un cycle à 5 atomes apparenté au furane [21.2]; on les appelle formes *« furanose »* (par exemple. α-D-glucofuranose)

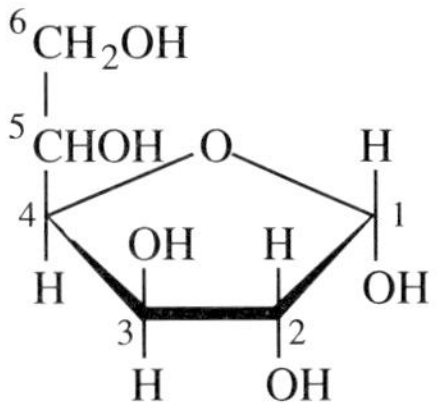

■ *Propriétés chimiques*

**22.6** L'équilibre tautomère est très en faveur des formes cycliques (environ 95 %) mais, en présence d'un réactif de la fonction aldéhyde, le déplacement de l'équilibre est assez rapide pour que le mélange se comporte en apparence comme s'il n'était composé que de la forme ouverte (voir ci-dessus les propriétés de cette dernière).

Par contre, les réactions des fonctions alcool, qui ne concernent pas sélectivement la forme aldéhyde, donnent en règle générale les dérivés de la forme cyclique. Tel est le cas de l'estérification, qui donne un pentaacétate du type « pyranose », et de la transformation des fonctions alcool en éther-oxydes.

Les acides minéraux, à la suite de réactions complexes, provoquent la transformation du glucose en acide lévulinique :

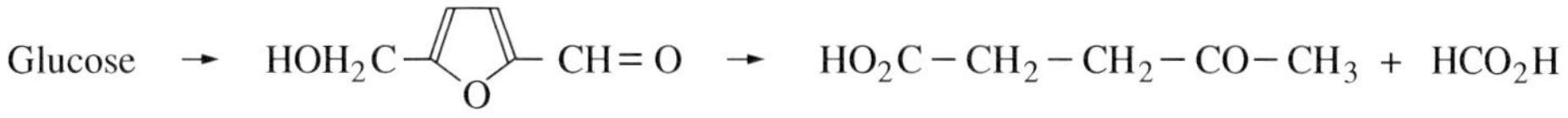

Glucose → $HOH_2C$–(furane)–$CH{=}O$ → $HO_2C-CH_2-CH_2-CO-CH_3$ + $HCO_2H$

Acide lévulinique

**22.7** Les deux glucopyranoses α et β peuvent être isolés purs à l'état cristallisé, et leurs pouvoirs rotatoires spécifiques sont différents :

$$\alpha\text{-(D)-Glucose} \quad [\alpha] = +113^{\circ}$$
$$\beta\text{-(D)-Glucose} \quad [\alpha] = +19^{\circ}$$

### 22-G

*Vous paraît-il aisément compréhensible que les deux formes α et β, qui correspondent aux deux configurations énantiomères par rapport au carbone anomère, aient des pouvoirs rotatoires de même signe et de valeurs absolues différentes?*

---

Lorsque l'on met en solution l'un ou l'autre de ces deux anomères, on constate une évolution dans le temps du pouvoir rotatoire [3.10] de la solution qui, dans les deux cas, se stabilise après quelques heures à la valeur de + 52°.

Ce phénomène, appelé **mutarotation,** résulte de l'existence de l'équilibre tautomère entre les formes cyclique et ouverte, par suite duquel les deux anomères α et β se trouvent, en définitive, en équilibre réciproque, par l'intermédiaire de la forme ouverte :

β–(D)–glucose ⇌ Forme ouverte ⇌ α–(D)–glucose

Le pouvoir rotatoire final de la solution, + 52°, est celui du mélange en équilibre des deux anomères, contenant environ 65 % de forme β (la plus stable ainsi qu'il a été vu plus haut) et 35 % de forme α, plus une très faible quantité de forme ouverte.

Toutefois cet équilibre ne s'établit qu'en solution, en présence d'ions $H^+$ ou $OH^-$ de l'eau, exerçant un rôle catalytique.

## Désoxyaldoses

**22.8** On désigne ainsi des aldoses dans lesquels un ou plusieurs groupe alcool sont remplacés par de l'hydrogène.

*Exemples :*

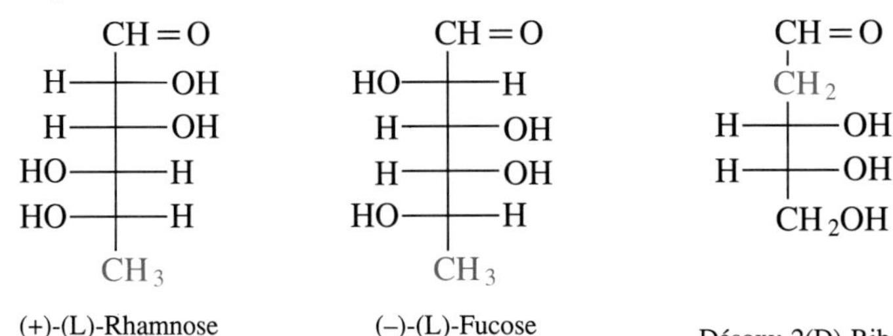


(+)-(L)-Rhamnose (désoxy-6(L)-Mannose) — (–)-(L)-Fucose (désoxy-6(L)-Galactose) — Désoxy-2(D)-Ribose

Le désoxy-2 (D)-ribose, en particulier, est un composé important qui se trouve dans les produits d'hydrolyse des acides désoxyribonucléiques (ADN) présents dans les chromosomes [22.21].

## Cétoses : le fructose

**22.9** La structure la plus fréquente pour les cétohexoses comporte la fonction cétone sur le carbone 2.

*Exemple :*

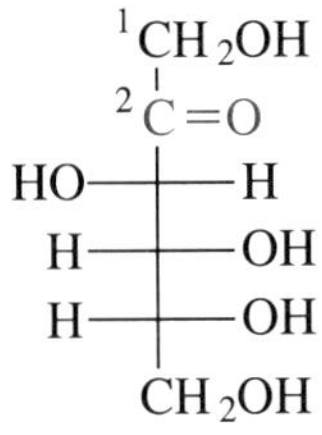

$$\begin{array}{rcl} & {}^{1}CH_2OH & \\ & {}^{2}C{=}O & \\ HO— & | & —H \\ H— & | & —OH \\ H— & | & —OH \\ & CH_2OH & \end{array}$$

(–)-(D)-Fructose

Le (–)-(D)-fructose se trouve dans les fruits et sa structure se retrouve, d'autre part, dans la constitution de divers oligoholosides.

Il donne les réactions habituelles de la fonction cétone et, en outre, réduit la liqueur de Fehling (en ce cas il ne s'agit pas, bien entendu, d'une réaction de la fonction aldéhyde, mais d'une réaction caractéristique du groupe acyloïne —CO—CHOH—).

L'action de la phénylhydrazine conduit à une osazone identique à celle du glucose: cette identité a l'intérêt de démontrer l'identité des configurations des carbones 3, 4 et 5 du glucose et du fructose.

Le fructose possède aussi une forme cyclique à six atomes (fructopyranose) dont, à l'état cristallisé, seule la configuration β existe. En solution, il se produit une mutarotation par établissement d'un équilibre entre cette forme β et une forme anomère α; le phénomène se complique, en outre, de la formation d'un fructofuranose.

Le fructose est fermentescible, c'est-à-dire peut fermenter, comme le glucose.

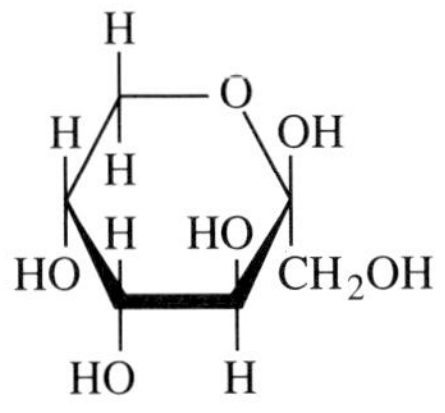

H, O, H, OH, H, H, HO, HO, $CH_2OH$, HO, H

β–(D)–Fructopyranose

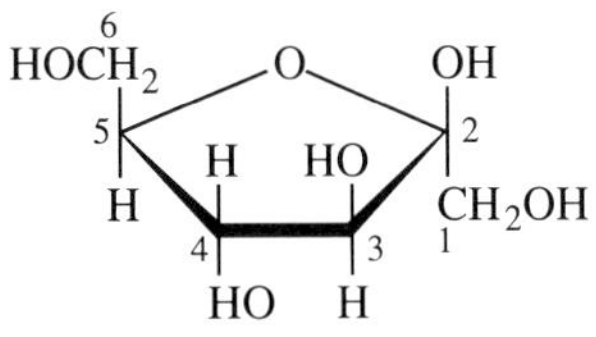

6, $HOCH_2$, O, OH, 5, 2, H, HO, H, $CH_2OH$, 4, 3, 1, HO, H

β–(D)–Fructofuranose

# 2 — Les osides

22.10 Certains oses existent à l'état libre dans la nature (glucose, fructose) mais beaucoup plus fréquemment les structures glucidiques correspondantes se trouvent associées dans les produits naturels, soit entre elles **(Holosides),** soit avec des substances diverses de nature non glucidique **(Hétérosides).**

Selon que la partie glucidique principale correspond au glucose, au fructose, au galactose... on appelle les osides « glucosides », « fructosides », « galactosides »...

Les parties glucidiques sont constituées par des pyranoses ou par des furanoses et, lorsque la jonction entre deux motifs met en cause le carbone 1 (carbone anomère) il peut exister une variété $\alpha$ et une variété $\beta$ de l'oside (les deux méthyl-glucosides du paragraphe 22.5, qui sont les plus simples des hétérosides du glucose que l'on puisse concevoir, illustrent ce fait).

Bien que le terme « glycoside » soit synonyme de « hétéroside », on emploie couramment l'expression *« liaison glycosidique »* pour désigner la jonction entre deux motifs dans un oside, qu'il s'agisse d'un holoside ou d'un hétéroside (ou, en d'autres termes, que ces motifs soient tous deux glucidiques ou non).

## Oligoholosides

22.11 Parmi les oligoholosides (osides comportant moins de 10 motifs d'oses), seuls les diholosides seront envisagés ici.

Ils résultent de la condensation, avec élimination d'eau, de deux molécules d'oses, identiques ou différentes, et ils peuvent se différencier par :

- la nature des oses qui les constituent,
- la nature des cycles (type pyranose ou type furanose),
- la configuration ($\alpha$ ou $\beta$) de la liaison glycosidique,
- la position de la liaison glycosidique, qui ne concerne pas toujours les carbones anomères des deux cycles, mais parfois celui d'un seul et un carbone quelconque de l'autre.

Les diholosides sont des substances très abondantes dans la nature, parmi lesquelles on peut citer le saccharose (dans la canne à sucre et la betterave), le maltose (dans le malt) et le lactose (dans le lait).

### *Saccharose*

22.12 Le saccharose, extrait du jus de canne à sucre ou de betterave, constitue le sucre ordinaire et c'est certainement le plus abondant et le moins cher des produits organiques purs préparés en grande quantité (*). Il résulte de l'association du D-Glucose et du D-Fructose qui sont, du reste, les produits résultant de son hydrolyse :

$$\underset{(+)\text{-Saccharose}}{C_{12}H_{22}O_{11}} + H_2O \rightleftarrows \underset{(+)\text{-(D)-Glucose}}{C_6H_{12}O_6} + \underset{(-)\text{-(D)-Fructose}}{C_6H_{12}O_6}$$

Cette hydrolyse peut être réalisée soit par les acides dilués (catalyse par $H^+$), soit biologiquement par un enzyme, l'*invertase*. Cette réaction est couramment désignée comme *« inversion du saccharose »*, car le mélange obtenu est lévogyre (pouvoir rotatoire du fructose supérieur, en valeur absolue, à celui du glucose) alors que le saccharose est dextrogyre.

## 22-H

*Immédiatement après l'hydrolyse du saccharose, le pouvoir rotatoire spécifique du mélange obtenu vaut + 10,5°. Il diminue ensuite pour se stabiliser en quelques heures à la valeur de − 20°, cette évolution étant attribuable à la mutarotation du glucose formé.*

*— Ce fait a-t-il une signification quant à la nature de la liaison glycosidique dans le saccharose?*
*— Quelle est la valeur du pouvoir rotatoire spécifique du (−)-(D)-Fructose?*

La structure complète du saccharose est la suivante :

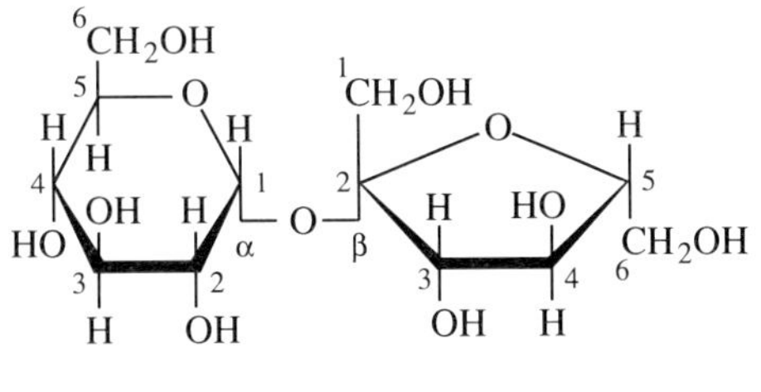

Le glucose se trouve ici sous la forme glucopyranose et le fructose sous la forme fructofuranose. Le pont glycosidique, établi par un atome d'oxygène, unit les deux carbones anomères par la liaison α du glucose et par la liaison β du fructose. Le saccharose peut donc être considéré indifféremment comme un α-glucoside ou comme un β-fructoside.

Le saccharose n'est pas réducteur, précisément parce que les deux carbones anomères sont engagés dans la liaison glycosidique et que toute forme ouverte, aldéhydique ou cétonique, est de ce fait impossible.

(*) La production mondiale est de l'ordre de 90 millions de tonnes par an et la moyenne mondiale de consommation par habitant et par an est de 17 kg (chiffres correspondants pour la France : 4 millions de tonnes et 40 kg).

## *Maltose*

**22.13** Provenant de l'hydrolyse de l'amidon, le maltose peut, à son tour, être hydrolysé en fournissant deux molécules de glucose :

$$\underset{\text{Maltose}}{C_{12}H_{22}O_{11}} + H_2O \rightarrow \underset{\text{Glucose}}{2\,C_6H_{12}O_6}$$

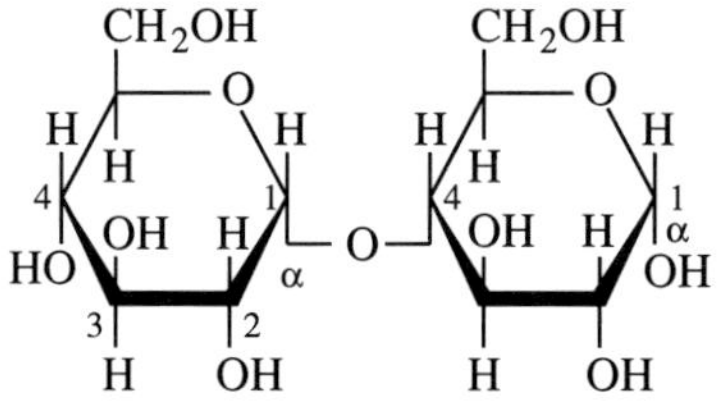

α–Maltose

La liaison glycosidique est établie entre le carbone anomère de l'un des cycles (celui de gauche sur la figure) et le carbone 4 de l'autre. Ce dernier possède donc un carbone anomère libre (à l'extrême droite sur la figure), de sorte qu'il peut exister une forme α et une forme β du maltose, différant par la configuration de ce carbone, comme pour le glucose lui-même.

Pour la même raison, il peut également exister une forme ouverte (aldéhyde) de ce cycle, de sorte que le maltose est réducteur, donne une osazone, et présente le phénomène de la mutarotation.

## *Cellobiose*

**22.14** Le cellobiose, produit de dégradation de la cellulose, présente les mêmes caractères chimiques que le maltose. Son hydrolyse fournit également deux molécules de glucose, et la seule différence entre le cellobiose et le maltose réside dans la configuration de la liaison glycosidique sur le cycle lié par son carbone anomère : alors que dans le maltose cette liaison avait la configuration α, dans le cellobiose elle a la configuration β.

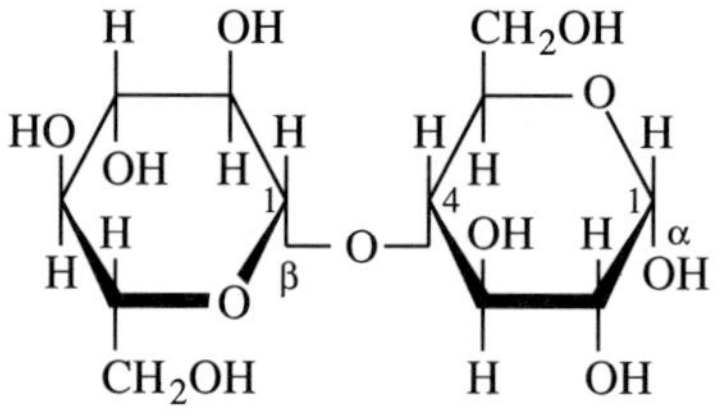

α–Cellobiose

(la notation « α » dans « α-cellobiose » est relative à la configuration du carbone anomère libre du cycle de droite).

**22.15** Le lactose se trouve, à la teneur de 5 % environ, dans le lait. C'est un diholoside réducteur (donc un des cycles doit avoir son carbone anomère libre), dont l'hydrolyse fournit une molécule de glucose et une molécule de galactose.

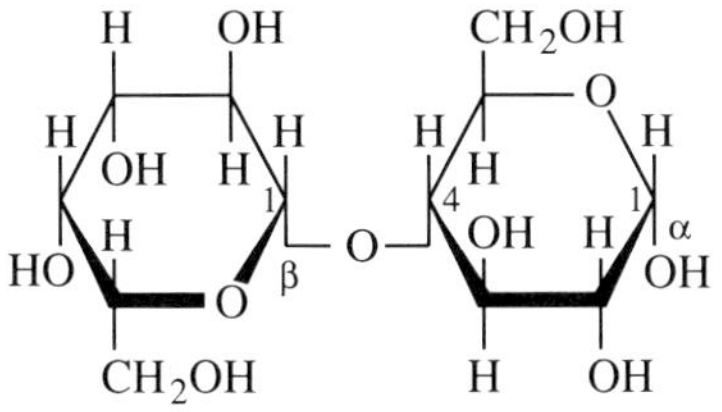

α–Lactose

# 3 — Les polyholosides

**22.16** Les *polyholosides* (ou *Polysaccharides* ou *Osanes*) sont des substances de masse moléculaire très élevée, résultant de la condensation d'un grand nombre de molécules d'oses. Les plus communs correspondent à la condensation d'hexoses (particulièrement du glucose), et sont des *Hexosanes*, mais il existe des composés analogues provenant de la condensation de pentoses (xylose, par exemple), qui sont des *Pentosanes*.

Les polyholosides les plus importants sont la cellulose, l'amidon et le glycogène. L'enchaînement entre les cycles pyranose y est réalisé par une liaison glycosidique entre le carbone 1 (anomère) de l'un et le carbone 4 ou le carbone 6 du suivant.

## *Cellulose*

**22.17** La cellulose est constituée par un enchaînement de cycles glucopyranose, avec une liaison glycosidique du type C1 (β)-C4, de sorte que le motif principal, répété *n* fois, correspond à la structure du β-cellobiose (cf. 22.14) :

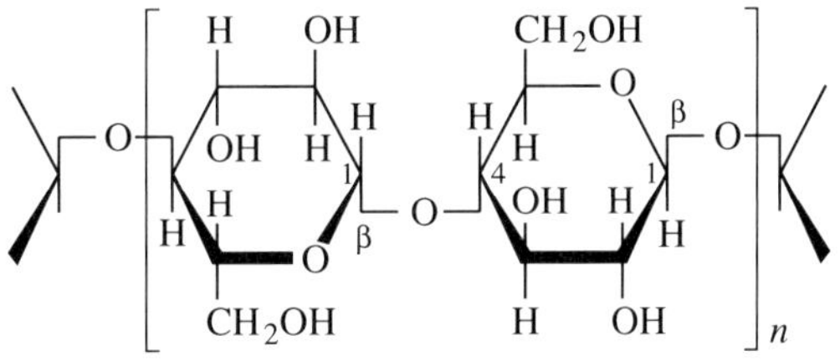

La valeur de *n* n'est pas connue avec précision (les méthodes de détermination de la masse moléculaire utilisables sont imprécises, et risquent de provoquer une dégradation partielle des chaînes), mais on considère 1 500 comme une valeur vraisemblable, ce qui correspond à une masse moléculaire de l'ordre de 500 000 (*).

La cellulose, qui constitue la paroi des cellules végétales, est un des principaux constituants du bois; le coton est de la cellulose presque pure (98 %).

---

(*) Des méthodes récentes semblent toutefois indiquer des valeurs plus élevées (8 000 à 12 000 cycles glucose par chaîne).

La cellulose est insoluble dans l'eau, mais son hydrolyse complète (par ébullition avec un acide dilué, ou par voie enzymatique) donne du cellobiose, puis du glucose.

Outre la fabrication du papier (voir encadré à la fin du chapitre), qui ne comporte pas de modification chimique de la cellulose, ses applications pratiques sont nombreuses :

L'estérification des fonctions alcool par l'acide nitrique conduit au nitrate de cellulose (improprement appelé « nitrocellulose ») utilisé dans la fabrication d'explosifs (fulmi-coton, coton-poudre, « plastic »). L'anhydride acétique donne un acétate à partir duquel on obtient le rhodoïd (films photographiques, etc.) et un textile artificiel, la « rayonne acétate ». La cellophane et la « rayonne viscose » sont formées de cellulose régénérée, partiellement dépolymérisée, à partir d'une solution de xanthate de cellulose (ester d'un acide soufré).

La cellulose n'est pas assimilable par l'homme, mais les ruminants peuvent l'utiliser, après hydrolyse enzymatique au cours de la digestion, à la synthèse de leurs propres glucides.

On désigne par le terme d'*hemicelluloses* des constituants des végétaux en fait très différents de la cellulose. Ce sont des polyholosides ramifiés dont la chaîne principale peut être formée de motifs xylose (qui est un aldopentose), galactose, ou glucose et mannose. Les hémicelluloses accompagnent constamment la cellulose dans la constitution des tissus végétaux lignifiés, comme le bois.

## *Amidon*

**22.18** L'amidon est stocké notamment dans les graines et les racines des plantes, et constitue une réserve, source potentielle de glucose.

En général, l'amidon est formé de deux constituants : l'amylose (environ 20 %) et l'amylopectine (environ 80 %).

L'*amylose*, comme la cellulose, est constitué d'unités glucose (glucopyranose), mais la jonction entre les cycles est du type C1 (α)-C4, de sorte que le motif principal est celui du maltose, et non plus celui du cellobiose. L'hydrolyse de l'amylose fournit, du reste, du maltose qui, à son tour, peut s'hydrolyser en glucose.

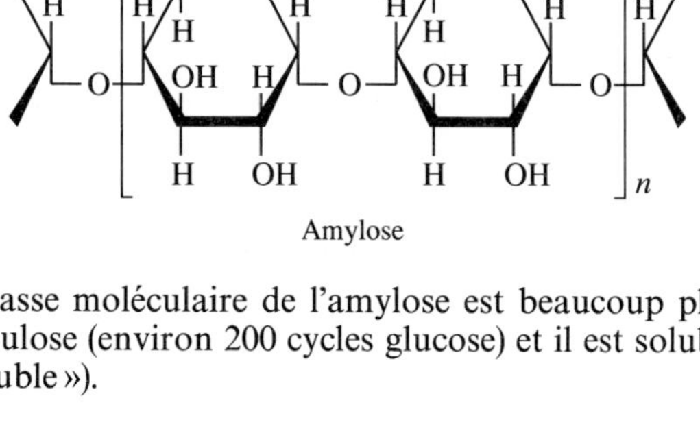

Amylose

La masse moléculaire de l'amylose est beaucoup plus faible que celle de la cellulose (environ 200 cycles glucose) et il est soluble dans l'eau (« amidon soluble »).

L'*amylopectine* donne également, par hydrolyse, du maltose puis du glucose. La constitution des chaînes est donc analogue à celle de l'amylose, mais la structure d'ensemble de la molécule est beaucoup plus complexe : plusieurs centaines de chaînes, comportant chacune 20 à 25 unités glucose, sont réunies selon un schéma ramifié, par des liaisons glycosidiques de type C1-C6, à une chaîne principale enroulée en hélice.

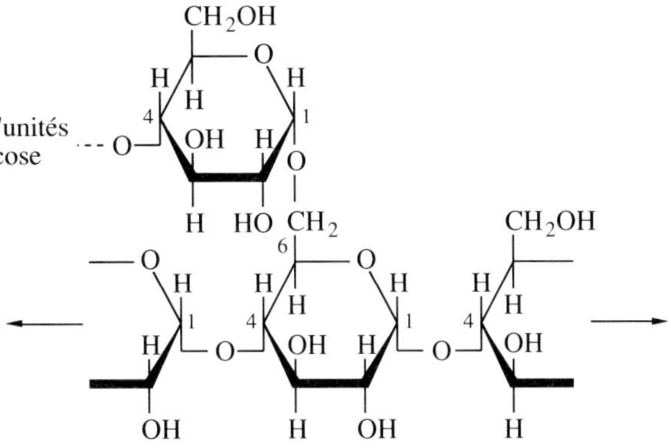

Chaîne d'unités α–glucose

Type de liaison C1 – C6 dans l'Amylopectine

### *Glycogène*

**22.19** Le glycogène, analogue à l'amylopectine, est produit et stocké par les organismes animaux pour constituer une réserve énergétique. Il comporte des chaînes plus courtes que l'amylopectine, mais sa masse moléculaire est extrêmement élevée (jusqu'à 15 millions?).

## 4 — Les hétérosides

**22.20** Les *hétérosides* (ou *glycosides*) sont constitués par l'association de glucides et de substances diverses, de nature non glucidique. La liaison entre le glucide (sous la forme pyranose ou furanose) et la partie non glucidique, appelée *aglycone*, met en cause le carbone anomère du glucide, de sorte qu'il existe des α-hétérosides et des β-hétérosides. Enfin, l'aglycone peut se lier au glucide soit par un atome d'oxygène (*O-hétérosides*) soit par un atome d'azote (*N-hétérosides*).

*Exemples :*

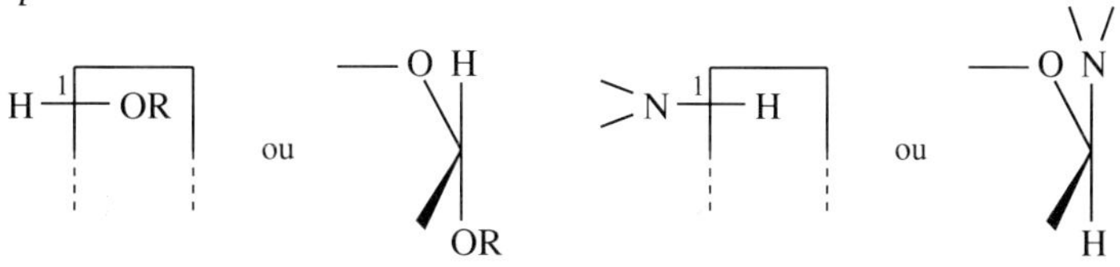

α–O–Hétéroside

β–N–Hétéroside

On trouve en abondance des hétérosides dans la nature, et notamment dans le règne végétal. Beaucoup sont des β-glucopyranosides (c'est-à-dire que la partie glucidique correspond au glucopyranose, et que l'aglycone lui est liée par un pont glycosidique de type β), et souvent l'aglycone est un composé phénolique. L'hydrolyse rompt la liaison glycosidique et restitue le glucide et l'aglycone libres.

Exemples d'hétérosides végétaux :

– L'*amygdaline*

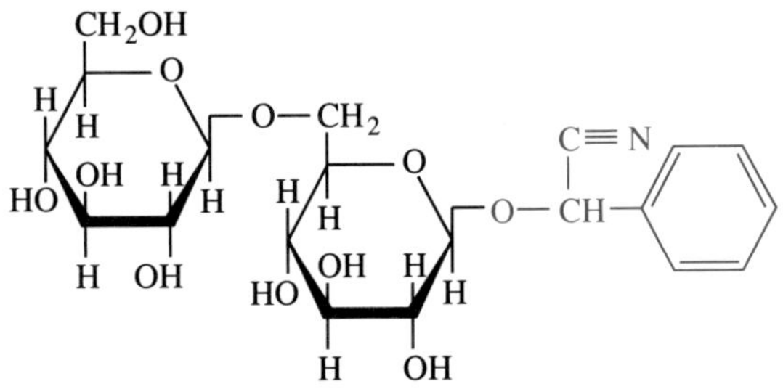

se trouve dans les amandes amères et dans les noyaux de certains fruits; la partie glucidique est le gentiobiose et l'aglycone est la cyanhydrine du benzaldéhyde.

– La *coniférine*

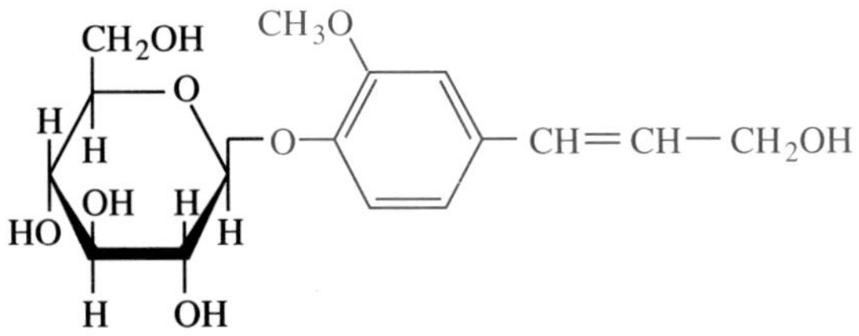

est un β-(D)-glucopyranoside, dont l'aglycone (on dit parfois *« aglucone »* lorsque le glucide est le glucose) est l'alcool coniférylique; elle est présente dans la sève des conifères.

## *Acides nucléiques*

**22.21** Les N-hétérosides dans lesquels la partie glucidique correspond au (D)-Ribose ou au désoxy-2 (D)-Ribose, et l'aglycone à diverses bases hétérocycliques du groupe de la pyrimidine et de la purine [21.9] sont d'une très grande importance biologique. On les appelle *ribonucléosides* ou *désoxyribonucléosides.*

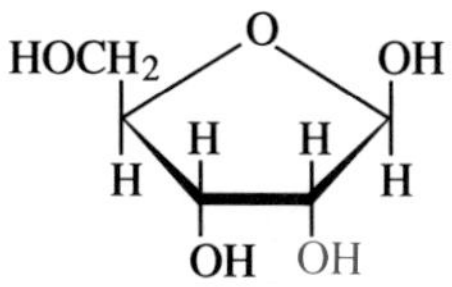

(D)–Ribose (forme furanose)

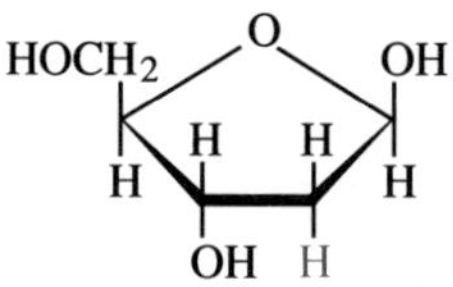

Désoxy–(D)–Ribose (forme furanose)

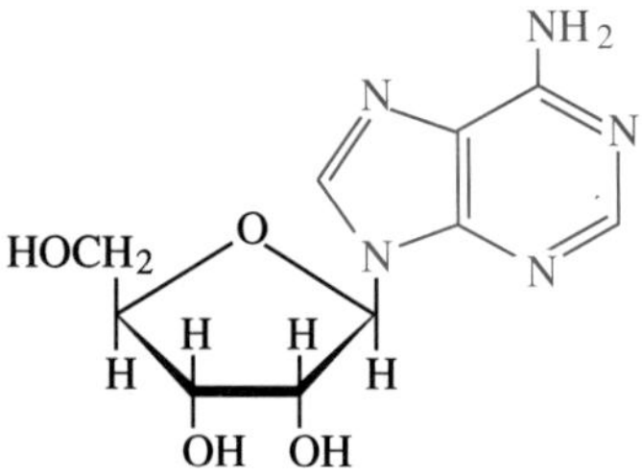

L'adénosine,un ribonucléoside dont la base azotée est l'adénine

Les acides ribonucléique (ARN) et désoxyribonucléique (ADN) présents dans le noyau des cellules vivantes sont formés de la réunion d'un très grand nombre (3 000 à 10 millions) de tels hétérosides, la liaison entre les cycles étant assurée par de l'acide phosphorique qui estérifie les fonctions alcool des carbones 3 et 5; on appelle « nucléotide » chaque motif complet comportant un groupe phosphate, un cycle glucidique et une base azotée. La masse moléculaire de telles chaînes peut varier de 1 million à 4 milliards, et ces molécules peuvent être « vues » individuellement au microscope électronique.

nucléotide

... Glucide — Phosphate — Glucide — Phosphate — Glucide — ...
Base | Base | Base

Schéma de la constitution d'un acide nucléique

HO—P—O—$CH_2$ ... (Base) ... HO—P—O—$CH_2$ ... (Base)

Fragment de la chaîne d'un acide désoxyribonucléique

Tous les cycles glucidiques d'un acide nucléique donné ne portent pas la même base azotée et, bien qu'on ne connaisse que quatre types de bases dans ces composés (adénine, guanine, cytosine et thymine), il y a évidemment de très nombreuses structures possibles, se différenciant aussi bien par la proportion relative de chaque base azotée que par l'ordre dans lequel elles se succèdent le long de la chaîne.

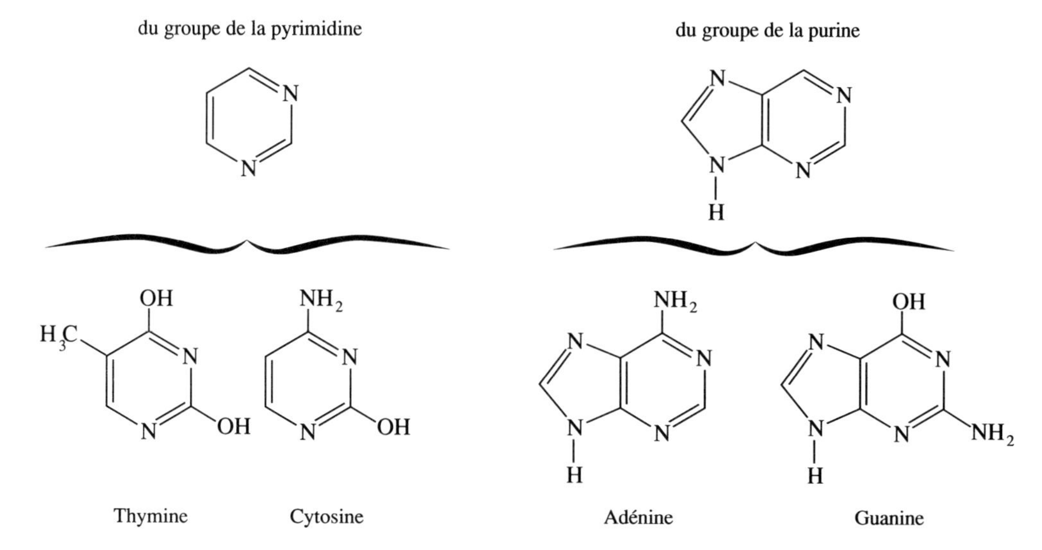


L'uracile, qui se rencontre également dans l'ARN, correspond à la thymine mais sans le groupe méthyle.

Pour une espèce donnée, la nature et les proportions de chaque base sont déterminées, mais l'ordre dans lequel elles sont disposées sur les motifs glucidiques peut donner lieu à un nombre fantastique de combinaisons (rappelons qu'il peut y avoir jusqu'à 10 millions de ces motifs), ce qui laisse la possibilité d'une spécificité également au niveau de l'individu.

Par association de ces acides désoxyribonucléiques avec des protéines [23.12] se forment les désoxyribonucléoprotéines dont sont constitués les chromosomes, et qui jouent un rôle essentiel dans la biosynthèse de protéines spécifiques à l'espèce et à l'individu. Les acides désoxyribonucléiques sont ainsi le support des informations génétiques.

## EXERCICES

***22-a*** Représenter en projection de Fischer le maltose et le cellobiose.

***22-b*** Comment peut-on faire la synthèse de l'acide tartrique, à partir du (D)-glycéraldéhyde? Le produit obtenu est-il optiquement actif? Qu'y aurait-il de changé si l'on partait de (L)-glycéraldéhyde?

***22-c*** Quel est le résultat de l'action de l'hydroxylamine sur le glycéraldéhyde?

***22-d*** Sachant que le (D)-érythrose (qui est un aldotétrose) est oxydable en acide méso-tartrique, quelle est la configuration absolue de ses deux carbones asymétriques?

***22-e*** Combien obtient-on d'aldotétroses en appliquant la méthode de Kiliani au (+)-(D)-glycéraldéhyde? Combien obtient-on d'aldopentoses en l'appliquant de nouveau à ces aldotétroses, puis d'aldohexoses en l'appliquant encore à chacun de ces aldopentoses? Dresser, à la façon d'un arbre généalogique, un tableau de filiation de tous ces composés, en indiquant leur configuration (Fischer). (On raisonnera uniquement sur des structures ouvertes.)

# LE PAPIER ET LE CARTON

22.22 Le papier et le carton, présents dans d'innombrables circonstances de la vie quotidienne, sont les produits d'une industrie très ancienne mais très évolutive, mettant en œuvre des technologies très avancées et s'appuyant sur une recherche, fondamentale et appliquée, très active (la moitié des sortes de papier actuellement utilisées n'existaient pas une dizaine d'années auparavant).

Le papier a été inventé en Chine, au début du 2e siècle. On broyait des bambous dans de l'eau, puis on étendait en une couche mince la pâte ainsi obtenue et on la laissait sécher. Les Arabes, au 8e siècle, utilisèrent d'une façon analogue le lin, le chanvre et le coton (le «papier de soie» date de cette époque).

Il a été introduit en Europe au 12e siècle, et dès le 13e siècle étaient construits en France les premiers «moulins à papier» (appellation due au fait que les pilons destinés à broyer les fibres étaient entraînés par une roue à aubes hydraulique). Au 17e siècle la production française de papier était la plus importante d'Europe et la première «machine à papier» fonctionnant en continu a été inventée par le Français Louis-Nicolas Robert en 1798. En 1994, la production mondiale de papiers et cartons a été de 268 millions de tonnes, et la France y a contribué pour 8 millions de tonnes. L'industrie française des papiers et cartons (huitième rang mondial) emploie 27000 personnes, dans 146 usines possédant un parc total de 240 machines, et elle a réalisé en 1994 un chiffre d'affaires de 35 milliards de francs.

Les papiers et cartons sont utilisés dans de très nombreux domaines : communication écrite (papiers à écrire ou à photocopier, journaux, périodiques, livres, affiches, ...), emballage, protection et conservation, arts graphiques, usages domestiques et sanitaires, usages industriels divers, etc. La consommation par an et par habitant en France est passée de 116 kg en 1980 à 160 kg en 1994 (20e rang mondial, les USA arrivant en tête avec 317 kg par habitant). Cet accroissement concerne principalement le papier-journal et les papiers ou dérivés à usage domestique ou sanitaire (mouchoirs, essuie-mains, couches, etc.), mais le développement de la bureautique et de l'informatique entre aussi pour une part importante dans cette croissance.

Pour répondre à des besoins et des exigences très divers (par exemple, papier pour chèques infalsifiables ou pour stérilisation, papier antiglisse ou antistatique, papier à cigarettes, etc.) le papier doit présenter des caractéristiques mécaniques et physicochimiques très diverses et parfois très particulières (indéchirabilité, porosité ou imperméabilité aux gaz ou aux liquides, souplesse ou rigidité, transparence ou opacité aux rayons ultraviolets, ...). C'est en fait souvent un produit complexe, comportant des additifs très variés (polychlorure de vinyle, silicones, résines, bitume, etc.), et dont la fabrication requiert des technologies sophistiquées.

Mais le principe de base de cette fabrication n'a pas vraiment varié depuis dix-huit siècles. Elle comporte trois phases principales :

– **Préparation de la pâte** : formée de fibres cellulosiques en suspension dans de l'eau, elle était préparée autrefois à partir de textiles cellulosiques (coton, lin) usagés, mais ce procédé est réservé maintenant à la fabrication de papiers de luxe.

La matière première usuelle est le bois de résineux ou de feuillus (cimes et branches, chutes de scierie, petits bois provenant d'arbres coupés pour l'entretien des forêts), dont il faut séparer la cellulose (parties tendres) de la lignine (parties dures). Ce résultat est obtenu soit par un procédé mécanique, en râpant le bois sur de très grosses meules tournantes en présence d'eau, soit chimiquement, par «cuisson» du bois en présence de réactifs divers (bisulfite, soude) vers 170 °C. On peut aussi réutiliser («recycler») de vieux papiers récupérés, qui fournissent directement une pâte cellulosique sans lignine, et les papiers et cartons récupérés fournissent actuellement 47 % de la matière première de l'industrie papetière française. La pâte subit ensuite un traitement de blanchiment, par le peroxyde d'hydrogène («eau oxygénée»), le dioxygène ou l'ozone, puis un raffinage au cours duquel lui sont incorporés divers additifs (colle, charge, colorants, etc.).

– **Formation de la feuille** : la pâte est étendue en un mince tapis sur une toile sans fin horizontale, entraînée par des cylindres et se déplaçant longitudinalement à grande vitesse. L'eau qu'elle contient est alors éliminée par égouttage, aspiration et pressage et l'épaisseur de la couche de pâte diminue progressivement, en même temps que les fibres cellulosiques s'enchevêtrent les unes dans les autres (feutrage). La feuille de papier formée est décollée de la toile, complètement séchée entre des cylindres chauffants, puis enroulée en bobines. Certaines machines modernes, dont la longueur peut atteindre près de deux cents mètres, «sortent» en continu une feuille de 10 m de large, à la vitesse de 1 km à la minute, et les bobines obtenues, qui peuvent peser jusqu'à 30 tonnes, sont ensuite découpées en différentes largeurs selon la destination du papier.

– **Finissage et transformation** : selon l'utilisation prévue, le papier peut subir ensuite des traitements divers : enduction, couchage, calandrage, gaufrage, rainurage, découpage, impression, etc.

Source des informations économiques : *rapport annuel publié par la Confédération française de l'Industrie des Papiers, Cartons et Celluloses.*

# Les acides aminés

# 23

## les protéines

**23.1** Le terme d'acide aminé, ou d'aminoacide, désigne des composés dans la molécule desquels on trouve réunies une fonction amine et une fonction acide carboxylique. Outre que la fonction amine peut être primaire, secondaire ou tertiaire, la position relative des deux fonctions peut varier (acides α-aminés, β-aminés, etc.).

*Exemples :*

$$\underset{\displaystyle NH_2}{R-\overset{}{CH}-CO_2H}$$

Acide α-aminé (amine primaire)

$$\underset{\displaystyle R'}{R-\overset{}{N}-CH_2-CH_2-CO_2H}$$

Acide β-aminé (amine tertiaire)

Parmi toutes les structures possibles, deux présentent un intérêt particulier :

– Les acides ω-aminés primaires, c'est-à-dire comportant une fonction amine primaire à l'extrémité de la chaîne opposée à celle qui porte la fonction acide; leur polycondensation fournit des polyamides synthétiques (textiles artificiels).

*Exemple :* L'acido 11-aminoundécanoïque $H_2N-(CH_2)_{10}-CO_2H$, dont la polycondensation donne le Rilsan [25.8].

– Les acides α-aminés à fonction amine primaire, qui jouent un rôle fondamental dans la constitution des tissus vivants. La suite de ce chapitre leur est exclusivement consacrée.

## 1 — Les acides α-aminés

**23.2** Le type le plus simple et le plus courant des acides α-aminés (ou α-aminoacides) d'importance biologique correspond à la formule générale

$$\underset{\displaystyle NH_2}{R-CH-CO_2H}$$

**Acides α - aminés "neutres"**

|  |  |  |
|---|---|---|
| Glycine (ou glycocolle) | Gly | $H_2N-CH_2-CO_2H$ |
| Alanine | Ala | $CH_3-CH(NH_2)-CO_2H$ |
| Valine | Val | $CH_3-CH(CH_3)-CH(NH_2)-CO_2H$ |
| Leucine* | Leu | $CH_3-CH(CH_3)-CH_2-CH(NH_2)-CO_2H$ |
| Isoleucine* | Ileu | $CH_3-CH_2-CH(CH_3)-CH(NH_2)-CO_2H$ |
| Sérine | Ser | $HOCH_2-CH(NH_2)-CO_2H$ |
| Thréonine* | Thr | $CH_3-CH(OH)-CH(NH_2)-CO_2H$ |
| Méthionine* | Met | $CH_3-S-CH_2-CH_2-CH(NH_2)-CO_2H$ |
| Cystéine | Cys | $HS-CH_2-CH(NH_2)-CO_2H$ |
| Proline | Pro | pyrrolidine (N–H) portant $CO_2H$ en α |
| Phénylalanine* | Phe | $C_6H_5-CH_2-CH(NH_2)-COOH$ |
| Tyrosine | Tyr | $HO-C_6H_4-CH_2-CH(NH_2)-COOH$ |
| Tryptophane* | Try | indolyle (N–H)$-CH_2-CH(NH_2)-COOH$ |

**Acides α - aminés "acides"**

|  |  |  |
|---|---|---|
| Acide aspartique | Asp | $HO_2C-CH_2-CH(NH_2)-CO_2H$ |
| Acide glutamique | Glu | $HO_2C-CH_2-CH_2-CH(NH_2)-CO_2H$ |

**Acides α - aminés "basiques"**

|  |  |  |
|---|---|---|
| Lysine* | Lys | $H_2N-(CH_2)_4-CH(NH_2)-CO_2H$ |
| Arginine | Arg | $H_2N-C(=NH)-NH-(CH_2)_3-CH(NH_2)-CO_2H$ |
| Histidine | His | imidazolyle (N–H)$-CH_2-CH(NH_2)-CO_2H$ |

**Acides α - aminés carbonylés (amidoacides)**

|  |  |  |
|---|---|---|
| Asparagine | Asn | $H_2N-CO-CH_2-CH(NH_2)-COOH$ |
| Glutamine | Gln | $H_2N-CO-CH_2-CH_2-CH(NH_2)-COOH$ |

*Tableau 23.1 — Les vingt aminoacides constituants principaux des protéines naturelles.*

**Les aminoacides sont dits « neutres » s'ils possèdent autant de fonctions acide que de fonctions amine, « acides » s'ils possèdent plus de fonctions acide que de fonctions amine, et « basiques » s'ils possèdent plus de fonctions amine que de fonctions acide. Dans la deuxième colonne figurent les abréviations usuelles par lesquelles on les désigne. Les aminoacides marqués d'un * sont les aminoacides « essentiels » : l'organisme humain ne peut pas en faire la synthèse, et ils doivent donc nécessairement lui être apportés par l'alimentation.**

mais certains, de structure plus complexe, comportent soit deux fonctions amine et une fonction acide (acides aminés « basiques »), soit deux fonctions acide et une fonction amine (acides aminés « acides »).

La plupart des aminoacides importants portent un nom particulier, par lequel ils sont toujours désignés; il n'y a donc pas lieu d'envisager des règles de nomenclature systématique.

## *Synthèse*

Certaines méthodes de synthèse des aminoacides sont empruntées aux réactions classiques de création des fonctions amine et acide, d'autres sont spécifiques.

### 23.3 **Amination d'un acide α-halogéné** [17.14].

$$\underset{\text{Acide monochloracétique}}{NH_3 + ClCH_2{-}CO_2H} \rightarrow \underset{\text{Glycine}}{H_2N{-}CH_2{-}CO_2H} + HCl$$

Afin d'éviter que la fonction amine primaire ainsi formée ne réagisse à nouveau avec l'acide halogéné, se transformant alors en amine secondaire ou tertiaire, on peut appliquer la méthode de Gabriel, déjà signalée pour la préparation des amines simples [17.14], en remplaçant l'ammoniac par le phtalimide :

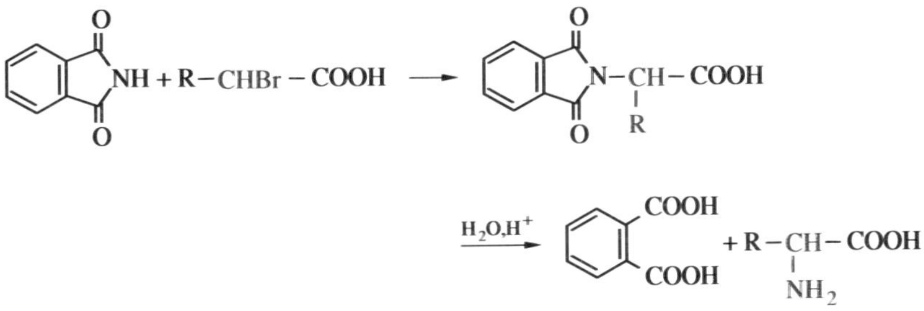

$$C_6H_4(CO)_2NH + R{-}CHBr{-}COOH \longrightarrow C_6H_4(CO)_2N{-}CH(R){-}COOH$$

$$\xrightarrow{H_2O,H^+} C_6H_4(COOH)_2 + R{-}CH(NH_2){-}COOH$$

### 23.4 **Amination réductive d'un α-cétoacide** [17.16].

$$CH_3{-}\underset{\underset{O}{\|}}{C}{-}COOH \xrightarrow[Ni]{NH_3,\ H_2} CH_3{-}\underset{\underset{NH_2}{|}}{CH}{-}COOH$$

### 23.5 **Réaction de Strecker**

Elle consiste à faire réagir sur un aldéhyde ou une cétone de l'ammoniac et de l'acide cyanhydrique. Dans un premier stade il se forme un amino-nitrile, dont l'hydrolyse donne l'aminoacide correspondant :

*Exemple :*

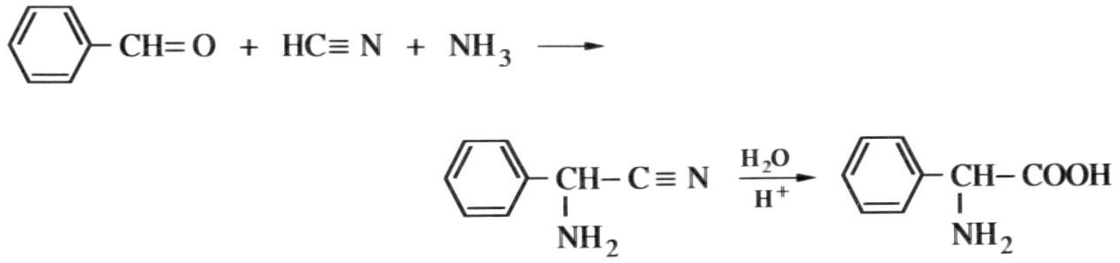

$$C_6H_5{-}CH{=}O + HC{\equiv}N + NH_3 \longrightarrow$$

$$C_6H_5{-}\underset{\underset{NH_2}{|}}{CH}{-}C{\equiv}N \xrightarrow[H^+]{H_2O} C_6H_5{-}\underset{\underset{NH_2}{|}}{CH}{-}COOH$$

**Phénylglycine**

D'autres méthodes spécifiques de synthèse des aminoacides ont été mises au point (synthèse phtalimidomalonique, synthèse par les azlactones) mais leur description ne peut être envisagée ici.

### *Configuration*

**23.6** Mis à part le cas de la glycine, les α-aminoacides possèdent un carbone asymétrique en α de la fonction acide, et sont donc optiquement actifs, avec une forme dextrogyre et une forme lévogyre.

Les aminoacides qui jouent un rôle dans les processus biologiques ont tous la même configuration absolue, et appartiennent à la « série L » par référence au (−)-(L)-glycéraldéhyde [3.16].

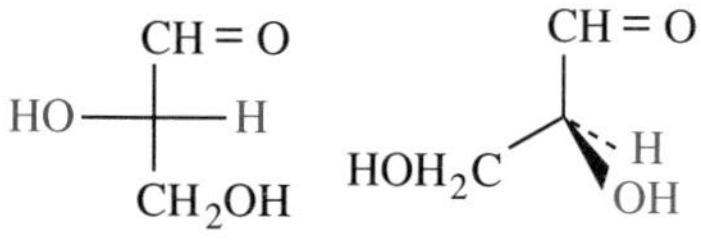

CH=O / HO—C—H / $CH_2OH$ ; CH=O / $HOH_2C$—C(H)(OH)

(−)-(L)-Glycéraldehyde

COOH / $H_2N$—C—H / R ; COOH / R—C(H)($NH_2$)

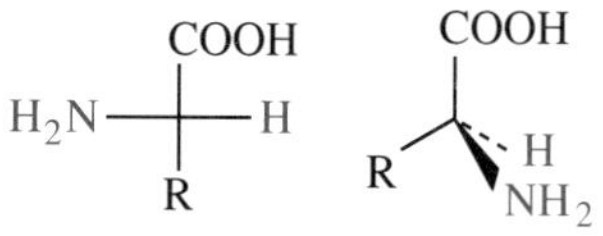

(L)-Aminoacide

Cette identité de configuration absolue ne permet pas de préjuger du signe du pouvoir rotatoire, qu'il convient donc de préciser dans chaque cas, selon la notation habituelle.

*Exemples :* (+)-(L)-Alanine (dextrogyre), (−)-(L)-Leucine (lévogyre).

### *23-A*

*Vérifiez que le (L)-Glycéraldéhyde et un (L)-amino-acide ont effectivement la même configuration absolue (ce n'est pas évident, puisque tous les substituants du carbone asymétrique sont différents, sauf* H *...). Quelle est cette configuration?*

### *Propriétés acidobasiques*

**23.7** Un aminoacide contient deux groupements « antagonistes », l'un étant acide (donneur de $H^+$), l'autre basique (accepteur de $H^+$). En milieu basique la fonction acide est dissociée (neutralisée) :

$$H_2N-\underset{\displaystyle R}{\underset{|}{C}H}-COOH \underset{}{\overset{OH^-}{\rightleftarrows}} H_2N-\underset{\displaystyle R}{\underset{|}{C}H}-COO^- + H_2O$$

et en milieu acide la fonction amine est « salifiée » [17.5] :

$$H_2N-\underset{\displaystyle R}{\underset{|}{C}H}-COOH \overset{H^+}{\rightleftarrows} H_3\overset{+}{N}-\underset{\displaystyle R}{\underset{|}{C}H}-COOH$$

En outre, différentes raisons conduisent à penser qu'un aminoacide se trouve, de façon habituelle et prépondérante, sous la forme d'un ion dipolaire, résultant d'un transfert de $H^+$ entre les deux fonctions, c'est-à-dire d'une sorte de neutralisation « interne ». On appelle cet ion bipolaire *« zwitter-ion »* ou *« sel interne »* :

$$H_3\overset{+}{N}-\underset{\displaystyle R}{\underset{|}{C}H}-COO^-$$

Les aminoacides présentent, en effet, des caractères physiques plus en accord avec une structure ionique que purement covalente : état cristallin, point de fusion élevé, solubilité dans l'eau, insolubilité dans l'éther.

### 23-B

*Que pensez-vous de la possibilité d'un transfert réellement intramoléculaire d'un proton dans un acide α-aminé, sachant qu'un proton peut être échangé entre deux sites mais ne peut se trouver libre? Quel autre schéma pourrait-on proposer?*

Les différents équilibres auxquels donne lieu un aminoacide en solution peuvent se résumer ainsi :

| *Milieu acide* | | | | *Milieu basique* |
|---|---|---|---|---|
| $H_3\overset{+}{N}-CH(R)-COOH$ | $\underset{OH^-}{\overset{H^+}{\rightleftharpoons}}$ | $[H_2N-CH(R)-COOH \rightleftharpoons H_3\overset{+}{N}-CH(R)-COO^-]$ | $\underset{H^+}{\overset{OH^-}{\rightleftharpoons}}$ | $H_2N-CH(R)-COO^-$ |
| acide conjugué | | ion dipolaire (neutre) | | base conjuguée |

### 23-C

*La forme protonée d'un amino-acide, en milieu acide, comporte deux groupements acides : ______ et ______; lorsqu'on rend le milieu basique, ces deux groupements cèdent un ______ à la base, mais le premier à le faire est le groupe ______. ______ est donc plus acide que ______. Inversement, la forme anionique existant en milieu basique comporte deux groupements basiques : ______ et ______; lorsqu'on rend le milieu acide, ces deux groupes ______ un proton, mais le premier à le faire est le groupe ______. ______ est donc moins basique que ______.*

### 23-D

*Que peut-on prévoir quand à la proportion de forme dipolaire dans l'équilibre*

$$H_2N-C_6H_4-COOH \rightleftharpoons H_3\overset{+}{N}-C_6H_4-COO^-$$

*par rapport au cas d'un acide aminé acyclique ?*

L'équilibre entre la molécule et l'ion dipolaire est indépendant du pH puisque cette transformation, purement interne, ne fait pas appel aux ions $H^+$ du milieu. Mais les équilibres entre l'aminoacide et son acide ou sa base conjugués sont sous la dépendance du pH de la solution. En milieu fortement basique la formation de la base conjuguée (anion) est favorisée, tandis que celle de l'acide conjugué (cation) l'est en milieu fortement acide.

Il existe, par suite, une valeur du pH pour laquelle la concentration en cation et en anion est la même. Cette valeur définit le **point isoélectrique** de l'aminoacide; elle correspond en outre, habituellement, à un minimum de la solubilité dans l'eau.

Cette appellation de *point isoélectrique* trouve sa justification dans le comportement d'une solution d'aminoacide, pour différentes valeurs du pH, lors d'une électrolyse. En milieu basique, l'aminoacide est principalement sous la forme de l'anion $H_2N{-}CHR{-}COO^-$ et on observe donc une migration vers l'anode. En milieu acide, il est principalement sous la forme du cation $H_3\overset{+}{N}{-}CHR{-}COOH$ et la migration s'effectue vers la cathode. Au point isoélectrique, les concentrations de ces deux sortes d'ions sont égales et, à condition que leurs mobilités soient égales, on n'observe globalement aucun transfert préférentiel vers l'une des électrodes.

Ces comportements sont mis à profit dans la séparation analytique des aminoacides par *électrophorèse.*

La valeur du pH correspondant au point isoélectrique dépend du rapport entre la force des deux fonctions acide et basique, variable selon la structure générale de la molécule.

*Tableau 23.2 — Valeur du* pH *au point isoélectrique pour quelques aminoacides.*

| | pH | | pH |
|---|---|---|---|
| Glycine | 6,0 | Proline | 6,3 |
| Alanine | 6,0 | Acide aspartique | 2,8 |
| Sérine | 5,7 | Acide glutamique | 3,2 |
| Thréonine | 5,6 | Lysine | 9,6 |
| Cystéine | 5,1 | Arginine | 11,2 |

## *Propriétés chimiques*

**23.8** Certaines propriétés sont purement et simplement celles que possèdent habituellement les groupes $-NH_2$ et $-COOH$ :

La *fonction acide* donne des sels en présence de bases, des esters par réaction avec un alcool, et peut être transformée, de la manière habituelle [19.16] en chlorure d'acide.

La *fonction amine primaire* réagit avec les chlorures d'acide en donnant un amide [17.10] :

$$H_2N{-}\underset{\displaystyle R}{\underset{|}{C}H}{-}COOH + R'{-}COCl \rightarrow R'{-}CONH{-}\underset{\displaystyle R}{\underset{|}{C}H}{-}COOH$$

et avec l'acide nitreux (réaction de diazotation et de désamination nitreuse, [17.12]) :

$$H_2N{-}\underset{\displaystyle R}{\underset{|}{C}H}{-}COOH \xrightarrow{HNO_2,\ H^+} HO{-}\underset{\displaystyle R}{\underset{|}{C}H}{-}COOH + N_2\nearrow + 2\,H_2O$$

(une mesure du volume d'azote dégagé constitue un dosage commode des aminoacides dans un mélange, méthode de Van Slyke).

D'autres propriétés résultent de la coexistence et de la proximité des deux fonctions, et sont donc spécifiques des α-aminoacides. Tel est le cas de la formation de divers dérivés cycliques.

### *Lactames. Dicétopipérazines*

**23.9** Les acides γ-aminés donnent lieu à une réaction interne analogue à celle qui transforme les acides γ-alcools en lactones [20.25]; le dérivé cyclique est ici un *lactame* :

$$H_2N-CH_2-CH_2-CH_2-COOH \longrightarrow \text{(cycle à 5 : } -NH-CO- \text{)} {=}O + H_2O$$

Lactame

mais les lactames d'acides α et β aminés correspondraient à des cycles à trois ou quatre atomes, dont la stabilité est fortement diminuée par la contrainte géométrique (on pourra cependant noter la présence d'un cycle β-lactame dans la formule de la pénicilline [21.11]). C'est pourquoi les acides α-aminés, comme les acides α-alcools, donnent plutôt un dérivé cyclique résultant de la condensation de deux molécules l'une sur l'autre, appelé dicétopipérazine :

$$R-CH\begin{matrix} \diagup NH_2 \\ \diagdown COOH \end{matrix} + \begin{matrix} HOOC\diagdown \\ H_2N\diagup \end{matrix}CH-R \rightarrow R-CH\begin{matrix} \diagup NH-CO \diagdown \\ \diagdown CO-NH \diagup \end{matrix}CH-R$$

Dicétopipérazine

## 2 — Protéines et peptides

**23.10** Les protéines sont les constituants essentiels de nombreux tissus vivants, végétaux ou animaux (protéines fibreuses formant la peau, les muscles, les cheveux, la soie, la laine...) et, en outre, jouent souvent un rôle primordial dans divers processus vitaux (enzymes, hormones, protéines globulaires comme l'hémoglobine, l'albumine, les protéines du plasma sanguin, protéines participant au déterminisme génétique).

Elles résultent de la condensation d'un grand nombre de molécules d'aminoacides, selon le schéma

$$H_2N-\underset{R}{\underset{|}{CH}}-COOH + H_2N-\underset{R'}{\underset{|}{CH}}-COOH + H_2N-\underset{R''}{\underset{|}{CH}}-COOH + \text{etc.}$$

$$\rightarrow H_2N-\underset{R}{\underset{|}{CH}}-CO-NH-\underset{R'}{\underset{|}{CH}}-CO-NH-\underset{R''}{\underset{|}{CH}}-CO-... + nH_2O$$

conduisant à des chaînes plus ou moins longues, linéaires ou cycliques. La liaison —CO—NH—, qui constitue le groupement caractéristique de ces enchaînements est appelée « *liaison peptidique* ».

Les peptides ont une structure analogue, mais correspondent à la condensation d'un nombre plus limité d'aminoacides et il n'y a donc pas de différence essentielle entre eux et les protéines, si ce n'est la masse moléculaire. On fixe, de façon arbitraire, la limite entre peptides et protéines à une masse moléculaire de 10 000, celle des protéines pouvant atteindre plusieurs dizaines de millions.

On appelle dipeptide, tripeptide ... polypeptide les peptides résultant de la condensation de deux, trois ... *n* acides aminés; les protéines sont donc des polypeptides particulièrement complexes.

Les diverses protéines et les divers peptides se différencient par :

– le nombre de molécules d'aminoacides qui les constituent;
– la nature des groupes R portés latéralement par la chaîne principale;
– l'ordre dans lequel se succèdent ces groupes R.

En outre, certaines protéines, dites «*protéines conjuguées*», comportent, indépendamment de la chaîne peptidique habituelle, un groupe de nature totalement différente, appelé «*groupe prosthétique*». C'est le cas, par exemple, des nucléoprotéines présentes dans le noyau des cellules, dont le groupe prosthétique est un acide nucléique [22.21]. Les vitamines constituent parfois le groupe prosthétique de protéines conjuguées.

Bien que le nombre de types différents d'aminoacides entrant dans la constitution des protéines soit restreint (une vingtaine d'aminoacides courants, regroupés dans le tableau 23.1, quelques dizaines d'autres beaucoup plus rares), la diversité des protéines est pratiquement infinie, compte tenu du très grand nombre d'arrangements possibles de ces motifs élémentaires. Pour un polypeptide formé par la condensation de dix molécules d'aminoacides toutes différentes, le nombre d'arrangements possibles est (10!) = 3 628 800. Le nombre d'arrangements pour une protéine correspondant à plusieurs centaines d'aminoacides de 15 ou 20 types différents (cas le plus fréquent) est inimaginable et ceci permet de comprendre que, malgré la faible diversité des matériaux de base, chaque espèce et même chaque individu peut avoir ses protéines spécifiques.

Chaque organisme individuel édifie ses propres protéines à partir de celles qui se trouvent dans ses aliments, préalablement dégradées au cours de la digestion en acides aminés, qui sont ensuite recondensés en nombre et dans l'ordre voulus.

En définitive, la source unique de protéines est constituée par les plantes qui, seules, sont capables d'en faire la synthèse à partir de $CO_2$ et $H_2O$ de l'atmosphère et de l'azote du sol (Photosynthèse).

## *Nomenclature et représentation*

**23.11** On nomme les protéines en les considérant comme formées par substitution progressive à partir de l'acide aminé qui a conservé son groupe —COOH libre.

Quelques exemples simples :

$$H_2N-CH_2-CO \vdots NH-\underset{\displaystyle CH_3}{\underset{|}{CH}}-COOH$$

Glycyl-alanine (dipeptide)

$$HO_2C-\underset{\displaystyle NH_2}{\underset{|}{CH}}-CH_2-CH_2-CO \vdots NH-\underset{\displaystyle CH_2SH}{\underset{|}{CH}}-CO \vdots NH-CH_2-COOH$$

Glutamyl-cystéinyl-glycine (tripeptide)

On les représente conventionnellement d'une manière simplifiée en désignant chaque fragment $\vdots NH-CH(R)-CO \vdots$ par une abréviation du nom de l'aminoacide correspondant (cf. tableau 23.1).

Entre ces abréviations on place une flèche qui, par convention, est orientée du —CO— vers le —NH— de la liaison qu'elle représente (ces flèches indiquent donc aussi le sens dans lequel on énumère les restes d'aminoacides pour former le nom du peptide). Enfin, il convient d'ajouter H et OH aux extrémités du schéma ainsi élaboré.

Les deux peptides cités plus haut se représenteraient donc ainsi :

$$H-Gly \rightarrow Ala-OH \qquad H-Glu \rightarrow Cys \rightarrow Gly-OH$$

Le schéma ci-dessous représente un peptide plus complexe, l'oxytocine

```
         Ileu← Tyr← Cys
          ↓          |
H2N—Glu→Asp→CyS→Pro→Leu→Gly—NH2
           |
          NH2
```

## *Détermination de la structure des protéines*

**23.12** L'hydrolyse complète d'un peptide ou d'une protéine les dégrade en acides aminés qui peuvent être séparés et identifiés. Mais il est beaucoup plus difficile de déterminer dans quel ordre ils étaient liés les uns aux autres dans la chaîne initiale. Ce point peut être élucidé en dégradant la chaîne avec plus de précautions et en identifiant à chaque stade la nature des groupements terminaux par fixation sur eux, avant hydrolyse, d'un groupe étranger grâce auquel on pourra ensuite les retrouver dans les produits d'hydrolyse.

La structure des protéines est parfois extrêmement complexe. Ainsi le virus de la mosaïque du tabac est une nucléoprotéine dont la masse moléculaire avoisine 40 millions, et dont la composition correspond à 95 % de protéine et 5 % d'acide ribonucléique (ARN); sa partie protéinique est formée d'un agrégat de 2 200 chaînes identiques, comportant chacune 158 aminoacides (arrangés selon un ordre qui est connu) et d'une masse moléculaire de 18 000.

## *Synthèse des protéines*

**23.13** La preuve définitive de la structure d'un peptide ou d'une protéine s'obtient en faisant sa synthèse à partir d'aminoacides. Il s'agit d'une entreprise très difficile, car si l'on condense « en vrac » des aminoacides différents on obtient un mélange de composés de masse moléculaire très variable, et dans lesquels les différents aminoacides sont distribués au hasard. Pour obtenir un arrangement déterminé, il faut procéder par étapes, et introduire les aminoacides l'un après l'autre. En outre, pour être certain que l'aminoacide réagit sur l'extrémité voulue de la chaîne, et qu'une seule molécule réagit, il est nécessaire de bloquer provisoirement l'une des fonctions terminales de la chaîne et l'une des fonctions de l'aminoacide (par exemple bloquer la fonction acide libre de la chaîne et la fonction amine de l'aminoacide, si l'on désire qu'il réagisse par sa fonction acide sur l'extrémité amine de la chaîne), puis libérer l'une des fonctions terminales et recommencer avec un autre aminoacide.

La plus grande difficulté est d'obtenir un rendement suffisant à chaque étape car, même si le rendement de chaque étape est de 90 %, après dix étapes le rendement global n'est plus que de $(0{,}9)^{10} = 0{,}36$ et après 100 étapes il n'est plus que de 0,000 03.

La prodigieuse supériorité de la nature en ce domaine est manifeste : la synthèse d'une hormone comportant 39 aminoacides (hormone adrenocorticotropique) a nécessité le travail d'une équipe de chercheurs pendant plusieurs années, alors que la biosynthèse d'une protéine correspondant à une masse moléculaire de 100 000 est réalisée dans l'organisme par des réactions enzymatiques en deux minutes. La spécificité de ces synthèses, pour chaque espèce et chaque individu provient du rôle que jouent dans ce processus les acides ribonucléique et désoxyribonucléique [22.21] porteurs du « code génétique » qui traduit les caractères héréditaires.

## Conformation des chaînes peptidiques

**23.14** Les déterminations chimiques, confirmées par la synthèse, permettent de connaître la nature et l'arrangement des acides aminés constituant une chaîne peptidique, c'est-à-dire sa *structure primaire.*

La géométrie de ces longues chaînes constitue leur *structure secondaire.* Elles sont enroulées en hélices, dont chaque spire comporte environ quatre liaisons peptidiques, donc environ quatre aminoacides, leurs groupes R étant tournés vers l'extérieur de cette sorte de « solénoïde ».

Le sens d'enroulement correspond à celui d'une vis filetée « à droite » (hélice α), et cette conformation particulière est maintenue par des liaisons hydrogène s'établissant entre un groupe C=O et un groupe N—H d'une spire à la suivante, parallèlement à l'axe principal de l'hélice.

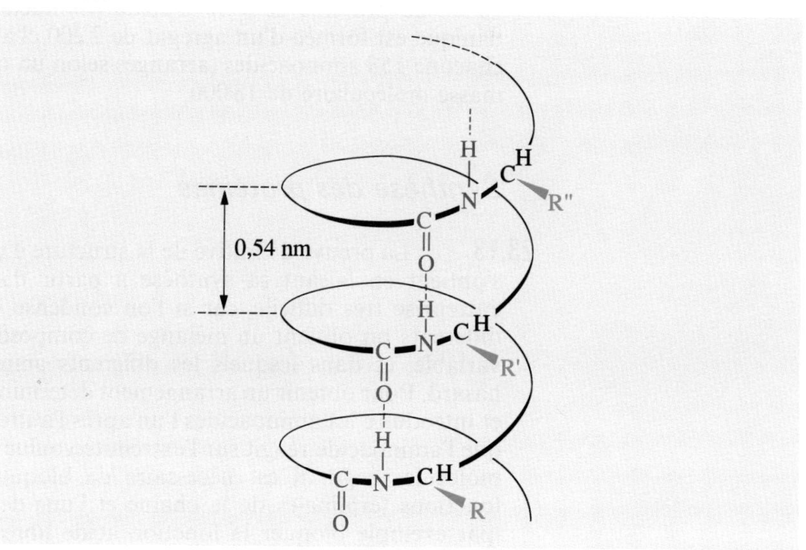


*Figure 23.1 — La structure en hélice des protéines.*
Toutes les protéines ont la même chaîne principale, constituée par la répétition n fois du motif —CO—NH—CH(R)—; les groupes R, qui seuls varient, sont latéraux par rapport à cette chaîne. Les protéines adoptent donc toutes la même conformation en hélice. Le nombre de motifs par « spire » est toujours le même (3,6); il résulte d'une optimisation de la géométrie pour permettre la formation de liaisons hydrogène [15.2]. Le « pas » est également toujours le même (0,54 nm). Les groupes R sont rejetés à l'extérieur de l'hélice, de sorte que la configuration du carbone asymétrique détermine le sens d'enroulement de l'hélice. Les aminoacides présents dans la nature appartiennent tous à la série L [23.6], et le sens de l'hélice est toujours celui d'un « filetage à droite » (hélice α).

Ces chaînes hélicoïdales sont soit torsadées ensemble comme les torons d'un câble (protéines fibreuses) soit plus ou moins repliées sur elles-mêmes (protéines globulaires). Ces différents arrangements des hélices les unes par rapport aux autres constituent la *structure tertiaire* de la protéine

## *Propriétés des protéines*

**23.15** Les protéines n'ont pas de point de fusion défini et subissent, sous l'action de la chaleur, des transformations diverses irréversibles (« dénaturation »), dont la coagulation du blanc d'œuf à chaud est un exemple. Lorsqu'elles sont solubles, elles ne donnent pas des solutions vraies mais des solutions colloïdales qui précipitent par addition d'un électrolyte (exemple : précipitation de la caséine en solution colloïdale dans le lait sous l'action des acides).

## *Enzymes*

**23.16** Les enzymes sont les catalyseurs grâce auxquels s'accomplissent dans les organismes vivants les réactions dont dépend leur vie et leur croissance. Ce sont des protéines, mais certains doivent leur activité à un groupe prosthétique, que l'on nomme en ce cas coenzyme.

L'action des enzymes est extrêmement spécifique d'une part à l'égard du type de réaction à effectuer (hydrolyse, réduction, oxydation) et d'autre part de la structure et de la géométrie des substances concernées. Ainsi un enzyme susceptible d'hydrolyser le cellobiose n'hydrolyse pas le maltose, et inversement, alors que ces deux osides ne diffèrent que par la configuration de la liaison glycosidique (cf. chapitre 22). Cette spécificité peut être mise à profit pour déterminer la configuration d'un oside.

Les enzymes assurent le déroulement des réactions dans des conditions beaucoup plus douces qu'au laboratoire, mais le mécanisme de leur activité n'est pas parfaitement connu.

Les toxines, produites par des bactéries pathogènes ou contenues, par exemple, dans le venin de serpents, sont aussi des protéines; mais elles exercent une activité catalytique ayant pour effet de bloquer l'action d'enzymes nécessaires au métabolisme.

***23-a*** Représenter, en projection de Fischer, tous les isomères stériques de la thréonine. La thréonine naturelle appartenant à la série L, combien peut-elle présenter de stéréoisomères? Sont-ils énantiomères ou diastéréoisomères?

***23-b*** Outre la thréonine, quel autre acide aminé présente-t-il également plus de deux stéréoisomères?

***23-c*** Comment peut-on effectuer la synthèse

1) de la valine à partir du 2-méthylpropan-1-ol;
2) de la sérine à partir de $HOCH_2—CHOH—CO_2H$.

***23-d*** Reconstituer l'enchaînement réactionnel suivant, en remplaçant les lettres A, B, C et D par les formules des composés qu'elles représentent :

$$A \xrightarrow{PCl_5} B \xrightarrow{CuC{\equiv}N} C \xrightarrow{H_2O} D \xrightarrow[Ni]{NH_3/H_2} \text{Leucine}$$

***23-e*** Compléter les réactions suivantes :

Glycine + Soude →?
Valine + acide chlorhydrique →?
Leucine + Nitrite de sodium en milieu chlorhydrique →?
Sérine + alcool méthylique →?
Lysine + Pentachlorure de phosphore →?

***23-f*** 23,4 mg d'un aminoacide sont traités, en solution aqueuse, par le nitrite de sodium en milieu chlorhydrique. On obtient un dégagement gazeux de 4,48 $cm^3$ (mesuré à 0° et sous 760 mm de mercure).
– Quel est ce gaz?
– Quelle est la masse moléculaire minimale de cet aminoacide?
– Pourquoi cette masse moléculaire pourrait-elle être plus grande, et quelles seraient ses autres valeurs possibles?

***23-g*** Écrire la structure complète des peptides suivants :

H—Ala→Ser—OH

H—Gly→ILeu→Val→Cys→Ala—OH

H—Ala→Val→Leu→Gly→Gly—OH

***23-h*** L'hydrolyse complète de 100 g d'un polypeptide fournit :

| | |
|---|---|
| Glycine .......... | 3,01 g |
| Alanine .......... | 0,89 g |
| Valine ........... | 3,68 g |
| Isoleucine ........ | 1,28 g |
| Sérine ........... | 7,29 g |
| Proline........... | 6,90 g |
| Arginine ........... | 86,40 g |

– quelle est la proportion relative (en molécules) des divers aminoacides dans ce polypeptide?
– la masse moléculaire de ce polypeptide étant 10 000, quel est le nombre de chaque aminoacide que comporte une molécule?

# Les lipides Les terpènes Les stéroïdes

# 24

Les termes de *« Lipides »*, *« Terpènes »* et *« Stéroïdes »* désignent des classes de composés naturels, abondamment présents dans le règne végétal et le règne animal. Ils présentent entre eux certains apparentements au niveau de leur biogénèse (c'est-à-dire leur synthèse par les organismes vivants) et jouent, à des titres divers, des rôles importants dans de nombreux processus biologiques.

La diversité de ces séries, ainsi que la relative complexité de la chimie correspondante, ne permettront pas — au niveau de ce livre — de dépasser le stade d'une présentation générale, illustrée par les exemples les plus significatifs.

## 1 — Les lipides

Les lipides constituent une classe très hétérogène; en effet il y a peu de rapports entre, par exemple, un *triglycéride* (corps gras) et une *sphingomyéline* (constituant du tissu nerveux), si ce n'est la présence à peu près générale, dans toutes ces molécules, d'acides acycliques à longues chaînes linéaires, dénommés *« acides gras »*.

### *Glycérides. Huiles et graisses*

**24.1** Les corps gras d'origine végétale ou animale (*) (par exemple : beurre, huile d'arachide, huile de lin, ...) sont des triesters du glycérol $HOCH_2—CHOH—CH_2OH$ et d'acides $R—COOH$ acycliques linéaires à longues chaînes; leur formule générale est :

$$\begin{array}{l} CH_2—O—CO—R \\ | \\ CH—O—CO—R' \\ | \\ CH_2—O—CO—R'' \end{array} \quad \text{Triglycéride}$$

(*) Les huiles et graisses utilisées comme lubrifiants (huile de graissage, vaseline) ont une origine « minérale » pétrolière : ce sont essentiellement des mélanges d'hydrocarbures.

Exemples d'acides gras :

| | |
|---|---|
| Acide palmitique ....... | $CH_3-(CH_2)_{14}-COOH$ |
| Acide stéarique ........ | $CH_3-(CH_2)_{16}-COOH$ |
| Acide arachidique ...... | $CH_3-(CH_2)_{18}-COOH$ |
| Acide oléique .......... | $CH_3-(CH_2)_7-CH=CH-(CH_2)_7-COOH$ |
| Acide linolénique ....... | $CH_3-CH_2-(CH=CH-CH_2)_3-(CH_2)_6-COOH$ |

Les acides gras les plus courants comportent un nombre pair d'atomes de carbone, entre 4 et 18.

Les corps gras naturels sont non seulement des triesters mixtes du glycérol (les trois fonctions alcool sont habituellement estérifiées par des acides différents), mais des mélanges de glycérides divers : ainsi dans le beurre interviennent une quinzaine d'acides différents.

L'hydrolyse ou la saponification des corps gras [15.16, 17; 19.12] fournit donc du glycérol (dont c'est une préparation) et un mélange d'acides gras, ou de leurs sels. Les sels de sodium ou de potassium résultant de la saponification par la soude ou la potasse constituent les *savons.*

Les glycérides qui correspondent à des acides gras non saturés sont liquides à la température ordinaire (huiles), alors que ceux qui correspondent à des acides gras saturés sont solides (graisses). Il en résulte que l'hydrogénation catalytique d'une huile, faisant disparaître son caractère insaturé, la transforme en une graisse. Cette opération (*« durcissement des huiles »*) est courammment pratiquée sur des huiles végétales non directement consommables (coton, soya) pour obtenir des margarines, substituts du beurre [9.4]. Outre la valorisation de ces produits, ce traitement a l'avantage de supprimer la tendance au *rancissement;* celui-ci consiste en effet en une oxydation lente par l'oxygène de l'air au niveau des doubles liaisons et il ne peut se produire dans un glycéride saturé.

Dans le cas des huiles contenant une forte proportion d'acides non saturés, l'oxydation conduit, par une sorte de polymérisation, à un durcissement complet, particulièrement rapide si l'huile est étalée sous forme d'un film mince offrant une grande surface de contact avec l'air. Ce phénomène est mis à profit dans la fabrication des peintures « à l'huile », dans la composition desquelles entrent des *huiles « siccatives »*, notamment de l'huile de lin, qui en s'oxydant donnent un film dur et brillant.

## *Cérides. Cires*

**24.2** Les cires sont des esters d'*acides gras* et de *monoalcools*, comportant les uns comme les autres de 16 à 36 atomes de carbone; les acides portent parfois en outre des groupes hydroxyles.

La cire d'abeille est un exemple de cire d'origine animale. La cire de Carnauba est une cire végétale qui constitue une couche protectrice sur les feuilles d'un palmier brésilien et qui est utilisée dans la fabrication de produits d'entretien (sols, carrosseries, ...).

## Lipides complexes

Il s'agit de composés parfois très différents des glycérides, présents dans de nombreux tissus vivants. Il n'est pas possible de faire plus ici que citer, entre autres, deux exemples.

### *Phosphatides (Phospholipides)*

**24.3** Ce sont des dérivés du glycérol dont deux fonctions alcool sont estérifiées par des acides gras (comme dans les glycérides) et la troisième par de l'acide phosphorique; celui-ci estérifie simultanément, par une seconde fonction acide, un aminoalcool dont la fonction amine est parfois « quaternisée », c'est-à-dire transformée en sel d'ammonium quaternaire [17.9].

Lécithine (cerveau)

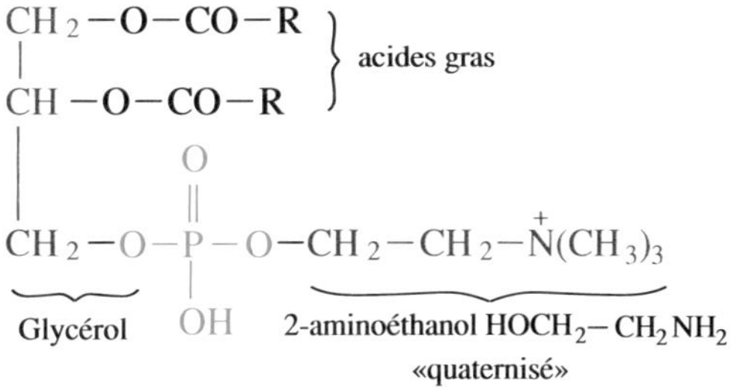

$$\begin{array}{l} CH_2-O-CO-R \\ | \\ CH-O-CO-R \\ | \\ CH_2-O-P(=O)(OH)-O-CH_2-CH_2-\overset{+}{N}(CH_3)_3 \end{array}$$

(acides gras : les deux groupes $-O-CO-R$ ; Glycérol : $CH_2-CH-CH_2$ ; 2-aminoéthanol $HOCH_2-CH_2NH_2$ «quaternisé»)

Céphalines (cerveau, moëlle)

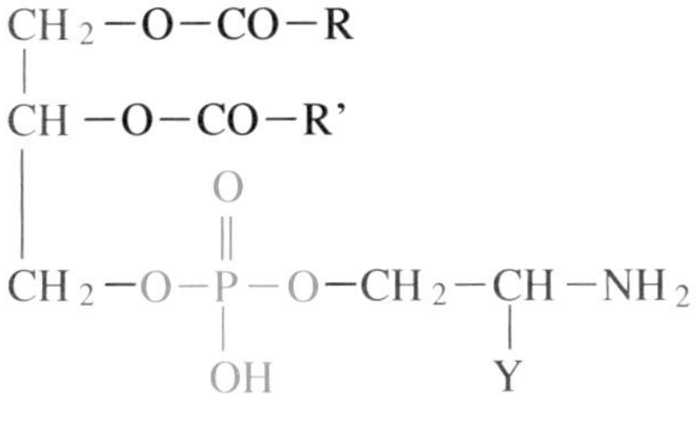

$$\begin{array}{l} CH_2-O-CO-R \\ | \\ CH-O-CO-R' \\ | \\ CH_2-O-P(=O)(OH)-O-CH_2-CH(Y)-NH_2 \end{array}$$

$$Y = \begin{cases} \text{H (2-aminoéthanol)} \\ \text{ou} \\ \text{COOH (sérine, [23.2])} \end{cases}$$

Les *sphingomyélines* sont des phosphatides dans lesquels le rôle du glycérol est tenu par la sphingosine :

Sphingosine $CH_3-(CH_2)_{13}-CH{=}CH-CH(OH)-CH(NH_2)-CH_2OH$

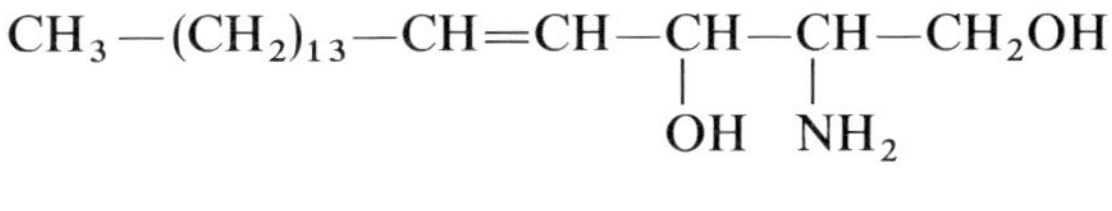

Certains phosphatides comportent en outre des motifs glucidiques.

### *Lipoprotéines*

**24.4** Les lipoprotéines constituent la forme sous laquelle se trouvent les lipides présents dans le plasma sanguin; elles existent également dans le cerveau et les nerfs. Ce sont des associations entre des protéines solubles et des lipides, notamment des phosphatides.

### *Rôle biologique*

**24.5** Les lipides constituent, avec les glucides et les protides, l'une des trois grandes classes d'aliments et, parmi eux, les tryglicérides sont les plus courants (lait et produits laitiers, huiles diverses, ...).

Dégradés par l'organisme en unités à deux carbones (acide acétique), ils fournissent la « matière première » de la biosynthèse de nombreuses substances et, notamment, des stéroïdes [24.13-17].

Les lipides représentent d'autre part dans l'organisme une forme de stockage de l'énergie. Les calories en excès apportées par l'alimentation sont utilisées à la synthèse de graisses qui constituent des réserves sur lesquelles l'organisme peut parfois vivre plusieurs mois (hibernation des animaux). La combustion d'un gramme de lipide fournit en moyenne 38 kilojoules alors que celle d'un gramme de glucide n'en fournit que 17.

Enfin, les lipides interviennent dans de nombreux mécanismes biologiques (fonctionnement de la cellule nerveuse, respiration et oxydation par l'oxygène, etc.).

## 2 — Les terpènes

**24.6** Les terpènes sont présents dans les végétaux, dont ils sont souvent les constituants odoriférants (exemples : térébenthine, camphre, menthol, citronelle, fleurs diverses...) et dont on sait depuis très longtemps les extraire sous la forme des *« huiles essentielles »*.

De nombreux composés terpéniques sont employés en parfumerie ou dans diverses autres industries et d'autre part certains représentants de cette classe jouent des rôles biologiques importants (hormones, vitamines).

Au sens strict, les terpènes sont des hydrocarbures, mais de nombreux dérivés fonctionnels de structure apparentée (alcools, aldéhydes, cétones, acides...) sont également considérés comme des composés terpéniques.

Les *hydrocarbures terpéniques* ont pour formules brutes $C_{10}H_{16}$ (monoterpènes), $C_{15}H_{24}$ (sesquiterpènes), $C_{20}H_{32}$ (diterpènes), $C_{30}H_{48}$ (triterpènes) ou $C_{40}H_{64}$ (tétraterpènes). Certains ont une structure acyclique et comportent le nombre de doubles liaisons correspondant à leur formule brute (par exemple, pour $C_{10}H_{16}$ : trois doubles liaisons; pour $C_{20}H_{32}$ : cinq doubles liaisons, etc.). D'autres comportent un ou plusieurs cycles et un nombre plus réduit de doubles liaisons (par exemple, pour $C_{10}H_{16}$ : un cycle et deux doubles liaisons ou deux cycles et une double liaison; pour $C_{20}H_{32}$ : un cycle et quatre doubles liaisons, ou deux cycles et trois doubles liaisons, ou trois cycles et deux doubles liaisons, etc.).

Les *composés terpéniques oxygénés* ont des chaînes carbonées analogues à celles des hydrocarbures, acycliques ou cycliques, mais sont parfois moins insaturés que les hydrocarbures correspondants (exemple : le menthol $C_{10}H_{19}OH$ [24.8], monocyclique et saturé, qui possède le même squelette que le limonène $C_{10}H_{16}$, monocyclique et diéthylénique).

## *Règle isoprénique*

**24.7** Tous les composés terpéniques se présentent structuralement comme des polymères de l'isoprène

$$CH_2{=}\underset{\displaystyle CH_3}{\underset{|}{C}}{-}CH{=}CH_2 \qquad \text{ou} \qquad (C_5H_8)$$

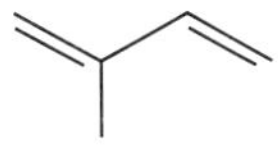

qui n'est cependant pas leur véritable précurseur dans la synthèse qu'en effectue la nature. Il est en effet toujours possible de « découper » la formule développée d'un terpène en « motifs isoprène » (deux pour un monoterpène en $C_{10}$, trois pour un sesquiterpène en $C_{15}$,... huit pour un tétraterpène en $C_{40}$). Les traits pointillés ajoutés à certaines des formules ci-après montrent comment elles peuvent ainsi être « sectionnées » en unités structurales correspondant au squelette de l'isoprène.

On trouvera ci-après une présentation succincte de quelques composés terpéniques représentatifs de chaque type de structure, et de certains termes possédant une particulière importance, industrielle ou biologique.

## *Monoterpènes*

**24.8** Les monoterpènes se rencontrent particulièrement comme constituants odorants des essences végétales.

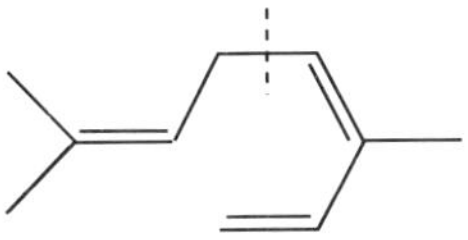

Ocimène (basilic)

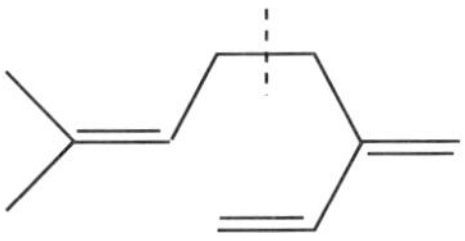

Myrcène (laurier)

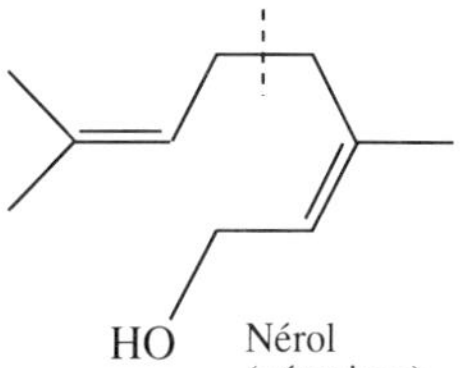

HO Nérol (géranium)

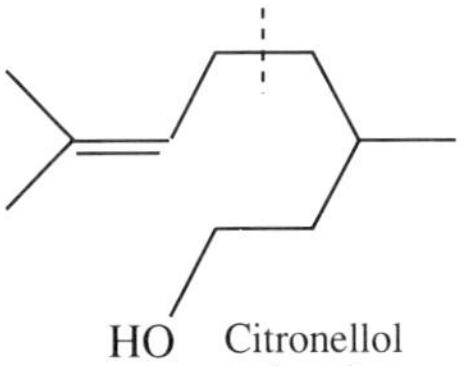

HO Citronellol (rose)

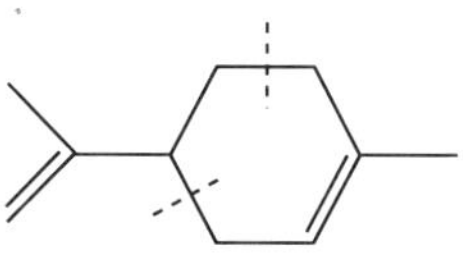

Limonène (citron, pin, menthe)

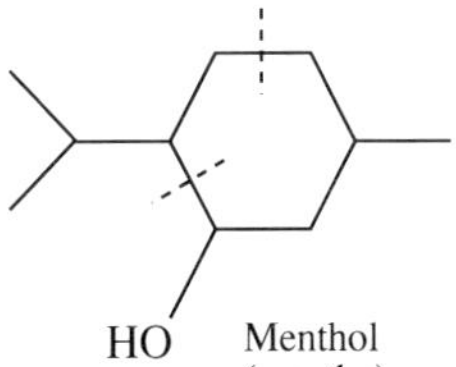

HO Menthol (menthe)

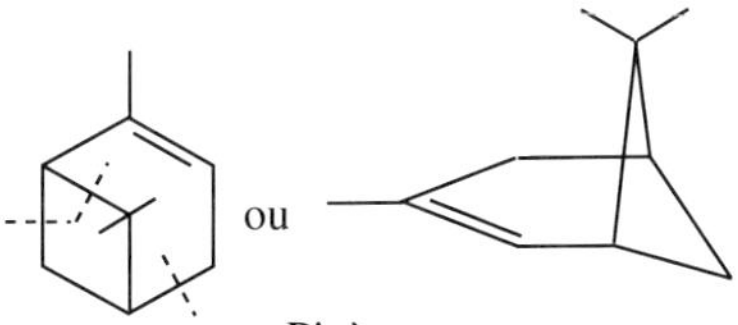

ou

α–Pinène (pin)

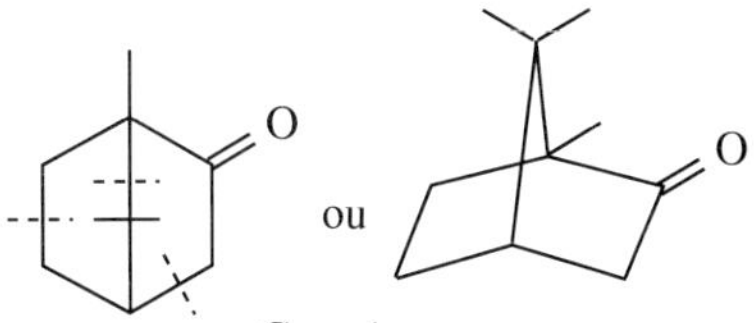

O ou O

Camphre (camphrier)

La plupart de ces composés possèdent des stéréoisomères, soit du fait de la présence de carbones asymétriques, soit en raison de l'existence de deux configurations ($Z$ et $E$) pour certaines doubles liaisons. Fréquemment, dans la nature, on ne trouve qu'un stéréoisomère déterminé et, notamment, la forme naturelle de ces composés est souvent optiquement active.

### 24-A

*Parmi les composés ci-dessus, quels sont ceux qui possèdent des stéréoisomères? Quelle est la nature de ces stéréoisomères? Quel est leur nombre? Quelles relations existe-t-il entre eux?*

Le *pinène* (ou térébenthine) constitue 20 % de la résine de pin; on l'utilise comme solvant et pour la synthèse du *camphre*. Ce dernier, autrefois extrait du camphrier, est utilisé comme plastifiant dans les « matières plastiques » et les quantités importantes nécessaires sont obtenues par synthèse artificielle.

## Diterpènes

**24.9** L'*acide abiétique* (ou colophane) est le constituant principal (80 %) de la résine de pin. On l'utilise entre autres pour l'encollage du papier, ainsi que pour la préparation de vernis et de savons.

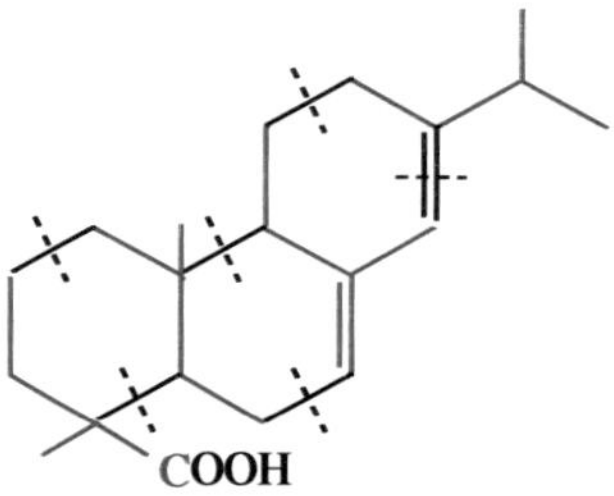

COOH

Acide abiétique (Colophane)

La *vitamine A* est nécessaire à la croissance; c'est un alcool primaire provenant de la coupure oxydante du carotène [24.11].

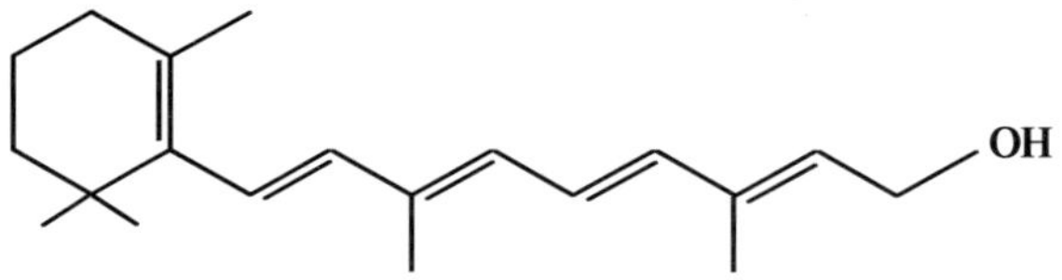

OH

Vitamine A

### 24-B

*« Découpez » la formule de la vitamine A en « unités isoprène ».*

Enfin, le *phytol* se trouve, sous une forme estérifiée, dans la structure de la chlorophylle [21.11].

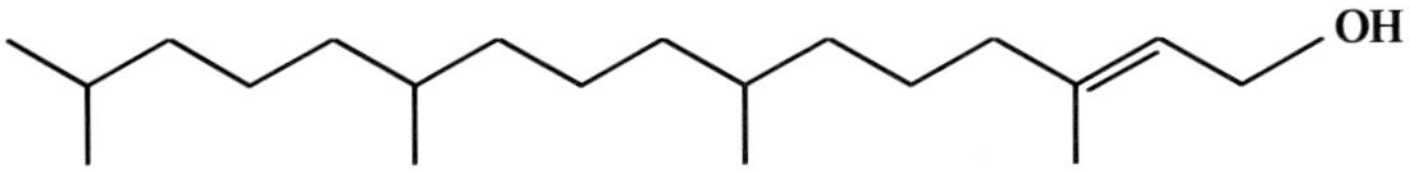

OH

Phytol

### *Triterpènes*

**24.10** Le *squalène*, dont le nom rappelle qu'il s'en trouve notamment dans le foie de requin, est un précurseur du cholestérol [24.14], dans la synthèse qu'en effectuent les organismes vivants. Sa formule peut être écrite d'une façon qui met bien en évidence les unités isoprène :

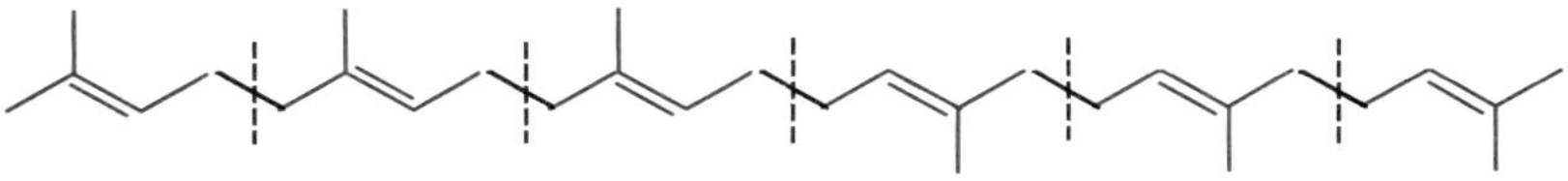

mais il est plus « suggestif » de représenter le squalène de la manière suivante, qui fait apparaître une analogie effective avec la structure des stéroïdes :

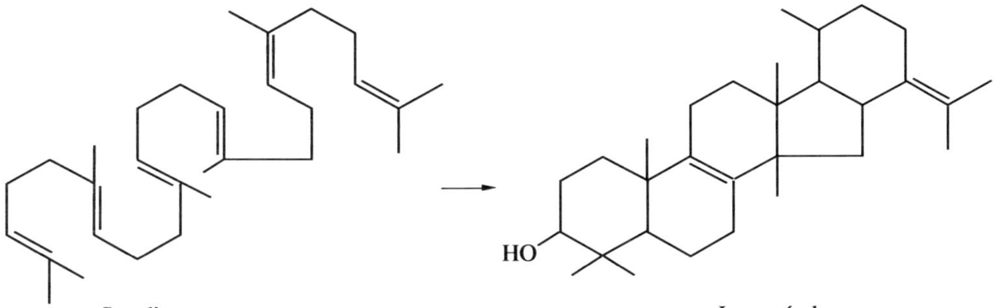

Squalène → HO Lanostérol

Le *lanostérol*, formé à partir du squalène par une série de cyclisations et de réarrangements, se transforme ultérieurement en cholestérol par une suite complexe d'étapes successives; c'est d'autre part un constituant de la graisse de la laine (d'où son nom).

### *Tétraterpènes*

**24.11** Les tétraterpènes les plus importants possèdent une longue chaîne aliphatique avec onze doubles liaisons conjuguées. Pour cette raison, leur absorption de la lumière se situe dans le domaine du visible (cf. 6.11) et ce sont des substances fortement colorées, qui donnent leur couleur à certains végétaux.

Le *carotène* (qui donne leur couleur aux carottes et aux feuilles d'automne) joue un rôle essentiel dans la croissance et dans la vision : son oxydation, dans l'organisme, provoque la coupure de la double liaison centrale de la chaîne et la formation de deux molécules d'un aldéhyde, le rétinal, dont la réduction donne la vitamine A [24.9]. D'autre part, le rétinal participe, en association avec une protéine, à la formation d'un pigment photosensible présent dans la rétine; les transformations photochimiques de ce pigment, sous l'action des photons de la lumière, interviennent dans le mécanisme de la vision.

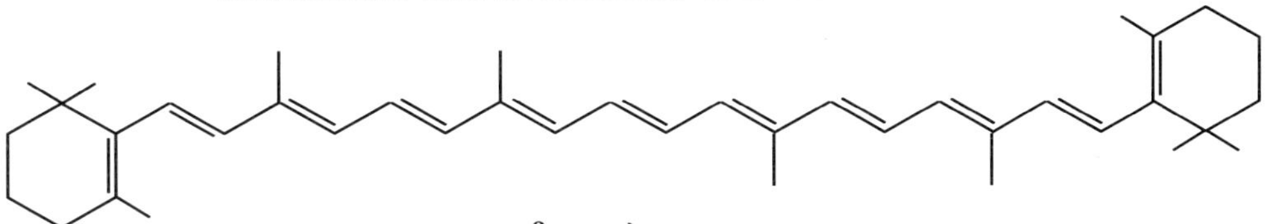

β – carotène

Le *lycopène*, entièrement acyclique, se trouve notamment dans la tomate.

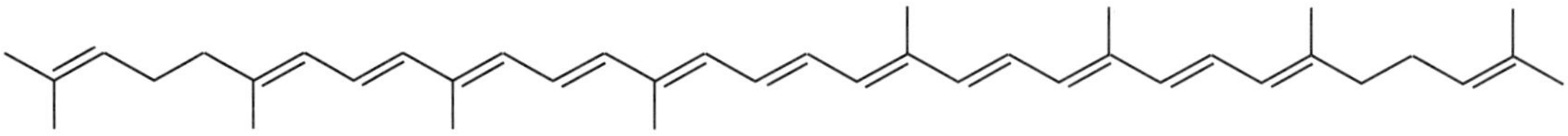

Lycopène

### Polyterpènes (Polymères terpéniques)

**24.12** On a vu précédemment [20.5] que le butadiène peut se polymériser, selon un schéma particulier, pour donner de longues chaînes polyéthyléniques constituant des élastomères, c'est-à-dire des substances ayant les mêmes propriétés que le caoutchouc.

En ce domaine, la chimie industrielle n'a fait qu'imiter la nature, car le caoutchouc naturel (produit par la coagulation du latex, sève de l'hévéa) est un polymère de l'isoprène tout à fait analogue au polymère artificiel du butadiène :

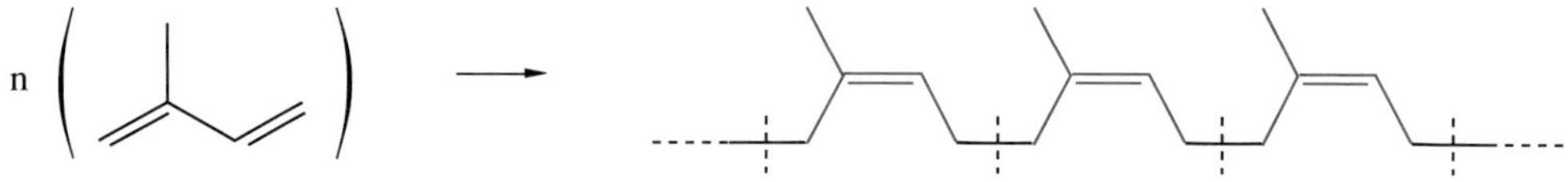

n ( ) ⟶

*24-C*

*Quelle est la configuration, Z ou E, des doubles liaisons dans les chaînes du caoutchouc naturel? (Réponse dans la suite).*

Les chaînes de caoutchouc naturel contiennent de 1 000 à 5 000 motifs isoprène, et toutes les doubles liaisons s'y trouvent dans la configuration *Z*. L'isomère du caoutchouc dans lequel les doubles liaisons sont *E* est la gutta-percha, matière dure et cassante; on a donc là une nouvelle illustration des relations qui existent entre la géométrie moléculaire et les propriétés.

La vulcanisation est une opération qui consiste à incorporer un peu de soufre au caoutchouc naturel; elle améliore ses propriétés en diminuant l'influence de la température sur l'élasticité et en supprimant la tendance du caoutchouc brut à se souder à lui-même par contact. Le soufre introduit forme des « ponts » transversaux entre les chaînes carbonées.

## 3 — Les stéroïdes

**24.13** Les stéroïdes constituent une classe de composés abondamment présents dans la nature (règne végétal et règne animal), contenant le squelette du « perhydrocyclopentanophénanthrène » :

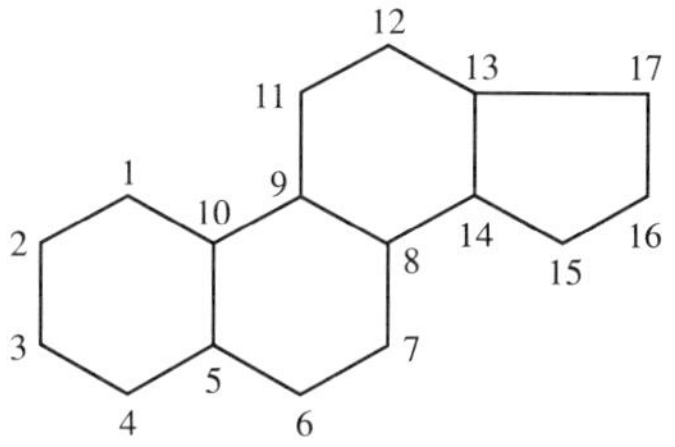

et portant en outre diverses fonctions ou insaturations, ainsi que des chaînes latérales sur le carbone 17.

Ce ne sont pas des terpènes et la « règle isoprénique » ne peut leur être appliquée, mais ils présentent des liens avec les triterpènes du point de vue de la biosynthèse [24.10]; ce sont des triterpènes « dégradés » (ainsi, le cholestérol ne possède que vingt-sept atomes de carbone).

## Cholestérol

**24.14** C'est le stéroïde le plus important. Isolé dès la fin du XVIII^e siècle à partir des calculs biliaires, sa formule brute exacte ($C_{27}H_{46}O$) ne fut connue qu'en 1888 et sa structure complète, y compris sa configuration absolue, en 1955. Contenant huit carbones asymétriques, il présente $2^8 = 256$ stéréoisomères, dont *un seul* existe à l'état naturel.

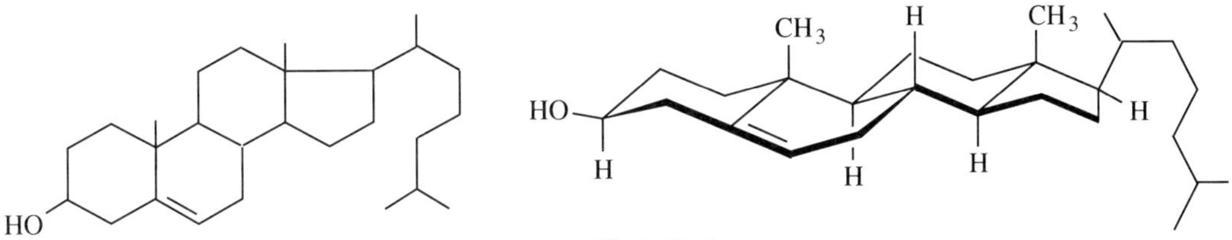

Cholestérol

### 24-D

*Repérez, dans la formule ci-dessus, les huit carbones asymétriques. Combien le cholestérol possède-t-il de paires d'énantiomères? Possède-t-il une ou plusieurs formes méso [3.20]?*

Le cholestérol est présent dans tous les tissus, soit à l'état libre (calculs biliaires, tissu cérébral et tissu nerveux), soit sous forme d'esters (palmitate, stéarate, oléate,...).

Il joue un rôle important dans la biogenèse des hormones stéroïdiques (cf. par exemple 24.15) et des acides biliaires, comme l'acide cholique :

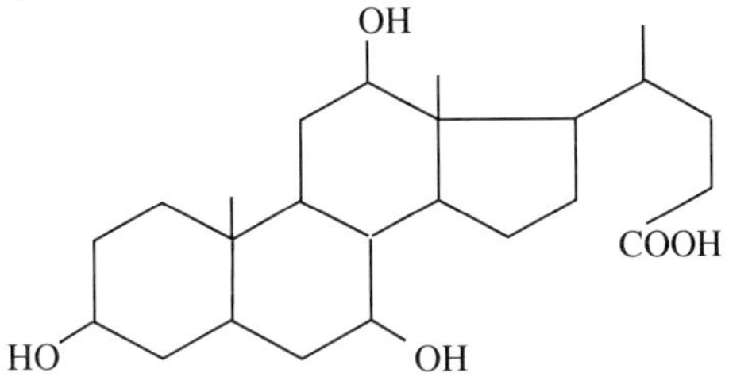

Acide cholique (Bile)

Ce dernier, sous forme de sels, facilite l'absorption des graisses, en les émulsifiant comme le ferait un savon.

Le cholestérol peut être emprunté aux aliments, mais l'organisme peut également en faire la synthèse, à partir d'acide acétique provenant de la dégradation des lipides. Une trop forte concentration de cholestérol dans le sang produit un dépôt dans les artères et leur durcissement (artériosclérose) d'où le régime alimentaire « sans graisses » imposé aux personnes se trouvant dans ce cas.

En vue d'applications diverses, comme la synthèse de médicaments, on peut extraire du cholestérol de la moelle des bovidés.

## *Hormones sexuelles*

**24.15** Les caractères sexuels secondaires et la physiologie de la reproduction sont sous la dépendance d'hormones mâles et femelles distinctes; leur structure est cependant peu différente, ce qui montre la finesse et la précision des mécanismes biochimiques.

Les principales hormones mâles, produites par le testicule, sont la testostérone et l'androstérone :

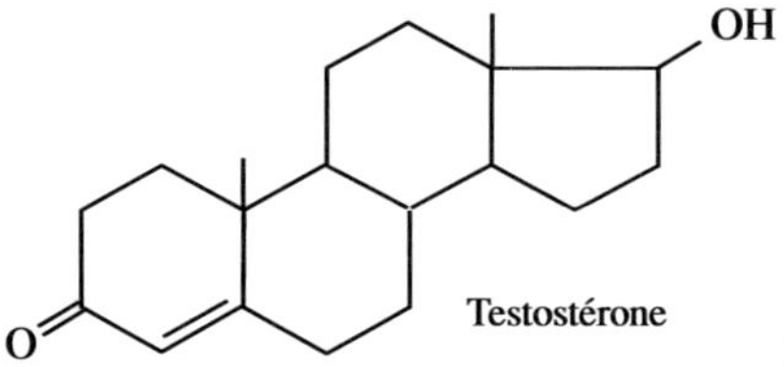

OH
O
Testostérone

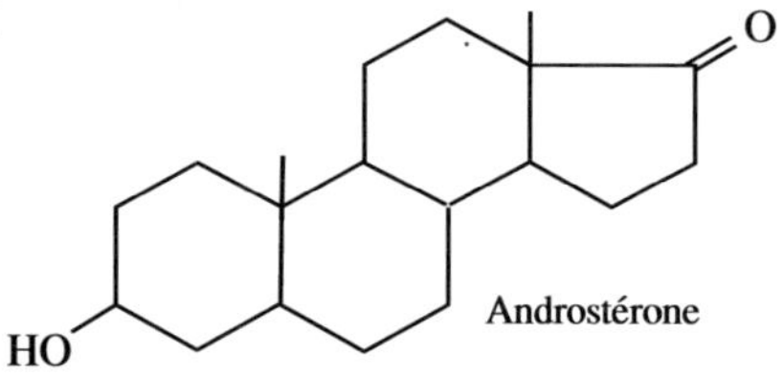

O
HO
Androstérone

Trois hormones femelles sont particulièrement importantes : l'œstrone (ou folliculine) et l'œstradiol (ou dihydrofolliculine), qui règlent le cycle menstruel, et la progestérone, nécessaire à la grossesse :

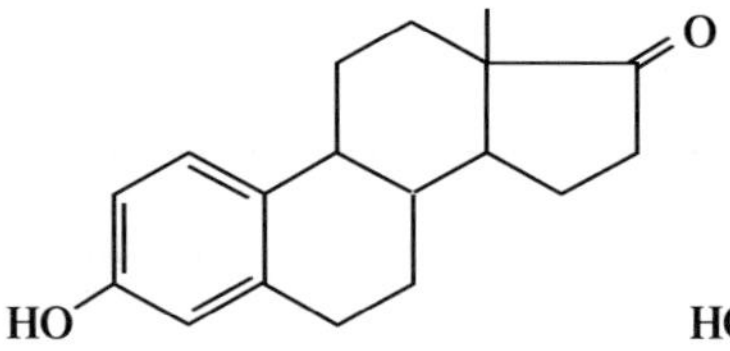

O
HO
Oestrone

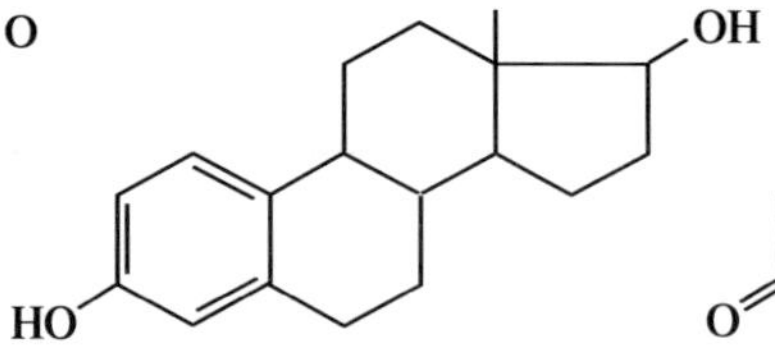

OH
HO
Oestradiol

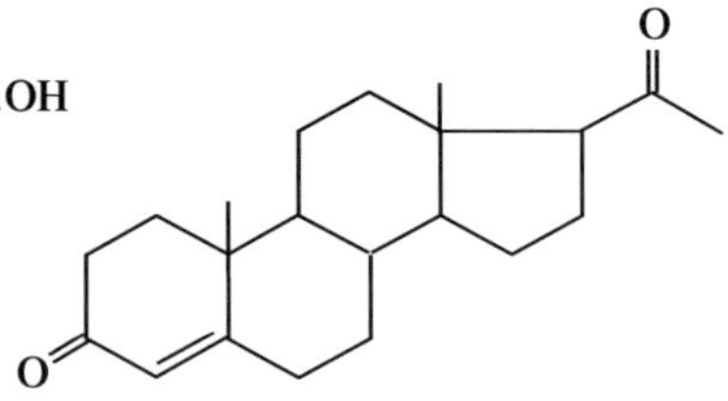

O
O
Progestérone

Des composés de ce type sont utilisés en vue du contrôle de l'ovulation et de la nidation (implantation de l'œuf sur la muqueuse utérine), à des fins de contraception.

## *Corticostéroïdes*

**24.16** On nomme ainsi diverses hormones produites par les glandes surrénales, et dont la principale est la cortisone, utilisée dans le traitement de l'arthritisme et des maladies inflammatoires.

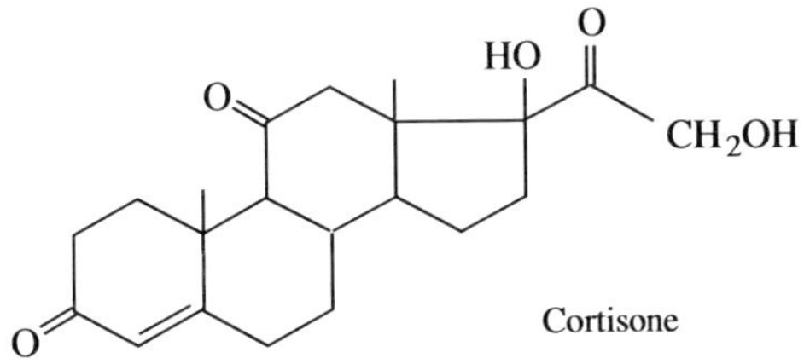

Cortisone

## *Glycosides cardiaques*

**24.17** Divers glycosides [22.20], existant notamment dans la digitale utilisée depuis très longtemps en thérapeutique cardiaque, jouent un rôle important dans la contractibilité du muscle cardiaque et peuvent être utilisés dans le traitement de maladies du cœur. Leur partie aglycone correspond à un motif stéroïde (digitoxigénine).

# EXERCICES

***24-a*** Les corps gras peuvent être caractérisés par deux « indices » :

– leur masse molaire moyenne peut être calculée à partir de leur « indice de saponification » (masse de potasse, exprimée en milligrammes, nécessaire pour saponifier 1 g du corps gras).
– Leur caractère plus ou moins insaturé est traduit par la valeur de leur « indice d'iode » (masse d'iode, exprimée en grammes, que peuvent fixer 100 g du corps gras).

1) Calculez l'indice de saponification et l'indice d'iode du triglycéride de l'acide linolénique (trilinolénate de glycérol). Masses atomiques : K = 39, I = 127.

2) L'huile d'olive est un mélange de triglycérides, dans lesquels interviennent les acides palmitique, stéarique, oléique et linoléique (ce dernier, en $C_{18}$, comporte deux doubles liaisons). Un échantillon d'huile d'olive ayant donné les résultats suivants : indice de saponification 191, indice d'iode 84, calculez la masse moléculaire moyenne des triglycérides qui le constituent et le nombre moyen de doubles liaisons par chaîne d'acide gras.

***24-b*** L'ozonisation de l'α-farnésène, un hydrocarbure terpénique, fournit les cinq composés suivants en quantités équimoléculaires :

$CH_3{=}O$, $CH_3{-}CO{-}CH_3$, $O{=}CH{-}CH_2{-}CH{=}O$, $CH_3{-}CO{-}CH{=}O$, $CH_3{-}CO{-}CH_2{-}CH_2{-}CH{=}O$

Établissez la structure de cet hydrocarbure, sachant qu'elle vérifie la règle isoprénique et qu'en outre les unités isoprène y sont régulièrement disposées « tête-à-queue » (c'est-à-dire que le carbone 4 de l'une est lié au carbone 1 de la suivante).

***24-c*** Proposez un mécanisme réactionnel pour les réactions suivantes :

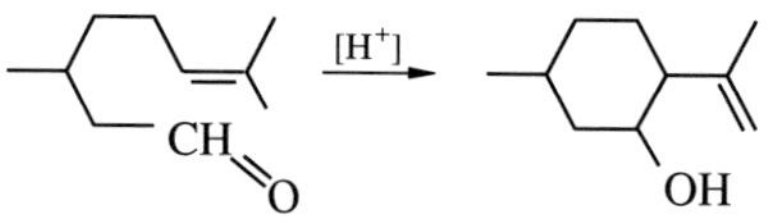

CH O

Citronellal $\xrightarrow{[H^+]}$ Isopulégol

OH

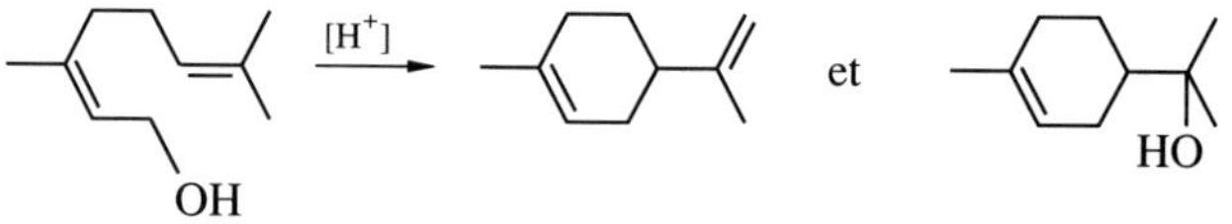

Nérol $\xrightarrow{[H^+]}$ Limonène et α – Terpinéol

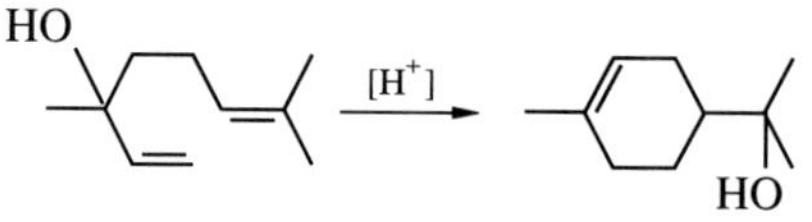

HO

Linalol $\xrightarrow{[H^+]}$ α – Terpinéol

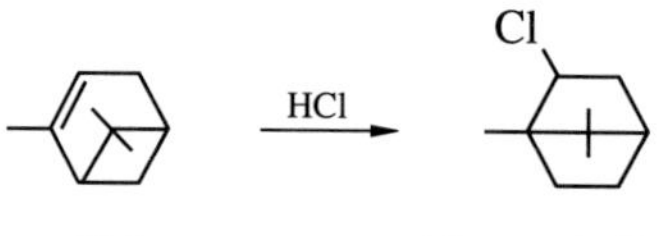

α – Pinène $\xrightarrow{HCl}$ chlorure de Bornyle

***24-d*** Connaissant l'existence de la dernière réaction citée dans l'exercice précédent, proposez une synthèse du camphre à partir de l'α-pinène.

# La chimie organique industrielle

# 25

La chimie organique n'est pas seulement une science théorique et une science de laboratoire. C'est aussi une science qui, par ses innombrables applications, concerne très directement notre *vie quotidienne* dans des domaines aussi différents que la santé, l'habillement, les loisirs, les transports, etc. (les principales de ces applications ont déjà été recensées dans l'introduction de ce livre [0.6]). De ce fait, c'est aussi la base d'une industrie très diversifiée.

## L'industrie chimique organique

**25.1** Outre sa diversité, et son utilité, l'industrie chimique organique représente aussi un *secteur économique très important.* En 1992, sur un chiffre d'affaires total pour l'industrie chimique française de 363 milliards de francs (en augmentation de 14 % sur 1988), la part de la chimie organique, en y incluant l'ensemble de la chimie non-minérale, s'est élevée à 335 milliards. La position très favorable de la chimie dans la balance du commerce extérieur français (exportations supérieures de 19 % aux importations : solde positif en 1992 : 25,1 milliards) est également due principalement à la chimie organique. A lui seul, le secteur des parfums et cosmétiques, avec un chiffre d'affaires à l'exportation de 22,5 milliards a produit un solde positif de 18,6 milliards ; il rapporte à l'économie française plus que l'industrie automobile (*).

Entre les sources de matières premières (pétrole, houille, biomasse) et les utilisateurs (industries, agriculture, consommateurs), les activités de production et de transformation de l'industrie chimique organique se divisent en trois secteurs :

– La **chimie de base** (39 % du chiffre d'affaires de la chimie), dans laquelle on distingue encore deux domaines :

• la *chimie lourde*, qui produit les matières premières de base, molécules simples telles que l'éthylène ou le propène, le benzène, le méthanol, l'éthanol,

---

(*) Les données économiques contenues dans ce chapitre sont pour la plupart extraites de la documentation publiée par l'Union des Industries Chimiques et par l'Union française des industries pétrolières, en particulier leurs rapports annuels.

le phénol, l'acide acétique, le styrène, l'oxyde d'éthylène, etc. Ces matières de base sont produites en quantités très importantes (par exemple, pour l'éthylène, 2,6 millions de tonnes par an en France), dans des installations fonctionnant en continu qui représentent des investissements extrêmement coûteux (un « vapocraqueur » [25.3] coûte au minimum 4 milliards de francs).

• la *chimie fine*, qui produit des molécules plus élaborées (dérivés halogénés, aldéhydes ou cétones, amines, composés polyfonctionnels...) utilisées, soit comme telles soit comme intermédiaires de synthèses, dans la formulation et la fabrication des produits finis livrés ensuite aux divers utilisateurs par la parachimie et la pharmacie (cf. ci-dessous). Des dizaines de milliers de composés organiques les plus divers sont produits à ce niveau, en quantités très variables mais rarement très élevées (en général de 1 t/an à quelques dizaines de milliers de t/an).

La production des engrais et des matières plastiques est rattachée également à la chimie de base.

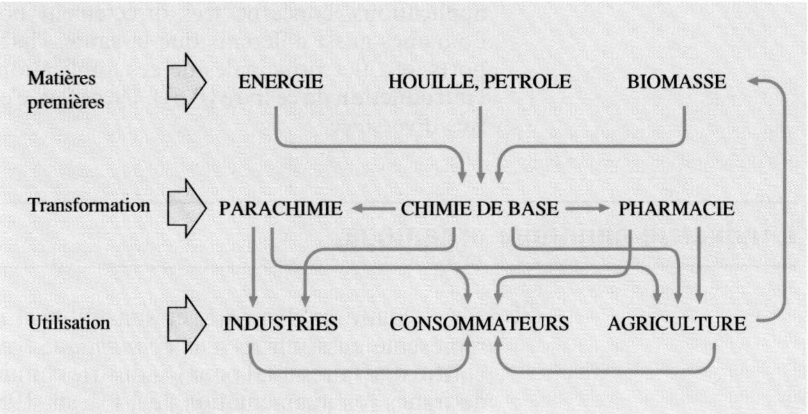

*Figure 25.1 — L'activité industrielle et économique en chimie.*
**Entre les sources naturelles de matières premières et les utilisations, l'activité industrielle proprement dite occupe une position intermédiaire. La « Chimie de base » élabore les composés, non présents dans la nature mais sans applications directes, à partir desquels la « Parachimie » et la « Pharmacie » préparent les produits commercialisés à l'intention des utilisateurs.**

— La **parachimie** (33 % du chiffre d'affaires de la chimie), qui élabore les « produits finis » fournis aux utilisateurs, tels que : savons, détergents et lessives; peintures vernis et encres; produits d'entretien divers; parfums, cosmétiques et produits de beauté; liants, colles et adhésifs; produits phytosanitaires (protection des végétaux); surfaces sensibles pour la photographie; explosifs; colorants; etc.

– La **pharmacie** (28 % du chiffre d'affaires de la chimie), pour l'homme et pour les animaux.

# 1 — Les grandes sources de matières premières

Parmi les trois principales sources de matières premières pour l'industrie chimique organique : houille, pétrole et biomasse végétale, cette dernière a pour principal intérêt de fournir des composés déjà relativement complexes (exemple : le furfural [21.3]), et surtout la cellulose, ainsi que d'autres glucides, dont la synthèse ne serait pas possible. Mais les matières de base simples les plus fondamentales sont fournies par les deux premières.

## La houille et la carbochimie

**25.2** La houille provient de la fossilisation des végétaux des temps préhistoriques, sous l'action de bactéries d'une part, de la température et de la pression du sous-sol d'autre part.

Elle est loin d'être formée uniquement de carbone; 10 à 40 % de sa masse sont constitués de produits organiques, plus ou moins volatils, dont la nature et les proportions dépendent de l'origine et de « l'âge » de la houille.

La *distillation de la houille*, effectuée par un chauffage à l'abri de l'air à une température comprise entre 500 °C et 1 100 °C suivant les cas, fournit (pour une tonne de houille) :

– du *gaz* (100 à 400 m$^3$), formé principalement de dihydrogène (50 %), de méthane (30 %), d'éthylène, d'oxyde et de dioxyde de carbone, et d'ammoniac. Après avoir retiré l'éthylène, par hydratation en alcool éthylique en présence d'acide sulfurique, et l'ammoniac, par transformation en sulfate d'ammonium (engrais), le mélange gazeux résiduel est généralement utilisé comme combustible (gaz de ville, gaz d'éclairage).

– du *benzol* (7 à 10 kg) que l'on peut fractionner par distillation en *benzène*, *toluène* et *xylènes;*

– du *goudron* (30 à 100 kg), dont la composition est fonction de la température à laquelle a été portée la houille, mais dans lequel on trouve toujours de très nombreux constituants (on en a recensé plus de cent). Par des extractions chimiques et des distillations, on en retire principalement :

des *hydrocarbures benzéniques :* benzène, toluène, xylènes, naphtalène, anthracène, etc...
des *phénols :* phénol ordinaire, crésols, etc...
des *composés azotés basiques :* amines, hétérocycles.

– du *coke* (650 à 800 kg) formé de carbone et de composés minéraux.

Les composés organiques tirés de la distillation de la houille constituent évidemment des matières premières pour diverses fabrications, mais le coke, indépendamment de son utilisation principale dans la métallurgie du fer, présente également de l'intérêt pour la synthèse organique :

Par action de la vapeur d'eau à 1 000 °C, on obtient un mélange de dihydrogène et de monoxyde de carbone (« gaz à l'eau ») à partir duquel, après enrichissement en dihydrogène, on peut faire la synthèse du méthanol [15.20] :

$$CO + 2\,H_2 \rightleftarrows CH_3OH$$

D'autre part, le coke et la chaux, à 2 500 °C, donnent du carbure de calcium, utilisé pour la préparation de l'acétylène [10.15]. Mais l'acétylène a été totalement remplacé par l'éthylène comme matière de base pour l'industrie chimique et n'est pratiquement plus utilisé que pour la soudure (chalumeau oxy-acétylénique), qui en consomme d'ailleurs des quantités très importantes (14 millions de mètres-cubes par an).

La houille, dont la consommation mondiale annuelle est de l'ordre de 2 milliards de tonnes, si elle est la source unique et indispensable du coke métallurgique, se trouve par contre fortement concurrencée par le pétrole comme source de matières premières organiques.

## Le pétrole et le gaz naturel. La pétrochimie

Bien que son exploitation soit plus récente que celle de la houille, le pétrole constitue de nos jours la base principale de l'industrie chimique organique.

### *Le pétrole et son exploitation*

**25.3** Le pétrole a initialement été utilisé comme combustible d'éclairage, et les premières tentatives de raffinage ont eu pour objet d'améliorer cette application, car le pétrole brut brûle mal (production du « pétrole lampant » ou kérosène, 1850). Par suite, est apparu son intérêt comme source d'énergie (*) calorifique et mécanique (d'abord chauffage des chaudières à vapeur, puis moteurs « à combustion interne »), et c'est beaucoup plus récemment (1940) que le pétrole a commencé à être exploité systématiquement comme source de matières premières organiques, dont la production et les transformations constituent le domaine de la *pétrochimie* (ou *pétroléochimie*).

Parallèlement à cette évolution, la production du pétrole brut s'est accrue d'une façon extrêmement rapide :

**Production mondiale annuelle de pétrole brut**

| Année | 1860 | 1900 | 1950 | 1976 | 1993 |
|---|---|---|---|---|---|
| Production (en millions de tonnes) | 0,07 | 20 | 524 | 2 918 | 2 969 |

La France a produit, en 1990, 3,2 millions de tonnes de pétrole brut.

Il a déjà été indiqué [8.8] que les pétroles bruts sont des mélanges très complexes d'hydrocarbures acycliques et/ou cycliques, de $C_1$ à $C_{40}$ environ. Leur valorisation requiert diverses opérations de « raffinage », dont les unes ont seulement pour objectif de fractionner ces mélanges sans modifier la nature de leurs constituants, et les autres visent au contraire à modifier leur composition de façon à mieux répondre aux besoins du marché, ou à produire des « bases » pour l'industrie chimique non présentes dans le pétrole brut.

Le raffinage du pétrole constitue actuellement la branche maîtresse de l'industrie chimique organique lourde; une raffinerie peut, selon son importance, traiter annuellement de 6 à 8 millions de tonnes de pétrole brut et la capacité totale de distillation des raffineries françaises est de

(*) Le pétrole fournit actuellement (1993) 40 % de l'énergie consommée dans le monde.

85 millions de tonnes/an (la capacité mondiale de raffinage est estimée à 3,7 milliards de tonnes/an). L'industrie française du raffinage a investi 2,4 milliards en 1993 pour adapter ses installations à l'évolution de la demande et à la protection de l'environnement.

Les principales opérations de traitement du pétrole brut sont les suivantes.

## *Distillation*

Le pétrole brut qui parvient dans une raffinerie subit en premier lieu une série de distillations destinées à le *fractionner* en un certain nombre de « coupes » correspondant à l'ensemble des constituants dont les points d'ébullition sont compris entre deux valeurs déterminées.

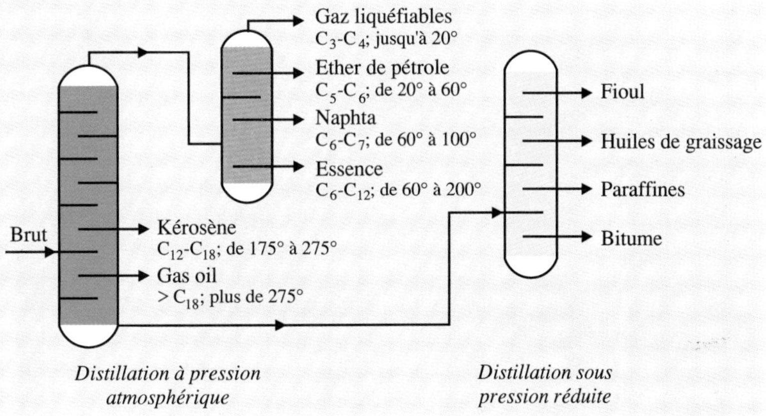

*Figure 25.2 — La distillation du pétrole brut.*
En raison du très large intervalle de température couvert par les points d'ébullition des constituants du pétrole (de 0 °C à plusieurs centaines de degrés), il n'est pas possible d'effectuer en une seule opération tous les fractionnements nécessaires. Après un « dégrossissage » dans une première colonne, les fractions les plus légères sont séparées dans une autre installation. Les plus lourdes sont redistillées sous pression réduite; ainsi leur point d'ébullition est abaissé et on évite leur décomposition par la chaleur.

Puis interviennent toute une série d'opérations visant à *transformer* certaines de ces fractions.

## *Craquage (« Cracking »)*

Les proportions dans lesquelles sont obtenues ces diverses catégories de produits, variables selon l'origine du pétrole, ne correspondent en général pas aux demandes de la consommation. En particulier, on dispose habituellement d'un excédent de fractions lourdes, alors que les fractions légères (essence) ne sont pas assez abondantes. Sous le nom de craquage, on fait subir à ces fractions lourdes (gas-oil) des traitements conduisant à la rupture des chaînes carbonées et à la production d'une quantité supplémentaire de carburant léger; ce résultat peut être obtenu par l'action de la chaleur ou par l'action conjuguée de la chaleur et d'un catalyseur (« craquage catalytique ») [8.7].

## *Réformage (« Reforming »)*

Les moteurs modernes exigent des carburants de haute qualité (valeur élevée de l'indice d'octane [8.15]), et les essences obtenues au cours des opérations précédentes ne répondent pas toujours aux spécifications exigées. Le reformage a pour objet d'améliorer leur qualité en provoquant, sous l'action de la chaleur et de catalyseurs, des isomérisations des chaînes linéaires en chaînes ramifiées, ainsi que des cyclisations et des déshydrogénations conduisant à des hydrocarbures benzéniques [8.7].

## *Vapocraquage (« Steam-cracking »)*

L'opération du vapocraquage ne concerne plus le domaine des carburants, mais vise à produire des alcènes (éthylène, propène, butènes, butadiène, isopropène ou 2-méthylbuta-1,3-diène) et, en moindre quantité, des hydrocarbures benzéniques (benzène, toluène, xylènes), pour des fabrications ultérieures. Ces types de molécules ne sont en effet produits qu'en faible quantité au cours du craquage catalytique.

*Document Elf*

*Figure 25.3* — **Une raffinerie, qui peut traiter de 6 à 8 millions de tonnes de pétrole brut par an, et qui représente des investissements se chiffrant en milliards de francs, donne par la dimension et la complexité de ses installations une idée de l'importance de ce secteur industriel dans l'économie moderne.**

Ce procédé consiste à soumettre à l'action d'une température élevée (800°) pendant un temps très bref (une fraction de seconde) des hydrocarbures relativement légers (naphta, gasoil), préalablement vaporisés et mélangés avec de la vapeur d'eau. Une seule unité de vapocraquage peut traiter plus d'un million de tonnes d'hydrocarbures par an et produire 300 000 tonnes d'éthylène, 50 000 tonnes de butadiène, 90 000 tonnes de benzène (la capacité de production française annuelle d'éthylène par ce procédé est d'environ 2 500 000 tonnes par an).

**Consommation française de produits pétroliers en 1993**
(en millions de tonnes)

| *Produits énergétiques* | | *Produits non énergétiques* | |
|---|---|---|---|
| Gaz liquéfiés | 3,0 | Bases pour pétrochimie | 8,8 |
| Carburant auto | 17,0 | Lubrifiants | 0,8 |
| Carburants réacteurs | 4,2 | Bitumes | 2,9 |
| Gas oil (gazole) | 20,6 | Autres produits | 0,2 |
| Fioul domestique | 17,2 | | |
| Fiouls lourds | 5,2 | | |
| Coke de pétrole | 1,0 | TOTAL | 81,3 (*) |
| Autres produits | 0,4 | | |

A la suite des mesures d'économie d'énergie qui ont été prises, ce total est en diminution de 23 % par rapport à 1979 et de 27 % par rapport à 1973.

### *Le gaz naturel*

Le gaz naturel fournit actuellement 21 % de la consommation mondiale d'énergie. La production mondiale en 1993 a été de 2 165 milliards de $m^3$ ; la France, pour sa part, en a produit, la même année, 3 milliards de $m^3$ et en a importé 30 milliards (provenance : Algérie, URSS, Norvège, Pays-Bas).

Le gaz des gisements naturels (par exemple celui de Lacq, en France) contient principalement du méthane, accompagné d'éthane (3 %), de propane et de butane (2 %), de gaz carbonique (10 %) et de sulfure d'hydrogène (15 %).

Le méthane, outre ses applications directes comme combustible (pouvoir calorifique 37 500 $kJ/m^3$) peut servir à la production d'acétylène [10.15] et de dérivés halogénés divers; il peut encore, par réaction avec la vapeur d'eau, donner des mélanges $CO/H_2$ utilisables pour la synthèse du méthanol, ensuite oxydé en méthanal, ou pour celle d'aldéhydes divers (oxo-synthèse, [25.4]).

L'éthane peut être deshydrogéné en éthylène, et le sulfure d'hydrogène est une source de soufre pour l'industrie de l'acide sulfurique.

## 2 — Les principales filières de transformation

Sans entrer dans le détail de toutes les réactions mises en œuvre, il est possible de schématiser un certain nombre de grandes filières de transformations, au départ des principales matières de base.

(*) Soit 1,4 tonne par habitant et par an.

## Éthylène et autres alcènes

**25.4** Les principales transformations effectuées à partir des alcènes sont les suivantes :

• *Hydratation en alcool.* — On prépare ainsi les alcools éthylique, isopropylique, butyliques secondaire et tertiaire, à partir de l'éthylène, du propène, des but-1-ène et but-2-ène, et de l'isobutène.

• *Oxydation.* — Cette réaction est particulièrement importante pour la formation de l'oxyde d'éthylène, $\underset{\diagdown O \diagup}{CH_2{-}CH_2}$, qui est un intermédiaire de nombreuses synthèses. Il réagit en effet facilement [9.12, 15.22, 25.7] avec les composés à hydrogène labile :

$$\underset{\diagdown O \diagup}{CH_2{-}CH_2} + A{-}H \rightarrow A{-}CH_2{-}CH_2{-}OH$$

En particulier son hydrolyse donne le « glycol éthylénique » (éthane-1,2-diol) dont 50 % est utilisé à la fabrication de textiles polyesters [25.8]. L'oxyde de propène (également appelé « oxyde de propylène ») présente des possibilités analogues.

• *Chloration.* — Elle fournit, par addition, substitution et éventuellement craquage simultané, de nombreux dérivés. A partir de l'éthylène on obtient principalement des solvants, comme le trichloréthylène $ClCH{=}CCl_2$ et le trichloréthane $ClCH_2{-}CHCl_2$, ainsi que le chlorure de vinyle monomère. Cette dernière fabrication, antérieurement réalisée à partir de l'acétylène (addition de HCl) est possible dans des conditions plus économiques au départ de l'éthylène :

$$C_2H_4 + 2\,HCl + 1/2\,O_2 \xrightarrow{300°} ClCH_2{-}CH_2Cl + H_2O$$

$$ClCH_2{-}CH_2Cl \xrightarrow{\text{pyrolyse}} ClCH{=}CH_2 + HCl$$

Le craquage thermique d'un mélange propane/propène en présence de dichlore fournit le tétrachlorométhane (ou « tétrachlorure de carbone »), utilisé ensuite à la préparation de dérivés chlorofluorés (fréons), eux-mêmes employés comme fluides frigorifiques ou propulseurs d'aérosols.

La chloration à haute température du propène permet d'obtenir le chlorure d'allyle $ClCH_2{-}CH{=}CH_2$ [9.10] intermédiaire dans la préparation du glycérol [20.11].

• *Polymérisation.* — Elle concerne principalement l'éthylène, le propène, l'isobutène et le buta-1,3-diène; sources des principaux polymères d'usage courant (matières plastiques et caoutchoucs synthétiques), ces réactions sont d'une grande importance et seront reconsidérées plus loin (cf. 25.7).

• *Condensation avec le benzène :* cf. transformations et débouchés du benzène [25.5].

***Principaux dérivés de l'éthylène et du propène***

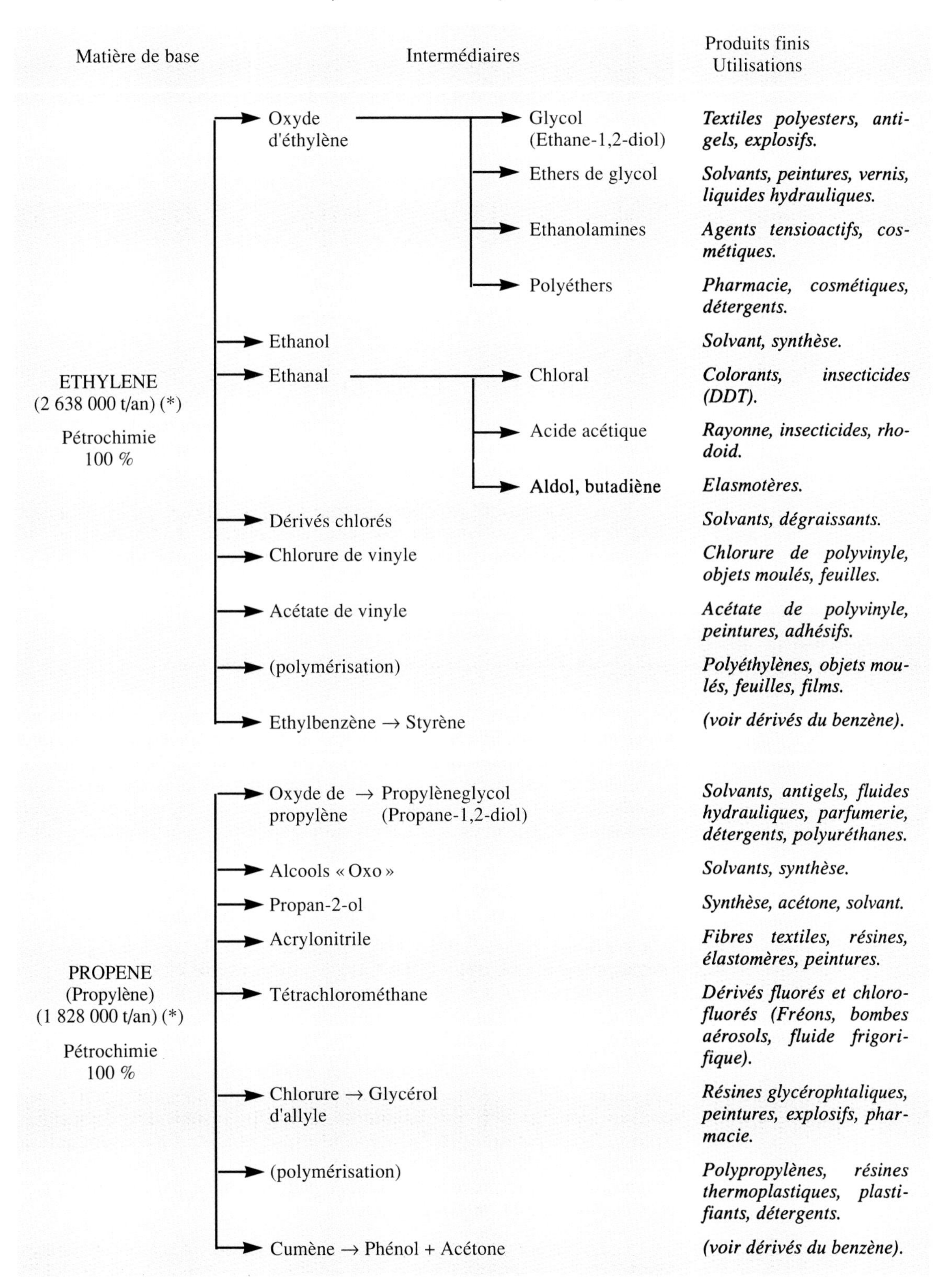


(*) Production française en 1992

• *Oxo-synthèse :*

$$R-CH=CH_2 + CO + H_2 \rightarrow R-\underset{\displaystyle CH_3}{\underset{|}{C}H}-CH=O$$

permettant d'obtenir des aldéhydes et, par hydrogénation ultérieure, des alcools primaires.

• *Préparation de l'acétaldéhyde;* antérieurement réalisée au départ de l'acétylène (par hydratation), cette fabrication s'effectue actuellement de façon plus économique à partir de l'éthylène, par les réactions suivantes :

$$C_2H_4 + PdCl_2 + H_2O \rightarrow CH_3-CH=O + Pd + 2\,HCl$$

$$Pd + 2\,CuCl_2 \rightarrow PdCl_2 + 2\,CuCl$$

$$2\,CuCl + 1/2\,O_2 + 2\,HCl \rightarrow 2\,CuCl_2 + H_2O$$

dont le bilan se réduit à :

$$C_2H_4 + 1/2\,O_2 \rightarrow CH_3-CH=O \qquad (\Delta H = -\,243\ kJ/mol)$$

Le procédé est globalement exothermique, alors que la fabrication de l'acétylène, première étape de l'ancien procédé, est fortement endothermique donc coûteuse en énergie.

• *Préparation de l'acrylonitrile* $CH_2=CH-C\equiv N$. Il s'agit d'une réaction spécifique du propène, en présence d'ammoniac et de dioxygène; l'acrylonitrile est polymérisable (textiles synthétiques, [25.7]).

## Hydrocarbures benzéniques

**25.5** Par le nombre des réactions qui lui sont appliquées, et l'importance de certains intermédiaires ainsi obtenus, le benzène est le plus important des hydrocarbures benzéniques utilisés comme matières de base; cependant, le toluène et les xylènes ont quelques emplois spécifiques importants également. Les principales réactions mises en œuvre, énumérées ci-après, découlent directement des caractères chimiques du cycle benzénique décrits dans le chapitre 12, où certaines applications ont du reste déjà été évoquées.

• L'*alkylation* du benzène, par condensation avec des alcènes (réaction du type Friedel-Crafts, cf. question 12.D), se pratique avec :

– L'*éthylène*, pour donner l'éthylbenzène dont la deshydrogénation fournit le styrène $C_6H_5-CH=CH_2$, polymérisable [25.7].
– Le *propène*, en vue d'obtenir le cumène (ou isopropylbenzène), intermédiaire de la préparation simultanée de deux dérivés très importants : le *phénol* et l'*acétone* [16.13].

Le phénol est utilisé dans des fabrications très diverses : hauts polymères (résines phénol-formaldéhyde, [16.7; 25.8]), colorants (par réaction avec les sels de diazonium, [17.12]), insecticides, fongicides, explosifs (acide picrique [16.7]), nylon, médicaments, etc. La consommation mondiale annuelle est de 1,5 millions de tonnes et une seule unité de fabrication selon le procédé au cumène peut produire 200 000 tonnes par an, soit plus de 500 tonnes par jour.

L'acétone est un solvant et un intermédiaire dans des synthèses diverses.

– Des *alcènes de masse moléculaire moyenne,* en vue de la sulfonation ultérieure des alkylbenzènes obtenus (par exemple le dodécylbenzène $C_6H_5{-}C_{12}H_{25}$), pour l'obtention de détergents de synthèse (cf. 25.9).

***Principaux dérivés du benzène***

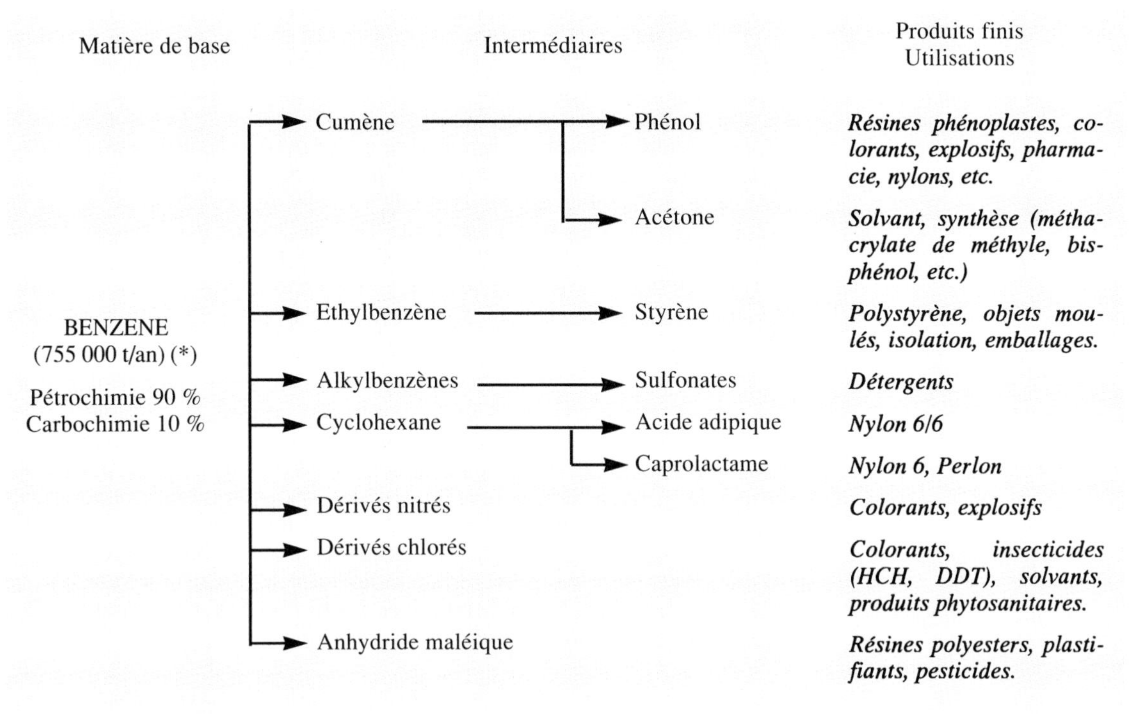


(*) Production française en 1992

• La *chloration* du benzène fournit soit des dérivés d'addition, comme l'hexachlorocyclohexane utilisé comme insecticide [12.5], soit des dérivés de substitution, comme le monochlorobenzène qui intervient avec le chloral $CCl_3{-}CH{=}O$ dans la fabrication du D.D.T. (*D*ichloro-*D*iphényl-*T*richloréthane) :

$$2\,C_6H_5Cl + CCl_3{-}CH{=}O \rightarrow Cl{-}C_6H_4{-}\underset{\displaystyle CCl_3}{\underset{|}{C}H}{-}C_6H_4{-}Cl$$

• La *nitration* du benzène ou du toluène donne des dérivés mononitrés [12.8], dont la réduction fournit les amines correspondantes, matières premières dans la chimie des colorants [17.20]; par ailleurs, les dérivés trinitrés sont des explosifs, comme le trinitrotoluène (T.N.T).

• L'*oxydation* des hydrocarbures benzéniques [12.12] livre divers acides, notamment des diacides utilisés dans des réactions de polycondensation [25.8] : acide maléique à partir du benzène, acide orthophtalique à partir de l'*ortho*-xylène ou du naphtalène, acide téréphtalique à partir du *para*-xylène.

• L'*hydrogénation* du benzène est une voie d'accès au cyclohexane, dont l'oxydation en un mélange de cyclohexanol et de cyclohexanone permet d'atteindre soit l'acide adipique, soit le caprolactame, intermédiaires dans la fabrication du nylon 6/6 et du nylon 6 (cf. 25.8).

# 3 – Les hauts polymères

**25.6** Les « hauts polymères » sont des *macromolécules*, c'est-à-dire des molécules de très grande masse moléculaire (pouvant atteindre un million), et comportant donc un très grand nombre d'atomes.

Il existe dans la nature des macromolécules, comme la cellulose [22.17] qui est un constituant des végétaux et du bois, les protéines (par exemple, la kératine qui constitue les cheveux ou la laine), ou encore le latex qui se forme par coagulation de la sève d'hévéa. Les hommes ont d'abord cherché à modifier chimiquement ces matières naturelles, pour les adapter à des usages particuliers : la vulcanisation du caoutchouc naturel (découverte par Goodyear en 1839), la transformation de la cellulose en celluloïd (1870) ou en fibres de « soie artificielle » ou « rayonne » (1889) relèvent de cette démarche. Puis on a réalisé la synthèse de matériaux macromoléculaires nouveaux, qui sont les « hauts polymères » : bakélite (1909), caoutchouc de polychloroprène (1931), fibres de polyamide (nylon, 1935).

De nos jours, ces hauts polymères se sont énormément diversifiés et ils trouvent (sous le nom de « matières plastiques ») d'innombrables applications. Leur intérêt provient de la diversité de leurs propriétés et de la possibilité de préparer des matériaux adaptés à chaque usage particulier envisagé. Ils peuvent être souples ou rigides, transparents ou opaques; ils permettent de fabriquer directement et économiquement par moulage des pièces compliquées et de grande dimension; ils sont habituellement isolants, mais on sait préparer des polymères conducteurs; leur résistance mécanique peut être améliorée en les associant avec des fibres (de verre, de carbone, ...) dans des matériaux composites.

La France est le second producteur européen de hauts polymères. En quelques décennies sa production a été multipliée par environ 50 ; en 1992, elle a été de 5,2 millions de tonnes. La consommation annuelle par habitant est en France de 50 kg, mais elle atteint 84 kg aux USA et 107 kg en RFA.

Les composés macromoléculaires *synthétiques* sont toujours formés par la *répétition d'un motif simple*, un très grand nombre de fois. C'est ce type de structure que désigne précisément le terme *« polymère »*, l'adjectif *« haut »* se référant par ailleurs à leur masse moléculaire très élevée.

Certains des produits obtenus sont liquides, mais la plupart sont solides. Ils sont *« thermoplastiques »* s'ils peuvent être ramollis par la chaleur et reprendre leur dureté normale au refroidissement (possibilité de fabriquer des objets par moulage, après l'élaboration chimique du polymère); ils sont *« thermodurcissables »* si la réaction qui les produit conduit à une masse solide qui ne peut plus être ramollie par la chaleur (nécessité de faire la réaction dans le moule). Enfin, certains polymères ont les propriétés élastiques du caoutchouc; ce sont des *« élastomères »*.

Ces molécules peuvent s'obtenir par « polymérisation » ou par « polycondensation ».

## *Polymérisation*

**25.7** La polymérisation proprement dite, ou « polymérisation par addition » consiste en la réunion les unes aux autres des molécules d'un composé simple, appelé le « monomère » pour donner, sans aucune élimination, un composé de masse moléculaire plus élevée, multiple entier de celle du monomère. Le nombre de molécules de monomère qui se soudent ainsi les unes aux autres peut être très grand (plusieurs dizaines de milliers) et la masse moléculaire du polymère peut dépasser un million; mais on connaît et utilise aussi des polymères dont la masse moléculaire se limite à vingt cinq mille environ.

*Principaux polymères d'addition*

| Monomère | Polymère | Production française (1992) | Applications |
|---|---|---|---|
| Ethylène $H_2C=CH_2$ | Polyéthylènes | 1 321 000 t | |
| | basse densité | 984 000 t | *Films, feuilles (emballage, agriculture), objets ménagers, câbles.* |
| | haute densité | 336 000 t | *Objets moulés, bouteilles, corps creux.* |
| Propène $CH_3-CH=CH_2$ | Polypropylènes | 903 000 t | *articles moulés (automobile, mobilier, sanitaire, câbles).* |
| Chlorure de vinyle $CH_2=CHCl$ | Polychlorure de vinyle | 1 092 000 t | rigide : *tuyaux, gaines électriques, bouteilles, corps creux.*<br>souple *(plastifié) : films et feuilles, revêtements de sol, câbles, chaussures, jouets.* |
| Styrène $C_6H_5-CH=CH_2$ | Polystyrènes | 355 000 t | *Bacs et cuves, ameublement, jouets.*<br>Expansé (98 % d'air) : *emballages antichoc, isolation thermique et phonique.* |
| Acrylonitrile $CH_2=CH-C\equiv N$ | Polyacrylonitrile | | *Fibres textiles « acryliques » (Orlon)* |
| Méthacrylate de méthyle $CH_2=C(CH_3)CO_2CH_3$ | Polyméthacrylate de méthyle | 79 000 t | *Verres organiques (Plexiglas, Altuglas).* |
| Tétrafluoro-éthylène $F_2C=CF_2$ | Polytétrafluoro-éthylène (Téflon) | | *Revêtements thermorésistants, pièces mécaniques, matériel à haute résistance chimique.* |
| Butadiène $H_2C=CH-CH=CH_2$<br>Isoprène $H_2C=C(CH_3)-CH=CH_2$<br>Chloroprène $H_2C=CCl-CH=CH_2$ | Elastomères divers (souvent copolymères, ex. : butadiène-styrène) | 499 000 t | *Pneumatiques, chambres à air, tuyaux; applications diverses du caoutchouc.* |

Les monomères sont toujours des composés non saturés et la polymérisation a du reste été déjà signalée parmi les réactions possibles des alcènes [9.17] et des diènes conjugués [20.5]; les mécanismes mis en cause ont également été déjà évoqués, et seuls seront donc rappelés ici les deux schémas correspondants :

**Alcènes et composés vinyliques :**

$$n\ A{-}CH{=}CH_2 \rightarrow \left( \underset{\displaystyle A}{\underset{|}{CH}}{-}CH_2 \right)_n$$

*Exemples :* Ethylène (A=H), propène, ou « propylène » ($A=CH_3$), chlorure de vinyle (A=Cl), styrène (A=Ph), acrylonitrile (A=CN), etc.

**Diènes conjugués :**

$$n\ H_2C{=}\underset{\displaystyle A}{\underset{|}{C}}{-}CH{=}CH_2 \rightarrow \left( CH_2{-}\underset{\displaystyle A}{\underset{|}{C}}{=}CH{-}CH_2 \right)_n$$

*Exemples :* Buta-1,3-diène (A=H), chloroprène (A=Cl).

Les polymères obtenus ainsi ont une chaîne principale linéaire. Ce sont soit des produits thermoplastiques (éthylène et composés vinyliques), soit des élastomères (diènes).

Du point de vue stéréochimique, ces polymères peuvent présenter plusieurs dispositions géométriques. On en distingue en fait trois, qui diffèrent par la disposition des groupes A par rapport à la chaîne carbonée principale, supposée « allongée » dans une conformation en zigzag :

– Polymères *isotactiques*, où les groupes A sont tous « du même côté » :

– Polymères *syndiotactiques*, où les groupes A sont alternativement d'un côté et de l'autre :

– Polymères *atactiques*, où les groupes A se trouvent distribués au hasard entre les deux côtés :

Ces différences géométriques entraînent des différences de propriétés importantes (points de fusion ou de ramollissement, résistance mécanique à la traction, etc.). On sait, par l'emploi de catalyseurs particuliers, préparer l'une ou l'autre de ces formes.

Fréquemment, pour modifier les propriétés du polymère et les adapter à des usages particuliers, on pratique la *« copolymérisation »* d'un mélange de polymères différents (par exemple : un mélange de butadiène et de styrène, pour certains caoutchoucs synthétiques).

Enfin, on rattache généralement aux réactions de polymérisation une réaction de *« polyaddition »* caractéristique des époxydes, par exemple l'oxyde d'éthylène. En présence d'un alcool ou d'un phénol, et sous l'effet d'une catalyse acide ou basique, la réaction suivante peut se produire :

$$R{-}OH + \underset{\diagdown O \diagup}{CH_2{-}CH_2} \rightarrow R{-}O{-}CH_2{-}CH_2{-}OH$$

Le produit obtenu est à la fois un éther et un alcool, et par cette dernière fonction il peut se prêter à une nouvelle réaction identique avec une seconde molécule d'oxyde d'éthylène pour donner $R{-}O{-}CH_2{-}CH_2{-}O{-}CH_2{-}CH_2OH$. La réaction peut ainsi se poursuivre pour conduire à des « polyéthers » $R(OCH_2CH_2)_nOH$, l'alcool initial ayant seulement servi d'amorce.

## *Polycondensation*

**25.8** Il s'agit d'une véritable réaction chimique entre molécules portant des groupements fonctionnels différents (par exemple, une estérification entre fonction alcool et fonction acide) mais, les réactifs étant porteurs de deux (ou trois) groupements fonctionnels, une réaction de proche en proche édifie progressivement de très longues chaînes.

Les fonctions « antagonistes » (représentées ci-dessous par X et Y) peuvent être portées par des molécules différentes :

X–▭–X + Y–⬭–Y + X–▭–X + Y–⬭–Y + etc. ⟶

X–▭–X Y–⬭–(Y X–▭–X Y–⬭–)$_n$ Y

ou être présentes aux deux extrémités d'une même molécule :

X–▭⊃–Y + X–▭⊃–Y + X–▭⊃–Y + X–▭⊃–Y + etc. ⟶

X–▭⊃–Y X–▭⊃–(Y X–▭⊃–Y X–▭⊃–)$_n$ Y

Les produits linéaires ainsi formés sont thermoplastiques mais, si l'un des réactifs possède trois fonctions (ou trois sites réactionnels), il peut s'établir des chaînes transversales formant des « ponts » entre les chaînes linéaires et il s'édifie alors un réseau tridimensionnel, correspondant à un produit thermodurcissable :

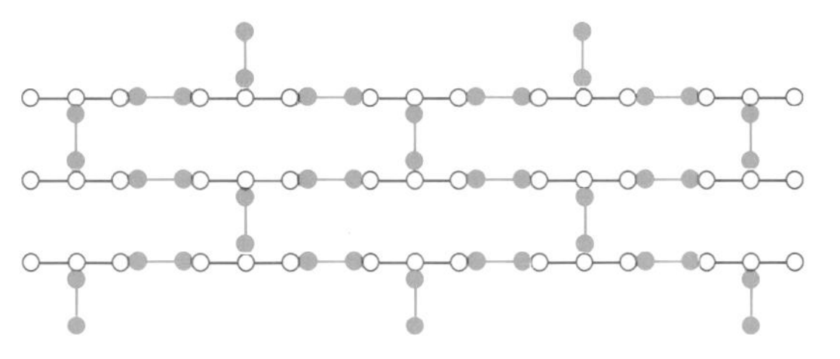

*Figure 25.4 — Structure d'une résine tridimensionnelle.*

La réaction du réactif trifonctionnel par ses deux fonctions terminales forme d'abord des chaînes linéaires. Celles-ci sont ensuite réunies par des « ponts » qui s'établissent entre elles grâce à la fonction centrale. Le schéma ci-contre est bidimensionnel, mais ces ponts peuvent aussi relier des chaînes ne se trouvant pas toutes dans un même plan (ici, celui du papier), pour former un réseau en trois dimensions.

Par simplification, ○–○–○ représente ici le composé trifonctionnel X–▭(–X)–X

et ●–● représente le composé bifonctionnel Y–⬭–Y

Les produits formés, qui sont des « polycondensats » sont souvent appelés aussi « polymères » (ou « polymères de condensation »), bien que ces expressions ne soient pas correctes puisqu'ils ne résultent pas d'une réaction de polymérisation. Ceux dont la structure est linéaire (réactifs bifonctionnels exclusivement) sont thermoplastiques; ils servent principalement à la production de fibres textiles synthétiques, par filage à l'état fondu. Ceux dont la structure est tridimensionnelle (un des réactifs trifonctionnels) constituent des « résines » thermodurcissables.

**Polyesters**

Ils résultent de la réaction entre un diacide et un di (ou tri) alcool, de sorte que les motifs monomères sont réunis par des fonctions ester :

$$\cdots\square-COOH + HO-\bigcirc\cdots \rightleftarrows \cdots\square-CO-O-\bigcirc\cdots + H_2O$$

Acide Alcool Ester

*Exemples :*

– Condensation d'un *dialcool* et d'un *diacide :*

$$HOCH_2-CH_2OH + HOOC-C_6H_4-COOH \longrightarrow$$ Fibres textiles synthétiques (tergal,dacron,térylène).

Ethane–1,2–diol Acide téréphtalique

– Condensation d'un *trialcool* et d'un *diacide :*

$$HOH_2C-CHOH-CH_2OH + C_6H_4(COOH)_2 \longrightarrow$$ Résines glycérophtaliques (peintures,vernis)

Glycérol Acide orthophtalique

Les matières utilisées dans ces deux exemples sont obtenues à partir de l'éthylène, du propène, de l'*ortho-* et du *para*-xylène [25.4,5].

**Polyamides**

La réaction de base s'effectue entre fonctions acide et fonctions amine, et conduit à des fonctions amide :

$$\cdots\square-COOH + H_2N-\bigcirc- \longrightarrow \cdots\square-CO-NH-\bigcirc\cdots + H_2O$$

Acide Amine Amide

*Exemples :*

– Condensation d'un diacide sur une diamine :

$$HOOC-(CH_2)_4-COOH + H_2N-(CH_2)_6-NH_2 \rightarrow$$ Nylon 6/6(*) (fibres textiles objets moulés)

Acide adipique Hexaméthylénediamine

$$H_2N-C_6H_4-NH_2 + Cl-CO-C_6H_4-CO-Cl \rightarrow$$ Kevlar (matériau léger et de très grande résistance mécanique).

p-phénylénediamine Chlorure de téréphtalyle

(*) 6/6 signifie « formé à partir de deux réactifs comportant chacun six carbones ». 6 signifie « formé à partir d'un seul réactif comportant six carbones ».

– Condensation d'un acide aminé sur lui-même :

$H_2N{-}(CH_2)_5{-}COOH$ Acide 6-aminocaproïque → Nylon 6 (*), Perlon (fibres textiles).

$H_2N{-}(CH_2)_{10}{-}COOH$ Acide 11-aminoundécanoïque → Rilsan (fibres textiles).

Parmi les assez nombreuses méthodes industrielles permettant d'obtenir les molécules nécessaires à ces condensations, seule sera mentionnée ici la « filière » qui utilise le benzène comme matière de base (cf. aussi 20.18) :

Benzène → Cyclohexane → Cyclohexanone

Cyclohexanone → Oxime (=N−OH) → Caprolactame → $H_2N-(CH_2)_5-CO_2H$ Acide 6–aminocaproïque → **NYLON 6, PERLON**

Cyclohexanone → $HO_2C-CH_2-CH_2-CH_2-CH_2-CO_2H$ Acide adipique → $NH_4O_2C-(CH_2)_4-CO_2NH_4$ Adipate de diammonium → $N{\equiv}C-(CH_2)_4-C{\equiv}N$ Adiponitrile → $H_2N-(CH_2)_6-NH_2$ Hexaméthylènediamine → **NYLON 6/6**

Acide adipique → **NYLON 6/6**

L'acide 11-aminoundécanoïque s'obtient à partir de l'acide éthylénique $H_2C{=}CH{-}(CH_2)_8{-}COOH$, qui résulte lui-même du craquage par la chaleur de l'huile de ricin.

**Phénoplastes et aminoplastes**

La formation de ces produits thermodurcissables met en jeu une réaction entre le formaldéhyde $H_2C{=}O$ et un composé à hydrogène labile, se schématisant ainsi :

$$\cdots\square{-}H + \underset{\displaystyle CH_2}{\overset{}{O}} + H{-}\square\cdots \longrightarrow \cdots\square{-}CH_2{-}\square\cdots + H_2O$$

Les *résines phénoplastes* résultent d'une réaction de ce type réalisée avec le phénol, qui présente alors trois sites réactifs : les deux positions ortho et la position para. Cette condensation a déjà été évoquée [16.7] ; la production de ces résines est d'environ 57 000 tonnes/an.

Dans la synthèse des *résines aminoplastes* (173 000 tonnes/an), le composé à hydrogène labile peut être l'urée $H_2N-CO-NH_2$, dont les quatre atomes d'hydrogène sont susceptibles de réagir; il se forme ainsi un réseau tridimensionnel aux mailles particulièrement serrées :

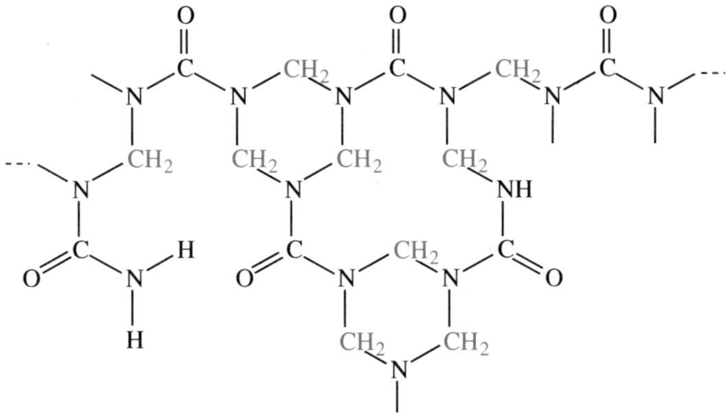

Un autre composé azoté est également utilisé, la mélamine, qui possède six hydrogènes labiles (colles « à durcisseur », vaisselle en « plastique », etc).

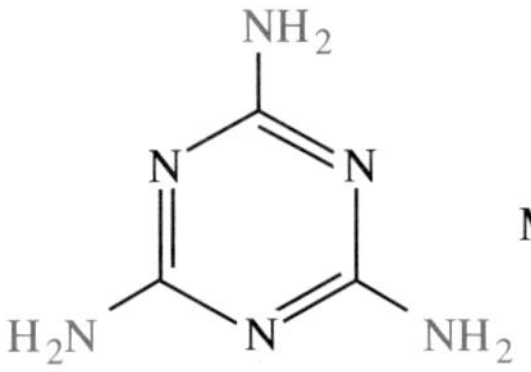

Mélamine

**Polyuréthanes**

La synthèse des polyuréthanes repose sur la réaction entre une fonction alcool et une fonction isocyanate, pour former un *uréthane* :

$$\underset{\text{Isocyanate}}{R-N=C=O} + R'OH \rightarrow \underset{\text{Uréthane}}{R-NH-\underset{\underset{O}{\|}}{C}-OR'}$$

Avec un *di*alcool et un *di*isocyanate, une polycondensation est possible.

*Exemple :* Le toluène-2,4-diisocyanate et l'éthane-1,2-diol réagissent ainsi :

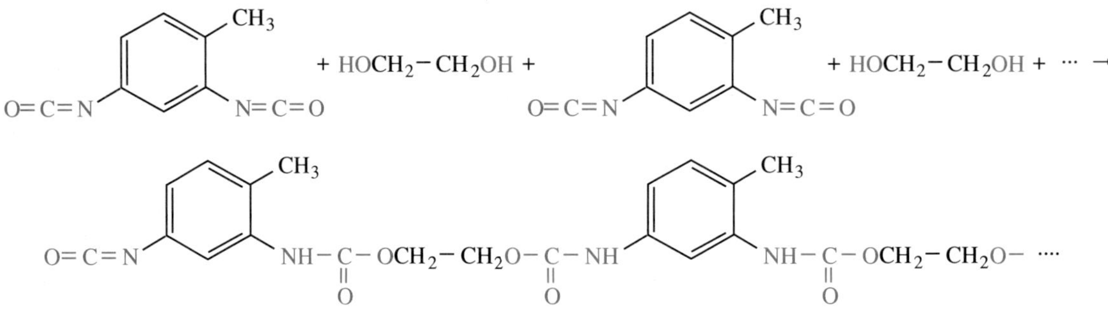

$$+\ HOCH_2-CH_2OH\ +\ \qquad +\ HOCH_2-CH_2OH\ +\ \cdots \rightarrow$$

$$O=C=N-\ \cdots\ NH-\underset{\underset{O}{\|}}{C}-OCH_2-CH_2O-\underset{\underset{O}{\|}}{C}-NH\ \cdots\ NH-\underset{\underset{O}{\|}}{C}-OCH_2-CH_2O-\ \cdots$$

Les polyuréthanes sont des solides thermoplastiques permettant la fabrication d'objets moulés (par exemple, des chaussures de ski). Mais si l'on effectue la polycondensation en présence d'eau, qui réagit sur les isocyanates avec dégagement gazeux de dioxyde de carbone, on obtient un matériau cellulaire, soit dur, soit mou et élastique. Dans ce dernier cas, il s'agit de la « mousse plastique », largement utilisée comme isolant, ainsi que dans les sièges, matelas, etc.

## 4 – Les savons et détergents

**25.9** Les savons et les détergents obtenus par synthèse ont des structures analogues. Tous comportent une chaîne carbonée relativement longue (en général 12 à 18 carbones), portant à l'une de ses extrémités un groupe de caractère polaire, ionique ou non. La partie hydrocarbonée est insoluble dans l'eau et communique à cette partie de la molécule un caractère « hydrophobe » ou « lipophile », alors que la partie polaire est « hydrophile » et introduit une certaine solubilité. Les propriétés tensio-actives de ces composés, et les pouvoirs détergent, moussant, mouillant ou émulsionnant qui en résultent ont pour origine l'antagonisme entre ces deux caractères [19.23].

### Savons

Le savon est un produit connu et utilisé depuis fort longtemps; les Romains, et les Gaulois qui leur avaient appris à le préparer, l'utilisaient déjà. Il est constitué d'un mélange de sels, de sodium ou de potassium, d'acides « gras », c'est-à-dire d'acides carboxyliques acycliques linéaires comportant 16 à 18 carbones. Ces sels sont obtenus par la *« saponification »* (terme signifiant étymologiquement « transformation en savon »), au moyen de soude ou de potasse [15.17] de corps gras végétaux ou animaux, qui sont des esters de ces acides et du glycérol [24.1]. Jusqu'à une époque récente (milieu du 20$^{e}$ siècle), cette fabrication s'effectuait selon une technique longue et complexe, mise au point progressivement, de façon empirique (entre autres, « méthode marseillaise »). Elle est actuellement industrialisée, sur des bases scientifiques.

### Agents tensioactifs de synthèse

Depuis quelques dizaines d'années s'est développée la synthèse industrielle de composés ayant, en solution dans l'eau, des propriétés analogues à celles du savon, avec l'avantage sur celui-ci de ne pas donner un précipité en présence des ions de métaux lourds, comme $Ca^{2+}$. Ils peuvent donc, contrairement aux savons, être utilisés dans les eaux « dures » (calcaires). On les regroupe sous l'appellation d'*agents tensioactifs* car, comme le savon, ils diminuent la tension superficielle de l'eau. Mais, en fonction de leur nature chimique, ils peuvent présenter de façon renforcée l'un des pouvoirs que possède le savon : pouvoir détergent, ou émulsionnant, ou mouillant, ou encore moussant.

Les utilisations de ces produits sont extrêmement diverses : usages ménagers (85 % de la consommation), sous la forme notamment de lessives et autres produits de nettoyage, shampooings, mousses à raser, cosmétiques; usages industriels (décapage, filature et tissage, galvanoplastie, industries du cuir, extincteurs « à mousse », etc.).

Les agents tensioactifs de synthèse ont très largement supplanté le savon. Ils représentent près de 90 % de la consommation en produits détergents et la production française en 1992 a été de 1198000 tonnes; la consommation individuelle est d'environ 20 kg par an. Mais la présence en quantités importantes de ces composés dans les eaux résiduaires constitue une forme grave de pollution des cours d'eau et des lacs. La législation prévoit que les agents tensioactifs doivent être « biodégradables », c'est-à-dire destructibles par des processus bactériens naturels; pour cela, ils doivent posséder une chaîne carbonée linéaire et non ramifiée. Mais la pollution résulte aussi des autres composés entrant dans la formulation des produits commerciaux livrés aux consommateurs (phosphates, entre autres).

La synthèse des agents tensioactifs a toujours pour base des matières premières d'origine pétrochimiques (alcènes, benzène,...). On les classe en trois catégories :

**Agents anioniques (ou « à anion actif »)**

Ce sont les plus courants (74 % de la consommation); les savons $RCOO^-Na^+$ entrent dans cette catégorie et, pour les produits synthétiques, il peut s'agir de :

– *sulfates d'alkyle* $R—OSO_3^-Na^+$, obtenus par action de l'acide sulfurique sur un alcool (estérification) ou sur un alcène (addition), puis neutralisation par la soude de la seconde fonction acide. Les alcools proviennent de la réduction d'acides gras, et les alcènes ont une origine pétrochimique.

– *alcanesulfonates* $R–SO_3^-Na^+$, préparés à partir d'alcanes (pétrochimie) selon le schéma :

$$RH \xrightarrow{SO_2,\ HCl} R—SO_2Cl \xrightarrow{NaOH} RSO_3Na$$

– *alkylarènesulfonates*, comme le dodécylbenzènesulfonate de sodium $C_{12}H_{25}—C_6H_4—SO_3Na$, obtenus par sulfonation d'un hydrocarbure benzénique comportant une longue chaîne latérale.

**Agents cationiques (ou « à cation actif »)**

Ce sont essentiellement des chlorhydrates d'amines « grasses » $(R—\overset{+}{N}H_3Cl^-)$ et des sels d'ammoniums quaternaires obtenus en « quaternisant » une amine grasse à longue chaîne par un halogénure d'alkyle léger [17.9] :

$$C_{16}H_{33}—NH_2 \xrightarrow[\text{excès}]{CH_3Cl} C_{16}H_{33}\overset{+}{N}(CH_3)_3Cl^-.$$

Ils sont en outre bactéricides.

**Agents non-ioniques**

Ils résultent de la condensation (polyaddition, [25.7]) de l'oxyde d'éthylène et d'un alcool, d'un phénol ou d'une autre molécule à hydrogène labile; les « éthers de polyéthylène-glycols » $R(OCH_2CH_2)_nOH$ en sont l'exemple le plus courant.

# Les grandes classes de réactions

26

Deux démarches différentes peuvent être adoptées pour présenter la chimie organique : l'une consiste à en ordonner le contenu selon une *classification des composés* en fonctions (alcools, amines, etc.) ou en grandes classes (glucides, stéroïdes, etc.), l'autre est fondée sur une *classification des types de réaction* (additions électrophiles, substitutions nucléophiles, etc.).

Ces deux approches ne sont ni opposées, ni exclusives l'une de l'autre, mais complémentaires, puisqu'elles permettent de considérer *les mêmes faits* sous des angles différents. La deshydratation des alcools, par exemple, figurera dans le premier cas parmi l'ensemble des propriétés de la fonction alcool, alors que dans le second elle sera envisagée à l'occasion d'une étude générale des réactions d'élimination, en même temps que certaines réactions des dérivés halogénés, des ammoniums quaternaires, ou des esters.

Pour parvenir à une bonne compréhension, en profondeur, de la chimie organique, il est très fructueux d'opérer un recoupement entre ces deux points de vue. Le choix de la première démarche, qui convient mieux pour un premier contact avec la chimie organique, a été fait jusqu'ici dans ce livre, mais ce chapitre propose, *sans rien ajouter* à la matière déjà traitée, une sorte de catalogue des réactions déjà rencontrées, où elles sont classées en fonction de leur type et de leur mécanisme.

Il faut toutefois souligner que toutes les réactions précédemment décrites n'ont pas trouvé place dans cette classification. Seules sont répertoriées ici celles dont le mécanisme a été effectivement indiqué et présente un certain caractère de généralité. Il n'est du reste pas possible d'exposer toute la chimie organique dans une étude ordonnée par types de réactions, car certaines entrent difficilement dans une classification systématique, et les rapprochements auxquels on serait alors conduit peuvent devenir assez artificiels.

*Vous avec ici la possibilité d'effectuer un travail personnel extrêmement efficace, en essayant d'abord de recenser vous-même dans les chapitres antérieurs les réactions relevant de chaque type de bilan et de mécanisme. Pour cela :*

*– relevez d'abord la liste des types de réactions pris en compte dans la suite de ce chapitre, c'est-à-dire en fait la liste des rubriques qu'il comporte, ou encore les sous-titres introduisant les paragraphes 26.5 à 26.14;*
*– puis, sans prendre connaissance de façon détaillée du contenu de ces rubriques, recherchez (essentiellement dans les chapitres 8 à 20) les réactions qui correspondent à chacune d'elles et comparez ensuite votre « moisson » aux listes proposées.*

*Ce chapitre débute par un court résumé des modes de formation et des comportements réactionnels des principaux intermédiaires (carbocations, carbanions), et par un recensement des principales méthodes utilisables pour élucider le mécanisme des réactions. Sur ces deux points aussi, vous pouvez procéder d'abord à une recherche personnelle dans les chapitres antérieurs.*

# 1 — Les intermédiaires de réactions

**26.1** Les réactions qui ne s'effectuent pas en une seule étape, par un mécanisme «concerté » au cours duquel les liaisons se rompent et se forment plus ou moins simultanément, comportent un ou plusieurs intermédiaire(s), qui peuvent être :

– des **molécules** (exemple : une cétone dans la réaction d'un organomagnésien sur un ester [14.9]).

– des **radicaux libres** (exemple : $CH_3^{\bullet}$ dans la chloration du méthane [8.5]).

– des **carbocations** (exemple : $R^+$ dans l'élimination E1 [13.5]).

– des **carbanions** (exemple : $R{-}C{\equiv}C^-$ dans les réactions des alcynes vrais en milieu basique [10.10]).

– des **ions divers** (exemple : $R{-}\overset{+}{O}H_2$ dans la deshydratation des alcools [15.6]).

– des **carbènes** (exemple : $CCl_2$ [13.8]).

Les carbocations et les carbanions sont des intermédiaires particulièrement fréquents et importants. Beaucoup d'informations à leur sujet ont été données dans les chapitres précédents; elles sont regroupées et résumées ci-après.

## *Carbocations*

**26.2** Les carbanions portent une charge positive, et une orbitale vide, *sur un carbone.*

■ **Structure :** $-\overset{+}{\underset{|}{\overset{\square}{C}}}-$ géométrie plane $C^+$

■ **Stabilité relative :** Elle augmente avec le degré de substitution du carbone [5.12] :

Primaires < Secondaires < Tertiaires

On observe souvent un *réarrangement* des carbocations (réarrangement de Wagner-Meerwein), à la suite de la migration d'un H ou d'un groupe R, avec leurs électrons de liaison, sur le carbone déficitaire. Cette migration se produit toutes les fois que la stabilité du carbocation s'en trouve augmentée, comme c'est le cas lorsqu'un carbocation primaire devient ainsi secondaire ou tertiaire, ou lorsqu'un carbocation secondaire devient tertiaire.

*Exemples :*

$$CH_3-\underset{}{\overset{H}{\overset{|}{C}}}H-\overset{+}{C}H_2 \rightarrow CH_3-\overset{+}{C}H-CH_3 \qquad \text{(primaire} \rightarrow \text{secondaire)}$$

$$CH_3-\underset{CH_3}{\underset{|}{\overset{CH_3}{\overset{|}{C}}}}-\overset{+}{C}H_2 \rightarrow CH_3-\underset{CH_3}{\underset{|}{\overset{+}{C}}}-CH_2-CH_3 \qquad \text{(primaire} \rightarrow \text{tertiaire)}$$

■ **Modes de formation :**

– *Rupture hétérolytique d'une liaison entre un carbone et un atome plus électronégatif que le carbone :*

$$\overset{\delta+}{R}-\overset{\delta-}{X} \rightarrow R^+ + X^-$$

Une telle rupture se rencontre notamment dans les réactions des dérivés halogénés, des alcools et des hydroxydes d'ammonium quaternaire. Elle peut être facilitée par une catalyse acide, parfois indispensable ($AlCl_3$ pour les dérivés halogénés [12.10]; $H^+$ ou $Zn^{2+}$ pour les alcools [15.5]).

– *Fixation d'un électrophile sur une double liaison :*

$$>C=C< + E^+ \rightarrow E-\underset{|}{\overset{|}{C}}-\underset{|}{\overset{+}{C}}-$$

Cet électrophile peut être $H^+$ [9.6], $Cl^+$ ou $Br^+$ [9.10, 12.7], un autre carbocation [9.17, 12.10].

■ **Réactions :**

Dans tous les cas, les réactions des carbocations aboutissent à l'arrivée d'un doublet électronique sur le carbone porteur de la charge.

– *Réaction avec un nucléophile :*

$$R^+ + :Y^{(-)} \rightarrow (R-Y)^{(+)}$$

Ce nucléophile peut être un *anion* ($Cl^-$, $CN^-$, $OH^-$...), une molécule possédant un doublet libre ($H_2O$, $NH_3$, ...) ou une molécule non saturée (alcène, hydrocarbure benzénique) [13.3, 12.10, 9.17].

– *Élimination d'un* $H^+$ *en* α, avec création d'une double liaison [13.8, 15.6] :

$$\begin{array}{c} H \\ | \\ -C-\overset{+}{C}- \\ | \quad | \end{array} \rightarrow \; >C=C< \; + H^+$$

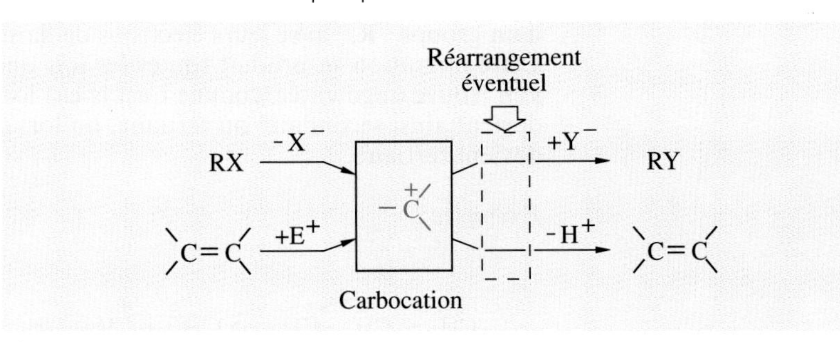


## *Carbanions*

**26.3** Les carbanions portent une charge négative, et un doublet libre, *sur un carbone.*

■ **Structure** $-\ddot{C}^{-}-$ , géométrie pyramidale

■ **Stabilité relative :** Elle diminue quand le degré de substitution du carbone augmente [5.12],

Primaires > Secondaires > Tertiaires

■ **Modes de formation :**

– *Rupture hétérolytique d'une liaison entre un carbone et un atome moins électronégatif que le carbone :*

$$\overset{\delta-}{R}-\overset{\delta+}{M} \rightarrow R^- + M^+$$

Une telle rupture se rencontre essentiellement dans les réactions des organométalliques (dérivés sodés des alcynes vrais [10.10]; organomagnésiens [14.4]).

– *Attaque d'une base sur un hydrogène labile lié à un carbone :*

$$-\overset{|}{\underset{|}{C}}-H + B^- \rightarrow -\overset{|}{\underset{|}{C}}:^- + BH$$

De tels hydrogènes labiles se trouvent, par exemple, dans les alcynes vrais [10.10], le cyclopentadiène [12.18], les composés carbonylés [18.3]).

■ **Réactions :**

Dans tous les cas, les réactions des carbanions aboutissent à la mise en commun de leur doublet libre.

– *Comportement basique :* les carbanions sont des bases fortes, capables de prendre un $H^+$ même à des acides faibles :

$$R^- + AH \rightleftarrows RH + A^-$$

Les réactions des organomagnésiens constituent des exemples typiques de ce comportement [14.5].

– *Comportement nucléophile :* les carbanions manifestent de l'affinité pour les carbones déficitaires, mais deux cas peuvent se présenter :

• carbone déficitaire saturé : le carbanion se *substitue* à l'un des atomes ou groupes portés par ce carbone :

$$R^- + -\overset{|}{\underset{|}{C}}{}^{\delta+}-Y^{\delta-} \rightarrow R-\overset{|}{\underset{|}{C}}- + Y^-$$

Les exemples sont nombreux : alkylation des alcynes vrais [10.15] ou des composés carbonylés [18.15]; réaction des organomagnésiens avec un dérivé halogéné [14.6] ou avec l'orthoformiate d'éthyle [14.7], etc.

• carbone déficitaire non saturé : le carbanion, en se liant à ce carbone, amorce une réaction d'*addition :*

$$R^- + \;\rangle C^{\delta+}=Z^{\delta-} \rightarrow R-\overset{|}{\underset{|}{C}}-Z^-$$

Les additions nucléophiles des organomagnésiens sur les aldéhydes et les cétones [14.8], ou sur les nitriles [14.11] illustrent ce comportement.

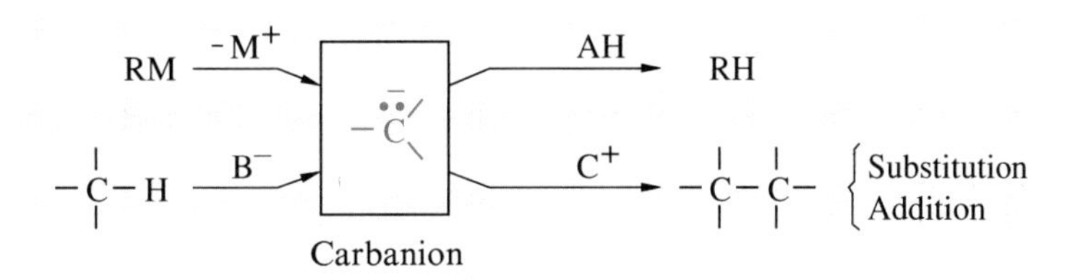


## 2 — Les méthodes d'étude des mécanismes réactionnels

**26.4** Au cours de l'étude des fonctions, les principales méthodes permettant d'obtenir des informations sur le mécanisme des réactions ont été rencontrées. Elles ont toutes des champs d'application plus larges que le cas à propos duquel elles ont été évoquées. Ce sont :

La **détection et l'identification des intermédiaires :** s'ils ont une durée de vie trop courte pour qu'il soit possible de les retrouver parmi les produits de réaction, on peut tenter de les « capturer » en cours de réaction en introduisant volontairement une espèce, étrangère à la réaction, susceptible de réagir avec eux et d'en « distraire » une partie (exemples : addition des hydracides [9.5] et des halogènes [9.10] sur les alcènes).

La méthode du **marquage isotopique** qui permet, en cas de doute sur le « sort » de certains atomes au cours de la réaction, de les « suivre à la trace » (exemple : estérification [15.7]).

La **méthode cinétique,** qui consiste à comparer les ordres partiels de la réaction, déterminés expérimentalement, avec la molécularité de l'équation-bilan. La non identité entre ordre et molécularité indique que la réaction ne peut pas être un « processus élémentaire » et renseigne sur la nature de son étape cinétiquement déterminante (exemple : substitution nucléophile [13.7] et élimination [13.9] sur les dérivés halogénés; halogénation des cétones [exercice 18.f]).

La **méthode stéréochimique,** qui repose sur la recherche d'une corrélation éventuelle entre la géométrie du substrat et celle du produit [5.16]. Elle suppose que la réaction soit effectuée sur un substrat judicieusement choisi à cet effet (exemples : addition des halogènes sur les alcènes [9.10]; substitution nucléophile [13.7] et élimination [13.10] sur les dérivés halogénés; décomposition thermique des esters [19.18]).

# 3 — Les grandes classes de réactions

Les réactions sont classées ici dans les quatre grandes catégories définies par référence à leur bilan [5.3] : substitutions, additions, éliminations et réarrangements. Dans chacune de ces catégories, elles sont en outre classées en fonction de leur mécanisme, nucléophile ou électrophile [5.13], et selon la nature du substrat auquel elles sont applicables.

## Substitutions

### *Substitution nucléophile*

**26.5** a) **sur un carbone saturé**

$$Y: \; + \; -\overset{|\,\delta+}{\underset{|}{C}}-\overset{\delta-}{Z} \; \longrightarrow \; Y-\overset{|}{\underset{|}{C}}- \; + \; Z:$$

Réactif nucléophile — Substrat — Produit — Groupe partant

La réaction peut avoir lieu en une seule étape (réaction « concertée » $S_N2$) ou en deux étapes ($S_N1$) [13.5].

Le nucléophile, dans tous les cas, porte un doublet libre et ce peut être un anion ou une molécule neutre; le substrat peut être une molécule ou un cation mais la nature (neutre ou ionique) du produit de la réaction est déterminée dans tous les cas par la règle de conservation des charges (par exemple : un anion + une molécule → une molécule + un anion, ou une molécule + une molécule → deux molécules). Ces réactions peuvent aboutir à la création de liaisons C—C, C—O, C—N, C—S, C—X.

| Réactif | Substrat | Produit | Groupe partant | Référence |
|---|---|---|---|---|
| $OH^-$ | Dérivé halogéné | Alcool | $X^-$ | 13.4 |
| $RO^-$ | – | Éther | $X^-$ | 13.4, 15.21 |
| $ArO^-$ | – | Éther | $X^-$ | 16.4 |
| $SH^-$ | – | Thiol | $X^-$ | 15.23 |
| $RS^-$ | – | Thioéther | $X^-$ | 15.24 |
| $RCOO^-$ | – | Ester | $X^-$ | 13.4 |
| $CN^-$ | – | Nitrile | $X^-$ | 13.3, 19.20 |
| $NO_2^-$ | – | Dérivé nitré | $X^-$ | 13.4 |
| $RC\equiv C^-$ | – | Alcyne | $X^-$ | 10.12, 13.3 |
| $-C(=O)-C^--$ | – | Dérivé alkylé | $X^-$ | 18.15, 20.13 20.13, 20.28 |
| $R^-(RMgX)$ | – | Hydrocarbure | $X^-$ | 8.10, 13.4, 14.6 |
| $H_2O$ | – | Alcool | $X^-$ | 13.4 |
| $NH_3$ | – | Amine | $X^-$ | 17.14 |
| $R_3N$ | – | Ammonium quat. | $X^-$ | 17.8 |
| (benzène) | – | Hydrocarbure à chaîne latérale | $X^-$ | 12.10 |
| HX | Alcool | Dérivé halogéné | $H_2O$ | 15.5 |

*Remarque.* – Beaucoup d'étapes élémentaires dans des processus complexes sont des substitutions nucléophiles $S_N2$ : exemple : ouverture d'un ion bromonium par attaque de $Br^-$ [9.10], ou d'un époxyde par un organomagnésien [14.12].

## 26.6 b) **sur un groupe carbonyle**

$$Y: + -\overset{\delta+}{C}(=O)-\overset{\delta-}{Z} \longrightarrow Y-C(=O)- + Z:$$

Réactif nucléophile — Substrat — Produit — Groupe partant

Cette substitution est en fait le résultat d'un processus d'addition-élimination :

$$Y: + -\overset{\delta+}{C}(=O)-\overset{\delta-}{Z} \longrightarrow Y-\overset{|}{C}(O^-)-Z \longrightarrow Y-C(=O)- + Z:$$

| Réactif | Substrat | Produit | Groupe partant | Référence |
|---|---|---|---|---|
| $R^-$(RMgX) | Chlorure d'acide | Cétone (alcool) | $Cl^-$ | 14.10 |
| $NH_3$ | – | Amide | $Cl^-$ | 19.16 |
| Amine | – | Amide N-substitué | $Cl^-$ | 19.16 |
| $RCOO^-$ | – | Anhydride | $Cl^-$ | 19.17 |
| $RO^-$ | – | Ester | $Cl^-$ | – |
| ROH | – | Ester | $Cl^-$ | 19.16 |
| $H_2O$ | – | Acide | $Cl^-$ | 19.16 |
| $H_2O$ | Ester | Acide | $RO^-$ | 15.16 |
| $OH^-$ | – | Acide | $RO^-$ | 15.17 |
| $H^-$ | – | Alcool | $RO^-$ | 15.18 |
| $R^-$(RMgX) | – | Alcool | $RO^-$ | 14.9 |
| Énolate (cétone) | – | ß-dicétone | $RO^-$ | 20.13 |
| Énolate (ester) | – | ß-cétoester | $RO^-$ | 20.28 |
| $OH^-$ | $R-CO-CX_3$ | Acide | $CX_3^-$ | 18.17 |

**26.7** c) **sur un cycle benzénique**

$$Y^-: + C_6H_5Z \longrightarrow [C_6H_5(Y)(Z)]^- \longrightarrow C_6H_5Y + Z^-:$$

Deux exemples sont à rappeler, concernant la préparation des phénols :

- Saponification d'un dérivé halogéné [16.9] :

$$OH^- + C_6H_5Cl \xrightarrow{200^\circ} C_6H_5OH + Cl^-$$

- Fusion alcaline des dérivés sulfonés [16.10]

$$OH^- + C_6H_5{-}SO_3H \xrightarrow{300^\circ} C_6H_5OH + HSO_3^-$$

Ces réactions sont rendues difficiles par l'interaction électronique existant entre les doublets libres du chlore et les électrons π du cycle; en outre la mobilité des électrons du cycle a pour effet que le carbone portant l'halogène est peu déficitaire, donc peu électrophile. Les conditions opératoires nécessaires (température) traduisent bien cette difficulté.

Les réactions des sels de diazonium benzéniques avec perte de l'azote [17.12] sont également des substitutions nucléophiles sur l'un des carbones du cycle; s'effectuant en deux étapes, la réaction est du type $S_N1$ :

$$C_6H_5{-}\overset{+}{N_2} \longrightarrow C_6H_5^+ + N_2 \xrightarrow{Y:} C_6H_5Y$$

Y : peut être, entre autres, $H_2O$, $I^-$, $CN^-$, $F^-$.

## *Substitution électrophile*

**26.8** a) **sur un carbone saturé**

$$E\square + -\overset{\delta-|}{\underset{|}{C}}-\overset{\delta+}{A} \longrightarrow E-\underset{|}{\overset{|}{C}}- + A\square$$

Réactif électrophile — Substrat — Produit — Groupe partant

| Réactif | Substrat | Produit | Groupe partant | Référence |
|---|---|---|---|---|
| $\overset{\delta+}{R}-\overset{\delta-}{X}$ | R'–MgX | R–R' | $MgX^+$ | 8.10, 13.4, 14.6 |
| $>\overset{\delta+}{C}=\overset{\delta-}{O}$ | R'–MgX | R'—C(R)—$O^-$ | $MgX^+$ | 14.8 |
| $\overset{\delta+}{H}-\overset{\delta-}{A}$ | R–MgX | R–H | $MgX^+$ | 14.5 |

Les deux premiers exemples cités ici figurent déjà dans d'autres rubriques en qualité de réactions nucléophiles. Il a déjà été fait observer [5.13] que la définition d'une réaction comme électrophile ou nucléophile suppose le choix d'un « substrat » et d'un « réactif », et dans le cas présent ce choix ne peut être qu'arbitraire : dans la première réaction, par exemple, le remplacement de X par R′ dans RX est une substitution nucléophile alors que, par ailleurs, la substitution de MgX par R dans R′MgX est une réaction électrophile.

**26.9** b) **Sur un cycle aromatique**

Le principal exemple est fourni par les réactions de substitution électrophile sur le *noyau benzénique* [12.6-11] ou sur les *hétérocycles* présentant un caractère aromatique [21.8, 10].

$$C_6H_6 + \overset{\delta+}{X}-\overset{\delta-}{Y} \longrightarrow [C_6H_6X]^+ \longrightarrow C_6H_5X + H^+$$

Substrat — Réactif — Intermédiaire — Produit — Groupe partant

| Réactif | Réaction | Produit | Référence |
|---|---|---|---|
| $Cl_2$ ($Cl^+$) | Chloration | Ar–Cl | 12.7 |
| $HNO_3$($NO_2^+$) | Nitration | Ar–$NO_2$ | 12.8 |
| $H_2SO_4$($SO_3$) | Sulfonation | Ar–$SO_3H$ | 12.9 |
| RX ($R^+$) | Alkylation | Ar–R | 12.10 |
| R–COCl (R–$\overset{+}{C}O$) | Acylation | Ar–CO–R | 12.10 |
| Ar–$\overset{+}{N}_2Cl^-$ | Copulation | Ar–N=N–Ar | 17.12 |

## Additions

### *Addition électrophile*

**26.10** Le substrat est attaqué par le fragment électrophile provenant de la rupture du réactif, pour donner un cation sur lequel vient ensuite se lier l'autre fragment. Ces réactions sont caractéristiques des liaisons éthyléniques ou acétyléniques; les petits cycles (cyclopropane) réagissent de façon analogue.

$$\gt C{=}C\lt \; + \; \overset{\delta+}{Y}-\overset{\delta-}{Z} \longrightarrow Y-\underset{|}{\overset{|}{C}}-\overset{+}{C}\lt \xrightarrow{Z^-} Y-\underset{|}{\overset{|}{C}}-\underset{|}{\overset{|}{C}}-Z$$

Substrat — Réactif — Intermédiaire — Produit

| Réactif | Substrat | Produit | Référence |
|---|---|---|---|
| $X_2$ | $\gt C{=}C\lt$ | $-CX-CX-$ | 9.10 |
| HX | $\gt C{=}C\lt$ | $-CH-CX-$ | 9.6 |
| $H_2O$ | $\gt C{=}C\lt$ | $-CH-C(OH)-$ | 9.8 |
| HOCl | $\gt C{=}C\lt$ | $-CCl-C(OH)-$ | 9.11 |
| $R-CO_3H$ | $\gt C{=}C\lt$ | $\gt C-C\lt$ (pont O, époxyde) | 9.12 |
| $X_2$ | $-C\equiv C-$ | $-CX{=}CX-$ | 10.5 |
| HX | $-C\equiv C-$ | $-CH{=}CX-$ | 10.6 |
| $H_2O$ | $-C\equiv C-$ | $-CO-CH_2-$ | 10.7 |
| HX | $C{=}C-C{=}C$ | addition 1,2 + addition 1,4 | 20.3 |
| $X_2$ | $C{=}C-C{=}C$ | addition 1,2 + addition 1,4 | 20.3 |
| HX | ▽ | $-CH-C-CX-$ | 11.7 |
| $X_2$ | ▽ | $-CX-C-CX-$ | 11.7 |

### *Addition nucléophile*

**26.11** Le fragment nucléophile provenant du réactif attaque les électrons π d'une liaison multiple (ou une liaison d'un cycle tendu) pour donner un anion qui, le plus souvent, capte ensuite un proton dans une étape finale d'hydrolyse.

$$Y: \; + \; \gt\overset{\delta+}{C}=\overset{\delta-}{A} \longrightarrow Y-\underset{|}{\overset{|}{C}}-A^- \xrightarrow{H_2O} Y-\underset{|}{\overset{|}{C}}-AH$$

Réactif — Substrat — Intermédiaire — Produit

| **Réactif** | **Substrat** | **Produit** | **Référence** |
|---|---|---|---|
| $CN^-(HCN)$ | $H-C\equiv C-H$ | $NC-CH=CH_2$ | 10.8* |
| $H_2O$ | $>C=O$ | $HO-\overset{\vert}{\underset{\vert}{C}}-OH$ | 18.9 |
| $ROH$ | $>C=O$ | $HO-\overset{\vert}{\underset{\vert}{C}}-OR$ | 18.10 |
| $HC\equiv N$ | $>C=O$ | $N\equiv C-\overset{\vert}{\underset{\vert}{C}}-OH$ | 18.8 |
| $H^-$ | $>C=O$ | $H-\overset{\vert}{\underset{\vert}{C}}-OH$ | 18.6 |
| $RC\equiv C^-$ | $>C=O$ | $RC\equiv C-\overset{\vert}{\underset{\vert}{C}}-OH$ | 10.13 |
| $-CO-\underset{\vert}{C}^-$ | $>C=O$ | $-CO-\overset{\vert}{\underset{\vert}{C}}-\overset{\vert}{\underset{\vert}{C}}-OH$ | 18.16 |
| $R^-(RMgX)$ | $>C=O$ | $R-\overset{\vert}{\underset{\vert}{C}}-OH$ | 14.8 |
| $R^-(RMgX)$ | $O=C=O$ | $R-CO-OH$ | 14.8 |
| $H^-$ | $>C=N-$ | $H-\overset{\vert}{\underset{\vert}{C}}-NH-$ | 17.17 |
| $H^-$ | $-C\equiv N$ | $-CH_2-NH_2$ | 17.17, 19.20 |
| $R^-(RMgX)$ | $-C\equiv N$ | $R-\overset{\vert}{\underset{\vert}{C}}=NH(R-\overset{\vert}{\underset{\vert}{C}}=O)$ | 14.11 |
| $H^-$ | époxyde $>C-C<$ (pont O) | $H-\overset{\vert}{\underset{\vert}{C}}-\overset{\vert}{\underset{\vert}{C}}-OH$ | 15.22 |
| $R^-(RMgX)$ | époxyde $>C-C<$ (pont O) | $R-\overset{\vert}{\underset{\vert}{C}}-\overset{\vert}{\underset{\vert}{C}}-OH$ | 14.12 |
| $R^-(RMgX)$ | $>C=\underset{\vert}{C}-\underset{\vert}{C}=O$** | $R-\overset{\vert}{\underset{\vert}{C}}-\underset{\vert}{CH}-\underset{\vert}{C}=O$ | 20.20 |
| $A-H$ | $\gamma$-lactone | $A-\overset{\vert}{\underset{\vert}{C}}-\overset{\vert}{\underset{\vert}{C}}-\overset{\vert}{\underset{\vert}{C}}-COOH$ | 20.25 |

* Mécanisme : $N\equiv C^- + HC\equiv CH \longrightarrow N\equiv C-CH=CH^- \xrightarrow{HC\equiv N}$
$N\equiv C-CH=CH_2 + C\equiv N^-$ etc.

** Une double liaison se prête normalement à des attaques électrophiles : une attaque nucléophile n'est possible que dans le cas d'une double liaison conjuguée avec un groupement attracteur d'électrons.

## Éliminations

**26.12** Le résultat d'une réaction d'élimination peut être la création d'une double liaison, d'une triple liaison ou d'un cycle. C'est sur ce critère que sont classées les réactions rassemblées ci-après, sans autre référence à leurs mécanismes, qui sont divers (E1 et E2 [13.9]; cis-élimination [19.18]).

| Réactif | Substrat | Produit | Référence |
|---|---|---|---|
| Base | Dérivé monohalogéné | $>C=C<$ | 13.8 |
| Base | Ammonium quaternaire | $>C=C<$ | 17.9 |
| Acide | Alcool | $>C=C<$ | 15.6 |
| Métal | Dérivé gem-dihalogéné | $>C=C<$ | 9.21* |
| Chaleur | Ester | $>C=C<$ | 19.18 |
| Base | Dérivé dihalogéné | $-C\equiv C-$ | 10.14 |
| Catalyse | Alcool | $>C=O$ | 15.9 |
| Oxydant | Alcool | $>C=O$ | 15.8** |
| $P_2O_5$ | Amide | $-C\equiv N$ | 19.19 |
| Métal | Dérivé ω-dihalogéné | Cycle | 11.11 |
| Acide | γ-diol | Hétérocycle | 20.10 |

$$* \ Zn: + Cl-\overset{|}{\underset{|}{C}}-\overset{|}{\underset{|}{C}}-Cl \longrightarrow ZnCl_2 + >C=C<$$

$$** \ H-\overset{|}{\underset{|}{C}}-OH + H_2CrO_4 \longrightarrow H-\overset{|}{\underset{|}{C}}-O-CrO_3H$$

$$H_2\ddot{O} + H-\overset{|}{\underset{|}{C}}-O-CrO_3H \longrightarrow H_3O^+ + >C=O + CrO_3H^-$$

## Réarrangements

**26.13** Une réaction peut ne pas se limiter à une transformation du groupe fonctionnel, et comporter une participation du squelette de la molécule. Il n'est pas possible de dégager des principes généraux à partir des quelques exemples de réarrangements qui ont été signalés, et qui seront seulement rappelés ici :

*Réarrangement de Wagner-Meerwein* [26.2]

$$CH_3-\overset{CH_3}{\underset{CH_3}{\overset{|}{\underset{|}{C}}}}-CH_2OH + HCl \rightarrow CH_3-\overset{Cl}{\underset{CH_3}{\overset{|}{\underset{|}{C}}}}-CH_2-CH_3 + H_2O$$

Autre exemple : réaction de Friedel-Crafts [12.10].

*Réarrangement pinacolique* [20.10]

$$R-\overset{R}{\underset{OH}{\overset{|}{\underset{|}{C}}}}-\overset{R}{\underset{OH}{\overset{|}{\underset{|}{C}}}}-R \xrightarrow{H^+} R-\overset{R}{\underset{R}{\overset{|}{\underset{|}{C}}}}-\underset{O}{\underset{\|}{C}}-R$$

*Réarrangement benzylique* [20.12]

$$Ph{-}\underset{\displaystyle \overset{\|}{O}}{C}{-}\underset{\displaystyle \overset{\|}{O}}{C}{-}Ph \xrightarrow{OH^-} Ph{-}\overset{\displaystyle Ph}{\underset{\displaystyle OH}{C}}{-}COOH$$

*Réarrangement de Beckmann* [18.11]

$$\begin{matrix} R \\ R' \end{matrix}\!\!>C{=}N{\diagup}OH \xrightarrow{H^+} R{-}\underset{\displaystyle \overset{\|}{O}}{C}{-}NH{-}R'$$

La préparation d'une cétone à partir de deux molécules d'un acide [18.23, 20.18], pour laquelle aucun mécanisme n'a été indiqué, peut s'interpréter également par un réarrangement, après que, dans une première étape, se soit formé un anhydride :

$$2\,R{-}\underset{\displaystyle \overset{\|}{O}}{C}{-}OH \xrightarrow{-H_2O} O{=}\underset{\displaystyle R}{C}{-}O{-}\underset{\displaystyle R}{C}{=}O \longrightarrow R{-}\underset{\displaystyle \overset{\|}{O}}{C}{-}R + CO_2$$

## Réactions radicalaires

**26.14** Relativement peu nombreuses, il a paru préférable de les regrouper, plutôt que de les évoquer de façon dispersée dans les rubriques précédentes (substitutions, additions ...).

*a) Substitution radicalaire*

Le mécanisme de cette réaction photochimique en chaîne a été précisé [8.5], et trois exemples en ont été rencontrés, concernant toujours la substitution de H par un halogène sur un carbone saturé :

- Chloration du méthane [8.5].
- Chloration du propène, sans addition sur la double liaison [20.11].
- Chloration du toluène, sélectivement sur la chaîne latérale [12.7].

*b) Addition radicalaire*

Les hydracides, dans des conditions propres à provoquer une réaction radicalaire (présence d'un initiateur, comme un peroxyde) s'additionnent sur la liaison éthylénique dans le sens contraire à celui que laisserait prévoir la règle de Markownikov (effet Karasch, [9.7]).

L'addition des halogènes sur le cycle benzénique est également une addition radicalaire, photochimique et en chaîne.

*c) Polymérisation radicalaire*

La polymérisation de dérivés vinyliques, celle du styrène par exemple [9.17], s'effectue selon un mécanisme radicalaire en chaîne, dont la phase de propagation peut se schématiser ainsi :

1) $C_6H_5{-}CH{=}CH_2 + R^{\bullet}$ (radical fourni par l'initiateur)

$$\rightarrow C_6H_5{-}\dot{C}H{-}CH_2{-}R$$

2) $$R{-}CH_2{-}\underset{\displaystyle C_6H_5}{CH^{\bullet}} + H_2C{=}\underset{\displaystyle C_6H_5}{CH} \rightarrow R{-}CH_2{-}\underset{\displaystyle C_6H_5}{CH}{-}CH_2{-}\underset{\displaystyle C_6H_5}{CH^{\bullet}}, \text{ etc.}$$

# exercices de récapitulation

A) Indiquer sur des exemples, en donnant avec précision l'enchaînement des réactions, les réactifs utilisés et les conditions opératoires, si elles sont importantes, comment on peut remplacer :

1) —H par —Cl
2) —Cl par —H
3) —OH par —Br
4) —Br par —OH
5) —H par —C≡N
6) —C≡N par —H
7) —H par —COOH
8) —COOH par —H
9) —OH par $—OCH_3$
10) —H par $—NO_2$
11) $—CH_2OH$ par —CHO
12) —CHO par $—CH_2OH$
13) >C=O par $>CCl_2$
14) —Br par —COOH
15) —COOH par $—CO—CH_3$
16) $—CO—CH_3$ par —COOH
17) —COOH par —CHO
18) —CHO par —COOH
19) —H par —OH
20) —OH par —H
21) —OH par $—NH_2$
22) $—NH_2$ par —OH
23) $—NO_2$ par $NH_2$
24) $—NH_2$ par —Br
25) —Br par $—NH_2$
26) =O par $—NH_2$
27) $—CONH_2$ par —COOH
28) —COOH par $—CONH_2$

B) Disposer en cercle (comme les heures sur le cadran d'une horloge) les fonctions suivantes :

Alcène, Alcyne, Halogénure, Alcool, Amine, Aldéhyde, Cétone, Acide, Chlorure d'acide, Anhydride, Ester, Amide, Nitrile et représenter par des flèches allant de l'une à l'autre toutes les possibilités de transformation directe de l'une en l'autre (en une seule réaction). Illustrer chacune de ces réactions par un exemple.

C) Indiquer le produit résultant de chacune des réactions suivantes, en choisissant la réponse parmi celles qui sont proposées ensuite (donner la réponse en associant le numéro de la réaction et la lettre qui désigne le résultat, exemple : 1-*z*) :

1) Propan-2-ol + chlorure d'acétyle.
2) Acide butanoïque + chlorure de thionyle.
3) But-2-yne + amidure de sodium.
4) Acétophénone + bromure d'éthylmagnésium (puis hydrolyse).
5) Pent-1-yne + $H_2O$ ($Hg^{2+}$).
6) Diéthylcétone + NaOBr.
7) Chlorure de pentanoyle + $H_2$(Pd).
8) *para*-Crésol + HCl.
9) Butan-1-ol + NaOH.
10) Phénylacétylène + sodium.
11) Benzoate d'éthyle + bromure de méthylmagnésium (puis $H_2O$).
12) Benzène + 2-chloro-2-méthylpropane ($AlCl_3$).
13) Acide propionique + HCl.
14) Butan-1-ol + sodium.
15) But-1-ène + $KMnO_4$ (solution aqueuse diluée).
16) Pentan-2-one + NaOI.
17) Cyclohexylamine + $NaNO_2$ + HCl.
18) Chlorure de benzoyle + dibutylcadmium.
19) Cyclohexanol + $K_2Cr_2O_7/H_2SO_4$.
20) Propionate d'éthyle + $LiAlH_4$.

a) Butyrate de sodium
b) Iodoforme
c) Propanal
d) Butylate de sodium
e) *para*-Chlorotoluène
f) Tertiobutylbenzène
g) Cyclohexanone
h) Acétate d'isopropyle
i) 2-phénylbutan-2-ol
j) Pentan-2-one
k) Chlorure de butanoyle
l) 2-phénylpropan-2-ol
m) Toluène
n) Chlorure de propionyle
o) Pentanal
p) Butane-1,2-diol
q) Cyclohexanol
r) Phénylbutylcétone
s) Butane-1,3-diol
t) Propan-1-ol
u) Propan-2-ol
v) Pas de réaction
w) Donne un produit qui ne figure pas sur cette liste.

D) Donner la formule de composés répondant à chacune des conditions suivantes :

1) Donne un précipité rouge-brique avec le chlorure cuivreux ammoniacal.
2) Donne un dégagement de méthane en présence d'eau.
3) Donne un précipité rouge-brique avec la liqueur de Fehling, et ne donne pas de réaction avec NaOI.
4) Fixe deux molécules de dihydrogène et ne donne pas de précipité avec le nitrate d'argent.
5) Fixe une molécule de dihydrogène et ne réagit pas avec $KMnO_4$.
6) Donne un précipité jaune avec NaOI, et réduit le nitrate d'argent ammoniacal.
7) Donne un précipité jaune avec NaOI, mais ne réduit pas le nitrate d'argent ammoniacal.
8) Donne un dégagement de $CO_2$ avec NaOBr.
9) Donne un dégagement de diazote avec $NaNO_2$ en milieu chlorhydrique.
10) Donne un dégagement de dihydrogène avec Na.
11) Donne une oxime, ne réduit pas la liqueur de Fehling.

E) Parmi les réactifs énumérés ci-dessous, indiquer ceux qui réagissent

a) avec le 2-chlorobutane et avec le butan-2-ol,
b) avec le 2-chlorobutane seulement,
c) avec le butan-2-ol seulement.

| | | |
|---|---|---|
| 1) Na | 6) HCl | 11) $P_2O_5$ |
| 2) KOH | 7) $CH_3ONa$ | 12) $KC{\equiv}N$ |
| 3) Mg | 8) $KMnO_4$ | 13) $PCl_5$ |
| 4) RMgBr | 9) $HC{\equiv}CNa$ | 14) $H_2SO_4$ |
| 5) $NH_3$ | 10) $CH_3{-}COOH$ | 15) $H_2O$ |

F) Parmi les réactifs indiqués ci-dessous, faire trois catégories selon qu'ils réagissent avec un seul des composés suivants, avec deux ou avec les trois.

a) But-1-yne  b) Butan-1-ol  c) 1-aminobutane

| | | |
|---|---|---|
| 1) $H_2$ | 5) $NH_3$ | 9) Na |
| 2) $HNO_2$ | 6) $CH_3MgBr$ | 10) $CH_3{-}COCl$ |
| 3) HCl | 7) $CH_3CH_2Br$ | |
| 4) $H_2O$ | 8) $CH_3{-}COOH$ | |

# RÉPONSES AUX QUESTIONS

Lorsqu'une question comporte plusieurs sous-questions, les réponses à chacune de celles-ci sont séparées par un tiret.

Les renvois au texte ne sont pas indiqués systématiquement pour tous les sujets évoqués, mais l'index alphabétique vous permettra de retrouver, si nécessaire, les paragraphes correspondants.

## Chapitre 1

### 1-A

Essentiellement leur électronégativité; également divers caractères physiques et chimiques (conductivité électrique, état physique, signe des ions formés...). – Voir classification périodique en annexe. – Halogènes; métaux alcalins.

### 1-D

Non, car ils n'ont pas la même formule brute.

### 1-E

Même nombre pour une chaîne acyclique linéaire ou ramifiée; nombre inférieur pour une chaîne cyclique (cf. **1-D**). – 2n + 2. – 2n (une double liaison *ou* un cycle); 2n-2 (une triple liaison, *ou* deux doubles liaisons, *ou* une double liaison et un cycle, *ou* deux cycles), etc.

### 1-F

Il y en a 8 : trois avec le squelette du pentane, 4 avec celui de l'isopentane, 1 avec celui du néopentane. – Isomères. – Oui, avec l'enchaînement C—O—C au lieu de C—O—H.

### 1-G

O, $NH_2$ — HO, CN

$H_2N$, O — O, $NH_2$

### 1-H

$CH_3—CH_2—CH_2OH$ et $CH_3—CH(OH)—CH_3$

$CH_3—CH_2—CHCl_2$, $CH_3—CCl_2—CH_3$, $CH_3—CHCl—CH_2Cl$, $ClCH_2—CH_2—CH_2Cl$.

### 1-I

Radicaux libres. – Radical ou groupe.

## Chapitre 2

### 2-A

Non. a) : deux liaisons alignées; b) : angle des liaisons dans le plan du papier trop petit.

### 2-B

Oui, a) et c).

### 2-C

Tétraèdre : non dans les trois cas. – Carré : oui pour b) et c).

### 2-D

Dans les conformations éclipsées du propane, un H et un $CH_3$ se font face; il y a entre eux une plus forte répulsion qu'entre deux H ($CH_3$ plus gros que H).

### 2-E

Les liaisons C—H de chaque groupe $CH_2$ sont éclipsées avec celles des deux autres.

## Chapitre 3

### 3-A

Chiraux : chaussure (droite, gauche), auto (volant à droite ou à gauche), montre (sens de numérotage du cadran), tire-bouchon (sens de l'hélice).

### 3-B

Pour les molécules chirales, par rapport à un plan vertical :

H, C, Cl, Br, F — $CH_3$, H, $CH_3$, H

Cl, $H_3N$, $Co^{3+}$, Cl, NC, Cl, Br

### 3-C

a) et b) non chirales (plan de symétrie). – c) chirale.

### 3-D

a) : celui qui porte OH. – b) : ceux qui portent les $CH_3$. – c) : celui qui porte $NH_2$.

## 3-F

*R* (1 : OH; 2 : $CH_2OH$; 3 : $CH_2NH_2$; 4 : $CH{=}CH_2$)

## 3-G

Les énantiomères *cis* deviendraient identiques (forme méso).

## 3-H

Quatre paires d'énantiomères : *RRR* et *SSS*, *RRS* et *SSR*, *RSR* et *SRS*, *SRR* et *RSS*. Deux molécules appartenant à deux paires différentes sont diastéréoisomères. — Un facteur 2 pour chaque C asymétrique supplémentaire. — $2^n$ stéréosisomères et $2^{n-1}$ racémiques (s'il n'y a pas de forme(s) méso). – ($2^n$-m) stéréoisomères et ($2^{n-1}$ -m) paires d'énantiomères s'il y a m formes méso.

## 3-I

Stéréoisomères. — Énantiomères. — Asymétrique. — Diastéréoisomères. — Deux. — Double liaison.

# Chapitre 4

## 4-A

a) 14 él. σ, 4 él. π, 4 él. n. — b) 20 él. σ, 2 él. π, 1 case vide. — c) 14 él. σ. — d) 6 él. σ, 2 él. n.

## 4-B

L'azote est entouré de quatre doublets, comme le carbone du méthane; ils se « localisent » dans les quatre directions tétraédriques. — Hybridation $sp^3$, l'une des orbitales hybrides étant occupée par le doublet non liant.

## 4-C

$\overset{\delta+}{H_3C}-\overset{\delta-}{OH}$ $\quad HC\equiv\overset{\delta-}{C}-\overset{\delta+}{Na}$ $\quad \overset{\delta+}{H_3C}-\overset{\delta-}{NH_2}$

$\overset{\delta-}{H_3C}-\overset{\delta'+}{Mg}-\overset{\delta-}{CH_3}$ $\quad \overset{\delta+}{H_3C}-\overset{\delta-}{Cl}$

a), e), c), d), b).

## 4-D

b) et d) : $\mu = 0$;

a) 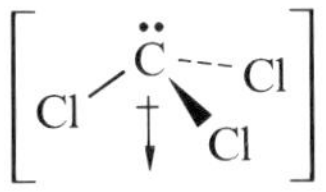 $[Cl-\ddot{C}(Cl)(Cl)]$ c) Cl(H)C=C(Cl)(H)

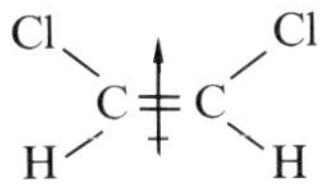

## 4-E

b) et c) : formes limites; a), [b) ↔ c)], d) isomères.

## 4-F

a) $\overset{\delta-}{CH_2}{=}CH{=}\overset{\delta+}{Br}$ b) $\overset{\delta-}{CH_2}{=}C(-CH_3){=}\overset{\delta-}{O}$

## 4-G

a) 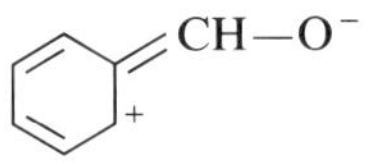 $C_6H_5^{+}{=}CH-O^-$ b) $C_6H_5^{-}{=}\overset{+}{N}H_2$

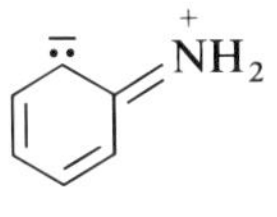

c) $CH_3-C(-:\ddot{O}:^-){=}\overset{+}{N}H_2$

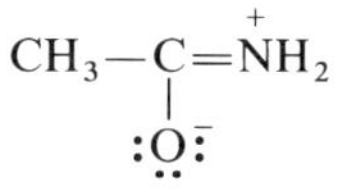

## 4-H

a) non (seulement délocalisation dans le cycle, sans apparition de charges).

b) oui : $O^{\delta-}$ ... $\delta+$

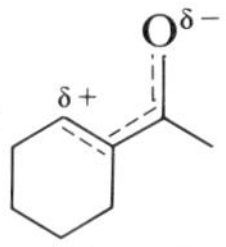

c) non (doubles liaisons non conjuguées).

## 4-I

Le premier, car les doubles liaisons y sont conjuguées.

# Chapitre 5

## 5.A

Dans l'ordre : élimination, substitution, addition, élimination avec réarrangement.

## 5-B

Le contact avec une flamme élève la température des réactifs (combustible et dioxygène) et augmente l'énergie cinétique de leurs molécules. Tout autre moyen d'élever la température provoque le même effet. La présence d'eau empêche la température de dépasser 100 °C, qui est sa température maximale.

## 5-C

Celle dont l'ordre est 2 peut être une réaction élémentaire (ordre=molécularité); celle dont l'ordre est 1 ne le peut pas (ordre ≠ molécularité).

## 5-D

La plupart des liaisons covalentes sont plus ou moins polarisées. Elles ne le sont pas si elles unissent des atomes du même élément, dans un environnement symétrique ($HO-OH$, $H_3C-CH_3$), ce qui est rare.

## 5-E

$$H-CO-O^- + H^+;\quad CH_3-\overset{+}{C}H-\ddot{O}H;$$
$$CH_3-\overset{+}{N}H_3;\quad HC\equiv C{:}^- + NH_3$$

## 5-F

Celui qui passe par le carbocation tertiaire, constituant l'intermédiaire le plus stable.

## Chapitre 6

### 6-A
88 mg de $CO_2$ contiennent 24 mg de C, 72 mg d'eau contiennent 8 mg de H et 44,8 ml de diazote correspondent à 56 mg. On trouve C % = 20,00, H % = 6,66 et N % = 46,6. Le total est inférieur à 100, le composé contient donc aussi de l'oxygène et 0 % = 26,74.

### 6-B
Oui. Il correspond à la formule $C_7H_9N$

C % = 78,50, H % = 8,41 et N % = 13,08;

l'accord est satisfaisant compte-tenu de la précision des mesures.

### 6-C
$M = 148{,}2 \approx 148$, Une mole contient 72,5 (≈ 72) g de C, 3,99 (≈ 4) g de H et 71,5 (≈ 71) g de Cl. La formule est $C_6H_4Cl_2$.

### 6-D
Il manque la pression à laquelle a été déterminée la température d'ébullition, et la température à laquelle a été mesuré l'indice de réfraction.

### 6-E
400 kJ/mol correspond à

$\Delta E = 4.10^5/6{,}02.10^{23} = 6{,}6.10^{-19}$ J/molécule.

$\nu = \Delta E/h = 6{,}6.10^{-19}/6{,}6.10^{-34} = 10^{15}$ Hz.

$\lambda = c/\nu = 3.10^8/10^{15} = 3.10^{-7}$ m = 300 nm (UV).

### 6-F
IR : fonction alcool, nombre et position des doubles liaisons, configuration *Z*.
UV : existence des doubles liaisons, leur non-conjugaison.

### 6-G
a) H équivalents dans les $CH_2$, mais non équivalence des deux $CH_2$.
b) H équivalents dans le $CH_2$ et dans le $CH_3$, mais non équivalence des deux groupes.
c) Tous les H des deux $CH_2$ équivalents, et de même tous les H des deux $CH_3$ équivalents.

### 6-H
a) 1 pic. – b) 2 pics (rapport 3:2). – c) 2 pics (rapport 9:2, ou 4,5:1). – d) 3 pics (rapports 6:3:1).

### 6-I
Il y a 8 combinaisons possibles pour les spins de ces trois protons (entre parenthèses, celles qui modifient de la même façon le champ local au niveau du proton observé) : ↑↑↑, (↑↑↓ ↑↓↑, ↓↑↑), (↑↓↓, ↓↑↓, ↓↓↑), ↓↓↓. On observe donc quatre pics, correspondant aux quatre valeurs possibles du champ local, d'intensités relatives 1:3:3:1 [voir également la figure 6.9].

## Chapitre 8

### 8-A
Monochlorés : 2 (1- et 2-chloropropane). – Dichlorés : 4 (1,1-, 1,2-, 1,3- et 2,2-dichloropropane). – Trichlorés : 5 (1,1,1-, 1,1,2-, 1,1,3-, 1,2,2- et 1,2,3-trichlopropane). – Tétrachlorés : 6 (1,1,1,2-, 1,1,1,3-, 1,1,2,2-, 1,1,2,3-, 1,1,3,3- et 1,2,2,3-tétrachloropropane).

### 8-B
Les premières molécules $CH_3Cl$ formées peuvent réagir avec $Cl_2$, en présence du méthane, pour donner $CH_2Cl_2$, puis $CHCl_3$. – En employant un gros excès de $CH_4$ par rapport à $Cl_2$, de façon que, même en présence de molécules chlorées, les collisions $CH_4/Cl_2$ soient les plus fréquentes.

### 8-C
Elle diminue, car la proportion de collisions efficaces augmente; on tend vers la proportion statistique des produits.

### 8-D
Néopentane. – Non, car il n'existe ni alcène ni alcyne possédant ce squelette carboné.

## Chapitre 9

### 9-B
On obtient une forme méso, inactive, qui est le (3*R*-4*S*)-3,4-diméthylhexane.

### 9-C
Mettre en présence un échantillon du produit final et des ions $NO_3^-$, pour vérifier s'il se forme alors, ou non, $R{-}NO_3$.

### 9-D
Base. – Acide.

### 9-E
$CH_3{-}CBr(CH_3){-}CH_2{-}CH_3$ (passage par le carbocation le plus substitué).

$C_6H_5{-}CHBr{-}CH_2{-}CH_3$ (passage par le carbocation stabilisé par résonance avec le cycle benzénique).

### 9-G

$H^+$, $H_2\ddot{O}$, $H_2\ddot{O}^+$, HO, OH, $+ H^+$

### 9-H

2-chloro- et 3-chloro-2-méthylpentane. – Non; seul le 1-chloro-3-méthylbutane convient.

## Chapitre 10

### 10-A

$H_2/Pd$ donne l'alcène $Z$ et $Na/NH_3$ l'alcène $E$. – Non, car l'alcane obtenu $R{-}CH_2{-}CH_2{-}R'$ n'a pas de stéréoisomères.

### 10-B

1re étape : $CH_3{-}\overset{+}{C}{=}CH_2$ plus stable que $CH_3{-}CH{=}\overset{+}{C}H$ (effet inductif-répulsif de $CH_3$ [5.12]).

2e étape : $CH_3{-}\overset{+}{C}Cl{-}CH_3$ plus stable que $CH_3{-}CHCl{-}\overset{+}{C}H_2$ (délocalisation des doublets libres de Cl :

$$>\overset{+}{C}{-}\ddot{\underset{..}{Cl}}: \leftrightarrow >C{=}\overset{+}{\underset{..}{Cl}}:).$$

### 10-C

$$H{-}C{\equiv}N \rightarrow H^+ + \overset{-}{C}{\equiv}N,$$

puis $HC{\equiv}CH \xrightarrow{CN^-} NC{-}CH{=}CH^-$

$$\xrightarrow{H^+} NC{-}CH{=}CH_2$$

Mais, HCN étant un acide faible, la concentration en $CN^-$ est très faible et la réaction, une fois amorcée, se poursuit selon le schéma :

$$HC{\equiv}CH \xrightarrow{CN^-} NC{-}CH{=}CH^-$$

$$\xrightarrow{HCN} NC{-}CH{=}CH_2 + CN^-, \text{ etc.}$$

### 10-D

$NH_2^-$ peut arracher son proton à $RC{\equiv}CH$, et $RC{\equiv}C^-$ peut en arracher un à $H_2O$; donc le classement est $NH_2^- > RC{\equiv}C^- > OH^-$. – Les acides conjugués sont $NH_3$, $RC{\equiv}CH$ et $H_2O$; leur classement est $H_2O > RC{\equiv}CH > NH_3$ [5.17]. – $NH_2^- + H_2O \rightarrow NH_3 + OH^-$ (pratiquement totale).

### 10-E

A chaque étape un H est transféré d'un C à un autre. La base ne peut l'enlever de son site initial que sous la forme $H^+$ et il se forme un carbanion. Le « dépôt » de $H^+$ sur un autre carbone est rendu possible par le fait que ce carbanion a une structure mésomère, et que sa charge – se divise entre deux carbones.

Formation de l'allène :

$$CH_3{-}C{\equiv}C{-}CH_3 \xrightarrow{NH_2^-}$$

$$[CH_3{-}C{\equiv}C{-}\overset{..}{C}H_2^- \leftrightarrow CH_3{-}\overset{..}{C}^-{=}C{=}CH_2] + NH_3$$

$$\longrightarrow CH_3{-}CH{=}C{=}CH_2 + NH_2^-$$

La seconde étape est analogue.

## Chapitre 11

### 11-B

Parce qu'il en résulterait la formation d'un carbocation primaire, moins stable. – On aurait pu obtenir $CH_3{-}CH_2{-}CH_2{-}CH_2Cl$, mais sa formation passerait par un carbocation primaire, alors que le produit indiqué se forme à partir d'un carbocation secondaire, plus stable.

## Chapitre 12

### 12-B

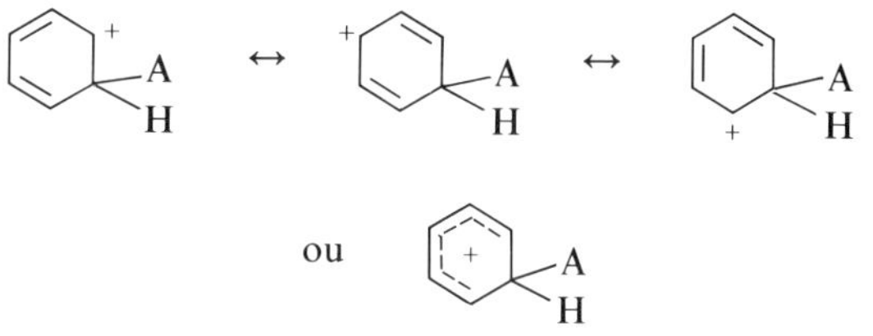

(formes mésomères du cation cyclohexadiényle portant A et H) ↔ ↔

ou

### 12-C

L'addition d'un hydracide sur une double liaison : orientation « Markownikov » si la réaction est électrophile et « anti-Markownikov » si elle est radicalaire (effet Karasch).

### 12-D

Le réactif électrophile est $CH_3{-}\overset{+}{C}H{-}CH_3$, résultant de la protonation du propène; il se forme de préférence à $CH_3{-}CH_2{-}\overset{+}{C}H_2$, moins stable car primaire. La suite de la réaction est conforme au schéma général.

### 12-E

OH : inductif-attractif et mésomère-donneur. – $CH_3$ : inductif-répulsif. – $CH{=}O$ : inductif-attractif et mésomère-accepteur.

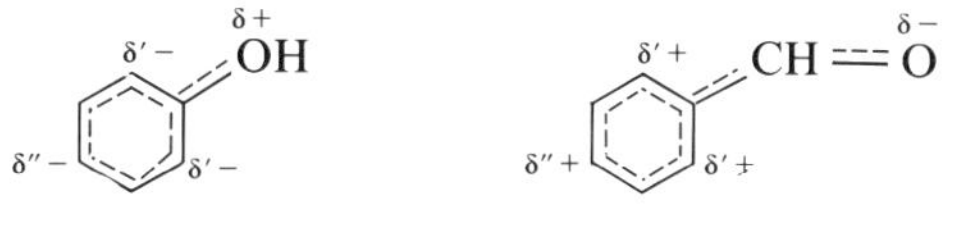

$C_6H_5{-}\overset{\delta+}{O}H$ : δ′ –, δ″ –, δ′ – ; $C_6H_5{-}CH{=}\overset{\delta-}{O}$ : δ′ +, δ″ +, δ′ +

### 12-F

Règle de Markownikov [9.6].

**12-G**

Si l'électrophile se fixe en *ortho* ou en *para*, l'une des formes-limites de l'intermédiaire est un carbocation tertiaire (charge + sur le carbone portant R). S'il se lie en *méta*, toutes les formes-limites sont des carbocations secondaires (vérifiez-le).

## Chapitre 13

**13-A**

Ces deux points de vue correspondent à des choix différents pour définir le « substrat » et le « réactif » [5.13]. Si le benzène est considéré comme substrat, il est attaqué par une espèce déficitaire (électrophile) $R^+$, et la réaction est dite électrophile. Si le substrat est le dérivé halogéné, le benzène se comporte en réactif donneur d'électrons qui, dans un comportement nucléophile, se lie au carbone déficitaire; la réaction est dite nucléophile.

**13-B**

$$CH_3{-}CH_2Br + NH_3 \rightarrow [CH_3{-}CH_2{-}\overset{+}{N}H_3]Br^- \rightarrow CH_3{-}CH_2{-}NH_2 + HBr$$

**13-C**

$S_N1$, car le carbocation intermédiaire est stabilisé par résonance :

$$CH_3{-}\overset{+}{C}H{-}CH{=}CH_2 \leftrightarrow CH_3{-}CH{=}CH{-}\overset{+}{C}H_2;$$

ceci explique également la formation de deux produits, puisqu'il existe deux sites déficitaires susceptibles de recevoir l'anion $OH^-$.

**13-D**

Non, car dans ces conditions la concentration de $OH^-$ varie peu au cours de la réaction (si on a pris 10 moles de soude pour 1 de RX, il en reste 9 à la fin de la réaction). $[OH^-]$ est donc un terme sensiblement constant dans l'équation

$$v = k[RX][OH^-]$$

et, *de ce seul fait*, $v$ ne dépend plus que de [RX], même si la réaction est bimoléculaire.

**13-E**

$$\begin{matrix} Ph & & Ph \\ & C{=}C & \\ Br & & H \end{matrix}$$ Isomère *E* [3.24].

Le substrat est une forme méso, facile à représenter puisque symétrique. Il suffit ensuite de lui donner la conformation exigée par la réaction (H de l'un des carbones antiparallèle à Br de l'autre).

**13-F**

Deux produits de substitution (en raison de la résonance du carbocation) :

$CH_2{=}CH{-}CHOH{-}CH_3$ et $HOCH_2{-}CH{=}CH{-}CH_3$;

un produit d'élimination $H_2C{=}CH{-}CH{=}CH_2$.

**13-G**

Voir 8.4, 9.6-7, 9.10, 10.5, 10.6, 11.9, 12.7.

## Chapitre 14

**14-A**

A sa polarisation ($\overset{\delta-}{C}{-}\overset{\delta+}{\text{métal}}$), d'autant plus forte que l'électronégativité du métal est plus inférieure à celle du carbone. – Réactivité moyenne (électronégativités : C 2,5; Pb 1,8; Mg 1,2; Na 0,9).

**14-B**

Il s'agit d'une liaison de coordinence [4.4] entre un atome portant un doublet libre (O de l'éther) et un autre possédant une orbitale vide (Mg). Il en résulte des charges « formelles », non toujours indiquées (ici $>\overset{+}{O}{-}\overset{-}{Mg}<$).

**14-C**

Non. La réaction principale sera une élimination, donnant de l'isobutène, car $R^-$ est une base très forte et tBuCl est un halogénure tertiaire [13.11].

**14-D**

L'aldéhyde n'apparaît qu'à la suite d'une hydrolyse, au cours de laquelle l'organomagnésien pouvant être encore présent est lui-même hydrolysé.

**14-E**

La formation précède la rupture. – Dans la réaction $S_N1$ l'ordre est inverse, et dans la réaction $S_N2$ les deux actes sont plus ou moins simultanés.

**14-F**

Dans les chlorures d'acide la présence du chlore augmente le déficit électronique sur le carbone fonctionnel, et facilite les attaques nucléophiles; ils sont pour cette raison plus réactifs que les cétones, où, au contraire, le second groupe R diminue ce déficit (effet inductif-répulsif).

## Chapitre 15

**15-A**

Alcynes vrais, H en $\alpha$ dans les dérivés halogénés et les carbocations. Dans les deux cas, l'H labile peut être enlevé par une base; au-delà, les alcynes vrais peuvent être alkylés (bilan : H remplacé par R [10.10,12] et les dérivés halogénés subissent une élimination.

**15-B**

Non. – Le métal joue le rôle d'un réducteur, qui réduit $H^+$ en $H_2$ ($2H^+ + 2Na \rightarrow H_2 + 2Na^+$).

### 15-C

Dans l'alcool protoné $\rangle C-\overset{+}{O}H_2$, la polarisation de la liaison C—O est accentuée par le déficit créé sur O. En outre, la rupture fournit alors une entité neutre ($H_2O$) au lieu d'un anion ($OH^-$), et elle est moins retenue par le carbocation (énergie de dissociation plus faible).

### 15-D

Non, en raison des règles d'orientation que suivent ces deux réactions (règles de Zaïtsev et de Markownikov). Exemple :

$$\xrightarrow{-H_2O} \qquad \xrightarrow{+H_2O}$$

OH OH

### 15-E

On *oxyde* effectivement un alcool en aldéhyde ou en cétone, car le nombre d'oxydation du carbone fonctionnel augmente de 2 unités (exemple : de − I dans l'éthanol à + I dans l'acétaldéhyde). — Le nombre d'oxydation de H est + I dans l'alcool comme dans $H_2O$. — Pour la même raison, la déshydrogénation d'un alcool est aussi une oxydation, mais en ce cas H est réduit, car son nombre d'oxydation passe de + I dans l'alcool à 0 dans $H_2$

### 15-F

Ces trois réactions sont des substitutions s'effectuant par un processus d'addition-élimination. — Mécanisme de la saponification et de la réduction :

$$R-\underset{\substack{\|\\O}}{C}-OR' + Y^- \rightarrow R-\underset{\substack{|\\O^-}}{\overset{\substack{Y\\|}}{C}}-OR'$$

$$\rightarrow R-\underset{\substack{\|\\O}}{C}-Y + R'O^-$$

$Y^-=OH^-$ : saponification; $Y^-=H^-$ : réduction

### 15-G

Il faut soumettre à un examen critique les réactions indiquées dans les § 15.11 à 15.19, en se reportant éventuellement à leur description détaillée. Certaines, quel que soit le substrat, donnent toujours le même résultat (organomagnésien + ester → alcool tertiaire); d'autres peuvent, selon le substrat, donner des résultats différents (ester $R-CO_2R' + OH^- \rightarrow$ alcool primaire, secondaire ou tertiaire selon que R′ est un groupe alkyle primaire, secondaire ou tertiaire). Les règles d'orientation doivent aussi être prises en compte : l'hydratation de $R-CH=CH_2$ ne donne pas l'alcool primaire en milieu acide, mais le donne par hydroboration; l'action des organomagnésiens sur les époxydes obéit aussi à des règles d'orientation et seul l'oxyde d'éthylène donne un alcool primaire, etc.

### 15-H

On risque d'obtenir le mélange des trois éthers R—O—R, R—O—R′ et R′—O—R′.

### 15-I

a) $R-O-R' \xrightarrow{HI} R-\underset{\substack{|\\H}}{\overset{+}{O}}-R' + I^-$

$$\rightarrow \underbrace{R^+ + I^-}_{\downarrow\ RI} + R'-OH$$

b) $R'-OH + HI \rightarrow RI + H_2O$

## Chapitre 16

### 16-A

Oui, car l'alcoolate $tBuO^-$ est plus fortement basique que le phénolate $ArO^-$ et peut donc effectivement enlever un proton à ArOH.

### 16-B

Une déshydratation intramoléculaire donnerait soit une triple liaison, soit trois doubles liaisons à la suite. Ces deux structures sont incompatibles avec un cycle de six carbones pour des raisons géométriques, car elles comportent quatre atomes en ligne droite.

### 16-C

Parce que la coupure en milieu acide donne ArOH et $R^+$ plutôt que $Ar^+$ et ROH (difficulté de la rupture cycle-O, voir 16.3), et que ArOH ne réagit pas avec les hydracides.

## Chapitre 17

### 17-A

Quatre. — Trois.

### 17-B

C'est $(CH_3)_3N$ qui bout le plus bas car, ne possédant pas d'H sur l'azote, elle ne peut former de liaisons hydrogène —.

$CH_3CH_2OH$ et $CH_3OCH_3$.

### 17-C

Celle des phénols, moins basiques et plus acides que les alcools pour les mêmes raisons.

### 17-D

$CH_3CH_2-NH-CH_3$, $CH_3CH_2-N(CH_3)_2$ et $CH_3CH_2-\overset{+}{N}(CH_3)_3$. — Le premier, car c'est alors avec $CH_3CH_2NH_2$ que $CH_3Br$ entre le plus souvent en collision.

### 17-E

C'est une substitution nucléophile sur l'un des $CH_3$ :

$$OH^- + CH_3-\overset{+}{N}(CH_3)_3 \rightarrow CH_3OH + N(CH_3)_3$$

Comme pour un dérivé halogéné, elle est en compétition avec l'élimination. En ce cas on l'observe seule car l'élimination est impossible (elle nécessite que l'un des groupes R au moins comporte plus d'un carbone).

### 17-F
Voir 12.6 et 12.11. $Ar—N{=}N^+$ se comporte comme n'importe quel autre réactif électrophile.

### 17-G
Selon le schéma habituel des additions électrophiles sur la liaison C=C, il faudrait que $NH_3$ protone d'abord l'éthylène, pour donner

$CH_3—CH_2^+$ qui réagirait ensuite avec $NH_2^-$. L'acidité de $NH_3$ est beaucoup trop faible, puisque l'eau, pourtant plus acide que $NH_3$, ne s'additionne pas directement. – Un acide utilisé comme catalyseur protonerait en priorité $NH_3$, plus basique que l'éthylène, pour donner $NH_4^+$.

### 17-H
On obtiendrait une élimination, plutôt qu'une substitution, $NH_2^-$ étant une base forte (noter que $NH_3$, moins basique, donne par contre la substitution).

## Chapitre 18

### 18-A
Le carbone fonctionnel d'une cétone, entouré de deux groupes R, est moins accessible que celui d'un aldéhyde. En outre, dans une addition, le carbone $sp^2$ devient $sp^3$ et les angles des liaisons diminuent (120° → 109°28'); il en résulte une compression des groupes liés au carbone, plus forte dans une cétone. Enfin, l'effet inductif-répulsif du second groupe R rend le carbone fonctionnel d'une cétone moins déficitaire (électrophile) que celui d'un aldéhyde.

### 18-B
a) $HC{\equiv}N + OH^- \rightarrow H_2O + \bar{C}{\equiv}N$

b) $N{\equiv}C^- + \,>C{=}O \longrightarrow N{\equiv}C—\overset{|}{\underset{|}{C}}—O^-$

$\xrightarrow{H_2O} N{\equiv}C—\overset{|}{\underset{|}{C}}—OH + OH^-$

### 18-C
En éliminant l'eau à mesure qu'elle se forme.

### 18-D
Dans $RR'C{=}N^+$, R et R' occupent des positions équivalentes et peuvent migrer aussi bien l'un que l'autre. On obtiendrait un mélange de

$R—CO—NH—R'$ et de $R'—CO—NH—R$ (ce qui n'est pas observé).

### 18-E
Elle nécessite la présence d'un H sur le carbone fonctionnel. – S'il y a de l'hydrogène en α, la réaction principale est la formation de l'énolate [18.3].

### 18-F
$$—\underset{|}{CH}—\underset{\underset{O}{\|}}{C}— \overset{H^+}{\rightleftarrows} \left[ —\underset{|}{CH}—\underset{\underset{^+OH}{\|}}{C}— \longleftrightarrow —\overset{H}{\underset{|}{C}}—\overset{+}{\underset{\underset{OH}{|}}{C}}— \right] \overset{-H^+}{\rightleftarrows} —\underset{|}{C}{=}\underset{\underset{OH}{|}}{C}—$$

### 18-G
Par la résonance de l'ion énolate, et la répartition de sa charge entre le C en α et O, qui peuvent tous deux « attaquer » RX (cf. 18.14, schéma de l'hybride).

### 18-H
Quatre (chaque énolate peu réagir sur chacun des deux aldéhydes). – Un (le propanal ne peut plus ni donner, ni additionner un énolate). – Deux (l'énolate de l'éthanal peut réagir sur les deux aldéhydes; $Ph—CH{=}O$ ne donne pas d'énolate).

### 18-I
Il y a équilibre chimique entre les deux formes et la consommation de l'une dans une réaction provoque un déplacement de cet équilibre au détriment de l'autre. Ainsi, la totalité des molécules d'un composé peut réagir sous l'une des formes, même si elle est minoritaire.

## Chapitre 19

### 19-A
Que les deux liaisons sont identiques, et qu'elles sont « intermédiaires » entre une simple et une double liaison.

### 19-B
Oui. Dans les deux cas, il s'agit de la faible réactivité en milieu acide d'un OH dans une structure où ses doublets libres sont délocalisés [16.3].

### 19-C
$$\begin{matrix} CH_3 \\ H \end{matrix}\!>C{=}C<\!\begin{matrix} CH_3 \\ CH_2CH_3 \end{matrix}$$
Configuration *E*

### 19-D
$$R—C\begin{matrix} \cdots NH_2^{+\,1/2} \\ \cdots NH_2^{+\,1/2} \end{matrix} \qquad \overset{+1/3}{H_2N}{\cdots}C\begin{matrix} \cdots NH_2^{+\,1/3} \\ \cdots NH_2^{+\,1/3} \end{matrix}$$

## Chapitre 20

### 20-A

Ce serait une addition « anti-Markownikov », passant par le carbocation $H_2C{=}CH{-}CH_2{-}\overset{+}{C}H_2$, non stabilisé par résonance alors que

$H_2C{=}CH{-}\overset{+}{C}H{-}CH_3$ l'est. – A partir de a), en principe $H_3C{-}CHCl{-}CHCl{-}CH_3$ (mais il se forme aussi $ClCH_2{-}CH_2{-}CHCl{-}CH_3$, car l'effet inductif-attractif de Cl défavorise le carbocation secondaire). – A partir de b),

$$CH_3{-}CHCl{-}CH_2{-}CH_2Cl$$

(les deux carbocations sont secondaires, mais celui dont la charge est la plus proche de Cl est défavorisé).

### 20-B

Seul a) ne le peut pas. – b) et c) ont la géométrie voulue, et d) peut la prendre moyennant une rotation autour de la liaison simple.

### 20-C

L'OH qui part est celui dont le départ donne naissance au carbocation le plus stable; dans le cas présent c'est celui de la fonction alcool tertiaire :

$$(CH_3)_2C(OH){-}CH_2OH \xrightarrow{H^+} (CH_3)_2\overset{+}{C}{-}CH(H){-}OH + H_2O$$

$$\rightarrow (CH_3)_2CH{-}\overset{+}{C}H{-}O{-}H$$

$$\rightarrow (CH_3)_2CH{-}CH{=}O + H^+$$

### 20-D

HO OH $\xrightarrow[-H_2O]{+H^+}$ HO: (carbocation) $\longrightarrow$ (oxonium, $\overset{+}{O}$–H) $\longrightarrow$ (tétrahydrofurane, O) $+ H^+$

### 20-F

a) Déshydratation et réarrangement pinacolique (cf. **20-C**) entre la fonction secondaire et l'une des fonctions primaires :

$$HOCH_2{-}CHOH{-}CH_2OH \xrightarrow{H^+} HOCH_2{-}CH_2{-}CH{=}O + H_2O$$

b) Déshydratation normale de la fonction restante.

### 20-G

Les doubles liaisons C=C et C=O n'y sont pas conjuguées.

### 20-H

a) Oxydation en cétone (cyclohexanone), ensuite coupée par l'oxydant [18.19].
b) Déshydratation en cyclohexène (milieu acide), suivie de la coupure de la double liaison [9.14].

### 20-I

Quatre produits (même raison qu'en **18-H**). – Ces deux esters, ne possédant pas d'H en $\alpha$ ne peuvent donner un carbanion et il ne peut se former que deux produits (réaction de l'autre ester soit sur lui-même, soit sur le formiate ou le benzoate).

## Chapitre 21

### 21-A

Époxydes, tétrahydrofurane, lactides, lactones, ozonides (cf. index alphabétique).

### 21-B

Dans le cas des amines benzéniques, tout à fait analogue [17.6], et aussi dans celui des phénols, comparativement aux alcools [16.3].

### 21-C

(bicycle ponté par O) [20.4]

### 21-D

pyrrole (N1–H, positions 1 à 5) + $CH_3{-}Cl$ $\longrightarrow$ cation intermédiaire (C2 portant H et $CH_3$) $\longrightarrow$ 2-méthylpyrrole ($-CH_3$) $+ H^+ + Cl^-$

En cas d'attaque sur C2, la délocalisation dans le cation intermédiaire intéresse le doublet $\pi$ restant et le doublet n de l'azote, dans un système conjugué allant de C3 à N. En cas d'attaque sur C3, le cation est moins stabilisé (le système conjugué va seulement de C4 à N).

## Chapitre 22

### 22-A

Seul le carbone 4 (celui de la fonction aldéhyde ayant l'indice 1) n'a pas la même configuration. La configuration absolue du (D)-galactose est donc 2*R*, 3*S*, 4*S*, 5*R*.

### 22-B

Identique à elle-même [22.2].

## 22-C

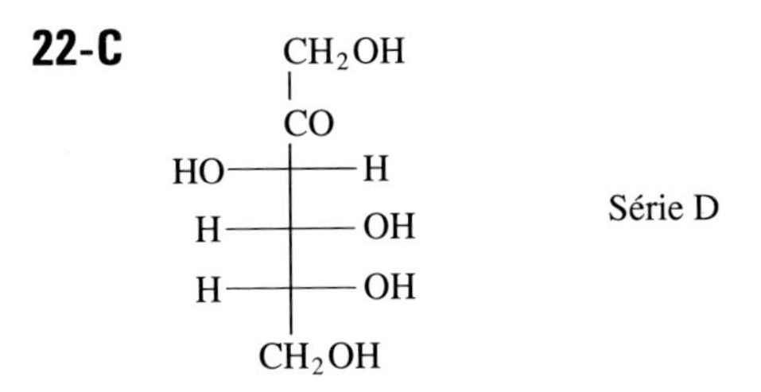


## 22-D

Aldopentose. – Aldotétrose. – L'acide en $C_5$ contient les carbones 2 à 6 de l'aldohexose initial et, étant inactif, sa molécule doit avoir un plan de symétrie. Il peut donc s'agir

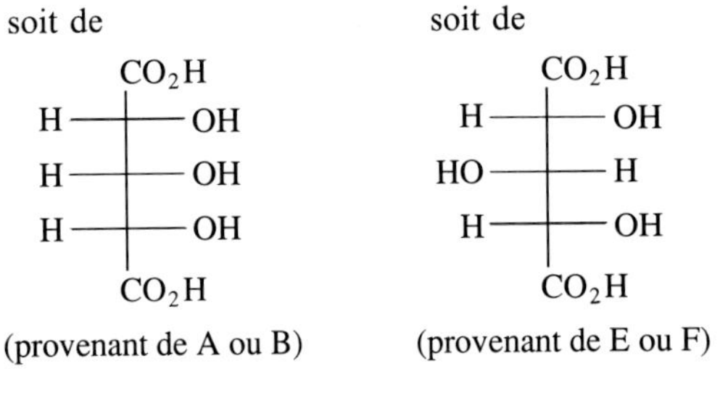


(provenant de A ou B) (provenant de E ou F)

L'acide tartrique contient les carbones 3 à 6, de l'aldohexose et, étant obtenu sous une forme active, ne peut avoir pour configuration que

$CO_2H$
HO — H
H — OH
$CO_2H$

L'aldohexose ne pouvait donc être que E et F (et il n'est pas possible de lever cette incertitude); A ou B auraient donné de l'acide tartrique inactif.

## 22-E

L'addition de HCN sur le groupe carbonyle, qui crée le nouveau centre d'asymétrie, et qui peut avoir lieu sur l'une ou l'autre des faces de ce groupe.

## 22-G

Ces deux formes ne sont énantiomères que par rapport au carbone anomère, mais les autres carbones asymétriques ont la même configuration dans l'une et l'autre. Elles sont donc diastéréoisomères, et leurs pouvoirs rotatoires ne sont pas nécessairement de signe opposé, ni de même valeur absolue.

## 22-H

Puisque le pouvoir rotatoire diminue, le glucose a donc été obtenu initialement sous sa forme α. Ceci démontre que dans le saccharose la liaison glycosidique met en jeu la liaison α du glucose. – Le calcul peut se faire à partir de la valeur initiale ou de la valeur finale du pouvoir rotatoire du mélange. Son pouvoir rotatoire apparent est la moyenne pondérée de ceux de ses constituants et on peut donc, par exemple, écrire au début :

$$[\alpha] = +10{,}5^\circ = 0{,}5(+113^\circ) + 0{,}5(x)$$

$+113^\circ$ étant le pouvoir rotatoire du glucose α [22.7] et x celui du fructose. On trouve $x = -92^\circ$.

# Chapitre 23

## 23-A

Tous deux ont la configuration *S*.

## 23-B

Même sans faire une construction géométrique précise, il est possible de penser que le doublet libre de l'azote peut être suffisamment proche de l'hydrogène pour qu'un transfert intramoléculaire ait lieu.

Un mécanisme intermoléculaire est envisageable également, le transfert d'un proton s'effectuant entre le groupe COOH d'une molécule et le groupe $NH_2$ d'une autre, à l'occasion d'une collision.

## 23-C

$NH_3^+$ et COOH. – Proton. – COOH. – COOH. – $NH_3^+$. – $NH_2$ et $COO^-$. – Captent. – $NH_2$. – $COO^-$. – $NH_2$.

## 23-D

L'équilibre est moins favorable à la forme dipolaire, par suite de la plus faible basicité de la fonction amine.

# Chapitre 24

## 24-A

Ocimène : 2 diastéréoisomères *Z*/*E*. – Myrcène : aucun stéréoisomère. – Géraniol : 2 diastéréoisomères *Z*/*E*. – Citronellol : 2 énantiomères (carbone tertiaire asymétrique). – Limonène : 2 énantiomères (carbone du cycle portant le groupe isopropényle asymétrique). – Menthol : 8 stéréoisomères, en 4 paires d'énantiomères (3 C asymétriques). – Pinène : 2 C asymétriques, mais les contraintes liées à la structure générale de la molécule rendent certaines configurations impossibles et il n'existe que deux énantiomères : l'un est représenté, l'autre est son image dans un miroir. – Camphre : même situation que pour le pinène.

## 24-B

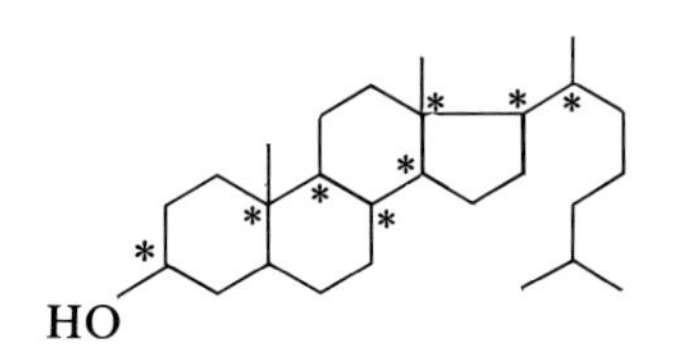


## 24-C

128 paires. – Voir 3.20.

## RÉSOLUTION DES EXERCICES

Lorsqu'on travaille sur des exercices, il faut pouvoir vérifier ses réponses ou, le cas échéant, se « débloquer ». Mais ce travail n'est réellement fructueux que si l'on a réellement, patiemment, cherché la réponse, même si l'on doit, en définitive, « sécher ».

Vous trouverez donc rarement ici la solution complète d'un exercice. Le plus souvent vous n'y trouverez qu'une amorce de solution, ou des indications destinées à vous guider sans vous dispenser de tout effort personnel.

Cherchez d'abord la solution sans aide ou, si nécessaire, en vous reportant au cours. Si vous pensez avoir trouvé, ne vous contentez pas d'une réponse purement mentale et plus ou moins vague : *écrivez complètement votre solution* (par exemple, toutes les réactions successives d'une synthèse par étapes) et *ensuite* confrontez-la avec celle qui vous est fournie. Si vous avez trouvé juste, bravo... passez à l'exercice suivant. Sinon, recherchez la cause de votre erreur, vérifiez le point correspondant du cours, et reconstituez *intégralement* la solution exacte et complète. Ne passez à l'exercice suivant qu'après avoir totalement éclairci le précédent.

Si vous n'avez rien trouvé après un temps de réflexion raisonnable, recherchez une aide dans les indications fournies, mais *essayez de vous contenter tout d'abord d'un renseignement fragmentaire* (par exemple, dans un exercice de synthèse en plusieurs étapes, ne regardez que la première ou la dernière et essayez de faire le « raccordement » par vous-même). Lorsqu'ainsi vous aurez dû être aidé(e) pour un exercice, il serait bon, quelques jours plus tard, de le refaire, seul(e) cette fois.

Un conseil encore, pour les exercices du type « comment transformer un composé A en un composé B? » : il existe, le plus souvent, moins de méthodes de préparation de B que de possibilités de transformer A. Il est donc préférable de procéder « à reculons », en faisant l'inventaire des réactions a priori susceptibles de donner B, et en recherchant ensuite laquelle peut convenir compte tenu de la nature de A. Examinez notamment si le passage de A à B s'accompagne d'une variation du nombre des atomes de carbone, ceci permettant une sélection efficace des méthodes de préparation envisageables pour B.

Les indications fournies sont souvent des références à un paragraphe du Cours où se trouve, plus ou moins en évidence, la clé du problème. Plusieurs références séparées par des virgules signifient que plusieurs réactions doivent être mises en œuvre successivement, chacun des paragraphes indiqués traitant de l'une d'elles. Des références séparées par un tiret signifient qu'il y a deux solutions possibles au problème posé.

Il peut vous être utile de savoir qu'il existe, en complément de ce Cours, un recueil d'***Exercices résolus de chimie organique.***

## Chapitre 1

### 1-a

Formules possibles (d'autres le sont également, notamment en envisageant des structures cycliques) :
a) $HC{\equiv}C{-}C{\equiv}CH$ – b) $H_3C{-}C{\equiv}C{-}CH{=}CH_2$
c) $H_2C{=}CH{-}CH{=}CH_2$
d) $CH_3{-}(CH_2)_{13}{-}CH_3$
e) $ClCH{=}CH{-}CH_2Cl$ – f) $CH_3{-}CH_2{-}CH{=}O$
g) $HC{\equiv}C{-}C{\equiv}N$ – h) $H_3C{-}COCl$
i) $CH_2{=}CH{-}S{-}CH{=}CH_2$ – j) $CH_3{-}NH_2$
k) $Cl_3C{-}COOH$
l) $H_2C{-}CH{=}CH{-}CO{-}NH_2$.

### 1-b

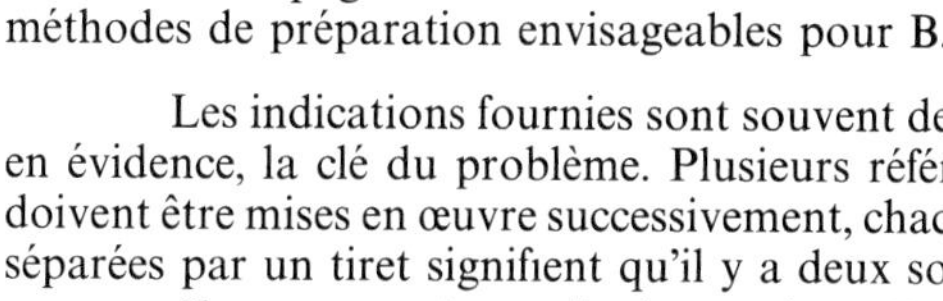

### 1-c

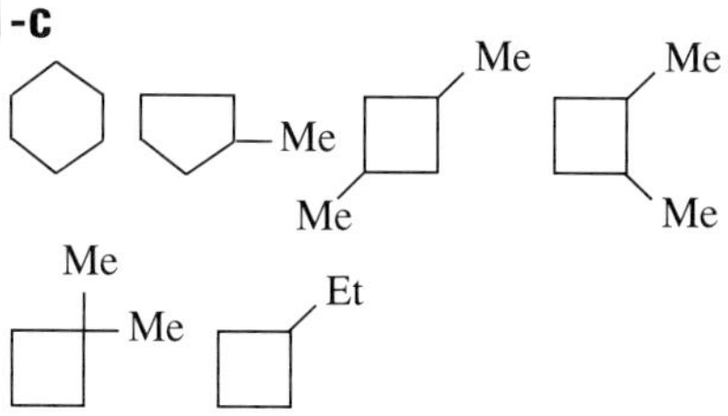

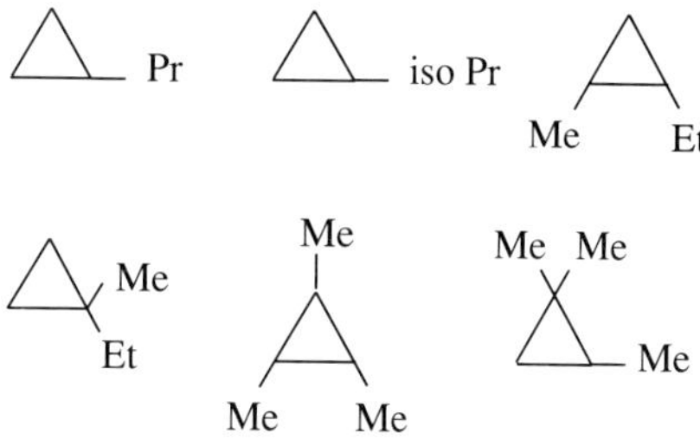

Me Me Me Me Me Me Et

Pr iso Pr Me Et

Me Et Me Me Me Me Me Me

### 1-d

La molécule comporte nécessairement un cycle portant une chaîne latérale et une seule; le cycle peut avoir 6, 5, 4 ou 3 carbones et la chaîne respectivement 1, 2, 3 ou 4 carbones (avec 3 ou 4 carbones, elle peut être linéaire ou ramifiée). En tout, sept structures sont possibles.

### 1-e

Formules brutes possibles :

$$C_3H_4O, \quad C_4H_6O, \quad C_5H_8O, \quad C_6H_{10}O, \text{ etc.}$$

$C_4H_6O$ correspond à la masse molaire 70. Formules possibles :

$$CH_3{-}CH{=}CH{-}CH{=}O,$$
$$CH_2{=}CH{-}CH_2{-}CH{=}O,$$
$$CH_2{=}C(CH_3){-}CH{=}O.$$

### 1-f

Impossibles :

$C_{25}H_{53}$, $C_2H_2Cl_6$, $C_{33}H_{32}Br$, $C_5H_4Br_3$.

## Chapitre 2

### 2-a

a) $\alpha$ : 2($\widehat{H—N—N}$ et $\widehat{H—N—H}$); $\theta$ : 1 (1 rotation possible); d : 2(N—H et N—N) – b) $\alpha$ : 5; $\theta$ : 1; d : 4. – c) $\alpha$ : 3; $\theta$ : 2; d : 2.

### 2-b

a) 0,185 nm. – b) 0,242 nm.

### 2-c

0,251 nm ($\alpha$ = 109°28′).
$2R_H$ = 0,240 nm; $2R_{Cl}$ = 0,360 nm. Deux H en position 1,3 diaxiale sont presque « au contact »; la présence de deux Cl entraîne une déformation de la molécule.

### 2-d

a) Liaisons C—C et C—O – b) Aucune – c) Liaison $C—CH_3$ – d) Aucune – e) Cycle chaise ou bateau; liaisons du cycle avec chaque substituant; liaisons $C—CH_3$ dans le groupe tBu – f) Liaison cycle —OH.

### 2-e

a) et c).

### 2-f

Les trois barrières correspondent aux trois conformations éclipsées :

La première comporte le rapprochement maximal de deux groupes $CH_3$, plus encombrants que les H; dans les deux autres les méthyles sont éclipsés avec des H.

### 2-g

Les liaisons du carbone éthylénique en « tête de pont » devraient être coplanaires et ne peuvent pas l'être.

### 2-h

(a) (b)

(c) (d) (e)

## Chapitre 3

### 3-a

a) Achirale; pas de C* – b) Chirale; 2 C* (portant les $CH_3$—) – c) Achirale; deux C* (portant les OH), forme méso – d) Chirale; un C* (portant Br) – e) Achirale; pas de C* – f) Chirale; pas de C* – g) Achirale – h) Chirale ou achirale (forme méso), selon configuration des deux C* (portant les OH) – i) Chirale; un C* (portant $CH_3$).

### 3-b

Trois :

$$CH_3—\overset{*}{C}HOH—CH_2—CH_2—CH_3,$$
$$(CH_3)_2CH—\overset{*}{C}HOH—CH_3,$$
$$CH_3—CH_2—\overset{*}{C}H(CH_3)—CH_2OH.$$

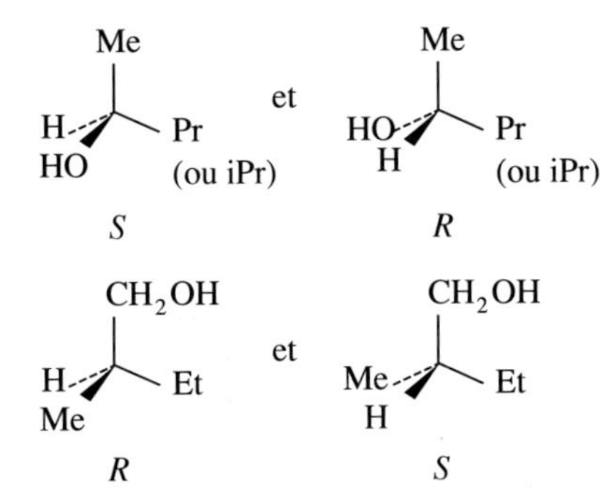


### 3-c

Vingt.

### 3-d

a) *R*. – b) *R*. – c) *S*. – d) *S,R*. – e) *R*. – f) *R*. – g) *Z*. – h) *R,R,E*. – i) *S,S* (de gauche à droite).

### 3-e

a) Conformation (la configuration des C* est la même dans les deux molécules). – b) Configuration (la configuration de l'un des C* est différente; les deux molécules sont diastéréoisomères).

### 3-f

a) et e) : 1C*; deux énantiomères *R* et *S*.
b) et c) : 2C*; deux énantiomères *like* (*R,R* et *S,S*) et deux énantiomères *unlike* (*R,S* et *S,R*). Pour c) la paire *like* est *cis* et la paire *unlike* est *trans*.
d) et h) : 1C* et 1C=C; deux paires d'énantiomères *R,Z*/*S,Z* et *R,E*/*S,E* (dans d la double liaison du cycle n'engendre pas de stéréoisomères).
f) 2C* identiques et 1C=C; deux paires d'énantiomères *R,Z,R*/*S,Z,S* et *R,E,R*/*S,E,S* (*like*); deux formes méso (*unlike*) *R,Z,S*(≡*S,Z,R*) et *R,E,S*(≡*S,E,R*).
g) 2C=C identiques; trois diastéréosisomères *Z,Z*, *E,E* et *Z,E*(≡*E,Z*).
i) Pas de stéréoisomères.

### 3-g

a) trans et b) cis, car ce sont les isomères qui peuvent avoir leurs deux groupes $CH_3$ équatoriaux.

### 3-h

$2^8 = 256$. La complexité de la molécule exclut l'existence d'un isomère possédant un plan de symétrie.

### 3-i

La présence des substituants sur les cycles entrave la rotation de l'un par rapport à l'autre; il existe deux conformations bloquées énantiomères (optiquement actives sans carbone asymétrique) :

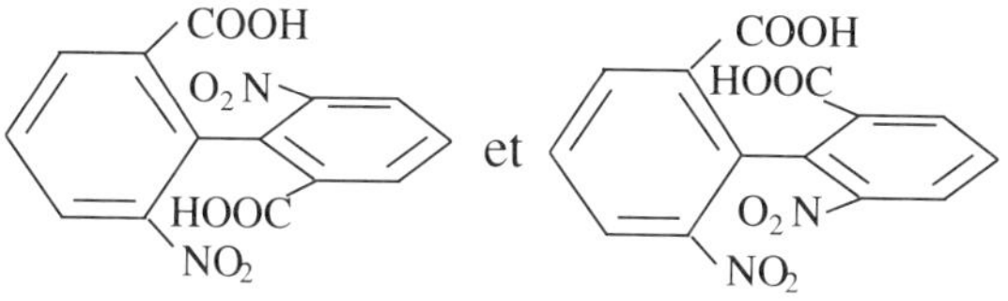

COOH, $O_2N$, HOOC, $NO_2$ et COOH, HOOC, $O_2N$, $NO_2$

### 3-j

Le composé initial

$$HOCH_2-\overset{3}{C}HOH-\overset{2}{C}HOH-CHO$$

était sous la forme du racémique constitué par les deux énantiomères

(2R, 3S) H, O=CH, H, HO, $CH_2OH$, OH

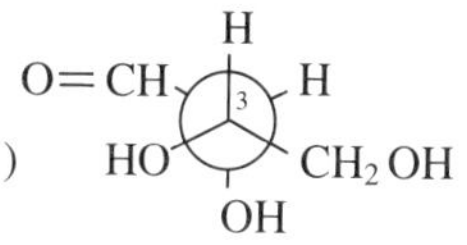

et H, H, CH=O, $HOCH_2$, OH, OH (2S, 3R)

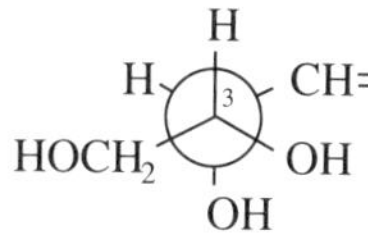

L'autre couple d'énantiomères aurait donné de l'acide tartrique méso, non dédoublable.

### 3-k

200 g . $l^{-1}$. − [α] = + 66,5°

## Chapitre 4

### 4-a

$CH_3-\overset{+}{\ddot{S}}H_2$ $CH_3-Zn-CH_3$ $BF_3$ $\overset{-}{\ddot{C}}F_3$

$H_2\overset{+}{N}=CH-CH=C(-\ddot{O}:^-)(-:\ddot{O}H)$

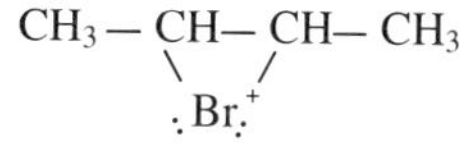

$CH_3-CH-CH-CH_3$ (pont $:\ddot{Br}:^+$)  $CH_3-C(:\ddot{O}H)(:\ddot{O}:^-)-\ddot{O}-CH_3$

### 4-b

a) 2,33; b) 1,26; c) 0. Le moment de la molécule est la résultante de ceux des deux liaisons C−Cl; il est d'autant plus petit qu'elles forment un angle plus grand, et nul si cet angle est 180°.

### 4-c

L'effet inductif-attractif de Cl renforce la polarisation de la liaison O−H. Au contraire, l'effet inductif-répulsif de $CH_3$ la diminue; l'acide propionique est plus faible que l'acide acétique.

### 4-d

La longueur des liaisons et l'énergie de formation de la molécule.

### 4-e

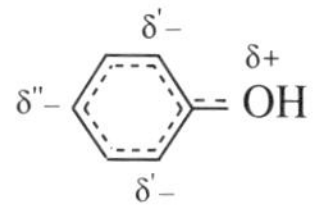

δ'−, δ+, δ''−, OH, δ'−

### 4-f

a) $CH_3-C(=O^{\delta-})=CH=CH=\overset{\delta+}{Cl}$  d) δ'+, δ''+, $C(=O^{\delta-})-CH_3$, δ'+

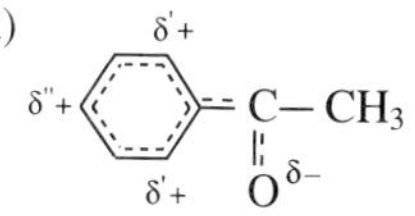

b), c), e) : non.

### 4-g

Dans l'acroléine $\overset{\delta+}{C}H_2=CH=CH=\overset{\delta-}{O}$ l'effet mésomère est de même sens que l'effet inductif, et renforce le moment dipolaire. Dans le chlorure de vinyle

$$\overset{\delta-}{C}H_2=CH=\overset{\delta+}{Cl}$$

il est de sens opposé et diminue le moment dipolaire résultant de l'effet inductif.

### 4-h

La différence est due à la stabilisation de (A) par la conjugaison des doubles liaisons; elle donne une mesure de l'énergie de résonance dans (A).

### 4-i

a) $:\overset{-}{\ddot{O}}-C(=\overset{+}{N}H_2)(-\ddot{N}H_2)$  b) $CH_3-C(=\overset{+}{O}H)-CH=C(-:\ddot{O}:^-)-CH_3$

c) $^+$(cycle)$=\overset{+}{N}(O^-)(O^-)$  d) (cycle)$^-=\overset{+}{N}=\overset{+}{N}$

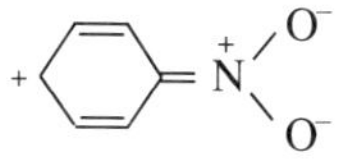

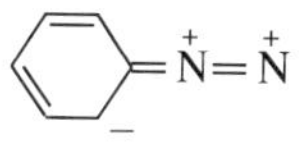

### 4-j

a) $CH_3-C(-:\ddot{O}:^-)=\overset{+}{\ddot{C}l}:$  b) $CH_2=C(-CH_3)-\overset{+}{C}H_2$

c) $H_2\overset{+}{N}=C=\overset{-}{\ddot{N}}:$  d) $H_2\overset{-}{C}-\overset{+}{N}\equiv N:$

e) $CH_3-\overset{+}{\ddot{O}}=CH-\ddot{C}H_2^-$ f) 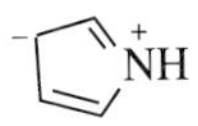 $^{-}$[pyrrole ring]$\overset{+}{N}H$

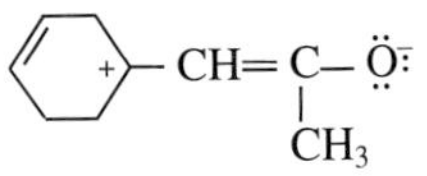

g) [cyclohexadiényle +]$-CH=C(CH_3)-\ddot{O}\text{:}^-$

h) $CH_3-\overset{+}{\ddot{O}}=$[cyclohexadiène]$=CH_2$

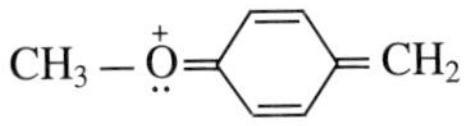

## Chapitre 5

### 5-a

Électrophile : e) – Nucléophiles : a), c), d), f), h), i), j), k) – Ni l'un, ni l'autre : b), g), l).

### 5-b

a) C tertiaire – b) Azote – c) C chargé +
d) C du groupe $C=O$ – e) C du $CH_2$
f) C du $CH_2$.

### 5-c

a) Substitution nucléophile – b) Substitution électrophile – c) Substitution radicalaire – d) Addition électrophile – e) Addition nucléophile.

### 5-d

a) Acide + base (Lewis) – b) Base + acide (Brönsted) – c) Acide + base (Brönsted).
d) Base + acide (Lewis).

### 5-e

a) $H^+$, $CH_3-\overset{+}{C}(OH)-CH_3$ – b) $OH^-$

c) $PrO^-$, $\overset{+}{M}gBr$ – d) $CH_3^+$, $AlCl_4^-$;

e) $R-CH(C_6H_5)-CH_2^{\bullet}$ – f) $R-\overset{+\;+}{O}(Zn)-H$

g) $CH_3-\overset{+}{C}H-OH$.

### 5-f

Réaction complexe, puisque l'un des deux réactifs ne figure pas dans l'équation de vitesse (ordre nul par rapport à $Br_2$). L'étape cinétiquement déterminante met en jeu une molécule d'acétone et un ion $OH^-$; vu le caractère basique de $OH^-$, on peut supposer qu'il enlève un proton à l'acétone :

$$CH_3-CO-CH_3 + OH^- \rightarrow CH_3-CO-CH_2^- + H_2O$$

et que le carbanion formé réagit ensuite avec $Br_2$, rapidement :

$$CH_3-CO-CH_2^- + Br_2 \rightarrow CH_3-CO-CH_2Br + Br^-$$

## Chapitre 6

### 6-a

a) $C_3H_9N$ – b) $CH_3-NH-CH_2-CH_3$.

### 6-b

a) $C_5H_8$ – b) $H_2C=CH-CH=CH-CH_3$ et
$H_2C=C(CH_3)-CH=CH_2$

(la formule brute pourrait correspondre à la présence d'une triple liaison, ou d'un cycle, mais l'UV indique qu'il s'agit de deux doubles liaisons conjuguées) – c) Oui; intensité du signal vers 5,2-5,7 ppm, correspondant aux H seuls sur un carbone $sp^2$ (trois dans un cas, un seul dans l'autre).

### 6-c

$CH_2=CH-CH_2-CH=O$ (l'IR indique un groupe $CH_2=CH-$ et une fonction aldéhyde; l'UV indique qu'il n'y a pas de conjugaison entre les deux).

### 6-d

A) 1 signal (les 4 H sont équivalents) – B) 3 signaux (les H des deux groupes CHCl sont équivalents, mais ceux du groupe $CH_2$, auxquels correspond un déplacement chimique différent, ne le sont pas) – C) 2 signaux (les H du groupe $CH_2$ sont équivalents).

### 6-e

Le déblindage dû au chlore décroît progressivement avec l'éloignement, comme l'effet inductif.

### 6-f

$Cl_2CH-CHCl_2$ : 1 singulet (H équivalents).
$Cl_2CH-CH_2Cl$ : de gauche à droite sur le spectre, 1 triplet (intensité 1) et 1 doublet (intensité 2).

### 6-g

C'est le cyclohexane, dans lequel les 12 H sont équivalents. Si l'un d'eux est remplacé par Cl, ils ne sont plus équivalents et de nombreux couplages apparaissent.

### 6-h

$C_3H_7Cl$ ne peut être que $CH_3-CH_2-CH_2Cl$ ou $CH_3-CHCl-CH_3$. Seul le second peut avoir le spectre décrit (l'heptuplet correspond au proton de $-CHCl-$, déblindé par le chlore et couplé avec six voisins; le doublet correspond aux six protons des groupes $CH_3$, couplés avec le proton du carbone central).

### 6-i

Le spectre est celui d'un groupe éthyle $-CH_2-CH_3$; l'amine est $(CH_3CH_2)_3N$.

## Chapitre 7

### 7-a

Un seul nom est indiqué, mais parfois un autre est possible.
1) Benzonitrile. – 2) Perchloréthane
3) Cyclohexyléthylène
4) N-méthyl-N-propylisopropylamine
5) 2-oxopent-4-énoate de méthyle

6) Benzoate de phényle. – 7) 3-éthoxypropyne
8) 2,3-dihydroxypropanal
9) Acide (*E*)-2-chlorobut-2-ènedioïque
10) 4-bromocyclohex-2-énone
11) *méta*-divinylbenzène
12) 1-cyclohexylhepta-1,3-diène-6-yne
13) 3,7-diméthyloct-6-én-1-ol
14) *cis*-1,3-diméthylcyclopentane
15) Pentan-2-ol. – 16) N,N-diéthylallylamine
17) N,N-diméthylisopropylamine
18) Chlorure de 3-méthylbutanoyle
19) 1,2-diméthoxypropène
20) 2,2-diméthylhexane-3,4-diol
21) (*R*)-2-éthylpentanal.

## 7-b

1) $Me_2CH-CH_2-CHEt-CH_2-CMe_2-CH_2-CH_3$

2) Me, Pr, Cl (cyclopentane)

3) $MeO-CO-CH_2-CH_2-CO-OMe$
4) $CH_3-CH_2-CO-NH-Bu$
5) $CH_3-CH=C(CH_3)-CO-CH_3$
6) $Ph-CH_2-CH_2-NH-CH_2-CH_3$

7) $NH_2$, Et, H, $CO_2H$ 8) $Cl_3C-CO_2NH_4$

9) $CH_3O$, OH, Br, $OCH_3$ (benzène)

10) $H_3C-C\equiv C-CHOH-CH_3$

11) Cl, H, H, CHO (cyclobutane)

12) $Ph_3C-OH$

13) $Ph-CH_2-CO-CH=CH_2$

14) H, H, $C=C$, Cl, $CH_2-CHO$

15) $(CH_3-CH_2-CH_2-CH_2)_3Al$

16) $CH_3-C_6H_4-C\equiv N$ 17) $Cl_3C-CHPh_2$

18) Br, Br, $CO_2K$ (cyclohexane)

19) $(CH_3-CH=CH-CO)_2O$

20) $(CH_3)_2CH-MgBr$

## 7-c

1) 4-éthyldécane. – 2) 3-fluorobutanone
3) 2,3-diméthylbutane-2,3-diol
4) 3-oxopent-4-ène nitrile
5) N-méthyl-N-phénylaniline. – 6) But-2-yne
7) 2-méthylhexane. – 8) 1-éthylcyclohexène
9) Cyclopent-2-énol. – 10) 3,3-diméthylbutanone
11) 3-aminocyclohexanone
12) 2-méthylbut-1-ène
13) 3,4,5,7-tétraméthylnonane
14) Méthoxyéthane
15) N-méthyl-N-éthylbutylamine
16) 3,7-dichloro-4-éthyl-6,6-diméthylnonane.

# Chapitre 8

## 8-a

A et B sont deux halogénobutanes isomères. Leur réaction avec Na (réaction de Wurtz) permet d'attribuer à chacun sa formule.

## 8-b

Soient x et y les volumes respectifs de $CH_4$ et de $C_2H_6$ dans les 100 ml de mélange. Selon les deux équations-bilan de combustion, x moles de $CH_4$ donnent x moles de $CO_2$, et y moles de $C_2H_6$ donnent 2y moles de $CO_2$. $x + y = 100$ (avant combustion) et $x + 2y = 150$ (après combustion. $x = y = 50$ ml.

## 8-c

La proportion statistique serait 60 % de 1-chlorobutane (6 H substituables) et 40 % de 2-chlorobutane (4 H substituables).

$$\frac{27}{73} = \frac{60}{40} \times \frac{v_1}{v_2}, \quad \text{d'où} \quad \frac{v_1}{v_2} = 0{,}25.$$

## 8-d

Un alcane en $C_n$ contient $(2n + 2)$ H.

$$(n \times 12) + (2n + 2) = 129 \quad \text{d'où} \quad n = 9{,}07 \approx 9;$$

formule brute de l'alcane $C_9H_{20}$. Il comporte 18 H dans les $CH_3$ et 2 H dans un $CH_2$ (rapport 18:2 = 9:1). L'absence de couplages impose que la structure soit $(CH_3)_3C-CH_2-C(CH_3)_3$.

# Chapitre 9

## 9-a

A : $CH_3-CH_2-C(Me)=CH-CH_2-CH_3$; 3-méthylhex-3-ène.
B : $CH_3-CH(Me)-CH_2-CH_2-CH=CH_2$; 5-méthylhex-1-ène.

## 9-b

1) $CH_3—CH=C(Me)—CH(Me)—CH_3$; 3,4-diméthylpent-2-ène.
2) $CH_3—CH_2—C(Me)=CH—CH=CH_2$; 4-méthylhexa-1,3-diène.
3) 1,5-diméthylcyclohexa-1,4-diène

## 9-c

1) $CH_3—C(CH_3)Cl—Et$
2) $ICH_2—C(OH)(CH_3)—Et$
3) $BrCH_2—CBr(CH_3)—Et$
4) $CH_3—C(OH)(CH_3)—Et$
5) $BrCH_2—CH(CH_3)—Et$
6) $HOCH_2—CH(CH_3)—Et$
7) $H_2C—C(Me)—Et$ (époxyde, O pontant)
8) $HOCH_2—C(OH)(CH_3)—Et$

## 9-d

1) 9.21, 9.4 – 2) 9.21, 9.6 – 3) 9.21, 9.7
4) 9.20, 9.10 – 5) 9.19, 9.8 – 6) 9.19, 9.9
7) 9.19, 9.12-9.13 – 8) 9.21, 9.14
9) 9.20, 9.15 – 10) 8.4, 9.20.

## 9-e

1) (a) : $CH_3—CH_2—CHCl—CH_2Cl$;
(b) : $CH_3—CH_2—CH=CH_2$
2) (c) est un alcène, (d) un bromoalcane et (e) un organomagnésien; sa réaction avec $CH_3Br$ ajoute un $CH_3$ au squelette initial [8.10], mais on ne peut savoir lequel a été ajouté qu'en déterminant la structure de (c) d'après son ozonolyse.

## 9-f

1) $(H)(CH_3)C=C(CH_3)(CH_2—CH_3)$ (Z)-3-méthylpent-2-ène
2) $(Ph)(H)C=C(CH_3)(H)$ (Z)-1-phénylpropène

## 9-g

1) HO, H, Ph–C–C–Ph, H, OH : (1*R*, 2*S*)-1,2-diphényléthane-1,2-diol (forme méso)
2) H, Ph, $CH_3$–C–C–H, $CH_3$, $CHOH—CH_3$ : (3*R*, 4*S*)-3-méthyl-4-phénylpentan-2-ol et son énantiomère (3*S*,4*R*)

## 9-h

C'est un diène conjugué (UV), et les doubles liaisons sont de la forme $—C(|)=CH—$ (IR). Sa masse molaire est voisine de 112 (hydrogénation) et la valeur la plus voisine pour $C_nH_{2n-2}$ est 110 (n = 8). L'ozonolyse et la RMN montrent qu'il contient, en plus des quatre carbones du motif C=C—C=C, quatre $CH_3$. Sa formule ne peut être que

$$Me_2C=CH—CH=CMe_2$$

(les deux méthyles liés sur un même carbone ne sont pas équivalents en RMN, compte tenu de la géométrie de la molécule).

## 9-i

Résultat normal. L'effet inductif-attractif des trois fluors déstabilise le carbocation $F_3C—\overset{+}{C}H—CH_3$ (renforcement du déficit sur le carbone), plus qu'il ne déstabilise $F_3C—CH_2—\overset{+}{C}H_2$ dont la charge négative est plus loin d'eux.

## 9-j

$CH_3—CH(CH_3)—CBr_2—CH_3$. Stabilisation du carbocation intermédiaire par résonance avec les doublets libres du brome déjà en place.

# Chapitre 10

## 10-a

1) 10.5; 1,2-dichloropropène – 2) 10.6; 2,2-dichlorobutane – 3) 10.10; Propylacétylure de cuivre(I) – 4) 10.7; 3-méthylbutanone – 5) 9.4; (*Z*)–pent-2-ène – 6) Pas de réaction – 7) 3 $Br_2$, 9.10, 10.5; 2-méthyl-1,2,3,3,4,4-hexabromobutane – 8) 10.10; phénylacétylure de sodium – 9) 10.10; butylacétylure de sodium – 10) 10.10; bromure de but-1-ynylmagnésium + éthane – 11) 10.13; 2-méthylpent-3-yn-2-ol.

## 10-b

1) 9.10, 10.14 – 2) 10.4, 9.8 – 3) 10.6, 10.14 – 4) 10.5, 10.6 – 5) Préparation de BuBr : 10.4, 9.7, puis 10.10, 10.12 – 6) Préparation (10.15) et double alkylation (10.15) de l'acétylène. Préparation de $CH_3CH_2X$ à partir de $CH_3CH_2OH$ : 9.19, 9.6 (mais il existe une méthode plus directe : 13.14). L'acétylène pourrait aussi être obtenu à partir de $CH_3CH_2OH$ : 9.19, 9.10, 10.14 – 7) 10.7 – 8) 10.4(Na), 9.10 – 9) 10.4($H_2$/Pd), 9.10 – 10) 10.4, 9.15 – 11) 10.4, 9.13.

## 10-c

1) 10.4, 9.10 – 2) 10.5, 10.6 – 3) 9.22, 9.12-9.13 – 4) 9.22, 9.6, 8.10 (ou hydrogénation du but-1-yne obtenu en 5) – 5) Cf. 10.b, 5) – 6) 9.22, 9.8 – 7) 10.7, puis 10.13 avec l'aldéhyde obtenu – 8) A partir de 7) : 9.19, 9.22 – 9) A partir de 8) : 9.15.

## 10-d

La formule brute, de la forme $C_nH_{2n-2}$, peut correspondre à la présence de deux doubles liaisons, ou une double liaison et un cycle, ou une triple liaison. Les données concernant l'hydrogénation indiquent qu'il s'agit d'un alcyne; celles qui concernent l'addition de $Br_2$ n'apportent rien (elles pourraient correspondre aussi à un diène). L'hydratation et l'ozonolyse indiquent toutes deux que cet alcyne est symétrique, de la forme R—C≡C—R; ces informations sont donc redondantes, et il est inutile de préciser qu'il n'y a pas de réaction avec $AgNO_3$. Il est inutile également d'indiquer que l'ozonolyse donne un aldéhyde, et l'hydratation une cétone; il ne peut en être autrement.
Les groupes R comportent trois carbones, et il peut s'agir de groupes propyles ou isopropyles. La RMN indique que ce sont des isopropyles.
Réponse : $Me_2CH—C≡C—CHMe_2$.

## 10-e

La première réaction fait penser que A est un composé à H labile, et que le gaz est $CH_4$. B est alors un autre organomagnésien qui réagit avec un composé C, a priori un aldéhyde ou une cétone, pour donner un alcool D.
La dernière réaction indique que E est un alcyne, et ce ne peut être que l'éthynylcyclohexène (ci-dessous). Ce dernier résulte d'une déshydratation qui crée la double liaison dans le cycle et deux alcools (D et D′) peuvent donner E. Mais seul D peut résulter de la synthèse magnésienne.

A : HC≡CH B : HC≡C—MgBr

C : (cyclohexanone : O)

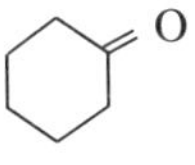

D : (OH, C≡CH)

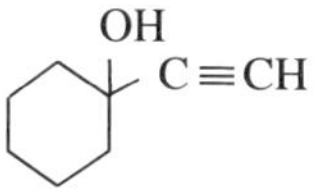

D' : (OH, C≡CH)

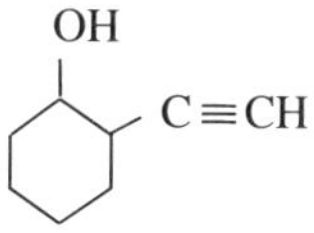

E : (C≡CH)

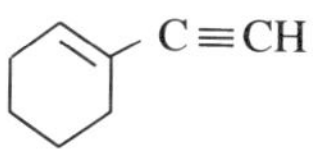

# Chapitre 11

## 11-a

Mêmes réactions que sur un alcène de la forme $R—CH=C(CH_3)—R$, mais celles qui coupent la double liaison donnent une seule molécule portant deux fonctions. 1) 9.7 — 2) 9.15 — 3) 9.14 — 4) 9.12 — 5) 9.9.

## 11-b

1) 9.19, 9.6 (ou, mieux, 13.14) — 2) 8.10 (avec le chlorocyclohexane préparé précédemment) — 3) 9.19, 9.10 — 4) 9.19, 8.5 (chloration en « position allylique ») — 5) *cis* : 9.19, 9.13; *trans* : 9.19, 9.12. — 6) 9.19, 9.14.

## 11-c

1) 11.9 (HCl), 9.20 — 2) 9.8 (sur le propène précédemment préparé) — 3) 11.9 (HCl), 8.10 — 4) Propène, puis 9.6, 8.10.

## 11-d

Trans-addition. Deux conformations en équilibre :

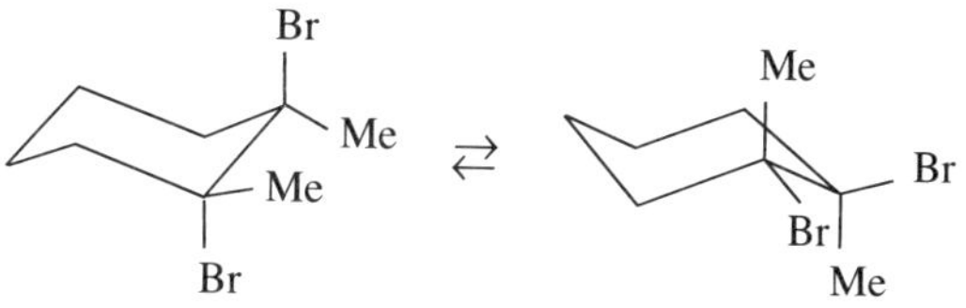

(Br, Me, Me, Br ⇄ Me, Br, Br, Me)

La conformation la plus stable est celle où les substituants les plus encombrants sont équatoriaux, mais $CH_3$ et Br n'ont pas des volumes très différents (cf. rayons de covalence et de Van der Waals).
Les deux Br, chargés négativement (δ−), ont alors tendance à se placer aussi loin que possible l'un de l'autre, donc tous deux axiaux.
La molécule est chirale (ci-dessus, *R,R*); il se forme en quantité égale son énantiomère (*S,S*) et on obtient le racémique, inactif.

## 11-e

Cis-addition. Les deux conformations ont chacune un Me axial et un Me équatoral; elles ont la même stabilité. Molécule non chirale (*R*S**, forme méso), elle est inactive.

# Chapitre 12

## 12-a

1) 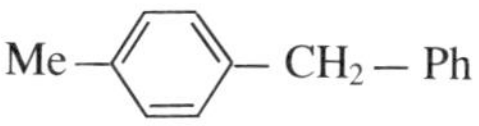 Me—C₆H₄—$CH_2$— Ph 2) Pas de réaction

3) 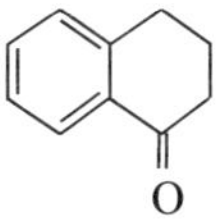 (tétralone : O)

4) 1-chloro-1-phénylpropane — 5) Cyclohexylbenzène — 6) 1,2-diphényléthane — 7) 1,2-dicyclohexyléthane — 8) $Ph—CO—CH_2—CH_2—CO—Ph$ — 9) Triphénylméthane — 10) *o*- et *p*-chloroéthylbenzène — 11) *o*- et *p*-chlorotoluène.

12) 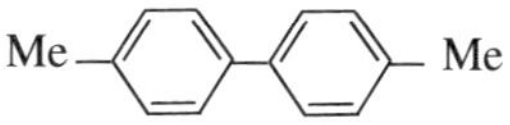 Me—C₆H₄—C₆H₄— Me

## 12-b

1) 12.10 (*p*-xylène), 12,12
2) 12.10 (avec $CH_3COCl$), 12.10 (avec $CH_3Cl$), 8.12, 12,12 — 3) 12.10 (avec PrCl), 12.7 (hν), 9.20 — 4) A partir du1-phénylpropène : 9.10, 10.14 — 5) 12.10 (avec $ClCH_2CH_2Cl$), 12.7 (hν), 9.20, 9.13.

## 12-c

1) Nitration — 2) Bromation — 3) Alkylation — 4) Indifférent (mais l'effet activant de $CH_3$ facilite une chloration ultérieure) — 5) Acylation — 6) Alkylation.

## 12-d

La réaction nécessite $H\overset{+}{C}{=}O$, qui peut se former par protonation de CO :

$$HCl + :C{=}O \rightarrow H\overset{+}{C}{=}O + Cl^-.$$

Suite normale.

## 12-e

La chloration nécessite $Cl^+$, qui peut se former à partir de HOCl comme $NO_2^+$ à partir de $HO{-}NO_2$ :

$$HO{-}Cl + H^+ \rightarrow H_2\overset{+}{O}{-}Cl \rightarrow H_2O + Cl^+.$$

## 12-f

1) *méta* (pour éviter une charge positive, dans l'intermédiaire, sur la carbone portant $CF_3$.

2) En milieu acide il se protone ($-NH_2 \rightarrow -\overset{+}{N}H_3$); $\overset{+}{N}H_3$ ne possède plus de doublet délocalisable et se comporte uniquement comme groupe attractif.

## 12-g

Vu la formule brute de A, son oxydation doit donner deux molécules d'acide benzoïque; ce doit être

$$Ph{-}CH{=}CH{-}Ph$$

(1,2-diphényléthylène, ou stilbène).
B est $Ph{-}C{\equiv}C{-}Ph$ (Diphénylacétylène), C est l'isomère *Z* du stilbène, donc A est son isomère *E*, D est le 1,2-diphényléthane.

# Chapitre 13

## 13-a

$S_N2$ : difficulté d'accès « par l'intérieur » au carbone portant Cl; $S_N1$ et E1 : impossibilité pour le carbocation d'être plan; E1 et E2 : impossibilité de former une double liaison en « tête de pont » (cf. 2.g)

## 13-b

Il faut faire deux réactions $S_N2$ successives (par exemple préparer d'abord le (2*S*)-2-iodobutane par réaction avec $I^-$).

## 13-c

$\alpha$ tend vers zéro. Chaque substitution provoque une inversion, mais à partir du moment où le mélange contient autant de forme dextrogyre que de forme lévogyre, dont la probabilité de réaction avec $I^-$ est la même, les inversions $R{\rightarrow}S$ et $S{\rightarrow}R$ se compensent et la composition n'évolue plus.

## 13-d

Elle est encore *R*, bien qu'il y ait eu « physiquement » inversion, pour une question de nomenclature (la séquence Br, iPr, Me, H est remplacée par la séquence iPr, Et, Me, H). Une inversion ne se traduit pas toujours par un changement de nom.

## 13-e

Dans la seconde étape, le carbocation commun peut être consommé plus rapidement par l'une des réactions que par l'autre. Les deux produits se forment dans le même rapport que celui des deux constantes de vitesse de ces secondes étapes.

## 13-f

1) Buta-1,3-diène — 2) 1,3-dibromobutane
3) Chlorotertiobutylbenzène (*ortho* et *para*) — 4) 2-bromopropane — 5) Et—O—Pr — 6) Chlorocyclohexane — 7) $N{\equiv}C{-}CH_2{-}CH_2{-}C{\equiv}N$
8) Cyclohexanol — 9) $NaC{\equiv}C{-}CH{=}CH_2$
10) $Ph{-}CHCl_2$ — 11) 3-méthylpentane
12) $Ph{-}CH_2{-}NMe_2$ — 13) $Me_4N^+$.

## 13-g

1) 9.22, 13.13 — 2) 9.19, 13.13 — 3) 9.20, 13.13 — 4) 9.21, 13.13 — 5) 13.14.

## 13-h

1) 9.20, 9.10, 10.14 — 2) 12.10 — 3) 9.20, 9.15 — 4) 13.15, 10.14 — 5) 13.14, 13.4 — 6) 13.14, 13.4 — 7) 9.20, 9.12-9.13 (selon stéréoisomère voulu).

## 13-i

L'enchaînement (a) → (b) → (c) correspond visiblement à alcène → alcool → halogénure d'alkyle. Ce dernier s'identifie d'après l'alcane qu'il donne dans la troisième réaction (réaction de Wurtz). Pour (a) deux structures peuvent être envisagées, mais son spectre IR permet d'en éliminer une.

## 13-j

Les réactions successives sont décrites aux paragraphes 10.10, 10.12, 10.7 et 13.15.

# Chapitre 14

## 14-a

1) Ph—CHOH—Et — 2) $CO_2$ — 3) PrOH
4) Oxyde d'éthylène
5) $CH_3CH_3 + CH_3{-}C{\equiv}CMgBr$ ($CH_3C{\equiv}CH$ après hydrolyse) — 6) $Et_3C(OH)$
7) $CH_3CH_3 + Me_2CH{-}OMgBr$ ($Me_2CHOH$ après hydrolyse) — 8) $CH_3CH_3$ — 9) $CH_3OH$
10) $Me_2CHCl$ — 11) $Et_2C(OH)Me$
12) Ph—CO—Et.

## 14-b

1) 14.7, 13.15 — 2) 14.8, 13.14 — 3) 14.11 — 4) 14.12, 13.14 — 5) 14.8, 9.19.

## 14-c

1) 9.6, 14.3, 14.8 – 2) 9.6, 14.3, 14.8 (avec $H_2C{=}O$ obtenu par action de $O_3$ sur $R{-}CH{=}CH_2$) – 3) 14.8 (avec MeMgBr), 9.19 – 4) 14.10 (à – 60°, avec MeMgCl ou EtMgCl), 14.8 (avec EtMgCl ou MeMgCl) – 5) 14.11, 13.15 – 6) 14.3, 14.8, 13.14 – 7) 14.3, 14.12, 13.14 – 8) 10.7, 14.8, 9.19 – 9) 13.14, 14.3, 14.7.

## 14-d

(a) doit être un aldéhyde ou une cétone, (b) un dérivé *gem*-dihalogéné et (c) un alcyne. La troisième réaction montre que c'est un alcyne *vrai*. Deux alcools pourraient donner par déshydratation le produit final, mais un seul des deux peut résulter de la quatrième réaction.

## 14-e

Le groupe $>C{=}O$ étant plan, l'attaque par ses deux faces est également probable, et on obtient autant d'alcool *R* que d'alcool *S* (racémique, inactif). Situation comparable à celle de l'attaque de $Br^-$ sur les deux faces d'un carbocation [9.10]).

## 14-f

1) Deux C* identiques; forme méso inactive (plan de symétrie) – 2) Oui, elle contient deux C* différents – 3) Ils donnent deux énantiomères – 4) Les deux attaques étant également probables, on obtient le produit sous la forme du racémique, inactif.

# Chapitre 15

## 15-a

Sens 2. $tBuO^-$ est plus fortement basique que $CH_3O^-$ et capte plus efficacement le proton.

## 15-b

tBu—O—tBu n'existe pas, pour raison stérique [15.6]. L'action de $CH_3O^-$ sur tBuI donnerait principalement de l'isobutène (élimination).

## 15-c

C'est une réaction de Williamson interne. – Les produits de substitution et d'élimination résultant de la réaction de $OH^-$ sur la fonction « dérivé halogéné » de la molécule.

## 15-d

Isopropylbenzène. – Réaction sur le benzène du 2-chloropropane en présence de $AlCl_3$, ou du propène en milieu acide. Dans les trois cas, la réaction résulte de la formation du carbocation

$$CH_3{-}\overset{+}{C}H{-}CH_3$$

(cf. 12.10 et 12.D).

## 15-e

1) iPrBr – 2) PrONa – 3) Cyclohexène – 4) Isobutène – 5) Et—$CO_2$Et – 6) $HOOC(CH_2)_4COOH$ – 7) PhCOOH – 8) $CH_3{-}CO{-}(CH_2)_4{-}COOH$

9) Et—CHCl—Me – 10) $HCO_2$—(cyclopentyle) – 11) Pas de réaction (ou déshydratation par la chaleur) –
12) Ph—CH=CH—$CO_2$Na + EtOH
13) Ph—CH=CH—$CH_2$OH + EtOH.

## 15-f

Pent-3-én-2-ol. – 1), 3), 4), 5), 6) et 10) réagissent avec la double liaison (chapitre 9) – 5), 6), 9), 11) et 12) réagissent avec la fonction alcool (ce chapitre) – 2), 7) et 8) ne réagissent pas.

## 15-g

Action du sodium, et mesure du volume de gaz dégagé (quel est ce gaz? Quelle relation y a-t-il entre le volume dégagé et la composition du mélange?).

## 15-h

Il y a augmentation du nombre de carbones, il s'agit donc de synthèses organomagnésiennes. L'exercice repose sur la double possibilité de transformer un alcool soit en dérivé halogéné et organomagnésien, soit en aldéhyde ou cétone par oxydation. Raisonnement initial : quelle est la réaction organomagnésienne qui peut conduire à l'éthanol? Comment peut-on obtenir les deux réactifs nécessaires à partir du méthanol?

## 15-i

1) 15.5 – 2) 15.6, 9.10 – 3) 15.6, 9.10, 10.14 – 4) 15.8-15.9 – 5) 15.8-15.9, 13.15, 10.14 – 6) 15.5, 13.4 – 7) 15.5, 14.3 d'une part; 15.8-15.9 d'autre part, puis 14.8 – 8) 15.5, 14.3, 14.8 – 9) 15.5, 13.4.

## 15-j

1) La nature des réactions est facilement reconnaissable; (f) est $CH_3{-}CHI{-}CH_3$ – 2) Les deux premières réactions représentent la synthèse magnésienne d'un acide, la troisième la formation d'un ester, qui est réduit dans la quatrième. Mais il faut déterminer d'où proviennent (de l'acide ou de l'alcool?) les groupes Me et Pr des produits. La façon dont a été obtenu l'acide permet de répondre. La dernière réaction est indépendante.

# Chapitre 16

## 16-a

Dans une solution aqueuse de phénolate ArONa, il s'établit l'équilibre $ArO^- + H_2O \underset{2}{\overset{1}{\rightleftarrows}} ArOH + OH^-$, mais la réaction 1 est très partielle (on peut préparer $ArO^-$ par action de $OH^-$ sur ArOH). La solution est basique. Espèces présentes : ArOH, $H_2O$, $ArO^-$, $OH^-$, $H_3O^+$, $Na^+$.

## 16-b

1) Hydrogénation du cycle — 2), 3) et 5) substitution sur le cycle, orientée par les substituants présents [12.11] — 4) Estérification — 6) *méta*-diphénol — 7) Phénol + $CH_4$ — 8) Réaction sur les deux fonctions — 9) *para*-diphénolate — 10) Phénolate, qui donne un éther avec $CH_3I$ (pas de réaction sur la fonction alcool) — 11) Estérification de la fonction alcool — 12) $PhCH_2I$ et EtI — 13) PhOH et EtI.

## 16-c

Réagissent avec le phénol seulement : 3), 10) (sur le cycle), 7) (sur la fonction) — Réagissent avec le cyclohexanol seulement : 1), 9), 11) (cf. chap. 15) — Réagissent avec les deux : 4), 5), 6), 12) (identiquement), 2), 8) (différemment).

## 16-d

1) 12.9, 16.10, 12.8 — 2) 12.9, 12.10, 16.10 — 3) 12.10, 12.9, 16.10 — 4) 12.9, 16.10, 12.4, 15.8 — 5) 12.7, 14.3, 14.8, 15.6 — 6) 12.4, 15.6 — 7) 12.4, 15.5 — 8) 12.8, 12.12.

# Chapitre 17

## 17-a

*Primaires :* Butylamine, 1-méthylpropylamine, 2-méthylpropylamine, 1,1-diméthyléthylamine.
*Secondaires :* N-méthylpropylamine, N-méthyl-1-méthyléthylamine, Diéthylamine.
*Tertiaire :* N,N-diméthyléthylamine.

## 17-b

Les amines ne donnent pas RX par action de HX, ni un alcène en milieu acide, où elles forment des sels stables. Il n'existe pas de composés stables (« aminates ») analogues aux alcoolates.
Elles réagissent directement avec RX (alkylation sur N), alors que seuls les alcoolates permettent de passer des alcools aux éthers.
Les phénols et les alcools ont, qualitativement, les mêmes différences que les amines benzéniques et saturées; elles proviennent de la délocalisation du doublet libre, qui entraîne le renforcement de la liaison cycle-hétéroatome et l'augmentation de la labilité de l'hydrogène.

## 17-c

1) iPr—NH—Me — 2) $tBuNH_2$ — 3) $Et_4N^+$ — 4) $PrNH_2$ — 5) *p*-aminotoluène — 6) sBu—NH—Et
7) iPr—NH—Me — 8) $PrNH_2$
9) *o*-Me—$C_6H_4$—$N_2^+$, $Cl^-$ — 10) $EtNH_2$
11) Ph—CH=N—Ph — 12) Me—$NH_2^+$—Et, $Cl^-$
13) iPrOH — 14) Ph—CO—$NEt_2$
15) Ph—N=N—$C_6H_4$—$NH_2$
16) $H_2C$=CH—$CH_2$—$CH_2$—$CH_2$—$NMe_2$.

## 17-d

1) 17.12, 17.17 — 2) 9.6, 17.14 — 3) 9.7, 17.14 — 4) 12.8, 17.17, 17.12 — 5) 17.9 — 6) 17.12 (phénol), 16.7, 9.19.

## 17-e

A et C sont primaires, et D est tertiaire [17.12]. Les deux composés de formule $C_3H_8O$ sont des alcools, et celui qui provient de A est primaire [15.5]. Il n'existe que quatre amines $C_3H_9N$ et il est donc facile d'identifier A, B et D. Par élimination, on identifie alors C.

## 17-f

On voit aisément que F est un iodure et G un hydroxyde d'ammonium quaternaire; celui-ci, dans la troisième réaction, est décomposé par la chaleur en alcène I et amine tertiaire H (qui ne peut être que $Me_3N$). L'alcène, identifiable par son ozonolyse, est l'isobutène. F est donc de la forme $R—\overset{+}{N}Me_3$ et E, qui n'a que deux carbones de moins, est de la forme R—NH—Me. R peut être iBu ou tBu; en RMN tBu donne un pic unique (pas de couplages) et iBu un spectre complexe.

## 17-g

a) (*E*)-3-méthylpent-2-ène — b) 3-méthylpent-1-ène. Tous deux non actifs.

# Chapitre 18

## 18-a

1) 1-ethylcyclopentanol — 2) Ph—CH=O
3) tBu—$CH_2$OH et tBu—COONa — 4) 2-méthylbutan-1-ol — 5) Pr—CHOH—CH(Et)—CHO
6) cycle $(CH_2)_4$—CHOH—O (fermé)
7) Ph—C(Me)=N—$NH_2$ — 8) Ph—CO—Ph
9) Et—C(OH)(Me)—CN — 10) 1,1-dichlorocyclohexane — 11) tBu—$COO^-$ + $CHBr_3$
12) Et—COOH + $CH_3$COOH.

## 18-b

1) 15.12, 18.21 — 2) sur une partie de $CH_3CHO$ : 18.4, 15.5, 14.3, puis avec le reste 15.15, 18.21 — 3) 10.14, 18.28 — 4) 18.26 — 5) 15.11, 18.21 — 6) 15.6, 18.22.

## 18-c

1) 18.17 — 2) 18.4, 15.5 — 3) 18.13, 10.14 — 4) 18.4-18.6, 15.6, 9.12-9.13 — 5) 18.16, 15.6, 18.4 — 6) cf. 18.b 2) — 7) 18.16, 15.6 — 8) cf. 18.b 2) jusqu'au butan-2-ol, puis 15.6 — 9) 18.16, 18.4, 15.6 — 10) 17.16 — 11) cf. 18.b 2) jusqu'au butan-2-ol, puis 15.5 — 12) d'une part 18.4, d'autre part 18.19, puis 15.7.

## 18-d

La réaction donne $R—C(OH)_2—R'$, qui est un hydrate de cétone instable, et qui perd une molécule d'eau pour donner la cétone R—CO—R'.

## 18-e

Il s'établit l'équilibre

$$CH_3{-}CO{-}CH_3 + H_2{}^{18}O \underset{2}{\overset{1}{\rightleftarrows}} (CH_3)_2C(^{18}OH)(OH)$$

et dans l'hydrate de cétone les deux OH sont équivalents. La réaction (2) peut donc donner indifféremment $H_2{}^{18}O$ ou $H_2O$; si elle donne $H_2O$, l'atome $^{18}O$ reste dans la cétone. Ainsi $^{18}O$ tend progressivement à se répartir également entre l'eau et l'acétone.

## 18-f

Un mécanisme en deux étapes, dont l'étape cinétiquement déterminante ne fait pas intervenir l'halogène. C'est une preuve expérimentale que la réaction débute par la formation (lente) de l'énolate.

## 18-g

Il s'établit l'équilibre entre l'aldéhyde et son énolate et dans celui-ci le carbone 2 (asymétrique dans l'aldéhyde) est plan, à cause de la résonance. Lorsqu'un $H^+$ « revient » se fixer sur lui, il peut le faire sur l'une ou l'autre des faces du plan, en donnant l'un ou l'autre des deux énantiomères de l'aldéhyde avec la même probabilité; il se produit une racémisation. On l'observerait aussi à partir de l'énantiomère lévogyre.

## 18-h

$C(CH_2OH)_4$. Les trois premières réactions sont des aldolisations entre l'acétaldéhyde et, successivement, trois molécules de formaldéhyde (qui ne peut pas donner d'énolate). La quatrième est caractéristique du comportement en milieu basique d'un aldéhyde sans H en $\alpha$ [18.12].

## 18-i

La séquence (a) → (b) → (c) évoque une aldolisation/cétolisation suivie d'une déshydratation, mais il peut paraître étonnant que (b) provienne d'une seule molécule de (a). Dans la troisième réaction, une coupure par $O_3$ ne donne qu'une seule molécule, donc (c) est un composé cyclique. Puisque c'est un aldéhyde (réduction de la liqueur de Fehling), ce ne peut être que (cyclopentène)—CHO et (b) est donc un aldol cyclique. (a) = $OCH{-}(CH_2)_4{-}CHO$.

# Chapitre 19

## 19-a

RCOOH > ArOH > ROH. Commun : H lié à O très électronégatif. Particulier : pour RCOOH et ArOH, stabilisation de la base conjuguée par résonance; pour RCOOH effet inductif de l'autre oxygène. Pour le cyclopentadiène, seule la résonance est en cause.

## 19-b

1) Ph—CONH—Ph – 2) $CH_3OH$
3) Éthane + $Na_2CO_3$ – 4) $SOCl_2$
5) Me—CO—O—CO—Pr – 6) $(CH_3CO)_2O$
7) $Bu_2C{=}O$ – 8) $(EtCO)_2O$ – 9) Ph—C(OH)$Pr_2$
10) H—$CO_2$Et – 11) $Me_2CH{-}CN$
12) $H_2$(Pd) – 13) EtMgBr – 14) tBu—CN.

## 19-c

1) 19.16, 18.24, 18.13 – 2) 18.23, 18.13 – 3) 18.23, 18.4 – 4) 19.16, 18.24; d'autre part 19.7, 13.14, 14.3, puis 14.8 – 5) 19.7, 15.7 – 6) 19.7, 13.14, 14.3, 14.8 – 7) 19.19 (+ $NH_3$, $-2\,H_2O$), 17.17 – 8) idem à partir de PrCOOH.

## 19-d

1) 19.12 – 2) 19.10 – 3) 19.19 – 4) 19.13 – 5) 14.3, 14.8 – 6) 15.12, 15.8, 18.18.

## 19-e

1) 17.12, 19.11 – 2) 19.19, 18.26 – 3) 19.19, 17.18
4) 12.12, 18.23 – 5) 18.27, 15.13 – 6) 13.14, 19.11
7) 10.7, 19.10, 18.23 – 8) 9.10, 19.11.

## 19-f

La nature des réactifs et des produits indiqués montre que (a) est un alcool... (d) un acide... (g) un anhydride. La dernière réaction permet de remonter la séquence.

# Chapitre 20

## 20-a

1) Éther cyclique [20.10] – 2) Cyclohexane-1,2-dione – 3) $CH_3{-}CO_2{-}(CH_2)_3{-}OCO{-}CH_3$ –
4) Heptane-2,4-dione
5) $CH_3{-}CO{-}CHOH{-}CH_3$
6) Synthèse diénique
7) $O{=}CH{-}(CH_2)_4{-}CH{=}O$
8) Et—CO—CH(Me)—$CO_2$Et
9) HOOC—$CH_2$—$CH_2$OH
10) (cyclopentane)(OH)(COOH)

## 20-b

1) 18.16 – 2) à partir de 1) : 18.4, 18.17, 19.16 – 3) 20.10 (pinacolone), 18.13.

## 20-c

Les intermédiaires sont (ou l'un des intermédiaires est) : 1) $NC(CH_2)_4CN$ – 2) Buta-1,3-diène – 3) Cyanhydrine – 4) Ozonide – 5) Ion diazonium – 6) 1,4-dichlorobut-2-ène – 7) Acyloïne – 8) 2-bromopentane (pour une synthèse magnésienne) – 9) 2-bromopentane (pour une synthèse malonique) – 10) Aldol – 11) R—$CH_2$—$CO_2$H – 12) Voir 20.20.

## Chapitre 21

### 21-a

1) oui – 2) non (non conforme à la règle de Hückel).

### 21-b

1) Axe de symétrie de la molécule, passant par N et le milieu du côté opposé – 2) Pyrrole : de N (pôle positif) vers le cycle qui contient le barycentre des charges négatives (effet mésomère); pyrrolidine : du cycle vers l'azote (effet inductif seulement).

### 21-c

Celui qui ne porte pas d'hydrogène; son doublet libre n'est pas délocalisé (même situation que dans la pyridine).

### 21-d

1) Dérivé sulfoné en position 2 – 2) Dérivé acylé en position 2 – 3) 2-propyl et 2-isopropylpyrrole (réarrangement du carbocation propyle) – 4) « Copulation » en position 2 [17.12] – 5) Nitration en position 3 – 6) Équilibre acidobasique; formation de l'ion pyridinium et de la base conjuguée du pyrrole (la pyridine est une base plus forte que le pyrrole) – 7) $CH_4$ et l'aminomagnésien du pyrrole [17.7] –

8) Synthèse diénique :

O O O

### 21-e

1) Préparation d'un ester, après synthèse magnésienne de l'acide – 2) Préparation d'un hydroxyde d'ammonium quaternaire (f), suivi de sa décomposition par la chaleur; (g): $H_2C{=}CH{-}(CH_2)_3{-}NMe_2$.

### 21-f

1) Le tétrahydrofurane se comporte comme un éther et subit une coupure acide [15.21, question 15.1] - 2) La pyridine joue le rôle de la base dans une élimination [13.8] - 3) Ouverture du cycle par hydrolyse, comme un époxyde [Question 9.G]; il se forme un double énol qui se réarrange en dicétone.

## Chapitre 22

### 22-a

Maltose :

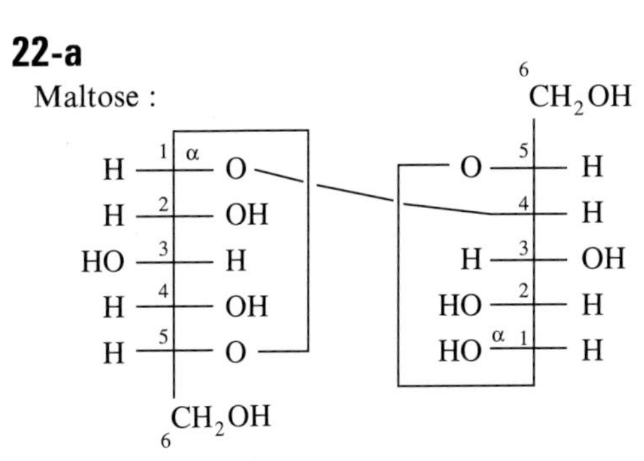


### 22-b

Le glycéraldéhyde est le premier aldose (aldotriose). L'application de la méthode de Kiliani donne un aldotétrose, dont l'oxydation fournit l'acide tartrique. La configuration du carbone adjacent à la fonction alcool primaire de l'aldotétrose est fixée (série D), mais on obtient les deux configurations de l'autre C asymétrique. L'acide tartrique obtenu est donc un mélange de forme méso et de l'un des énantiomères (R*, R*). A partir du L-glycéraldéhyde, on obtiendrait la forme méso et l'autre énantiomère (R*, R*). Dans les deux cas, le mélange est optiquement actif.

### 22-c

$HOH_2C{-}CH{=}O$.

### 22-d

*2R,3R*.

### 22-e

Chaque terme a deux « descendants », dans lesquels le nouveau carbone asymétrique a deux configurations différentes.

## Chapitre 23

### 23-a

Deux carbones asymétriques, donc quatre formes :

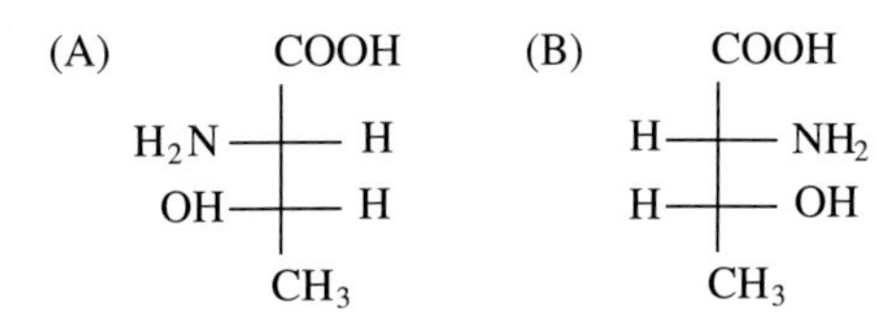


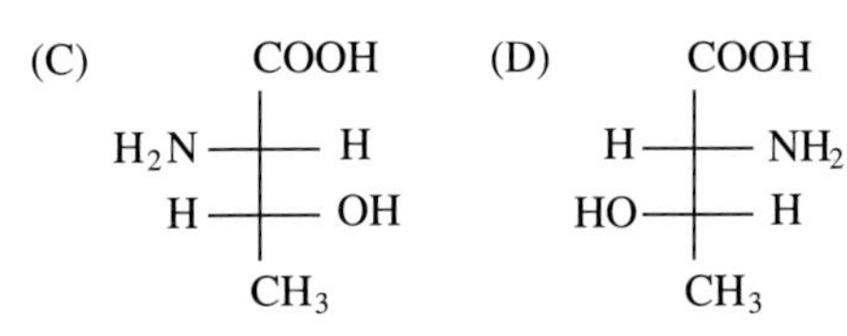


(A) et (B) d'une part, (C) et (D) d'autre part, sont énantiomères; autres relations : diastéréoisomérie.

### 23-b

Isoleucine (également deux carbones asymétriques).

### 23-c

1) Oxydation de l'alcool et réaction de Strecker – 2) Oxydation et amination réductive.

### 23-d

A est l'acide iBu—COOH.

### 23-e

1) $H_2N{-}CH_2{-}CO_2Na$

2) $iPr{-}CH(\overset{+}{N}H_3){-}COOH$

3) $iBu{-}CHOH{-}CO_2H$

4) $HOH_2C—CH(NH_2)—CO_2CH_3$
5) Chlorure d'acide.

## 23-f

Azote − 117 (le dégagement d'azote correspond à 0,0002 mole). 117 est la masse correspondant à 1 groupe $NH_2$, si l'aminoacide ne contient qu'un groupe $NH_2$ sa masse molaire est 117, s'il en contient deux elle est 117 × 2 = 234, etc.

## 23-g

Alanine | Sérine

$H_2N—CH(CH_3)—CO$ ⋮ $NH—CH(CH_2OH)—COOH$

## 23-h

Les masses indiquées pour chaque aminoacide correspondent, en moles, respectivement à : 0,040, 0,010, 0,031, 0,009, 0,063, 0,060 et 0,496. Dans une molécule du polypeptide il y a donc, respectivement, 4, 1, 3, 10, 6, 6 et 50 molécules de chacun des aminoacides.

# Chapitre 24

## 24-a

1) Pour saponifier 1 mole (872 g), il faut 3 moles de potasse (168 000 mg), donc l'indice de saponification vaut 168 000 : 872 = 192. – 1 molécule comporte neuf doubles liaisons et 1 mole peut donc fixer 9 moles de diiode, soit 254 × 9 = 2 286 g; l'indice d'iode vaut donc 2 286 : 8,72 = 262.
2) Masse molaire moyenne : 879,5 – Nombre moyen de doubles liaisons par mole : 2,91 soit, par chaîne, 2,91 : 3 = 0,97.

## 24-b

L'ozonolyse a donné cinq fragments, totalisant quinze carbones. L'hydrocarbure est donc un sesquiterpène à quatre doubles liaisons, et entièrement acyclique. Son squelette doit être de la forme



D'autre part, l'acétone et le formaldéhyde proviennent nécessairement des extrémités, et la position des doubles liaisons ne peut être que la suivante :

## 24-c



Cette dernière réaction comporte un réarrangement de carbocation (cf. 12.10). En règle générale, ces réarrangements transforment un carbocation en un autre plus substitué que lui [26.2]; ici un carbocation tertiaire se réarrange en carbocation secondaire et la justification de cette « anomalie » est la diminution des contraintes dans la molécule (un cycle en $C_4$ se transforme en cycle en $C_5$).

## 24-d

Passage du pinène au chlorure de bornyle par addition de HCl; hydrolyse ou saponification du chlorure de bornyle en alcool; oxydation de celui-ci en camphre.

## Exercices de récapitulation

**A)** 1) 8.4 ou 12.7 – 2) 8.9 – 3) 15.5 – 4) 15.12 – 5) 8.4, 19.20 – 6) 19.11, 19.8 – 7) 8.4, 19.11 – 8) 19.8 – 9) 15.4, 15.21 ou 15.6 – 10) 8.4, 13.4 ou 12.8 – 11) 15.8 ou 15.9 – 12) 15.13 ou 15.14 – 13) 18.13 – 14) 19.11 – 15) 19.16, 14.9 – 16) 18.17 – 17) 19.16, 18.24 – 18) 18.18 – 19) 8.4, 15.12 – 20) 15.5, 8,9 ou 15.6, 9.4 – 21) 15.5, 17.14 ou 17.15 – 22) 17.12 – 23) 17.17 – 24) 17.12 – 25) 17.14 – 26) 17.16 – 27) 19.19 – 28) 19.19.

**B)** Les transformations directes suivantes sont possibles :

Alcène en : halogénure, alcyne, alcool, aldéhyde, cétone, acide.
Alcyne en : alcène, halogénure, aldéhyde, cétone, acide.
Halogénure en : alcène, alcyne, alcool, amine, nitrile.
Alcool en : alcène, halogénure, amine, aldéhyde, cétone, ester.
Amine en : alcool, amide.
Aldéhyde en : halogénure, alcool, amine, acide, ester.
Cétone en : halogénure, alcool, amine, acide.
Acide en : alcool, aldéhyde, cétone, chlorure d'acide, anhydride, ester.
Chlorure d'acide en : aldéhyde, cétone, acide, anhydride, ester, amide.
Anhydride en : acide, ester.
Ester en : alcool, acide.
Amide en : amine, nitrile.
Nitrile en : amine, amide, cétone.

(Illustrez chacune de ces transformations par un exemple.)

**C)** 1-h; 2-k; 3-v; 4-i; 5-j; 6-v; 7-o; 8-v; 9-v; 10-w; 11-1; 12-f; 13-v; 14-d; 15-p; 16-b; 17-q; 18-r; 19-g; 20-t.

**D)** 1) Alcyne vrai – 2) Organo-magnésien – 3) Aldéhyde autre que l'éthanal – 4) Alcyne substitué, ou diène – 5) Cyclopropane – 6) Ethanal – 7) Cétone méthylée – 8) Amide – 9) Amine primaire acyclique – 10) Alcool, phénol, alcyne vrai, ou acide – 11) Cétone.

**E)** a) : 1), 4) et 5) – b) : 2), 3), 7), 9), 12) et 15) – c) : 6), 8), 10), 11), 13) et 14). (Écrivez les réactions.)

**F)** Avec un seul : 1), 2), 5) et 7) – Avec deux : 4), 8) et 10) – Avec les trois : 3), 6) et 9) – (Écrivez toutes les réactions).

## ANNEXE 1

# Symboles et abréviations

| Symbole | Signification |
|---|---|
| c | Concentration massique |
| | Vitesse de la lumière |
| e | Charge de l'électron |
| *E* | Configuration « Entgegen » |
| $E_a$ | Énergie d'activation |
| h | Constante de Planck |
| Hz | Hertz (cycle/seconde) |
| J | Constante de couplage (RMN) |
| *k* | Constante de vitesse (cinétique) |
| *M* | Masse molaire |
| r | Rayon de covalence |
| R | Rayon de Van der Waals |
| *R* | Configuration « Rectus » |
| *S* | Configuration « Sinister » |
| T | Transmitance |
| *T* | Température (Kelvin) |
| *v* | Vitesse de réaction |
| *Z* | Configuration « Zusammen » |
| $[\alpha]$ | Pouvoir rotatoire spécifique |
| $\delta$ | Déplacement chimique (RMN) |
| | Charge fractionnaire |
| $\varepsilon$ | Coefficient d'extinction |
| $\lambda$ | Longueur d'onde |
| $\mu$ | Moment dipolaire |
| $\nu$ | Fréquence |
| [ ] | Concentration ($mol \cdot l^{-1}$) |
| $\rightleftarrows$ | Équilibre chimique |
| $\leftrightarrow$ | Mésomérie |
| * | (ou rel) Configuration relative |
| UV | Ultraviolet |
| IR | Infrarouge |
| RMN | Résonance magnétique nucléaire |

## ANNEXE 2

# Électronégativités de quelques éléments (selon Pauling)

| Élément | Électronégativité |
|---|---|
| Aluminium | 1,61 |
| Azote | 3,04 |
| Bore | 2,04 |
| Brome | 2,96 |
| Cadmium | 1,69 |
| Calcium | 1,00 |
| Carbone | 2,55 |
| Chlore | 3,16 |
| Fluor | 3,98 |
| Hydrogène | 2,20 |
| Iode | 2,66 |
| Lithium | 0,98 |
| Magnésium | 1,25 |
| Oxygène | 3,44 |
| Phosphore | 2,19 |
| Plomb | 1,85 |
| Potassium | 0,82 |
| Silicium | 1,90 |
| Sodium | 0,93 |
| Soufre | 2,58 |
| Zinc | 1,65 |

## Tableau de la classification périodique des éléments

Numéro atomique → 6
C ← Symbole
Carbone ← Nom
Masse atomique → 12,01

| 1 | 2 | 3 | 4 | 5 | 6 | 7 | 8 | 9 | 10 | 11 | 12 | 13 | 14 | 15 | 16 | 17 | 18 |
|---|---|---|---|---|---|---|---|---|---|---|---|---|---|---|---|---|---|
| 1<br>**H**<br>Hydrogène<br>1,008 | | | | | | | | | | | | | | | | | 2<br>**He**<br>Hélium<br>4,003 |
| 3<br>**Li**<br>Lithium<br>6,94 | 4<br>**Be**<br>Béryllium<br>9,01 | | | | | | | | | | | 5<br>**B**<br>Bore<br>10,81 | 6<br>**C**<br>Carbone<br>12,01 | 7<br>**N**<br>Azote<br>14,01 | 8<br>**O**<br>Oxygène<br>16,00 | 9<br>**F**<br>Fluor<br>19,00 | 10<br>**Ne**<br>Néon<br>20,18 |
| 11<br>**Na**<br>Sodium<br>22,99 | 12<br>**Mg**<br>Magnésium<br>24,31 | | | | | | | | | | | 13<br>**Al**<br>Aluminium<br>26,98 | 14<br>**Si**<br>Silicium<br>28,09 | 15<br>**P**<br>Phosphore<br>30,97 | 16<br>**S**<br>Soufre<br>32,07 | 17<br>**Cl**<br>Chlore<br>35,45 | 18<br>**Ar**<br>Argon<br>39,95 |
| 19<br>**K**<br>Potassium<br>39,10 | 20<br>**Ca**<br>Calcium<br>40,08 | 21<br>**Sc**<br>Scandium<br>44,96 | 22<br>**Ti**<br>Titane<br>47,88 | 23<br>**V**<br>Vanadium<br>50,94 | 24<br>**Cr**<br>Chrome<br>52,00 | 25<br>**Mn**<br>Manganèse<br>54,94 | 26<br>**Fe**<br>Fer<br>55,85 | 27<br>**Co**<br>Cobalt<br>58,93 | 28<br>**Ni**<br>Nickel<br>58,69 | 29<br>**Cu**<br>Cuivre<br>63,55 | 30<br>**Zn**<br>Zinc<br>65,39 | 31<br>**Ga**<br>Gallium<br>69,72 | 32<br>**Ge**<br>Germanium<br>72,59 | 33<br>**As**<br>Arsenic<br>74,92 | 34<br>**Se**<br>Sélénium<br>78,96 | 35<br>**Br**<br>Brome<br>79,90 | 36<br>**Kr**<br>Krypton<br>83,80 |
| 37<br>**Rb**<br>Rubidium<br>85,47 | 38<br>**Sr**<br>Strontium<br>87,62 | 39<br>**Y**<br>Yttrium<br>88,91 | 40<br>**Zr**<br>Zirconium<br>91,22 | 41<br>**Nb**<br>Niobium<br>92,21 | 42<br>**Mo**<br>Molybdène<br>95,94 | 43<br>**Tc**<br>Technétium<br>98,91 | 44<br>**Ru**<br>Ruthénium<br>101,1 | 45<br>**Rh**<br>Rhodium<br>102,9 | 46<br>**Pd**<br>Palladium<br>106,4 | 47<br>**Ag**<br>Argent<br>107,9 | 48<br>**Cd**<br>Cadmium<br>112,4 | 49<br>**In**<br>Indium<br>114,8 | 50<br>**Sn**<br>Étain<br>118,7 | 51<br>**Sb**<br>Antimoine<br>121,8 | 52<br>**Te**<br>Tellure<br>127,6 | 53<br>**I**<br>Iode<br>126,9 | 54<br>**Xe**<br>Xénon<br>131,3 |
| 55<br>**Cs**<br>Césium<br>132,9 | 56<br>**Ba**<br>Baryum<br>137,3 | 57<br>**La**<br>Lanthane<br>138,9 | 72<br>**Hf**<br>Hafnium<br>178,5 | 73<br>**Ta**<br>Tantale<br>180,9 | 74<br>**W**<br>Tungstène<br>183,9 | 75<br>**Re**<br>Rhénium<br>186,2 | 76<br>**Os**<br>Osmium<br>190,2 | 77<br>**Ir**<br>Iridium<br>192,2 | 78<br>**Pt**<br>Platine<br>195,1 | 79<br>**Au**<br>Or<br>197,0 | 80<br>**Hg**<br>Mercure<br>200,6 | 81<br>**Tl**<br>Thallium<br>204,4 | 82<br>**Pb**<br>Plomb<br>207,2 | 83<br>**Bi**<br>Bismuth<br>209,0 | 84<br>**Po**<br>Polonium<br>210,0 | 85<br>**At**<br>Astate<br>210,0 | 86<br>**Rn**<br>Radon<br>222,0 |
| 87<br>**Fr**<br>Francium<br>223,0 | 88<br>**Ra**<br>Radium<br>226,0 | 89<br>**Ac**<br>Actinium<br>227,0 | | | | | | | | | | | | | | | |

| | | | | | | | | | | | | | |
|---|---|---|---|---|---|---|---|---|---|---|---|---|---|
| 58<br>**Ce**<br>Cérium<br>140,1 | 59<br>**Pr**<br>Praséodyme<br>140,9 | 60<br>**Nd**<br>Néodyme<br>144,2 | 61<br>**Pm**<br>Prométhium<br>144,9 | 62<br>**Sm**<br>Samarium<br>150,4 | 63<br>**Eu**<br>Europium<br>152,0 | 64<br>**Gd**<br>Gadolinium<br>157,3 | 65<br>**Tb**<br>Terbium<br>158,9 | 66<br>**Dy**<br>Dysprosium<br>162,50 | 67<br>**Ho**<br>Holmium<br>164,9 | 68<br>**Er**<br>Erbium<br>167,3 | 69<br>**Tm**<br>Thulium<br>168,9 | 70<br>**Yb**<br>Ytterbium<br>173,0 | 71<br>**Lu**<br>Lutécium<br>175,0 |
| 90<br>**Th**<br>Thorium<br>232,0 | 91<br>**Pa**<br>Protactinium<br>231,0 | 92<br>**U**<br>Uranium<br>238,0 | 93<br>**Np**<br>Neptunium<br>237,0 | 94<br>**Pu**<br>Plutonium<br>239,1 | 95<br>**Am**<br>Américium<br>243,1 | 96<br>**Cm**<br>Curium<br>247,1 | 97<br>**Bk**<br>Berkélium<br>247,1 | 98<br>**Cf**<br>Californium<br>252,1 | 99<br>**Es**<br>Einstenium<br>252,1 | 100<br>**Fm**<br>Fermium<br>257,1 | 101<br>**Md**<br>Mendélévium<br>256,1 | 102<br>**No**<br>Nobélium<br>259,1 | 103<br>**Lr**<br>Lawrencium<br>260,1 |

Métaux — Non-métaux — Gaz rares

# Lexique

Le vocabulaire de la chimie organique, comme celui de toute science, peut constituer, au moins au début de son étude, un obstacle à sa compréhension. En principe, le sens de tous les termes utilisés dans ce livre y est expliqué, mais il peut être commode de retrouver rapidement la signification d'un mot, et ce lexique est là pour vous le permettre.

Il ne contient évidemment pas tout le vocabulaire de la chimie organique (qui est d'ailleurs, pour une part, celui de la chimie en général), mais il pourra vous permettre de clarifier vos idées à propos des termes les plus importants, ou pouvant prêter à confusion. Si vous n'y trouvez pas un mot, pensez à utiliser aussi l'**Index alphabétique** qui se trouve après ce lexique, et que celui-ci ne remplace pas.

Les indications numériques entre crochets revoient à un paragraphe du livre, le premier nombre étant le numéro du chapitre et le second celui du paragraphe. Les mots imprimés en caractères gras dans le texte ont une rubrique propre dans ce lexique.

Abréviations : *v.* = voir (renvoie à une autre rubrique du lexique) ; adj. = adjectif ; n.m. = nom masculin ; n.f. = nom féminin.

**ACCEPTEUR** Espèce susceptible d'accepter (d'un **donneur**) la cession d'un ion $H^+$ (*v.* **Base**) ou la mise en commun d'un de ses doublets électroniques (*v.* **Électrophile**).
*Contraire :* **Donneur**.

**ACIDE** (n.m. ou adj.) a) Au sens de Brönsted : espèce, molécule ou ion, capable de céder un ion $H^+$ (proton) à une autre espèce **(Base)** susceptible de le fixer sur un doublet libre.
Exemples : HCl, capable de céder un $H^+$ à un alcène [9.6], ou à un alcool [15.5].
b) Au sens de Lewis : espèce disposant d'une case (**orbitale**) vide (vacante), susceptible de se lier avec une espèce **(Base)** disposant d'un doublet libre (non liant), pour former une liaison par «coordinence» ; *v.* aussi **Électrophile**.
Exemples : $H^+$ se liant sur le doublet libre d'une amine [17.4] ; $AlCl_3$ se liant avec un ion $Cl^-$ [12.7] ; un organomagnésien se liant avec un éther [14.3].

**ACIDE CONJUGUÉ** (sous-entendu : «d'une base de Brönsted») : espèce, molécule ou ion, résultant de la fixation d'un ion $H^+$ sur le doublet libre d'une base [5.17].
Exemples : $H_3O^+$ est l'acide conjugué de $H_2O$ ; $NH_3$ est l'acide conjugué de $NH_2^-$.

**ACTIVATION (Énergie d'–)** Gain d'énergie potentielle nécessaire pour que les espèces participant à une réaction **(Réactifs)** puissent atteindre l'**état de transition** [5.6]. Ce gain provient de la transformation de l'énergie cinétique présente au moment de la collision entre les réactifs.

**ADDITION** Réaction conduisant à la fixation, sur deux sites d'une molécule non saturée ou d'un petit cycle :
– Soit de deux atomes ou groupes d'atomes se liant chacun par une liaison simple,
Exemples : addition du dihydrogène sur un alcène [9.4], du cyanure d'hydrogène sur une cétone [18.8], de l'eau sur un époxyde [9.12].
– Soit d'un atome ou groupe d'atomes se liant par deux liaisons simples.
Exemple : formation d'un époxyde par oxydation d'un alcène [9.12].

**BASE** (n.f.), **BASIQUE** (adj.) a) Au sens de Brönsted : espèce capable de fixer, sur un doublet libre ou un doublet $\pi$ lui appartenant, un ion $H^+$ cédé par un **acide** (on dit également de «se protoner», ou «être protonée»).
Exemples : $NH_3$, $H_2O$, les alcools, les alcènes.
b) Au sens de Lewis : espèce susceptible de fixer sur un doublet libre lui appartenant une espèce **(Acide)** possédant une case vacante ; *v.* aussi **Nucléophile**.
N.B. La basicité selon Brönsted est un cas particulier de la basicité selon Lewis, où l'espèce acide (dotée d'une case vacante) est $H^+$.

**BASE CONJUGUÉE** (sous-entendu : «d'un acide de Brönsted») : espèce, molécule ou ion, résultant de la perte d'un ion $H^+$ par un acide [5.17].
Exemples : $OH^-$ est la base conjuguée de $H_2O$, $CH_3CO_2^-$ celle de $CH_3CO_2H$, $NH_3$ celle de $NH_4^+$).

**CHIRAL** (adj.) Qui possède la propriété de **chiralité** (*v.* ce terme). *Contraire :* Achiral.

**CHIRALITÉ** Propriété d'une molécule (ou plus généralement d'un objet ou d'une forme) de ne pas être identique (au sens de superposable) à son image dans un miroir plan. Une telle molécule est douée d'activité optique, c'est-à-dire possède un pouvoir rotatoire [3.3].

**COMPOSÉ** (n.m.) Terme d'acception très large, très fréquemment utilisé dans le même sens que **«corps»**, mais supposant cependant que ledit corps soit un corps composé et non un corps simple.
Exemple : les hydrocarbures sont des *composés* formés uniquement de carbone et d'hydrogène ; le cyanure d'hydrogène est un *composé* très toxique.

**CONCERTÉ (Mécanisme –)** Processus réactionnel au cours duquel la rupture d'une liaison et la formation d'une autre sont plus ou moins simultanées.
Exemple : La substitution nucléophile de type $S_N2$ [13.5].
*Contraire :* Réaction par étapes successives, avec existence d'intermédiaire(s).
Exemple : la réaction de type $S_N1$ [13.5].

**CONDENSATION (Réaction de –)** Réaction dans laquelle deux molécules identiques réagissent ensemble pour donner un composé comportant deux fois plus d'atomes de carbone.
Exemples : aldolisation d'un aldéhyde [18.16], condensation de Claisen d'un ester [20.28].
Par extension, se dit également, dans certains cas consacrés par l'usage, d'une réaction analogue entre deux molécules différentes mais appartenant généralement à la même fonction.
Exemples : cétolisation mixte [18.16], réaction de Claisen entre deux esters différents [20.28].

**CONDENSATION EN CARBONE** Nombre d'atomes de carbone constitutifs d'une molécule.

**CONFIGURATION** Disposition géométrique dans l'espace des liaisons et des atomes d'une molécule. Le terme s'emploie essentiellement dans deux cas :
– la configuration des atomes ou groupes liés à un carbone asymétrique dans un composé chiral (on parle alors de la configuration *de ce carbone asymétrique, R ou S*) [3.13-14],
– la configuration des atomes ou groupes liés aux deux carbones d'une double liaison (on parle alors de la configuration *de cette double liaison, Z ou E*) [3.23].

**CONFORMATION** Géométrie particulière d'une molécule, eu égard aux possibilités de rotation interne autour de certaines de ses liaisons. La transformation d'une conformation en une autre n'implique *que* des rotations internes autour de certaines liaisons.
Exemple : les formes éclipsée et décalée de l'éthane [2.7].
Contre-exemple: les formes «énantiomères» de l'acide lactique [3.8] : aucune rotation interne ne peut transformer l'une en l'autre.

**CONJUGAISON** Situation relative d'éléments structuraux (liaisons multiples, doublets libres, cases vides) permettant une interaction entre eux et la délocalisation d'électrons π, n ou impairs. On parle alors de «structure conjuguée».
Exemples : conjugaison de deux doubles liaisons *séparées par une liaison simple*, ou d'une double liaison et d'un doublet libre *sur un atome adjacent* [4.17].
*V.* **Résonance, Mésomérie**.

**CORPS (chimique)** En pratique, synonyme d'**espèce** (*v.* ce terme).
Exemples : l'eau, le dichlore, l'acide sulfurique, le chlorure de sodium, le phénol,... sont des *«corps»*.
– Corps simple : formé d'atomes d'un seul élément ($Cl_2$, $O_2$, $O_3$, $S_8$, Cu,...).
– Corps composé : formé d'atomes de deux ou plusieurs éléments ($H_2O$, $Na_2SO_4$, $C_6H_{12}O_6$,...).
– Corps pur : constitué d'une seule espèce chimique, simple ou composée.
*Contraire :* mélange : constitué de deux ou plusieurs espèces (eau sucrée, air, carburants,...). Un mélange peut (en principe) être fractionné en ses constituants (corps purs), par des procédés physiques (distillation, cristallisation, chromatographie,...).

**DÉGRADATION (Réaction de –)** Réaction s'accompagnant de la coupure d'une molécule en deux ou plusieurs fragments.
Exemples : coupure d'une cétone en deux acides par oxydation [18.19], hydrolyse d'une protéine en acides aminés [23.12].
*Contraire :* **Synthèse** (*v.* ce terme).

**DÉRIVÉ** a) Composé considéré par référence à un autre, comme pouvant être obtenu à partir de lui :
– Soit par une réaction effective,
Exemple : le chlorobenzène est un dérivé du benzène; les esters, anhydrides et chlorures d'acide sont des dérivés des acides carboxyliques.
– Soit de manière purement formelle,
Exemple : les alcools dérivent des alcanes par substitution d'un groupe OH à un H (réaction non réalisable directement).
b) On dit aussi «les dérivés du pétrole», ou «les dérivés de la houille», pour signifier l'ensemble des produits que l'on peut obtenir par divers traitements appliqués à ces matières premières.

**DÉRIVÉ CARACTÉRISTIQUE** **Dérivé**, le plus souvent cristallisé, dont la formation permet d'identifier la fonction à laquelle appartient le composé à partir duquel on l'a obtenu, et éventuellement d'identifier ce composé lui-même.
Exemple : Les 2,4-dinitrophénylhydrazones (DNPH) [18.11]. Leur formation, facilement constatable, caractérise les aldéhydes et les cétones; en outre la mesure de leur température de fusion permet souvent, en se reportant à des tables, d'identifier l'aldéhyde ou la cétone dont il s'agit.

**DIASTÉRÉOISOMÈRES** (prononcer : diastéréoisomères) **Stéréoisomères** qui ne sont pas images l'un de l'autre dans un miroir (qui ne sont pas **énantiomères**).
Exemple : les formes *Z* et *E* du 1,2-dichloréthylène [3.23].
Contre-exemple : les deux stéréoisomères de l'acide lactique, qui sont énantiomères [3.8].

**DIASTÉRÉOISOMÉRIE** (prononcer : diastéréoisomérie) Relation existant entre des **stéréoisomères** qui ne sont pas **énantiomères** (*v.* **Diastéréoisomères**).

**DONNEUR** Espèce susceptible de céder (à un accepteur) un ion $H^+$ (*v.* **Acide**), ou de mettre en commun l'un de ses doublets électroniques libres (*v.* **Nucléophile**).
*Contraire :* **Accepteur.**

**ÉLECTRONÉGATIVITÉ** «Force» avec laquelle un atome d'un élément donné tend à attirer les électrons, et en capter éventuellement un ou plusieurs, ou à attirer vers lui le doublet d'électrons partagé d'une liaison covalente à laquelle il participe, en la polarisant. Chaque élément possède son électronégativité, comprise entre 4,0 **(Fluor)** et 0,7 **(Francium)** dans l'échelle de Pauling (*v.* Annexe 2). Un élément très électronégatif ne porte pas nécessairement une charge négative (exemple : O de l'ion $H_3O^+$).

**ÉLECTROPHILE** (n.m. ou adj.) a) Espèce **(molécule ou ion)** possédant un site de faible densité électronique, siège d'une charge positive entière (+) ou fractionnaire (δ+), ou une case vide. Elle peut réagir par ce site avec une espèce présentant au contraire un site de forte densité électronique (charge – ou δ–), ou un doublet libre ou π, qui fournit les électrons de la liaison formée.
Exemples : l'ion $H^+$ qui réagit avec le doublet π des alcènes [9.6], ou avec le doublet libre des alcools [15.3] ; les dérivés halogénés, comme $CH_3Cl$, qui réagissent par leur carbone déficitaire (δ+) avec $OH^-$ (3 doublets libres sur O) [13.4].
b) Se dit aussi d'une *réaction* dans laquelle le « **réactif** » a un comportement électrophile vis-à-vis du « **substrat** » (*v.* ces termes).
Exemple : Substitution électrophile de H par $NO_2^+$ **(réactif)** sur un carbone du benzène (substrat).
*Contraire :* **Nucléophile**.

**ÉLIMINATION** Réaction au cours de laquelle deux atomes ou groupes d'atomes sont enlevés à une molécule, avec création d'une liaison supplémentaire et formation soit d'une double ou triple liaison, soit d'un cycle.
Exemples : déshydratation d'un alcool en alcène [15.6] ou d'un α-diol en époxyde [15.22] ; cyclisation d'une chaîne par action du zinc sur un dérivé dihalogéné [11.11].

**ÉNANTIOMÈRES** (n.m. ou adj.) Les deux formes non superposables d'un composé **chiral**, entre lesquelles existe une relation d'**énantiomérie** (*v.* ce terme). Les énantiomères vont toujours par paires.

**ÉNANTIOMÉRIE** Relation existant entre les deux formes, images l'une de l'autre dans un miroir et non superposables, d'un composé **chiral**.

**ESPÈCE (chimique)** Désigne une entité chimique quelconque, corps simple ou composé, molécule ou ion.
Exemples : dichlore $Cl_2$, chlorure de sodium NaCl, benzène $C_6H_6$, ion ammonium $NH_4^+$, ion $Br^-$.
Contre-exemple : « les alcools » ne constituent pas une espèce chimique (au sens où l'on dirait que les chiens constituent une espèce dans le règne animal) ; ils appartiennent à la « fonction alcool », et chacun d'eux est une « espèce chimique ».

**FONCTION** Ensemble de caractères chimiques associés à la présence dans une molécule d'un atome ou groupe d'atomes particulier **(groupe fonctionnel, ou caractéristique)**.
Exemple : la fonction aldéhyde, associée au groupe d'atomes —CH=O ; toutes les molécules qui le contiennent sont des aldéhydes, ont des propriétés analogues, et on peut les représenter de manière générique par R—CH=O.

**HÉTÉROLYSE** Mode de coupure d'une liaison covalente dans lequel le doublet commun reste constitué et lié à l'atome le plus électronégatif, sur lequel il constitue alors un doublet libre ; il se crée une case vide sur l'autre atome. Il concerne surtout les liaisons fortement polarisées et il est symbolisé par A—B (B plus électronégatif que A).
Exemple : rupture de la liaison carbone-halogène dans un dérivé halogéné RX, pour donner un carbocation $R^+$ et un ion halogénure $X^-$.

**HÉTÉROLYTIQUE (Réaction –)** Réaction qui procède selon le schéma de **l'hétérolyse**.

**HOMOLYSE** Mode de coupure d'une liaison dans lequel les électrons du doublet commun sont désappariés (séparés), chacun des deux atomes précédemment liés en conservant un ; il en résulte deux **radicaux libres**. Il concerne particulièrement les liaisons non ou peu polarisées.
Exemple : rupture de la liaison C—H des alcanes dans l'halogénation photochimique [8.5].

**HOMOLYTIQUE (Réaction)** Réaction qui procède selon le schéma de l'**homolyse**.
*Synonyme :* **Radicalaire.**

**INDUCTIF (Effet –)** Influence de la **polarisation** d'une liaison sur les liaisons avoisinantes, qui se trouvent polarisées dans le même sens qu'elle ; cette polarisation induite décroît rapidement avec la distance. Cet effet peut être « attractif » ou « répulsif » [4.14].

**INTERMÉDIAIRE** Espèce, molécule ou ion, ne figurant pas dans l'équation-bilan d'une réaction mais se formant transitoirement au cours de son déroulement, avec une durée de vie parfois très courte. Une réaction qui comporte un intermédiaire présente un profil énergétique « à deux bosses » [5.7] et la formation de cet intermédiaire correspond au minimum d'énergie, entre deux **états de transition**. Plus ce minimum est bas, plus l'intermédiaire est stable et plus facile **(rapide)** est la réaction.
Exemple : le carbocation qui se forme dans la première étape de la substitution nucléophile monomoléculaire $S_N1$ [13.5].

**INVERSIBLE (Réaction –)** Réaction pouvant s'effectuer « dans les deux sens », à partir des composés figurant dans l'un ou l'autre des membres de son équation-bilan, et conduisant à un « équilibre chimique ». On dit aussi, avec le même sens, « réversible », mais ce terme a une signification particulière en thermodynamique et il est préférable de le réserver à cet usage.

**INVERSION (de configuration)** Concerne la configuration des liaisons d'un carbone asymétrique. L'inversion modifie leur orientation spatiale comme le ferait une réflexion dans un miroir. En l'absence de modification chimique, une configuration *R* devient *S*, et réciproquement, et le pouvoir rotatoire change de signe sans changer de valeur absolue. S'il y a modification chimique (inversion accompagnant une réaction, comme dans la substitution $S_N2$ [13.7]), une configuration *R* ne devient pas nécessairement *S*, et vice versa, et le nouveau pouvoir rotatoire est indépendant, en valeur et en signe, du premier.

**ISOMÈRES** (n.m. ou adj.) Espèces possédant la même formule brute **(formées des mêmes atomes)** mais des formules développées différentes **(disposition de ces atomes les uns par rapport aux autres différente)** [1.12]. Si leur différence apparaît dans leurs formules développées planes : isomérie plane, qui peut être «de constitution» ou «de position» [1.12-15]. Si leur différence apparaît *seulement* dans leur représentation géométrique ou spatiale : isomérie stérique, ou **stéréoisomérie**, qui peut être une **énantiomérie** ou une **diastéréoisomérie** (*v.* ces termes).

**ISOMÉRIE** Relation qui existe entre des molécules **isomères** (*v.* ce terme).

**LABILITÉ (de l'hydrogène)** Aptitude plus ou moins grande, pour un atome d'hydrogène dans une molécule, à se laisser «enlever», sous la forme $H^+$, par une base. Ce terme a donc un sens voisin de «acidité», mais on l'emploie plutôt dans les cas d'acidité faible ou très faible.
Exemple : la labilité de l'H terminal des alcynes vrais [10.3].

**MÉCANISME (de réaction, ou réactionnel)** Description du déroulement d'une réaction au niveau microscopique **(niveau des atomes et molécules)**, détaillant le mode électronique **(homolytique ou hétérolytique)** et l'ordre chronologique des ruptures et formations de liaisons, ainsi que l'existence éventuelle d'étapes successives et d'intermédiaire (s), qui ne figurent pas dans l'équation-bilan. Cette description peut inclure l'aspect géométrique **(stéréochimique)** de la réaction. Les mécanismes ainsi décrits sont des «modèles», qui rendent compte des observations expérimentales, et permettent d'établir une typologie des réactions [chap. 26], mais qui ne prétendent pas traduire toujours exactement une réalité physique, sans doute plus complexe dans la plupart des cas.
Exemple : les mécanismes d'élimination dans les dérivés halogénés [13.9-10].

**MÉSOMÈRE (Effet –)** Apparition de charges sur certains sites (atomes) dans les systèmes **conjugués** (*v.* ce terme), *du fait de la délocalisation électronique* qui les caractérise, et indépendamment des phénomènes de polarisation. Ces charges sont des charges entières dans la représentation des formes limites, et des charges fractionnaires dans la représentation de leur hybride, où leur valeur absolue dépend du «poids» relatif de chaque forme limite.
Exemples : effet mésomère-donneur du groupe OH dans les phénols [16.3]; effet mésomère-accepteur de l'oxygène dans l'acroléine [4.16].

**MÉSOMÉRIE** Procédé de description des structures **conjuguées**, utilisant plusieurs formules fictives **(formes limites)**, la structure réelle étant un hybride de ces formules [4.16], plus stable que chacune d'elles.
*V.* **Conjugaison, Résonance.**

**NUCLÉOPHILE** (n.m. ou adj.) a) Espèce **(molécule ou ion)** possédant un site de forte densité électronique, siège d'une charge négative entière (–) ou fractionnaire (δ –), ou un doublet libre, et qui réagit par ce site avec une espèce présentant au contraire un site de faible densité électronique, ou une case vide, en fournissant les électrons de la nouvelle liaison.
Exemples : l'ion hydroxyle $OH^-$ qui «attaque» le site déficitaire des dérivés halogénés pour donner des alcools [13.4]; l'éther (oxyde d'éthyle) qui se lie par l'un de ses doublets libres au magnésium d'un organomagnésien [14.3]; le carbanion $R{-}C{\equiv}C^-$, lorsqu'il «attaque» le carbone d'un groupe $C{=}O$ [10.13].
b) Se dit aussi d'une *réaction* dans laquelle le «réactif» a un comportement nucléophile vis-à-vis du «substrat» (*v.* ces termes).
Exemple : addition nucléophile d'un organomagnésien sur un époxyde [15.22].
*Contraire :* **électrophile.**

**ORBITALE** Dans le modèle ondulatoire de l'atome et de la liaison, synonyme de *fonction d'onde*. Une orbitale peut être s, p, d, f ou hybride [4.7, 4.9]. Dans le langage courant on emploie souvent (mais à tort) ce terme, hors du cadre du modèle ondulatoire, comme synonyme de *case quantique*.

**OXYDATION** Réaction au cours de laquelle un élément du **substrat** voit son nombre d'oxydation (N.O.) augmenter (corrélativement, un élément du **réactif** subit nécessairement une **réduction** son N.O. diminuant) [5.21].
Exemple : oxydation d'un alcool primaire $R{-}CH_2OH$ (N.O. de C = – I) en aldéhyde $R{-}CH{=}O$ (N.O. de C = + I) par $KMnO_4$ (le N.O. de Mn passe de + VII à + II). La même réaction peut se réaliser par «deshydrogénation» de l'alcool ($R{-}CH_2OH \rightarrow R{-}CHO + H_2$) et, bien qu'il n'intervienne pas d'oxydant, il s'agit encore pour l'alcool d'une *oxydation* ; c'est l'élément hydrogène qui est réduit, son N.O. passant de + I à 0.
*Contraire :* **Réduction.**

**POLARISATION (d'une liaison)** Dissymétrie de la répartition de la densité électronique dans une liaison covalente entre deux éléments d'électronégativités différentes, le doublet commun étant plus attiré par l'élément le plus électronégatif. La polarisation se traduit par l'existence de charges fractionnaires sur les atomes, et d'un moment dipolaire non nul [4.12-13]. Elle peut être à l'origine d'un **effet inductif** (*v.* ce terme).
Exemple : la liaison C—Cl dans $H_3C{-}Cl$ ($H_3\overset{\delta+}{C}{-}\overset{\delta-}{Cl}$, Cl étant plus électronégatif que C).

**PRÉPARATION (Réaction de –)** Réaction considérée comme un moyen d'obtenir effectivement (de «préparer») l'un de ses **produits**, dans des conditions de faisabilité réelle.
Exemples : l'hydratation d'un alcène constitue une *préparation* des alcools [15.11]; la réaction d'un acide carboxylique sur un alcool constitue une *préparation* des esters [19.18]. Contre-exemple : la polymérisation de

l'acétylène en benzène ($3\,C_2H_2 \rightarrow C_6H_6$) ne constitue pas une *préparation* du benzène, car elle est trop difficile à réaliser et son rendement est très mauvais.

**PRODUIT** a) Au sens strict, espèce résultant d'une réaction («produite» par elle), et figurant dans le second membre de l'équation-bilan.

b) Dans le langage courant, plus ou moins synonyme de **corps** ou de **substance**, même s'il s'agit d'un mélange, avec parfois une nuance péjorative (agressivité, toxicité), notamment dans l'expression «produit chimique», s'opposant à «produit naturel».

Exemples : un désherbant, un insecticide, un colorant.

Mais le sucre, le sel, l'aspirine, une crême solaire ou la bière sont au même titre aussi des «produits chimiques».

**PROTONATION** Fixation d'un ion $H^+$ **(ou proton)** sur un site. Cet ion est fourni par un **acide (selon Brönsted)** et sa fixation sur l'**accepteur** suppose la présence d'un doublet libre ou π, caractéristique d'une **base**. On parle souvent d'*équilibre de protonation* car ce type de réaction **(transfert d'un $H^+$)** est toujours **inversible** et donne donc lieu à un équilibre chimique; la protonation est d'autant plus complète que l'acide et/ou la base sont plus forts.

Exemple : protonation d'une amine dans l'eau [17.5].

**RACÉMISATION** a) Transformation d'un **énantiomère** pur en un mélange racémique **(mélange des deux énantiomères en quantités égales)** d'un composé **chiral**.

Exemple : on ne peut conserver en milieu acide un énantiomère pur d'un alcool, car il se racémise.

b) Obtention d'un mélange racémique du produit dans une réaction «non **stéréospécifique**» effectuée sur un énantiomère pur du **substrat**.

Exemple : La substitution nucléophile monomoléculaire [13.7].

**RADICAL** Fragment d'une molécule qui reste inchangé au cours des réactions.

Exemple : le radical éthyle $CH_3CH_2$ dans l'éthanol $CH_3CH_2OH$.

*Synonyme :* Groupe.

**RADICALAIRE (Réaction –)** *v.* **Homolytique**.

**RADICAL LIBRE** Fragment résultant de la rupture **homolytique** d'une liaison, dans lequel l'un des atomes porte un électron impair (ou célibataire).

**RÉACTIF** a) D'une manière générale, corps participant à une réaction, et figurant dans le premier membre de son équation-bilan.

b) Dans un sens plus restrictif, celui des corps participant à une réaction qui provoque une transformation dans la molécule considérée comme «principale», désignée comme le **substrat**.

Exemple : la réaction d'un alcool avec HCl [15.5] a pour intérêt de transformer l'alcool en dérivé chloré, et non de donner de l'eau; l'alcool est la molécule principale (**«substrat»**) et HCl est le «réactif» *au moyen duquel* on réalise cette transformation.

N.B. Dans certains cas, la distinction entre réactif et substrat ne s'impose pas de manière évidente et ne peut être qu'arbitraire [5.13].

c) D'une manière encore plus restrictive, le terme «réactif» peut désigner un composé susceptible de donner avec certains corps une réaction caractéristique, permettant de les identifier.

Exemple : la 2,4-dinitrophénylhydrazine est un *réactif* des fonctions aldéhyde et cétone [18.11].

**RÉARRANGEMENT** Modification de la structure d'une molécule ou d'un ion par déplacement interne, d'un site à un autre, d'un atome ou groupe d'atomes; on dit aussi *transposition*. Les réarrangements interviennent au cours d'une réaction, et leurs effets s'ajoutent alors à ceux de cette réaction.

Exemples : réarrangement d'un carbocation (réarrangement de Wagner-Merwein [26.2] à l'occasion d'une substitution; transposition pinacolique [20.10] à l'occasion d'une élimination.

**RÉDUCTION** Réaction au cours de laquelle un élément du **substrat** voit son nombre d'oxydation (N.O.) diminuer (corrélativement, un élément du **réactif** subit nécessairement une oxydation, son N.O. augmentant).

Exemples : hydrogénation d'un nitrile en amine primaire, $R{-}C{\equiv}N + 2\,H_2 \rightarrow R{-}CH_2NH_2$. Le N.O. du carbone «fonctionnel» passe de + III à – I, mais celui des quatre H passe de 0 à + I.

*Contraire :* **Oxydation.**

**RÉGIOSÉLECTIVE (Réaction –)** Concerne les réactions susceptibles d'avoir lieu sur divers sites d'une molécule, en donnant des produits isomères. Une telle réaction est régiosélective si elle ne donne pas les divers produits possibles dans les proportions statistiques, certain(s) étant formés préférentiellement.

Exemple : addition des hydracides sur les alcènes (règle de Markownikov) [9.6]; substitutions sur un cycle benzénique déjà substitué (règles de Holleman) [12.11].

**RÉGIOSPÉCIFIQUE (Réaction –)** Concerne les réactions susceptibles d'avoir lieu sur divers sites d'une molécule, en donnant des produits isomères. Une telle réaction est régiospécifique si elle ne donne qu'un seul des produits possibles. C'est un cas limite; le plus souvent les réactions ne sont que **stéréosélectives** (*v.* ce terme).

**RENDEMENT (d'une réaction)** Rapport, exprimé en pourcentage, de la quantité obtenue du produit attendu à la quantité théorique maximale que la réaction pourrait donner, en la supposant complète. Même si la consommation des réactifs est totale, la quantité des produits attendus peut être réduite par l'existence de réactions parasites, parfois majoritaires.

**RÉSONANCE** Interaction entre certaines parties **(liaisons, atomes)** d'une structure, donnant lieu à la délocalisation de certains électrons (π ou n) sur une zone plus ou moins étendue, avec stabilisation par abaissement de leur niveau d'énergie.

Exemples : doubles liaisons «conjuguées» (délocalisation de deux doublets π sur trois liaisons) [20.2], carbo-

cations allyliques (délocalisation d'un doublet π sur deux liaisons) [20.21].
*V.* **Conjugaison, Mésomérie.**

**RÉTENTION (de configuration)** Concerne la configuration des liaisons d'un carbone asymétrique. Synonyme de *conservation* de cette configuration, au cours d'une réaction. Elle n'exclut pas une transformation chimique, un des atomes ou groupes liés au carbone asymétrique pouvant, par exemple, être remplacé par un autre. En ce cas, la rétention n'implique pas qu'une configuration *R* (ou *S*) reste *R* (ou *S*).

**SOLVATATION** Interaction entre un solvant et un soluté **(espèce en solution)**, à la suite de laquelle le soluté, surtout s'il s'agit d'un ion, s'entoure de molécules de solvant retenues sur lui par des forces électrostatiques et/ou des liaisons hydrogène [5.20].

**STÉRÉOISOMÈRES** (n.m. ou adj.) **Isomères** ne différant que par la disposition géométrique dans l'espace de leurs atomes, ces derniers étant liés selon le même enchaînement dans chacun d'eux (formules développées planes identiques).
Exemple : les deux stéréoisomères *Z* et *E* du 1,2-dichloroéthylène [3.23], de même formule plane ClCH=CHCl ; les quatre isomères du 1-bromo-2-chlorocyclobutane [3.21].
Contre-exemple : ClCH=CHCl et $Cl_2C$=$CH_2$, qui ne sont pas stéréoisomères mais isomères de position [1.14], avec deux enchaînements différents de leurs atomes ; 1-bromo-2-chlorocyclobutane et 1-bromo-3-chlorocyclobutane [3.21].

**STÉRÉOISOMÉRIE** Forme d'**isomérie** associée *uniquement* à une différence d'ordre géométrique entre des molécules, dans lesquelles les atomes sont liés de la même façon (*v.* **Stéréoisomères**).
Exemple : Isomérie « *Z-E* » d'un composé éthylénique [3.23-24] ; isomérie « optique », ou « *R-S* », d'un composé **chiral** [3.3].
Contre-exemple : isomérie « de position » ou « de constitution » [1.13-14], qui ne sont pas des cas de stéréoisomérie.
*Synonyme :* **Isomérie stérique**.

**STÉRÉSÉLECTIVE (Réaction –)** Concerne les réactions dont le **substrat** et/ou le **produit** possèdent des **stéréoisomères**. Réaction dans laquelle un **substrat** de configuration donnée et unique est transformé en un mélange des stéréoisomères du produit, *en quantités inégales* (un stéréoisomère « dominant »).

**STÉRÉOSPÉCIFIQUE (Réaction –)** Concerne les réactions dont le **substrat** et/ou le **produit** possèdent des **stéréoisomères**. Réaction dans laquelle un **substrat** de configuration déterminée et unique est transformé en un produit de configuration déterminée et unique.
Exemples : la substitution nucléophile monomoléculaire $S_N2$ (inversion sur la carbone site de la réaction) [13.7] ; l'addition du dibrome sur les alcènes (trans-addition) [9.10].
Contre-exemple : l'élimination de type E1 qui conduit à un mélange des isomères *Z* et *E* d'un alcène [13.9] ; les réactions qui conduisent à un mélange racémique du produit, comme la substitution $S_N1$ [13.7].
*Contraire :* Réaction non-stéréospécifique (donne, à partir de chaque configuration du substrat, un mélange de stéréoisomères du produit).

**STÉRIQUE (Isomérie –)** *v.* **Stéréoisomérie.**

**STRUCTURE** Manière dont les atomes constitutifs d'une molécule, ou d'un ion, sont liés les uns aux autres ; organisation interne d'un édifice covalent. Ce terme recouvre à la fois l'aspect électronique (nature des liaisons, répartition de la densité électronique, polarisation, résonance, ...) et l'aspect géométrique (angles des liaisons, distances interatomiques).
Exemples : $CH_3CH_2OH$ et $CH_3OCH_3$, formés des mêmes atomes, n'ont pas la même *structure* ; le benzène est un exemple d'une *structure* conjuguée ; le méthane a une *structure* tétraédrique.

**SUBSTANCE** Terme souvent employé comme synonyme de **« corps »**, ou de **« produit »**, mais il évoque davantage les propriétés et caractères physiques de la matière : une *substance* solide, liquide ou gazeuse, isolante ou conductrice, dure ou molle,...
Mais une « substance » n'est pas nécessairement un corps pur. Ainsi le liège, le caoutchouc, la laine, le papier, un alliage, le granite, ... sont des « substances » formées de plusieurs constituants.

**SUBSTITUTION** Réaction dans laquelle un atome ou groupe d'atomes remplace un autre atome ou groupe d'atomes sur un site dans une molécule.
Exemple : alkylation d'un cycle benzénique (un H remplacé par un groupe alkyle) [12.10].

**SUBSTRAT** Désigne, dans une réaction, le composé « principal », sur lequel on désire effectuer une modification, à l'aide d'un « agent » qui est le **réactif** (*v.* ce terme).

**SYNTHÈSE (Réaction de –)** Préparation d'un composé à partir des éléments (exemple : synthèse de l'eau) ou à partir de composés de formules plus simples. En chimie organique, réaction de **préparation** dans laquelle le nombre d'atomes de carbone augmente par rapport aux composés de départ, à la suite de la création d'une nouvelle liaison carbone-carbone (augmentation de la « **condensation en carbone** »).
Exemple : synthèse des alcynes par alkylation de l'acétylène [10.15].
Contre-exemple : la préparation d'un alcyne par création de la triple liaison dans une chaîne carbonée [10.14] n'est pas une *synthèse* (la condensation en carbone n'augmente pas).
*Contraire :* **dégradation** (*v.* ce terme).

**TRANSITION (État de –)** État non stable par lequel passent les espèces participant à une réaction, à la suite d'une collision initiale entre elles ou avec le solvant, avant la formation des produits ou d'un intermédiaire. L'état de transition correspond, dans le profil énergétique de la réaction, au passage par un *maximum* d'énergie potentielle [5.7].

**TRANSPOSITION** *v.* **Réarrangement**.

# Index alphabétique

*Les chiffres indiqués sont ceux des paragraphes. Exemples :*

17.14 *signifie chapitre* 17, *paragraphe* 17.14
18.4-13 *signifie chapitre* 18, *paragraphes* 18.4 **à** 18.13
9.10,12 *signifie chapitre* 9, *paragraphes* 9.10 **et** 9.12
3.8,14-16 *signifie chapitre* 3, *paragraphe* 3.8 **et** *paragraphes* 3.14 **à** 3.16.

*Dans le livre, pour faciliter les recherches, les numéros des paragraphes sont rappelés en tête des pages, dans l'angle extérieur.*
*Si la référence est constituée par un seul chiffre (exemples : 7 ou 19), il s'agit du numéro d'un chapitre entièrement consacré au sujet.*
*Lorsqu'un sujet est désigné par deux ou plusieurs mots (par exemple, « Énergie d'activation », « Réactions d'addition », « Groupe méthyle », « Conformation éclipsée »...), il n'est pas toujours répertorié par chacun de ces mots. S'il ne l'est qu'une fois, c'est par référence au mot le plus significatif (dans les exemples précédents : Activation, Addition, Méthyle, Éclipsée). Mais il est conseillé de faire la recherche aux différents mots désignant le sujet.*


**A**

ABIÉTIQUE (acide –), 24.9
ABSORBANCE, 6.9
ABSORPTION (de la lumière), 6.9-10; 17.20
ACÉTALDÉHYDE
  préparation industrielle, 18.30; 25.4
  polymérisation, 18.19
ACÉTALS, 14.7; 18.10
ACÉTATES (pyrolyse des –), 9.19
ACÉTONE, 7.15; 18.30
ACÉTIQUE (acide –), 19.14
ACÉTYLACÉTATE D'ÉTHYLE, 19.11; 20.28
ACÉTYLÈNE, 7.4
  alkylation, 10.15
  dérivés métalliques, 10.10
  hydratation, 10.7
  préparation, 10.15
  stabilité, 10.2
  utilisations, 10.16
ACIDES CARBOXYLIQUES, 19
  nomenclature, 7.16
  acides-alcools, 20.23-25
  acides aminés, 23
  acides cétoniques, 20.26-27
ACIDE CONJUGUÉ, 5.17
ACIDITÉ,
  selon Brönsted, 5.17-18
  selon Lewis, 5.19
  constante d'–, 5.17
  (voir aussi « Hydrogène labile »)
ACIDOBASICITÉ
  des acides carboxyliques, 19.3-4
  des alcools, 15.3-5
  des amines, 17.3-7
  des aminoacides, 23.7
  des phénols, 16.3-4
  de la pyridine, 21.10
  du pyrrole, 21.6
ACROLÉINE, 20.11
ACRYLONITRILE, 9.17; 10.8; 25.4,7
ACTIVATION (énergie d'–), 5.6
ACTIVITÉ OPTIQUE, 3.10
ACYCLIQUES (chaînes –), 1.4
ACYLATION
  cycle benzénique, 12.10; 18.29
  amines, 17.10
ACYLES (groupes –), 7.18; 19.16
ACYLOÏNES, 20.22; 22.9
ADDITION (réactions d'–), 5.3; 26.10-11
  sur les doubles liaisons, 9.4-11
  sur les triples liaisons, 10.4-8
  sur les petits cycles, 11.7-9
  sur le cycle benzénique, 12.4-5
  sur le groupe C=O, 10.13; 14.8-10; 18.4-13
  sur les hétérocycles, 21.7,10
  en 1,4, 20.3,14,20
  cis-addition, 9.4,13; 10.4
  trans-addition, 9.10,12; 10.4-5
  électrophile, 9.5-11; 26.10
  nucléophile, 10.13; 18.5-13; 20.20; 26.11
  radicalaire, 9.7; 12.5
ADDITION-ÉLIMINATION, 14.9-10; 19.16; 20.13
ADÉNINE, 22.21
ADÉNOSINE, 22.21
ADIPIQUE (acide –), 20.18; 25.8
ADN, 22.21
AGLUCONE, 22.20
AGLYCONE, 22.20,22
ALANINE, 23.2,7
  configuration, 3.16; 23.6
ALBUMINE, 23.10
ALCALOÏDES, 21.11
ALCANES, 8
  nomenclature, 7.3
ALCÈNES, 9
  nomenclature, 7.4
  réaction avec les hydrocarbures benzéniques, 12.10; 16.13
  utilisations, 25.4
ALCOOLATES, 15.4
ALCOOLS, 15
  nomenclature, 7.10
  transformation en halogénures, 13.14
ALCYNES, 10
  nomenclature, 7.4
ALDÉHYDES, 18
  nomenclature, 7.14
  éthyléniques, 20.20
  animation réductive 17.16
  réaction avec les alcynes vrais, 10.13
  réaction de Knoevenagel, 20.17
ALDOHEXOSES, 22.3
ALDOL, 18.16; 20.22
ALDOLISATION, 18.16
ALDOPENTOSES, 22.1
ALDOSES, 22.3-8
ALIZARINE, 17.20
ALKYLATION
  de l'acétylène, 10.15
  de l'acétylacétate d'éthyle, 20.28
  des alcynes vrais, 10.10-12
  des aldéhydes et des cétones, 18.15
  des amines, 17.8,14
  du malonate d'éthyle, 19.11; 20.17
  du cycle benzénique, 12.10; 25.5
  des hétérocycles, 21.8,10
  O-alkylation, 18.15
ALKYLES (groupes, ou radicaux –), 1.16
ALLÈNES, 10.14; 20.1
ALLYLE (carbocation –), 20.21
ALLYLIQUE (position –), 8.5
ALUMINIUM (chlorure d'–), 5.19; 12.6,7,10
AMIDES, 17.10; 19.5,19;
  nomenclature, 7.21
  dégradation en amines, 17.18
AMIDINES, 19.19
AMIDON, 22.1,18
AMINATION RÉDUCTIVE, 17.16; 23.4
AMINES, 17
  nomenclature, 7.13
AMINO-ACIDES, 23
AMINOPLASTES (résines – ), 25.8
AMMONIUM
  ion –, 4.4
  sels d'–, 19.19-20

ions alkyl –, 17.5
quaternaire, 13.4; 17.9,19
AMPHOTÈRE (caractère –), 5.17
AMYGDALINE, 22.20
AMYLOPECTINE, 22.18
AMYLOSE, 22.18
ANALYSE
élémentaire, 6.5
fonctionnelle, 6,7
ANDROSTÉRONE, 24.15
ANGLES (de liaisons), 2.5
ANHYDRIDES, 19.17
nomenclature, 7.17
estérification par les –, 15.7; 16.5
ANILINE, 7.13; 17.19
ANOMÈRES (formes –), 22.5
ANTIPODES OPTIQUES, 3.8
APPLIQUÉE (chimie organique –), 25; 0.6
APROTIQUES (solvants –), 5.20
ARABINOSE, 22.4
ARACHIDIQUE (acide –), 24.1
ARÈNES, 12
nomenclature, 7.6
ARGENT (nitrate d'– ammoniacal), 18.18
nitrite d'–, 13.4
ARGININE, 23.2,7
ARN, 22.21
AROMATICITÉ, 12.18
AROMATIQUE (caractère –), 12.18
des hétérocycles, 21.5,10
ARRHÉNIUS (loi d'–), 5.8
ARTÉRIOSCLÉROSE, 24.14
ARYLES (groupes –), 1.16; 12.1; 16.1
ASPARAGINE, 23.2
ASPARTIQUE (acide –), 23.2,7
ASSOCIATION INTERMOLÉCULAIRE 5.20; 15.2; 19.2
ASYMÉTRIQUE (carbone –), 3.7
ATACTIQUES (polymères –), 25.7
AUXOCHROME (groupe –), 17.20
AXIALES (liaisons –), 2.9
AZOÏQUES (colorants –), 17.12
AZOTE (chiralité due à l'–), 3.9

**B**

BAKÉLITE, 16.7; 25.6
BANDE D'ABSORPTION, 6.9, 10
BARBITURIQUE (acide –), 19.22
BARRIÈRE D'ÉNERGIE, 2.7,10; 3.2
BASE CONJUGUÉE, 5.17
BASICITÉ
selon Brönsted, 5.17-18
selon Lewis, 5.19
des amines, 17.5-6
des hétérocycles, 21.6,10
BATEAU (forme –), 2.9
BECKMAN (réarrangement de –), 18.11
BENZALDÉHYDE (réaction de Cannizzaro), 18.12
BENZÈNE, 7.6; 12
géométrie, 2.12
mésomérie, 4.21; 12.3
dérivés du –, 25,5
BENZÉNIQUES
amines, 17.6,12
halogénures, 16.9; 20.21
hydrocarbures, 12; 25.5
BENZOÏNES, 20.22
BENZOÏQUE (acide –), 7.16; 12.12
BENZOL, 25.2
BENZOQUINONES, 20.14
BENZYLE (groupe –), 12.1
BENZYLIQUE (réarrangement –), 20.12
BENZYLIQUES (halogénures –), 20.21
BICYCLO[2.2.1] HEPTANE, 2.9
BIOT (loi de –), 3.10
BIPHÉNYLE, 12.1
BIRCH (réduction de –), 12.4
BORE (trifluorure de –), 5.19
BROME
addition sur les doubles liaisons, 9.10
addition sur les diènes, 20.3
BROMOFORME, 18.17
BROMONIUM (ion –), 9.10
BRÖNSTED (acidobasicité selon –), 5.17-18
BUTA-1,3-DIÈNE,
addition en 1,4, 20.3-4
mésomérie, 4.21; 20.2
polymérisation, 20.5; 25.7
préparation, 25.3
BUTYLE (groupe –), 1.16

**C**

CADMIENS (organo –), 14,13; 18.27
CAFÉINE, 21.11
CAHN, INGOLD, PRELOG (règle de –), 3.13
CAMPHRE, 24.8
CANNIZZARO (réaction de –), 18.12; 20.12)
CAOUTCHOUC,
20.5; 24.12
synthétique, 20.5; 25.7
CAPROLACTAME, 25.8
CARBAMIQUE (acide –), 19.21
CARBANIONS, 5.12; 26.3
CARBOCATIONS, 5.12; 26.2
CARBOCHIMIE, 25.2
CARBONE
asymétrique, 3.7
hybridations, 4.9-11; 10.3
tétraédrique, 2.5
CARBONIQUE (acide –), 19.21
CARBONYLE (groupe –), 18.1
dans les aldéhydes et les cétones, 18.3
dans les acides, 19.3
CARBOXYLE (groupe –), 19.1
CARBURANTS, 8.15; 25.3
CARBURE DE CALCIUM, 10.15; 19.22; 25.2
CAROTÈNE, 24.11
CATALYSE, 5.9
acide, 9.8; 10.7; 12.6; 15.6; 18.5
basique, 18.16
hétérogène, 9.4; 10.4; 12.4; 15.6; 15.9; 18.23
CELLOBIOSE, 22.14,17
CELLOPHANE, 22.17
CELLULOÏD, 25.6
CELLULOSE, 22.1,17
CÉPHALINES, 24.3
CÉRIDES, 24.2
CÉTANE (indice de –), 8.15
CÉTO-ACIDES, 20.26-27
CÉTO-ÉNOLIQUE (équilibre –), 1.15; 18.3,14; 20.13,28
CÉTO-ESTERS, 20.28
CÉTOHEXOSES, 22.1
CÉTOLISATION, 18.16
CÉTOLS, 18.16; 20.22
CÉTOPENTOSES, 22.1
CÉTONES, 18
nomenclature, 7.15
amination réductive, 17.16
éthyléniques, 20.20
réaction avec les alcynes vrais, 10.13
réduction en diols, 20.8
CÉTOSES, 22.1,9
CFC, 13.19, 20
CHAÎNES CARBONÉES, 1.4-9
géométrie, 2.6-12
CHAISE (forme –), 2.9; 22.5
CHIMIE
industrielle, 25
de base, 25.1
lourde, 25.1
fine, 25.1
CHIRALE (molécule), 3.3
CHIRALITÉ, 3.3-7
conséquences de la –, 3.8-11
dans le vivant, 3.26
CHLORAL (hydrate de –), 18.9
CHLORHYDRINE, 9.11; 20.10
CHLOROFORME, 18.17
CHLOROFLUOROCARBONES, 13.19-20
CHLOROPHYLLE, 21.11
CHLOROPRÈNE, 25.7
CHLORURES D'ACIDES, 19.16
nomenclature, 7.18
estérification par les –, 15.7; 16.5
réaction de Friedel et Crafts, 12.10; 18.29
réaction avec les organocadmiens, 14.13; 18.27
réaction avec les organomagnésiens, 14.10
réaction avec les amines, 17.10; 23.8
réaction avec l'urée, 19.22
réduction, 18.24; 19.16
CHLORURE DE THIONYLE
réaction avec les alcools, 13.14
réaction avec les acides, 19.16
CHLORURE DE VINYLE, 9.17; 25.4
CHOLESTÉROL, 24.10,14
CHOLIQUE (acide –), 24.14
CHROMATOGRAPHIE, 6.3
CHROMOPHORE, 17.20
CINÉTIQUE.
aspect – des réactions, 5.5-9
méthode –, 13.7,9; 26.4
CIRES, 24.2
CIS (forme –), 3.21,24
CITRONELLOL, 24.8
CLAISEN,
condensation de –, 20.28
réaction de –, 20.13
CLASSIFICATION des réactions, 5.3: 26
CLEMMENSEN (réaction de –), 8.12
COIN-VOLANT (représentation –), 2.4
COKE, 25.2
COLOPHANE, 24.9
COLORANTS, 17.12,20
COMBUSTION des alcanes, 8.6,15
COMPLEXE ACTIVE, 5.6

COMPOSITION CENTÉSIMALE, 6.5
CONCERTÉ (mécanisme –), 5.11; 13.5,9; 18.11
CONFIGURATION, 2.5
absolue, 3.12-16
corrélation de – , 3.15
inversion de – , 5.16; 13.7
nomenclature, 3.13-14; 3.16
rétention de – , 5.16
des aminoacides, 23.6
des glucides, 22
du glucose, 22.2,3
CONFORMATION, 2.6
des chaînes, 2.7-8
des cycles, 2.8-9
des protéines, 23.14
et chiralité, 3.6
CONIFÉRINE, 22.20
CONJUGAISON, 4.17
– et spectre UV, 6.11
(voir MÉSOMÉRIE)
CONJUGUÉ(E) (acide ou base –), 5.17
CONSTANTES PHYSIQUES, 6.6
COORDINENCE, 4.4; 5.11; 15.26
COPOLYMÉRISATION, 25.7
COPULATION, 17.12,20
CORPS GRAS, 20.11
CORTICOSTÉROÏDES, 24.16
CORTISONE, 24.16
COTON-POUDRE, 22.17
COUMARONE, 21.2
COUPLAGE DE SPINS, 6.16
COUPLE ACIDOBASIQUE, 5.17
COVALENCE, 4.4,8; 5.11
rayon de – , 2.13
CRAQUAGE, 25.3
CRÉSOL, 7.11
CRÉSYLE (groupe –), 12.1
CRISTALLISATION fractionnée, 6.3
CROTONISATION, 18.16
CRYOMÉTRIE, 6.4
CRYPTAND, 15.26
CRYPTATE, 15.26
CUMÈNE, 7,6
dans la préparation du phénol, 16,13; 25.5
CUMULÈNES, 20.6
CYANAMIDE, 19.22
CYANHYDRINE, 18.8
des aldoses, 22.4
CYANHYDRIQUE (acide –), 19.20
acidité, 10.3
addition sur le groupe C=O, 18.8; 22.4
CYANIQUE (acide –), 19.21
CYCLIQUES (chaînes –), 1.6
géométrie, 2.8-9
CYCLISATION, 11.11; 20.18
thermique des alcanes, 8.7
CYCLOALCANES, 1.10; 11.1
nomenclature, 7.5
CYCLOALCÈNES, 1.10; 11.1
nomenclature, 7.5
CYCLOALCYNES, 1.10; 11.1
nomenclature, 7.5
CYCLOALKYLES (groupes –), 1.16
CYCLOBUTADIÈNE, 12.18
CYCLOBUTANE, 11.8
CYCLOHEXANE, 1.6
géométrie, 2.9
CYCLOHEXYLE (groupe –), 1.16
CYCLOPENTADIÈNE,
acidité du – , 12.18
synthèse diénique, 20.4
CYCLOPENTADIÉNYLE (anion –), 12.18
CYCLOPENTANONE, 20.18
CYCLOPROPANE, 1.6; 11.6-9
CYCLOPROPÉNYLE (cation –), 12.18
CYCLOPROPYLE (groupe –), 1.16
CYSTÉINE, 23.2,7
CYTOSINE, 22.21


D


D (série –), 3.16
DACRON, 25.8
D.D.T., 13.19-20; 25.5
DÉCALÉE (conformation –), 2.7
DÉCARBOXYLATION,
des acides, 8.13; 18.23; 19.8
des diacides, 19.11
des acides et esters cétoniques, 20.27-28.
DÉLOCALISATION des électrons 4.15-21
(voir MÉSOMÉRIE)
DÉNATURATION des protéines, 23.15
DENSITÉ OPTIQUE, 6.9
DÉPLACEMENT CHIMIQUE, 6.14
DÉRIVÉS CARACTÉRISTIQUES, 6.7
des aldéhydes et des cétones, 18.11
DÉRIVÉS HALOGÈNES (voir HALOGÉNURES)
DÉSAMINATION NITREUSE, 17.12; 23.8
DESHYDRATATION
des acides, 19.17
des alcools, 15.6
des aldols et cétols, 18.16
des diols, 20.10
des phénols, 16.6
DESHYDROGÉNATION,
des alcanes, 8.7
des alcools, 15.9; 18.21
DESOXYALDOSES, 22.8
DÉSOXYRIBONUCLÉIQUE (acide –), 22.21
DÉSOXYRIBONUCLÉOSIDES, 22.21
DÉSOXYRIBOSE, 22.8,21
DÉTERGENTS, 19.23; 25.9
DEXTROGYRE (caractère –), 3.10
DIACIDES, 20.15-19
DIASTÉRÉOISOMÈRES,
nomenclature, 3.19-20; 3.24
DIASTÉRÉOISOMÉRIE, 3.17-24
DIAZOMÉTHANE, 11.12
DIAZONIUM (ion –), 17.12
DIAZOTATION, 16.11; 17.12,20; 23.8
DICARBONYLES (composés –), 20.12-14
DICÉTONES, 20.12-13
DICÉTOPIPÉRAZINES, 23.9
DIÉLECTRIQUE (constante –), 5.20
DIELS-ALDER (réaction de –), 11.13
avec le butadiène, 20.4
avec le cyclopentadiène, 20.4
avec le furane, 21.7
avec les quinones, 20.14
DIÈNES, 20.1-5
DIÉNIQUE (synthèse –),
(voir DIELS-ALDER)
DIGONALE (hybridation –), 4.11
DIHYDROFOLLICULINE, 24.15
DIMÉTHYLSULFOXYDE, 5.20; 15.25
2,4-DINITROPHÉNYLHYDRAZINE (ONES), 18.11
DIOLS, 9.12-13; 20.7-10
DIOXANE, 21.9
DIOXOLANE, 18.10
DIOXYDE DE CARBONE (réaction avec les organomagnésiens), 14.8; 19.11
DISMUTATION, 18.12
DISSOCIATION ionique, 5.20
DISTILLATION,
fractionnée, 6.3
de la houille, 16.12; 25.2
du pétrole brut, 25.3
DITERPÈNES, 24.6,9
DOUBLE LIAISON,
géométrie, 2.10
stéréoisomérie, 3.23
structure électronique, 4.4,10
DYNAMITE, 20.11


E


*E* (isomère –), 3.24
ÉCLIPSÉE (conformation –), 2.7
ÉCONOMIQUES (données –), 25
ÉLASTOMÈRES, 20.5; 25.6-7
ÉLECTROCYCLIQUES (réactions –) 5.14; 19.18; 20.4
ÉLECTRONIQUE
spectre, 6.11
structure – des molécules, 4
ÉLECTRONS
σ, π, 4.4
libres (n), impairs, 4.5
ÉLECTROPHILE
addition – , 9.5-11; 26.10
caractère – , 5.13
substitution – , 12.6-11; 21.8,10; 26.8-9
ÉLECTROPHORÈSE, 23.7
ÉLÉMENTAIRES (réactions –), 5.7
ÉLIMINATION, 5.3; 26.12
dans les halogénures, 13.8-10
dans les alcools, 15.6
dans les esters, 19.18
de Hofmann, 17.9
compétition avec la substitution, 13.11
ÉNAMINE, 17.11
ÉNANTIOMÈRES, 3.8
nomenclature, 3.13-14; 3.19
ÉNANTIOMÉRIE, 3.3-16
ÉNANTIOMORPHES, 3.8
ÉNERGÉTIQUE (aspect – des réactions), 5.5-7
ÉNERGIE
d'activation, 5.6
de réaction, 5.5
niveau d'– , 6.10
barrière d'– , 2.7,10; 3.2
ENOL, 1.15; 10.7; 18.3,14; 20.13
ÉNOLATE (ion –), 18.3,14; 20.13
ENTHALPIE LIBRE, 5,5
ENZYMES, 23.16

ÉPOXYDES, 15.22
formation, 9.12
hydrolyse, 9.12
réaction avec les organomagnésiens, 14.12
réduction, 15.14
ÉPOXYÉTHANE, 9.12
ÉQUATORIALES (liaisons –), 2.9
ÉQUIVALENTS (protons –), 6.14
ESSENTIELLES (huiles –), 24.6
ESTÉRIFICATION
des alcools, 15.7
des phénols, 16.5
des acides-alcools, 20.24-25
de la cellulose, 22.17
mécanisme, 15.7
ESTERS, 19.18
nomenclature, 7.19
formation, 15.7
hydrolyse, 15.7,16; 19.12
pyrolyse, 9.19; 19.18
réduction, 15.18
saponification, 15.17; 19.12
réaction avec les organomagnésiens, 14.9; 15.19
minéraux, 15.5
β-cétoniques, 20.28
ÉTHANOL, 15.20
ÉTHERS-COURONNES, 15.26
ÉTHERS-OXYDES, 15.6,21
nomenclature, 7.12
benzéniques, 16.6
dans la préparation des organomagnésiens, 14.3
ÉTHYLE (groupe –), 1.16
ÉTHYLÈNE, 7.4
utilisations, 25.4
polymérisation, 25.7
oxyde d'– , 9.12; 14.12; 25.4,7
ÉTHYLÈNE-GLYCOL, 20.10
ÉTHYLÉNIQUES (composés –), 20.20-21
ÉTHYNYLATION, 10.13
ÉTHYNYLE (groupe –), 10.13
EUGÉNOL, 16.8
EXPLOSIFS, 12.8; 20.11; 22.17; 25.5
EXTINCTION (coefficient d'–), 6.9
EXTRACTION PAR SOLVANT, 6,3

F

FEHLING (liqueur de –), 18.18
FERMENTATION, 15.20; 22.4
FERROCÈNE, 12.18
FITTIG (réaction de –), 12.16
FISCHER (projection de –), 22.2
FLUORES (dérivés –), 13.18
FOLLICULINE, 24.15
FONCTION,
notion de – , 1.10
valence des – , 1.11
multiples, 20.1-19
mixtes, 20.20-28
FONCTION D'ONDE, 4.7
FONCTIONNELS (groupements –), 1.10
dosage des – , 6.7
FORMALDÉHYDE, 18.30; 25.8
FORMES LIMITES, 4.16-18
FORMOL, 18.9
FORMULES,
brutes, 1.1; 6.5
développées, 1.3-11
FRÉONS, 13.19-20
FRIEDEL ET CRAFTS (réaction de –), 12.10,15
FRUCTOFURANOSE, 22.9,12
FRUCTOPYRANOSE, 22.9
FRUCTOSE, 22.9
FRUCTOSIDES, 22.10,12
FUCOSE, 22.8
FURANE, 21.2-8
FURANOSE, 22.5
FURFURAL, 21.3

G

GABRIEL (méthode de –), 17.14; 23.3
GALACTOSE, 22.3
GALACTOSIDES, 22.10
GAZ À L'EAU, 25.2
GAZ NATUREL, 25.3
GÉMINE (dérivé –), 10.14
GILLESPIE (règles de –), 2.2
GLUCARIQUE (acide –), 22.4
GLUCIDES, 22
GLUCOFURANOSE, 22.5
GLUCONIQUE (acide –), 22.4
GLUCOPYRANOSE, 22.5,12,17,18,20
GLUCOSE, 22.3-7
configuration, 22.2-3
fermentation, 15.20
GLUCOSIDES, 22.5,10,12
GLUTAMINE, 23.2
GLUTAMIQUE (acide –), 23.2,7
GLYCÉRALDÉHYDE, 3.15-16; 23.6
GLYCÉRIDES, 24.1
GLYCÉROL, 20.11; 24.1; 25.8
GLYCÉROPHTALIQUES (résines –), 25.8
GLYCINE, 23.2,7
GLYCOCOLLE, 23.2
GLYCOGÈNE, 22.1,19
GLYCOLS (voir DIOLS)
GLYCOSIDES, 22.1,20,21; 24.17
GLYCOSIDIQUE (liaison –), 22.10
GLYOXAL, 20.12
GOUDRON DE HOUILLE, 16.12; 25.2
GRAISSES, 24.1
GRAS (acides –), 20.11; 24.1
GRIGNARD (réactifs et réactions de –), 14.2
GUANIDINE, 19.21
GUANINE, 22.21

H

HALOFORME (réaction –), 18.17; 19.13
HALOGÈNES (action des – sur)
les alcanes, 8.4-5
les alcènes, 9.10
les alcynes, 10.5
les arènes, 12.5,7
les petits cycles, 11.9
les aldéhydes et les cétones, 18.17
les diènes, 20.3
HALOGÉNURES
nomenclature, 7.8
d'alkyles, 13
d'aryles, 16.9; 20.21
benzyliques, 20.21
éthyléniques, 20.21
réaction avec les amines, 17.8,14
réaction avec l'ammoniac, 17.14
réaction de Friedel et Crafts, 12.10
déshalogénation, 9.21
déshydrohalogénation, 9.20; 10.14; 13.8
réduction en alcane, 8.9
saponification, 15.12
HAWORTH (représentation de –), 22.5
H.C.H.,13.19
HÉMIACÉTAL, 18.10
du glucose, 22.5
HÉMICELLULOSE, 22.17
HÉMOGLOBINE, 21.11; 23.10
HÉTÉROCYCLES, 1.6; 21
HÉTÉROSIDES, 22.1,20-21
HÉTÉROLYTIQUES (réactions –), 5.11
HEXAMÉTHYLÈNEDIAMINE, 17.19; 25.8
HISTIDINE, 23.2
HOFMANN
élimination d'–, 17.9
réaction d'–, 17.8,14
HOLLEMAN (règles de –), 12.11
HOLOSIDES, 22.1
oligo–, 22.11-15
poly–, 22.16-19
HOMOCYCLIQUES (chaînes), 1.6
HOMOLOGUE (série –), 1.17
HOMOLYTIQUES (réactions –), 5.10
HORMONES, 23.10; 24.15
HOUILLE, 25.2
HÜCKEL (règle de –), 12.18
HUILES, 24.1
essentielles, 24.6
HYBRIDATION des orbitales, 4.9-11; 10.3
HYBRIDE de résonance, 4.16
HYDRACIDES (action des –),
sur les alcènes, 9.6-7; 13.13
sur les alcynes, 10.6; 13.16
sur les alcools, 13.14; 15.5
sur les diènes, 20.3
sur les quinones, 20.14
HYDRATATION
des alcènes, 9.8-9; 15.11; 25.4
des alcynes, 10.7; 18.28
du groupe carbonyle, 18.9
des nitriles, 19.19-20
de l'urée, 19.22
HYDRATES DE CARBONE, 22.1
HYDRAZINE(ONES), 18.11
HYDROBORATION, 9.9; 10.7
HYDROCARBURES, 1.4-8
HYDROGÉNATION
des alcènes, 9.4
des alcynes, 9.22; 10.4
des aldéhydes et des cétones, 15.13-14; 18.4
du benzène, 12.4
des chlorures d'acides, 18.24; 19.16
du furane, 21.7
des huiles, 24.1
des nitriles, 19.20
des phénols, 16.7
des petits cycles, 11.8

HYDROGÈNE (liaison –), 5.20; 15.2; 16.2; 17.2; 19.2
dans les protéines, 23.14
et tautomérie, 18.14
HYDROGÈNE LABILE
acétylacétate d'étyle, 20.28
acides carboxyliques, 19.4
alcools, 15.3-4
alcynes vrais, 10.10
amines, 17.7
aldéhydes, cétones, 18.3; 18.14-17
cyclopentadiène, 12.18
β-dicétones, 20.13
malonate d'éthyle, 19.11; 20.17
malonylurée, 19.22
pyrrole, 21.5-6
composés à –, réaction avec les organomagnésiens, 14.5
HYDROLYSE
des corps gras, 24.1
des époxydes, 9.12
des esters, 15.7,16; 19.12
des halogénures d'alkyles, 15.12
des halogénures d'aryles, 16.9
des organométalliques, 10.11
des protéines, 23.12
HYDRONIUM (ion –), 5.17
HYDROPHILE (caractère –), 19.23
HYDROPHOBE (caractère –), 19.23
HYDROQUINONE, 20.14
HYDROXYAZOÏQUE, 17.12
HYDROXYLAMINE, 18.11, 22.4
HYDROXYLATION (des doubles liaisons), 9.12, 13
HYDROXYLE (groupe –), 15.1
HYDRURES (réduction par les –),
acides, 19.7
aldéhydes, cétones, 15.14; 18.6
époxydes, 15.22
esters, 15.18
HYPOBROMITE de sodium
action sur les amides, 17.18
action sur l'urée, 19.22
HYPOCHLOREUX (acide –),
action sur les alcènes, 9.11

I

IMIDAZOLE, 21.2
IMINES, 17.11; 18.11
INDICE DE SAPONIFICATION, Exercice ***24-a***
INDICE D'IODE, Exercice ***24-a***
INDIGO, 17.20
INDOLE, 21.2
INDUCTIF (effet –), 4.14
dans les carbocations et carbanions, 5.12
dans les dérivés halogénés, 13.3
dans les amines, 17.6
dans la substitution sur le cycle benzénique, 12.11
dans les diacides, 20.15
INDUSTRIELLE (chimie organique –), 25
INFOGRAPHIE, 2.15
INFRAROUGE (spectres –), 6.12
INSECTICIDES, 13.19-20
INTERMÉDIAIRES réactionnels, 5.7; 26.1-3
détection des –, 26.4
INTRAMOLÉCULAIRES (réactions –)
déshydratation des diols, 20.10
formation de lactones, 20.25
formation de lactames, 23.9
INVERSION
de configuration, 5.16; 13.7
du saccharose, 22.12
de Walden, 13.7
INVERTASE, 22.12
IODOFORME, 18.17
IONIQUE (liaison –), 4.12
IONISATION, 5.20
ISOBUTÈNE (polymérisation de l'–), 9.17
ISOBUTYLE (groupe –), 1.16
ISOCYANATE, 25.8
ISOÉLECTRIQUE (point –), 23.7
ISOLEUCINE, 23.2
ISOMÉRIE, 1.5
plane, 1.12-15
de constitution, 1.13
de position, 1.14
stérique, 3
ISOMÉRISATION (des alcanes), 8.7
ISOPRÈNE, 20.5; 24.7; 25.7
ISOPRÉNIQUE (règle –), 24.7
ISOPROPYLE (groupe –), 1.16
ISOTACTIQUES (polymères –), 25.7
ISOTOPES (méthode des –), 15.7; 26.4

K

KARASH (effet –), 9.7
KÉKULE (formule de –), 2.12
KÉROSÈNE, 25.3
KEVLAR, 25.8
KILIANI (méthode –), 22.4
KNOEVENAGEL (réaction de –), 20.17

L

L (série –), 3.16
LABILITÉ de l'hydrogène (voir HYDROGÈNE LABILE)
LACTAME, 23.9
LACTIDE, 20.24
LACTIQUE (acide –), 20.24
configuration, 3.8,14-16
LACTONE, 20.25; 22.4
LACTOSE, 22.15
LAMBERT-BEER (loi de –), 6.9
LANOSTÉROL, 24.10
LÉCITHINE, 24.3
LEUCINE, 23.2,6
LÉVOGYRE (caractère –), 3.10
LEWIS
acidobasicité selon –, 5.19
modèle de –, 4.4-6
LIAISONS
covalente, 4.4
ionique, 4.12
de coordinence, 4.4
dative, 4.4
polarisée, 4.12
géométrie des –, 2.2-12
longueur des –, 2.13
structure électronique des –, 4
polarisabilité des –, 13.3
– hydrogène (voir HYDROGÈNE)
– glycosidique, 22.10
– peptidique, 23.10
LIKE (forme –), 3.19
LIMONÈNE, 11.10; 24.8
LIN (huile de –), 24.1
LINDANE, 13.19-20
LINÉAIRES (chaînes –), 1.5
LINOLÉNIQUE (acide –), 14.1
LIPIDES, 24.1-5
LIPOPHILE (caractère –), 19.23
LIPOPROTÉINES, 24.4
LUCAS (test de –), 15.5
LYCOPÈNE, 24.11
LYSINE, 23.2,7

M

MACROMOLÉCULES, 25.6
MAGNÉSIENS (composés organo–) 14.2-12
réaction avec les cétones éthyléniques, 20.20
MALÉIQUE (anhydride –), 12.12
MALONATE D'ÉTHYLE, 19.11
réaction de Knoevenagel, 20.17
MALONIQUE
acide –, 20.17
synthèse –, 19.11; 20.17
MALONYLURÉE, 19.22
MALTOSE, 22.13,18
MANNOSE, 22.3
MARGARINES, 24.1
MARKOWNIKOV (règle de –), 9.6; 10.6
MASSE MOLAIRE (détermination de la –), 6.4
MÉCANISME RÉACTIONNELS, 5; 26
méthodes d'étude des –, 26.4
représentation des –, 5.21
MÉLAMINE, 25.8
MENTHOL, 24.8
MÉSO (forme –), 3.20
MÉSOMÈRE (effet –), 4.19
MÉSOMÉRIE, 4.16
dans les acides, 19.3-4
dans les amides, 19.19
dans les amines benzéniques, 17.6
dans les composés carbonylés éthyléniques, 20.20
dans les diènes, 20.2
dans les halogénures non saturés, 20.21
dans les phénols, 16.3
dans les quinones, 20.14
dans les hétérocycles, 21.4,10
dans la substitution sur le cycle benzénique, 12.11
stabilisation par –, 4.20
MÉTA (préfixe –), 7.6
MÉTALLATION
des alcynes vrais, 10.10
des alcools, 15.4
des amines, 17.7
du cyclopentadiène, 12.18
du malonate d'éthyle, 19.11
des phénols, 16.4
MÉTALDÉHYDE, 18.19
MÉTALLIQUES (composés organo–), 14
MÉTALLOCÈNES, 12.18
MÉTHANE
chloration du –, 8.5
dans le gaz naturel, 25.3

MÉTHANOL (synthèse du –), 15.20; 25.2
MÉTHIONINE, 23.2
MÉTHYLE (groupe –), 1.16
MICELLE, 19.23
MINÉRAUX (composés –, caractères généraux), 0.4
MODÈLES MOLÉCULAIRES, 2.4
MOLÉCULARITÉ des réactions, 5.8
MOLÉCULES MARQUÉES, 15.7; 26.4
MOMENT ÉLECTRIQUE (DIPOLAIRE), 4.13
MONOSACCHARIDES, 22.2
MORPHINE, 21.11
MOSAÏQUE DU TABAC, 23.12
MUTAROTATION, 22.7
MYRCÈNE, 9.18; 24.8

N

NAPHTALÈNE, 7.6
NÉROL, 24.8
NEWMAN (projection de –), 2.4
NICKEL (catalyse par le –), 9.4
NICOTINE, 21.11
NITRATION
  des arènes, 12.8
  des phénols, 16.7
  effet stérique sur la –, 5.15
NITRÉS (dérivés –), 12.8
NITREUX (acide ),
  action sur les amines, 17.12
NITRILES, 19.5; 19.20
  hydratation, 19.19
  réaction avec les organomagnésiens, 14.11; 18.26; 19.20
  dans la préparation des acides, 19.11
NITROCELLULOSE, 22.17
NITRONIUM (ion –), 12.8
NITROSOAMINE, 17.12
NITROSONIUM (ion –), 17.12
NUCLÉIQUES (acides –), 22.21; 23.10
NUCLÉOPHILE
  addition, 18.5-13; 26.11
  caractère, 5.13
  substitution, 13.4-7; 19.16; 26.5-7
NUCLÉOPROTÉINES, 23.10,12
NUCLÉOTIDE, 22.21
NYLON, 20.18; 25.8

O

OCIMÈNE, 9.18; 24.8
OCTANE (indice d'–), 8.15
ŒSTRADIOL, 24.15
ŒSTRONE, 24.15
OLÉFINES, 9.1
OLÉIQUE (acide –), 24.1
OLÉUM, 12.9
OLIGOHOLOSIDES, 22.1, 11-15
OLIGOSACCHARIDES, 22.1
ONDULATOIRE (modèle –), 4.7-11
ORBITALES, 4.7
ORDRE CINÉTIQUE, 5.8
ORGANIQUES (composés –, caractères généraux), 0.4
ORGANOCADMIENS, 14.13
ORGANOMAGNÉSIENS, 14.2-12
ORGANOMÉTALLIQUES, 14
  nomenclature, 7.9
ORLON, 25.7
ORTHO (préfixe –), 7.6
ORTHOFORMIATE D'ÉTHYLE, 14.7; 18.25
ORTHOPHTALIQUE (acide –), 25.8
OSANES, 22.1,16-19
OSAZONES, 22.4
OSES, 22.1,3-9
OSIDES, 22.1,10-15
OSONES, 22.4
OXALIQUE (acide –), 20.16
OXAZOLE, 21.2
OXIMES, 18.11; 22.4
OXO-SYNTHÈSE, 25.4
OXYDATION, 1.11, 5.21
  des alcanes, 8.6
  des alcènes, 9.12-15; 18.22; 19.10; 25.4
  des alcools, 15.8; 18.21
  des aldéhydes, 18.18; 19.10
  des cétones, 18.19; 19.10
  des diols, 20.10
  des hétérocycles, 21.10
  des huiles, 24.1
  des hydrocarbures benzéniques, 12.12; 19.10; 25.5
  du glucose, 22.4
  du naphtalène, 12.12
  des thiols, 15.24
  nombre d'–, 5.21
OXYDORÉDUCTION, 5.21
OXYTOCINE, 23.11
OZONE, 9.15
OZONOLYSE, 9.15

P

PAIRE D'IONS, 5.20
PALMITIQUE (acide –), 24.1
PAPIER, 22.22
PARA (préfixe –), 7.6
PARACHIMIE, 25.1
PARAFFINES, 25.3
PARAFORMALDÉHYDE, 18.19
PARALDÉHYDE, 18.19
PÉNICILLINE, 21.11
PEPTIDES, 23.10-16
PEPTIDIQUE (liaison –), 23.10
PER (préfixe –), 7.8
PÉRIODIQUE (acide –), 20.10
PÉROXYDE (effet –), 9.7
PÉTROCHIMIE, 8.14; 25.3
PÉTROLE
  origine, 8.8
  raffinage, 25.3
PESTICIDES, 13.20
PHÉNOBARBITAL, 21.11
PHÉNOL, 7.11; 16.13-14; 25.5,8
PHÉNOLATES, 16.3-4
PHÉNOLS, 16
PHÉNOPLASTES (résines –), 25.8
PHÉNYLALANINE, 23.2
PHÉNYLE (groupe –), 1.16; 12.1
PHÉNYLHYDRAZINE(ONE), 18.11; 22.4
PHOSGÈNE, 19.21-22
PHOSPHATIDES, 24.3
PHOSPHOLIPIDES, 24.3
PHOSPHORE (pentachlorure de –)
  action sur les alcools, 13.14
  action sur les aldéhydes et les cétones, 13.15; 18.13
  action sur les acides, 19.16
PHOSPHORE (trichlorure de –),
  action sur les alcools, 13.14
  action sur les acides, 19.16
PHOTOSYNTHÈSE, 22.1; 23.10
PHTALIMIDE, 17.14
PHTALIQUE (acide ortho–), 12.12; 20.19
  réaction avec le glycérol, 20.11; 25.8
PHYTOL, 24.9
PICRIQUE (acide –), 16.7; 25.5
PINACOL, 20.8,10
PINACOLONE, 20.10
PINACOLIQUE (réarrangement –), 20.10
PINÈNE, 11.10; 24.8
PIPÉRIDINE, 21.9
PIRIA (méthode de –), 18.23
PLASTIC, 22.17
PLASTIQUE (matières –), 25.6-8
PLEXIGLAS, 18.8; 25.7
PLOMB
  tétracétate de –, 20.10
  tétraéthyl, 8.15; 14.1
POLARISABILITÉ des liaisons, 13.3
POLARISATION des liaisons, 4.12-13
POLLUTION, 13.20
POLYACRYLONITRILE, 25.7
POLYADDITION, 25.7
POLYAMIDES, 25.8
POLYCHLORURE DE VINYLE, 25.7
POLYCONDENSATION, 25.8
POLYÈNES 20.6
POLYESTERS, 25.8
POLYÉTHYLÈNE, 9.17; 25.7
POLYHOLOSIDES, 22.1,16-19
POLYMÈRES (hauts –), 25.6-8
POLYMÉRISATION, 25.7
  de l'éthylène, 9.17
  des dérivés vinyliques, 9.17
  des aldéhydes, 18.19
  des diènes, 20.5
  cationique, 9.17
  radicalaire, 9.17
POLYPROPYLÈNE, 25.7
POLYSACCHARIDES, 22.1,16-19
POLYSTYRÈNE, 9.17; 25.7
POLYTERPÈNES, 24.12
POLYURÉTHANES, 25.8
PORPHYRINES, 21.11
POUVOIR ROTATOIRE, 3.10
PRIMAIRE (carbone –), 1.7
PROGESTÉRONE, 24.15
PROLINE, 23.2,7
PROPÈNE
  dérivés du –, 25.4
  polymérisation, 25.7
  dans la préparation du phénol, 16.13
  dans la préparation du glycérol, 20.11
PROPYLE (groupe –), 1.16
PROSTHÉTIQUE (groupe –), 23.10
PROTÉINES, 23.10-16
PROTIQUES (solvants –), 5.20
PROTOTROPIE, 1.15; 18.14
PTÉRIDINE, 21.9
PURIFICATION, 6.3
PURINE, 21.9; 22.21
PVC, 13.19
PYRANE, 21.9
PYRANOSE, 22.5
PYRAZINE, 21.9

PYRAZOLE, 21.2
PYRÈNE, 12.1
PYRIDINE, 21.10
PYRIMIDINE, 21.9; 22.21
PYROLYSE
des alcanes, 8.7
des esters, 9.19; 19.18
PYRROLE, 21.2-8
PYRROLIDINE, 21.2

**Q**

QUATERNAIRE
carbone –, 1.7
ammonium –, 13.4; 17.9,19
QUININE, 21.11
QUINOLÉINE, 21.9
QUINONES, 20.14

**R**

*R* (configuration –), 3.14
RACÉMIQUE (mélange –), 3.11
RACÉMISATION, 5.16; 13.7
RADICALAIRES (réactions –), 5.10; 26.14
RADICAUX, 1.16
libres, 4.5
stabilité, 5.10
RAFFINAGE du pétrole, 25.3
RAMIFIÉES (chaînes –), 1.5
RANCISSEMENT, 24.1
RAYON
de covalence, 2.13
de Van der Waals, 2.14
RAYONNE, 25.6
RÉACTIONS
acidobasiques, 5.17
complexes, 5.7
concertées, 5.11
élémentaires, 5.7
en chaîne, 5.10; 8.5
électrocycliques, 5.14
hétérolytiques, 5.11
homolytiques, 5.10
radicalaires, 5.10
classification, 5.3; 26
énergie de –, 5.5
énergétique des –, 5.5-9
mécanisme des –, 5; 26
vitesse des –, 5.8
RÉARRANGEMENTS, 5.3; 26.13
de Beckman, 18.11
benzylique, 20.12
pinacolique, 20.10
des carbocations, 12.10; 26.2
RÉDUCTION, 5.21
des acides, 19.7
des aldéhydes, 8.12; 15.13; 18.6,11
des cétones, 8.12; 15.13; 18.6,11; 20.8
des chlorures d'acides, 18.24
des esters, 15.18
de fonctions azotées, 17.17
des nitriles, 19.20
REFORMAGE, 25.3
RÉFRACTION (indice de –), 6.6
RÉGIOSÉLECTIVITÉ, 9.6,8,11; 10.6,7; 12.7,11; 13.8; 14.12
RÉSINES
phénoplastes, 16.7; 25.8
aminoplastes, 25.8
glycérophtaliques, 25.8
RÉSONANCE, 4.16
énergie de –, 4.20
dans le cycle benzénique, 12.3
protonique, 6.13
RÉSONANCE MAGNÉTIQUE NUCLÉAIRE, 6.13-16
RÉTENTION de configuration, 5.16
RÉTINAL, 24.11
RHAMNOSE, 22.8
RHODOID, 22.17; 25.4
RIBONUCLÉIQUE (acide –), 22.21; 23.12-13
RIBONUCLÉOSIDES, 22.21
RIBOSE, 22.21
RICIN (huile de –), 25.8
RILEY (réaction de –), 20.12
RILSAN, 25.8
ROTATION (autour des liaisons simples) 2.6-7
ROTATOIRE (pouvoir –), 3.10

**S**

*S* (configuration –), 3.14
SACCHAROSE, 22.12
SAPONIFICATION
des corps gras, 20.11; 24.1; 25.9
des esters, 15.17; 19.12
des halogénures d'alkyles, 15.12
des halogénures d'aryles, 16.9
SAVONS, 19.23; 20.11; 24.1; 25.9
SCHIFF (bases de –), 17.11
SECONDAIRE (carbone –), 1.7
SÉLÉNIUM (oxyde de –), 20.12
SELS, 19.5
nomenclature, 7.20
SEMICARBAZIDE(ONES), 18.11
SÉRINE, 23.2,7
SESQUITERPÈNES, 24.6
$S_N1$, $S_N2$ (mécanismes –), 13.4-7
SODATION (voir MÉTALLATION)
SOLVANT (rôle du –), 5.20
SOLVATATION, 5.20
SORBITOL, 22.4
SPECTRES, 6.9-10
électroniques, 6.11
de vibration-rotation, 6.12
de RMN, 6.14-16
SPECTROMÉTRIE DE MASSE, 6.4,17
SPECTROPHOTOMÉTRIE, 6.9-12
SPHINGOMYÉLINE, 24.3
SPHINGOSINE, 24.3
SQUALÈNE, 24.10
SQUELETTE MOLÉCULAIRE, 2.3
STÉARIQUE (acide –), 24.1
STÉRÉOCHIMIE, 2; 3
de l'addition, 9.10
de l'élimination, 13.10; 19.18
de la substitution, 13.7
STÉRÉOCHIMIQUE
méthode –, 5.16; 13.7,10; 26.4
aspect – des réactions, 5.15-16
STÉRÉOISOMÉRIE, 3
STÉRÉOISOMÈRES (nomenclature des –), 3.13,14,16,19,20,24
STÉRÉOSPÉCIFICITÉ des réactions 9.9,10,12,13; 10.4; 13.7,10; 19.18
STÉRIQUE (effet – sur les réactions), 5.15
STÉROÏDES, 24.13-17
biosynthèse des –, 24.5
STRECKER (réaction de –), 23.5
STRUCTURE des molécules, 1
électronique, 4
détermination, 6
STRYCHINE, 21.11
STYRÈNE, 7.6
polymérisation du –, 9.17; 25.7
SUBSTITUTIONS, 5.3; 26.5-9
électrophile, 12.6-11; 21.8,10
nucléophile, 13.4-7; 19.16
compétition avec l'élimination, 13.11
radicalaire, 8.5; 12.7
SUBSTRAT, 5.13
SUCCINIQUE (aldéhyde –), 21.3
SUCRES, 22.1
SULFONATION, 12.9
du thiophène, 21.8
SULFONATES (alcane –), 25.9
SULFONES, 15.25
SULFONIQUES (acides –), 12.9
fusion alcaline des –, 16.10
SULFOXYDES, 15.25
SYNDIOTACTIQUES (polymères –), 25.7

**T**

TAUTOMÉRIE, 1.15
des amides, 1.15
du phénol, 1.15
du glucose, 22.5,7
céto-énolique, 1.15; 18.3,14; 20.13,28
TÉFLON, 13.19; 25.7
TEINTURE, 17.20
TENSIO-ACTIFS (agents –), 19.23; 25.9
TENSION (dans les cycles), 2.8; 11.7
TÉRÉPHTALIQUE (acide –), 20.19; 25.8
TERGAL, 25.8
TERPÈNES, 24.6-12
TERTIAIRE (carbone –), 1.7
TERTIOBUTYLE (groupe –), 1.16
TESTOSTÉRONE, 24.15
TÉTRAÉDRIQUE (carbone –), 2.5
TÉTRAGONALE (hybridation –), 4.9
TÉTRAHYDROFURANE, 20.10; 21.2,7
TÉTRATERPÈNES, 24.6,11
TÉTRAZOLE, 21.2
THERMODURCISSABLES (polymères –), 25.6
THERMOPLASTIQUES (polymères –), 25.6
THIAZOLE, 21.2
THIOÉTHERS, 15.25
THIOLATES, 15.24
THIOLS, 14.23-24
THIOPHÈNE, 21.2-8
THRÉONINE, 23.2,7
THYMINE, 22.21
THYMOL, 16.8
TOLUÈNE, 7.6
TOLUIDINE, 7.13

TRANS (forme –), 3.21,24
TRANSITION (état de –), 5.6
TRANSITION ÉNERGÉTIQUE, 6.10
TRANSMITANCE OPTIQUE, 6.9
TRANSPOSITIONS (voir RÉARRANGEMENTS)
TRIAZOLE, 21.2
TRIGLYCÉRIDES, 24.1
TRIGONALE (hybridation –), 4.10
TRIOLS, 20.11
TRIOXANE, 18.19
TRIOXYMÉTHYLÈNE, 18.19
TRIPLE LIAISON
  géométrie, 2.11
  structure électronique, 4.11; 10.3
TRITERPÈNES, 24.6,10
TROPYLIUM (ion –), 12.18
TRYPTOPHANE, 23.2
TYROSINE, 23.2

U

UICPA, 7.1
ULTRAVIOLET (spectres dans l'–), 6.11
UNLIKE (forme –), 3.19
URACILE, 22.21
URÉE, 19.22
URÉE-FORMOL (résine –), 25.8
URÉIDE, 19.22
URÉTHANE, 19.21; 25.8
  poly –, 25.8

V

VALENCE
  des éléments, 1.3
  des fonctions, 1.11
  état de –, 4.6
VALINE, 23.2
VAN DER WAALS (rayon de –), 2.14
VANILLINE, 16.8
VAPOCRAQUAGE, 25.3
VIBRATION-ROTATION (spectre de –), 6.12
VICINAL (dérivé –), 9.21; 10.14
VINYLE (chlorure de –), 9.17; 25.4
VINYLIQUES (dérivés –), 9.17; 25.7
VISCOSE, 22.17
VITAMINE A, 24.9,11
VITAMINES, 23.10
VITESSE DE RÉACTION, 5.8
VULCANISATION, 24.12

W

WAGNER-MEERWEIN (réarrangement de –), 26.2
WALDEN (inversion de –), 13.7
WILLIAMSON (réaction de –), 15.21
WÖHL (méthode de –), 22.4
WOLFF-KISHNER (réaction de –), 18.11
WURTZ (réaction de –), 8.10; 11.11

X

XYLÈNES, 7.6

Z

*Z* (isomère –), 3.24
ZAITSEV (règle de –), 9.19-20; 13.8; 15.6
ZWITTER-ION, 23.7
ZYMASE, 22.4

Photocomposition : Imprimerie Nouvelle, Saint-Jean-de-Braye
Imprimerie Moderne de l'Est - 25110 Baume-les-Dames
Dépôt légal 1^re^ édition : 2^e^ trimestre 1990
Dépôt légal : Février 1997
N° Imprimeur : 11227
*Imprimé en France*